Neues Leben
Die Bibel

Das Neue Testament in grosser Schrift

NLB.

SCM

R.Brockhaus

Neues Leben. Die Bibel,

Homepage: www.scm-brockhaus.de; E-Mail: info@scm-verlag.de

Satz: Satz & Medien Wieser, Aachen
Druck und Bindung: C.H. Beck
Gedruckt in Deutschland

Inhalt

Das Neue Testament

Das Evangelium von Matthäus

Die Vorfahren von Jesus

1 1Dies ist ein Verzeichnis der Vorfahren von Jesus Christus,
einem Nachkommen des Königs David und Abrahams:
2Abraham war der Vater von Isaak. Isaak war der Vater von
Jakob. Jakob war der Vater von Juda und seinen Brüdern. 3Ju-
da war der Vater von Perez und Serach (ihre Mutter war Ta-
mar). Perez war der Vater von Hezron. Hezron war der Vater
von Ram. 4Ram war der Vater von Amminadab. Amminadab
war der Vater von Nachschon. Nachschon war der Vater von
Salmon. 5Salmon war der Vater von Boas (seine Mutter war
Rahab). Boas war der Vater von Obed (seine Mutter war Rut).
Obed war der Vater von Isai. 6Isai war der Vater von König
David.

David war der Vater von König Salomo (seine Mutter war
die Frau von Uria). 7Salomo war der Vater von Rehabeam.
Rehabeam war der Vater von Abija. Abija war der Vater von
Asa. 8Asa war der Vater von Joschaphat. Joschaphat war der
Vater von Joram. Joram war der Vater von Usija. 9Usija war
der Vater von Jotam. Jotam war der Vater von Ahas. Ahas war
der Vater von Hiskia. 10Hiskia war der Vater von Manasse.
Manasse war der Vater von Amon. Amon war der Vater von
Josia. 11Josia war der Vater von Jojachin und seinen Brüdern
(die in der Zeit des babylonischen Exils geboren wurden).

12Nach dem babylonischen Exil: Jojachin war der Vater von
Schealtiël. Schealtiël war der Vater von Serubbabel. 13Serub-
babel war der Vater von Abihud. Abihud war der Vater von
Eljakim. Eljakim war der Vater von Asor. 14Asor war der Vater
von Zadok. Zadok war der Vater von Achim. Achim war der
Vater von Eliud. 15Eliud war der Vater von Eleasar. Eleasar
war der Vater von Mattan. Mattan war der Vater von Jakob.
16Jakob war der Vater von Josef, dem Ehemann Marias. Maria
war die Mutter von Jesus, der Christus genannt wird.

17Von Abraham bis König David sind es insgesamt vierzehn
Generationen, von David bis zum babylonischen Exil wieder-

um vierzehn, und noch einmal vierzehn Generationen nach
dem babylonischen Exil bis zu Christus.

Die Geburt von Jesus

18Und so wurde Jesus Christus geboren. Maria, seine Mutter,
war mit Josef verlobt. Aber noch vor ihrer Hochzeit wurde sie,
die noch Jungfrau war, schwanger durch den Heiligen Geist.
19Josef, ihr Verlobter, war ein aufrechter Mann. Um sie nicht
der öffentlichen Schande preiszugeben, beschloss er, die Ver-
lobung in aller Stille zu lösen. 20Während er noch darüber
nachdachte, erschien ihm im Traum ein Engel des Herrn. »Jo-
sef, Sohn Davids«, sagte der Engel, »zögere nicht, Maria zu
heiraten. Denn das Kind, das sie erwartet, ist vom Heiligen
Geist. 21Sie wird einen Sohn zur Welt bringen. Du sollst ihm
den Namen Jesus geben, denn er wird sein Volk von allen
Sünden befreien.« 22All das geschah, damit sich erfüllt, was
Gott durch seinen Propheten angekündigt hat:

23»Seht! Die Jungfrau wird ein Kind erwarten! Sie wird ei-
nem Sohn das Leben schenken, und er wird Immanuel ge-
nannt werden. Das heißt, Gott ist mit uns.«

24Als Josef aufwachte, tat er, was der Engel des Herrn ihm
gesagt hatte. Er nahm Maria zur Frau. 25Josef aber rührte sie
nicht an, bis ihr Sohn geboren war. Und Josef gab ihm den
Namen Jesus.

Der Besuch der Sterndeuter

2 1Jesus wurde in der Stadt Bethlehem in Judäa während
der Herrschaft von König Herodes geboren. In dieser
Zeit kamen einige Sterndeuter aus einem Land im Osten
nach Jerusalem und fragten überall: 2»Wo ist der neugeborene
König der Juden? Wir haben seinen Stern aufgehen sehen und
sind gekommen, um ihn anzubeten.«

3Ihre Frage versetzte Herodes in große Unruhe, und alle Ein-
wohner Jerusalems mit ihm. 4Er berief eine Versammlung der
obersten Priester und Schriftgelehrten ein. »Wo soll denn der
Christus nach Aussage der Propheten zur Welt kommen?«,
fragte er sie.

5»In Bethlehem«, sagten sie, »denn der Prophet hat geschrie-
ben:
6›O Bethlehem in Judäa, du bist alles andere als ein unbe-
deutendes Dorf, denn ein Herrscher wird aus dir hervor-
gehen, der wie ein Hirte mein Volk Israel führen wird.‹«
7Daraufhin sandte Herodes eine geheime Botschaft an die
Sterndeuter und bat sie zu sich. Bei dieser Zusammenkunft
erfuhr er den genauen Zeitpunkt, an dem sie den Stern zum
ersten Mal gesehen hatten. 8Er sagte zu ihnen: »Geht nach
Bethlehem und sucht das Kind. Wenn ihr es gefunden habt,
kommt wieder her und erzählt es mir, damit ich auch hin-
gehen kann, um es anzubeten!«
9Nach diesem Gespräch machten die Sterndeuter sich auf
den Weg. Wieder erschien ihnen der Stern und führte sie
nach Bethlehem. Er zog ihnen voran und blieb über dem Ort
stehen, wo das Kind war. 10Als sie den Stern sahen, war ihre
Freude groß. 11Sie gingen in das Haus und fanden das Kind
mit seiner Mutter Maria, sanken vor ihm auf die Knie und
beteten es an. Dann öffneten sie ihre Truhen mit Kostbarkei-
ten und beschenkten es mit Gold, Weihrauch und Myrrhe.
12Als es Zeit war, wieder aufzubrechen, zogen sie jedoch auf
einem anderen Weg in ihre Heimat zurück, denn Gott hatte
sie in einem Traum davor gewarnt, zu Herodes zurückzukeh-
ren.

Die Flucht nach Ägypten

13Nachdem die Sterndeuter gegangen waren, erschien Josef
im Traum ein Engel des Herrn. »Steh auf und flieh mit dem
Kind und seiner Mutter nach Ägypten«, sagte der Engel.
»Bleib dort, bis ich dir sage, dass ihr zurückkehren könnt,
denn Herodes will das Kind umbringen.« 14Noch in derselben
Nacht machte sich Josef mit dem Kind und dessen Mutter
Maria auf den Weg nach Ägypten. 15Dort blieben sie bis zum
Tod des Herodes. Auf diese Weise erfüllte sich, was der Herr
durch den Propheten gesagt hatte: »Ich habe meinen Sohn aus
Ägypten gerufen.«
16Herodes war außer sich vor Zorn, als er erfuhr, dass die

Sterndeuter ihn hintergangen hatten. Er schickte Soldaten
aus, die in Bethlehem und der ganzen Umgebung alle Jungen
im Alter von zwei Jahren und jünger umbringen sollten. Denn
die weisen Männer hatten ihm erzählt, dass sie den Stern vor
etwa zwei Jahren zum ersten Mal gesehen hatten. 17Durch
diese grausige Tat des Herodes erfüllte sich die Prophezeiung
Jeremias:

18»Ein Schrei der Angst ertönt in der Stadt Rama – das Kla-
gen und Trauern nimmt kein Ende. Rahel weint um ihre Kin-
der und lässt sich nicht trösten – denn sie sind tot.«

Die Rückkehr nach Nazareth

19Als Herodes gestorben war, erschien Josef wieder ein Engel
des Herrn im Traum. Er sagte zu ihm: 20»Steh auf und bring
das Kind und seine Mutter zurück ins Land Israel, denn die,
die das Kind umbringen wollten, sind tot.« 21Daraufhin kehr-
te Josef mit Jesus und Maria nach Israel zurück. 22Als er aber
erfuhr, dass Archelaus, der Sohn des Herodes, der neue Herr-
scher war, bekam er Angst. Und wieder erhielt er im Traum
Gottes Anweisung: Er sollte nach Galiläa gehen. 23Die Familie
zog in die Stadt Nazareth, um sich dort niederzulassen. Damit
erfüllte sich, was die Propheten vorausgesagt hatten: »Man
wird ihn den Nazarener nennen.«

Johannes der Täufer, der Wegbereiter

3 1Um diese Zeit fing Johannes der Täufer an, in der Wüste
von Judäa zu predigen: 2»Kehrt um und wendet euch Gott
zu, denn das Himmelreich ist nahe.« 3Schon Jesaja hatte auf
Johannes hingewiesen, als er verkündete: »Er ist eine Stimme,
die in der Wüste ruft: ›Schafft Raum für das Kommen des
Herrn! Ebnet ihm den Weg!‹«

4Johannes trug Kleider aus gewebtem Kamelhaar und einen
Lederriemen um die Hüften; er ernährte sich von Heuschre-
cken und wildem Honig. 5Aus Jerusalem, aus allen Teilen Ju-
däas und aus dem ganzen Jordanland strömten die Menschen
hinaus in die Wüste, um ihn predigen zu hören. 6Und wenn
sie ihre Sünden bekannt hatten, taufte er sie im Jordan.

7Als er aber sah, dass auch viele Pharisäer und Sadduzäer
kamen, um sich von ihm taufen zu lassen, fuhr er sie an. »Ihr
Schlangenbrut! Wer hat euch eingeredet, ihr könntet dem be-
vorstehenden Gericht Gottes entkommen? 8Beweist durch eu-
ren Lebenswandel, dass ihr eure Sünden hinter euch gelassen
und euch Gott zugewandt habt. 9Es genügt nicht zu sagen:
›Wir sind die Nachkommen Abrahams. Uns kann nichts ge-
schehen.‹ Das beweist gar nichts. Wenn Gott wollte, könnte er
aus diesen Steinen Kinder Abrahams machen. 10Die Axt wird
schon durch die Luft geschwungen, bereit, eure Wurzeln ab-
zuhacken; denn jeder Baum, der keine guten Früchte bringt,
wird umgehauen und ins Feuer geworfen.

11Ich taufe all diejenigen mit Wasser, die ihren Sünden den
Rücken kehren und sich Gott zuwenden. Doch bald kommt
einer, der ist viel stärker als ich – so viel gewaltiger, dass ich
nicht einmal wert bin, sein Diener zu sein. Er wird euch mit
dem Heiligen Geist und mit Feuer taufen.

12Er wird mit seiner Schaufel die Spreu vom Weizen trennen,
den Dreschplatz aufräumen und den Weizen in die Scheune
bringen; die Spreu aber wird er im ewigen Feuer verbrennen.«

Die Taufe von Jesus

13Um diese Zeit kam Jesus aus Galiläa an den Jordan, um sich
von Johannes taufen zu lassen. 14Doch Johannes weigerte sich.
»Eigentlich müsste ich mich von dir taufen lassen«, sagte er,
»warum kommst du zu mir?«

15Jesus erwiderte: »Es muss sein. Wir müssen alles so halten,
wie es von Gott aus sein soll.« Da taufte ihn Johannes.

16Als Jesus gerade aus dem Wasser stieg, öffnete sich der
Himmel, und er sah den Geist Gottes wie eine Taube herab-
schweben und sich auf ihm niederlassen. 17Und eine Stimme
aus dem Himmel sprach: »Dies ist mein geliebter Sohn, an
ihm habe ich große Freude.«

Die Versuchung

4 1Danach wurde Jesus vom Heiligen Geist in die Wüste
geführt, weil er dort vom Teufel auf die Probe gestellt wer-
den sollte. 2Nachdem er vierzig Tage und vierzig Nächte kei-
ne Nahrung zu sich genommen hatte, war er sehr hungrig.
3Da trat der Teufel zu ihm und sagte: »Wenn du der Sohn
Gottes bist, dann verwandle diese Steine in Brot.«
4Doch Jesus erwiderte: »Nein! Die Schrift sagt: ›Der Mensch
braucht mehr als nur Brot zum Leben. Er lebt auch von jedem
Wort, das aus dem Mund Gottes kommt.‹«
5Darauf nahm ihn der Teufel mit nach Jerusalem, auf den
höchsten Punkt der Tempelmauer. 6Dort sagte er: »Wenn du
der Sohn Gottes bist, dann spring hinunter! Denn die Schrift
sagt: ›Er befiehlt seinen Engeln, dich zu beschützen. Sie wer-
den dich auf ihren Händen tragen, damit deine Füße niemals
stolpern.‹«
7Jesus antwortete: »Die Schrift sagt aber auch: ›Fordere den
Herrn, deinen Gott, nicht heraus.‹«
8Als Nächstes nahm ihn der Teufel mit auf den Gipfel eines
hohen Berges und zeigte ihm alle Länder der Welt mit ihren
Reichtümern. 9»Das alles schenke ich dir«, sagte er, »wenn du
vor mir niederkniest und mich anbetest.«
10»Scher dich fort von hier, Satan«, sagte Jesus zu ihm.
»Denn die Schrift sagt: ›Du sollst den Herrn, deinen Gott, an-
beten und nur ihm allein dienen.‹«
11Da verließ ihn der Teufel, und Engel kamen und sorgten
für Jesus.

Der Beginn des öffentlichen Wirkens

12Als Jesus hörte, dass Johannes verhaftet worden war, verließ
er Judäa und kehrte nach Galiläa zurück. 13Doch er ging nicht
nach Nazareth, sondern nach Kapernaum am See Geneza-
reth, im Gebiet von Sebulon und Naftali. 14Auf diese Weise
erfüllte sich die Prophezeiung Jesajas:
15»Im Lande Sebulon und Naftali, am See, jenseits des Jor-
dan, in Galiläa, leben so viele Menschen, die Gott nicht ken-
nen. 16Dort hat das Volk, das im Dunkel lebt, ein helles Licht

gesehen. Und über den Menschen in einem vom Tode über-
schatteten Land ist ein strahlendes Licht aufgegangen.«
17 Von da an begann Jesus zu predigen: »Hört auf zu sündi-
gen und kehrt um zu Gott, denn das Himmelreich ist nahe.«

Die ersten Jünger

18 Eines Tages, als Jesus am Ufer des Sees Genezareth ent-
langging, sah er zwei Brüder, die ihre Netze auswarfen. Si-
mon, der später Petrus genannt wurde, und Andreas waren
von Beruf Fischer. 19 Jesus rief ihnen zu: »Kommt mit und
folgt mir nach. Ich will euch zeigen, wie man Menschen
fischt!« 20 Sofort ließen sie ihre Netze liegen und gingen mit
ihm.
21 Etwas weiter am Ufer entlang sah er zwei andere Brüder,
Jakobus und Johannes, die mit ihrem Vater Zebedäus in ei-
nem Boot saßen und ihre Netze flickten. Auch sie rief er zu
sich. 22 Ohne Zögern folgten sie ihm und ließen das Boot und
ihren Vater zurück.

Das Wirken von Jesus in Galiläa

23 Jesus reiste durch ganz Galiläa und sprach in den Synago-
gen. Überall verkündigte er die Botschaft vom Reich Gottes
und heilte die Menschen von ihren Krankheiten und Gebre-
chen. 24 Die Neuigkeiten über ihn verbreiteten sich weit über
die Grenzen Galiläas. Bald strömten die Kranken sogar aus
Syrien herbei, um sich von ihm gesund machen zu lassen.
Und ganz gleich, welche Krankheit und welche Beschwerden
sie quälten, ob sie von Dämonen besessen, Epileptiker oder
Gelähmte waren – er heilte sie. 25 Große Menschenmassen um-
lagerten ihn, wohin er auch ging – es waren Leute aus Galiläa,
aus den Zehn Städten, aus Jerusalem, aus ganz Judäa, selbst
aus den Gegenden östlich des Jordan.

Die Bergpredigt

5 1 Eines Tages, als sich immer mehr Menschen um Jesus
sammelten, stieg er mit seinen Jüngern auf einen Berg
und setzte sich dort hin, um sie zu unterrichten.

Die Seligpreisungen

2Und das lehrte er sie:

3»Glücklich sind die, die erkennen, dass sie Gott brauchen, denn ihnen wird das Himmelreich geschenkt.

4Glücklich sind die, die traurig sind, denn sie werden getröstet werden.

5Glücklich sind die Freundlichen und Bescheidenen, denn ihnen wird die ganze Erde gehören.

6Glücklich sind die, die nach Gerechtigkeit hungern und dürsten, denn sie werden sie im Überfluss erhalten.

7Glücklich sind die Barmherzigen, denn sie werden Barmherzigkeit erfahren.

8Glücklich sind die, die ein reines Herz haben, denn sie werden Gott sehen.

9Glücklich sind die, die sich um Frieden bemühen, denn sie werden Kinder Gottes genannt werden.

10Glücklich sind die, die verfolgt werden, weil sie in Gottes Gerechtigkeit leben, denn das Himmelreich wird ihnen gehören.

11Glücklich seid ihr, wenn ihr verspottet und verfolgt werdet und wenn Lügen über euch verbreitet werden, weil ihr mir
nachfolgt. 12Freut euch darüber! Jubelt! Denn im Himmel erwartet euch eine große Belohnung. Und denkt daran, auch die Propheten sind einst verfolgt worden.

Von Salz und Licht

13Ihr seid das Salz der Erde. Doch wozu ist Salz noch gut, wenn es seinen Geschmack verloren hat? Kann man es etwa wieder brauchbar machen? Es wird weggeworfen und zertre-
ten, wie etwas, das nichts wert ist. 14Ihr seid das Licht der Welt – wie eine Stadt auf einem Berg, die in der Nacht hell
erstrahlt, damit alle es sehen können. 15Niemand versteckt ein Licht unter einem umgestülpten Gefäß. Er stellt es vielmehr auf einen Lampenständer und lässt es für alle leuchten.
16Genauso lasst eure guten Taten leuchten vor den Menschen, damit alle sie sehen können und euren Vater im Himmel dafür rühmen.

Über das Gesetz

[17]Versteht nicht falsch, warum ich gekommen bin. Ich bin
nicht gekommen, um das Gesetz oder die Schriften der Pro-
pheten abzuschaffen. Im Gegenteil, ich bin gekommen, um sie
zu erfüllen. [18]Ich versichere euch: Solange der Himmel und
die Erde bestehen, wird selbst die kleinste Einzelheit von Got-
tes Gesetz gültig bleiben, so lange, bis ihr Zweck erfüllt ist.
[19]Wenn ihr also das kleinste Gebot brecht und andere dazu
ermuntert, dasselbe zu tun, werdet ihr auch die Geringsten
im Himmelreich sein. Dagegen wird jeder, der die Gesetze
Gottes befolgt und sie anderen erklärt, im Himmelreich groß
sein.

[20]Aber ich warne euch – nur wenn eure Gerechtigkeit die
der Schriftgelehrten und Pharisäer weit übertrifft, dürft ihr
ins Himmelreich hinein.

Vom Zorn

[21]Man hat euch gelehrt, dass unseren Vorfahren geboten wur-
de: ›Du sollst nicht töten. Wer einen Mord begeht, wird ver-
urteilt.‹ [22]Ich aber sage: Schon der, der nur zornig auf je-
manden ist, wird verurteilt! Wer zu seinem Freund sagt:
›Du Dummkopf!‹, den erwartet das Gericht. Und wer jeman-
den verflucht, dem droht das Feuer der Hölle.

[23]Wenn ihr also vor dem Altar im Tempel steht, um zu op-
fern, und es fällt euch mit einem Mal ein, dass jemand etwas
gegen euch hat, [24]dann lasst euer Opfer vor dem Altar liegen,
geht zu dem Betreffenden und versöhnt euch mit ihm. Erst
dann kommt zurück und bringt Gott euer Opfer dar. [25]Einigt
euch rasch mit eurem Gegner, bevor es zu spät ist und ihr vor
Gericht gestellt, einem Gerichtsdiener übergeben und ins Ge-
fängnis geworfen werdet. [26]Ich versichere euch: Ihr kommt
erst wieder frei, wenn ihr eure Schuld bis auf den letzten
Cent bezahlt habt.

Vom Ehebruch

[27]Man hat euch gelehrt, dass geboten wurde: ›Du sollst nicht
die Ehe brechen.‹ [28]Ich aber sage: Wer eine Frau auch nur mit

einem Blick voller Begierde ansieht, hat im Herzen schon mit
ihr die Ehe gebrochen. 29Wenn dich also dein Auge – auch
wenn es dein gutes Auge ist – zur Begierde verführt, reiß es
heraus und wirf es weg! Besser, du verlierst einen Körperteil,
als dass dein ganzer Körper in die Hölle geworfen wird.
30Und wenn dich deine Hand – auch wenn es deine kräftigere
Hand ist – zum Bösen verführt, hack sie ab und wirf sie weg!
Besser, du verlierst einen Körperteil, als dass dein ganzer Kör-
per in die Hölle geworfen wird.

Von der Ehescheidung

31Es wurde auch geboten: ›Ein Mann darf sich von seiner Frau
scheiden lassen, wenn er ihr einen Scheidungsbrief ausstellt.‹
32Ich aber sage: Wenn ein Mann sich von seiner Frau scheiden
lässt – es sei denn, sie war untreu –, macht er sie zur Ehebre-
cherin. Und wer eine geschiedene Frau heiratet, begeht eben-
falls Ehebruch.

Vom Schwören

33Man hat euch außerdem gelehrt, dass unseren Vorfahren
geboten wurde: ›Du sollst einen Schwur nicht brechen; du
sollst die Versprechen, die du vor dem Herrn abgelegt hast,
halten.‹ 34Ich aber sage: Schwört überhaupt nicht! Wenn ihr
sagt: ›Beim Himmel!‹, dann ist das ein heiliger Schwur, denn
der Himmel ist Gottes Thron.

35Und wenn ihr sagt: ›Bei der Erde!‹, dann ist auch das ein
heiliger Schwur, denn die Erde ist seine Fußbank. Und
schwört auch nicht: ›Bei Jerusalem!‹, denn Jerusalem ist die
Stadt des großen Königs.

36Schwört nicht einmal: ›Bei meinem Kopf!‹, denn ihr könnt
kein einziges Haar auf eurem Kopf weiß oder schwarz ma-
chen. 37Sagt einfach ›Ja‹ oder ›Nein‹. Jedes Wort darüber hi-
naus ist vom Bösen.

Von der Rache

38Man hat euch gelehrt, dass geboten wurde: ›Wer jemand am
Auge verletzt, soll selbst am Auge verletzt werden. Und wer

anderen einen Zahn ausschlägt, soll selbst einen Zahn dafür
einbüßen.‹ 39Ich aber sage: Wehrt euch nicht, wenn euch je-
mand Böses tut! Wer euch auf die rechte Wange schlägt, dem
haltet auch die andere hin. 40Wenn ihr vor Gericht erscheinen
müsst und euer Hemd wird euch abgenommen, gebt euren
Mantel noch dazu. 41Wenn jemand von euch verlangt, eine
Meile weit mit ihm zu gehen, dann geht zwei Meilen mit
ihm. 42Gebt denen, die euch bitten, und kehrt denen nicht
den Rücken, die etwas von euch borgen wollen.

Von der Liebe zu den Feinden

43Man hat euch gelehrt, dass geboten wurde: ›Liebe deinen
Nächsten‹ und hasse deinen Feind. 44Ich aber sage: Liebt
eure Feinde! Betet für die, die euch verfolgen! 45So handelt
ihr wie wahre Kinder eures Vaters im Himmel. Denn er lässt
die Sonne für Böse und Gute aufgehen und sendet Regen für
die Gerechten wie für die Ungerechten. 46Wenn ihr nur die
liebt, die euch auch lieben, was ist daran Besonderes? Das
tun sogar die bestechlichen Steuereintreiber. 47Wenn ihr nur
zu euren Freunden freundlich seid, wodurch unterscheidet
ihr euch dann von den anderen Menschen? Das tun sogar
die, die Gott nicht kennen. 48Ihr sollt aber vollkommen sein,
so wie euer Vater im Himmel vollkommen ist.

Vom Geben an die Bedürftigen

6 1Nehmt euch in Acht! Wenn ihr Gutes tut, dann tut es
nicht öffentlich, nur damit ihr bewundert werdet. In die-
sem Fall dürft ihr nicht erwarten, von eurem Vater im Himmel
belohnt zu werden. 2Wenn du einem Bedürftigen etwas gibst,
posaune es nicht heraus, wie es die Heuchler tun, die in den
Synagogen und auf den Straßen mit ihren Wohltaten ange-
ben, nur um die Aufmerksamkeit auf sich zu ziehen! Ich ver-
sichere euch: Das ist der einzige Lohn, den sie jemals dafür
erhalten werden. 3Wenn du jemandem etwas gibst, dann sag
deiner linken Hand nicht, was deine rechte tut.

4Gib in aller Stille, und dein Vater, der alle Geheimnisse
kennt, wird dich dafür belohnen.

Vom Beten und Fasten

5Und nun zum Beten. Wenn ihr betet, seid nicht wie die
Heuchler, die mit Vorliebe in aller Öffentlichkeit an den Stra-
ßenecken und in den Synagogen beten, wo jeder sie sehen
kann. Ich versichere euch: Das ist der einzige Lohn, den sie
jemals erhalten werden. 6Wenn du betest, geh an einen Ort,
wo du allein bist, schließ die Tür hinter dir und bete in der
Stille zu deinem Vater. Dann wird dich dein Vater, der alle
Geheimnisse kennt, belohnen.

7Plappert nicht vor euch hin, wenn ihr betet, wie es die Men-
schen tun, die Gott nicht kennen. Sie glauben, dass ihre Gebe-
te erhört werden, wenn sie die Worte nur oft genug wieder-
holen. 8Seid nicht wie sie, denn euer Vater weiß genau, was ihr
braucht, noch bevor ihr ihn darum bittet! 9So sollt ihr beten:

›Unser Vater im Himmel, dein Name werde geehrt. 10Dein
Reich komme bald. Dein Wille erfülle sich hier auf der Erde
genauso wie im Himmel.

11Schenk uns heute unser tägliches Brot

12und vergib uns unsere Schuld, wie auch wir denen ver-
geben haben, die an uns schuldig geworden sind.

13Lass nicht zu, dass wir der Versuchung nachgeben, son-
dern erlöse uns von dem Bösen.‹

14Wenn ihr denen vergebt, die euch Böses angetan haben,
wird euer himmlischer Vater euch auch vergeben. 15Wenn ihr
euch aber weigert, anderen zu vergeben, wird euer Vater euch
auch nicht vergeben.

16Wenn ihr fastet, so tut es nicht öffentlich wie die Heuchler,
die blass und nachlässig gekleidet herumgehen, damit die
Leute sie für ihr Fasten bewundern. Ich versichere euch: Das
ist der einzige Lohn, den sie jemals dafür erhalten werden.
17Wenn du fastest, dann kämme deine Haare und wasche dir
das Gesicht. 18Dann wird niemand auf den Gedanken kom-
men, dass du fastest, außer deinem Vater, der weiß, was du in
aller Stille tust. Und dein Vater, der alle Geheimnisse kennt,
wird dich dafür belohnen.

Von Geld und Besitz
19Sammelt keine Reichtümer hier auf der Erde an, wo Motten
oder Rost sie zerfressen oder Diebe einbrechen und sie stehlen
können. 20Sammelt eure Reichtümer im Himmel, wo sie we-
der von Motten noch von Rost zerfressen werden und vor
Dieben sicher sind. 21Denn wo dein Reichtum ist, da ist auch
dein Herz.
22Dein Auge ist das Fenster deines Körpers. Ein klares Auge
lässt das Licht bis in deine Seele dringen. 23Ein schlechtes
Auge dagegen sperrt das Licht aus und stürzt dich in Dunkel-
heit. Wenn schon das, was du für Licht hältst, in dir Dunkel-
heit ist, wie dunkel wird dann erst die Dunkelheit sein!
24Niemand kann zwei Herren dienen. Immer wird er den
einen hassen und den anderen lieben oder dem einen treu
ergeben sein und den anderen verabscheuen. Ihr könnt nicht
gleichzeitig Gott und dem Geld dienen.
25Darum sage ich euch: Sorgt euch nicht um euer tägliches
Leben – darum, ob ihr genug zu essen, zu trinken und anzu-
ziehen habt. Besteht das Leben nicht aus mehr als nur aus
Essen und Kleidung? 26Schaut die Vögel an. Sie müssen we-
der säen noch ernten noch Vorräte ansammeln, denn euer
himmlischer Vater sorgt für sie. Und ihr seid ihm doch viel
wichtiger als sie. 27Können all eure Sorgen euer Leben auch
nur um einen einzigen Augenblick verlängern? Nein.
28Und warum sorgt ihr euch um eure Kleider? Schaut die
Lilien an und wie sie wachsen. Sie arbeiten nicht und nähen
sich keine Kleider. 29Trotzdem war selbst König Salomo in
seiner ganzen Pracht nicht so herrlich gekleidet wie sie.
30Wenn sich Gott so wunderbar um die Blumen kümmert,
die heute aufblühen und schon morgen wieder verwelkt sind,
wie viel mehr kümmert er sich dann um euch? Euer Glaube ist
so klein!
31Hört auf, euch Sorgen zu machen um euer Essen und Trin-
ken oder um eure Kleidung. 32Warum wollt ihr leben wie die
Menschen, die Gott nicht kennen und diese Dinge so wichtig
nehmen? Euer himmlischer Vater kennt eure Bedürfnisse.
33Macht das Reich Gottes zu eurem wichtigsten Anliegen,

lebt in Gottes Gerechtigkeit, und er wird euch all das geben,
was ihr braucht.
34Deshalb sorgt euch nicht um morgen, denn jeder Tag
bringt seine eigenen Belastungen. Die Sorgen von heute sind
für heute genug.

Verurteilt niemanden

7 1Hört auf, andere zu verurteilen, dann werdet auch ihr
nicht verurteilt. 2Denn wie ihr über andere urteilt, wird
man über euch urteilen. Nach dem Maß, nach dem ihr ande-
ren gebt, wird man auch euch geben. 3Warum regst du dich
über einen Splitter im Auge deines Nächsten auf, wenn du
selbst einen Balken im Auge hast? 4Mit welchem Recht sagst
du: ›Mein Freund, komm, ich helfe dir, den Splitter aus dei-
nem Auge zu ziehen‹, wenn du doch nicht über den Balken
in deinem eigenen Auge hinaussehen kannst? 5Du Heuchler!
Zieh erst den Balken aus deinem eigenen Auge; dann siehst
du vielleicht genug, um dich mit dem Splitter im Auge deines
Freundes zu befassen.
6Gebt das, was heilig ist, nicht Menschen, denen nichts heilig
ist. Werft keine Perlen vor die Säue! Sie zertrampeln die Per-
len, drehen sich um und stürzen sich auf euch.

Wirksames Beten

7Bittet, und ihr werdet erhalten. Sucht, und ihr werdet finden.
Klopft an, und die Tür wird euch geöffnet werden. 8Denn wer
bittet, wird erhalten. Wer sucht, wird finden. Und die Tür
wird jedem geöffnet, der anklopft. 9Ihr Eltern – wenn euch
eure Kinder um ein Stück Brot bitten, gebt ihr ihnen dann
stattdessen einen Stein? 10Oder wenn sie euch um einen Fisch
bitten, gebt ihr ihnen eine Schlange? Natürlich nicht! 11Wenn
ihr, die ihr Sünder seid, wisst, wie man seinen Kindern Gutes
tut, wie viel mehr wird euer Vater im Himmel denen, die ihn
darum bitten, Gutes tun.

Die Goldene Regel

12Geht so mit anderen um, wie die anderen mit euch umgehen
sollen. In diesem Satz sind das Gesetz und die Propheten zusammengefasst.

Das enge Tor

13Ihr könnt das Reich Gottes nur durch das enge Tor betreten.
Die Straße zur Hölle ist breit und ihre Tür steht für die vielen
weit offen, die sich für den bequemen Weg entscheiden. 14Das
Tor zum Leben dagegen ist eng und der Weg dorthin ist
schmal, deshalb finden ihn nur wenige.

Der Baum und seine Früchte

15Nehmt euch vor falschen Propheten in Acht. Sie kommen
daher wie harmlose Schafe, aber in Wirklichkeit sind sie gefährliche Wölfe, die euch in Stücke reißen wollen. 16Ihr erkennt sie an ihrem Verhalten, so wie ihr einen Baum an seinen
Früchten erkennt. An Dornbüschen wachsen keine Trauben
und an Disteln keine Feigen. 17Ein gesunder Baum trägt gute
Früchte, ein kranker Baum dagegen schlechte.

18An einem guten Baum wachsen keine schlechten Früchte,
ebenso wenig wie ein kranker Baum gesunde Früchte hervorbringt. 19Deshalb wird jeder Baum, der keine guten Früchte
bringt, umgehauen und ins Feuer geworfen. 20Ihr seht, man
erkennt sie an ihren Früchten.

Echte Jünger

21Nicht alle Menschen, die sich fromm gebärden, glauben an
Gott. Auch wenn sie ›Herr‹ zu mir sagen, heißt das noch lange
nicht, dass sie ins Himmelreich kommen. Entscheidend ist, ob
sie meinem Vater im Himmel gehorchen. 22Am Tag des Gerichts werden viele zu mir kommen und sagen: ›Herr, Herr,
wir haben in deinem Namen prophezeit und in deinem Namen Dämonen ausgetrieben und viele Wunder vollbracht.‹
23Doch ich werde ihnen antworten: ›Ich habe euch nie gekannt. Fort mit euch. Ihr lebt nicht nach Gottes Gebot.‹

Ein festes Fundament

24Wer auf mich hört und danach handelt, ist klug und handelt
wie ein Mann, der ein Haus auf massiven Fels baut. 25Auch
wenn der Regen in Sturzbächen vom Himmel rauscht, das
Wasser über die Ufer tritt und die Stürme an diesem Haus
rütteln, wird es nicht einstürzen, weil es auf Fels gebaut ist.
26Doch wer auf mich hört und nicht danach handelt, ist ein
Dummkopf; er ist wie ein Mann, der ein Haus auf Sand baut.
27Wenn der Regen und das Hochwasser kommen und die
Stürme an diesem Haus rütteln, wird es mit Getöse einstür-
zen.«

28Als Jesus seine Rede beendet hatte, waren die Menschen
überwältigt von seiner Lehre, 29denn er sprach mit Voll-
macht – anders als die Schriftgelehrten.

Jesus heilt einen Aussätzigen

8 1Viele Menschen folgten Jesus, als er den Berg hinunter-
gestiegen war. 2Da trat ihm ein Aussätziger in den Weg. Er
fiel vor ihm nieder und sagte: »Herr, wenn du willst, kannst
du mich gesund machen.«

3Jesus berührte ihn. »Ich will es tun«, sagte er. »Sei gesund!«
Und im selben Augenblick war der Mann von seiner Krank-
heit geheilt. 4Daraufhin sagte Jesus zu ihm: »Geh zum Priester
und lass dich von ihm untersuchen. Sprich unterwegs mit nie-
mandem darüber. Aber nimm das Opfer mit, das Mose für die
Heilung von Aussatz vorgeschrieben hat. Das soll für alle ein
Beweis deiner Heilung sein.«

Der Glaube des römischen Offiziers

5Als Jesus in Kapernaum eintraf, kam ein römischer Offizier
zu ihm und bat ihn um Hilfe: 6Er sagte: »Herr, mein junger
Diener liegt im Bett, er ist gelähmt und hat große Schmerzen.«

7Jesus antwortete: »Ich werde kommen und ihn heilen.«

8Da sagte der Offizier: »Ach Herr, ich bin es nicht wert, dass
du in mein Haus kommst. Sprich nur einfach ein Wort, und
mein Diener wird gesund! 9Ich weiß das, weil ich selbst vor-

gesetzte Offiziere habe und auch mir Soldaten unterstellt sind. Ich brauche nur zu sagen: ›Geht‹, und sie gehen, oder ›Kommt‹, und sie kommen. Und wenn ich zu meinem Sklaven sage: ›Tu dies oder tu das‹, dann tut er es.«

10 Als Jesus das hörte, war er tief beeindruckt. Er wandte sich an die Menge und sagte: »Ich versichere euch: Einen solchen Glauben habe ich bisher in ganz Israel noch nicht erlebt!
11 Und ich sage euch: Viele Menschen werden aus der ganzen Welt herbeiströmen und mit Abraham, Isaak und Jakob im
Himmelreich zu Tisch sitzen. 12 Viele Israeliten dagegen – für die das Reich Gottes eigentlich bestimmt war – werden in die tiefste Dunkelheit hinausgestoßen, wo sie weinen und mit den Zähnen knirschen werden.«

13 Dann sagte Jesus zu dem römischen Offizier: »Geh wieder nach Hause. Was du geglaubt hast, ist eingetroffen.« Und der junge Diener wurde noch in derselben Stunde wieder gesund.

Jesus heilt viele Menschen

14 Als Jesus in das Haus von Petrus kam, lag dessen Schwie-
germutter mit hohem Fieber im Bett. 15 Doch als Jesus ihre Hand nahm, verschwand das Fieber. Da stand sie auf und machte ihm etwas zu essen.

16 An diesem Abend wurden viele Menschen zu Jesus gebracht, die von Dämonen besessen waren. Auf sein Wort hin verschwanden alle Geister, und er heilte auch alle Kranken.
17 Damit erfüllte sich das Wort Gottes, das der Prophet Jesaja gesprochen hatte: »Er nahm unsere Leiden auf sich und trug unsere Krankheiten.«

Der Preis für die Nachfolge

18 Als Jesus sah, dass die Menschenmenge immer größer wurde, wies er seine Jünger an, ans andere Ufer des Sees hinüberzufahren.

19 Da sagte einer der Schriftgelehrten zu ihm: »Meister, ich will dir nachfolgen, wohin du auch gehst!«

20Doch Jesus entgegnete ihm: »Füchse haben ihren Bau, und
Vögel haben ihre Nester, aber der Menschensohn hat keinen
Ort, wo er sich hinlegen kann.«
21Ein anderer seiner Jünger sagte: »Herr, lass mich erst noch
nach Hause gehen und meinen Vater begraben.«
22Doch Jesus sagte zu ihm: »Komm jetzt gleich mit mir! Die
nicht nach Gott fragen, sollen selbst für ihre Toten sorgen.«

Jesus stillt den Sturm

23Dann stieg Jesus ins Boot und fuhr mit seinen Jüngern über
den See. 24Plötzlich kam ein schrecklicher Sturm auf und die
gewaltigen Wellen schlugen ins Boot. Doch Jesus schlief.
25Schließlich weckten ihn die Jünger. »Herr, rette uns!«, riefen
sie aufgeregt. »Wir sinken!«
26Doch Jesus antwortete: »Warum habt ihr Angst? Ist euer
Glaube denn so klein?« Und er stand auf und drohte dem
Wind und den Wellen, und augenblicklich war alles wieder
ruhig. 27Die Jünger saßen voller Ehrfurcht und Bewunderung
da und fragten sich: »Wer ist dieser Mann? Sogar Wind und
Wellen gehorchen ihm!«

Jesus heilt zwei Besessene

28Als Jesus am anderen Ufer des Sees in dem Gebiet der Ga-
darener ankam, begegnete er zwei Männern, die von Dämo-
nen besessen waren. Sie lebten in Grabhöhlen und waren so
gefährlich, dass niemand es wagte, durch dieses Gebiet zu
reisen. 29Als sie ihn sahen, fingen die beiden an zu schreien:
»Was haben wir mit dir zu tun, Sohn Gottes? Du hast kein
Recht, uns jetzt schon, vor dem von Gott festgesetzten Zeit-
punkt, zu quälen!« 30In einiger Entfernung weidete eine große
Schweineherde, 31und die Dämonen baten ihn: »Wenn du uns
austreibst, dann schick uns in diese Schweineherde.«
32»So geht!«, befahl Jesus ihnen. Da fuhren die Dämonen aus
den Männern in die Schweine, und die ganze riesige Herde
stürzte die steile Böschung hinunter in den See, wo alle Tiere
ertranken. 33Die Hirten aber flohen in die Stadt und erzählten
allen, was mit den Besessenen geschehen war. 34Da kam die

ganze Stadt zu Jesus hinaus. Und alle baten ihn, fortzugehen
und sie unbehelligt zu lassen.

Jesus heilt einen Gelähmten

9 1Jesus stieg in ein Boot und fuhr über den See zurück in die
Stadt, in der er wohnte. 2Ein paar Leute brachten einen
Gelähmten auf einer Trage zu ihm. Als er ihren Glauben sah,
sagte Jesus zu dem Gelähmten: »Nur Mut, mein Sohn! Deine
Sünden sind dir vergeben.«
3»Das ist Gotteslästerung!«, entrüsteten sich einige der
Schriftgelehrten im Stillen.
4Jesus wusste, was sie dachten, und fragte sie: »Warum habt
ihr so böse Gedanken? 5Ist es leichter zu sagen: ›Deine Sünden
sind dir vergeben‹ oder ›Steh auf und geh‹? 6Ich werde euch
beweisen, dass der Menschensohn hier auf der Erde die Voll-
macht hat, Sünden zu vergeben.« Und er wandte sich zu dem
Gelähmten und sagte: »Steh auf und nimm deine Trage und
geh nach Hause, denn du bist geheilt!«
7Da sprang der Mann auf und ging nach Hause! 8In den
Menschen, die Zeugen dieses Vorfalls geworden waren, stie-
gen Angst und Ehrfurcht auf. Sie rühmten Gott, dass er ihnen
einen Mann mit so großer Vollmacht gesandt hatte.

Jesus beruft Matthäus

9Als Jesus die Straße entlangging, sah er Matthäus in seiner
Zollstation sitzen. »Komm mit und folge mir nach«, sagte er
zu ihm. Und Matthäus stand auf und folgte ihm nach.
10Am selben Abend lud Matthäus Jesus und seine Jünger
zum Abendessen ein. Einige andere Steuereintreiber und vie-
le stadtbekannte Sünder waren ebenfalls eingeladen. 11Die
Pharisäer waren empört. »Wie kommt euer Meister dazu,
mit solchem Abschaum zu essen?«, fragten sie seine Jünger.
12Als Jesus es hörte, antwortete er: »Die Gesunden brauchen
keinen Arzt – wohl aber die Kranken.« 13Und er fügte hinzu:
»Nun geht und denkt einmal darüber nach, was mit dem
Wort in der Schrift gemeint ist: ›Ich will, dass ihr barmherzig
seid; eure Opfer will ich nicht.‹ Denn ich bin für die Sünder

gekommen und nicht für die, die meinen, sie seien schon gut
genug.«

Gespräch über das Fasten

14 Eines Tages kamen die Jünger von Johannes dem Täufer zu
Jesus und fragten ihn: »Warum fasten wir und die Pharisäer,
aber deine Jünger fasten nicht?«
15 Jesus antwortete: »Sollen etwa die Hochzeitsgäste trauern,
solange sie mit dem Bräutigam feiern? Eines Tages wird er
ihnen weggenommen werden, und dann werden sie fasten.
16 Wer würde ein altes Kleidungsstück mit neuem Stoff fli-
cken? Der Flicken läuft ein und reißt ein noch größeres Loch
in den alten Stoff. 17 Genauso wenig würde jemand neuen
Wein in alte Schläuche füllen. Die alten Schläuche würden
unter dem Druck platzen, der Wein würde auslaufen und die
Schläuche wären nicht mehr zu gebrauchen. Neuer Wein ge-
hört in neue Schläuche. Auf diese Weise bleibt der Wein erhal-
ten und die Schläuche werden geschont.«

Jesus heilt durch Glauben

18 Noch während Jesus sprach, trat der Vorsteher einer Syn-
agoge zu ihm, kniete vor ihm nieder und sagte: »Meine Toch-
ter ist gerade gestorben, aber du kannst sie wieder lebendig
machen, wenn du nur kommst und ihr die Hände auflegst.«
19 Auf dem Weg zum Haus des Vorstehers folgte Jesus und
den Jüngern 20 eine Frau, die schon seit zwölf Jahren starke
Blutungen hatte. Sie berührte heimlich den Saum seines Man-
tels, 21 denn sie dachte: »Wenn ich nur seinen Mantel berühre,
werde ich wieder gesund.«
22 Da drehte Jesus sich um und sagte zu ihr: »Meine Tochter,
hab keine Angst! Dein Glaube hat dich geheilt.« Und im sel-
ben Augenblick war die Frau wieder gesund.
23 Als Jesus ins Haus des Vorstehers kam, fand er laut wei-
nende Menschen vor und hörte Trauermusik. 24 Da sagte er:
»Geht hinaus, das Mädchen ist nicht tot; es schläft nur.« Aber
die Menge lachte ihn aus. 25 Als die Leute endlich alle draußen
waren, ging Jesus zum Mädchen hinein, nahm es bei der

Hand, und es stand auf. 26Die Nachricht von diesem Wunder
verbreitete sich wie ein Lauffeuer in der ganzen Gegend.

Jesus heilt Blinde und Stumme

27Nachdem Jesus das Haus des Mädchens verlassen hatte, lie-
fen ihm zwei Blinde nach und riefen: »Sohn Davids, hab Er-
barmen mit uns!«
28Sie folgten ihm bis in das Haus, wo er wohnte, und Jesus
fragte sie: »Glaubt ihr, dass ich euch das Augenlicht wieder-
geben kann?« Sie antworteten: »Ja, Herr.«
29Da berührte er ihre Augen und sagte: »Weil ihr glaubt,
wird es geschehen.« 30Und auf einmal konnten sie sehen! Je-
sus ermahnte sie eindringlich: »Erzählt niemandem davon.«
31Doch stattdessen erzählten sie in der ganzen Gegend von
seinen wunderbaren Taten.
32Als sie fort waren, brachten einige Leute einen Mann zu
ihm, der nicht sprechen konnte, weil er von einem bösen Geist
besessen war. 33Jesus trieb den Dämon aus, und sofort konnte
der Mann wieder sprechen. Die Menschen waren voller Be-
wunderung für Jesus. »So etwas ist in Israel noch niemals ge-
schehen!«, riefen sie.
34Die Pharisäer aber meinten: »Er kann nur deshalb Dämo-
nen austreiben, weil er seine Macht vom Obersten der Dämo-
nen bekommen hat.«

Arbeiter werden gesucht

35Jesus zog durch die Städte und Dörfer der Umgebung. Er
lehrte in den Synagogen und verkündete die Botschaft vom
Reich Gottes. Und überall, wo er hinkam, heilte er Menschen
von ihren Krankheiten und Leiden. 36Als er die vielen Men-
schen sah, hatte er tiefes Mitleid mit ihnen, denn sie hatten
große Sorgen und wussten nicht, wen sie um Hilfe bitten
konnten. Sie waren wie Schafe ohne Hirten. 37Deshalb sagte
er zu seinen Jüngern: »Die Ernte ist groß, aber es sind nicht
genügend Arbeiter da. 38Betet zum Herrn der Ernte und bit-
tet ihn, mehr Arbeiter zu schicken, um die Ernte einzubrin-
gen.«

Jesus sendet die zwölf Apostel aus

10 [1]Jesus rief seine zwölf Jünger zu sich und gab ihnen die
Vollmacht, böse Geister auszutreiben und alle Arten
von Krankheiten und Leiden zu heilen. [2]Dies sind die Namen
der zwölf Apostel: der erste war Simon (der auch Petrus ge-
nannt wurde), dann kamen Andreas (der Bruder von Petrus),
Jakobus (der Sohn des Zebedäus), Johannes (der Bruder von
Jakobus), [3]Philippus, Bartholomäus, Thomas, Matthäus (der
Steuereintreiber), Jakobus (der Sohn des Alphäus), Thaddäus,
[4]Simon (der Zelot) und Judas Iskariot (der ihn später verriet).

[5]Jesus sandte die zwölf Jünger aus und gab ihnen folgenden
Auftrag: »Geht nicht zu den Menschen, die Gott nicht kennen,
oder zu den Samaritanern. [6]Geht nur zu den Menschen aus
dem Volk Israel – sie sind Gottes verlorene Schafe. [7]Geht und
verkündet ihnen, dass das Himmelreich unmittelbar bevor-
steht. [8]Macht die Kranken gesund, erweckt die Toten zum Le-
ben, heilt die Aussätzigen und treibt böse Geister aus. Teilt
eure Gaben genauso großzügig aus, wie ihr sie geschenkt be-
kommen habt!

[9]Tragt kein Geld bei euch. [10]Und nehmt auch keine Tasche
mit, kein zweites Hemd und Sandalen und auch keinen Wan-
derstab. Zögert nicht, Gastfreundschaft anzunehmen, denn
wer arbeitet, verdient auch, dass man ihm zu essen gibt.
[11]Wenn ihr in eine Stadt oder in ein Dorf kommt, sucht nach
einem würdigen Mann und bleibt bei ihm, bis ihr wieder wei-
terzieht. [12]Wenn ihr in ein Haus eingeladen werdet, dann seg-
net dieses Haus. [13]Wenn sich das Haus als würdig erweist,
dann ruht euer Segen weiterhin darauf; andernfalls kehrt der
Segen wieder zu euch zurück. [14]Wenn ihr in einem Dorf nicht
willkommen seid und man euch nicht zuhören will, dann
geht fort und schüttelt den Staub von euren Füßen. [15]Ich ver-
sichere euch: Die gottlosen Städte Sodom und Gomorra wer-
den am Tag des Gerichts besser dastehen als ein solcher Ort.

[16]Seht, ich sende euch aus wie Schafe unter die Wölfe.
Seid vorsichtig wie die Schlangen und sanft wie die Tauben.
[17]Aber hütet euch vor den Menschen! Denn ihr werdet vor die
Richter gezerrt und in den Synagogen geschlagen werden.

18Um meinetwillen müsst ihr Statthaltern und Königen Rede
und Antwort stehen. Das wird euch Gelegenheit geben, ihnen
von mir zu erzählen und so vor der Welt als Zeugen für mich
aufzutreten. 19Wenn ihr verhaftet werdet, macht euch keine
Sorgen, was ihr zu eurer Verteidigung sagen sollt, denn Gott
wird euch zur rechten Zeit die rechten Worte in den Mund
legen. 20Nicht ihr seid es, die dann reden – nein, der Geist
eures Vaters wird durch euch reden.

21Der Bruder wird seinen Bruder verraten, Väter werden
ihre Kinder verraten, und Kinder werden sich gegen ihre El-
tern auflehnen und sie dem Tod ausliefern. 22Ja, alle werden
euch hassen, weil ihr euch zu mir bekennt. Aber wer bis zum
Ende durchhält, wird gerettet werden. 23Wenn ihr in einer
Stadt verfolgt werdet, dann flieht in die nächste. Ich versiche-
re euch: Der Menschensohn wird wiederkommen, noch bevor
ihr in allen Städten Israels gewesen seid.

24Ein Schüler steht nicht über seinem Lehrer. Ein Diener
steht nicht über seinem Herrn. 25Der Schüler teilt das Schick-
sal seines Lehrers und der Diener das seines Herrn. Und wenn
schon der Hausherr als Herr der Dämonen bezeichnet wird,
wie viel mehr wird das denen geschehen, die zu seinem Haus-
halt gehören! 26Doch fürchtet euch nicht vor denen, die euch
bedrohen. Denn die Zeit kommt, in der die Wahrheit ans Licht
kommt und alle Geheimnisse bekannt werden. 27Wenn der
Tag anbricht, dann schreit hinaus, was ich euch heute in der
Dunkelheit sage. Ruft von allen Dächern, was ich euch in die
Ohren flüstere, damit jeder es hören kann!

28Habt keine Angst vor denen, die euch umbringen wollen.
Sie können nur euren Körper töten; eure Seele ist für sie uner-
reichbar. Fürchtet allein Gott, der Leib und Seele in der Hölle
vernichten kann. 29Nicht einmal ein Spatz, der doch kaum et-
was wert ist, kann tot zu Boden fallen, ohne dass euer Vater es
weiß. 30Selbst die Haare auf eurem Kopf sind alle gezählt.
31Deshalb habt keine Angst; ihr seid Gott kostbarer als ein
ganzer Schwarm Spatzen.

32Wer sich hier auf der Erde öffentlich zu mir bekennt, den
werde ich auch vor meinem Vater im Himmel bekennen.

33Aber wer mich hier auf der Erde verleugnet, den werde ich
auch vor meinem Vater im Himmel verleugnen.
34Glaubt nicht, dass ich gekommen bin, um der Welt Frieden
zu bringen! Nein, sondern das Schwert. 35Ich bin gekommen,
um den Sohn gegen seinen Vater aufzubringen, die Tochter
gegen ihre Mutter und die Schwiegertochter gegen ihre
Schwiegermutter. 36Eure erbittertsten Feinde werdet ihr in
der eigenen Familie finden. 37Wer Vater oder Mutter mehr
liebt als mich, ist es nicht wert, zu mir zu gehören; und wer
seinen Sohn oder seine Tochter mehr liebt als mich, der ist es
nicht wert, zu mir zu gehören. 38Wer sich weigert, sein Kreuz
auf sich zu nehmen und mir nachzufolgen, ist es nicht wert,
zu mir zu gehören. 39Wer an seinem Leben hängt, wird es ver-
lieren; aber wer es für mich aufgibt, wird es finden.
40Wer euch in sein Haus aufnimmt, der nimmt mich auf, und
wer mich aufnimmt, nimmt den Vater auf, der mich gesandt
hat. 41Wer einen Propheten aufnimmt als einen, der für Gott
spricht, wird den gleichen Lohn erhalten wie der Prophet.
Und wer gute und gottesfürchtige Menschen aufnimmt, weil
sie an Gott glauben, wird den gleichen Lohn erhalten wie sie.
42Und wer dem geringsten meiner Nachfolger auch nur ein
Glas kaltes Wasser reicht, darf sicher sein, dafür belohnt zu
werden.«

Jesus und Johannes der Täufer

11 1Nachdem Jesus seinen zwölf Jüngern diese Anwei-
sungen gegeben hatte, zog er weiter, um in den Städten
des ganzen Landes zu lehren und zu predigen.
2Johannes der Täufer, der damals im Gefängnis war, hörte
von den Taten des Christus. Er schickte seine Jünger zu Jesus
mit der Frage: 3»Bist du wirklich der, der kommen soll, oder
sollen wir auf einen anderen warten?«
4Jesus antwortete ihnen: »Geht zurück zu Johannes und be-
richtet ihm, was ihr gesehen und gehört habt: 5Blinde sehen,
Gelähmte gehen, Aussätzige werden gesund, Taube hören,
Tote werden zum Leben erweckt und den Armen wird die

gute Botschaft verkündet. [6]Und sagt ihm weiter: ›Glücklich
sind die, die keinen Anstoß an mir nehmen.‹«

[7]Als die Jünger des Johannes wieder gegangen waren, er-
zählte Jesus den Menschen von ihm. »Wer ist dieser Mann in
der Wüste, den ihr unbedingt sehen wolltet? Kam er euch
schwach vor wie ein Schilfrohr, das im Windhauch hin und
her schwankt? [8]Oder habt ihr einen Mann erwartet, der in
kostbare Gewänder gehüllt ist? Wer solche Kleidung trägt,
wohnt in einem Palast und sicher nicht in der Wüste. [9]Oder
habt ihr in ihm einen Propheten vermutet? Ja, das ist er, er ist
sogar noch mehr als das. [10]Johannes ist der Mann, von dem
die Schrift sagt: ›Ich sende meinen Boten vor dir her, er wird
deine Ankunft vorbereiten.‹

[11]Ich versichere euch: Von allen Menschen, die jemals gelebt
haben, war keiner größer als Johannes der Täufer. Und doch
ist noch der Geringste im Himmelreich größer als er! [12]Seit
Johannes der Täufer predigt und tauft, ist das Himmelreich
mit Macht näher gerückt, und es gibt genügend Menschen,
die versuchen, gewaltsam hineinzudrängen. [13]Denn alle Pro-
pheten und das Gesetz haben diese Zeit angekündigt, bis Jo-
hannes kam. [14]Und wenn ihr bereit seid, meinen Worten zu
glauben: Er ist Elia, von dem die Propheten sagten, dass er
kommen würde. [15]Wer bereit ist zu hören, soll zuhören und
begreifen!

[16]Wie soll ich die Menschen von heute am besten beschrei-
ben? Sie sind wie Kinder, die auf der Straße spielen. Sie be-
klagen sich bei ihren Freunden: [17]›Wir haben lustige Lieder
gespielt, und ihr wart nicht fröhlich. Dann haben wir Klage-
lieder gespielt, aber ihr wart nicht traurig.‹ [18]Johannes der
Täufer trank keinen Wein und fastete oft, und nun sagt ihr von
ihm, er sei von einem Dämon besessen. [19]Der Menschensohn
trinkt und feiert, und von ihm sagt ihr: ›Er ist ein Schlemmer
und Säufer, und die schlimmsten Leute sind seine Freunde!‹
Doch die Weisheit erweist sich als richtig, und zwar durch
das, was sie bewirkt.«

Gericht über galiläische Städte

20Danach begann Jesus die Städte anzuklagen, in denen er die
meisten seiner Wunder vollbracht hatte. Ihre Einwohner waren dennoch nicht zu Gott umgekehrt.
21»Welche Schrecken
erwarten euch, Chorazin und Betsaida! Denn wenn ich die Wunder, die ich bei euch getan habe, in den gottlosen Städten Tyrus und Sidon getan hätte, hätten ihre Einwohner schon längst ihre Schuld bekannt und sich zum Zeichen ihrer Reue in Säcke gehüllt und Asche auf ihre Häupter gestreut.
22Ich
versichere euch: Am Tag des Gerichts werden Tyrus und Sidon besser dastehen als ihr!
23Und ihr Bewohner von Kapernaum, ob ihr wohl einst in den Himmel gehoben werdet? Ganz sicher nicht. Ihr werdet vielmehr hinunter ins Reich der Toten geworfen. Denn wenn ich die Wunder, die ich bei euch getan habe, in Sodom getan hätte, würde die Stadt heute noch stehen.
24Seid versichert: Sodom wird am Tag des Gerichts
besser dastehen als ihr!«

Jesus spricht ein Dankgebet

25Danach sprach Jesus das folgende Gebet: »O Vater, Herr des
Himmels und der Erde, ich danke dir, dass du die Wahrheit vor denen verbirgst, die sich selbst für so klug und weise halten. Ich danke dir, dass du sie stattdessen denen enthüllst, die ein kindliches Gemüt haben.
26Ja, Vater, so wolltest du es!

27Mein Vater hat mir Vollmacht über alles gegeben. Niemand außer dem Vater kennt den Sohn wirklich, und niemand kennt den Vater außer dem Sohn und jenen, denen der Sohn den Vater offenbaren will.«

28Dann sagte Jesus: »Kommt alle her zu mir, die ihr müde seid und schwere Lasten tragt, ich will euch Ruhe schenken.
29Nehmt mein Joch auf euch. Ich will euch lehren, denn ich bin demütig und freundlich, und eure Seele wird bei mir zur Ruhe kommen.
30Denn mein Joch passt euch genau, und die
Last, die ich euch auflege, ist leicht.«

Unterschiedliche Meinungen zum Sabbat

12 [1]Etwa um diese Zeit ging Jesus am Sabbat durch die
Kornfelder. Seine Jünger hatten Hunger; sie rissen sich
unterwegs ein paar Weizenähren ab und aßen die Körner. [2]Ei-
nige Pharisäer sahen es und empörten sich: »Deine Jünger
dürfen das nicht! Es ist nicht erlaubt, am Sabbat Korn zu ern-
ten.«

[3]Doch Jesus hielt ihnen entgegen: »Habt ihr schon einmal in
der Schrift gelesen, was König David tat, als er und seine Be-
gleiter Hunger hatten? [4]Er ging in das Haus Gottes, und sie
aßen die Brote, die allein den Priestern vorbehalten waren.
[5]Und habt ihr noch nie im Gesetz von Mose gelesen, dass
die diensthabenden Priester am Sabbat im Tempel arbeiten
dürfen, ohne dabei schuldig zu werden? [6]Das sage ich euch:
Hier ist einer, der größer ist als der Tempel! [7]Ihr hättet nicht
Unschuldige verurteilt, wenn ihr den Sinn des Schriftwortes
verstanden hättet: ›Ich will, dass ihr barmherzig seid; eure
Opfer will ich nicht.‹ [8]Denn der Menschensohn herrscht auch
über den Sabbat.«

[9]Damit ging er hinüber in die Synagoge, [10]wo er einen Mann
mit einer verkrüppelten Hand bemerkte. Die Pharisäer frag-
ten Jesus: »Ist es nach dem Gesetz erlaubt, am Sabbat Kranke
zu heilen?« Sie hofften natürlich, dass er Ja sagen würde, da-
mit sie einen Grund hatten, ihn anzuzeigen.

[11]Er antwortete: »Wenn ihr nur ein einziges Schaf hättet und
es fiele am Sabbat in einen Brunnen, würdet ihr nicht alles
daransetzen, es herauszuziehen? Ganz bestimmt. [12]Wie viel
mehr ist ein Mensch wert als ein Schaf! Daher ist es erlaubt,
am Sabbat Gutes zu tun!« [13]Dann sagte er zu dem Mann:
»Streck deine Hand aus.« Der Mann streckte seine Hand aus,
und sie wurde wieder so gesund wie die andere Hand. [14]Da-
raufhin gingen die Pharisäer nach draußen und schmiedeten
einen Plan, wie sie Jesus umbringen könnten.

Jesus, Gottes auserwählter Diener

[15]Jesus erkannte, was sie vorhatten. Er ging fort, und viele
Menschen folgten ihm. Er heilte alle Kranken unter ihnen,

[16]aber er verbot ihnen zu sagen, wer er war. [17]Damit erfüllte
sich die Prophezeiung Jesajas über Jesus:
[18]»Dies ist mein Diener, den ich auserwählt habe. Ich liebe
ihn und habe meine Freude an ihm. Ich werde meinen Geist
auf ihn legen, und er wird den Völkern Gerechtigkeit verkün-
den. [19]Er wird weder kämpfen noch schreien; er wird seine
Stimme nicht in der Öffentlichkeit erheben. [20]Er wird das ge-
knickte Rohr nicht zerbrechen und den glimmenden Docht
nicht auslöschen. Durch seine Treue wird er die vollkommene
Gerechtigkeit durchsetzen. [21]Und auf seinem Namen wird die
Hoffnung der ganzen Welt ruhen.«

Jesus und der Oberste der Dämonen

[22]Ein Besessener, der blind und stumm war, wurde zu Jesus
gebracht. Jesus heilte ihn, sodass er wieder sehen und spre-
chen konnte. [23]Die Menschen waren sehr verwundert. »Könn-
te es sein, dass dieser Jesus der Sohn Davids ist?«, fragten sie
sich.

[24]Als das jedoch den Pharisäern zu Ohren kam, sagten sie:
»Kein Wunder, dass er böse Geister austreiben kann. Er hat
seine Macht vom Satan, dem Herrscher über die Dämonen.«

[25]Doch Jesus kannte ihre Gedanken und antwortete: »Ein
Königreich, das gegen sich selbst kämpft, ist dem Untergang
geweiht. Eine Stadt oder eine Hausgemeinschaft, in der man
sich streitet, ist verloren. [26]Wenn der Satan den Satan austrei-
ben würde, würde er gegen sich selbst kämpfen. Sein Reich
könnte nicht bestehen. [27]Wenn ich meine Macht vom Herr-
scher über alle Dämonen habe, was ist dann mit euren eige-
nen Leuten? Sie treiben doch auch böse Geister aus. Sie wer-
den euch nach euren eigenen Worten richten. [28]Wenn ich aber
die Dämonen mit dem Geist Gottes austreibe, dann ist das
Reich Gottes zu euch gekommen. [29]Niemand kann in das
Haus eines starken Mannes eindringen und ihn ausrauben,
ohne ihn zuvor zu fesseln. Erst dann kann man sein Haus
ausplündern! [30]Wer mich nicht unterstützt, ist gegen mich,
und wer nicht Seite an Seite mit mir arbeitet, arbeitet im
Grunde gegen mich.

[31]Jede Sünde oder Gotteslästerung kann vergeben werden –
bis auf die Lästerung gegen den Heiligen Geist. Dafür gibt es
keine Vergebung. [32]Wer gegen den Menschensohn lästert,
dem kann vergeben werden. Wer aber gegen den Heiligen
Geist lästert, dem wird niemals vergeben werden – nicht in
dieser Welt und auch nicht in der zukünftigen.

[33]Einen Baum erkennt man an seinen Früchten. Ist ein Baum
gut, so wird er auch gute Früchte tragen. Ist ein Baum
schlecht, so wird er schlechte Früchte tragen. [34]Ihr Schlangen-
brut! Wie können böse und hinterhältige Menschen wie ihr
reden, was gut und richtig ist? Denn immer bestimmt ja euer
Herz, was ihr sagt. [35]Ein guter Mensch spricht gute Worte aus
einem guten Herzen, und ein böser Mensch spricht böse Wor-
te aus einem bösen Herzen. [36]Ich sage euch: Am Tag des Ge-
richts müsst ihr euch für jedes böse Wort, das ihr sagt, verant-
worten. [37]Was ihr heute sagt, entscheidet über euer Schicksal;
entweder werdet ihr gerettet oder gerichtet.«

Das Zeichen des Propheten Jona

[38]Eines Tages kamen einige Schriftgelehrte und Pharisäer zu
Jesus und sagten: »Meister, bitte zeige uns ein Wunder, als
Beweis dafür, dass du von Gott kommst.«

[39]Doch Jesus erwiderte: »Nur schlechte, treulose Menschen
würden ein Wunder verlangen. Das einzige Zeichen, das ich
ihnen geben will, ist das, was mit dem Propheten Jona ge-
schah. [40]So wie Jona drei Tage und drei Nächte im Bauch des
großen Fisches verbracht hat, so wird der Menschensohn drei
Tage und drei Nächte im Herzen der Erde sein. [41]Die Einwoh-
ner Ninives werden sich am Tag des Gerichts gegen euch er-
heben und euch verurteilen, denn sie haben Reue gezeigt,
nachdem sie Jonas Predigt gehört hatten. Und nun ist einer
bei euch, der weit größer ist als Jona – aber ihr weigert euch
zu bereuen. [42]Auch die Königin von Saba wird sich am Tag
des Gerichts gegen euch erheben und euch verurteilen, denn
sie kam aus einem fremden Land, um die Weisheiten König
Salomos zu hören. Und nun ist einer bei euch, der weit größer
ist als Salomo – und ihr wollt ihm nicht zuhören.

43Wenn ein böser Geist einen Menschen verlässt, geht er in
die Wüste und sucht Ruhe, aber er findet keine. 44Da sagt er
sich: ›Ich will lieber wieder in den Menschen fahren, aus dem
ich gekommen bin.‹ Und er kehrt zurück und findet sein frü-
heres Heim leer, gefegt und sauber vor. 45Danach findet der
Dämon noch sieben weitere Dämonen, die noch schlimmer
sind als er selbst, und sie alle ergreifen Besitz von dem Men-
schen und nisten sich in ihm ein. Genauso wird es euch erge-
hen.«

Die wahre Familie von Jesus

46Während Jesus noch zu den Leuten redete, kamen seine
Mutter und seine Brüder zu ihm und wollten ihn sprechen.
47Jemand sagte zu Jesus: »Deine Mutter und deine Brüder ste-
hen draußen, sie möchten dich sprechen.«
48Jesus fragte: »Wer ist meine Mutter? Und wer sind meine
Brüder?« 49Und er zeigte auf seine Jünger und sagte: »Diese
Leute sind meine Mutter und meine Brüder. 50Wer den Willen
meines Vaters im Himmel erfüllt, ist mein Bruder und meine
Schwester und meine Mutter!«

Das Gleichnis vom Bauern, der die Saat ausbringt

13 1Später am gleichen Tag verließ Jesus das Haus und
ging hinunter an den See, 2wo sich bald eine riesige
Menschenmenge um ihn sammelte. Da stieg er in ein Boot,
setzte sich und sprach zu den Menschen, die ihm vom Ufer
aus zuhörten. 3Er erzählte ihnen viele Gleichnisse, so wie die-
ses: »Ein Bauer ging aufs Feld, um zu säen. 4Als er die Saat
über das Feld ausstreute, fielen einige Körner auf einen Weg,
und die Vögel kamen und pickten sie auf. 5Andere Körner
fielen auf eine dünne Erdschicht mit felsigem Untergrund.
Die Saat ging schnell auf, 6aber schon bald vertrockneten die
Pflänzchen unter der heißen Sonne, weil die Wurzeln in der
dünnen Erdschicht keine Nahrung fanden. 7Andere Samen-
körner fielen in die Dornen, die schnell wuchsen und die zar-
ten Pflänzchen erstickten. 8Einige Samen aber fielen auf
fruchtbaren Boden, und der Bauer erntete dreißig-, sechzig-,

ja hundertmal so viel, wie er gesät hatte. 9Wer hören will, der
soll zuhören und begreifen!«
10Seine Jünger kamen zu ihm und fragten: »Warum erzählst
du immer Gleichnisse, wenn du zu den Leuten sprichst?«
11Da erklärte er ihnen: »Euch war erlaubt, die Geheimnisse
vom Himmelreich zu verstehen, aber andere können das
nicht. 12Wer sich meinen Lehren öffnet, wird noch mehr be-
greifen, und er wird eine Fülle von Wissen haben. Aber wer
nicht zuhört, dem wird sogar das genommen, was er hat. 13Ich
erzähle diese Gleichnisse, weil die Menschen zwar sehen, was
ich tue, es aber dennoch nicht richtig begreifen. Sie hören, was
ich sage, aber sie verstehen es nicht richtig. 14Damit erfüllt sich
die Prophezeiung Jesajas:
›Du wirst meine Worte hören, sie aber nicht verstehen; du
wirst sehen, was ich tue, aber du wirst nicht begreifen, was es
bedeutet.
15Denn die Herzen dieser Menschen sind verhärtet, ihre Oh-
ren können nicht hören und sie haben ihre Augen geschlos-
sen. Ihre Augen sehen nicht, ihre Ohren hören nicht und ihr
Herz versteht nicht, und sie kehren nicht zu mir um, damit ich
sie heil mache.‹
16Aber wie gut, dass eure Augen sehen und eure Ohren hö-
ren! 17Ich versichere euch: Viele Propheten und gottesfürchti-
ge Menschen haben sich danach gesehnt, das zu sehen und zu
hören, was ihr gesehen und gehört habt, aber sie konnten es
nicht.
18Doch ich will euch das Gleichnis vom Bauern, der seine
Saat ausstreute, erklären: 19Die Saat, die auf den harten Weg
fiel, steht für die Menschen, die die Botschaft vom Reich Got-
tes hören, sie aber nicht verstehen. Dann kommt der Teufel
und reißt ihnen die Saat aus dem Herzen. 20Der felsige Boden
steht für jene, die die Botschaft hören und sie freudig anneh-
men. 21Aber wie bei jungen Pflänzchen in einem solchen Bo-
den reichen ihre Wurzeln nicht sehr tief. Zuerst kommen sie
gut zurecht, doch sobald sie Schwierigkeiten haben oder we-
gen ihres Glaubens verfolgt werden, verdorren sie. 22Die Dor-
nen stehen für jene, die das Wort Gottes hören und es anneh-

men. Doch viel zu schnell wird es erstickt durch die alltäg-
lichen Sorgen und Verlockungen des Reichtums, und die Ern-
te bleibt aus. 23Der gute Boden steht für die Herzen derer, die
die Botschaft Gottes annehmen und eine große Ernte einfah-
ren – dreißig-, sechzig-, ja hundertmal so viel, wie gesät wur-
de.«

Das Gleichnis vom Unkraut im Weizenfeld

24Jesus erzählte noch ein anderes Gleichnis: »Das Himmel-
reich ist vergleichbar mit einem Bauern, der gutes Saatgut
auf sein Feld säte. 25Doch in der Nacht, als alles schlief, kam
sein Feind und säte Unkraut zwischen den Weizen und ging
wieder weg. 26Als das Korn zu wachsen begann und Ähren
ausbildete, kam auch das Unkraut zum Vorschein. 27Da ka-
men die Arbeiter des Bauern und sagten: ›Herr, das Feld, auf
dem du gutes Saatgut gesät hast, ist voller Unkraut!‹

28›Das hat mein Feind getan!‹, rief der Bauer aus. ›Sollen wir
das Unkraut ausreißen?‹, fragten die Arbeiter.

29Er antwortete: ›Nein, wenn ihr das tut, schadet ihr dem
Weizen. 30Lasst beides bis zur Zeit der Ernte wachsen. Dann
will ich den Erntehelfern sagen, dass sie das Unkraut heraus-
sammeln und verbrennen sollen. Den Weizen aber sollen sie
in die Scheune bringen.‹«

Das Bild vom Senfkorn

31Jesus benutzte noch ein anderes Gleichnis: »Das Himmel-
reich ist wie ein Senfkorn, das auf ein Feld gesät wird. 32Es ist
das kleinste von allen Samenkörnern, aber es wächst zur
größten Pflanze heran und wird so groß wie ein Baum, sodass
die Vögel in seinen Ästen Schutz finden.«

Das Gleichnis vom Sauerteig

33Auch das folgende Gleichnis erzählte Jesus: »Das Himmel-
reich ist wie Sauerteig, den eine Frau zum Brotbacken ge-
brauchte. Obwohl sie eine große Menge Mehl nahm, durch-
drang der Sauerteig doch den ganzen Teig.«

34Jesus benutzte stets Gleichnisse und Bilder, wenn er zu den
Menschen sprach, er sprach nie zu ihnen, ohne solche Verglei-
che zu verwenden. 35So erfüllte sich die Prophezeiung: »Ich
werde zu euch in Gleichnissen sprechen. Ich werde die Ge-
heimnisse erklären, die seit der Erschaffung der Welt verbor-
gen waren.«

Die Erklärung des Gleichnisses vom Unkraut im Weizenfeld

36Danach ging Jesus ins Haus und ließ die Menschenmenge
draußen stehen. Seine Jünger baten ihn: »Erkläre uns das
Gleichnis vom Unkraut auf dem Feld.«
37Jesus sagte: »Der Bauer, der den guten Samen aussät, ist
der Menschensohn. 38Das Feld ist die Welt, und der gute
Same steht für die Kinder des Himmelreiches. Das Unkraut
sind die Menschen, die zum Satan gehören. 39Der Feind, der
das Unkraut zwischen den Weizen ausgesät hat, ist der Teu-
fel. Die Ernte ist das Ende der Welt, und die Erntehelfer sind
die Engel.
40Genauso, wie das Unkraut aussortiert und verbrannt wird,
so wird es auch am Ende der Welt sein. 41Der Menschensohn
wird seine Engel schicken, und sie werden aus seinem Reich
alles entfernen, was zur Sünde verleitet, und alle Menschen,
die Böses tun. 42Und sie werden sie in den Ofen werfen und
verbrennen. Dort werden sie schreien und mit den Zähnen
knirschen. 43Dann werden alle, die zu Gott gehören, im Reich
ihres Vaters leuchten wie die Sonne. Wer bereit ist zu hören,
soll zuhören und verstehen!

Das Bild vom verborgenen Schatz

44Das Himmelreich ist wie ein Schatz, den ein Mann in einem
Feld verborgen fand. In seiner Aufregung versteckte er ihn
wieder und verkaufte alles, was er besaß, um genug Geld zu
beschaffen, damit er das Feld kaufen konnte – und mit ihm
den Schatz zu erwerben!

Das Bild vom Perlenhändler

45Das Himmelreich ist auch vergleichbar mit einem Perlen-
händler, der nach kostbaren Perlen Ausschau hielt. 46Als er
eine Perle von großem Wert entdeckte, verkaufte er alles, was
er besaß, und kaufte die Perle!

Das Bild vom Fischernetz

47Das Himmelreich kann man auch vergleichen mit einem Fi-
schernetz, das ins Wasser geworfen wird und in dem viele
verschiedene Fische gefangen werden. 48Wenn das Netz voll
ist, wird es ans Land gezogen, und die Fischer sammeln die
guten Fische heraus und legen sie in Kisten, und die schlech-
ten werfen sie weg. 49Genauso wird es auch am Ende der Welt
sein. Die Engel werden kommen und die gottlosen Menschen
von den Gläubigen trennen. 50Die Gottlosen werden ins Feuer
geworfen. Dort werden sie weinen und mit den Zähnen knir-
schen. 51Versteht ihr das alles?« Sie antworteten: »Ja.«

52Dann fügte er noch hinzu: »Jeder Schriftgelehrte, der ein
Jünger im Himmelreich geworden ist, ist wie ein Hausherr,
der aus seinem reichen Vorrat Neues ebenso hervorholt wie
Altes.«

Jesus wird in Nazareth abgelehnt

53Nachdem Jesus diese Gleichnisse erzählt hatte, verließ er
diese Gegend. 54Er kehrte in seine Heimatstadt Nazareth zu-
rück. Als er dort in der Synagoge lehrte, staunten die Men-
schen und fragten: »Woher hat er diese Weisheit und weshalb
kann er solche Wunder tun? 55Er ist doch nur der Sohn eines
Zimmermanns, und wir kennen doch alle Maria, seine Mut-
ter, und seine Brüder – Jakobus, Josef, Simon und Judas. 56Alle
seine Schwestern leben hier unter uns. Was macht ihn zu so
etwas Besonderem?« 57Und sie ärgerten sich über ihn und
wollten nicht an ihn glauben. Da sagte Jesus: »Ein Prophet
wird überall verehrt, außer in seiner Heimatstadt und in sei-
ner eigenen Familie.« 58Und er tat dort nur wenige Wunder,
weil sie nicht glaubten.

Der Tod Johannes des Täufers

14 [1]Als Herodes Antipas von Jesus hörte, [2]sagte er zu sei-
nen Ratgebern: »Das muss Johannes der Täufer sein,
der von den Toten auferstanden ist! Darum kann er solche
Wunder tun.« [3]Denn Herodes hatte Johannes auf Bitten seiner
Frau Herodias (der früheren Frau von Philippus, dem Bruder
von Herodes) ins Gefängnis werfen lassen. [4]Johannes hatte
Herodes immer wieder ins Gewissen geredet: »Es ist gegen
das Gesetz, dass du sie geheiratet hast.« [5]Herodes hätte Jo-
hannes gern endgültig aus dem Weg geschafft, aber er hatte
Angst vor einem Aufstand, weil die Bevölkerung Johannes
für einen Propheten hielt.

[6]Doch auf einer Geburtstagsfeier für Herodes tanzte die
Tochter von Herodias vor den Gästen, und sie gefiel Herodes
sehr. [7]Er tat einen Schwur, ihr jeden Wunsch zu erfüllen. [8]Auf
Drängen ihrer Mutter bat das Mädchen: »Schenk mir den
Kopf von Johannes dem Täufer auf einer Schale!« [9]Nun tat es
dem König leid, aber weil er es ihr versprochen hatte und sich
vor seinen Gästen keine Blöße geben wollte, erteilte er die
notwendigen Befehle. [10]So wurde Johannes im Gefängnis ent-
hauptet. [11]Sein Kopf wurde dem Mädchen auf einer Schale
übergeben, die sie ihrer Mutter brachte. [12]Die Jünger des Jo-
hannes holten seinen Leichnam und begruben ihn. Dann er-
zählten sie Jesus, was geschehen war.

Mehr als fünftausend Menschen werden satt

[13]Als Jesus die Nachricht erhalten hatte, fuhr er mit dem Boot
in eine entfernte Gegend, denn er wollte allein sein. Aber die
Menschen hatten erfahren, wohin er fuhr, und aus zahlrei-
chen Dörfern folgten sie ihm über Land. [14]Als er aus dem
Boot stieg, erwartete ihn bereits eine große Menschenmenge.
Er hatte Mitleid mit ihnen und heilte die Kranken.

[15]Am Abend kamen die Jünger zu ihm und sagten: »Es ist
einsam hier und schon spät. Schick die Leute weg, dann kön-
nen sie in die Dörfer gehen, um sich etwas zu essen zu kau-
fen.«

16 Doch Jesus antwortete: »Das ist nicht nötig – gebt ihr ihnen
zu essen.«
17 »Unmöglich!«, riefen sie aus. »Wir haben nur fünf Brote
und zwei Fische!«
18 »Bringt sie her!«, befahl er. 19 Dann wies er die Leute an,
sich ins Gras zu setzen. Und er nahm die fünf Brote und zwei
Fische, blickte hinauf zum Himmel und bat Gott um seinen
Segen für das Essen. Dann brach er das Brot in Stücke und gab
jedem der Jünger davon, und diese verteilten es an die Men-
schen. 20 Alle aßen, so viel sie wollten, und anschließend sam-
melten sie noch zwölf Körbe mit Resten ein. 21 Etwa fünftau-
send Menschen hatten zu essen bekommen, Frauen und
Kinder nicht mitgerechnet!

Jesus geht auf dem Wasser

22 Sofort danach schickte Jesus seine Jünger zum Boot zurück
und befahl ihnen, ans andere Ufer überzusetzen, während er
die Menschen nach Hause entließ. 23 Dann stieg er allein in die
Berge hinauf, um dort zu beten. Als es dunkel wurde, war er
immer noch allein dort oben. 24 Währenddessen hatte sich das
Boot weit vom Ufer entfernt und war in schweren Seegang
geraten, denn ein starker Wind war aufgekommen.
25 Gegen drei Uhr morgens kam Jesus über das Wasser zu
ihnen. 26 Als ihn die Jünger sahen, schrien sie entsetzt auf,
denn sie hielten ihn für einen Geist. 27 Doch Jesus sprach sie
sogleich an: »Es ist gut«, sagte er. »Ich bin es! Habt keine
Angst.«
28 Da rief Petrus ihm zu: »Herr, wenn du es wirklich bist,
befiehl mir, auf dem Wasser zu dir zu kommen.«
29 »Dann komm«, sagte Jesus. Und Petrus stieg aus dem Boot
und ging über das Wasser, Jesus entgegen. 30 Als er sich aber
umsah und die hohen Wellen erblickte, bekam er Angst und
begann zu versinken. »Herr, rette mich!«, schrie er.
31 Sofort streckte Jesus ihm die Hand hin und hielt ihn fest.
»Du hast nicht viel Glauben«, sagte Jesus. »Warum hast du
gezweifelt?« 32 Als sie schließlich zurück ins Boot stiegen, legte
sich der Wind.

33Da beteten ihn die Jünger an. »Du bist wirklich der Sohn
Gottes!«, riefen sie.
34Auf der anderen Seite des Sees gingen sie in Genezareth an
Land. 35Als die Menschen dieser Gegend Jesus erkannten, ver-
breitete sich dies sofort in der ganzen Umgebung. Schon bald
brachten die Leute alle ihre Kranken zu ihm, damit er sie heil-
te. 36Die Kranken baten ihn, auch nur den Saum seiner Klei-
dung berühren zu dürfen. Und alle, die ihn berührten, wur-
den gesund.

Jesus spricht über innere Reinheit

15 1Einige Pharisäer und Schriftgelehrte kamen aus Jeru-
salem, um Jesus zur Rede zu stellen. 2»Warum halten
deine Jünger sich nicht an unsere uralten Überlieferungen?«,
fragten sie. »Sie missachten unsere Vorschrift, sich vor dem
Essen die Hände zu waschen.«
3Jesus erwiderte: »Und warum verstoßt ihr mit euren Über-
lieferungen gegen Gottes Gebote? 4Gott sagt zum Beispiel:
›Ehre Vater und Mutter‹ und ›Wer Vater oder Mutter ver-
flucht, soll mit dem Tod bestraft werden.‹ 5Ihr sagt jedoch:
›Man muss seine Eltern nicht dadurch ehren, dass man für
sie sorgt, wenn man stattdessen Gott das Geld gibt.‹ 6So setzt
ihr durch eure eigene Überlieferung das Gebot Gottes außer
Kraft. 7Ihr Heuchler! Jesaja hat euch gemeint, als er sagte:
8›Diese Menschen ehren mich mit ihren Worten, aber nicht
mit ihrem Herzen. 9Ihre Anbetung ist nutzlos, denn sie erset-
zen die Gebote Gottes durch ihre eigenen Lehren.‹«
10Danach rief Jesus die Menschen zu sich und sagte: »Hört
gut zu, was ich euch jetzt sage, und versucht, es zu verstehen.
11Ihr werdet nicht durch das unrein, was ihr esst; ihr werdet
unrein durch das, was ihr sagt und tut.«
12Da kamen die Jünger zu ihm und fragten ihn: »Weißt du,
dass du mit deinen Worten die Pharisäer gegen dich auf-
gebracht hast?«
13Jesus antwortete: »Jede Pflanze, die nicht von meinem Va-
ter im Himmel gepflanzt worden ist, wird ausgerissen. 14Be-
achtet sie deshalb gar nicht. Sie sind nur blinde Blindenführer,

und wenn ein Blinder einen anderen führt, werden beide in
den Graben fallen.«
15Da sagte Petrus: »Erkläre uns doch, was du damit meinst,
dass man nicht durch das unrein wird, was man isst.«
16»Habt ihr es denn immer noch nicht begriffen?«, fragte Je-
sus ihn. 17»Alles, was ihr esst, geht durch den Magen und ver-
lässt dann wieder den Körper. 18Böse Worte aber kommen aus
einem bösen Herzen und machen den Menschen, aus dessen
Mund sie kommen, unrein. 19Aus dem Herzen kommen böse
Gedanken wie zum Beispiel Mord, Ehebruch, Unzucht, Dieb-
stahl, Lüge und Verleumdung. 20Das macht unrein. Wer aber
mit ungewaschenen Händen isst, wird davon nicht unrein!«

Der Glaube der kanaanäischen Frau

21Jesus verließ Galiläa und zog nach Norden in die Gegend
von Tyrus und Sidon. 22Eine kanaanäische Frau, die dort leb-
te, kam zu ihm und bat ihn inständig: »Hab Mitleid mit mir, o
Herr, Sohn Davids! Meine Tochter hat einen bösen Geist in
sich, der ihr schlimme Qualen bereitet.«
23Jesus antwortete ihr nicht – er sagte kein Wort. Doch seine
Jünger drängten ihn, ihre Bitte zu erfüllen. »Sie belästigt uns
sonst weiter mit ihrer Bettelei«, sagten sie.
24Da sagte er zu der Frau: »Ich bin gesandt worden, um dem
Volk Israel zu helfen – Gottes verlorenen Schafen – und nicht
denen, die keine Juden sind.«
25Sie lief jedoch hinter ihm her, warf sich vor ihm nieder und
bat ihn wieder: »Herr, hilf mir doch!«
26»Es ist nicht recht, den Kindern das Essen wegzunehmen
und es stattdessen den Hunden vorzuwerfen«, sagte er.
27»Du hast recht, Herr«, antwortete sie, »aber selbst Hunde
dürfen die Krümel fressen, die vom Tisch ihres Herrn fallen.«
28Da sagte Jesus zu ihr: »Frau, dein Glaube ist groß. Deine
Bitte soll erfüllt werden.« Und im gleichen Augenblick war
ihre Tochter gesund.

Jesus heilt viele Menschen

29Jesus ging zum See Genezareth zurück. Er stieg auf einen
Berg und setzte sich. 30Eine große Menschenmenge kam zu
ihm und brachte ihm Gelähmte, Blinde, Krüppel, Stumme
und viele Menschen mit anderen Gebrechen. Sie legten sie
vor ihn hin, und er heilte sie alle. 31Die Menschen kamen nicht
aus dem Staunen heraus. Stumme konnten wieder sprechen,
Krüppel wurden wieder gesund, Gelähmte konnten wieder
gehen und Blinde wieder sehen! Und alle lobten den Gott Is-
raels.

Mehr als viertausend Menschen werden satt

32Da rief Jesus seine Jünger zu sich und sagte: »Mir tun diese
Menschen leid. Sie waren nun drei Tage lang bei mir, und jetzt
haben sie nichts mehr zu essen. Ich will sie nicht hungrig weg-
schicken, sonst könnten sie unterwegs zusammenbrechen.«
33Die Jünger erwiderten: »Wo sollen wir hier in dieser ver-
lassenen Gegend genügend zu essen für alle hernehmen?«
34Jesus fragte: »Wie viele Brote habt ihr dabei?« Sie antwor-
teten: »Sieben, und ein paar kleine Fische.« 35Da wies Jesus die
Menschen an, sich hinzusetzen. 36Er nahm die sieben Brote
und die Fische, dankte Gott, zerteilte sie und gab sie den Jün-
gern, die das Essen an die Menge weitergaben.
37Alle aßen, bis sie satt waren, und als am Ende die Reste
eingesammelt wurden, waren sogar sieben große Körbe voll
übrig! 38An diesem Tage wurden viertausend Menschen satt,
Frauen und Kinder nicht mitgerechnet. 39Danach entließ Jesus
die Leute wieder nach Hause. Er selbst stieg in ein Boot und
fuhr hinüber in die Gegend von Magadan.

Die Pharisäer und Sadduzäer fordern ein Wunder

16 1Eines Tages suchten die Pharisäer und Sadduzäer Je-
sus auf, um ihn herauszufordern. Dazu baten sie ihn
um ein Zeichen vom Himmel.
2Er erwiderte: »Abendrot verheißt gutes Wetter für den
nächsten Tag, 3Morgenrot bedeutet für den ganzen Tag
schlechtes Wetter. Das Wetter könnt ihr anhand der Zeichen

am Himmel gut deuten, aber die ganz offensichtlichen Zei-
chen der Zeit begreift ihr nicht! [4]Nur böse, treulose Menschen
verlangen nach einem Wunder. Doch das einzige Zeichen, das
ich ihnen geben werde, ist das Zeichen des Propheten Jona.«
Damit ließ er sie stehen und ging.

Der Sauerteig der Pharisäer und Sadduzäer

[5]Später, nach der Überfahrt über den See, bemerkten die Jün-
ger, dass sie vergessen hatten, Brot mitzunehmen. [6]»Seht euch
vor!«, warnte Jesus sie. »Nehmt euch in Acht vor dem Sauer-
teig der Pharisäer und der Sadduzäer.«

[7]Sie meinten, er hätte das gesagt, weil sie kein Brot mit-
genommen hatten. [8]Jesus wusste, was sie dachten, deshalb
sagte er: »Euer Glaube ist so klein! Warum sorgt ihr euch
ums Essen? [9]Werdet ihr es denn nie begreifen? Denkt doch
an die fünftausend Menschen, die ich mit fünf Broten satt ge-
macht habe, und an die Körbe voller Brot, die danach noch
übrig blieben! [10]Und denkt an die viertausend, die ich mit sie-
ben Broten satt gemacht habe. Auch da blieb so viel übrig!
[11]Wie könnt ihr nur auf den Gedanken kommen, dass ich
vom Essen gesprochen habe? Ich sage es noch einmal: ›Nehmt
euch in Acht vor dem Sauerteig der Pharisäer und der Saddu-
zäer.‹«

[12]Da begriffen sie endlich, dass er nicht von Sauerteig oder
Brot gesprochen, sondern die falschen Lehren der Pharisäer
und Sadduzäer gemeint hatte.

Petrus legt sein Bekenntnis ab – Jesus kündigt seinen Tod an

[13]Als Jesus in die Gegend von Cäsarea Philippi kam, fragte er
seine Jünger: »Für wen halten die Leute den Menschensohn?«

[14]»Nun«, erwiderten sie, »manche sagen, er ist Johannes der
Täufer, andere sagen, Elia, und wieder andere halten ihn für
Jeremia oder einen der anderen Propheten.«

[15]Daraufhin fragte er sie: »Und was meint ihr, wer ich bin?«

[16]Simon Petrus antwortete: »Du bist der Christus, der Sohn
des lebendigen Gottes.«

17Da erwiderte Jesus: »Glücklich bist du, Simon, Sohn des
Johannes. Denn das hat dir mein Vater im Himmel offenbart.
Von einem Menschen konntest du das nicht haben. 18Von nun
an sollst du Petrus heißen. Auf diesen Felsen will ich meine
Gemeinde bauen, und alle Mächte der Hölle können ihr nichts
anhaben. 19Ich werde dir die Schlüssel zum Himmelreich ge-
ben. Was du auf der Erde bindest, wird auch im Himmel ge-
bunden sein, und was du auf der Erde öffnest, wird auch im
Himmel offen sein.« 20Danach wies er sie streng an, nieman-
dem zu sagen, dass er der Christus sei. 21Von da an sprach
Jesus ganz offen mit seinen Jüngern darüber, dass er nach Je-
rusalem gehen müsse und was ihn dort erwarten werde. Er
werde durch die Hand der Ältesten, der obersten Priester
und Schriftgelehrten vieles erleiden müssen. Er werde getötet
werden und am dritten Tage von den Toten auferstehen.

22Doch Petrus nahm ihn beiseite und bedrängte ihn: »Das
darf nicht sein, Herr«, sagte er. »Das darf auf keinen Fall ge-
schehen!«

23Jesus drehte sich zu Petrus um und sagte: »Geh weg von
mir, Satan! Du willst mich in die Falle locken. Du siehst die
Dinge nur mit den Augen der Menschen und nicht, wie Gott
sie sieht.«

24Dann sagte Jesus zu den Jüngern: »Wer von euch mir nach-
folgen will, muss sich selbst verleugnen und sein Kreuz auf
sich nehmen und mir nachfolgen. 25Wer versucht, sein Leben
zu behalten, wird es verlieren. Doch wer sein Leben für mich
aufgibt, wird das wahre Leben finden. 26Was nützt es, die gan-
ze Welt zu gewinnen und dabei seine Seele zu verlieren? Gibt
es etwas Kostbareres als die Seele? 27Denn der Menschensohn
wird mit seinen Engeln in der Herrlichkeit seines Vaters kom-
men und die Menschen nach ihrem Tun richten. 28Und ich
versichere euch: Einige von euch, die jetzt hier stehen, werden
nicht sterben, bevor sie den Menschensohn in seinem Reich
kommen sehen.«

Jesus wird verklärt

17 1 Sechs Tage später nahm Jesus Petrus und die beiden
Brüder Jakobus und Johannes mit auf einen hohen
Berg. 2 Plötzlich veränderte sich sein Aussehen. Sein Gesicht
leuchtete wie die Sonne und seine Kleidung wurde strahlend
weiß. 3 Auf einmal erschienen Mose und Elia und begannen
mit Jesus zu sprechen. 4 Petrus rief aus: »Herr, wie wunderbar
ist das! Wenn du willst, baue ich drei Hütten, eine für dich,
eine für Mose und eine für Elia.«

5 Doch noch während er das sagte, glitt eine helle Wolke über
sie, aus der eine Stimme zu ihnen sprach: »Dies ist mein ge-
liebter Sohn, an dem ich meine Freude habe. Hört auf ihn.«
6 Die Jünger erschraken zu Tode und fielen mit dem Gesicht
voran auf die Erde.

7 Da kam Jesus zu ihnen und berührte sie. »Steht auf«, sagte
er, »ihr braucht keine Angst zu haben.« 8 Und als sie aufblick-
ten, sahen sie niemanden mehr außer Jesus. 9 Als sie den Berg
wieder hinunterstiegen, befahl Jesus ihnen: »Erzählt nieman-
dem, was ihr gesehen habt, bis der Menschensohn von den
Toten auferstanden ist.«

10 Die Jünger fragten: »Warum behaupten die Schriftgelehr-
ten, dass zuerst Elia wiederkommen muss?«

11 Jesus erwiderte: »Elia kommt tatsächlich zuerst, um alles
vorzubereiten. 12 Aber ich sage euch, er ist bereits gekommen.
Doch niemand hat ihn erkannt, und er wurde schwer miss-
handelt. Und bald wird auch der Menschensohn durch ihre
Hand leiden.« 13 Da wurde den Jüngern klar, dass er von Jo-
hannes dem Täufer gesprochen hatte.

Jesus heilt einen besessenen Jungen

14 Als sie am Fuß des Berges ankamen, wurden sie bereits von
einer großen Menschenmenge erwartet. Ein Mann trat zu Je-
sus und kniete vor ihm nieder. Er sagte: 15 »Herr, hab Mitleid
mit meinem Sohn. Er hat schwere Anfälle und leidet fürchter-
lich. Immer wieder fällt er ins Feuer oder ins Wasser. 16 Ich
habe ihn zu deinen Jüngern gebracht, aber sie konnten ihm
nicht helfen.«

17Jesus antwortete: »Ihr uneinsichtigen, ungläubigen Men-
schen! Wie lange muss ich noch bei euch sein, bis ihr endlich
glaubt? Wie lange muss ich euch noch ertragen? Bringt den
Jungen zu mir.« 18Jesus bedrohte den bösen Geist im Körper
des Jungen, und der Geist fuhr aus ihm heraus. Im selben Au-
genblick war der Junge wieder gesund.
19Als sie später wieder unter sich waren, fragten die Jünger
Jesus: »Warum konnten wir diesen Dämon nicht austreiben?«
20»Weil euer Glaube so gering ist«, sagte Jesus. »Ich versiche-
re euch: Wenn euer Glaube auch nur so groß wäre wie ein
Senfkorn, könntet ihr zu diesem Berg sagen: ›Rücke dich von
hier nach da‹, und er würde sich bewegen. Nichts wäre euch
unmöglich.«

Jesus kündigt erneut seinen Tod an

22Eines Tages, als sie nach Galiläa zurückkamen, sagte Jesus
zu ihnen: »Der Menschensohn wird verraten werden. 23Man
wird ihn umbringen, doch drei Tage später wird er von den
Toten auferweckt werden.« Als die Jünger das hörten, wur-
den sie sehr traurig.

Die Bezahlung der Tempelsteuer

24Als sie nach Kapernaum kamen, traten die Einnehmer der
Tempelsteuer auf Petrus zu und fragten ihn: »Zahlt euer Meis-
ter keine Tempelsteuer?«
25»Doch«, antwortete Petrus. Dann ging er nach Hause, um
es Jesus zu erzählen. Aber noch bevor er ansetzen konnte zu
sprechen, fragte Jesus ihn: »Was meinst du, Petrus? Von wem
fordern die irdischen Könige Steuern und Abgaben? Von ih-
ren eigenen Kindern oder von den anderen Leuten?«
26Petrus erwiderte: »Von den anderen.« Darauf sagte Jesus:
»Dann sind also die Kinder frei! 27Wir wollen sie jedoch nicht
vor den Kopf stoßen. Geh hinunter zum See und wirf eine
Angelschnur aus. Dem ersten Fisch, den du fängst, öffne das
Maul. Du wirst darin eine Münze finden. Nimm diese Münze
und bezahle damit für uns beide die Steuer.«

Der Größte im Reich Gottes

18 1Etwa zu dieser Zeit kamen die Jünger zu Jesus und
fragten ihn: »Wer ist der Größte im Himmelreich?«
2Da rief Jesus ein kleines Kind zu sich und stellte es vor sie
hin. 3Dann sagte er: »Ich versichere euch: Wenn ihr nicht um-
kehrt und werdet wie die Kinder, werdet ihr nie ins Himmel-
reich kommen. 4Deshalb: Wer so gering wird wie dieses Kind,
der ist der Größte im Himmelreich. 5Und wer ein solches Kind
in meinem Namen aufnimmt, der nimmt mich auf. 6Wer aber
eines dieser Kinder, die mir vertrauen, vom rechten Glauben
abbringt, für den wäre es besser, er würde mit einem schwe-
ren Mühlstein um den Hals ins Meer geworfen werden.
7Schreckliches erwartet die, die andere zur Sünde verführen.
Die Versuchung, Böses zu tun, wird es immer geben, doch
dem, der andere in diese Versuchung bringt, wird es schlimm
ergehen. 8Wenn dich also deine Hand oder dein Fuß zum Bö-
sen verführen will, hack sie ab und wirf sie weg. Besser du
kommst als Krüppel oder Gelähmter in den Himmel, als
dass du mit allen deinen Gliedmaßen ins ewige Höllenfeuer
geworfen wirst. 9Und wenn dich dein Auge zum Bösen ver-
führen will, stich es aus und wirf es weg. Besser du kommst
halb blind in den Himmel, als zwei Augen zu haben und ins
ewige Höllenfeuer geworfen zu werden.
10Hütet euch davor, auf ein einziges dieser Kinder herab-
zusehen. Denn ich sage euch, dass ihre Engel im Himmel mei-
nem himmlischen Vater stets besonders nahe sind.

Das Gleichnis vom verlorenen Schaf

12Wenn ein Hirte hundert Schafe hat, und eines läuft weg und
verirrt sich, was wird er wohl tun? Wird er nicht die neun-
undneunzig anderen stehen lassen und in die Berge gehen,
um das verirrte Schaf zu suchen? 13Und wenn er es findet,
wird er sich ganz sicher mehr darüber freuen als über die
neunundneunzig, die nicht fortgelaufen sind. 14Genauso ist
es nicht der Wille meines Vaters, dass auch nur eines von die-
sen Kindern verloren geht.

Zurechtweisung des Bruders
15Wenn dir ein Bruder unrecht getan hat, geh zu ihm und wei-
se ihn auf seinen Fehler hin. Wenn er auf dich hört und seine
Schuld zugibt, hast du ihn zurückgewonnen. 16Wenn es dir
nicht gelingt, nimm einen oder zwei andere und geht noch
einmal gemeinsam zu ihm, sodass alles, was du sagst, von
zwei oder drei Zeugen bestätigt werden kann. 17Wenn er
auch dann nicht zuhören will, trage den Fall deiner Gemeinde
vor. Wenn die Gemeinde dir Recht gibt, aber der andere auch
dieses Urteil nicht anerkennt, dann behandelt ihn wie einen,
der Gott nicht kennt, oder wie einen bestechlichen Steuerein-
nehmer. 18Ich sage euch: Was ihr auf der Erde verbietet, ist
auch im Himmel verboten, und was ihr auf der Erde erlaubt,
ist auch im Himmel erlaubt.

19Und ich sage euch auch: Wenn zwei von euch hier auf der
Erde darin eins werden, eine Bitte an Gott zu richten, dann
wird mein Vater im Himmel diese Bitte erfüllen. 20Denn wo
zwei oder drei zusammenkommen, die zu mir gehören, bin
ich mitten unter ihnen.«

Das Gleichnis vom uneinsichtigen Schuldner
21Dann kam Petrus zu ihm und fragte: »Herr, wie oft soll ich
jemandem vergeben, der mir unrecht tut? Sieben Mal?«

22»Nein!«, antwortete Jesus, »siebzigmal sieben Mal!

23Deshalb kann man das Himmelreich mit einem König ver-
gleichen, der beschlossen hatte, mit seinen Bediensteten, die
von ihm Geld geliehen hatten, abzurechnen. 24Unter ihnen
war auch einer, der ihm sehr viel Geld schuldete. 25Da er nicht
bezahlen konnte, befahl der König das Folgende: Er, seine
Frau, seine Kinder, und alles, was er besaß, sollten verkauft
werden, um damit seine Schuld zu begleichen. 26Doch der
Mann fiel vor ihm nieder und bat ihn: ›Herr, hab doch Geduld
mit mir, ich werde auch alles bezahlen.‹ 27Da hatte der König
Mitleid mit ihm, ließ ihn frei und erließ ihm seine Schulden.

28Doch sobald der Mann frei war, ging er zu einem anderen
Diener, der ihm eine kleine Summe schuldete, packte ihn am
Kragen und verlangte, dass er auf der Stelle alles bezahlen

sollte. [29]Der Diener fiel vor ihm nieder und bat ihn um einen
kurzen Aufschub: ›Hab doch Geduld mit mir, ich werde auch
alles bezahlen.‹ [30]Doch der Mann war nicht bereit zu warten.
Er ließ ihn verhaften und einsperren, so lange, bis dieser seine
ganze Schuld bezahlt hätte.

[31]Als die anderen Diener das sahen, waren sie empört. Sie
gingen zum König und erzählten ihm, was vorgefallen war.
[32]Da ließ der König den Mann rufen, dem er zuvor seine
Schulden erlassen hatte, und sagte zu ihm: ›Du herzloser Die-
ner! Ich habe dir deine großen Schulden erlassen, weil du
mich darum gebeten hast. [33]Müsstest du da nicht auch mit
diesem Diener Mitleid haben, so wie ich Mitleid mit dir hat-
te?‹ [34]Der König war so zornig, dass er den Mann ins Gefäng-
nis werfen ließ, bis er seine Schulden bis auf den letzten Cent
bezahlt hatte.

[35]Genauso wird mein Vater im Himmel mit euch verfahren,
wenn ihr euch weigert, euren Brüdern und Schwestern zu ver-
geben.«

Über Ehe und Ehescheidung

19 [1]Nachdem Jesus zu Ende gesprochen hatte, verließ er
Galiläa und ging nach Süden in die Gegend von Judäa,
östlich des Jordan. [2]Eine große Menschenmenge folgte ihm
dorthin, und er heilte ihre Kranken.

[3]Da kamen einige Pharisäer zu ihm und versuchten, ihm
eine Falle zu stellen. Sie fragten ihn: »Darf sich ein Mann aus
jedem beliebigen Grund von seiner Frau trennen?«

[4]»Wisst ihr nicht, was in der Schrift steht?«, erwiderte Jesus.
»Dort steht, dass ›der Schöpfer die Menschen als Mann und
Frau schuf‹. [5]Und es heißt weiter: ›Deshalb wird ein Mann
Vater und Mutter verlassen und sich an seine Frau binden
und die beiden werden zu einer Einheit.‹ [6]Dann sind sie also
nicht mehr zwei, sondern eins, und niemand soll sie mehr
trennen, denn Gott hat sie zusammengebracht.«

[7]»Und warum hat dann Mose gesagt, dass ein Mann seiner
Frau einen offiziellen Scheidungsbrief ausstellen und sie dann
fortschicken darf?«, fragten sie.

8Jesus antwortete: »Mose erlaubte die Ehescheidung, weil
eure Herzen hart sind, aber ursprünglich war sie nicht Gottes
Wille. 9Und ich sage euch: Ein Mann, der sich von seiner Frau
scheiden lässt und eine andere heiratet, begeht Ehebruch – es
sei denn, seine Frau war untreu.«
10Da sagten die Jünger zu Jesus: »Dann wäre es ja besser, gar
nicht zu heiraten!«
11»Nicht jeder kann dies verstehen«, sagte Jesus. »Das kön-
nen nur die, denen Gott dabei hilft. 12Manche werden unfähig
zur Ehe geboren, andere werden von Menschen dazu unfähig
gemacht, und wieder andere haben sich dafür entschieden,
um des Himmelreiches willen nicht zu heiraten. Wer dies be-
greifen kann, der handle danach.«

Jesus segnet die Kinder

13Einige Kinder wurden zu Jesus gebracht. Er sollte ihnen die
Hand auflegen und für sie beten. Doch die Jünger fuhren die
Leute an, ihn nicht zu stören. 14Aber Jesus sagte: »Lasst die
Kinder zu mir kommen. Haltet sie nicht zurück! Denn Men-
schen wie ihnen gehört das Himmelreich.« 15Und er legte ih-
nen die Hände auf und segnete sie, bevor er weiterzog.

Der reiche Jüngling

16Einmal kam ein Mann zu Jesus und fragte ihn: »Meister, was
muss ich Gutes tun, um das ewige Leben zu bekommen?«
17»Warum fragst du mich, was gut ist?«, erwiderte Jesus.
»Nur Gott ist gut. Du kannst das ewige Leben nur erlangen,
wenn du dich an die Gebote hältst.«
18»Welche Gebote?«, fragte der Mann. Und Jesus antwortete:
»Du sollst nicht töten. Du sollst nicht die Ehe brechen. Du
sollst nicht stehlen. Du sollst keine Falschaussage machen.
19Ehre deinen Vater und deine Mutter. Liebe deinen Nächsten
wie dich selbst.«
20»Alle diese Gebote habe ich gehalten«, sagte der junge
Mann. »Was muss ich noch tun?«
21Jesus sagte zu ihm: »Wenn du vollkommen sein willst,
dann geh und verkaufe alles, was du hast, und gib das Geld

den Armen, und du wirst einen Schatz im Himmel haben.
Dann komm und folge mir nach.« [22]Doch als der junge Mann
das hörte, ging er traurig fort, denn er war sehr reich.
[23]Da sagte Jesus zu seinen Jüngern: »Ich will euch die Wahr-
heit sagen: Es ist sehr schwer für einen Reichen, ins Himmel-
reich zu gelangen. [24]Ich sage es noch einmal: Eher geht ein
Kamel durch ein Nadelöhr, als dass ein Reicher in das Reich
Gottes kommt!«
[25]Die Jünger waren sehr betroffen. »Wer kann denn dann
überhaupt gerettet werden?«, fragten sie.
[26]Jesus sah sie eindringlich an und sagte: »Menschlich ge-
sehen ist es unmöglich. Aber bei Gott ist alles möglich.«
[27]Da sagte Petrus zu ihm: »Wir haben alles aufgegeben, um
dir nachzufolgen. Was werden wir dafür bekommen?«
[28]Jesus antwortete: »Ich versichere euch: Wenn der Men-
schensohn im Reich Gottes auf seinem Thron der Herrlichkeit
sitzt, dann werdet ihr, die ihr mir nachgefolgt seid, ebenfalls
auf zwölf Thronen sitzen und über die zwölf Stämme Israels
richten. [29]Und jeder, der um meines Namens willen sein
Haus, seine Geschwister, seine Eltern, seine Kinder oder sei-
nen Besitz aufgegeben hat, wird hundertmal so viel wieder-
bekommen und das ewige Leben erlangen. [30]Doch viele, die
heute wichtig erscheinen, werden dann die Geringsten sein,
und die, die hier ganz unbedeutend sind, werden dort die
Größten sein.

Das Gleichnis von den Arbeitern im Weinberg

20 [1]Denn das Himmelreich ist vergleichbar mit dem Besit-
zer eines großen Gutes, der früh am Morgen hinaus-
ging, um Arbeiter für seinen Weinberg einzustellen. [2]Er ver-
einbarte mit ihnen den üblichen Tagelohn und schickte sie an
die Arbeit.
[3]Um neun Uhr morgens ging er über den Marktplatz und
sah einige Leute herumstehen, die keine Arbeit hatten. [4]Er
stellte auch sie ein und sagte ihnen, sie würden am Abend
den ihnen zustehenden Lohn erhalten. [5]Am Mittag und dann
noch einmal nachmittags gegen drei Uhr tat er dasselbe. [6]Um

fünf Uhr abends ging er noch einmal in die Stadt und sah immer noch ein paar Leute herumstehen. Er fragte sie: ›Warum habt ihr heute nicht gearbeitet?‹

7Sie antworteten: ›Weil uns niemand angestellt hat.‹ Da sagte der Gutsbesitzer zu ihnen: ›Dann geht zu den anderen Arbeitern in meinem Weinberg.‹

8Am Abend schließlich beauftragte er seinen Verwalter, die Leute zu rufen und sie zu entlohnen. Er sollte mit den Arbei-
tern beginnen, die als Letzte eingestellt worden waren. 9Als
die, die erst um fünf Uhr eingestellt worden waren, bezahlt
wurden, erhielten sie alle einen vollen Tagelohn. 10Als die,
die früher eingestellt worden waren, an der Reihe waren, dachten sie, dass sie mehr bekommen würden. Aber auch sie
erhielten einen Tagelohn. 11Als sie ihr Geld bekamen, be-
schwerten sie sich. 12›Diese Leute haben nur eine Stunde gearbeitet und doch bekommen sie genauso viel wie wir, die wir den ganzen Tag in der sengenden Hitze schwer gearbeitet haben.‹

13Einem von ihnen antwortete er: ›Mein Freund, ich war nicht ungerecht! Warst du nicht damit einverstanden, dass
du den ganzen Tag für den üblichen Lohn arbeitest? 14Nimm
dein Geld und gib dich zufrieden. Ich will aber diesem letzten
Arbeiter genauso viel geben wie dir. 15Oder ist es mir nicht
erlaubt, mit meinem Geld zu machen, was ich will? Willst du dich etwa darüber beklagen, dass ich gütig bin?‹

16Genauso ist es bei Gott: Viele, die jetzt die Ersten sind, werden die Letzten sein, und die, die jetzt die Letzten sind, werden dann die Ersten sein.«

Jesus kündigt nochmals seinen Tod an

17Auf dem Weg nach Jerusalem nahm Jesus die zwölf Jünger beiseite und sagte ihnen, was mit ihm geschehen würde.

18»Wenn wir nach Jerusalem kommen«, sagte er, »wird der Menschensohn an die obersten Priester und Schriftgelehrten verraten werden. Sie werden ihn zum Tode verurtei-
len. 19Dann werden sie ihn den Römern ausliefern, und die
werden ihn verspotten, auspeitschen und kreuzigen. Doch

am dritten Tag wird er von den Toten auferweckt werden.«

Vom Dienen

20Später kam die Mutter von Jakobus und Johannes, den Söhnen des Zebedäus, mit ihren Söhnen zu Jesus. Sie kniete respektvoll vor ihm nieder, denn sie wollte ihn um einen Gefallen bitten.

21»Was möchtest du?«, fragte er sie. Sie antwortete: »Wirst du meinen Söhnen in deinem Reich die Ehrenplätze neben dir geben, den einen rechts und den anderen links von dir?«

22Doch Jesus sagte zu ihnen: »Ihr wisst ja nicht, worum ihr bittet! Könnt ihr auch aus dem bitteren Leidenskelch trinken, den ich trinken werde?« Sie antworteten: »Oh ja, das können wir!«

23Da sagte er zu ihnen: »Ihr werdet tatsächlich daraus trinken müssen. Aber ich habe nicht das Recht zu bestimmen, wer einmal neben mir sitzen wird. Mein Vater hat diese Plätze für die bestimmt, die er ausgewählt hat.«

24Als die anderen zehn Jünger hörten, worum Jakobus und
Johannes gebeten hatten, ärgerten sie sich. 25Doch Jesus rief
sie zu sich und sagte: »Ihr wisst, dass in dieser Welt die Könige Tyrannen sind und die Herrschenden die Menschen oft
ungerecht behandeln. 26Bei euch soll es anders sein. Wer
euch anführen will, soll euch dienen, 27und wer unter euch
der Erste sein will, soll euer Sklave werden. 28Der Menschensohn ist nicht gekommen, um sich bedienen zu lassen, sondern um anderen zu dienen und sein Leben als Lösegeld für viele hinzugeben.«

Jesus heilt zwei Blinde

29Als Jesus und die Jünger die Stadt Jericho verließen, folgte
ihnen eine große Menschenmenge. 30An der Straße saßen
zwei Blinde. Als sie hörten, dass Jesus kam, begannen sie zu
rufen: »Herr, Sohn Davids, hab Erbarmen mit uns!« 31Die Leute ermahnten sie, doch still zu sein, aber sie schrien nur noch lauter: »Herr, Sohn Davids, hab Erbarmen mit uns!«

32 Jesus blieb stehen und fragte sie: »Was soll ich für euch
tun?«
33 »Herr«, sagten sie, »wir möchten sehen können!« 34 Da hat-
te Jesus Mitleid mit ihnen und er berührte ihre Augen. Im
gleichen Augenblick konnten sie sehen. Und sie folgten ihm
nach.

Der triumphale Einzug

21 1 Kurz vor Jerusalem kamen Jesus und die Jünger durch
das Städtchen Betfage am Ölberg. Jesus schickte zwei
der Jünger voraus. 2 »Geht in das Dorf dort«, sagte er, »dort
werdet ihr eine Eselin angebunden sehen und bei ihr ein Foh-
len. Bindet die beiden los und bringt sie her. 3 Wenn jemand
fragt, was ihr da tut, dann sagt nur: ›Der Herr braucht sie‹,
und man wird sie euch mitgeben.« 4 Auf diese Weise wurde
die Prophezeiung erfüllt:
5 »Sagt dem Volk Israel: ›Seht, euer König kommt zu euch. Er
ist sanftmütig und reitet auf einem Esel – ja auf dem Fohlen
eines Esels, dem Jungen eines Lasttieres.‹«
6 Die beiden Jünger taten, was Jesus ihnen aufgetragen hatte.
7 Sie brachten die Tiere zu ihm, warfen ihre Mäntel über das
Fohlen, und er setzte sich darauf.
8 Viele Menschen breiteten ihre Mäntel vor Jesus auf der Stra-
ße aus. Andere schnitten Zweige von den Bäumen und be-
streuten den Weg damit. 9 Er befand sich in der Mitte des Zu-
ges, und die Menge um ihn herum jubelte: »Gelobt sei Gott für
den Sohn Davids! Gepriesen sei, der im Namen des Herrn
kommt! Lobt Gott im höchsten Himmel!«
10 Die ganze Stadt Jerusalem war in Aufruhr, als er einzog.
»Wer ist das?«, fragten die Leute.
11 Und die Menschen in der Menge antworteten: »Das ist Je-
sus, der Prophet aus Nazareth in Galiläa.«

Jesus reinigt den Tempel

12 Jesus ging in den Tempel und fing an, die Händler und jene,
die bei ihnen kauften, hinauszutreiben. Er stieß die Tische der
Geldwechsler und die Stände der Taubenverkäufer um. 13 Da-

bei sagte er: »In der Schrift steht: ›Mein Haus soll ein Ort des
Gebets sein‹, aber ihr habt eine Räuberhöhle daraus ge-
macht!«

14Blinde und Gelähmte kamen zu ihm, und er heilte sie im
Tempel. 15Die obersten Priester und die Schriftgelehrten sa-
hen diese Wunder und hörten, wie die kleinen Kinder im
Tempel riefen: »Lobt Gott für den Sohn Davids!« Das erregte
ihren Unwillen 16und sie fragten Jesus: »Hörst du, was die
Kinder da rufen?« Jesus erwiderte: »Ja. Habt ihr noch nie in
der Schrift gelesen? Dort steht geschrieben: ›Kinder und Säug-
linge hast du gelehrt, dich zu loben.‹« 17Dann ließ er sie stehen
und kehrte nach Betanien zurück, wo er die Nacht verbrachte.

Jesus verflucht den Feigenbaum

18Als Jesus am nächsten Morgen nach Jerusalem zurückging,
bekam er Hunger. 19Er entdeckte einen Feigenbaum an der
Straße und ging hinüber, um zu sehen, ob Feigen daran wa-
ren, aber es waren nur Blätter daran. Da sagte er zu dem
Baum: »Du sollst nie wieder Früchte tragen!« Und der Feigen-
baum verdorrte im selben Augenblick.

20Die Jünger waren sehr erstaunt, als sie das sahen, und frag-
ten: »Wie kommt es, dass der Feigenbaum so schnell verdorrt
ist?«

21Da sagte Jesus zu ihnen: »Ich versichere euch: Wenn ihr
fest glaubt und nicht zweifelt, könnt ihr auch solche Dinge
tun und noch viel mehr als das. Ihr könnt sogar zu diesem
Berg sagen: ›Hebe dich empor und wirf dich ins Meer‹, und
es wird geschehen. 22Wenn ihr glaubt, werdet ihr alles bekom-
men, worum ihr im Gebet bittet.«

Die Frage nach der Vollmacht von Jesus

23Als Jesus in den Tempel zurückkehrte und dort zu lehren
begann, kamen die obersten Priester und einige der Ältesten
auf ihn zu. Sie fragten ihn: »Mit welchem Recht hast du die
Händler aus dem Tempel gejagt? Wer hat dich dazu ermäch-
tigt?«

24»Ich sage euch, wer mir die Vollmacht dazu gegeben hat,

wenn ihr mir auch eine Frage beantwortet«, antwortete Jesus.
25»War die Taufe des Johannes eine Handlung im Auftrag
Gottes oder war es nur die Tat eines Menschen?« Sie bespra-
chen sich miteinander. »Wenn wir sagen, es war eine Hand-
lung im Auftrag Gottes, dann wird er uns fragen, warum wir
Johannes nicht geglaubt haben. 26Wenn wir aber sagen, dass
es nur die Handlung eines Menschen war, wird das Volk über
uns herfallen, weil sie ihn für einen Propheten halten.« 27Also
sagten sie schließlich: »Wir wissen es nicht.« Und Jesus erwi-
derte: »Dann beantworte ich eure Frage auch nicht.

Das Gleichnis von den zwei Söhnen

28Doch was haltet ihr von Folgendem? Ein Mann hatte zwei
Söhne und sagte zu dem älteren: ›Mein Sohn, geh und arbeite
heute im Weinberg.‹ 29Der Sohn antwortete: ›Nein, ich will
nicht.‹ Doch später änderte er seine Meinung und ging doch.
30Dann sagte der Vater zu dem anderen Sohn: ›Dann geh du‹,
und der sagte: ›Ja, Vater, ich gehe‹, aber er ging nicht. 31Wel-
cher von den beiden Söhnen hat nun seinem Vater gehorcht?«
Sie antworteten: »Der erste natürlich.« Da erklärte ihnen Je-
sus, was er damit sagen wollte. »Ich versichere euch: Bestech-
liche Steuereinnehmer und Huren kommen eher ins Reich
Gottes als ihr. 32Denn Johannes der Täufer kam und zeigte
euch den Weg der Gerechtigkeit, und ihr habt ihm nicht ge-
glaubt. Die Steuereinnehmer und Huren dagegen haben ihm
geglaubt. Obwohl ihr das alles gesehen habt, wolltet ihr nicht
umkehren und ihm glauben.

Das Gleichnis von den bösen Bauern

33Hört auch folgendes Gleichnis. Ein Grundbesitzer legte ei-
nen Weinberg an, baute eine Mauer darum, hob eine Grube
aus, um darin den Traubensaft zu keltern, und baute einen
Wachturm. Dann verpachtete er den Weinberg an Bauern
und zog in ein anderes Land. 34Zur Zeit der Traubenernte
schickte er seine Diener, um seinen Anteil an der Ernte ein-
zufordern. 35Doch die Pächter überfielen die Diener. Den ei-
nen schlugen sie halb tot, den anderen brachten sie um, ein

weiterer wurde gesteinigt. 36 Da schickte der Grundbesitzer
noch weitere Diener, doch sie erlitten dasselbe Schicksal.
37 Schließlich schickte er seinen Sohn, weil er dachte: ›Ihn
werden sie sicher respektieren.‹
38 Doch als die Bauern seinen Sohn kommen sahen, sagten
sie zueinander: ›Da kommt der Erbe des Anwesens. Lasst
uns ihn umbringen, dann können wir das Land für uns behal-
ten!‹ 39 Also überfielen sie ihn, schleppten ihn vor den Wein-
berg und ermordeten ihn.
40 Wenn nun der Eigentümer des Weinbergs wiederkommt«,
sagte Jesus, »was meint ihr, wird er mit diesen Bauern ma-
chen?«
41 Sie antworteten: »Er wird diese heimtückischen Mörder
einen schrecklichen Tod sterben lassen und den Weinberg an
andere Bauern verpachten, die ihm nach jeder Ernte seinen
Anteil geben.«
42 Da fragte Jesus sie: »Habt ihr das nicht schon einmal in der
Schrift gelesen? ›Der Stein, den die Bauleute verworfen haben,
ist zum Eckstein geworden. Das ist das Werk des Herrn, und
es ist wunderbar anzusehen.‹ 43 Ich will damit sagen, dass das
Reich Gottes euch weggenommen wird und ein anderes Volk
es bekommt, das gute Früchte bringt. 44 Wer über diesen Stein
stolpert, wird in tausend Stücke zerbrechen, und der Stein
wird jeden zermalmen, auf den er fällt.«
45 Als die obersten Priester und Pharisäer Jesus sprechen hör-
ten, merkten sie, dass mit den Bauern in seinem Gleichnis sie
gemeint waren. 46 Sie hätten ihn gern verhaften lassen, doch
sie wagten es nicht, weil das Volk Jesus für einen Propheten
hielt.

Das Gleichnis vom großen Festmahl

22 1 Jesus erzählte ihnen noch viele andere Gleichnisse,
um ihnen das Reich Gottes begreiflich zu machen. Er
sagte: 2 »Man kann sich das Himmelreich auch am Beispiel
eines Königs vorstellen, der ein großes Hochzeitsfest für sei-
nen Sohn vorbereitete. 3 Viele Gäste waren eingeladen, und als
alles fertig war, schickte er seine Diener, um ihnen zu sagen,

dass es Zeit wäre zu kommen. Doch keiner wollte kommen!
4Also schickte er andere Diener, die ihnen sagen sollten: ›Das
Festmahl ist angerichtet, und das beste Fleisch wurde dafür
gebraten. Alles ist bereit, beeilt euch!‹ 5Doch die Gäste, die er
eingeladen hatte, beachteten die Abgesandten gar nicht und
gingen ihrer Arbeit nach. Der eine ging auf seinen Acker, ein
anderer kümmerte sich um seine Geschäfte. 6Wieder andere
packten die Boten und misshandelten sie, einige von ihnen
töteten sie sogar.
7Da wurde der König zornig. Er schickte seine Soldaten aus.
Sie sollten die Mörder umbringen und ihre Stadt in Brand set-
zen. 8Und zu seinen Dienern sagte er: ›Das Hochzeitsmahl ist
bereit, und die Gäste, die ich eingeladen hatte, sind es nicht
wert, dass ihnen diese Ehre zuteilwird. 9Deshalb geht hinaus
an die Straßenecken und ladet jeden ein, dem ihr begegnet.‹
10Also brachten die Diener alle, die sie finden konnten, gute
und schlechte Menschen, und der Festsaal war voller Gäste.
11Aber als der König hereinkam, um seine Gäste zu begrüßen,
bemerkte er einen Mann, der nicht für eine Hochzeit gekleidet
war. 12›Mein Freund‹, fragte er ihn, ›wie kommt es, dass du
hier bist, ohne feierlich gekleidet zu sein, wie es sich für eine
Hochzeit gehört?‹ Der Mann wusste keine Antwort darauf.
13Da sagte der König zu seinen Dienern: ›Fesselt ihn an Hän-
den und Füßen und werft ihn hinaus in die Dunkelheit, wo
Weinen und Zähneknirschen herrschen.‹ 14Denn viele sind
eingeladen, aber nur wenige sind auserwählt.«

Steuern für den Kaiser

15Da kamen die Pharisäer zusammen, um ein Komplott zu
schmieden. Sie wollten Jesus zu einer Äußerung verleiten,
die ihnen einen Vorwand liefern würde, ihn unter Anklage
zu stellen. 16Sie beschlossen, einige ihrer Schüler zusammen
mit Anhängern des Herodes zu ihm zu schicken und ihm fol-
gende Frage zu stellen: »Meister, wir wissen, wie ehrlich und
wahrhaftig du bist. Du lehrst Gottes Weg ohne jede Furcht –
auch nicht vor Menschen. Du lässt dich von niemandem be-
einflussen und bevorzugst niemanden. 17Nun sage uns, was

du darüber denkst: Ist es richtig, an den Kaiser Steuern zu
zahlen?«
18 Doch Jesus durchschaute ihre böse Absicht und sagte: »Ihr
Heuchler! Warum versucht ihr, mich mit euren Fangfragen in
eine Falle zu locken? 19 Zeigt mir eine römische Münze, mit
der die Steuern zu bezahlen sind.« Als sie ihm die Münze
reichten, fragte er sie: 20 »Wessen Bild und Titel sind hier ein-
geprägt?«
21 »Das Bild und der Titel des Kaisers«, antworteten sie.
»Nun«, sagte er, »dann gebt dem Kaiser, was ihm gehört.
Und gebt Gott, was Gott gehört.« 22 Seine Antwort machte sie
sprachlos, und sie gingen weg.

Gespräch über die Auferstehung

23 Am selben Tag meldeten sich einige Sadduzäer zu Wort.
Diese jüdische Gruppierung vertritt die Auffassung, dass es
keine Auferstehung nach dem Tod gibt. Sie stellten ihm fol-
gende Frage: 24 »Meister, Mose hat gesagt: ›Wenn ein Mann
kinderlos stirbt, soll sein Bruder die Witwe heiraten und ein
Kind mit ihr haben. Dieses Kind soll dann der Erbe des ver-
storbenen Bruders sein.‹ 25 Nun waren da sieben Brüder. Der
älteste heiratete und starb kinderlos. Also heiratete der zweite
Bruder die Witwe. 26 Auch dieser Bruder starb kinderlos, und
der nächste Bruder heiratete die Frau. So ging es immer wei-
ter, bis sie mit allen sieben Brüdern verheiratet gewesen war.
27 Schließlich starb auch sie. 28 Nun sage uns: Wessen Frau wird
sie nach der Auferstehung sein? Denn sie war ja mit allen sie-
ben verheiratet!«
29 Jesus erwiderte: »Ihr irrt euch, weil ihr die Schrift nicht
kennt und auch nicht die Macht Gottes! 30 Denn wenn die To-
ten auferstehen, werden sie nicht verheiratet sein. Sie werden
sein wie die Engel im Himmel. 31 Doch nun zu der Frage, ob es
überhaupt eine Auferstehung der Toten gibt: Habt ihr nie in
der Schrift davon gelesen? Lange nachdem Abraham, Isaak
und Jakob gestorben waren, sagte Gott: 32 ›Ich bin der Gott
Abrahams, der Gott Isaaks und der Gott Jakobs.‹ Also ist er
der Gott der Lebenden und nicht der Toten.«

33Als die Menschen das hörten, waren sie tief beeindruckt
von seinen Worten.

Das wichtigste Gebot

34Als die Pharisäer hörten, dass er den Sadduzäern mit seiner
Antwort den Mund gestopft hatte, dachten sie sich eine neue
Frage aus, die sie ihm stellen wollten. 35Einer von ihnen, der
sich im Gesetz Moses besonders gut auskannte, versuchte,
ihm mit der folgenden Frage eine Falle zu stellen: 36»Meister,
welches ist das wichtigste Gebot im Gesetz von Mose?«

37Jesus antwortete: »›Du sollst den Herrn, deinen Gott, lie-
ben, von ganzem Herzen, mit ganzer Seele und mit all deinen
Gedanken!‹ 38Das ist das erste und wichtigste Gebot. 39Ein
weiteres ist genauso wichtig: ›Liebe deinen Nächsten wie
dich selbst.‹ 40Alle anderen Gebote und alle Forderungen der
Propheten gründen sich auf diese beiden Gebote.«

Wessen Sohn ist der Christus?

41Jesus stand mitten unter den Pharisäern. Er richtete eine Fra-
ge an sie: 42»Was denkt ihr über den Christus? Wessen Sohn ist
er?« Sie antworteten: »Er ist der Sohn Davids.«

43Jesus erwiderte: »Warum hat ihn David, geleitet vom Hei-
ligen Geist, dann Herr genannt? Denn David sagte:

44›Der Herr sprach zu meinem Herrn: Setze dich auf den
Ehrenplatz zu meiner Rechten, bis ich deine Feinde demütige
und sie zum Schemel unter deinen Füßen mache.‹ 45Wenn Da-
vid ihn Herr nannte, wie kann er dann gleichzeitig sein Sohn
sein?«

46Niemand konnte seine Frage beantworten. Danach wagte
niemand mehr, ihm weitere Fragen zu stellen.

Jesus warnt die Schriftgelehrten

23 1Dann sprach Jesus zu der Menschenmenge und zu
seinen Jüngern: 2»Die Schriftgelehrten und Pharisäer
sitzen als Ausleger der Schrift auf dem Stuhl von Mose. 3Des-
halb haltet euch an das, was sie euch sagen, aber folgt nicht
ihrem Beispiel. Denn sie handeln nicht nach dem, was sie euch

lehren. [4]Sie knebeln euch mit unerfüllbaren religiösen Forde-
rungen und tun nicht das Geringste, um euch die Last zu er-
leichtern.

[5]Alles, was sie tun, tun sie nur nach außen hin. Am Arm
tragen sie besonders große Gebetsriemen, und sie haben extra
lange Fransen an ihren Gewändern. [6]Und wie sie es lieben, bei
Festessen am Kopfende des Tisches auf dem Ehrenplatz zu
sitzen und in der Synagoge auf den besten Plätzen! [7]Sie genie-
ßen die Beachtung, die ihnen auf der Straße zuteilwird. Be-
sonders gern mögen sie es, wenn man sie mit ›Rabbi‹ anredet.
[8]Lasst euch niemals ›Rabbi‹ nennen. Ihr habt nur einen Meis-
ter, und ihr alle seid gleich, wie Brüder und Schwestern. [9]Und
bezeichnet niemanden hier auf der Erde als ›Vater‹, denn nur
Gott im Himmel ist euer geistlicher Vater. [10]Lasst euch auch
nicht ›Lehrer‹ nennen, denn es gibt nur einen Lehrer, und das
ist der Christus. [11]Der Größte unter euch muss den anderen
dienen. [12]Diejenigen jedoch, die sich über die anderen stellen,
werden gedemütigt werden, und die, die demütig sind, wer-
den erhöht.

[13]Euch Schriftgelehrten und Pharisäern wird es schlimm er-
gehen. Ihr Heuchler! Denn wenn ihr andere nicht ins Himmel-
reich hineinlasst, werdet auch ihr nicht hineingelassen. [15]Ja,
euch Schriftgelehrten und Pharisäern wird es schlimm er-
gehen. Ihr reist über Land und Meer, um einen Menschen zu
bekehren, und dann macht ihr aus ihm einen Sohn der Hölle,
der doppelt so schlimm ist wie ihr selbst.

[16]Ihr blinden Anführer! Schlimm wird es euch ergehen! Ihr
behauptet, es habe keine Bedeutung, ›beim Tempel Gottes‹ zu
schwören – einen solchen Eid könne man ruhig brechen. Und
im selben Atemzug behauptet ihr, wenn man aber ›beim Gold
im Tempel‹ schwört, müsse man sich daran halten. [17]Ihr ver-
bohrten Dummköpfe! Was ist wichtiger, das Gold oder der
Tempel, durch den das Gold erst heilig wird? [18]Ihr sagt, ein
Schwur ›beim Altar‹ dürfte ruhig gebrochen werden, ein Eid
›bei den Opfergaben auf dem Altar‹ aber sei bindend! [19]Ihr
seid blind! Was ist wichtiger, die Opfergabe auf dem Altar
oder der Altar, durch den die Opfergabe erst heilig wird?

[20]Wenn ihr ›beim Altar‹ schwört, dann schwört ihr bei dem
Altar und allem, was darauf ist. [21]Und wenn ihr ›beim Tem-
pel‹ schwört, schwört ihr beim Tempel und bei Gott, der im
Tempel wohnt. [22]Und wenn ihr ›beim Himmel‹ schwört,
schwört ihr bei dem Thron Gottes und bei Gott selbst, der
auf diesem Thron sitzt.

[23]Euch Schriftgelehrten und Pharisäern wird es schlimm er-
gehen. Ihr Heuchler! Sorgfältig achtet ihr darauf, auch noch
vom geringsten Teil eures Einkommens den zehnten Teil ab-
zugeben, doch um die wahrhaft wichtigen Dinge des Geset-
zes wie Gerechtigkeit, Barmherzigkeit und Glauben kümmert
ihr euch nicht. Ihr sollt den Zehnten geben, gewiss, aber ihr
dürft die viel wichtigeren Dinge darüber nicht vernachlässi-
gen. [24]Ihr blinden Anführer! Ihr siebt euer Wasser durch, da-
mit ihr nicht aus Versehen eine Mücke verschluckt, und dann
verschluckt ihr ein Kamel!

[25]Euch Schriftgelehrten und Pharisäern wird es schlimm er-
gehen. Ihr Heuchler! Sorgfältig achtet ihr darauf, dass eure
Tassen und Teller nach außen sauber sind, doch innerlich
seid ihr durch und durch verdorben – voller Missgunst und
Maßlosigkeit! [26]Ihr blinden Pharisäer! Wascht erst einmal die
Tasse von innen aus; das Äußere wird dann von selbst sauber.

[27]Euch Schriftgelehrten und Pharisäern wird es schlimm er-
gehen. Ihr Heuchler! Ihr seid wie weiß getünchte Gräber – mit
einer sauberen, ordentlichen Außenseite, doch innen voller
Gebeine und Schmutz. [28]Ihr gebt euch den Anschein recht-
schaffener Leute, doch euer Herz ist voller Heuchelei und Ge-
setzesverachtung.

[29]Euch Schriftgelehrten und Pharisäern wird es schlimm er-
gehen. Ihr Heuchler! Ihr baut Grabmäler für die Propheten,
die von euren Vorfahren ermordet wurden, und schmückt
die Gräber der gottesfürchtigen und gerechten Menschen,
die von euren Vorfahren umgebracht wurden. [30]Und dann
behauptet ihr dreist: ›Wir hätten niemals mitgemacht, als sie
die Propheten ermordeten.‹

[31]Damit bestätigt ihr selbst, dass ihr die Nachkommen der
Prophetenmörder seid. [32]Macht weiter so! Bringt zu Ende,

was sie angefangen haben. 33Ihr Schlangen! Ihr Söhne von Vi-
pern! Wie wollt ihr der Verurteilung zur ewigen Verdammnis
entgehen? 34Ich werde euch Propheten und weise Männer
und Schriftgelehrte schicken. Einige von ihnen werdet ihr
kreuzigen, andere werdet ihr in euren Synagogen auspeit-
schen und sie von Stadt zu Stadt hetzen. 35Und deshalb wer-
det ihr schuldig gesprochen werden für die Ermordung aller
gottesfürchtigen Menschen, angefangen mit dem gerechten
Abel, bis zu Secharja, dem Sohn des Berechja, den ihr im Tem-
pel zwischen Altar und Heiligtum ermordet habt. 36Ich ver-
sichere euch: Die Strafe für all das wird über diese Generation
hereinbrechen.

Jesus trauert um Jerusalem

37O Jerusalem, Jerusalem, du Stadt, die Propheten ermordet
und Gottes Boten steinigt! Wie oft wollte ich deine Kinder zu-
sammenrufen, wie eine Henne, die ihre Küken unter ihren
Flügeln birgt, doch ihr habt es nicht zugelassen. 38Und nun
seht, euer Haus ist euch überlassen, leer und verödet. 39Denn
ich sage euch, ihr werdet mich nicht wieder sehen, ehe ihr
nicht sagt: ›Gelobt sei, der da kommt im Namen des Herrn.‹«

Jesus spricht über die Zukunft der Welt

24 1Als Jesus das Tempelgelände verließ, zeigten seine
Jünger ihm die verschiedenen Gebäude, die zum Tem-
pel gehörten. 2Doch er sagte zu ihnen: »Seht ihr diese Gebäu-
de? Ich versichere euch: Sie werden alle zerstört werden, so-
dass kein Stein auf dem anderen bleibt.«

3Später saß Jesus am Hang des Ölbergs. Seine Jünger kamen
zu ihm und fragten: »Wann wird all das geschehen? Und wird
es vorher ein Zeichen geben, das deine Wiederkehr und das
Ende der Welt ankündigt?«

4Jesus antwortete ihnen: »Lasst euch von niemandem etwas
weismachen. 5Viele werden in meinem Namen auftreten und
behaupten: ›Ich bin der Christus‹, und sie werden viele irre-
führen. 6Überall werden Kriege ausbrechen. Aber habt keine
Angst – diese Dinge müssen geschehen, doch das Ende wird

noch nicht unmittelbar darauf folgen. 7Völker und Königrei-
che werden sich den Krieg erklären. In vielen Teilen der Welt
wird es Erdbeben geben, und es wird zu Hungersnöten kom-
men. 8Doch all das wird erst der Anfang der Schrecken sein,
die auf euch zukommen.

9Ihr werdet verhaftet, verfolgt und umgebracht werden. Auf
der ganzen Welt wird man euch hassen, weil ihr euch zu mei-
nem Namen bekennt. 10Viele werden sich von mir abwenden
und einander verraten und hassen. 11Viele falsche Propheten
werden auftreten und die Menschen täuschen. 12Die Gesetz-
losigkeit wird immer mehr überhandnehmen und die Liebe
wird bei vielen erkalten. 13Doch wer bis zum Ende durchhält,
wird gerettet werden. 14Die Botschaft vom Reich Gottes wird
auf der ganzen Welt gepredigt werden, damit alle Völker sie
hören, und dann erst wird das Ende kommen.

15Es wird eine Zeit kommen, da werdet ihr sehen, wovon der
Prophet Daniel gesprochen hat: das abscheuliche Götzenbild,
das den heiligen Ort, an dem es steht, entweiht. Wer dies liest,
der horche auf! 16Dann müssen alle Menschen in Judäa in die
Berge fliehen. 17Wer sich vor seinem Haus befindet, darf nicht
mehr hineingehen, um zu packen. 18Wer draußen auf dem
Feld ist, darf nicht erst nach Hause gehen, um sich einen Man-
tel zu holen. 19Besonders schlimm wird diese Zeit für schwan-
gere Frauen sein und für Mütter, die ihre Kinder stillen. 20Be-
tet darum, dass ihr nicht im Winter oder an einem Sabbat
fliehen müsst. 21Denn es wird eine Schreckenszeit sein, wie
die Welt sie noch nie erlebt hat und auch nie wieder erleben
wird. 22Wenn diese Zeit der Not nicht abgekürzt würde, wür-
de die gesamte Menschheit umkommen. Doch wegen der
Auserwählten Gottes wird sie abgekürzt werden.

23Wenn irgendjemand zu euch sagt: ›Schaut her, hier ist der
Christus‹ oder ›Da ist er‹, beachtet ihn nicht. 24Denn falsche
Erlöser und falsche Propheten werden überall auftauchen
und große Zeichen und Wunder vollbringen, um selbst die
von Gott Auserwählten zu verführen. 25Ich habe euch ge-
warnt!

26Wenn euch also jemand erzählt: ›Der Christus ist draußen

in der Wüste‹, macht euch nicht die Mühe hinzugehen und
nachzusehen. Oder wenn einer sagt: ›Da und da hält er sich
verborgen‹ – glaubt es nicht! 27Denn wenn der Menschensohn
kommt, wird es sein wie ein Blitz, der den ganzen Himmel
erhellt. 28So wie ein Schwarm Geier ein Hinweis darauf ist,
dass in der Nähe ein Tierkadaver liegt, sind diese Zeichen
der Beweis, dass das Ende nahe ist.

29Unmittelbar nachdem diese schreckliche Zeit zu Ende ist,
wird sich die Sonne verfinstern, der Mond wird nicht mehr
leuchten, die Sterne werden vom Himmel stürzen und die
Kräfte des Himmels werden erschüttert. 30Und schließlich
wird das Zeichen für das Kommen des Menschensohns am
Himmel erscheinen, und unter den Völkern der Erde wird
tiefe Trauer herrschen. Sie werden sehen, wie der Menschensohn mit großer Macht und Herrlichkeit auf den Wolken des
Himmels kommt. 31Er wird seine Engel mit lautem Posaunenschall vorausschicken, und sie werden seine Auserwählten
von den Enden der Welt sammeln.

32Lernt vom Feigenbaum: Wenn seine Knospen weich werden und die Blätter zu sprießen beginnen, wisst ihr, dass der
Sommer kommt, ohne dass es euch jemand sagt. 33Wenn ihr
also seht, wie alle diese Dinge passieren, dann wisst ihr, dass
die Wiederkunft des Menschensohnes vor der Tür steht. 34Ich
versichere euch: Diese Generation wird nicht von der Erde
verschwinden, bevor all das geschehen ist. 35Himmel und
Erde werden vergehen, doch meine Worte bleiben ewig.

36Niemand kennt den Tag oder die Stunde, in der diese Dinge geschehen werden, nicht einmal die Engel im Himmel, und
auch nicht der Sohn. Nur der Vater weiß es.

37Wenn der Menschensohn wiederkommt, wird es sein wie
zur Zeit Noahs. 38In den Tagen vor der Sintflut feierten die
Menschen rauschende Feste, Orgien und Hochzeiten, bis
Noah in seine Arche stieg. 39Sie merkten nicht, was geschah,
bis die Flut kam und sie alle hinwegschwemmte. Genauso
wird es sein, wenn der Menschensohn kommt.

40Zwei Männer werden zusammen auf dem Feld arbeiten;
einer wird mitgenommen, der andere zurückgelassen. 41Zwei

Frauen werden in der Mühle Mehl mahlen; eine wird mit-
genommen, die andere zurückgelassen. 42Deshalb haltet
euch bereit, denn ihr wisst nicht, wann euer Herr wieder-
kommt.

43Macht euch eines klar: Ein Hausbesitzer, der weiß, wann
der Dieb kommt, ist wachsam und lässt es nicht zu, dass
in sein Haus eingebrochen wird. 44Ihr müsst jederzeit bereit
sein. Denn der Menschensohn wird kommen, wenn ihr es am
wenigsten erwartet.

45Wer ist also ein vertrauenswürdiger und kluger Diener,
dem der Herr sein Haus und die Versorgung seiner Familie
anvertrauen kann? 46Wenn der Herr zurückkommt und fest-
stellt, dass der Diener seine Aufgabe zu seiner Zufriedenheit
erfüllt, ist der Diener glücklich zu schätzen. 47Ich versichere
euch: Der Herr wird diesem Diener die Verantwortung für
seinen gesamten Besitz übertragen. 48Doch wenn der Diener
böse ist und glaubt, ›Mein Herr wird ja erst einmal eine Weile
fort sein‹, 49wenn er anfängt, die anderen Diener schlecht zu
behandeln, und Trinkgelage veranstaltet – 50dann wird sein
Herr unangemeldet und völlig überraschend zurückkehren.
51Und er wird diesen Diener davonjagen und dorthin schi-
cken, wo auch die Heuchler sind. Und an jenem Ort werden
sie weinen und mit den Zähnen knirschen.

Das Gleichnis von den zehn Brautjungfern

25 1Man kann das Himmelreich auch am Beispiel der
zehn Brautjungfern erklären, die ihre Lampen nahmen
und dem Bräutigam entgegengingen. 2Fünf von ihnen waren
töricht, und fünf waren klug. 3Die fünf törichten nahmen kein
Öl für ihre Lampen mit, 4doch die fünf anderen waren so um-
sichtig, zusätzliches Öl mitzunehmen. 5Als sich der Bräu-
tigam verspätete, legten sie sich alle hin und schliefen. 6Um
Mitternacht wurden sie von dem Ruf aus dem Schlaf gerissen:
›Seht, da kommt der Bräutigam! Geht und begrüßt ihn!‹

7Rasch standen alle Brautjungfern auf und machten ihre
Lampen zurecht. 8Da baten die fünf törichten die anderen:
›Gebt uns doch ein wenig von eurem Öl ab, sonst erlöschen

unsere Lampen.‹ 9Doch diese erwiderten: ›Wir haben nicht
genügend Öl für uns alle. Geht und kauft euch welches.‹
10Aber während sie noch unterwegs waren, um Öl zu kau-
fen, traf der Bräutigam ein. Die, die zu seinem Empfang bereit
waren, gingen mit ihm zur Hochzeitsfeier, und die Tür wurde
zugeschlossen. 11Als die anderen fünf Brautjungfern schließ-
lich kamen, standen sie draußen und riefen: ›Herr, mach uns
auf!‹ 12Aber er antwortete: ›Ich kenne euch nicht!‹
13Deshalb seid wachsam, denn ihr kennt weder den Tag
noch die Stunde meiner Wiederkehr.

Das Gleichnis von den drei Dienern

14Man kann das Himmelreich auch am Beispiel von dem
Mann erklären, der auf eine Reise ging. Er rief alle seine Die-
ner zusammen und gab ihnen Geld, das sie während seiner
Abwesenheit für ihn anlegen sollten. 15Einem gab er fünf
Beutel Gold, einem anderen gab er zwei Beutel und dem
dritten gab er einen Beutel – jeweils ihren Fähigkeiten ent-
sprechend. Dann reiste er ab. 16Der Diener, der die fünf Beu-
tel erhalten hatte, ging sofort daran, das Geld anzulegen,
und konnte es schließlich verdoppeln. 17Der Diener mit den
zwei Beuteln machte sich ebenfalls sogleich an die Arbeit
und verdoppelte das Geld. 18Der Dritte jedoch, der den einen
Beutel Gold bekommen hatte, grub einfach ein Loch in die
Erde und versteckte das Geld seines Herrn, um es sicher zu
verwahren.
19Nach langer Zeit kehrte ihr Herr von seiner Reise zurück
und rief sie zu sich. Sie sollten ihm berichten, was sie mit sei-
nem Geld gemacht hatten. 20Der Diener, dem er fünf Beutel
Gold anvertraut hatte, sagte: ›Herr, du gabst mir fünf Beutel
Gold, und ich habe sie verdoppelt.‹ 21Der Herr freute sich
sehr. ›Gut gemacht, mein guter und treuer Diener. Du bist
mit diesem kleinen Betrag zuverlässig umgegangen, deshalb
will ich dir größere Verantwortung übertragen. Lass uns mit-
einander feiern!‹
22Als Nächstes kam der Diener an die Reihe, der die zwei
Beutel Gold bekommen hatte. ›Herr, du hast mir zwei Beutel

Gold gegeben, und ich habe sie verdoppelt.‹ 23Der Herr sagte:
›Gut gemacht, mein guter und treuer Diener. Du bist mit die-
sem kleinen Betrag zuverlässig umgegangen, deshalb will ich
dir größere Verantwortung übertragen. Lass uns miteinander
feiern!‹

24Dann kam der Diener mit dem einen Beutel Gold und sag-
te: ›Herr, ich weiß, du bist ein strenger Mann, der erntet, was
er nicht gepflanzt hat, und sammelt, was er nicht angebaut
hat. 25Ich hatte Angst, dein Geld zu verlieren, also vergrub
ich es in der Erde. Hier ist es.‹

26Aber der Herr erwiderte: ›Du böser, fauler Diener! Du
hältst mich für einen strengen Mann, der erntet, was er nicht
gepflanzt hat, und der sammelt, was er nicht angebaut hat?
27Du hättest wenigstens mein Geld zur Bank bringen können,
dann hätte ich immerhin noch Zinsen dafür bekommen.
28Nehmt diesem Diener das Geld weg und gebt es dem mit
den zehn Beuteln Gold. 29Wer das, was ihm anvertraut ist,
gut verwendet, dem wird noch mehr gegeben, und er wird
im Überfluss haben. Wer aber untreu ist, dem wird noch das
wenige, das er besitzt, genommen. 30Und nun werft diesen
nutzlosen Diener hinaus in die Dunkelheit, wo Weinen und
Zähneknirschen herrschen.‹

Das Weltgericht

31Doch wenn der Menschensohn in Herrlichkeit wieder-
kommt, und alle Engel mit ihm, wird er auf seinem Thron
der Herrlichkeit sitzen. 32Alle Völker werden vor ihm zusam-
mengerufen, und er wird sie trennen, so wie ein Hirte die
Schafe von den Ziegen trennt. 33Die Schafe wird er zu seiner
Rechten hinstellen, die Ziegen zu seiner Linken. 34Dann wird
der König zu denen auf seiner rechten Seite sagen: ›Kommt,
ihr seid von meinem Vater gesegnet, ihr sollt das Reich Gottes
erben, das seit der Erschaffung der Welt auf euch wartet.
35Denn ich war hungrig, und ihr habt mir zu essen gegeben.
Ich war durstig, und ihr gabt mir zu trinken. Ich war ein Frem-
der, und ihr habt mich in euer Haus eingeladen. 36Ich war
nackt, und ihr habt mich gekleidet. Ich war krank, und ihr

habt mich gepflegt. Ich war im Gefängnis, und ihr habt mich
besucht.‹

37Dann werden diese Gerechten fragen: ›Herr, wann haben
wir dich jemals hungrig gesehen und dir zu essen gegeben?
Wann sahen wir dich durstig und haben dir zu trinken gege-
ben? 38Wann warst du ein Fremder und wir haben dir Gast-
freundschaft erwiesen? Oder wann warst du nackt und wir
haben dich gekleidet? 39Wann haben wir dich je krank oder
im Gefängnis gesehen und haben dich besucht?‹ 40Und der
König wird ihnen entgegnen: ›Ich versichere euch: Was ihr
für einen der Geringsten meiner Brüder und Schwestern ge-
tan habt, das habt ihr für mich getan!‹

41Und dann wird sich der König denen auf seiner linken Sei-
te zuwenden und sagen: ›Fort mit euch, ihr Verfluchten, ins
ewige Feuer, das für den Teufel und seine bösen Geister be-
stimmt ist! 42Denn ich war hungrig, und ihr habt mir nichts zu
essen gegeben. Ich war durstig, und ihr gabt mir nichts zu
trinken. Ich war ein Fremder, und ihr habt mich nicht in euer
Haus eingeladen. 43Ich war nackt, und ihr habt mich nicht
gekleidet. Ich war krank, und ihr habt mich nicht gepflegt.
Ich war im Gefängnis, und ihr habt mich nicht besucht.‹

44Dann werden sie fragen: ›Herr, wann haben wir dich je-
mals hungrig oder durstig oder als Fremden, nackt, krank
oder im Gefängnis gesehen und dir nicht geholfen?‹ 45Und er
wird ihnen erwidern: ›Ich versichere euch: Was ihr bei einem
der Geringsten meiner Brüder und Schwestern unterlassen
habt, das habt ihr an mir unterlassen!‹ 46Und sie werden der
ewigen Verdammnis übergeben werden, den Gerechten aber
wird das ewige Leben geschenkt.«

Das Mordkomplott gegen Jesus

26 1Als Jesus zu Ende gesprochen hatte, sagte er zu seinen
Jüngern: 2»Wie ihr wisst, beginnen in zwei Tagen die
Feierlichkeiten zum Passahfest. Dann wird der Menschen-
sohn verraten und gekreuzigt werden.«

3Zur selben Zeit trafen sich die obersten Priester und die
Ältesten des jüdischen Volkes im Haus von Kaiphas, dem Ho-

hen Priester, 4um zu beraten, wie sie Jesus heimlich verhaften
und töten könnten. 5»Aber es darf nicht während des Passah-
festes geschehen«, hatten sie beschlossen, »sonst gibt es einen
Aufruhr.«

Jesus wird in Betanien gesalbt

6In der Zwischenzeit war Jesus zu Gast im Haus von Simon,
einem Mann, der früher einmal Aussatz gehabt hatte. 7Wäh-
rend des Abendessens kam eine Frau mit einem wunderschö-
nen Gefäß mit teurem Parfümöl herein, das sie ihm über den
Kopf goss. 8Die Jünger waren sehr aufgebracht, als sie das
sahen. »Was für eine Geldverschwendung«, ärgerten sie sich.
9»Sie hätte es lieber für viel Geld verkaufen und den Erlös den
Armen geben sollen.«

10Doch Jesus erwiderte: »Warum fallt ihr über sie her? Sie tut
mir etwas Gutes. 11Die Armen werdet ihr immer bei euch ha-
ben, aber ich werde nicht mehr lange bei euch sein. 12Sie hat
dieses Parfümöl über mir ausgegossen, um meinen Körper
zum Begräbnis vorzubereiten. 13Ich versichere euch: Überall
auf der Welt, wo man die gute Botschaft verbreiten wird, wird
man auch davon sprechen, was diese Frau getan hat.«

Der Verrat

14Dann ging Judas Iskariot, einer der zwölf Jünger, zu den
obersten Priestern 15und fragte sie: »Wie viel bezahlt ihr mir,
wenn ich Jesus an euch verrate?« Und sie gaben ihm dreißig
Silberstücke.

16Von da an hielt Judas Ausschau nach dem geeigneten Ort
und dem richtigen Zeitpunkt, Jesus zu verraten.

Das letzte Abendmahl

17Am ersten Tag des Festes der ungesäuerten Brote kamen die
Jünger zu Jesus und fragten ihn: »Wo sollen wir das Passah-
mahl vorbereiten?«

18Er antwortete ihnen: »Wenn ihr in die Stadt geht, werdet
ihr dort einen Mann sehen. Sagt ihm: ›Der Meister lässt dir
sagen: Meine Zeit ist gekommen. Ich möchte das Passahmahl

mit meinen Jüngern in deinem Haus feiern.‹« [19]Die Jünger ta-
ten, was Jesus ihnen gesagt hatte, und bereiteten dort das Pas-
sahmahl vor.

[20]Als es Abend war, setzte sich Jesus mit den zwölf Jüngern
an den Tisch. [21]Während sie aßen, sagte er: »Ich sage euch:
Einer von euch wird mich verraten.«

[22]Zutiefst erschrocken begannen sie, ihn nacheinander zu
fragen: »Doch nicht ich, Herr, oder?«

[23]Er antwortete: »Einer von euch, der jetzt mit mir isst, wird
mich verraten. [24]Der Menschensohn muss sterben, wie es die
Schrift vor langer Zeit vorausgesagt hat. Doch wie schrecklich
wird es erst seinem Verräter ergehen! Es wäre besser für ihn,
er wäre nie geboren worden!«

[25]Auch Judas, der ihn verraten sollte, fragte: »Rabbi, ich bin
es doch nicht etwa, oder?« Und Jesus entgegnete ihm: »Du
hast es selbst gesagt.«

[26]Während sie aßen, nahm Jesus einen Laib Brot, dankte und
bat Gott um seinen Segen. Dann brach er ihn in Stücke und
gab sie den Jüngern mit den Worten: »Nehmt und esst, denn
das ist mein Leib.« [27]Und dann nahm er einen Becher mit
Wein und dankte Gott dafür. Er gab ihn seinen Jüngern und
sagte: »Jeder von euch soll davon trinken, [28]denn das ist mein
Blut, das den Bund zwischen Gott und den Menschen besie-
gelt. Es wird vergossen, um die Sünden vieler Menschen zu
vergeben. [29]Merkt euch meine Worte – ich werde keinen Wein
mehr trinken bis zu dem Tag, an dem ich ihn wieder mit euch
im Reich meines Vaters trinken werde.« [30]Dann sangen sie ein
Loblied und gingen hinaus auf den Ölberg.

Jesus sagt voraus, dass Petrus ihn verleugnen wird

[31]»Heute Nacht werdet ihr mich alle verlassen«, sagte Jesus zu
ihnen. »Denn in der Schrift steht: ›Gott wird den Hirten schla-
gen, und die Schafe der Herde werden zerstreut werden.‹

[32]Doch wenn ich von den Toten auferstanden bin, werde ich
euch nach Galiläa vorausgehen und euch dort treffen.«

[33]Petrus behauptete: »Selbst wenn dich alle verlassen, ich
werde bei dir bleiben.«

34»Petrus«, erwiderte Jesus, »ich versichere dir, noch in die-
ser Nacht wirst du mich drei Mal verleugnen, ehe der Hahn
kräht.«
35»Nein!«, beharrte Petrus. »Nicht einmal, wenn ich mit dir
sterben müsste! Ich werde dich niemals verleugnen!« Und alle
anderen Jünger beteuerten dasselbe.

Jesus betet in Gethsemane

36Dann nahm Jesus sie mit in einen Olivenhain mit dem Na-
men Gethsemane. Dort sagte er zu ihnen: »Bleibt hier sitzen,
während ich ein Stück weitergehe, um zu beten.« 37Petrus und
die beiden Söhne des Zebedäus, Jakobus und Johannes, nahm
er mit. Er war sehr traurig, und schreckliche Angst quälte ihn.
38Er sagte zu ihnen: »Meine Seele ist zu Tode betrübt. Bleibt
hier und wacht mit mir.«
39Er ging noch ein bisschen weiter, sank zu Boden und bete-
te: »Mein Vater! Wenn es möglich ist, lass den Kelch des Lei-
des an mir vorübergehen. Doch ich will deinen Willen tun,
nicht meinen.« 40Dann kehrte er zu den Jüngern zurück und
sah, dass sie eingeschlafen waren. Er sagte zu Petrus: »Konn-
tet ihr nicht wenigstens eine Stunde mit mir wach bleiben?
41Bleibt wach und betet. Sonst wird euch die Versuchung
überwältigen. Denn der Geist ist zwar willig, aber der Körper
ist schwach!«
42Und wieder ließ er sie zurück und betete: »Mein Vater!
Wenn dieser Kelch nicht an mir vorübergehen kann, dann ge-
schehe dein Wille.« 43Wieder ging er zu den Jüngern zurück
und sah, dass sie schliefen, denn sie konnten ihre Augen nicht
offen halten.
44Da ging er ein drittes Mal fort, um zu beten, und sprach die
gleichen Worte. 45Dann kehrte er zu den Jüngern zurück und
sagte: »Schlaft ihr immer noch? Ruht ihr euch immer noch
aus? Nun ist es so weit. Der Menschensohn wird in die Hände
der Verbrecher ausgeliefert. 46Kommt, lasst uns gehen. Seht,
mein Verräter ist schon da!«

Jesus wird verhaftet

47Noch während er das sagte, kam Judas, einer der zwölf Jün-
ger, inmitten einer mit Schwertern und Knüppeln bewaff-
neten Menge auf ihn zu. Sie waren von den obersten Priestern
und den Ältesten des Volkes geschickt worden. 48Judas hatte
vorher mit ihnen ein Zeichen vereinbart: »Ihr sollt den fest-
nehmen, den ich zur Begrüßung küsse.« 49Also ging Judas
direkt auf Jesus zu. »Ich grüße dich, Rabbi!«, rief er und gab
ihm einen Kuss.

50Jesus sagte: »Mein Freund, tu, wozu du gekommen bist.«
Da packten die anderen Männer Jesus und nahmen ihn fest.
51Einer der Männer um Jesus zog ein Schwert und schlug ei-
nem Diener des Hohen Priesters ein Ohr ab.

52»Steck dein Schwert weg«, befahl ihm Jesus. »Wer das
Schwert benutzt, wird durchs Schwert umkommen. 53Wisst
ihr denn nicht, dass ich meinen Vater um Tausende von En-
geln bitten könnte, um uns zu beschützen, und er würde sie
sofort schicken? 54Doch wenn ich das täte, wie sollte sich dann
erfüllen, was in der Schrift vorausgesagt wird und nun eintre-
ten muss?«

55Dann sagte Jesus zu den Männern: »Bin ich ein gefähr-
licher Verbrecher, dass ihr mit Schwertern und Knüppeln be-
waffnet ausgerückt seid, um mich festzunehmen? Warum
habt ihr mich nicht im Tempel verhaftet? Ich habe doch jeden
Tag dort gepredigt. 56Doch all das geschieht, um die Worte der
Propheten zu erfüllen, wie sie in der Schrift aufgeschrieben
sind.« Da verließen ihn alle Jünger und flohen.

Jesus vor dem Hohen Rat

57Dann brachten die Leute, die Jesus verhaftet hatten, ihn in
das Haus von Kaiphas, dem Hohen Priester. Dort hatten sich
die Schriftgelehrten und die Ältesten bereits versammelt.
58Petrus folgte ihnen in einiger Entfernung bis in den Innenhof
des hohepriesterlichen Hauses. Er ging hinein und setzte sich
so zu den Wachen, dass er sehen konnte, was mit Jesus ge-
schehen würde.

59Im Haus suchten die obersten Priester und der gesamte

Hohe Rat nach Zeugen, die zu einer Falschaussage gegen Je-
sus bereit wären, sodass sie ihn zum Tode verurteilen konn-
ten. 60Aber obwohl sie viele fanden, die sich zu falschen Aus-
sagen bereit erklärten, war keine Aussage darunter, die sie
gegen ihn verwenden konnten. Schließlich fanden sie zwei
Männer, 61die behaupteten: »Dieser Mann hat gesagt: ›Ich
kann den Tempel Gottes zerstören und ihn in drei Tagen wie-
der aufbauen.‹«

62Da stand der Hohe Priester auf und fragte Jesus: »Hast du
zu diesen Anschuldigungen nichts zu sagen? Was hast du zu
deiner Verteidigung vorzubringen?« 63Doch Jesus schwieg.
Da sagte der Hohe Priester zu ihm: »Im Namen des lebendi-
gen Gottes, sage uns, ob du der Christus bist, der Sohn Got-
tes.«

64Jesus erwiderte: »Es ist, wie du sagst. Von nun an werdet
ihr den Menschensohn zur Rechten Gottes sehen, auf dem
Platz der Macht, und ihr werdet sehen, wie er auf den Wolken
des Himmels wiederkommen wird.«

65Da zerriss der Hohe Priester zum Zeichen seines Abscheus
sein Gewand und rief aus: »Gotteslästerung! Wozu brauchen
wir noch weitere Zeugen? Ihr alle habt seine Gotteslästerung
gehört! 66Was ist euer Urteil?« Sie riefen: »Schuldig! Er muss
sterben!«

67Dann spuckten sie Jesus ins Gesicht und schlugen ihn mit
den Fäusten. Und einige prügelten auf ihn ein 68mit den Wor-
ten: »Prophezeie uns, du Christus! Wer hat dich gerade ge-
schlagen?«

Petrus verleugnet Jesus

69Während Petrus draußen im Hof saß, ging eine junge Diene-
rin vorüber und sagte zu ihm: »Du bist doch auch einer von
denen, die zu Jesus, dem Galiläer, gehören.«

70Doch Petrus leugnete laut, sodass es alle hören konnten.
»Ich weiß nicht, wovon du sprichst«, sagte er

71Später, als er draußen am Tor war, bemerkte ihn eine ande-
re Dienerin, und auch sie sagte zu den Umstehenden: »Dieser
Mann war bei Jesus von Nazareth.«

72 Und wieder leugnete Petrus, diesmal schwor er sogar: »Ich
kenne den Mann noch nicht einmal.«
73 Ein wenig später kamen andere Umstehende und sagten
zu ihm: »Du musst einer von ihnen sein; wir erkennen dich an
deinem galiläischen Akzent.«
74 Wieder sagte Petrus: »Ich schwöre bei Gott, ich kenne die-
sen Mann nicht.« Und in diesem Augenblick krähte der Hahn.
75 Plötzlich fielen Petrus die Worte von Jesus wieder ein: »Ehe
der Hahn kräht, wirst du mich drei Mal verleugnen.« Und er
ging fort und weinte bitterlich.

Judas erhängt sich

27 1 Früh am nächsten Morgen versammelten sich die
obersten Priester und die Ältesten des jüdischen Vol-
kes noch einmal. Sie berieten, wie sie die römische Regierung
dazu bringen konnten, Jesus zum Tode zu verurteilen. 2 Sie
fesselten ihn und brachten ihn zu Pilatus, dem römischen
Statthalter.
3 Als seinem Verräter Judas klar wurde, dass Jesus zum Tode
verurteilt war, überfiel ihn tiefe Reue. Er wollte den obersten
Priestern und Ältesten die dreißig Silberstücke zurückgeben.
4 »Ich habe gesündigt«, gestand er, »ich habe einen Unschuldi-
gen verraten.« Sie fuhren ihn an: »Was geht uns das an? Das
ist deine Sache.« 5 Da warf Judas das Geld auf den Boden des
Tempels, ging hinaus und erhängte sich. 6 Die obersten Pries-
ter hoben das Geld auf. »Wir können es nicht zum Tempel-
schatz legen«, sagten sie, »denn es ist todbringendes Geld.«
7 Und nachdem sie eine Weile beraten hatten, beschlossen sie,
den Acker des Töpfers davon zu kaufen und daraus einen
Friedhof für Fremde zu machen. 8 Deshalb heißt dieses Stück
Land heute noch Blutacker. 9 So erfüllte sich die Prophezeiung
Jeremias: »Sie nahmen die dreißig Silberstücke – die Summe,
die er dem Volk Israel wert war – 10 und kauften damit den
Acker des Töpfers, so wie es der Herr befahl.«

Jesus vor Pilatus
11Nun stand Jesus vor Pilatus, dem römischen Statthalter.
»Bist du der König der Juden?«, fragte dieser ihn. Jesus ant-
wortete: »Ja, es ist, wie du sagst.«
12Doch als die obersten Priester und die Ältesten ihre Ankla-
gen vorbrachten, schwieg Jesus. 13»Hörst du nicht die An-
schuldigungen gegen dich?«, fragte Pilatus. 14Doch sehr zum
Erstaunen des Statthalters sagte Jesus nichts.
15Es war Brauch, dass der Statthalter jedes Jahr anlässlich
des Passahfestes einen Gefangenen freiließ, den das Volk be-
stimmen durfte. 16In diesem Jahr saß ein berüchtigter Verbre-
cher namens Barabbas im Gefängnis. 17Als die Menge sich an
diesem Morgen vor dem Haus von Pilatus versammelt hatte,
fragte er sie: »Welchen soll ich für euch freilassen – Barabbas
oder Jesus, den man den Christus nennt?« 18Denn er wusste
sehr wohl, dass sie Jesus nur aus Neid verhaftet hatten.
19Während Pilatus auf dem Richterstuhl saß, schickte ihm
seine Frau eine Nachricht: »Lass diesen unschuldigen Mann
in Ruhe; ich hatte letzte Nacht seinetwegen einen schreck-
lichen Traum.«
20In der Zwischenzeit hatten die obersten Priester und die
Ältesten das Volk aufgehetzt: Es sollte die Freilassung von
Barabbas und die Hinrichtung von Jesus fordern. 21Als der
Statthalter noch einmal fragte: »Wen von diesen beiden soll
ich freilassen?«, rief die Menge: »Barabbas!«
22»Aber wenn ich Barabbas freilasse«, fragte Pilatus, »was
soll ich dann mit Jesus machen, der Christus genannt wird?«
Und alle schrien: »Kreuzige ihn!« 23»Warum?«, wollte Pilatus
wissen. »Was hat er denn verbrochen?« Aber die Menge
schrie nur noch lauter: »Kreuzige ihn!«
24Pilatus sah, dass er so nicht weiterkam und dass sich ein
Tumult anbahnte. Da ließ er sich eine Schüssel mit Wasser
bringen und wusch sich vor den Augen der Menge die Hände
mit den Worten: »Ich bin unschuldig am Blut dieses Mannes.
Die Verantwortung liegt bei euch!«
25Und die Menge schrie zurück: »Wir übernehmen die Ver-
antwortung für seinen Tod – wir und unsere Kinder!«

26Also ließ Pilatus Barabbas frei. Jesus aber ließ er auspeit-
schen und lieferte ihn dann den römischen Soldaten aus, die
ihn kreuzigen sollten.

Die Soldaten verspotten Jesus

27Einige der Soldaten des Statthalters brachten Jesus in das
Prätorium und riefen alle anderen Soldaten zusammen. 28Sie
zogen ihn aus und legten ihm ein purpurrotes Gewand an.
29Dann machten sie eine Krone aus langen, spitzen Dornen,
setzten sie ihm auf den Kopf und gaben ihm einen Stock in
die rechte Hand als Zepter. Daraufhin knieten sie vor ihm nie-
der, verhöhnten ihn und grölten: »Sei gegrüßt, König der Ju-
den!« 30Und sie spuckten ihn an, nahmen ihm den Stock weg
und schlugen ihn damit auf den Kopf. 31Nachdem sie ihn ver-
spottet hatten, nahmen sie ihm das Gewand ab und zogen
ihm seine eigenen Kleider wieder an. Dann führten sie ihn
zur Kreuzigungsstätte.

Die Kreuzigung

32Auf dem Weg begegnete ihnen ein Mann namens Simon, der
aus Kyrene stammte. Den zwangen sie, das Kreuz für Jesus zu
tragen. 33Dann zogen sie hinaus zu einem Ort namens Golga-
tha, das heißt Schädelstätte. 34Die Soldaten gaben ihm Wein,
der mit bitterer Galle vermischt war, doch als er ihn schmeck-
te, weigerte er sich, ihn zu trinken.

35Nachdem sie ihn ans Kreuz genagelt hatten, würfelten die
Soldaten um seine Kleider. 36Dann setzten sie sich um das
Kreuz und hielten Wache. 37Über seinem Kopf wurde eine
Tafel angebracht, auf der stand, was ihm vorgeworfen wurde:
»Dies ist Jesus, der König der Juden.«

38Zusammen mit ihm wurden zwei Verbrecher gekreuzigt,
einer auf jeder Seite von ihm. 39Die Leute, die vorübergingen,
beschimpften und verhöhnten ihn: 40»So! Du kannst also den
Tempel zerstören und in drei Tagen wieder aufbauen? Nun,
wenn du der Sohn Gottes bist, dann rette dich doch selbst und
steig vom Kreuz herab!«

41Die obersten Priester, Schriftgelehrten und Ältesten ver-

spotteten Jesus ebenfalls. [42]»Anderen hat er geholfen«, höhn-
ten sie, »aber sich selbst kann er nicht helfen! Wenn er wirklich
der König Israels ist, dann soll er doch vom Kreuz herabstei-
gen. Dann werden wir an ihn glauben! [43]Er hat Gott vertraut –
nun soll Gott zeigen, dass er zu ihm steht, indem er ihn ver-
schont! Er hat ja behauptet: ›Ich bin der Sohn Gottes.‹« [44]Und
auch die Verbrecher, die mit ihm gekreuzigt worden waren,
verhöhnten ihn.

Der Tod von Jesus

[45]Um die Mittagszeit wurde es plötzlich im ganzen Land dun-
kel – bis drei Uhr. [46]Gegen drei Uhr rief Jesus mit lauter Stim-
me: »Eli, Eli, lama asabtani?«, das bedeutet: »Mein Gott, mein
Gott, warum hast du mich verlassen?«

[47]Einige der Vorübergehenden hatten ihn falsch verstanden
und dachten, er riefe nach dem Propheten Elia. [48]Einer lief
und tauchte einen Schwamm in Weinessig und hielt ihn auf
einem Stab hoch, damit er trinken konnte.

[49]Aber die anderen sagten: »Lass ihn in Ruhe. Wir wollen
sehen, ob Elia kommt und ihn rettet.«

[50]Da schrie Jesus noch einmal und starb. [51]In diesem Augen-
blick zerriss der Vorhang im Tempel von oben bis unten in
zwei Teile. [52]Die Erde bebte, Felsen zerbarsten, Gräber öff-
neten sich und die Leiber vieler gottesfürchtiger Männer und
Frauen, die schon längst verstorben waren, wurden von den
Toten auferweckt. [53]Nachdem Jesus auferstanden war, verlie-
ßen sie die Gräber, gingen in die heilige Stadt Jerusalem und
erschienen dort vielen Menschen.

[54]Den römischen Offizier und die anderen Soldaten, die ihn
gekreuzigt hatten, überkam Todesangst bei dem Erdbeben
und den anderen Ereignissen. Sie sagten: »Es stimmt, das
war wirklich der Sohn Gottes!«

[55]Viele Frauen, die mit Jesus aus Galiläa gekommen waren,
um für ihn zu sorgen, sahen aus einiger Entfernung zu. [56]Un-
ter ihnen waren auch Maria von Magdala, Maria, die Mutter
von Jakobus und Josef, und die Frau des Zebedäus, die Mutter
von Jakobus und Johannes.

Das Begräbnis

57Als es Abend wurde, ging Josef, ein reicher Mann aus Ari-
mathäa, ebenfalls ein Anhänger von Jesus, 58zu Pilatus und
bat ihn um den Leichnam von Jesus. Pilatus erließ Befehl, Je-
sus vom Kreuz abzunehmen. 59Josef nahm den Leichnam und
wickelte ihn in ein langes Leinentuch. 60Dann legte er ihn in
sein eigenes neues Grab, das in den Felsen gehauen worden
war. Schließlich rollte er einen großen Stein vor den Eingang
und ging. 61Maria von Magdala und die andere Maria aber
blieben in der Nähe sitzen und beobachteten alles.

Die Wache am Grab

62Am nächsten Tag – dem ersten Tag des Passahfestes – gin-
gen die obersten Priester und Pharisäer zu Pilatus. 63Sie sag-
ten zu ihm: »Herr, uns ist eingefallen, dass dieser Verführer,
als er noch lebte, einmal gesagt hat: ›Nach drei Tagen werde
ich von den Toten auferweckt.‹ 64Wir möchten dich deshalb
bitten, das Grab bis zum dritten Tag versiegeln zu lassen.
Das wird seine Jünger daran hindern, zurückzugehen und
seinen Leichnam zu stehlen, um dann allen zu sagen, er sei
wieder lebendig! Denn wenn das geschieht, wird der Betrug
noch schlimmer sein als vorher.«

65Pilatus erwiderte: »Nehmt Wachen mit und sichert das
Grab, so gut ihr könnt.« 66Also versiegelten sie das Grab und
stellten Wachen auf, die es schützen sollten.

Die Auferstehung

28 1Am Sonntagmorgen in aller Frühe gingen Maria von
Magdala und die andere Maria hinaus zum Grab.
2Plötzlich gab es ein starkes Erdbeben, weil ein Engel des
Herrn vom Himmel herabkam, den Stein beiseiterollte und
sich darauf niederließ. 3Sein Gesicht leuchtete wie ein Blitz,
und sein Gewand war weiß wie Schnee. 4Die Wachen zitterten
vor Angst, als sie ihn sahen, fielen zu Boden und blieben wie
tot liegen.

5Der Engel sprach die Frauen an. »Habt keine Angst!«, sagte
er. »Ich weiß, ihr sucht Jesus, der gekreuzigt wurde. 6Er ist

nicht hier! Er ist von den Toten auferstanden, wie er gesagt
hat. Kommt und seht, wo sein Leichnam gelegen hat. [7]Und
nun geht und sagt seinen Jüngern, dass er von den Toten auf-
erstanden ist und ihnen nach Galiläa vorausgeht. Dort werdet
ihr ihn sehen. Merkt euch, was ich euch gesagt habe.«

[8]Die Frauen liefen schnell vom Grab fort. Sie waren zu Tode
erschrocken und doch zugleich außer sich vor Freude. So
schnell sie konnten, liefen sie zu den Jüngern, um ihnen aus-
zurichten, was der Engel gesagt hatte. [9]Unterwegs begegne-
ten sie Jesus. »Seid gegrüßt!«, sagte er. Und sie liefen zu ihm
hin, umklammerten seine Füße und beteten ihn an. [10]Jesus
sagte zu ihnen: »Habt keine Angst! Geht und sagt meinen
Brüdern, sie sollen nach Galiläa kommen, dort werden sie
mich sehen.«

Der Bericht der Wache

[11]Während die Frauen auf dem Weg in die Stadt waren, gin-
gen einige der Männer, die das Grab bewacht hatten, zu den
obersten Priestern und berichteten ihnen, was geschehen war.
[12]Sofort wurde eine Versammlung aller Ältesten einberufen.
Sie beschlossen, die Soldaten zu bestechen, und [13]gaben ihnen
die folgende Anweisung: »Ihr müsst sagen: ›Die Jünger von
Jesus kamen in der Nacht, während wir schliefen, und haben
seinen Leichnam gestohlen.‹ [14]Wenn der Statthalter davon er-
fährt, werden wir euch beistehen. Ihr braucht nichts Schlim-
mes zu befürchten.« [15]Die Soldaten nahmen das Bestechungs-
geld an und sagten, was ihnen aufgetragen worden war. Ihre
Geschichte verbreitete sich unter den Juden, und sie erzählen
sie noch bis zum heutigen Tag.

Der große Auftrag

[16]Dann gingen die elf Jünger nach Galiläa zu dem Berg, den
Jesus ihnen genannt hatte. [17]Als sie ihn sahen, beteten sie ihn
an – aber einige zweifelten immer noch.

[18]Jesus kam und sagte zu seinen Jüngern: »Mir ist alle Macht
im Himmel und auf der Erde gegeben. [19]Darum geht zu allen
Völkern und macht sie zu Jüngern. Tauft sie im Namen des

Vaters und des Sohnes und des Heiligen Geistes und
20lehrt sie, alles zu befolgen, was ich euch aufgetragen habe. Und ich versichere euch: Ich bin immer bei euch bis ans Ende der Zeit.«

Das Evangelium von Markus

Johannes der Täufer kündigt Jesus an

1 [1]So beginnt die gute Botschaft von Jesus Christus, dem Sohn Gottes.

[2]Im Buch des Propheten Jesaja steht:

»Siehe, ich sende meinen Boten vor dir her. Er wird dir den Weg bereiten.

[3]Er ist eine Stimme, die in der Wüste ruft: ›Schafft Raum für das Kommen des Herrn! Ebnet ihm den Weg!‹«

[4]Dieser Bote war Johannes der Täufer. Er lebte in der Wüste und forderte die Menschen auf, sich taufen zu lassen als Zeichen dafür, dass sie sich von ihren Sünden abgekehrt und Gott zugewandt hatten, um Vergebung ihrer Sünden zu erhalten. [5]Aus ganz Jerusalem und Judäa strömten die Menschen in die Wüste hinaus, um Johannes zu sehen und zu hören. Und wenn sie ihre Sünden bekannten, taufte er sie im Jordan. [6]Seine Kleider waren aus Kamelhaar gewebt, und er trug einen Ledergürtel; seine Nahrung bestand aus Heuschrecken und wildem Honig. [7]Er verkündete: »Bald wird einer kommen, der stärker ist als ich; ich bin nicht einmal wert, sein Diener zu sein. [8]Ich habe euch nur mit Wasser getauft, aber er wird euch mit dem Heiligen Geist taufen!«

Jesus lässt sich taufen

[9]Eines Tages kam Jesus aus Nazareth in Galiläa und ließ sich von Johannes im Jordan taufen. [10]Als er aus dem Wasser stieg, sah er, wie der Himmel sich öffnete und der Heilige Geist wie eine Taube auf ihn herabkam. [11]Und aus dem Himmel sprach eine Stimme: »Du bist mein geliebter Sohn, an dir habe ich große Freude.«

Jesus wird in Versuchung geführt

[12]Gleich darauf drängte der Heilige Geist Jesus, in die Wüste zu gehen. [13]Vierzig Tage lang wurde er dort vom Satan ver-

sucht. Er lebte mitten unter den wilden Tieren, und Engel
sorgten für ihn.

Die ersten Jünger

14Nachdem Johannes durch Herodes Antipas verhaftet wor-
den war, ging Jesus nach Galiläa, um dort die Botschaft Gottes
zu predigen. 15»Jetzt ist die Zeit gekommen«, verkündete er.
»Das Reich Gottes ist nahe! Kehrt euch ab von euren Sünden
und glaubt an diese gute Botschaft!«

16Eines Tages, als Jesus am Ufer des Sees Genezareth ent-
langging, sah er Simon und seinen Bruder Andreas. Sie war-
fen gerade ihr Netz aus, denn sie waren Fischer. 17Jesus rief
ihnen zu: »Kommt mit und folgt mir nach. Ich will euch zei-
gen, wie man Menschen fischt!« 18Sofort ließen sie ihre Netze
liegen und folgten ihm nach.

19Nicht weit davon entfernt sah Jesus die Söhne des Zebe-
däus, Jakobus und Johannes. Sie saßen in einem Boot und
flickten ihre Netze. 20Auch sie forderte er auf, mit ihm zu kom-
men. Und ohne zu zögern ließen sie ihren Vater Zebedäus bei
den Tagelöhnern im Boot zurück und gingen mit ihm.

Jesus treibt einen bösen Geist aus

21Sie kamen in die Stadt Kapernaum. Am Sabbat ging Jesus in
die Synagoge und lehrte dort die Menschen. 22Sie waren von
seiner Lehre überwältigt, denn er sprach – anders als die
Schriftgelehrten – mit Vollmacht.

23In der Synagoge war ein Mann, der von einem bösen Geist
besessen war. 24Er fing an zu rufen: »Was willst du von uns,
Jesus von Nazareth? Bist du gekommen, um uns zu vernich-
ten? Ich weiß, wer du bist – der Heilige Gottes, den er gesandt
hat!«

25»Schweig!«, herrschte Jesus ihn an. »Verlass diesen Mann.«
26Da schüttelte der böse Geist den Mann hin und her, schrie
auf und verließ ihn.

27Staunen erfasste die Zuschauer, und sie redeten unter-
einander darüber. »Was ist das für eine neue Lehre, die so
viel Vollmacht hat?«, fragten sie einander aufgeregt. »Sogar

böse Geister gehorchen seinem Befehl!« [28]Und die Nachricht
von dem, was Jesus getan hatte, verbreitete sich rasch in ganz
Galiläa.

Jesus heilt viele Menschen

[29]Nachdem Jesus und seine Jünger die Synagoge verlassen
hatten, gingen sie zum Haus von Simon und Andreas; auch
Jakobus und Johannes kamen mit. [30]Simons Schwiegermutter
war krank und lag mit hohem Fieber im Bett. Sofort erzählten
sie Jesus von ihr. [31]Er trat an ihr Bett, nahm ihre Hand und half
ihr, sich aufzusetzen. Da verschwand das Fieber, und sie
stand auf und machte ihnen etwas zu essen.

[32]Am Abend nach Sonnenuntergang brachte man alle Kran-
ken und von Dämonen besessenen Menschen zu Jesus. [33]Vor
dem Haus versammelte sich eine große Menschenmenge,
Leute aus ganz Kapernaum waren gekommen. [34]Jesus heilte
viele Menschen, die an den verschiedensten Krankheiten lit-
ten, und befahl vielen Dämonen, ihre Opfer zu verlassen. Den
Dämonen verbot er zu sprechen, denn sie wussten, wer er
war.

Jesus predigt in Galiläa

[35]Ganz früh, es war noch Nacht, ging Jesus allein an einen
einsamen Ort, um zu beten. [36]Später suchten ihn Simon und
die anderen. [37]Als sie ihn gefunden hatten, sagten sie zu ihm:
»Alle fragen nach dir.«

[38]Doch er entgegnete: »Wir müssen auch in die anderen
Städte gehen, damit ich auch dort predige; denn dazu bin ich
gekommen.« [39]Und so zog er durch das ganze Gebiet von Ga-
liläa, predigte in den Synagogen und trieb bei vielen Men-
schen Dämonen aus.

Jesus heilt einen Aussätzigen

[40]Ein Aussätziger kam zu Jesus, kniete vor ihm nieder und bat
ihn, ihn zu heilen. »Wenn du willst, kannst du mich gesund
machen«, sagte er.

[41]Jesus hatte Mitleid mit ihm und berührte ihn. »Ich will es

tun«, sagte er. »Sei gesund!« 42Im selben Augenblick verschwand der Aussatz und der Mann war geheilt. 43Daraufhin schickte Jesus ihn sofort weg und befahl ihm: 44»Geh zum Priester und lass dich von ihm untersuchen. Sprich unterwegs mit niemandem. Nimm das Opfer mit, das Mose für die Heilung von Aussatz vorgeschrieben hat. Das soll für alle ein Beweis deiner Heilung sein.«

45Doch als der Mann wegging, fing er sofort an, überall zu erzählen, was ihm widerfahren war, sodass Jesus sich bald in keiner Stadt mehr öffentlich zeigen konnte und sich nur noch an abgeschiedenen Orten aufhielt. Aber auch dort strömten die Menschen von überall her zu ihm.

Jesus heilt einen Gelähmten

2 1Einige Tage später kehrte Jesus nach Kapernaum zurück. Die Nachricht von seiner Ankunft verbreitete sich schnell in der ganzen Stadt. 2Es dauerte nicht lange, da war das Haus, in dem er wohnte, von Besuchern überfüllt, sodass kein Einziger mehr Platz hatte, nicht einmal draußen vor der Tür. Und er verkündete ihnen Gottes Wort. 3Da kamen vier Männer, die einen Gelähmten auf einer Matte trugen. 4Es gelang ihnen nicht, durch die Menge zu Jesus vorzudringen, deshalb deckten sie das Dach über ihm ab. Dann ließen sie durch die Öffnung den Kranken auf seiner Matte hinunter. 5Als Jesus ihren Glauben sah, sagte er zu dem Gelähmten: »Mein Sohn, deine Sünden sind dir vergeben.«

6Doch einige Schriftgelehrte, die dabeisaßen, dachten: 7»Wie kann er so etwas sagen? Das ist doch Gotteslästerung! Nur Gott allein kann Sünden vergeben!«

8Jesus wusste, was in ihnen vorging, und sagte: »Warum macht ihr euch in euren Herzen solche Gedanken? 9Ist es leichter, zu dem Gelähmten zu sagen: ›Deine Sünden sind dir vergeben‹ oder: ›Steh auf, nimm deine Matte und geh‹? 10Ich werde euch beweisen, dass der Menschensohn auf der Erde die Vollmacht besitzt, Sünden zu vergeben.« Und er wandte sich dem Gelähmten zu und sagte zu ihm: 11»Steh auf, nimm deine Matte und geh nach Hause, denn du bist geheilt!«

[12]Der Mann sprang auf, nahm die Matte und bahnte
sich einen Weg durch die staunende Menge. Da lobten sie
alle Gott. »So etwas haben wir noch nie gesehen!«, riefen
sie.

Jesus beruft Levi (Matthäus)

[13]Danach kehrte Jesus zurück ans Ufer des Sees und lehrte die
Menschen, die sich um ihn versammelten. [14]Als er weiterging,
sah er Levi, den Sohn des Alphäus, am Zollhaus sitzen.
»Komm, folge mir nach«, sagte Jesus zu ihm. Da stand Levi
auf und folgte ihm nach.

[15]Danach lud Levi Jesus und seine Jünger zum Essen ein. Er
bat auch viele Steuereintreiber und andere Menschen, die als
Sünder galten, dazu. Viele von ihnen gehörten zu der Menge,
die Jesus folgte. [16]Als nun aber einige der Schriftgelehrten, die
zu den Pharisäern gehörten, sahen, dass Jesus mit diesen Leu-
ten aß, sagten sie zu seinen Jüngern: »Warum isst er mit die-
sem Abschaum?«

[17]Als Jesus das hörte, sagte er zu ihnen: »Die Gesunden
brauchen keinen Arzt – wohl aber die Kranken. Ich bin ge-
kommen, um Sünder zu rufen, nicht Menschen, die sich schon
für gut genug halten.«

Ein Gespräch über das Fasten

[18]Die Jünger des Johannes und die Pharisäer fasteten regelmä-
ßig. Eines Tages kamen einige Leute zu Jesus und fragten:
»Warum fasten die Jünger von Johannes und die Pharisäer,
deine Jünger aber nicht?«

[19]Jesus erwiderte: »Fasten denn die Hochzeitsgäste, wäh-
rend sie mit dem Bräutigam feiern? Natürlich nicht. Sie kön-
nen nicht fasten, solange sie mit dem Bräutigam zusammen
sind. [20]Doch eines Tages wird er ihnen genommen werden,
und dann werden sie fasten. [21]Niemand flickt ein altes Klei-
dungsstück mit neuem Stoff. Der neue Flicken würde einrei-
ßen und schließlich wäre das Loch im alten Kleidungsstück
größer als zuvor. [22]Es füllt auch niemand neuen Wein in alte
Weinschläuche. Sie würden platzen, der Wein würde auslau-

fen und die Schläuche wären verdorben. Neuer Wein gehört
in neue Weinschläuche.«

Ein Gespräch über den Sabbat

23Als Jesus an einem Sabbat durch die Kornfelder ging, fingen
seine Jünger an, Weizenähren abzureißen. 24Da sagten die
Pharisäer zu Jesus: »Das dürfen sie nicht! Es ist nicht erlaubt,
am Sabbat zu arbeiten und Getreide zu ernten.«
25Doch Jesus entgegnete: »Habt ihr nie in der Schrift gelesen,
was David tat, als er und seine Begleiter hungrig waren? 26Er
ging in das Haus Gottes (zu der Zeit, als Abjatar Hoher Pries-
ter war), aß das besondere Brot, das nur den Priestern vor-
behalten ist, und gab auch seinen Begleitern davon.« 27Und
er fuhr fort: »Der Sabbat wurde zum Wohl des Menschen ge-
macht und nicht der Mensch für den Sabbat. 28Und deshalb ist
der Menschensohn auch Herr über den Sabbat!«

Jesus heilt am Sabbat

3 1Wieder ging Jesus in die Synagoge. Dort bemerkte er ei-
nen Mann mit einer verkrüppelten Hand. 2Seine Gegner
beobachteten ihn ganz genau. Wenn er am Sabbat die Hand
des Mannes heilen würde, dann könnten sie ihn anklagen.
3Jesus sagte zu dem Mann: »Komm her und tritt in die Mitte.«
4Dann wandte er sich an seine Gegner und fragte: »Ist es nach
dem Gesetz erlaubt, am Sabbat Gutes zu tun, oder ist es ein
Tag, um Böses zu tun? Ist dies ein Tag, um Leben zu retten
oder zu vernichten?« Doch sie schwiegen. 5Zornig und er-
schüttert über ihre Hartherzigkeit sah er sie an. Dann forderte
er den Mann auf: »Streck deine Hand aus.« Der Mann streckte
seine Hand aus und sie wurde wieder gesund! 6Daraufhin
zogen sich die Pharisäer zurück und trafen sich heimlich mit
den Anhängern des Herodes, um zu planen, wie sie Jesus tö-
ten könnten.

Eine große Menschenmenge folgt Jesus

7Jesus zog sich mit seinen Jüngern an den See zurück. Eine
riesige Menschenmenge aus ganz Galiläa, Judäa, 8Jerusalem,

Idumäa, aus dem Gebiet östlich des Jordan und sogar aus den
fernen Städten Tyrus und Sidon folgte ihm. Die Nachricht von
seinen Wundern hatte sich überall verbreitet, und die Men-
schen kamen scharenweise zu ihm.

[9]Jesus beauftragte seine Jünger, ein Boot bereitzuhalten, falls
die Menge der Menschen ihn zu erdrücken drohte. [10]Weil Je-
sus so viele Menschen heilte, drängten sich viele Kranke um
ihn und versuchten, ihn zu berühren. [11]Und alle, die von bö-
sen Geistern besessen waren, fielen vor ihm nieder und
schrien: »Du bist der Sohn Gottes!« [12]Aber Jesus verbot ihnen
streng zu sagen, wer er war.

Jesus wählt die zwölf Apostel aus

[13]Später stieg Jesus auf einen Berg und rief die zu sich, die er
bei sich haben wollte. Sie traten zu ihm. [14]Er wählte zwölf von
ihnen aus, die ihn ständig begleiten sollten, und nannte sie
Apostel. Er wollte sie aussenden, damit sie predigen und
[15]mit Vollmacht Dämonen austreiben. [16]Und das sind die Na-
men der zwölf, die er wählte:

Simon (dem er den Namen Petrus gab), [17]Jakobus und Jo-
hannes (die Söhne des Zebedäus; ihnen gab er den Beinamen
»Donnersöhne«), [18]Andreas, Philippus, Bartholomäus, Mat-
thäus, Thomas, Jakobus (der Sohn des Alphäus), Thaddäus,
Simon (der Zelot) [19]und Judas Iskariot (der ihn später verriet).

Jesus und der Oberste der Dämonen

[20]Als Jesus in das Haus zurückkehrte, in dem er wohnte, ka-
men wieder so viele Menschen zu ihm, dass er und seine Jün-
ger nicht einmal Zeit fanden zu essen. [21]Als seine Familie da-
von hörte, wollten sie ihn zu sich nach Hause holen. »Er hat
den Verstand verloren«, meinten sie.

[22]Doch die Schriftgelehrten, die aus Jerusalem gekommen
waren, erklärten: »Er ist vom Satan, dem Obersten der Dä-
monen, besessen. Daher hat er die Macht, Dämonen aus-
zutreiben.«

[23]Jesus aber rief sie zu sich und erzählte ihnen folgendes
Gleichnis: »Wie kann denn der Satan den Satan austreiben?«,

fragte er. 24»Ein Königreich, das mit sich selbst im Krieg liegt,
wird fallen. 25Ein Haus, das in sich selbst zerstritten ist, wird
untergehen. 26Und wenn der Satan gegen sich selbst kämpft,
wie kann er dann bestehen? Er würde niemals überleben.
27Lasst es mich euch so erklären: Man kann nicht in das Haus
eines starken Mannes eindringen und ihn berauben, ohne ihn
zuerst zu fesseln. Erst dann kann man sein Haus ausrauben!
28Ich versichere euch: Jede Sünde kann den Menschen ver-
geben werden und auch jede Gotteslästerung. 29Wer aber ge-
gen den Heiligen Geist lästert, dem wird niemals vergeben
werden. Diese Sünde währt ewig.« 30Das sagte er zu ihnen,
weil sie behaupteten, er habe einen bösen Geist.

Die wahre Familie von Jesus

31Seine Mutter und seine Brüder kamen zu dem Haus, in dem
Jesus lehrte. Sie blieben draußen stehen und schickten jemand
zu ihm, um ihn zu rufen. 32Viele Menschen saßen dicht ge-
drängt um Jesus herum, als ihm ausgerichtet wurde: »Deine
Mutter und deine Brüder und Schwestern stehen draußen
und fragen nach dir.«
33Da erwiderte Jesus: »Wer ist meine Mutter? Wer sind mei-
ne Brüder?« 34Dann sah er die an, die rings um ihn herum
saßen, und sagte: »Diese Leute hier sind meine Mutter und
meine Brüder. 35Wer den Willen Gottes tut, ist mein Bruder
und meine Schwester und meine Mutter.«

Das Gleichnis vom Bauern, der die Saat ausstreute

4 1Wieder einmal fing Jesus an, am Ufer des Sees zu lehren.
Die Menschenmenge, die ihn umdrängte, war jedoch so
groß, dass er in ein Boot stieg, sich setzte und von dort aus
zu ihnen sprach. 2Er brachte den Menschen seine Lehre nahe,
indem er ihnen viele Gleichnisse wie das folgende erzählte:
3»Hört zu! Ein Bauer ging hinaus, um zu säen. 4Manche der
Samenkörner, die er auf dem Feld ausstreute, fielen auf den
Weg, und die Vögel kamen und fraßen sie. 5Andere fielen auf
eine dünne Erdschicht mit felsigem Untergrund. Die Pflanzen
keimten, 6doch unter der heißen Sonne verdorrten sie rasch

und starben ab, weil die Wurzeln in der dünnen Erdkruste
keine Nahrung fanden. 7Andere fielen unter die Dornen, die
rasch in die Höhe schossen und die zarten Halme erstickten,
sodass sie keine Ähren trugen. 8Wieder andere fielen auf
fruchtbaren Boden und brachten eine Getreideernte mit dem
dreißig-, sechzig-, ja hundertfachen Ertrag ein.« 9Und er
schloss mit den Worten: »Wer hören will, der soll zuhören
und begreifen!«

10Als Jesus später mit den zwölf Jüngern und den anderen,
die sich um ihn versammelt hatten, allein war, fragten sie ihn:
»Was bedeuten deine Gleichnisse?«

11Er erwiderte: »Euch ist es von Gott gegeben, die Geheim-
nisse des Reiches Gottes zu verstehen. Allen anderen aber
werden sie in Gleichnissen verborgen erzählt, 12damit sich
das Schriftwort erfüllt:

›Sie sehen, was ich tue, aber sie begreifen nicht, was es bedeutet. Sie hören meine Worte, aber sie verstehen sie nicht. Deshalb werden sie sich nicht von ihren Sünden abkehren und keine Vergebung empfangen.‹

13Aber wenn auch ihr dieses Gleichnis nicht versteht, wie
wollt ihr dann die anderen Gleichnisse verstehen, die ich
noch erzählen werde? 14Der Bauer, von dem ich sprach, ist
derjenige, der anderen Menschen Gottes Botschaft bringt.
15Der Same, der auf den harten Weg fällt, meint die Menschen,
die die Botschaft hören; doch gleich kommt der Satan und
nimmt ihnen alles weg. 16Die dünne Erdschicht mit dem felsi-
gen Untergrund ist ein Beispiel für die Menschen, die die Bot-
schaft hören und mit Freude aufnehmen. 17Aber wie bei jun-
gen Pflanzen in einem solchen Boden reichen ihre Wurzeln
nicht sehr tief; wenn sie wegen ihres Glaubens auf Schwierig-
keiten stoßen oder verfolgt werden, geben sie wieder auf.
18Der mit Dornen bewachsene Boden verweist auf die Men-
schen, die die gute Botschaft hören und annehmen, 19doch sie
wird von Alltagssorgen, den Verlockungen des Reichtums
und dem Verlangen nach schönen Dingen übertönt, sodass
keine Frucht daraus entstehen kann. 20Der gute Boden aber
meint schließlich die Menschen, die Gottes Botschaft hören

und annehmen und reiche Frucht bringen – dreißig-, sechzig-,
ja hundertmal so viel, wie gesät wurde.«

Das Gleichnis von der Lampe

21 Dann fragte Jesus sie: »Würde etwa jemand eine Lampe an-
zünden und sie dann unter ein Gefäß oder ein Bett stellen, um
das Licht zu verbergen? Natürlich nicht! Eine Lampe wird auf
einen Ständer gestellt, wo ihr Licht leuchten kann.
22 Alles, was jetzt noch verborgen ist, wird ans Licht kom-
men, und was jetzt noch geheim ist, wird aufgedeckt werden.
23 Wer hören will, soll zuhören und begreifen! 24 Und hört ge-
nau hin! Nach dem Maß, nach dem ihr anderen gebt, wird
man euch geben – und es wird euch noch mehr hinzugefügt
werden. 25 Dem, der für meine Lehre offen ist, wird immer
tiefere Erkenntnis geschenkt werden. Dem aber, der nicht zu-
hören will, wird selbst das genommen werden, was er hat.«

Das Gleichnis von der heranwachsenden Saat

26 Jesus fuhr fort: »Ich erzähle euch noch ein Gleichnis für das
Reich Gottes: Ein Bauer streute Saatgut auf einem Feld aus.
27 Ob er nun schlief oder aufstand – die Tage vergingen, die
Saat keimte und wuchs ohne das Zutun des Bauern heran,
28 denn die Erde bringt das Getreide ganz von selbst hervor.
Zuerst sprießt ein Halm, dann bilden sich die Ähren und
zum Schluss reift das Korn heran. 29 Und sobald das Korn reif
ist, kommt der Bauer und erntet es mit der Sichel.«

Das Gleichnis vom Senfkorn

30 Jesus fragte: »Wie kann ich das Reich Gottes noch beschrei-
ben? Womit könnte ich es vergleichen? 31 Es ist wie ein win-
ziges Senfkorn. Obwohl das Senfkorn zu den kleinsten Sa-
menkörnern gehört, 32 wächst es doch zu einer der größten
Pflanzen heran, mit langen Zweigen, in denen die Vögel Zu-
flucht finden.«
33 Jesus verwendete viele solcher Gleichnisse, um die Men-
schen so zu lehren, dass sie es begreifen konnten. 34 In der Öf-
fentlichkeit lehrte er ausschließlich durch Gleichnisse. Wenn

er aber später mit seinen Jüngern allein war, erklärte er ihnen
ihre Bedeutung.

Jesus stillt den Sturm

[35]Als es Abend wurde, sagte Jesus zu seinen Jüngern: »Wir
wollen auf die andere Seite des Sees fahren.« [36]Jesus war
schon im Boot. So entließen die Jünger die Menge, stiegen zu
ihm ins Boot und fuhren los. Einige andere Boote fuhren mit
ihnen. [37]Doch bald darauf erhob sich ein heftiger Sturm, und
hohe Wellen schlugen ins Boot, bis es fast ganz voll Wasser
gelaufen war.

[38]Währenddessen schlief Jesus hinten im Boot mit dem Kopf
auf einem Kissen. In ihrer Verzweiflung weckten sie ihn
schließlich und riefen: »Lehrer, macht es dir denn gar nichts
aus, dass wir umkommen?«

[39]Jesus erwachte, bedrohte den Wind und befahl dem Was-
ser: »Schweig! Sei still!« Sogleich legte sich der Wind, und es
herrschte tiefe Stille. [40]Und er fragte die Jünger: »Warum seid
ihr so ängstlich? Habt ihr immer noch keinen Glauben?«
[41]Voll Furcht sagten sie zueinander: »Wer ist dieser Mann,
dass ihm sogar Wind und Wellen gehorchen?«

Jesus heilt einen Besessenen

5 [1]So gelangten sie an die andere Seite des Sees ins Gebiet
der Gerasener. [2]Jesus war kaum aus dem Boot gestiegen,
als ihm von den Grabhöhlen her ein Mann entgegenlief, der
von einem bösen Geist besessen war. [3]Dieser Mann lebte in
den Höhlen und war selbst mit einer Kette von niemandem
mehr zu halten. [4]Jedes Mal, wenn man ihn in Fesseln legte –
was oft geschah –, streifte er die Ketten von den Handgelen-
ken und zerriss die Fußfesseln. Niemand war stark genug, ihn
zu bändigen. [5]Tag und Nacht war er in den Grabhöhlen und
wanderte durch die umliegenden Hügel, schrie und schlug
sich selbst mit Steinen.

[6]Der Mann entdeckte Jesus schon von Weitem. Er lief auf ihn
zu, warf sich vor ihm nieder, [7]stieß einen schrecklichen Schrei
aus und rief: »Was willst du von mir, Jesus, Sohn des höchsten

Gottes? Ich beschwöre dich bei Gott: Quäle mich nicht!«
8Denn Jesus hatte schon dem Geist befohlen: »Verlass diesen
Mann, du böser Geist!«
9Dann fragte Jesus: »Wie heißt du?«
Der Geist erwiderte: »Legion, denn in diesem Mann sind
viele von uns.« 10Wieder und wieder flehte er ihn an, sie nicht
aus dieser Gegend fortzuschicken. 11In der Nähe weidete ge-
rade eine große Schweineherde an einem Abhang. 12»Lass uns
in diese Schweine fahren«, flehten die Geister. 13Jesus erlaubte
es ihnen. Da fuhren die bösen Geister aus dem Mann in die
Schweine, und die ganze Herde von zweitausend Tieren
stürzte sich den steilen Abhang hinunter in den See und er-
trank.
14Die Hirten flohen und erzählten in der Stadt und in der
ganzen Gegend, was geschehen war. Da kamen die Menschen
von überall herbeigelaufen, um es mit eigenen Augen zu se-
hen. 15Schon bald hatte sich eine große Menge um Jesus ver-
sammelt. Der Mann, der von Dämonen besessen gewesen
war, saß ordentlich gekleidet da und war bei klarem Verstand.
Als das die Leute sahen, bekamen sie Angst. 16Diejenigen, die
miterlebt hatten, was mit dem Mann und den Schweinen ge-
schehen war, erzählten es den anderen. 17Da baten sie Jesus
fortzugehen und sie in Ruhe zu lassen.
18Als Jesus wieder ins Boot stieg, bat ihn der Mann, der von
Dämonen besessen gewesen war, mit ihm gehen zu dürfen.
19Doch Jesus sagte zu ihm: »Nein. Geh nach Hause zu deiner
Familie und erzähle ihnen, was der Herr für dich getan hat
und wie gnädig er gewesen ist.« 20Da wanderte der Mann
durch das Gebiet der Zehn Städte und erzählte allen Men-
schen von dem, was Jesus für ihn getan hatte; und alle staun-
ten über das, was er ihnen berichtete.

Heilung durch Glauben

21Als Jesus auf die andere Seite des Sees zurückkehrte, ver-
sammelte sich eine große Menge am Ufer um ihn. 22Einer der
Vorsteher der örtlichen Synagoge, ein Mann namens Jaïrus,
kam zu ihm, fiel vor ihm nieder 23und bat ihn inständig, seine

kleine Tochter zu heilen. »Sie liegt im Sterben«, sagte er ver-
zweifelt. »Bitte, komm und lege ihr deine Hände auf; mach sie
gesund, damit sie am Leben bleibt.«
24 Jesus ging mit ihm, gefolgt von einer dichten Menschen-
menge. 25 In der Menge war auch eine Frau, die seit zwölf Jah-
ren an Blutungen litt. 26 Sie hatte in dieser Zeit bei vielen Ärz-
ten Schlimmes durchgemacht. Ihr ganzes Vermögen hatte sie
eingebüßt, um sie zu bezahlen, ohne dass es ihr besser ging.
Es war sogar schlimmer geworden. 27 Diese Frau hatte von
Jesus gehört. Sie kämpfte sich durch die Menge in seine Nähe
und berührte den Saum seines Gewandes. 28 Denn sie sagte
sich: »Wenn ich nur seine Kleider berühre, werde ich gesund.«
29 Und im selben Augenblick hörte die Blutung auf, und sie
spürte, dass sie geheilt war!
30 Jesus merkte sofort, dass eine heilende Kraft von ihm aus-
gegangen war. Er wandte sich um und fragte: »Wer hat meine
Kleider berührt?«
31 Seine Jünger sagten zu ihm: »Die Menschen umdrängen
dich von allen Seiten, wie kannst du da fragen: ›Wer hat
mich berührt?‹«
32 Aber er schaute weiter umher, um festzustellen, wer es ge-
wesen war. 33 Zitternd vor Angst trat die Frau auf ihn zu, denn
sie wusste, was mit ihr geschehen war. Sie warf sich ihm zu
Füßen und sagte ihm, was sie getan hatte. 34 Und er sagte zu
ihr: »Tochter, dein Glaube hat dich gesund gemacht. Geh in
Frieden. Du bist geheilt.«
35 Während Jesus noch mit ihr sprach, trafen Boten vom
Haus des Jaïrus ein mit der Nachricht: »Deine Tochter ist tot.
Du brauchst den Lehrer nicht mehr zu bemühen.«
36 Doch Jesus ging über ihre Worte hinweg und sagte zu Ja-
ïrus: »Hab keine Angst. Glaube nur.« 37 Er wies die Menge an
zurückzubleiben und nahm nur Petrus, Jakobus und Johan-
nes, den Bruder des Jakobus, mit. 38 Als sie zum Haus des Syn-
agogenvorstehers kamen, sah Jesus die aufgeregte Menge
und die vielen weinenden und klagenden Menschen. 39 Er
ging hinein und sagte zu ihnen: »Warum sind alle so auf-
geregt und weinen? Das Kind ist nicht tot; es schläft nur.«

40Da lachten sie ihn aus, aber er schickte sie alle hinaus. Zu-
sammen mit dem Vater und der Mutter des Mädchens und
seinen drei Jüngern ging er in das Zimmer, in dem das Kind
lag. 41Er nahm seine Hand und sagte zu ihm: »Mädchen, ich
befehle dir, steh auf!« 42Sofort stand das Mädchen auf und
ging umher; es war zwölf Jahre alt! Und alle waren sehr darü-
ber erstaunt. 43Jesus befahl ihnen, niemandem zu erzählen,
was geschehen war, und sagte, sie sollten ihr etwas zu essen
geben.

Jesus wird in Nazareth abgelehnt

6 1Jesus verließ diesen Teil des Landes und kehrte mit sei-
nen Jüngern in seine Heimatstadt Nazareth zurück. 2Am
folgenden Sabbat begann er in der Synagoge zu lehren. Vie-
le der Zuhörer waren sehr erstaunt. Sie fragten: »Wo hat er
nur diese Weisheit her und die Macht, solche Wunder zu
tun? 3Er ist doch nur ein Zimmermann, der Sohn Marias
und der Bruder von Jakobus, Josef, Judas und Simon. Auch
seine Schwestern leben hier unter uns.« Und sie ärgerten sich
über ihn.

4Da sagte Jesus zu ihnen: »Ein Prophet wird überall verehrt,
nur nicht in seiner eigenen Heimatstadt, von seinen Verwand-
ten und von seiner eigenen Familie.« 5Weil sie nicht an ihn
glaubten, konnte er keine Wunder bei ihnen tun und er legte
nur einigen Kranken die Hände auf und heilte sie. 6Und er
wunderte sich über ihren Unglauben.

Jesus sendet die zwölf Apostel aus

Danach zog Jesus von Dorf zu Dorf und lehrte die Menschen.
7Er rief seine zwölf Jünger zu sich, sandte sie jeweils zu zweit
aus und gab ihnen die Vollmacht, böse Geister auszutreiben.
8Er befahl ihnen, nichts mitzunehmen außer einem Wander-
stab – keine Nahrung, keine Tasche, kein Geld. 9Sie sollten
Sandalen anziehen, aber kein zweites Hemd bei sich tragen.
10»Wenn ihr in ein Dorf kommt, seid immer nur in einem
Haus zu Gast«, sagte er. 11»Und wenn ihr in einem Dorf nicht
willkommen seid oder man nicht auf euch hören will, dann

schüttelt den Staub von euren Füßen, wenn ihr geht. Das ist
das Zeichen, dass ihr dieses Dorf sich selbst überlasst.«
12Dann zogen die Jünger los und forderten die Menschen
auf, sich von ihren Sünden abzukehren. 13Sie trieben viele Dä-
monen aus und salbten viele Kranke mit Öl und heilten sie.

Der Tod von Johannes dem Täufer

14König Herodes Antipas erfuhr schon bald von Jesus, weil
die Leute überall von ihm sprachen. Manche sagten: »Er
muss Johannes der Täufer sein, der wieder lebendig gewor-
den ist. Deshalb kann er solche Wunder tun.« 15Andere hiel-
ten Jesus für den Propheten Elia. Wieder andere glaubten, er
wäre ein Prophet wie die anderen großen Propheten der Ver-
gangenheit. 16Als Herodes von Jesus hörte, sagte er: »Johan-
nes, der Mann, den ich enthaupten ließ, ist von den Toten auf-
erstanden.« 17Denn Herodes hatte Soldaten ausgesandt und
Johannes verhaften und einsperren lassen, um Herodias einen
Gefallen zu tun. Sie war die Frau seines Bruders Philippus
gewesen, aber Herodes hatte sie geheiratet. 18Johannes hatte
Herodes immer wieder gemahnt: »Du hattest nicht das Recht,
die Frau deines Bruders zu heiraten.« 19Herodias hasste Jo-
hannes und hätte ihn am liebsten umgebracht, doch ohne die
Zustimmung des Herodes war sie machtlos. 20Herodes dage-
gen achtete Johannes, den er als guten und heiligen Mann
kannte, und er sorgte für seinen Schutz. Auch wenn ihn des-
sen Worte jedes Mal beunruhigten, hörte er ihm trotzdem
gern zu.
21Endlich bot sich für Herodias eine günstige Gelegenheit.
Herodes gab an seinem Geburtstag ein großes Fest für seine
Beamten, Offiziere und die führenden Bürger Galiläas. 22Seine
Tochter, die ebenfalls Herodias hieß, kam herein und führte
einen Tanz auf, der allen sehr gefiel. »Bitte mich um was im-
mer du willst«, sagte der König zu dem Mädchen, »ich werde
es dir schenken.« 23Und er schwor: »Ich gebe dir alles, was du
willst, und wenn es die Hälfte meines Königreiches wäre!«
24Sie ging hinaus und fragte ihre Mutter: »Was soll ich mir
wünschen?«

Ihre Mutter sagte: »Bitte um den Kopf von Johannes dem
Täufer!«
25Das Mädchen lief zum König zurück und sagte zu ihm:
»Ich will den Kopf von Johannes dem Täufer, jetzt gleich, serviert auf einer Schale!«
26Da wurde der König sehr traurig, aber er wollte vor seinen
Gästen seinen Schwur nicht brechen. 27Also schickte er einen
Henker ins Gefängnis, der Johannes den Kopf abschlagen und
ihm bringen sollte. Der Soldat enthauptete Johannes im Gefängnis, 28brachte seinen Kopf auf einer Schale herein und
überreichte ihn dem Mädchen, und sie gab ihn ihrer Mutter.
29Als die Jünger des Johannes hörten, was geschehen war, kamen sie, holten seinen Leichnam und legten ihn in ein Grab.

Mehr als fünftausend Menschen werden satt

30Die Apostel kehrten zu Jesus zurück und berichteten, was
sie getan und gelehrt hatten. 31Darauf sagte Jesus: »Kommt,
wir ziehen uns an einen einsamen Ort zurück, wo ihr euch
ausruhen könnt.« Denn ständig waren so viele Menschen um
sie, dass Jesus und seine Apostel nicht einmal Zeit fanden zu
essen. 32So fuhren sie mit dem Boot an einen ruhigeren Ort.
33Aber die Leute bemerkten ihre Abfahrt. Da liefen sie aus den
umliegenden Städten am Ufer entlang voraus und waren bereits da, als sie anlegten. 34Als Jesus aus dem Boot stieg, erwartete ihn eine riesige Menschenmenge. Er hatte Mitleid mit ihnen, denn sie waren wie Schafe ohne Hirten. Deshalb nahm er
sich Zeit, sie vieles zu lehren.
35Spät am Nachmittag traten seine Jünger zu ihm und sagten: »Dies ist eine einsame Gegend und es wird langsam spät.
36Schick die Leute fort, damit sie auf die umliegenden Gehöfte
und in die Dörfer gehen können und sich etwas zu essen kaufen.«
37Doch Jesus meinte: »Gebt ihr ihnen zu essen.«
Sie erwiderten: »Wie denn? Es würde ein kleines Vermögen
kosten, für so viele Menschen Essen zu kaufen!«
38Er fragte: »Wie viele Brote habt ihr? Geht und stellt es fest.«
Sie kamen zurück und berichteten: »Wir haben fünf Brote

und zwei Fische.« [39]Da forderte Jesus die Menge auf, sich in
Gruppen ins grüne Gras zu setzen. [40]Sie setzten sich zu je
fünfzig oder hundert zusammen.

[41]Jesus nahm die fünf Brote und zwei Fische, blickte zum
Himmel auf und bat um Gottes Segen für das Essen. Dann
brach er das Brot in Stücke und reichte den Jüngern Brot und
Fisch, damit diese alles an die Leute verteilten. [42]Alle aßen, so
viel sie wollten. [43]Danach sammelten sie ein, was von den
Broten und Fischen übrig geblieben war: es waren noch zwölf
Körbe voll. [44]Fünftausend Männer waren von diesen fünf Bro-
ten satt geworden!

Jesus geht auf dem Wasser

[45]Gleich danach befahl Jesus seinen Jüngern, wieder ins Boot
zu steigen und über den See nach Betsaida zu fahren, wäh-
rend er inzwischen die Menschen nach Hause entließ. [46]Dann
ging er allein auf einen Berg, um zu beten.

[47]In der Nacht befanden sich die Jünger in ihrem Boot mitten
auf dem See, und Jesus war allein an Land. [48]Er sah, dass sie
mühsam gegen den Wind und die Wellen ankämpften. Gegen
drei Uhr morgens ging er über das Wasser zu ihnen. Er wollte
an ihnen vorübergehen. [49]Doch als sie ihn auf dem Wasser
gehen sahen, schrien sie vor Entsetzen, denn sie hielten ihn
für ein Gespenst. [50]Sie waren zu Tode erschrocken, als sie ihn
sahen. Doch Jesus sprach sie sofort an. »Erschreckt nicht«,
sagte er. »Ich bin es. Habt keine Angst.« [51]Dann stieg er ins
Boot, und der Wind legte sich. Sie staunten über das, was vor
ihren Augen geschah. [52]Sie hatten immer noch nicht begriffen,
was das Wunder der Brotvermehrung bedeutete, denn ihre
Herzen waren verhärtet, und sie glaubten nicht.

[53]Als sie auf der anderen Seite des Sees in Genezareth an-
kamen, machten sie das Boot fest [54]und stiegen aus. Sofort
erkannten die Menschen Jesus. [55]Sie liefen und holten die
Kranken aus der ganzen Gegend und trugen sie auf Matten
zu ihm. [56]Überall, wo er hinkam – in Dörfern, Städten und
draußen auf den Gehöften –, brachten sie die Kranken auf
die Marktplätze und baten ihn, sie nur den Saum seines

Gewandes berühren zu lassen. Und alle, die ihn berührten,
wurden geheilt.

Jesus sagt, was den Menschen wirklich unrein macht

7
1Eines Tages kamen einige Pharisäer und Schriftgelehrte
aus Jerusalem zu Jesus. 2Sie sahen, dass einige seiner Jün-
ger den jüdischen Brauch, sich vor dem Essen die Hände zu
waschen, nicht befolgten. 3Die Juden, besonders die Pharisä-
er, essen nicht, bevor sie sich nicht Wasser über die Hände
gegossen haben, wie ihre überlieferten Satzungen es vor-
schreiben. 4Auch essen sie nichts von dem, was sie auf dem
Markt gekauft haben, bevor sie nicht ihre Hände in Wasser
getaucht haben. Das ist nur eine von zahlreichen Satzungen,
an denen sie festhalten – wie zum Beispiel an dem Brauch,
Becher, Krüge und Kupferkessel auszuspülen. 5Deshalb frag-
ten nun die Pharisäer und Schriftgelehrten Jesus: »Warum be-
folgen deine Jünger unsere überlieferten Vorschriften nicht?
Denn sie essen mit ungewaschenen Händen.«

6Jesus erwiderte: »Ihr Heuchler! Jesaja hat euch gemeint, als
er sagte:

›Diese Menschen ehren mich mit ihren Worten, aber nicht
mit ihrem Herzen. 7Ihre Anbetung ist nutzlos, denn sie erset-
zen die Gebote Gottes durch ihre eigenen Lehren.‹

8Ihr missachtet die Gebote Gottes und setzt an ihre Stelle
eure eigenen Vorschriften.«

9Und er fuhr fort: »Geschickt setzt ihr Gottes Gebote außer
Kraft, um an euren eigenen Vorschriften festzuhalten. 10Mo-
se gab euch das Gebot von Gott: ›Ehre deinen Vater und dei-
ne Mutter‹, und: ›Wer Vater oder Mutter verflucht, soll mit
dem Tod bestraft werden.‹ 11Ihr dagegen behauptet, es sei
durchaus richtig, wenn jemand zu seinen Eltern sagt: ›Es tut
mir leid, ich kann euch nicht helfen. Ich habe gelobt, Gott
alles zu geben, was ich euch hätte geben können.‹ 12Ihr lasst
zu, dass er seine eigenen Eltern, die Not leiden, vernachläs-
sigt. 13Auf diese Weise brecht ihr das Gebot Gottes, um eure
eigenen Vorschriften zu halten. Und das ist nur ein Beispiel
von vielen.«

14Dann rief Jesus die Menge zu sich. »Hört alle genau zu«,
sagte er, »und versucht es zu verstehen. 15Der Mensch wird
nicht durch das unrein, was er isst; er wird unrein durch das,
was er sagt und tut.«

17Als Jesus sich von der Menge zurückzog und in ein Haus
ging, fragten ihn seine Jünger, was er denn mit dieser Aussage
gemeint habe. 18»Versteht ihr es denn auch nicht?«, fragte er.
»Begreift ihr nicht, dass nichts, was der Mensch isst, ihn ver-
unreinigen kann? 19Die Nahrung kommt nicht mit seinem
Herzen in Berührung, sondern geht nur durch den Magen
und wird dann wieder ausgeschieden.« Damit erklärte Jesus
alle Speisen für erlaubt. 20Und er fuhr fort: »Es sind seine Ge-
danken, die den Menschen verunreinigen. 21Denn von innen,
aus dem Herzen eines Menschen, kommen böse Gedanken
wie Unzucht, Diebstahl, Mord, 22Ehebruch, Habgier, Bosheit,
Hinterlist, Vergnügungssucht, Neid, Verleumdung, Stolz und
Unvernunft. 23Alle diese üblen Dinge kommen von innen he-
raus; sie sind es, die den Menschen unrein machen.«

Der Glaube einer griechischen Frau

24Danach verließ Jesus Galiläa und ging nach Norden in das
Gebiet von Tyrus. Er versuchte zu verbergen, dass er sich dort
aufhielt, aber es gelang ihm nicht. Die Nachricht von seiner
Ankunft verbreitete sich schnell. 25Sofort kam eine Frau zu
ihm, deren kleine Tochter von einem bösen Geist besessen
war. Sie hatte von Jesus gehört, und nun kam sie, warf sich
ihm zu Füßen 26und bat ihn inständig, ihr Kind von dem Dä-
mon zu befreien.

Da sie eine Griechin war, die aus Syrophönizien stammte,
27sagte Jesus zu ihr: »Ich muss zuerst meiner eigenen Familie,
den Juden, helfen. Es ist nicht recht, den Kindern das Essen
wegzunehmen und es den Hunden vorzuwerfen.«

28Sie erwiderte: »Das ist wahr, Herr, aber selbst den Hunden
unter dem Tisch gibt man die Krümel von den Tellern der
Kinder.«

29»Damit hast du recht!«, sagte er. »Nun geh nach Hause.
Der böse Geist ist aus deiner Tochter ausgefahren.« 30Und als

die Frau nach Hause kam, lag ihre kleine Tochter ruhig im
Bett, und der Dämon war fort.

Jesus heilt einen taubstummen Mann

31Jesus verließ Tyrus und ging nach Sidon; dann kehrte er zu-
rück an den See von Galiläa und in das Gebiet der Zehn Städ-
te. 32Ein Mann, der taub war und kaum sprechen konnte, wur-
de zu ihm gebracht. Die Leute baten Jesus, dem Mann die
Hände aufzulegen und ihn zu heilen. 33Jesus führte ihn an
einen ruhigen Ort, fort von der Menge. Er legte seine Finger
in die Ohren des Mannes. Dann benetzte er die Fingerspitzen
mit seinem Speichel und berührte damit die Zunge des Man-
nes. 34Schließlich blickte er zum Himmel auf, seufzte und be-
fahl: »Öffne dich!« 35Und im selben Augenblick konnte der
Mann hören und normal sprechen!

36Jesus ermahnte die Menge, niemandem davon zu erzäh-
len. Doch je mehr er es ihnen verbot, desto rascher verbreite-
ten sie die Nachricht, 37weil sie vor Staunen völlig außer sich
waren. Wieder und wieder sagten sie: »Es ist alles wunderbar,
was er tut. Er heilt sogar die Tauben und Stummen.«

Viertausend Menschen werden satt

8 1In diesen Tagen hatte sich erneut eine große Menschen-
menge versammelt. Da die Menschen nichts zu essen
hatten, rief Jesus seine Jünger zu sich und sagte zu ihnen:
2»Die Menschen tun mir leid. Sie waren drei Tage hier bei
mir, und nun haben sie nichts mehr zu essen. 3Wenn ich sie
ohne Essen heimschicke, könnten sie unterwegs zusammen-
brechen, denn einige von ihnen sind von weit her gekom-
men.«

4»Wie sollen wir denn hier in dieser einsamen Gegend ge-
nug zu essen für sie finden?«, fragten seine Jünger.

5»Wie viele Brote habt ihr?«, fragte er sie.

»Sieben«, antworteten sie. 6Da forderte Jesus die Menschen
auf, sich auf die Erde zu setzen. Dann nahm er die sieben Bro-
te, dankte Gott dafür, brach sie in Stücke und gab sie seinen
Jüngern, damit sie das Brot an die Menge austeilten. 7Sie hat-

ten auch noch einige kleine Fische, und Jesus segnete sie und
ließ sie durch seine Jünger verteilen.
8Alle aßen, bis sie satt waren, und als die Reste eingesam-
melt wurden, füllten sie sieben große Körbe voll! 9An diesem
Tag waren viertausend Menschen beisammen. Nachdem sie
gegessen hatten, entließ er sie nach Hause. 10Gleich darauf
stieg er mit seinen Jüngern in ein Boot und fuhr hinüber ins
Gebiet von Dalmanuta.

Die Pharisäer fordern ein Zeichen

11Als die Pharisäer hörten, dass Jesus in der Gegend war, ka-
men sie, um ihn zur Rede zu stellen. Sie wollten prüfen, ob er
von Gott kam, und forderten: »Gib uns als Beweis ein Zeichen
vom Himmel.«
12Als Jesus das hörte, seufzte er und sagte: »Warum verlangt
ihr unentwegt Zeichen? Ich versichere euch: Niemals wird
dieser Generation ein Zeichen gegeben werden.« 13Und er
stieg wieder ins Boot, verließ sie und fuhr über den See zum
anderen Ufer.

Der Sauerteig der Pharisäer und der Sauerteig des Herodes

14Die Jünger hatten vergessen, etwas zu essen mitzunehmen.
Ihr gesamter Proviant bestand nur aus einem einzigen Brot.
15Während sie über den See fuhren, warnte Jesus sie: »Nehmt
euch in Acht vor dem Sauerteig der Pharisäer und dem Sau-
erteig des Herodes.«
16Sie glaubten, er sage das, weil sie kein Brot mitgenommen
hatten. 17Jesus wusste, was sie dachten; deshalb sagte er: »Wa-
rum macht ihr euch Sorgen darüber, dass ihr nichts zu essen
habt? Werdet ihr denn nie lernen oder begreifen? Sind eure
Herzen zu verhärtet, um das zu verstehen? 18›Ihr habt doch
Augen – könnt ihr nicht sehen? Ihr habt doch Ohren – könnt
ihr nicht hören?‹ Erinnert ihr euch denn nicht? 19Was ist mit
den fünftausend Männern, die ich mit fünf Broten satt ge-
macht habe? Wie viele Körbe voller Reste habt ihr anschlie-
ßend gesammelt?«
»Zwölf«, sagten sie.

20»Und als ich den Hunger der viertausend Menschen mit sieben Broten gestillt habe, wie viele Körbe mit Resten habt ihr da eingesammelt?«

Sie antworteten: »Sieben.«

21Da fragte er sie: »Begreift ihr denn immer noch nicht?«

Jesus heilt einen Blinden

22In Betsaida brachten einige Leute einen Blinden zu Jesus
und baten ihn, den Mann zu berühren und zu heilen. 23Jesus
nahm den Blinden an der Hand und führte ihn aus dem Dorf hinaus. Dann spuckte er dem Mann auf die Augen, legte ihm die Hände auf und fragte: »Siehst du etwas?«

24Der Mann sah sich um. »Ja«, sagte er. »Ich sehe Menschen, aber nicht sehr deutlich. Sie sehen aus wie umhergehende Bäume.«

25Da legte Jesus seine Hände wieder auf die Augen des Mannes. Und als sich der Mann erneut umschaute, war er völlig
geheilt und konnte alles deutlich erkennen. 26Jesus schickte
ihn nach Hause und sagte: »Geh auf dem Weg nach Hause nicht durch das Dorf.«

Petrus legt sein Bekenntnis ab – Jesus kündigt seinen Tod an

27Jesus und seine Jünger verließen Galiläa und zogen hinauf in die Dörfer um Cäsarea Philippi. Unterwegs fragte er sie: »Für wen halten mich die Leute?«

28»Einige halten dich für Johannes den Täufer«, erwiderten sie, »andere für Elia, und wieder andere sagen, du bist einer der anderen Propheten.«

29Da fragte Jesus: »Und für wen haltet ihr mich?«

Petrus antwortete: »Du bist der Christus.«

30Doch Jesus befahl ihnen, niemand von ihm zu erzählen.

31Dann sprach Jesus mit ihnen zum ersten Mal darüber, dass der Menschensohn viel Schlimmes erleiden müsse und von den führenden Männern des Volkes, den obersten Priestern und den Schriftgelehrten verworfen werde; er werde getötet werden und drei Tage später wieder auferstehen.

32Als er jedoch so offen mit seinen Jüngern darüber sprach,
nahm Petrus ihn beiseite und bedrängte ihn, doch nicht so zu
sprechen.
33Jesus wandte sich um, sah seine Jünger an und wies Petrus
scharf zurecht: »Fort von mir, Satan! Du betrachtest alles nur
aus menschlicher Sicht und nicht aus der Sicht Gottes.«
34Dann rief er seine Jünger und die Menge zu sich. »Wenn
jemand mir nachfolgen will«, sagte er, »muss er sich selbst
verleugnen, sein Kreuz auf sich nehmen und mir nachfolgen.
35Denn wer versucht, sein Leben zu bewahren, wird es verlie-
ren. Wer aber sein Leben um meinetwillen und um der guten
Botschaft willen verliert, wird es retten. 36Was nützt es einem
Menschen, wenn er die ganze Welt gewinnt, dabei aber seine
Seele verliert? 37Gibt es etwas Wertvolleres als die Seele?
38Wenn sich ein Mensch in dieser treulosen und sündigen
Zeit für mich oder meine Botschaft schämt, für den wird sich
auch der Menschensohn schämen, wenn er mit den heiligen
Engeln in der Herrlichkeit seines Vaters kommt.«
9 1Und er fuhr fort: »Ich versichere euch: Einige von euch,
die jetzt hier stehen, werden nicht sterben, ehe sie das
Reich Gottes in seiner Macht kommen sehen!«

Die Jünger sehen, wie Jesus verherrlicht wird

2Sechs Tage später nahm Jesus Petrus, Jakobus und Johannes
mit auf den Gipfel eines Berges. Außer ihnen war niemand
dort. Plötzlich veränderte sich vor ihren Augen das Aussehen
von Jesus. 3Seine Kleider wurden strahlend weiß, weißer, als
es auf Erden möglich war. 4Dann erschienen Elia und Mose
und fingen an, mit Jesus zu sprechen.
5»Rabbi, wie wundervoll ist es hier!«, rief Petrus aus. »Wir
wollen drei Hütten bauen – eine für dich, eine für Mose und
eine für Elia.« 6Aber er wusste nicht, was er redete, denn er
und die beiden anderen Jünger fürchteten sich sehr.
7Da fiel der Schatten einer Wolke auf sie, und aus der Wolke
sprach eine Stimme: »Dies ist mein geliebter Sohn. Auf ihn
sollt ihr hören.« 8Als sie sich umschauten, waren Mose und
Elia verschwunden, und nur Jesus war noch bei ihnen. 9Wäh-

rend sie den Berg hinabstiegen, wies er sie an, niemandem zu
erzählen, was sie gesehen hatten, bis der Menschensohn von
den Toten auferstanden sei. 10Sie behielten es für sich, spra-
chen aber untereinander noch oft darüber, was er wohl mit
der Auferstehung von den Toten gemeint hatte.

11Schließlich fragten sie Jesus: »Warum behaupten die
Schriftgelehrten, dass Elia wiederkommen muss, bevor der
Messias kommt?«

12Jesus erwiderte: »Das stimmt, zuerst kommt Elia, um alles
vorzubereiten. Aber warum heißt es in der Schrift, dass der
Menschensohn viel Leid und Verachtung erdulden muss?
13Doch ich sage euch, Elia ist schon gekommen, und sie haben
mit ihm gemacht, was sie wollten, wie es in der Schrift pro-
phezeit ist.«

Jesus heilt einen besessenen Jungen

14Am Fuße des Berges fanden sie eine große Menge vor, die
sich um die übrigen Jünger versammelt hatte, während einige
Schriftgelehrte ein Streitgespräch mit ihnen führten. 15Die
Menschen waren in großer Aufregung, als Jesus auf sie zu-
kam. Dann liefen sie ihm entgegen, um ihn zu begrüßen.
16»Worüber streitet ihr euch?«, fragte er.

17Ein Mann aus der Menge ergriff das Wort und sagte: »Leh-
rer, ich habe meinen Sohn hergebracht, damit du ihn heilst. Er
kann nicht sprechen, weil er von einem bösen Geist besessen
ist, der ihn nicht reden lässt. 18Immer wenn dieser böse Geist
ihn packt, wirft er ihn gewaltsam zu Boden; er hat Schaum vor
dem Mund, knirscht mit den Zähnen und wird ganz starr. Ich
habe deine Jünger gebeten, den Dämon auszutreiben, aber sie
konnten es nicht.«

19Jesus sagte zu ihnen: »Ihr Ungläubigen! Wie lange muss
ich noch bei euch sein, bis ihr endlich glaubt? Wie lange
muss ich euch noch ertragen? Bringt den Jungen zu mir.« 20Sie
brachten ihm das Kind. Als der böse Geist Jesus sah, schüttelte
er den Jungen in heftigen Krämpfen. Er fiel zu Boden und
krümmte und wälzte sich mit Schaum vor dem Mund. 21»Wie
lange geht das schon so?«, fragte Jesus den Vater des Jungen.

Er antwortete: »Seit er ganz klein ist. 22Der böse Geist wirft
ihn oft ins Feuer oder ins Wasser, um ihn umzubringen.
Hab Erbarmen mit uns und hilf uns. Tu etwas, wenn du
kannst.«
23»Was soll das heißen, ›Wenn ich kann‹?«, fragte Jesus. »Al-
les ist möglich für den, der glaubt.«
24Der Vater rief: »Ich glaube! Aber hilf mir, dass ich nicht
zweifle!«
25Als Jesus sah, dass die Menge der Zuschauer ständig grö-
ßer wurde, bedrohte er den bösen Geist: »Du tauber und
stummer Geist, ich befehle dir, fahre aus diesem Kind aus
und kehre nie wieder zurück!« 26Da schrie der Geist auf, pack-
te den Jungen noch einmal, warf ihn hin und her und verließ
ihn. Der Junge lag reglos da, sodass die Menge dachte, er sei
tot. 27Doch Jesus nahm die Hand des Jungen und half ihm
aufzustehen, und er stand auf.
28Als Jesus später mit seinen Jüngern allein im Haus war,
fragten sie ihn: »Warum konnten wir diesen bösen Geist nicht
austreiben?«
29Jesus antwortete: »Diese Art kann nur durch Gebet aus-
getrieben werden.«

Jesus kündigt erneut seinen Tod an

30Sie verließen diese Gegend und zogen durch Galiläa. Jesus
wollte nicht, dass die Leute davon erfuhren, 31um mehr Zeit
mit seinen Jüngern verbringen und sie unterweisen zu kön-
nen. Er sagte zu ihnen: »Der Menschensohn wird verraten
werden. Man wird ihn töten, aber drei Tage später wird er
von den Toten auferstehen.« 32Doch sie verstanden ihn nicht
und wagten ihn nicht zu fragen, was er damit meinte.

Der Größte im Reich Gottes

33In Kapernaum angekommen, gingen Jesus und seine Jünger
in das Haus, in dem sie wohnen wollten. Jesus fragte sie: »Wo-
rüber habt ihr unterwegs gesprochen?« 34Sie schwiegen, denn
sie hatten darüber geredet, wer von ihnen wohl der Wichtigs-
te sei. 35Da setzte er sich hin, rief die zwölf Jünger zu sich und

sagte zu ihnen: »Wenn jemand der Erste sein will, muss er den
letzten Platz einnehmen und allen dienen.«
36Dann stellte er ein kleines Kind in ihre Mitte, nahm es in
die Arme und sagte zu ihnen: 37»Wer solch ein kleines Kind
um meinetwillen aufnimmt, nimmt mich auf, und wer mich
aufnimmt, nimmt meinen Vater auf, der mich gesandt hat.«

Im Namen von Jesus Wunder tun

38Johannes sagte zu Jesus: »Lehrer, wir haben einen Mann gesehen, der in deinem Namen Dämonen austrieb. Wir haben
versucht, ihn davon abzubringen, weil er nicht zu uns gehört.«
39»Hindert ihn nicht!«, sagte Jesus. »Wer in meinem Namen
Wunder tut, wird nicht bald darauf schlecht von mir reden.
40Wer nicht gegen uns ist, ist für uns. 41Wenn jemand euch
auch nur einen Becher Wasser gibt, weil ihr zu Christus gehört, wird er belohnt werden.
42Doch wer Schuld daran ist, dass diese Kleinen, die an mich
glauben, diesen Glauben verlieren, der wäre besser daran, mit
einem Mühlstein um den Hals ins Meer geworfen zu werden.
43Wenn deine Hand dich zum Bösen verführt, dann hack sie
ab. Es ist besser, mit nur einer Hand in den Himmel einzugehen, als mit zwei Händen ins ewige Feuer der Hölle zu kommen. 45Wenn dein Fuß dich zum Bösen verführt, dann hack
ihn ab. Es ist besser, mit nur einem Fuß in den Himmel einzugehen, als mit zwei Füßen in die Hölle geworfen zu werden. 47Und wenn dein Auge dich zum Bösen verführt, reiß es
aus. Es ist besser, halb blind in das Reich Gottes einzugehen,
als zwei Augen zu haben und in die Hölle geworfen zu werden, 48›wo der Wurm nicht stirbt und das Feuer nicht erlischt‹.
49Denn jeder wird mit Feuer gesalzen werden. 50Salz ist gut,
um zu würzen. Aber wenn es seinen Geschmack verliert, wie
soll man es wieder salzig machen? Ihr müsst die Eigenschaft
des Salzes in euch tragen und in Frieden miteinander leben.«

Über Ehe und Ehescheidung

10
1 Dann verließ Jesus Kapernaum und ging nach Süden
in das Gebiet von Judäa und in die Gegend östlich des
Jordan. Wieder versammelten sich die Menschen um ihn, und
wie immer lehrte er sie.
2 Einige Pharisäer kamen und fragten, um ihn damit auf die
Probe zu stellen: »Darf ein Mann sich von seiner Frau schei-
den lassen?«
3 »Was hat Mose über die Scheidung gesagt?«, fragte sie Je-
sus.
4 »Er hat sie erlaubt«, erwiderten sie. »Er hat gesagt, ein
Mann brauche seiner Frau nur einen offiziellen Scheidungs-
brief auszustellen und dürfe sie dann fortschicken.«
5 Da entgegnete Jesus: »Nur weil euer Herz so hart ist, gab
euch Mose diese Anweisung. 6 Doch der Wille Gottes wird
schon mit Beginn der Schöpfung deutlich, als er sie als Mann
und Frau schuf. 7 ›Deshalb wird ein Mann Vater und Mutter
verlassen und sich an seine Frau binden 8 und die beiden wer-
den zu einer Einheit.‹ Dann sind sie nicht mehr zwei, sondern
eins, 9 und niemand darf sie trennen, denn Gott hat sie zusam-
mengebracht.«
10 Als er später mit seinen Jüngern allein im Haus war, frag-
ten sie ihn erneut danach. 11 Er sagte ihnen: »Wer sich von sei-
ner Frau scheiden lässt und eine andere heiratet, begeht Ehe-
bruch. 12 Und wenn eine Frau sich von ihrem Mann scheiden
lässt und wieder heiratet, begeht sie ebenfalls Ehebruch.«

Jesus segnet die Kinder

13 Eines Tages brachten einige Eltern ihre Kinder zu Jesus, da-
mit er sie berühren und segnen sollte. Doch die Jünger wiesen
sie ab. 14 Als Jesus das sah, war er sehr verärgert über seine
Jünger und sagte zu ihnen: »Lasst die Kinder zu mir kommen.
Hindert sie nicht daran! Denn das Reich Gottes gehört Men-
schen wie ihnen. 15 Ich versichere euch: Wer nicht solchen
Glauben hat wie sie, kommt nicht ins Reich Gottes.« 16 Dann
nahm er die Kinder in die Arme, legte ihnen die Hände auf
den Kopf und segnete sie.

Der reiche Mann

17 Als er weiterziehen wollte, lief ein Mann auf Jesus zu, kniete
vor ihm nieder und fragte: »Guter Lehrer, was soll ich tun, um
das ewige Leben zu bekommen?«

18 »Warum nennst du mich gut?«, fragte Jesus. »Nur Gott
allein ist gut. 19 Aber du kennst doch die Gebote. ›Du sollst
nicht töten. Du sollst nicht die Ehe brechen. Du sollst nicht
stehlen. Du sollst keine Falschaussage machen. Du sollst nicht
betrügen. Ehre deinen Vater und deine Mutter.‹«

20 »Lehrer«, erwiderte der Mann, »alle diese Gebote habe ich
seit meiner Kindheit gehalten.«

21 Da sah Jesus den Mann voller Liebe an. »Eins fehlt dir
noch«, sagte er zu ihm. »Geh und verkaufe alles, was du hast,
und gib das Geld den Armen, dann wirst du einen Schatz im
Himmel haben. Danach komm und folge mir nach.« 22 Als er
das hörte, verdüsterte sich das Gesicht des Mannes, und er
ging traurig fort, denn er war sehr reich.

23 Jesus sah alle, die dabeistanden, an und sagte dann zu sei-
nen Jüngern: »Wie schwer ist es doch für Menschen, die reich
sind, ins Reich Gottes zu kommen!« 24 Darüber waren sie er-
staunt. Aber Jesus wiederholte: »Meine lieben Kinder, es ist
sehr schwer, ins Reich Gottes zu kommen. 25 Eher geht ein Ka-
mel durch ein Nadelöhr, als dass ein Reicher ins Reich Gottes
kommt!«

26 Die Jünger waren bestürzt. »Wer kann dann überhaupt ge-
rettet werden?«, fragten sie.

27 Jesus sah sie aufmerksam an und sagte: »Menschlich ge-
sehen ist es unmöglich, aber nicht für Gott. Bei Gott ist alles
möglich.«

28 Da erwiderte Petrus: »Wir haben alles aufgegeben, um dir
nachzufolgen.«

29 Jesus erwiderte: »Ich versichere euch: Jeder, der Haus oder
Brüder oder Schwestern oder Mutter oder Vater oder Kinder
oder Besitz um meinetwillen und um der guten Botschaft wil-
len aufgegeben hat, 30 wird jetzt, in dieser Zeit, alles hundert-
fach zurückerhalten: Häuser, Brüder, Schwestern, Mütter,
Kinder und Besitz – wenn auch mitten unter Verfolgungen.

Und in der künftigen Welt wird er das ewige Leben haben.
31Doch viele, die jetzt wichtig zu sein scheinen, werden dann
die Geringsten sein, und die, die hier ganz unbedeutend sind,
werden dort die Wichtigsten sein.«

Jesus kündigt zum dritten Mal seinen Tod an

32Sie waren auf dem Weg hinauf nach Jerusalem. Jesus ging
ihnen voraus. Angst erfasste die Jünger, und auch die anderen
Menschen, die ihm folgten, fürchteten sich. Wieder nahm Je-
sus die zwölf beiseite und begann ihnen noch einmal zu schil-
dern, was ihn in Jerusalem erwartete. 33»Wenn wir nach Jeru-
salem kommen«, sagte er, »wird der Menschensohn an die
obersten Priester und die Schriftgelehrten verraten werden.
Sie werden ihn zum Tod verurteilen und an die Römer aus-
liefern. 34Die werden ihn verspotten, anspucken, auspeitschen
und ihn schließlich töten, doch nach drei Tagen wird er auf-
erstehen.«

Jesus lehrt, anderen zu dienen

35Da kamen Jakobus und Johannes, die Söhne des Zebedäus,
auf ihn zu und sprachen ihn an. »Lehrer«, sagten sie, »wir
möchten dich um einen Gefallen bitten.«
36»Was soll ich für euch tun?«, fragte er.
37»Wir möchten in deinem herrlichen Reich neben dir auf
den Ehrenplätzen sitzen«, sagten sie, »einer zu deiner Rechten
und einer zu deiner Linken.«
38Doch Jesus antwortete ihnen: »Ihr wisst nicht, um was ihr
da bittet! Könnt ihr den bitteren Kelch des Leidens trinken,
den ich trinken werde? Könnt ihr mit der Taufe getauft wer-
den, mit der ich getauft werden muss?«
39»Ja«, sagten sie, »das können wir!«
Und Jesus sagte: »Ihr werdet tatsächlich aus meinem Kelch
trinken und mit meiner Taufe getauft werden. 40Doch ich
kann nicht bestimmen, wer auf den Plätzen rechts und links
neben mir sitzen wird. Gott hat diese Plätze denen vorbehal-
ten, die er erwählt hat.«
41Als die anderen zehn Jünger merkten, worum Jakobus und

Johannes gebeten hatten, waren sie empört. [42]Da rief Jesus sie
zusammen und sagte: »Ihr habt erfahren, dass in dieser Welt
die Könige Tyrannen sind und die Herrschenden die Men-
schen oft ungerecht behandeln. [43]Bei euch sollte es anders
sein. Wer euch anführen will, der soll euch dienen, [44]wer unter
euch der Erste sein will, soll der Sklave aller sein. [45]Selbst der
Menschensohn ist nicht gekommen, um sich dienen zu lassen,
sondern um anderen zu dienen und sein Leben als Lösegeld
für viele Menschen hinzugeben.«

Jesus heilt den blinden Bartimäus

[46]So erreichten sie Jericho. Als Jesus und seine Jünger die Stadt
wieder verließen, folgte ihnen eine große Menschenmenge.
Ein blinder Bettler namens Bartimäus (der Sohn des Timäus)
saß am Straßenrand, als Jesus vorüberging. [47]Als Bartimäus
hörte, dass Jesus von Nazareth in der Nähe war, begann er
zu schreien: »Jesus, Sohn Davids, hab Erbarmen mit mir!«

[48]»Sei still!«, fuhren die Leute ihn an.

Aber er schrie nur noch lauter: »Sohn Davids, hab Erbarmen
mit mir!«

[49]Als Jesus ihn hörte, blieb er stehen und sagte: »Sagt ihm, er
soll herkommen.«

Da riefen sie den blinden Mann. »Nur Mut«, sagten sie.
»Komm, er ruft dich!«

[50]Bartimäus warf seinen Mantel ab, sprang auf und kam zu
Jesus.

[51]»Was soll ich für dich tun?«, fragte Jesus.

»Rabbuni«, sagte der blinde Mann, »ich möchte sehen!«

[52]Da sagte Jesus zu ihm: »Geh nur. Dein Glaube hat dich
geheilt.« Und im selben Augenblick konnte der Blinde sehen!
Dann folgte er Jesus auf seinem Weg.

Der triumphale Einzug

11 [1]Kurz vor Jerusalem kamen Jesus und die Jünger zu
den Ortschaften Betfage und Betanien am Ölberg. Je-
sus schickte zwei der Jünger voraus. [2]»Geht in das Dorf vor
euch«, wies er sie an. »Wenn ihr hinkommt, werdet ihr ein

Fohlen angebunden finden, auf dem noch niemand geritten
ist. Bindet es los und bringt es her. 3Wenn jemand fragt, was
ihr da tut, dann sagt einfach: ›Der Herr braucht es und wird es
bald wieder zurückgeben.‹«

4Die zwei Jünger machten sich auf den Weg und fanden das
Fohlen an der Straße. Es stand angebunden vor einem Haus.
5Als sie es losbanden, fragten einige, die dort standen: »Was
macht ihr da? Warum bindet ihr das Fohlen los?« 6Sie sagten,
was Jesus ihnen aufgetragen hatte, und man ließ sie gehen.
7Dann brachten sie das Fohlen zu Jesus, warfen ihre Mäntel
darüber, und er setzte sich darauf.

8Viele Menschen aus der Menge breiteten ihre Mäntel vor
Jesus auf dem Weg aus, andere schnitten auf den Feldern grü-
ne Zweige ab und legten sie auf den Weg. 9Vor und hinter
Jesus drängten sich die Menschen und riefen:

»Gelobt sei Gott!
Gepriesen sei, der im Namen des Herrn kommt!
10Segen für das künftige Reich unseres Vaters David! Lobt
Gott im höchsten Himmel!«

11So kam Jesus nach Jerusalem und ging in den Tempel. Als
er sich alles genau angesehen hatte, kehrte er, da es schon spät
geworden war, mit den zwölf Jüngern nach Betanien zurück.

Der Feigenbaum

12Als sie am nächsten Morgen Betanien verließen, hatte Jesus
Hunger. 13Von Weitem bemerkte er einen Feigenbaum mit
vielen Blättern. Er ging hin, um zu sehen, ob auch Feigen da-
ran waren. Aber der Baum trug nur Blätter, denn es war nicht
die Jahreszeit, in der es Feigen gab. 14Da sagte Jesus zu dem
Baum: »Nie wieder soll jemand von deinen Früchten essen!«
Und die Jünger hörten seine Worte.

Jesus jagt die Händler aus dem Tempel

15Als sie wieder nach Jerusalem kamen, ging Jesus in den
Tempel und fing an, die Händler und die Leute, die bei ihnen
kauften, hinauszutreiben. Er stieß die Tische der Geldwechs-
ler und die Stände der Taubenverkäufer um 16und ließ nicht

zu, dass weitere Waren durch den Tempelhof getragen wur-
den. 17 Er fuhr sie an: »In der Schrift heißt es: ›Mein Haus soll
ein Ort des Gebets für alle Völker sein‹, aber ihr habt eine
Räuberhöhle daraus gemacht.«

18 Als die obersten Priester und die Schriftgelehrten hörten,
was Jesus getan hatte, überlegten sie, wie sie Jesus umbringen
könnten. Sie hatten jedoch Angst vor ihm, weil die Menschen
von seiner Lehre so beeindruckt waren. 19 Am Abend verlie-
ßen Jesus und die Jünger die Stadt.

20 Als sie am nächsten Morgen an dem Feigenbaum vorüber-
kamen, den Jesus verflucht hatte, sahen die Jünger, dass er bis
zu den Wurzeln verdorrt war. 21 Petrus erinnerte sich an das,
was Jesus am Vortag zu dem Feigenbaum gesagt hatte, und
rief aus: »Sieh doch, Rabbi! Der Feigenbaum, den du verflucht
hast, ist vertrocknet!«

22 Da sagte Jesus zu den Jüngern: »Habt den Glauben Gottes.
23 Ich versichere euch: Wenn ihr zu diesem Berg sagt: ›Hebe
dich in die Höhe und wirf dich ins Meer‹, wird es geschehen.
Entscheidend ist, dass ihr glaubt und in euren Herzen nicht
daran zweifelt. 24 Hört auf meine Worte! Alles, was ihr im Ge-
bet erbittet – glaubt, dass ihr es bekommen habt, und ihr wer-
det es erhalten. 25 Doch wenn ihr betet, dann vergebt zuerst
allen, gegen die ihr einen Groll hegt, damit euer Vater im Him-
mel euch eure Sünden auch vergeben kann.«

Die Frage nach der Autorität von Jesus

27 Inzwischen waren sie wieder in Jerusalem angelangt. Als
Jesus im Tempel umherging, traten die obersten Priester, die
Schriftgelehrten und die anderen führenden Männer des Vol-
kes auf ihn zu und fragten ihn: 28 »Wer gibt dir das Recht, die
Händler aus dem Tempel zu vertreiben? Wer hat dir dazu die
Vollmacht gegeben?«

29 »Ich sage euch, wer mir die Vollmacht dazu gegeben
hat, wenn ihr mir eine einzige Frage beantwortet«, erwider-
te Jesus. 30 »Geschah die Taufe des Johannes im Auftrag
Gottes oder war es nur die Tat eines Menschen? Antwortet
mir!«

31Sie besprachen sich miteinander. »Wenn wir sagen, sie ge-
schah im Auftrag Gottes, wird er fragen, warum wir ihm nicht
geglaubt haben. 32Aber können wir es wagen zu sagen: ›Es
war nur die Tat eines Menschen‹?« Denn sie hatten Angst vor
dem Volk, weil es Johannes für einen Propheten hielt. 33So
antworteten sie schließlich: »Wir wissen es nicht.«
Da entgegnete Jesus: »Dann sage ich euch auch nicht, woher
ich die Vollmacht habe, so zu handeln.«

Die Geschichte von den betrügerischen Weinbauern

12 1Dann fing Jesus an, ihnen Gleichnisse zu erzählen:
»Ein Mann legte einen Weinberg an, baute eine Mauer
darum, hob eine Grube aus, um den Wein darin zu keltern,
und baute einen Wachturm. Dann verpachtete er den Wein-
berg an Bauern und zog in ein anderes Land. 2Zur Zeit der
Weinlese schickte er einen seiner Knechte, um seinen Anteil
an der Ernte einzufordern. 3Doch die Bauern packten den
Knecht, schlugen ihn halb tot und schickten ihn mit leeren
Händen zurück.
4Da sandte der Besitzer einen anderen Knecht, doch dem
schlugen sie mit Fäusten ins Gesicht und beschimpften ihn.
5Den nächsten Knecht, den er schickte, brachten sie sogar
um. Andere Boten, die kamen, wurden entweder halb tot
geschlagen oder ermordet, 6bis nur noch einer übrig blieb –
sein Sohn, den er über alles liebte. Den schickte der Besitzer
schließlich als Letzten, weil er dachte: ›Meinen Sohn werden
sie sicher nicht antasten.‹
7Doch die Weinbauern sagten sich: ›Da kommt der Erbe des
Gutes. Kommt, wir bringen ihn um und behalten das Land für
uns!‹ 8Und sie fielen über ihn her, ermordeten ihn und warfen
ihn zum Weinberg hinaus.
9Was, glaubt ihr, wird der Besitzer des Weinbergs tun?«,
fragte Jesus. »Ich sage es euch – er wird kommen, sie alle töten
und den Weinberg an andere verpachten. 10Habt ihr das nicht
schon einmal in der Schrift gelesen?
›Der Stein, den die Bauleute verworfen haben, ist zum Eck-
stein geworden.

11Das ist das Werk des Herrn, und es ist wunderbar anzu-
sehen.‹«
12Daraufhin wollten ihn die führenden Männer des jüdi-
schen Volkes verhaften, denn sie merkten, dass sie mit den
bösen Weinbauern in diesem Gleichnis gemeint waren. Doch
aus Angst vor dem Volk wagten sie es nicht, Hand an ihn zu
legen. So ließen sie ihn in Ruhe und gingen weg.

Steuern für den Kaiser

13Danach schickten sie einige Pharisäer und Anhänger des
Herodes zu Jesus. Sie hofften, Jesus mit seinen eigenen Wor-
ten in eine Falle locken zu können, damit sie ihn verhaften
konnten. 14»Lehrer«, sagten sie, »wir wissen, wie ehrlich und
wahrhaftig du bist. Du lässt dich nicht beeinflussen und be-
vorzugst niemanden. Du lehrst die Wege Gottes und was du
sagst, ist wahr. Nun sage uns: Ist es richtig, an den Kaiser
Steuern zu zahlen? 15Sollen wir sie bezahlen oder nicht?«
Jesus durchschaute ihre Scheinheiligkeit und sagte: »Wen
wollt ihr mit euren Fangfragen überlisten? Zeigt mir eine rö-
mische Münze, und ich werde es euch sagen.« 16Als sie ihm
eine reichten, fragte er: »Wessen Bild und Titel ist hier ein-
geprägt?«
»Bild und Titel des Kaisers«, antworteten sie.
17»Nun«, sagte Jesus, »dann gebt dem Kaiser, was dem Kai-
ser gehört, und gebt Gott, was Gott gehört.« Diese Antwort
verwunderte sie sehr.

Diskussion über die Auferstehung

18Dann kamen einige Sadduzäer zu Jesus. Diese jüdische
Gruppierung vertritt die Auffassung, dass es keine Auferste-
hung nach dem Tod gibt. Sie stellten ihm folgende Frage:
19»Lehrer, Mose hat uns ein Gesetz gegeben, das besagt:
Wenn ein Mann stirbt und eine Frau hinterlässt, aber keine
Kinder, dann soll sein Bruder die Witwe heiraten und ihm
auf diese Weise zu einem Erben verhelfen. 20Nun waren da
sieben Brüder. Der älteste von ihnen heiratete und starb kin-
derlos. 21Daraufhin heiratete der zweite Bruder die Witwe,

doch auch er starb bald und hinterließ keine Kinder. Dann
heiratete sie der nächste Bruder und starb kinderlos. 22So
ging es weiter, bis alle Brüder sie geheiratet hatten und gestor-
ben waren, und es waren immer noch keine Kinder da.
Schließlich starb auch die Frau. 23Nun sage uns: wessen Frau
wird sie nach der Auferstehung sein? Denn alle sieben waren
ja mit ihr verheiratet.«

24Jesus erwiderte: »Ihr irrt euch, weil ihr weder die Schrift
noch die Macht Gottes kennt. 25Denn wenn die Toten auf-
erstehen, werden sie nicht verheiratet sein. Sie werden sein
wie die Engel im Himmel. 26Doch nun zu der Frage, ob die
Toten auferweckt werden – habt ihr nie bei Mose die Ge-
schichte vom brennenden Dornbusch gelesen? Lange nach-
dem Abraham, Isaak und Jakob gestorben waren, sagte Gott
zu Mose: ›Ich bin der Gott Abrahams, der Gott Isaaks und der
Gott Jakobs.‹ 27Er ist doch der Gott der Lebenden und nicht
der Toten. Ihr seid völlig im Irrtum.«

Das wichtigste Gebot

28Einer der Schriftgelehrten stand dabei und hörte dem Ge-
spräch zu. Er merkte, wie gut Jesus geantwortet hatte; deshalb
fragte er ihn: »Welches von allen Geboten ist das wichtigste?«

29Jesus antwortete: »Das wichtigste Gebot ist dies: ›Höre, o
Israel! Der Herr, unser Gott, ist der einzige Herr. 30Und du
sollst den Herrn, deinen Gott, von ganzem Herzen, von gan-
zer Seele, mit all deinen Gedanken und all deiner Kraft lie-
ben.‹ 31Das zweite ist ebenso wichtig: ›Liebe deinen Nächsten
wie dich selbst.‹ Kein anderes Gebot ist wichtiger als diese
beiden.«

32Der Schriftgelehrte erwiderte: »Das hast du sehr gut ge-
sagt, Lehrer. Du hast die Wahrheit gesprochen, als du sagtest,
dass es nur einen einzigen Gott gibt und keinen außer ihm.
33Und ich weiß auch, dass es wichtig ist, ihn von ganzem Her-
zen, mit all meinen Gedanken und all meiner Kraft zu lieben
und meinen Nächsten zu lieben wie mich selbst. Das ist weit
wichtiger, als all die Brandopfer und Opfergaben darzubrin-
gen, die vom Gesetz vorgeschrieben werden.«

[34]Als Jesus sah, welche Einsicht dieser Mann besaß, sagte er
zu ihm: »Du bist nicht weit vom Reich Gottes entfernt.« Da-
nach wagte niemand mehr, ihm weitere Fragen zu stellen.

Wessen Sohn ist der Christus?

[35]Als Jesus später die Menschen im Tempel lehrte, fragte er:
»Warum behaupten die Schriftgelehrten, dass der Christus
der Sohn Davids sei? [36]David selbst hat doch, geleitet vom
Heiligen Geist, gesagt:

›Der Herr sagte zu meinem Herrn: Setze dich auf den Ehren-
platz zu meiner Rechten, bis ich deine Feinde demütige und
sie zum Schemel unter deinen Füßen mache.‹

[37]Wenn selbst David ihn also Herr nannte, wie kann er da
gleichzeitig sein Sohn sein?« Und die Menge hörte ihm ge-
bannt zu.

[38]Und er lehrte sie noch Weiteres: »Hütet euch vor den
Schriftgelehrten! Sie lieben es, sich in wehenden Gewändern
zu präsentieren und zu sehen, wie sich alle tief vor ihnen ver-
neigen, wenn sie über die Marktplätze flanieren. [39]Und sie
beanspruchen, in den Synagogen und bei Festen auf den Eh-
renplätzen zu sitzen! [40]Doch gleichzeitig betrügen sie Witwen
schamlos um ihren Besitz. Und um zu verbergen, wie sie
wirklich sind, sprechen sie in der Öffentlichkeit lange Gebete.
Deshalb wird ihre Strafe umso härter sein.«

Die Spende der Witwe

[41]Jesus setzte sich in die Nähe des Opferkastens im Tempel
und beobachtete, wie die Menschen Geld hineinwarfen. Viele
reiche Leute legten große Beträge hinein. [42]Dann kam eine
arme Witwe und warf zwei kleine Münzen hinein. [43]Da rief
er seine Jünger zu sich und sagte: »Ich versichere euch: Diese
arme Witwe hat mehr gegeben als alle anderen. [44]Denn sie alle
haben nur einen winzigen Bruchteil von ihrem Überfluss ab-
gegeben, während diese Frau, so arm sie ist, alles gegeben hat,
was sie besaß.«

Jesus spricht über die Zukunft der Welt

13 1Als Jesus an jenem Tag den Tempel verließ, sagte einer
seiner Jünger zu ihm: »Lehrer, sieh nur diese herrlichen
Bauten! Welch gewaltige Steine sind in diesen Mauern!«
2Jesus antwortete: »Diese prachtvollen Bauten werden so
vollständig zerstört werden, dass nicht ein Stein auf dem an-
deren bleibt.«
3Später ließ Jesus sich an den Hängen des Ölbergs nieder, die
gegenüber dem Tempel lagen. Da kamen Petrus, Jakobus, Jo-
hannes und Andreas zu ihm und fragten: 4»Wann wird das
alles geschehen? Wird es vorher ein Zeichen dafür geben,
wann sich das alles erfüllen wird?«
5Jesus erwiderte: »Lasst euch von niemandem irremachen.
6Viele Leute werden in meinem Namen auftreten und be-
haupten, der Christus zu sein. Sie werden viele Menschen in
die Irre führen. 7Ihr werdet von Kriegen und Kriegsgerüchten
hören, aber habt keine Angst. Dies alles muss geschehen, aber
das Ende ist noch nicht da. 8Völker und Königreiche werden
einander den Krieg erklären, und in vielen Teilen der Welt
wird es Erdbeben und Hungersnöte geben. Doch das alles
wird nur der Anfang der künftigen Schrecken sein. 9Seid je-
doch wachsam, wenn dies alles geschieht! Man wird euch vor
Gericht zerren und in den Synagogen auspeitschen. Um mei-
netwillen werdet ihr euch vor Machthabern und Königen ver-
antworten müssen. Das wird euch Gelegenheit geben, ihnen
von mir zu erzählen. 10Die gute Botschaft muss zuerst allen
Völkern verkündet werden. 11Doch wenn ihr verhaftet werdet
und vor Gericht steht, macht euch keine Sorgen, was ihr zu
eurer Verteidigung vorbringen sollt. Sagt einfach, was Gott
euch in den Mund legt. Nicht ihr seid es, die dann reden, son-
dern der Heilige Geist.
12Ein Bruder wird den anderen verraten und dem Tod aus-
liefern, Väter werden ihre Kinder verraten und Kinder wer-
den sich gegen ihre Eltern auflehnen und schuld an ihrem
Tod sein. 13Und alle werden euch um meines Namens willen
hassen. Doch diejenigen, die bis zum Ende durchhalten, wer-
den gerettet werden.

14Es wird die Zeit kommen, da werdet ihr das abscheuliche
Götzenbild, das den heiligen Ort entweiht, an dem Platz ste-
hen sehen, an dem es nicht stehen darf. – Wer dies liest, der
horche auf! – Dann müssen alle, die in Judäa leben, in die
Berge fliehen. 15Wer draußen vor dem Haus ist, darf nicht ins
Haus zurückgehen, um etwas mitzunehmen. 16Wer auf dem
Feld ist, darf nicht mehr heimgehen, und sei es nur, um einen
Mantel zu holen. 17Am schlimmsten wird es für die schwan-
geren Frauen und stillenden Mütter sein. 18Und betet, dass
eure Flucht nicht im Winter geschieht. 19Denn das werden
schrecklichere Tage sein, als es je gab, seit Gott die Welt er-
schuf, und wie es sie danach auch nicht mehr geben wird.
20Hätte der Herr diese grauenvolle Zeit nicht verkürzt, dann
würde die gesamte Menschheit zugrunde gehen. Doch um
seiner Auserwählten willen hat er sie verkürzt.

21Und wenn jemand zu euch sagt: ›Schaut her, da ist der
Christus‹ oder: ›Dort ist er‹, dann achtet nicht auf ihn. 22Denn
mancher falsche Christus und falsche Prophet wird auftreten
und Zeichen und Wunder vollbringen, um, wenn möglich,
sogar die Auserwählten Gottes in die Irre zu führen. 23Seht
euch vor! Ich habe euch gewarnt!

24Wenn diese schrecklichen Tage endlich vorüber sind, wird
sich die Sonne verfinstern, der Mond wird nicht mehr leuch-
ten, 25die Sterne werden vom Himmel stürzen und die Kräfte
des Himmels werden aus dem Gleichgewicht geraten.

26Dann werden alle den Menschensohn mit großer Macht
und Herrlichkeit in den Wolken kommen sehen. 27Und er
wird seine Engel aussenden, um seine Auserwählten aus der
ganzen Welt zu sammeln – von den äußersten Enden der Erde
und des Himmels.

28Lernt nun etwas vom Feigenbaum: Wenn seine Knospen
weich werden und seine Blätter zu sprießen beginnen, wisst
ihr, dass der Sommer vor der Tür steht, auch ohne dass man es
euch sagt. 29Genauso ist es, wenn ihr seht, dass diese Ereig-
nisse geschehen. Dann könnt ihr sicher sein, dass seine Wie-
derkunft vor der Tür steht. 30Ich versichere euch: Diese Ge-
neration wird nicht untergehen, bevor all das eingetreten ist.

31Himmel und Erde werden vergehen, aber meine Worte wer-
den ewig bleiben.
32Niemand kennt jedoch den Tag oder die Stunde, zu der all
diese Dinge geschehen werden, nicht einmal die Engel im
Himmel oder der Sohn selbst. Nur der Vater weiß es. 33Und
weil ihr nicht wisst, wann dies alles geschieht, bleibt wachsam
und seht euch vor.
34Das Kommen des Menschensohnes lässt sich mit der
Rückkehr eines Mannes vergleichen, der sein Haus verließ,
um auf Reisen zu gehen. Er gab allen seinen Bediensteten An-
weisungen, was sie arbeiten sollten, und wies den Türhüter
an, in der Zwischenzeit nach ihm Ausschau zu halten. 35Ge-
nauso sollt auch ihr wachsam sein! Denn ihr wisst nicht, wann
der Herr des Hauses wiederkommt – ob am Abend, mitten in
der Nacht, in der frühen Morgendämmerung oder bei Tages-
anbruch. 36Sorgt dafür, dass er euch nicht schlafend findet,
wenn er ohne Vorwarnung kommt. 37Was ich euch hier sage,
das sage ich allen: Seid bis zu seiner Rückkehr wachsam!«

Jesus wird in Betanien gesalbt

14 1Es waren nun noch zwei Tage bis zum Passahfest und
dem Fest der ungesäuerten Brote. Die obersten Priester
und Schriftgelehrten suchten noch immer nach einer Gelegen-
heit, Jesus heimlich zu ergreifen und zu töten. 2»Auf keinen
Fall während des Passahfestes«, hatten sie beschlossen, »sonst
gibt es einen Aufruhr.«
3Jesus hielt sich inzwischen in Betanien im Haus Simons auf,
eines Mannes, der an Aussatz erkrankt war. Als sie beim Es-
sen saßen, kam eine Frau mit einem wunderschönen Gefäß
voll kostbaren Öls. Sie zerbrach das Gefäß und goss Jesus
das Öl über den Kopf. 4Einige am Tisch waren darüber entrüs-
tet: »Warum wurde dieses kostbare Öl so verschwendet?«,
fragten sie. 5»Sie hätte es für ein kleines Vermögen verkaufen
und das Geld den Armen geben können!« Und sie wiesen sie
scharf zurecht.
6Doch Jesus hielt ihnen entgegen: »Lasst sie in Ruhe. Warum
bringt ihr sie in Verlegenheit? Sie hat mir doch etwas Gutes

getan. [7]Die Armen werdet ihr immer bei euch haben. Ihr
könnt ihnen helfen, wann immer ihr wollt. Aber ich werde
nicht mehr lange bei euch sein. [8]Sie hat getan, was in ihrer
Macht stand, und meinen Körper im Voraus zum Begräbnis
gesalbt. [9]Ich versichere euch: Überall in der Welt, wo die gute
Botschaft gepredigt wird, wird man sich auch an die Tat dieser Frau erinnern.«

Judas plant, Jesus zu verraten

[10]Danach ging Judas Iskariot, einer der zwölf Jünger, zu den
obersten Priestern, um Jesus an sie zu verraten. [11]Die Priester
waren hocherfreut, als sie hörten, warum er gekommen war,
und versprachen ihm eine Belohnung. Von da an suchte er
nach einer günstigen Gelegenheit, um Jesus zu verraten.

Das letzte Abendmahl

[12]Am ersten Tag des Festes der ungesäuerten Brote, dem Tag,
an dem die Passahlämmer geopfert wurden, fragten die Jünger Jesus: »Wo sollen wir hingehen und das Passahmahl vorbereiten?«

[13]Jesus schickte zwei von ihnen nach Jerusalem, um die
nötigen Vorbereitungen zu treffen. »Wenn ihr in die Stadt
kommt«, sagte er zu ihnen, »wird euch ein Mann begegnen,
der einen Krug Wasser trägt. Folgt ihm. [14]Geht in das Haus,
das er betritt, und sagt zu dem Besitzer des Hauses: ›Unser
Lehrer lässt fragen: Wo ist der Raum, in dem ich mit meinen
Jüngern das Passahmahl feiern kann?‹ [15]Er wird euch nach
oben in einen großen Raum führen, der für das Festmahl
schon hergerichtet ist. Das ist der Ort. Dahin geht und bereitet
unser Mahl vor.« [16]Die beiden Jünger machten sich auf den
Weg in die Stadt und fanden alles genauso, wie Jesus es gesagt
hatte; und sie bereiteten dort das Passahmahl vor.

[17]Am Abend kam Jesus mit den zwölf Jüngern. [18]Als sie um
den Tisch saßen und aßen, sagte Jesus: »Ich sage euch aber:
Einer von euch wird mich verraten, einer, der hier mit mir
isst.« [19]Erschrocken fragte ihn einer nach dem anderen: »Das
bin doch nicht ich, oder?«

[20]Er erwiderte: »Es ist einer von euch zwölf, einer, der jetzt
mit mir isst. [21]Denn der Menschensohn muss sterben, wie es
in der Schrift schon seit langer Zeit vorausgesagt ist. Für seinen Verräter aber wird es furchtbar sein. Für ihn wäre es besser, wenn er nie geboren worden wäre!«
[22]Während sie aßen, nahm Jesus einen Laib Brot und bat Gott um seinen Segen. Dann brach er es in Stücke und gab es den Jüngern mit den Worten: »Nehmt, denn das ist mein Leib.«
[23]Dann nahm er einen Becher mit Wein und dankte Gott. Er
reichte ihn den Jüngern, und sie tranken alle daraus. [24]Und er
sagte zu ihnen: »Das ist mein Blut, das für viele vergossen wird und den Bund zwischen Gott und den Menschen besiegelt. [25]Ich sage euch: Von jetzt an werde ich keinen Wein mehr
trinken bis zu dem Tag, an dem ich ihn wieder neu im Reich
Gottes trinken werde.« [26]Nachdem sie ein Loblied gesungen
hatten, gingen sie hinaus zum Ölberg.

Jesus sagt die Verleugnung durch Petrus voraus

[27]»Ihr werdet mich alle verlassen«, sagte Jesus zu ihnen. »Denn in der Schrift heißt es:

›Gott wird den Hirten schlagen, und die Schafe werden zerstreut werden.‹

[28]Doch wenn ich von den Toten auferstanden bin, werde ich euch nach Galiläa vorausgehen und dort auf euch warten.«
[29]Da sagte Petrus zu ihm: »Auch wenn alle anderen sich von dir abwenden, ich werde es nicht tun.«
[30]»Petrus«, entgegnete Jesus, »ich sage dir: Noch heute Nacht, bevor der Hahn zwei Mal kräht, wirst du mich drei Mal verleugnen.«
[31]»Nein!«, beharrte Petrus. »Und wenn ich mit dir sterben müsste! Niemals werde ich dich verleugnen!« Und auch die anderen Jünger beteuerten dies.

Jesus betet in Gethsemane

[32]Sie kamen zu einem Olivenhain, der Gethsemane heißt, und Jesus sagte: »Setzt euch hierher, bis ich gebetet habe.«

[33]Petrus, Jakobus und Johannes aber nahm er mit. Schreck-
liche Furcht und Angst ergriff ihn und [34]er sagte zu ihnen:
»Meine Seele ist zu Tode betrübt. Bleibt hier und wacht mit
mir.«

[35]Er ging ein Stück weiter und warf sich zu Boden. Dann
betete er darum, dass das Schreckliche, das ihn erwartete,
wenn es möglich wäre, an ihm vorübergehe. [36]»Abba, Vater«,
sagte er, »dir ist alles möglich. Lass diesen Leidenskelch an
mir vorübergehen. Doch dein Wille geschehe, nicht meiner.«

[37]Als er zurückging, fand er die Jünger schlafend. »Simon!«,
sagte er zu Petrus. »Schläfst du etwa? Konntest du nicht eine
einzige Stunde mit mir wachen? [38]Seid wachsam und betet,
sonst wird euch die Versuchung überwältigen. Denn der
Geist ist zwar willig, aber der Körper ist schwach.«

[39]Danach ging er wieder weg und betete noch einmal und
wiederholte seine Bitte. [40]Als er wieder zu ihnen zurückkehr-
te, waren die Jünger wieder eingeschlafen, denn sie konnten
ihre Augen nicht mehr offen halten. Und sie wussten nicht,
was sie ihm antworten sollten.

[41]Als er das dritte Mal zu ihnen zurückkam, sagte er:
»Schlaft ihr noch immer? Ruht ihr euch immer noch aus? Ge-
nug damit! Es ist so weit. Der Menschensohn wird in die Hän-
de der Sünder ausgeliefert. [42]Kommt, lasst uns gehen. Der
Verräter ist da!«

Jesus wird verraten und verhaftet

[43]Kaum hatte er das gesagt, da kam Judas, einer von den
zwölf Jüngern, mit vielen Männern, die mit Schwertern und
Knüppeln bewaffnet waren. Sie waren von den obersten
Priestern, den Schriftgelehrten und führenden Männern des
Volkes geschickt worden. [44]Judas hatte mit ihnen ein Zeichen
vereinbart: »Ihr werdet wissen, wer es ist, wenn ich auf ihn
zugehe und ihn mit einem Kuss begrüße. Den könnt ihr fest-
nehmen und abführen.«

[45]Sobald sie angekommen waren, ging Judas auf Jesus zu.
»Rabbi!«, rief er und küsste ihn. [46]Da packten die anderen Je-
sus und verhafteten ihn. [47]Aber einer von den Männern, die

bei Jesus waren, zog ein Schwert und schlug dem Knecht des
Hohen Priesters ein Ohr ab.
48Jesus fragte sie: »Bin ich ein Schwerverbrecher, dass ihr mit
Schwertern und Knüppeln bewaffnet kommt, um mich zu
verhaften? 49Warum habt ihr mich nicht im Tempel fest-
genommen? Ich war doch jeden Tag dort und habe gelehrt.
Aber dies alles geschieht, damit erfüllt wird, was die Schrift
über mich sagt.«
50Da ließen ihn alle seine Jünger im Stich und flohen. 51Ein
junger Mann, nur mit einem Leinenhemd bekleidet, schlich
hinterher. Als die Männer auch ihn zu fassen versuchten,
52rissen sie ihm das Hemd vom Leib, doch er entkam ihnen
und lief nackt davon.

Jesus vor dem Hohen Rat

53Jesus wurde zum Haus des Hohen Priesters gebracht, wo
die obersten Priester, die anderen führenden Männer des Vol-
kes und die Schriftgelehrten sich versammelt hatten. 54Petrus
folgte ihnen in weitem Abstand und schlich sich durch das
Tor in den Hof des hohepriesterlichen Palastes. Eine Weile
saß er bei den Wachen und wärmte sich am Feuer.
55Währenddessen versuchten die obersten Priester und der
gesamte Hohe Rat Zeugen zu finden, die gegen Jesus aus-
sagten, damit sie ihn zum Tod verurteilen konnten. Doch alle
ihre Bemühungen waren vergebens. 56Zwar sagten viele fal-
sche Zeugen gegen ihn aus, aber sie widersprachen einander.
57Schließlich standen ein paar Männer auf und behaupteten:
58»Wir haben gehört, wie er sagte: ›Ich werde diesen Tempel,
der von Menschen errichtet wurde, zerstören und in drei Ta-
gen einen neuen bauen, der nicht von Menschen erbaut ist.‹«
59Doch auch ihre Aussagen stimmten nicht überein.
60Da stellte sich der Hohe Priester vor die anderen hin und
fragte Jesus: »Willst du denn überhaupt nicht reden? Was hast
du zu diesen Anklagen zu sagen?« 61Jesus gab keine Antwort.
Der Hohe Priester fragte ihn: »Bist du der Christus, der Sohn
Gottes, des Hochgelobten?«

[62]Jesus antwortete: »Ich bin es. Ihr werdet den Menschen-
sohn zur Rechten Gottes, des Allmächtigen, sitzen und auf
den Wolken des Himmels wiederkommen sehen.«

[63]Da zerriss der Hohe Priester sein Gewand und sagte: »Wo-
zu brauchen wir noch weitere Zeugen? [64]Ihr habt alle seine
Gotteslästerung gehört. Wie lautet euer Urteil?« Und sie ver-
urteilten ihn zum Tod.

[65]Einige begannen, Jesus anzuspucken; sie verbanden ihm
die Augen und schlugen ihm mit den Fäusten ins Gesicht.
»Du Prophet, sag uns, wer hat dich gerade geschlagen?«,
höhnten sie. Und selbst die Wachen prügelten auf ihn ein, als
sie ihn abführten.

Petrus verleugnet Jesus

[66]In der Zwischenzeit hielt sich Petrus unten im Hof auf. Eine
von den Dienerinnen des Hohen Priesters [67]bemerkte ihn, als
er sich am Feuer wärmte. Sie sah ihn näher an und sagte dann:
»Du warst doch auch einer von denen, die mit Jesus von Na-
zareth zusammen waren.«

[68]Petrus stritt es ab. »Ich weiß nicht, wovon du redest«, sagte
er und ging hinaus in den Vorhof. In diesem Augenblick kräh-
te ein Hahn.

[69]Die Dienerin sah ihn dort stehen und sagte zu den ande-
ren: »Dieser Mann da ist auch einer von ihnen!« [70]Und wieder
bestritt es Petrus.

Kurz darauf sagten auch die Umstehenden zu Petrus: »Du
musst auch einer von ihnen sein, du kommst doch auch aus
Galiläa.«

[71]Und Petrus erwiderte: »Ich schwöre bei Gott, ich kenne
den Mann nicht, von dem ihr redet.« [72]In diesem Augenblick
krähte der Hahn zum zweiten Mal. Da erinnerte sich Petrus
daran, was Jesus zu ihm gesagt hatte: »Bevor der Hahn zwei
Mal kräht, wirst du mich drei Mal verleugnen.« Und er brach
zusammen und weinte.

Jesus wird von Pilatus verhört

15 [1]Früh am nächsten Morgen traten die obersten Priester,
führende Männer des Volkes und Schriftgelehrte – der
gesamte Hohe Rat – zusammen, um über das weitere Vor-
gehen zu beraten. Sie fesselten Jesus und brachten ihn zu Pila-
tus, dem römischen Statthalter.
[2]Pilatus fragte Jesus: »Bist du der König der Juden?«
Jesus erwiderte: »Ja, es ist, wie du sagst.«
[3]Daraufhin legten die obersten Priester Jesus zahlreiche Ver-
brechen zur Last. [4]Pilatus fragte ihn: »Hast du nichts dazu zu
sagen? Siehst du nicht, was sie alles gegen dich vorbringen?«
[5]Doch zum großen Erstaunen von Pilatus schwieg Jesus.
[6]Nun war es Brauch, dass der Statthalter jedes Jahr zum Pas-
sahfest einen Gefangenen freiließ, den das Volk selbst bestim-
men durfte. [7]Einer der Gefangenen zu dieser Zeit war Barab-
bas, der bei einem Aufstand zusammen mit anderen des
Mordes überführt worden war. [8]Eine große Menschenmenge
bedrängte nun Pilatus und bat ihn, wie üblich einen Gefange-
nen freizulassen. [9]»Soll ich euch den König der Juden freilas-
sen?«, fragte Pilatus. [10]Denn Pilatus erkannte, dass die obers-
ten Priester Jesus nur aus Neid verhaftet hatten. [11]Doch nun
hetzten die obersten Priester das Volk dazu auf, die Freilas-
sung von Barabbas statt von Jesus zu fordern. [12]»Wenn ich
Barabbas freilasse«, fragte Pilatus sie, »was soll ich dann mit
diesem Mann tun, den ihr den König der Juden nennt?«
[13]Sie schrien: »Kreuzige ihn!«
[14]»Warum?«, fragte Pilatus. »Was hat er denn verbrochen?«
Aber die Menge schrie nur noch lauter: »Kreuzige ihn!«
[15]Da ließ Pilatus, weil er dem Volk gefallen wollte, Barabbas
frei. Er ließ Jesus auspeitschen und übergab ihn dann den rö-
mischen Soldaten zur Kreuzigung.

Die Soldaten verspotten Jesus

[16]Die Soldaten brachten Jesus in das Prätorium, den Palast des
römischen Statthalters, und riefen alle anderen Soldaten zu-
sammen. [17]Sie zogen ihm ein purpurfarbenes Gewand an und
setzten ihm eine geflochtene Dornenkrone auf den Kopf.

18Dann salutierten sie und riefen: »Sei gegrüßt, König der Ju-
den!« 19Und sie schlugen ihn mit einem Stock auf den Kopf,
spuckten ihn an und knieten nieder und huldigten ihm. 20Als
sie genug davon hatten, ihn zu verspotten, zogen sie ihm das
Purpurgewand wieder aus und zogen ihm seine eigenen Klei-
der an. Dann führten sie ihn ab, um ihn zu kreuzigen.

Die Kreuzigung

21Ein Mann – er hieß Simon und stammte aus Kyrene –, kam
gerade von den Feldern zurück. Ihn zwangen sie, für Jesus
das Kreuz zu tragen. (Simon ist der Vater von Alexander und
Rufus.) 22Sie brachten Jesus an einen Ort, der Golgatha heißt,
das bedeutet »Schädelstätte«. 23Dort wollten sie ihm Wein ge-
ben, der mit Myrrhe vermischt war, aber er nahm ihn nicht.
24Dann nagelten sie ihn ans Kreuz. Sie verlosten seine Kleider,
indem sie darum würfelten, was jeder bekommen sollte.

25Es war neun Uhr morgens, als sie ihn kreuzigten. 26Über
seinem Kopf wurde ein Schild am Kreuz befestigt, auf dem
stand, wofür er angeklagt worden war. Die Aufschrift lautete:
»König der Juden«. 27Zusammen mit ihm wurden zwei Ver-
brecher gekreuzigt; ihre Kreuze standen rechts und links von
ihm. 29Die Leute, die vorbeigingen, schüttelten den Kopf und
verspotteten ihn: »Ha! Du kannst doch den Tempel zerstören
und in drei Tagen wieder aufbauen, oder? 30Nun, dann rette
dich doch selbst und steig vom Kreuz herab!«

31Auch die obersten Priester und Schriftgelehrten machten
sich über Jesus lustig. »Andere hat er gerettet«, lästerten sie,
»aber sich selbst kann er nicht helfen! 32Dieser Christus, dieser
König Israels, soll er doch vom Kreuz heruntersteigen, sodass
wir es sehen und ihm glauben können!« Selbst die beiden Ver-
brecher, die mit Jesus zusammen gekreuzigt wurden, ver-
höhnten ihn.

Jesus stirbt

33Gegen Mittag legte sich eine Finsternis über das ganze Land,
die drei Stunden anhielt. 34Dann, um drei Uhr, rief Jesus mit

lauter Stimme: »Eli, Eli, lama asabtani?«, das bedeutet: »Mein
Gott, mein Gott, warum hast du mich verlassen?«
35Einige von den Leuten, die dabeistanden, verstanden ihn
falsch und dachten, er rufe den Propheten Elia. 36Einer von
ihnen aber lief, tränkte einen Schwamm mit Weinessig, steck-
te ihn auf einen Stab und hielt ihn Jesus hin, damit er davon
trinken konnte. »Wartet. Wir wollen sehen, ob Elia wirklich
kommt und ihn herunterholt!«, sagte er.
37Da schrie Jesus laut auf und starb. 38In diesem Augenblick
riss der Vorhang im Tempel von oben nach unten entzwei.
39Der römische Hauptmann, der dem Kreuz gegenüberstand
und mit angesehen hatte, wie Jesus gestorben war, rief aus:
»Ja, dieser Mann war wirklich Gottes Sohn!«
40Es waren auch einige Frauen da, die aus einiger Entfer-
nung zusahen, unter ihnen waren Maria von Magdala, Maria
(die Mutter von Jakobus dem Jüngeren und von Josef) und
Salome. 41Sie waren schon in Galiläa bei Jesus gewesen und
hatten für ihn gesorgt. Danach waren sie und viele andere
Frauen zusammen mit ihm nach Jerusalem gegangen.

Jesus wird begraben

42Dies ereignete sich alles an einem Freitag, dem Rüsttag, das
ist der Tag vor dem Sabbat. Als es Abend wurde, 43fasste Josef
von Arimathäa, ein angesehenes Mitglied des Hohen Rates,
Mut und ging zu Pilatus, um ihn um den Leichnam von Jesus
zu bitten. Josef war einer von denen, die auf das Kommen des
Reiches Gottes warteten. 44Pilatus konnte nicht glauben, dass
Jesus schon tot war, deshalb ließ er den verantwortlichen rö-
mischen Hauptmann rufen und fragte ihn. 45Der Hauptmann
bestätigte den Tod, und Pilatus überließ Josef den Leichnam.
46Josef kaufte ein langes Leinentuch, nahm den Leichnam
vom Kreuz, wickelte ihn in das Tuch und legte ihn in ein Grab,
das aus dem Felsen gehauen war. Dann wälzte er einen Stein
vor den Eingang. 47Maria von Magdala und Maria, die Mutter
von Josef, beobachteten, wohin der Leichnam von Jesus gelegt
wurde.

Die Auferstehung

16 1Am nächsten Abend, als der Sabbat vorüber war,
kauften Maria von Magdala, Salome und Maria, die
Mutter von Jakobus, wohlriechende Öle, um den Leichnam
einzubalsamieren. 2Früh am Sonntagmorgen, gerade als die
Sonne aufging, machten sie sich auf den Weg zum Grab. 3Un-
terwegs überlegten sie, wer ihnen den Stein vom Eingang des
Grabes wegwälzen könnte. 4Als sie jedoch hinkamen, sahen
sie, dass der Stein – ein massiver Felsblock – bereits zur Seite
gewälzt war. 5Sie betraten die Grabhöhle und bemerkten dort
auf der rechten Seite einen jungen Mann in einem strahlend
weißen Gewand. Die Frauen erschraken sehr, 6aber der Engel
sagte: »Habt keine Angst. Ihr sucht Jesus von Nazareth, der
gekreuzigt wurde. Er ist nicht hier! Er ist von den Toten auf-
erstanden! Seht, das ist die Stelle, an der sie ihn hingelegt ha-
ben. 7Geht jetzt zu seinen Jüngern und sagt ihnen, auch Pet-
rus: Jesus geht euch nach Galiläa voraus. Dort werdet ihr ihn
sehen, wie er es euch gesagt hat, bevor er starb!« 8Zitternd vor
Angst und Bestürzung flohen die Frauen aus dem Grab. Sie
redeten mit niemandem darüber, so sehr fürchteten sie sich.

9Jesus war am frühen Sonntagmorgen von den Toten auf-
erstanden und erschien zuerst Maria von Magdala, die er
von sieben Dämonen befreit hatte. 10Sie ging zu den Jüngern,
die um ihn trauerten und weinten, 11und berichtete ihnen,
dass Jesus lebe und dass sie ihn gesehen habe. Doch sie glaub-
ten ihr nicht.

12Danach erschien er in veränderter Gestalt zwei Jüngern,
die von Jerusalem unterwegs aufs Land gingen. 13Sie liefen
zurück, um es den anderen zu erzählen, aber keiner glaubte
ihnen.

14Später erschien er den elf Jüngern, während sie gemeinsam
aßen. Er rügte ihren Unglauben, ihre hartnäckige Weigerung,
denen zu glauben, die ihn nach seiner Auferstehung gesehen
hatten.

15Und er sagte zu ihnen: »Geht in die ganze Welt und ver-
kündet allen Menschen die gute Botschaft. 16Wer glaubt und
getauft wird, wird gerettet werden. Wer aber nicht glaubt,

wird verurteilt werden. [17]Und diese Zeichen werden die be-
gleiten, die glauben: Sie werden in meinem Namen Dämonen
austreiben und sie werden neue Sprachen sprechen. [18]Sie wer-
den Schlangen anfassen oder etwas Tödliches trinken können,
und es wird ihnen nicht schaden. Sie werden Kranken die
Hände auflegen und sie heilen.«

[19]Nachdem Jesus, der Herr, zu ihnen gesprochen hatte, wur-
de er in den Himmel hinaufgehoben und setzte sich auf den
Ehrenplatz an die rechte Seite Gottes. [20]Die Jünger aber gin-
gen überall hin und predigten die gute Botschaft. Der Herr
wirkte durch sie und bestätigte alles, was sie sagten, durch
viele wunderbare Zeichen.

Das Evangelium von Lukas

Einleitung

1 1Verehrter Theophilus, viele haben schon über die Ereig-
nisse geschrieben, die bei uns geschehen sind. 2Dabei ha-
ben sie die Berichte der ersten Jünger zugrunde gelegt, die mit
eigenen Augen gesehen haben, wie Gott seine Verheißungen
erfüllt hat. 3Ich habe alle diese Berichte von Anfang an sorg-
fältig studiert und beschlossen, alles in geordneter Folge für
dich aufzuzeichnen. 4Auf diese Weise kannst du dich von der
Zuverlässigkeit der Lehre überzeugen, in der du unterrichtet
wurdest.

Die Geburt von Johannes dem Täufer wird vorausgesagt

5Zu der Zeit, als Herodes König von Judäa war, lebte ein jüdi-
scher Priester namens Zacharias. Er war Priester von der Ord-
nung des Abija, und auch seine Frau Elisabeth stammte aus
dem Priestergeschlecht Aarons. 6Zacharias und seine Frau
führten ein gottesfürchtiges Leben und befolgten alle Gebote
und Vorschriften des Herrn. 7Sie hatten keine Kinder, weil
Elisabeth unfruchtbar war, und jetzt waren sie beide schon
sehr alt.

8Eines Tages, als Zacharias seinen Dienst im Tempel verrich-
tete, weil in dieser Woche seine Ordnung an der Reihe war,
9wurde er nach priesterlichem Brauch durch das Los dazu
ausgewählt, das Heiligtum zu betreten, um das Rauchopfer
darzubringen. 10Währenddessen stand draußen eine große
Menschenmenge und betete.

11Als Zacharias im Heiligtum war, erschien ihm ein Engel
des Herrn. Dieser stand rechts neben dem Altar für das
Rauchopfer. 12Zacharias erschrak bis ins Herz, 13doch der En-
gel sagte: »Hab keine Angst, Zacharias! Gott hat dein Gebet
erhört. Deine Frau Elisabeth wird dir einen Sohn schenken,
und du sollst ihn Johannes nennen. 14Du wirst überglücklich
sein bei seiner Geburt, und viele Menschen werden sich mit
dir freuen, 15denn er wird in den Augen des Herrn groß sein.

Er wird keinen Wein oder andere berauschenden Getränke
anrühren und schon vor seiner Geburt mit dem Heiligen Geist
erfüllt werden. 16Und er wird viele Israeliten dazu bringen,
sich wieder dem Herrn, ihrem Gott, zuzuwenden. 17Er wird
ein Mann mit dem Geist und der Kraft des Propheten Elia
sein, der dem Herrn vorausgeht und das Volk auf seine An-
kunft vorbereitet. Er wird die Herzen der Väter ihren Kindern
zuwenden und die Ungehorsamen dazu bewegen, sich der
göttlichen Weisheit zu öffnen.«

18Zacharias fragte den Engel: »Wie kann ich sicher sein, dass
das wirklich geschehen wird? Ich bin jetzt ein alter Mann, und
auch meine Frau ist schon in fortgeschrittenem Alter.«

19Da sagte der Engel: »Ich bin Gabriel. Ich habe meinen Platz
in der Gegenwart Gottes. Er hat mich mit dieser frohen Bot-
schaft zu dir gesandt! 20Weil du meinen Worten nicht geglaubt
hast, wirst du nicht mehr sprechen können, bis das Kind ge-
boren ist. Denn meine Worte werden sich erfüllen, wenn die
Zeit gekommen ist.«

21Mittlerweile warteten die Menschen draußen auf Zachari-
as und wunderten sich, wo er so lang blieb. 22Als er endlich
heraustrat, konnte er nicht zu ihnen sprechen. An seinen Ges-
ten erkannten sie jedoch, dass er im Heiligtum des Tempels
eine Vision gehabt hatte.

23Er blieb im Tempel, bis die Zeit seines Dienstes vorüber
war, und ging dann nach Hause. 24Kurze Zeit später wurde
seine Frau Elisabeth schwanger. Sie zog sich fünf Monate lang
zurück. 25»Wie gütig doch der Herr ist!«, rief sie. »Er hat mich
von der Schande der Kinderlosigkeit befreit!«

Die Geburt von Jesus wird vorausgesagt

26Als Elisabeth im sechsten Monat schwanger war, sandte
Gott den Engel Gabriel nach Nazareth, in eine Stadt in Gali-
läa, 27zu einem Mädchen, das noch Jungfrau war. Sie hieß Ma-
ria und war mit einem Mann namens Josef verlobt, einem
Nachfahren von David. 28Gabriel erschien ihr und sagte: »Sei
gegrüßt! Du bist beschenkt mit großer Gnade! Der Herr ist mit
dir!«

29Erschrocken überlegte Maria, was der Engel damit wohl
meinte. 30Da erklärte er ihr: »Hab keine Angst, Maria, denn
du hast Gnade bei Gott gefunden. 31Du wirst schwanger wer-
den und einen Sohn zur Welt bringen, den du Jesus nennen
sollst. 32Er wird groß sein und Sohn des Allerhöchsten ge-
nannt werden. Gott, der Herr, wird ihn auf den Thron seines
Vaters David setzen. 33Er wird für immer über Israel herr-
schen, und sein Reich wird niemals untergehen!«

34Maria fragte den Engel: »Aber wie kann ich ein Kind be-
kommen? Ich bin noch Jungfrau.«

35Der Engel antwortete: »Der Heilige Geist wird über dich
kommen, und die Macht des Allerhöchsten wird dich über-
schatten. Deshalb wird das Kind, das du gebären wirst, heilig
und Sohn Gottes genannt werden. 36Sieh doch: Deine Ver-
wandte Elisabeth ist in ihrem hohen Alter noch schwanger
geworden! Die Leute haben immer gesagt, sie sei unfruchtbar,
und nun ist sie bereits im sechsten Monat. 37Denn bei Gott ist
nichts unmöglich.«

38Maria antwortete: »Ich bin die Dienerin des Herrn und
beuge mich seinem Willen. Möge alles, was du gesagt hast,
wahr werden und mir geschehen.« Darauf verließ der Engel
sie.

Maria besucht Elisabeth

39Einige Tage später beeilte sich Maria, ins Bergland von Ju-
däa zu kommen, in die Stadt, 40in der Zacharias lebte. Als sie
das Haus betrat und Elisabeth begrüßte, 41hüpfte Elisabeths
Kind im Bauch seiner Mutter, und Elisabeth wurde vom Hei-
ligen Geist erfüllt.

42Sie rief Maria laut entgegen: »Du bist von Gott gesegnet
vor allen anderen Frauen, und gesegnet ist auch dein Kind.
43Welche Ehre, dass die Mutter meines Herrn mich besucht!
44Als du das Haus betreten und mich begrüßt hast, hüpfte
mein Kind beim Klang deiner Stimme vor Freude! 45Gesegnet
bist du, weil du geglaubt hast, dass der Herr tun wird, was er
gesagt hat.«

Marias Loblied

46Maria erwiderte:
»Gelobt sei der Herr!
47Wie freue ich mich an Gott, meinem Retter!
48Er hat seiner unbedeutenden Magd Beachtung geschenkt,
darum werden mich die Menschen in alle Ewigkeit glücklich preisen.
49Denn er, der Mächtige, ist heilig,
und er hat Großes für mich getan.
50Seine Barmherzigkeit gilt von Generation zu Generation
allen, die ihn ehren.
51Sein mächtiger Arm vollbringt Wunder!
Wie er die Stolzen und Hochmütigen zerstreut!
52Er hat Fürsten vom Thron gestürzt
und niedrig Stehende erhöht.
53Die Hungrigen hat er mit Gutem gesättigt
und die Reichen mit leeren Händen fortgeschickt.
54Und nun hat er seinem Diener Israel geholfen!
Er hat seine Verheißung nicht vergessen, barmherzig zu sein,
55wie er es unseren Vorfahren verheißen hat,
Abraham und seinen Kindern – für immer.«

56Etwa drei Monate blieb Maria bei Elisabeth und kehrte dann nach Hause zurück.

Johannes der Täufer wird geboren

57Als für Elisabeth die Zeit der Geburt kam, brachte sie einen
Jungen zur Welt. 58Schon bald hörten die Nachbarn und
Freunde von der großen Barmherzigkeit, die der Herr ihr erwiesen hatte, und alle freuten sich von Herzen mit ihr.

59Als das Kind acht Tage alt war, kamen die Verwandten und Freunde zur Beschneidungszeremonie. Sie wollten den
Jungen nach seinem Vater Zacharias nennen. 60Aber Elisabeth
sagte: »Nein! Sein Name lautet Johannes!«

61»Was?«, riefen sie aus. »In deiner ganzen Familie gibt es
niemand, der diesen Namen trägt.« 62Und sie wandten sich
an den Vater des Kindes und befragten ihn mit Gesten. 63Er

ließ sich eine Schreibtafel bringen und schrieb zur Überraschung aller: »Sein Name ist Johannes!«
64Im gleichen Augenblick konnte Zacharias wieder sprechen, und er fing an, Gott zu loben.

65Ehrfürchtiges Staunen erfasste die Menschen in der ganzen Gegend. Die Nachricht von diesen Ereignissen verbreitete sich überall im Bergland von Judäa.
66Alle, die davon erfuhren, dachten darüber nach und fragten sich: »Was wohl aus diesem Kind werden wird?« Denn es war offensichtlich, dass die Hand des Herrn mit ihm war.

Die Prophezeiung des Zacharias

67Sein Vater Zacharias wurde mit dem Heiligen Geist erfüllt und weissagte:

68»Gelobt sei der Herr, der Gott Israels,
denn er ist zu seinem Volk gekommen und hat es erlöst.
69Einen mächtigen Retter aus dem königlichen Geschlecht seines Knechtes David
hat er uns gesandt,
70wie er es vor langer Zeit
durch seine heiligen Propheten versprochen hat.
71Nun werden wir vor unseren Feinden
und vor allen, die uns hassen, gerettet werden.
72Er hat unseren Vorfahren Barmherzigkeit erwiesen,
indem er seinen heiligen Bund mit ihnen nicht vergisst,
73den Bund, den er mit unserem Stammvater Abraham schloss.
74Wir wurden vor unseren Feinden gerettet,
75damit wir Gott alle Tage unseres Lebens dienen können
in Heiligkeit und Gerechtigkeit – ohne Furcht.
76Und du, mein Kind, wirst Prophet des Allerhöchsten genannt werden,
weil du dem Herrn den Weg ebnen wirst.
77Du wirst seinem Volk verkünden, wie es Rettung finden kann
durch die Vergebung seiner Sünden.
78Durch die Güte und Barmherzigkeit Gottes

wird nun das Licht des Himmels uns besuchen,
[79]um die zu erleuchten, die in der Dunkelheit und im Schatten
des Todes sitzen,
und um uns auf den Weg des Friedens zu leiten.«

[80]Johannes wuchs heran und wurde stark im Geist. Später
lebte er draußen in der Wildnis, bis die Zeit seines öffentlichen
Wirkens in Israel begann.

Jesus wird geboren

2 [1]Zu jener Zeit ordnete der römische Kaiser Augustus an,
dass alle Bewohner des Römischen Reiches behördlich er-
fasst werden sollten. [2]Diese Erhebung geschah zum ersten
Mal, und zwar, als Quirinius Statthalter von Syrien war. [3]Alle
Menschen reisten in ihre betreffende Stadt, um sich für die
Zählung eintragen zu lassen. [4]Weil Josef ein Nachkomme Da-
vids war, musste er nach Bethlehem in Judäa, in die Stadt Da-
vids, reisen. Von Nazareth in Galiläa aus machte er sich auf
den Weg [5]und nahm seine Verlobte Maria mit, die schwanger
war.

[6]Als sie in Bethlehem waren, kam die Zeit der Geburt heran.
[7]Maria gebar ihr erstes Kind, einen Sohn. Sie wickelte ihn in
Windeln und legte ihn in eine Futterkrippe, weil es im Zim-
mer keinen Platz für sie gab.

Die Hirten und Engel

[8]In jener Nacht hatten ein paar Hirten auf den Feldern vor
dem Dorf ihr Lager aufgeschlagen, um ihre Schafe zu hüten.
[9]Plötzlich trat ein Engel des Herrn in ihre Mitte. Der Glanz
des Herrn umstrahlte sie. Die Hirten erschraken heftig, [10]aber
der Engel beruhigte sie. »Habt keine Angst!«, sagte er. »Ich
bringe euch eine gute Botschaft, die das ganze Volk in große
Freude versetzen wird. [11]Der Retter – ja, Christus, der Herr –
ist heute für euch in Bethlehem, der Stadt Davids, geboren
worden! [12]Und daran könnt ihr ihn erkennen: Ihr werdet ein
Kind finden, das in Windeln gewickelt in einer Futterkrippe
liegt!«

13 Auf einmal war der Engel von einem großen himmlischen
Heer umgeben, und sie alle priesen Gott mit den Worten:
14 »Ehre sei Gott im höchsten Himmel und Frieden auf Erden
für alle Menschen, an denen Gott Gefallen hat.«
15 Als die Engel in den Himmel zurückgekehrt waren, sagten
die Hirten zueinander: »Kommt, gehen wir nach Bethlehem!
Wir wollen diese Sache, die der Herr uns hat wissen lassen,
mit eigenen Augen sehen.«
16 Sie liefen, so schnell sie konnten, ins Dorf und fanden Ma-
ria und Josef und das Kind, das in der Futterkrippe lag. 17 Da
erzählten die Hirten allen, was geschehen war und was der
Engel ihnen über dieses Kind gesagt hatte. 18 Alle Leute, die
den Bericht der Hirten hörten, waren voller Staunen. 19 Maria
aber bewahrte alle diese Dinge in ihrem Herzen und dachte
oft darüber nach. 20 Die Hirten kehrten zu ihren Herden auf
den Feldern zurück; sie priesen und lobten Gott für das, was
der Engel ihnen gesagt hatte und was sie gesehen hatten. Al-
les war so, wie es ihnen angekündigt worden war.

Jesus wird im Tempel geweiht

21 Als das Kind acht Tage später beschnitten wurde, gab man
ihm den Namen Jesus – so wie der Engel ihn schon genannt
hatte, bevor Maria schwanger wurde.
22 Dann kam die Zeit des Reinigungsopfers, das im Gesetz
Moses nach der Geburt eines Kindes vorgeschrieben ist. Ma-
ria und Josef gingen mit ihm nach Jerusalem, um ihn dem
Herrn zu weihen. 23 Denn im Gesetz des Herrn steht: »Alle
erstgeborenen Söhne müssen dem Herrn geweiht werden.«
24 Sie brachten das Reinigungsopfer dar, wie es das Gesetz
vorschrieb: »Ein Paar Turteltauben oder zwei junge Tauben.«

Die Prophezeiung Simeons

25 In Jerusalem lebte ein Mann namens Simeon. Er war gerecht
und gottesfürchtig. Simeon war vom Heiligen Geist erfüllt
und wartete sehnsüchtig auf die Ankunft des Christus, der
Israel Trost und Rettung bringen sollte. 26 Der Heilige Geist
hatte ihm offenbart, dass er nicht sterben würde, bevor er

den vom Herrn gesandten Christus gesehen hätte. 27An die-
sem Tag führte der Heilige Geist ihn in den Tempel. Als Maria
und Josef kamen, um das Kind dem Herrn zu weihen, wie es
im Gesetz vorgeschrieben ist, 28war Simeon dort. Er nahm das
Kind auf seine Arme und lobte Gott und sagte:
29»Herr, nun kann ich in Frieden sterben!
Wie du es mir versprochen hast,
30habe ich den Retter gesehen,
31den du allen Menschen geschenkt hast.
32Er ist ein Licht, das den Völkern Gott offenbaren wird,
und er ist die Herrlichkeit deines Volkes Israel!«
33Josef und Maria staunten, als sie hörten, was Simeon über
Jesus sagte. 34Simeon aber segnete sie und sagte zu Maria:
»Dieses Kind wird von vielen in Israel abgelehnt werden,
und das wird ihren Untergang bedeuten. Für viele andere
Menschen aber wird er die höchste Freude sein. 35Auf diese
Weise wird an den Tag kommen, was viele im Innersten be-
wegt. Doch auch durch deine Seele wird ein Schwert drin-
gen.«

Die Prophezeiung Hannas
36Im Tempel befand sich auch Hanna, eine Prophetin. Sie war
eine Tochter Phanuëls aus dem Stamm Asser und schon sehr
alt. Hanna war Witwe. Ihr Mann war nach nur sieben Jahren
Ehe gestorben. 37Jetzt war sie vierundachtzig Jahre alt und
verließ den Tempel nie mehr, sondern diente Gott dort Tag
und Nacht mit Fasten und Beten. 38Als Simeon mit Maria
und Josef sprach, ging sie vorbei und begann, Gott zu loben.
Allen, die auf die verheißene Erlösung Israels warteten, er-
zählte sie von Jesus.
39Als Maria und Josef alles erfüllt hatten, was nach dem Ge-
setz des Herrn vorgeschrieben ist, kehrten sie nach Nazareth
in Galiläa zurück. 40Dort wuchs Jesus heran und wurde groß
und kräftig. Er war mit Weisheit erfüllt, und Gottes besondere
Gnade ruhte auf ihm.

Der zwölfjährige Jesus spricht mit den Gelehrten

41 Jedes Jahr zum Passahfest zogen seine Eltern nach Jerusalem
hinauf. 42 Als Jesus zwölf Jahre alt war, nahmen sie auch wie-
der am Fest teil. 43 Nach den Feierlichkeiten machten sie sich
auf den Heimweg nach Nazareth, doch Jesus blieb in Jerusa-
lem zurück. Zuerst vermissten seine Eltern ihn nicht, 44 weil sie
annahmen, dass er sich bei Freunden unter den anderen Rei-
senden befand. Doch als er am Abend immer noch nicht er-
schien, begannen sie, bei ihren Verwandten und Freunden
nach ihm zu fragen. 45 Da sie ihn nirgends finden konnten,
kehrten sie nach Jerusalem zurück, um dort nach ihm zu su-
chen. 46 Nach drei Tagen endlich entdeckten sie ihn. Er saß im
Tempel inmitten der Lehrer, hörte ihnen zu und stellte Fragen.
47 Alle, die ihn hörten, staunten über sein Verständnis und sei-
ne klugen Antworten.

48 Seine Eltern wussten nicht, was sie davon halten sollten.
»Kind!«, sagte seine Mutter zu ihm. »Wie konntest du uns
das antun? Dein Vater und ich waren in schrecklicher Sorge.
Wir haben dich überall gesucht.«

49 »Warum habt ihr mich gesucht?«, fragte er. »Ihr hättet
doch wissen müssen, dass ich im Haus meines Vaters bin.«
50 Doch sie verstanden nicht, was er damit meinte.

51 Daraufhin kehrte er mit ihnen nach Nazareth zurück und
war ihnen ein gehorsamer Sohn. Seine Mutter bewahrte all
diese Dinge in ihrem Herzen. 52 So wuchs Jesus heran und ge-
wann an Weisheit. Gott liebte ihn, und alle, die ihn kannten,
schätzten ihn sehr.

Johannes der Täufer

3 1 Es war im fünfzehnten Regierungsjahr des römischen
Kaisers Tiberius. Pilatus war Statthalter in Judäa; Herodes
Antipas herrschte über Galiläa, sein Bruder Philippus regierte
in Ituräa und Trachonitis, und Lysanias war Herrscher in Abi-
lene. 2 Hannas und Kaiphas waren Hohe Priester. In dieser
Zeit erhielt Johannes, der Sohn des Zacharias, draußen in der
Wildnis eine Botschaft von Gott. 3 Daraufhin zog Johannes in
der Gegend des Jordan von Ort zu Ort und predigte den Men-

schen: Sie sollten sich taufen lassen als Zeichen dafür, dass sie sich von ihren Sünden abgekehrt und Gott zugewandt hatten, um Vergebung zu erhalten.
[4]So erfüllte sich, was im Propheten Jesaja steht: »Er ist eine Stimme, die in der Wüste ruft:

›Schafft Raum für das Kommen des Herrn! Ebnet ihm den Weg!
[5]Die Täler sollen aufgeschüttet, die Berge und Hügel eingeebnet werden! Das Krumme soll gerade und das Raue glatt werden!
[6]Dann werden alle Menschen Gottes Heil sehen.‹«

[7]Und so sprach Johannes zu den Menschen, die zahlreich zu ihm kamen, um sich taufen zu lassen: »Ihr Schlangenbrut! Wer hat euch eingeredet, ihr könntet dem bevorstehenden Gericht Gottes entgehen?
[8]Beweist durch euren Lebenswandel, dass ihr euch wirklich von euren Sünden abgekehrt und Gott zugewandt habt. Es genügt nicht zu sagen: ›Wir sind die Nachkommen Abrahams. Uns kann nichts geschehen.‹ Das beweist gar nichts. Wenn Gott wollte, könnte er aus diesen Steinen Kinder Abrahams machen.
[9]Die Axt wird schon durch die Luft geschwungen, bereit, eure Wurzeln abzuhacken; denn jeder Baum, der keine guten Früchte bringt, wird umgehauen und ins Feuer geworfen.«

[10]Die Menge fragte: »Und was sollen wir tun?«

[11]Johannes erwiderte: »Wenn ihr zwei Mäntel habt, gebt einen den Armen. Wenn ihr zu essen habt, teilt es mit denen, die hungrig sind.«

[12]Auch Steuereinnehmer kamen zu ihm, um sich taufen zu lassen. Und auch sie fragten: »Meister, was sollen wir tun?«

[13]»Beweist, dass ihr ehrlich seid«, erwiderte er, »treibt nicht mehr Steuern ein, als die römische Regierung euch vorschreibt.«

[14]»Und was sollen wir tun?«, fragten einige Soldaten.

Johannes antwortete: »Seid keine Räuber und Erpresser. Gebt euch mit eurem Sold zufrieden.«

[15]Alle warteten sehr auf das Kommen des Christus und wollten unbedingt wissen, ob Johannes der Christus sei.
[16]Auf diese Frage antwortete Johannes: »Ich taufe mit Wasser, aber bald kommt einer, der stärker ist als ich – so viel gewalti-

ger, dass ich nicht einmal wert bin, sein Diener zu sein. Er
wird euch mit dem Heiligen Geist und mit Feuer taufen. 17Er
wird mit seiner Schaufel die Spreu vom Weizen trennen, den
Dreschplatz aufräumen und den Weizen in die Scheune bringen; die Spreu aber wird er im ewigen Feuer verbrennen.«
18Und noch viele solche Warnungen sprach Johannes aus, als
er dem Volk die Botschaft Gottes verkündete.

19Selbst den Fürsten Herodes Antipas wies Johannes offen
zurecht, weil er Herodias, die Frau seines Bruders, geheiratet
und noch viel anderes Unrecht begangen hatte. 20Und die
Schuld des Herodes wurde noch größer, als er Johannes ins
Gefängnis werfen ließ.

Jesus lässt sich taufen

21Als Johannes wieder einmal viele Menschen taufte, ließ sich
auch Jesus taufen. Als er betete, öffnete sich der Himmel,
22und der Heilige Geist kam in Gestalt einer Taube auf ihn
herab. Und eine Stimme vom Himmel sprach: »Du bist mein
geliebter Sohn, an dir habe ich große Freude.«

Die Ahnentafel von Jesus

23Jesus war etwa dreißig Jahre alt, als er öffentlich zu wirken
begann.

Jesus war bekannt als der Sohn Josefs. Josef war der Sohn
von Eli. 24Eli war der Sohn von Mattat. Mattat war der Sohn
von Levi. Levi war der Sohn von Melchi. Melchi war der Sohn
von Jannai. Jannai war der Sohn von Josef. 25Josef war der
Sohn von Mattitja. Mattitja war der Sohn von Amos. Amos
war der Sohn von Nahum. Nahum war der Sohn von Hesli.
Hesli war der Sohn von Naggai. 26Naggai war der Sohn von
Mahat. Mahat war der Sohn von Mattitja. Mattitja war der
Sohn von Schimi. Schimi war der Sohn von Josech. Josech
war der Sohn von Joda. 27Joda war der Sohn von Johanan.
Johanan war der Sohn von Resa. Resa war der Sohn von Serubbabel. Serubbabel war der Sohn von Schealtiël. Schealtiël
war der Sohn von Neri. 28Neri war der Sohn von Melchi. Melchi war der Sohn von Addi. Addi war ein Sohn von Kosam.

Kosam war der Sohn von Elmadam. Elmadam war der Sohn
von Er. 29 Er war der Sohn von Joschua. Joschua war der Sohn
von Eliëser. Eliëser war der Sohn von Jorim. Jorim war der
Sohn von Mattat. Mattat war der Sohn von Levi. 30 Levi war
der Sohn von Simeon. Simeon war der Sohn von Juda. Juda
war der Sohn von Josef. Josef war der Sohn von Jonam. Jonam
war der Sohn von Eljakim. 31 Eljakim war der Sohn von Melea.
Melea war der Sohn von Menna. Menna war der Sohn von
Mattata. Mattata war der Sohn von Nathan. Nathan war der
Sohn von David. 32 David war der Sohn von Isai. Isai war der
Sohn von Obed. Obed war der Sohn von Boas. Boas war der
Sohn von Salmon. Salmon war der Sohn von Nachschon.
33 Nachschon war der Sohn von Amminadab. Amminadab
war der Sohn von Admin. Admin war der Sohn von Arni.
Arni war der Sohn von Hezron. Hezron war der Sohn von
Perez. Perez war der Sohn von Juda. 34 Juda war der Sohn von
Jakob. Jakob war der Sohn von Isaak. Isaak war der Sohn von
Abraham. Abraham war der Sohn von Terach. Terach war der
Sohn von Nahor. 35 Nahor war der Sohn von Serug. Serug war
der Sohn von Regu. Regu war der Sohn von Peleg. Peleg war
der Sohn von Eber. Eber war der Sohn von Schelach. 36 Sche-
lach war der Sohn von Kenan. Kenan war der Sohn von Ar-
pachschad. Arpachschad war der Sohn von Sem. Sem war der
Sohn von Noah. Noah war der Sohn von Lamech. 37 Lamech
war der Sohn von Metuschelach. Metuschelach war der Sohn
von Henoch. Henoch war der Sohn von Jered. Jered war der
Sohn von Mahalalel. Mahalalel war der Sohn von Kenan.
38 Kenan war der Sohn von Enosch. Enosch war der Sohn von
Set. Set war der Sohn von Adam. Adam kam von Gott.

Die Versuchung

4 1 Vom Heiligen Geist erfüllt, verließ Jesus den Jordan. Der
Geist brachte ihn in die Wüste, 2 wo der Teufel ihn vierzig
Tage lang in Versuchung führte. Während dieser ganzen Zeit
aß er nichts, sodass er schließlich sehr hungrig war.
3 Da sagte der Teufel zu ihm: »Wenn du der Sohn Gottes bist,
verwandle doch diesen Stein in Brot.«

4Aber Jesus erwiderte: »Nein! In der Schrift steht: ›Der
Mensch braucht mehr als nur Brot zum Leben.‹«
5Da führte der Teufel ihn auf die Höhe und zeigte ihm alle
Königreiche der Welt in einem Augenblick. 6Und er sagte zu
ihm: »Ich will dir Macht über diese Länder und all ihre Reich-
tümer geben, denn ich verfüge über sie und kann sie geben,
wem ich will. 7Das alles werde ich dir schenken, wenn du
niederkniest und mich anbetest.«
8Jesus erwiderte: »In der Schrift steht:
›Du sollst den Herrn, deinen Gott, anbeten und nur ihm al-
lein dienen.‹«
9Da versetzte der Teufel ihn nach Jerusalem auf den höch-
sten Punkt des Tempels und sagte: »Wenn du der Sohn Gottes
bist, spring hier hinunter! 10Denn in der Schrift steht:
›Er befiehlt seinen Engeln, dich zu beschützen und zu be-
wahren. 11Sie werden dich auf ihren Händen tragen, damit
deine Füße niemals stolpern.‹«
12Jesus erwiderte: »In der Schrift steht auch: ›Fordere den
Herrn, deinen Gott, nicht heraus.‹«
13Als der Teufel aufgehört hatte, Jesus zu versuchen, verließ
er ihn für einige Zeit.

Jesus wird in Nazareth abgelehnt

14Danach kehrte Jesus, von der Kraft des Heiligen Geistes er-
füllt, nach Galiläa zurück. Schnell wurde er in der ganzen Ge-
gend bekannt. 15Er lehrte in ihren Synagogen und wurde von
allen verehrt.
16Als er nach Nazareth kam, wo er seine Kindheit verbracht
hatte, ging er wie gewohnt am Sabbat in die Synagoge und
stand auf, um aus der Schrift vorzulesen. 17Man reichte ihm
die Schriftrolle des Propheten Jesaja, und als er sie aufrollte,
fand er die Stelle, an der steht:
18»Der Geist des Herrn ruht auf mir, denn er hat mich ge-
salbt, um den Armen die gute Botschaft zu verkünden.
Er hat mich gesandt, Gefangenen zu verkünden, dass sie
freigelassen werden, Blinden, dass sie sehen werden, Unter-
drückten, dass sie befreit werden

19und dass die Zeit der Gnade des Herrn gekommen ist.«
20Er rollte die Schriftrolle zusammen, gab sie dem Synago-
gendiener zurück und setzte sich. Alle in der Synagoge sahen
ihn an. 21Und er sagte: »Heute ist dieses Wort vor euren Au-
gen und Ohren Wirklichkeit geworden!«
22Alle Anwesenden äußerten sich anerkennend über ihn
und wunderten sich zugleich über seine Botschaft von der
Gnade. »Wie kann das sein?«, fragten sie. »Ist das nicht Josefs
Sohn?«
23Da sagte er: »Bestimmt werdet ihr mir das Sprichwort vor-
halten: ›Arzt, hilf dir selbst‹ – und damit meinen: ›Warum tust
du hier in deiner Heimatstadt keine Wunder wie in Kaper-
naum?‹ 24Wahrhaftig, kein Prophet gilt etwas in seiner Hei-
matstadt.
25Zur Zeit Elias gab es in Israel bestimmt viele hilfsbedürfti-
ge Witwen, als es dreieinhalb Jahre lang nicht regnete und
Hunger im Land herrschte. 26Dennoch wurde Elia zu keiner
von ihnen geschickt, sondern nur zu einer Witwe aus Sarep-
ta – einer Fremden im Gebiet von Sidon. 27Oder denkt an den
Propheten Elisa, der den Syrer Naaman heilte und nicht die
vielen Aussätzigen in Israel.«
28Als die Leute in der Synagoge das hörten, wurden sie zor-
nig. 29Sie sprangen auf und trieben ihn hinaus an einen steilen
Abhang des Berges, auf dem die Stadt erbaut war. Sie wollten
ihn hinunterstürzen, 30doch er schritt mitten durch sie hin-
durch und ging fort.

Jesus treibt einen Dämon aus

31Danach zog Jesus nach Kapernaum in Galiläa und lehrte
dort jeden Sabbat in der Synagoge. 32Auch hier waren die
Leute von seiner Lehre überwältigt, denn er sprach mit Voll-
macht.
33Einmal, als er in der Synagoge war, fing ein Mann, der von
einem Dämon besessen war, an zu schreien: 34»Was willst du
von uns, Jesus von Nazareth? Bist du gekommen, um uns zu
vernichten? Ich weiß, wer du bist – der Heilige Gottes, den er
gesandt hat.«

35»Sei still!«, gebot Jesus dem Dämon. »Fahre aus dem Mann
aus!« Der Dämon warf den Mann vor den Augen der Menge
zu Boden; dann fuhr er aus ihm aus, ohne ihn weiter zu ver-
letzen.
36Voll Staunen riefen die Leute: »Welche Vollmacht und
Kraft in den Worten dieses Mannes liegen! Selbst böse Geister
gehorchen ihm und weichen, wenn er es befiehlt!« 37Diese Ge-
schichte von Jesus sprach sich in kürzester Zeit in der ganzen
Gegend herum.

Jesus heilt viele Menschen

38Nachdem Jesus die Synagoge an jenem Tag verlassen hatte,
ging er zum Haus Simons und fand dort Simons Schwieger-
mutter mit hohem Fieber vor. Da bat man Jesus, ihr zu helfen.
39Er stellte sich neben ihr Bett, befahl dem Fieber zu weichen,
und augenblicklich fiel das Fieber. Sofort stand sie auf und
machte ihnen etwas zu essen.
40Als die Sonne an diesem Abend unterging, brachten die
Dorfbewohner ihre kranken Angehörigen zu Jesus. Welche
Krankheiten sie auch hatten: Er legte jedem Einzelnen die
Hände auf und heilte sie alle. 41Viele waren auch von Dämo-
nen besessen; diese fuhren aus den Menschen aus und schrien
dabei: »Du bist der Sohn Gottes.« Doch weil sie wussten, dass
er der Christus war, verbot Jesus ihnen zu reden.

Jesus predigt weiter

42Früh am nächsten Morgen ging Jesus an einen einsamen
Ort. Die Menschen suchten ihn überall. Als sie ihn schließlich
fanden, baten sie ihn, sie nicht zu verlassen. 43Doch er erwi-
derte: »Ich muss die Botschaft vom Reich Gottes auch an an-
deren Orten verkünden, denn dazu bin ich gesandt worden.«
44Und so zog er weiter umher und predigte überall in Judäa in
den Synagogen.

Die ersten Jünger

5 1Als Jesus eines Tages am See Genezareth predigte, dräng-
ten sich viele Menschen um ihn, die alle das Wort Gottes

hören wollten. 2Er bemerkte zwei leere Boote am Ufer. Die
Fischer hatten sie liegen lassen und reinigten gerade ihre Net
ze. 3Jesus stieg in eines der Boote und bat den Besitzer des
Boots, Simon, vom Ufer abzustoßen. Dann lehrte er die Men-
ge vom Boot aus.

4Als er mit seiner Predigt fertig war, sagte er zu Simon: »Nun
fahr weiter hinaus und wirf dort deine Netze aus, dann wirst
du viele Fische fangen.«

5»Meister«, entgegnete Simon, »wir haben die ganze letzte
Nacht hart gearbeitet und gar nichts gefangen. Aber wenn du
es sagst, werde ich es noch einmal versuchen.« 6Diesmal wa-
ren ihre Netze so voll, dass sie zu reißen begannen! 7Sie riefen
nach ihren Gefährten in dem anderen Boot, und bald darauf
waren beide Boote so voller Fische, dass sie unterzugehen
drohten.

8Als Simon Petrus begriff, was da geschehen war, fiel er vor
Jesus auf die Knie und sagte: »Herr, kümmere dich nicht wei-
ter um mich – ich bin ein zu großer Sünder, um bei dir zu
sein.« 9Denn beim Anblick des überreichen Fangs hatte ihn
Ehrfurcht erfasst, und den anderen ging es genauso. 10Auch
Jakobus und Johannes, die Söhne des Zebedäus, waren voller
Staunen.

Jesus sagte zu Simon: »Hab keine Angst! Von jetzt an wirst
du Menschen fischen!« 11Und sobald sie am Ufer angelegt hat-
ten, ließen sie alles zurück und folgten Jesus nach.

Jesus heilt einen Aussätzigen

12In einem der Dörfer begegnete Jesus einem Aussätzigen,
dessen Krankheit schon weit fortgeschritten war. Als der
Mann Jesus sah, warf er sich mit dem Gesicht vor ihm in den
Staub und flehte ihn an, ihn zu heilen. »Herr«, sagte er, »wenn
du willst, kannst du mich gesund machen.«

13Da streckte Jesus die Hand aus und berührte den Mann.
»Ich will es tun«, sagte er, »sei gesund!« Und im gleichen Au-
genblick verschwand der Aussatz. 14Jesus wies ihn an, nie-
mandem zu erzählen, was geschehen war. Er sagte: »Geh
zum Priester und lass dich von ihm untersuchen. Nimm das

Opfer mit, das im Gesetz Moses für diejenigen vorgeschrieben
wird, die von Aussatz geheilt sind. Das wird für alle ein Be-
weis deiner Heilung sein.« 15Doch trotzdem verbreitete sich
das, was er tat, noch schneller, und die Menschen strömten
herbei, um ihn predigen zu hören und von ihren Krankheiten
geheilt zu werden. 16Jesus zog sich jedoch immer wieder zum
Gebet in die Wüste zurück.

Jesus heilt einen Gelähmten

17Eines Tages saßen einige Pharisäer und Schriftgelehrte da-
bei, als Jesus lehrte. Die Männer waren aus den Dörfern von
ganz Galiläa und Judäa und sogar aus Jerusalem hergekom-
men. Und die heilende Kraft des Herrn ging von Jesus aus.
18Da trugen ein paar Männer auf einer Matte einen Gelähmten
herbei. Sie versuchten, durch die Menge zu Jesus vorzudrin-
gen, 19doch es gelang ihnen nicht. Schließlich stiegen sie auf
das Dach, nahmen ein paar Ziegel weg und ließen den Kran-
ken auf der Matte mitten unter die Zuhörer hinab, Jesus direkt
vor die Füße. 20Als Jesus ihren Glauben sah, sagte er zu dem
Mann: »Sohn, deine Sünden sind dir vergeben.«

21»Für wen hält dieser Mann sich?«, sagten die Pharisäer
und die Schriftgelehrten zueinander. »Das ist doch Gottesläs-
terung! Wer außer Gott kann Sünden vergeben?«

22Jesus wusste, was sie dachten, und fragte sie: »Was macht
ihr euch für Gedanken in euren Herzen? 23Ist es leichter zu
sagen: ›Deine Sünden sind dir vergeben‹ oder: ›Steh auf und
geh‹? 24Ich werde euch beweisen, dass der Menschensohn auf
Erden die Vollmacht hat, Sünden zu vergeben.« Und er wand-
te sich an den Gelähmten und sagte: »Steh auf, nimm deine
Matte und geh nach Hause!«

25Da sprang der Mann vor den Augen aller Anwesenden auf
die Füße, hob seine Matte auf und ging nach Hause und lobte
Gott aus vollem Herzen. 26Ehrfürchtiges Staunen erfasste die
Zuschauer. Sie priesen Gott und sagten immer wieder: »Heu-
te haben wir wirklich Unglaubliches gesehen.«

Jesus beruft Levi (Matthäus)
[27]Später, als Jesus die Stadt verließ, sah er einen Steuereintrei-
ber namens Levi vor seinem Zollhäuschen sitzen. »Komm,
folge mir nach!«, sagte Jesus zu ihm. [28]Da stand Levi auf, ließ
alles liegen und folgte ihm nach.
[29]Kurz darauf lud Levi Jesus als Ehrengast zu einem Fest-
essen in sein Haus ein. Viele mit Levi befreundete Steuerein-
nehmer und andere Gäste waren anwesend. [30]Da machten die
Pharisäer und Schriftgelehrten den Jüngern von Jesus heftige
Vorhaltungen: »Wie könnt ihr nur mit diesem Abschaum es-
sen und trinken?«
[31]Jesus antwortete ihnen: »Nicht die Gesunden brauchen
den Arzt, sondern die Kranken. [32]Ich bin gekommen, um Sün-
der zur Umkehr von ihren Sünden zu rufen, und nicht, um
meine Zeit mit denen zu verbringen, die sich schon für gut
genug halten.«

Über das Fasten
[33]Die führenden Männer des Judentums kritisierten Jesus,
weil seine Jünger aßen und tranken statt zu fasten. »Die Jün-
ger von Johannes dem Täufer fasten und beten häufig«, er-
klärten sie, »und die Jünger der Pharisäer genauso. Wie
kommt es, dass deine Jünger nicht fasten, sondern essen und
trinken?«
[34]Jesus fragte zurück: »Fasten etwa die Hochzeitsgäste, wäh-
rend sie mit dem Bräutigam feiern? [35]Eines Tages wird er ih-
nen weggenommen werden, und dann werden sie fasten.«
[36]Und er gab ihnen folgendes Gleichnis: »Niemand reißt ein
Stück Stoff aus einem neuen Kleid, um damit ein altes zu fli-
cken. Denn das neue Kleid wäre zerrissen und der Flicken
würde nicht zu dem alten passen. [37]Und niemand füllt neuen
Wein in alte Weinschläuche. Der neue Wein würde die alten
Weinschläuche platzen lassen, der Wein würde verschüttet
und die Schläuche wären verdorben. [38]Neuer Wein gehört in
neue Weinschläuche. [39]Aber keiner, der alten Wein trinkt,
scheint neuen Wein zu wollen, denn er sagt: ›Der alte ist bes-
ser.‹«

Über den Sabbat

6 1Als Jesus an einem Sabbat durch die Kornfelder ging, ris-
sen seine Jünger ein paar Ähren aus, zerrieben sie mit den
Händen und aßen die Körner. 2Da sagten ein paar Pharisäer
zu ihnen: »Das dürft ihr nicht! Es ist nicht erlaubt, am Sabbat
zu arbeiten, indem man Getreide erntet.«
3Jesus erwiderte ihnen: »Habt ihr nie in der Schrift gelesen,
was David tat, als er und seine Begleiter hungrig waren? 4Er
ging in das Haus Gottes, aß von den Broten, die den Priestern
vorbehalten sind, und gab auch seinen Freunden davon zu
essen.« 5Und Jesus fügte hinzu: »Der Menschensohn ist auch
Herr über den Sabbat.«

Jesus heilt am Sabbat

6An einem anderen Sabbat befand sich ein Mann mit einer
verkrüppelten Hand in der Synagoge, während Jesus lehrte.
7Die Schriftgelehrten und Pharisäer passten genau auf, ob Je-
sus den Mann am Sabbat heilen würde, denn sie suchten nach
einem Vorwand, Anklage gegen ihn zu erheben. 8Doch Jesus
wusste sehr wohl, was sie dachten. Er sagte zu dem Mann mit
der verkrüppelten Hand: »Komm her und stell dich hier in die
Mitte.« Da stand der Mann auf. 9Dann sagte Jesus zu ihnen:
»Ich habe eine Frage an euch. Entspricht es dem Gesetz, am
Sabbat Gutes zu tun, oder ist der Sabbat ein Tag, um Schaden
zuzufügen? Ist er ein Tag, um Leben zu retten oder zu ver-
nichten?« 10Er sah einen nach dem anderen an und sagte
dann zu dem Mann: »Streck deine Hand aus.« Der Mann
streckte seine Hand aus, und sie wurde wieder gesund! 11Da-
rüber gerieten die Gegner von Jesus außer sich vor Zorn und
sie begannen, Pläne zu schmieden, was sie gegen ihn unter-
nehmen könnten.

Jesus wählt die zwölf Apostel

12Nicht lange danach stieg Jesus auf einen Berg, um zu beten.
Er betete die ganze Nacht hindurch zu Gott. 13Bei Tages-
anbruch rief er alle seine Jünger zusammen und wählte zwölf
von ihnen aus, die er Apostel nannte. Dies sind ihre Namen:

14Simon (den er auch Petrus nannte), Andreas (der Bruder
von Petrus), Jakobus, Johannes, Philippus, Bartholomäus,
15Matthäus, Thomas, Jakobus (der Sohn des Alphäus), Simon
(der Zelot), 16Judas (der Sohn des Jakobus) und Judas Iskariot
(der ihn später verriet).

Viele Menschen folgen Jesus

17Als Jesus und die Jünger wieder von dem Berg herunterkamen, befanden sie sich in einer weiten Ebene, umringt von den Anhängern von Jesus und vielen anderen Menschen. Es waren Leute aus ganz Judäa und Jerusalem und von weit her aus den nördlichen Küstengebieten von Tyrus und Sidon.
18Sie waren gekommen, um ihn predigen zu hören und geheilt zu werden, und Jesus trieb viele böse Geister aus. 19Alle
wollten ihn berühren, weil eine heilende Kraft von ihm ausging, und alle wurden geheilt.

Die Seligpreisungen

20Dann wandte Jesus sich an seine Jünger und sagte: »Glücklich seid ihr, die ihr in Armut lebt, denn euch wird das Reich Gottes geschenkt.

21Glücklich seid ihr, die ihr jetzt hungert, denn ihr werdet satt werden. Glücklich seid ihr, die ihr jetzt weint, denn die Zeit wird kommen, in der ihr vor Freude lachen werdet.

22Glücklich seid ihr, die ihr gehasst und ausgeschlossen und verspottet und verflucht werdet, weil ihr zum Menschensohn gehört.

23Wenn das geschieht, dann freut euch, springt vor Freude! Denn im Himmel erwartet euch eine große Belohnung. Und denkt daran, dass die Propheten früher von euren Vorfahren genauso behandelt wurden.

Ankündigung künftigen Leids

24Euch wird es schlimm ergehen, die ihr reich seid, denn ihr habt euren Trost jetzt schon erhalten.

25Euch wird es schlimm ergehen, die ihr jetzt satt seid, denn ein nagender Hunger steht euch bevor.

Euch wird es schlimm ergehen, die ihr unbekümmert lacht,
denn euer Lachen wird sich in Traurigkeit und Weinen ver-
wandeln.
26 Euch wird es schlimm ergehen, die ihr von der Menge ge-
rühmt werdet, denn ihre Vorfahren haben auch den falschen
Propheten zugejubelt.

Über die Feindesliebe

27 Doch wenn ihr bereit seid, wirklich zu hören, dann sage ich
euch: Liebt eure Feinde. Tut denen Gutes, die euch hassen.
28 Betet für das Glück derer, die euch verfluchen. Betet für die,
die euch verletzen. 29 Wenn jemand dich auf die eine Wange
schlägt, dann halte ihm auch die andere hin. Wenn jemand
deinen Mantel will, biete ihm auch dein Hemd an. 30 Wer dich
bittet, dem gib, was du hast; und wenn dir etwas weggenom-
men wird, versuche nicht, es wiederzubekommen. 31 Behand-
le andere so, wie du von ihnen behandelt werden möchtest.
32 Glaubt ihr, ihr hättet dafür Anerkennung verdient, dass ihr
die liebt, die euch auch lieben? Das tun sogar die Sünder!
33 Und wenn ihr nur denen Gutes erweist, die euch Gutes tun,
was ist daran so anerkennenswert? Selbst Sünder verhalten
sich so! 34 Oder wenn ihr nur denen Geld leiht, die es euch
zurückzahlen können, was ist daran außergewöhnlich? Selbst
Sünder leihen ihresgleichen Geld in der Hoffnung, die volle
Summe zurückzuerhalten.
35 Liebt eure Feinde! Erweist ihnen Gutes! Leiht ihnen Geld!
Und macht euch keine Sorgen, weil sie es euch vielleicht nicht
wiedergeben werden. Dann wird euer Lohn im Himmel groß
sein und ihr handelt wirklich wie Kinder des Allerhöchsten,
denn er erweist auch den Undankbaren und den Bösen Gutes.
36 Ihr sollt gütig sein, wie euer Vater gütig ist.

Andere nicht verurteilen

37 Hört auf, andere zu verurteilen, und ihr werdet auch nicht
verurteilt werden. Hört auf, andere zu tadeln, oder es wird
euch ebenso ergehen. Vergebt, und euch wird auch ver-
geben werden. 38 Gebt, und ihr werdet bekommen. Was ihr

verschenkt, wird anständig, ja großzügig bemessen, mit be-
trächtlicher Zugabe zu euch zurückfließen. Nach dem Maß,
mit dem ihr gebt, werdet ihr zurückbekommen.«
39Er gab ihnen auch folgendes Gleichnis. »Was nützt es,
wenn ein Blinder den anderen führt? Er wird in eine Grube
fallen und den anderen mitreißen. 40Ein Schüler ist nicht bes-
ser als sein Lehrer. Aber der Schüler, der hart arbeitet, kann
werden wie sein Lehrer.
41Was hältst du dich mit dem Splitter im Auge deines Freun-
des auf, wenn du einen Balken im eigenen Auge hast? 42Wie
kommst du auf den Gedanken zu sagen: ›Freund, lass mich
dir helfen, diesen Splitter aus deinem Auge zu ziehen‹, wenn
du nicht über den Balken in deinem eigenen Auge hinaus-
schauen kannst? Du Heuchler! Entferne zuerst einmal den
Balken aus deinem eigenen Auge; dann wirst du vielleicht
gut genug sehen, um den Splitter aus dem Auge deines Freun-
des zu ziehen.

Der Baum und seine Früchte

43Ein guter Baum kann keine schlechten Früchte tragen und
ein schlechter Baum keine guten. 44Man erkennt einen Baum
an seiner Frucht. Feigen wachsen nicht an Dornensträuchern
und Weintrauben nicht an Brombeerbüschen. 45Ein guter
Mensch bringt aus einem guten Herzen gute Taten hervor,
und ein böser Mensch bringt aus einem bösen Herzen böse
Taten hervor. Was immer in deinem Herzen ist, das bestimmt
auch dein Reden.

Auf ein festes Fundament bauen

46Warum nennt ihr mich also ›Herr‹, wenn ihr nicht tut, was
ich sage? 47Ich sage euch, wie es ist, wenn jemand zu mir
kommt, auf meine Worte hört und danach handelt. 48Das ist
wie bei einem Menschen, der ein Haus mit festem Fundament
auf einen Felsen baut. Wenn es dann zu einer Überschwem-
mung kommt und die Wellen gegen das Haus schlagen, steht
das Haus fest, weil es solide gebaut wurde. 49Wer aber hört
und nicht danach handelt, gleicht einem Menschen, der ein

Haus ohne Fundament baut. Wenn dann die Flut kommt, stürzt das Haus ein, und es bleibt nichts als ein Trümmerhaufen.«

Der Glaube des römischen Hauptmanns

7 [1]Nachdem Jesus das alles gesagt hatte, ging er wieder
nach Kapernaum. [2]Dort lebte ein römischer Hauptmann,
der einen Diener hatte, den er sehr schätzte. Nun war dieser
Diener schwer erkrankt und lag im Sterben. [3]Als der Haupt-
mann von Jesus hörte, schickte er einige angesehene Männer
aus dem jüdischen Volk zu ihm und bat ihn, zu kommen und
seinen Sklaven zu heilen. [4]Diese baten Jesus inständig, mit-
zukommen und dem Hauptmann zu helfen. »Wenn jemand
deine Hilfe verdient, dann er«, sagten sie, [5]»denn er liebt die
Juden und hat uns sogar die Synagoge gebaut.«

[6]Da ging Jesus mit ihnen. Doch kurz bevor sie das Haus er-
reichten, schickte der Hauptmann ihm ein paar Freunde ent-
gegen und ließ ihm ausrichten: »Herr, mach dir nicht die Mü-
he, in mein Haus zu kommen, denn eine solche Ehre verdiene
ich nicht. [7]Ich bin nicht einmal würdig genug, selbst zu dir zu
kommen. Sprich einfach ein Wort, und mein Diener wird ge-
sund werden. [8]Ich weiß das, weil ich dem Befehl von Vor-
gesetzten unterstehe und auch selbst Soldaten befehlige. Ich
brauche nur zu einem von ihnen zu sagen: ›Geh‹, dann geht
er, oder: ›Komm‹, dann kommt er. Und wenn ich zu meinem
Diener sage: ›Tu dies‹, dann tut er es.«

[9]Als Jesus das hörte, staunte er. Er wandte sich zu der Menge
und sagte: »Ich sage euch, einen solchen Glauben habe ich in
ganz Israel nicht erlebt!« [10]Und als die Freunde des Haupt-
manns in sein Haus zurückkehrten, fanden sie den Diener ge-
sund.

Auferweckung eines jungen Mannes

[11]Bald darauf zog Jesus mit seinen Jüngern weiter zur Stadt
Nain. Eine große Menschenmenge folgte ihnen. [12]Als er sich
der Stadt näherte, kam ihm ein Trauerzug entgegen. Der Tote
war der einzige Sohn einer Witwe gewesen, und viele trauer-

ten mit ihr. [13]Als der Herr sie sah, empfand er großes Mitleid
mit ihr. »Weine nicht!«, sagte er. [14]Und er ging hinüber zur
Bahre und berührte sie. Die Träger blieben stehen. »Ich sage
dir«, sprach Jesus, »steh auf!« [15]Da setzte sich der Verstorbene
auf und fing an zu sprechen! So gab Jesus ihn seiner Mutter
zurück.

[16]Angst und Ehrfurcht erfassten die ganze Menge. Sie lobten
Gott und sagten: »Ein mächtiger Prophet ist zu uns gekom-
men. Heute hat Gott sein Volk besucht.« [17]Berichte über diese
Tat verbreiteten sich in ganz Judäa und bis über die Grenzen
des Landes hinaus.

Jesus und Johannes der Täufer

[18]Johannes der Täufer erfuhr von seinen Jüngern alles, was
Jesus tat. Er rief zwei seiner Jünger zu sich [19]und schickte sie
zum Herrn, um ihn zu fragen: »Bist du wirklich der, der kom-
men soll, oder sollen wir auf einen anderen warten?«

[20]Die beiden Jünger von Johannes fanden Jesus und sagten
zu ihm: »Johannes der Täufer schickt uns, um zu fragen: ›Bist
du wirklich der, der kommen soll, oder sollen wir auf einen
anderen warten?‹«

[21]Während sie bei ihm waren, heilte er viele Menschen von
ihren Krankheiten, trieb böse Geister aus und gab Blinden ihr
Augenlicht zurück. [22]Er gab den Jüngern des Johannes zur
Antwort: »Kehrt zu Johannes zurück und berichtet ihm, was
ihr gesehen und gehört habt: Blinde sehen, Gelähmte gehen,
Aussätzige werden geheilt, Taube hören, Tote werden auf-
erweckt und den Armen wird die gute Botschaft verkündet.
[23]Und sagt ihm auch: ›Glücklich sind die, die keinen Anstoß
an mir nehmen.‹«

[24]Als sie gegangen waren, wandte Jesus sich an die Menge
und sagte über Johannes: »Wer ist dieser Mann in der Wüste,
den ihr unbedingt sehen wolltet? Kam er euch schwach vor
wie ein Schilfrohr, das im Windhauch hin- und herschwankt?
[25]Oder habt ihr einen Mann erwartet, der in kostbare Gewän-
der gehüllt ist? Nein, Leute mit kostbaren Kleidern und ver-
schwenderischer Lebensart wohnen in Palästen, nicht in der

Wüste. [26]Oder habt ihr in ihm einen Propheten vermutet? Ja,
das ist er, und er ist sogar noch mehr als das. [27]Johannes ist der
Mann, von dem die Schrift sagt:
›Ich sende meinen Boten vor dir her, er wird deine Ankunft
vorbereiten.‹
[28]Ich sage euch: Von allen Menschen, die jemals gelebt ha-
ben, ist keiner größer als Johannes. Und doch ist noch der
Geringste im Reich Gottes größer als er!
[29]Und alle, die ihn gehört haben – selbst die Steuereinneh-
mer –, gaben Gott recht, als sie sich von Johannes taufen lie-
ßen. [30]Die Pharisäer und die Schriftgelehrten dagegen lehnten
den Plan, den Gott für sie hatte, ab, denn sie ließen sich nicht
von Johannes taufen.
[31]Wie soll ich die Menschen dieser Generation beschrei-
ben?«, fragte Jesus. »Womit soll ich sie vergleichen? [32]Sie
sind wie Kinder, die auf der Straße spielen und sich bei ihren
Freunden beklagen: ›Wir haben lustige Lieder gespielt, und
ihr wart nicht fröhlich; dann haben wir Klagelieder gespielt,
aber ihr wart nicht traurig.‹ [33]Denn Johannes der Täufer trank
keinen Wein und fastete oft, und von ihm sagt ihr: ›Er ist von
einem Dämon besessen.‹ [34]Der Menschensohn feiert und
trinkt, und von ihm sagt ihr: ›Er ist ein Schlemmer und Säufer,
und die schlimmsten Leute sind seine Freunde!‹ [35]Doch die
Weisheit erweist sich als richtig im Leben derer, die sie befol-
gen.«

Jesus wird von einer Sünderin gesalbt

[36]Einer der Pharisäer lud Jesus zum Essen in sein Haus ein.
Jesus nahm die Einladung an und setzte sich zu Tisch. [37]In
dem Ort gab es eine Frau, die ihr Leben – wie man wusste –
nicht nach Gottes Willen führte. Als sie erfuhr, dass er da war,
brachte sie ein Gefäß mit kostbarem Salböl. [38]Sie kniete vor
Jesus nieder und weinte. Ihre Tränen fielen auf seine Füße,
und sie trocknete sie mit ihren Haaren. Dann küsste sie ihm
wieder und wieder die Füße und salbte sie mit dem Öl.
[39]Als der Gastgeber sah, was da vorging und wer die Frau
war, sagte er sich: »Das beweist, dass Jesus kein Prophet ist.

Wäre er wirklich von Gott gesandt, dann wüsste er, was für
eine Frau ihn da berührt. Eine Sünderin!«
40Jesus wusste, was er dachte, und sagte zu dem Pharisäer:
»Simon, ich habe dir etwas zu sagen.«
Simon nickte: »Ja, Meister, sprich nur.«
41Darauf erzählte Jesus: »Ein Mann lieh zwei Leuten Geld –
dem einen fünfhundert Denare und dem anderen fünfzig.
42Als keiner der beiden ihm das Geld zurückzahlen konnte,
erließ er ihnen ihre Schulden. Wer von den beiden liebte ihn
danach wohl mehr?«
43Simon antwortete: »Ich nehme an, derjenige, dem er die
größere Schuld erließ.«
Jesus sagte ihm: »Das stimmt.« 44Dann wandte er sich der
Frau zu und sagte zu Simon: »Schau dir die Frau an, die da
kniet. Als ich dein Haus betrat, hast du mir kein Wasser ange-
boten, um mir den Staub von den Füßen zu waschen; sie hat
meine Füße mit ihren Tränen gewaschen und mit ihrem Haar
getrocknet. 45Du hast mir keinen Begrüßungskuss gegeben;
sie hat mir unaufhörlich die Füße geküsst, seit ich herein-
gekommen bin. 46Du hast es versäumt, mir Gastfreundschaft
zu erweisen und mir den Kopf mit Olivenöl zu salben; sie hat
meine Füße mit kostbarem Salböl gesalbt. 47Ich sage dir, ihre
Sünden – und es sind viele – sind ihr vergeben; also hat sie mir
viel Liebe erwiesen. Ein Mensch jedoch, dem nur wenig ver-
geben wurde, zeigt nur wenig Liebe.« 48Dann sagte Jesus zu
der Frau: »Deine Sünden sind dir vergeben.«
49Die anderen Männer am Tisch sagten zueinander: »Für
wen hält sich dieser Mann, dass er Sünden vergibt?«
50Und Jesus sagte zu der Frau: »Dein Glaube hat dich geret-
tet; geh in Frieden.«

Frauen, die Jesus nachfolgten

8 1Nicht lange danach zog Jesus durch die nahe gelegenen
Orte und Dörfer, um die Botschaft vom Reich Gottes zu
verkünden. Er nahm seine zwölf Jünger mit, 2und einige Frau-
en, die er geheilt und von bösen Geistern befreit hatte. Dazu
gehörten Maria von Magdala, aus der er sieben Dämonen

ausgetrieben hatte, 3Johanna, die Frau von Chuza, dem Ver-
walter von Herodes, Susanna und viele andere, die Jesus und
seine Jünger durch das, was sie hatten, unterstützten.

Das Gleichnis vom Bauern, der die Saat ausbringt

4Eines Tages kam eine große Menschenmenge aus vielen
Städten zusammen, um Jesus zu hören. Er erzählte ihnen fol-
gendes Gleichnis: 5»Ein Bauer ging aufs Feld, um zu säen. Als
er die Saat auf seinem Feld ausstreute, fielen einige Samen-
körner auf einen Weg, wo sie zertreten wurden, und die Vögel
kamen und pickten sie auf. 6Andere Körner fielen auf eine
dünne Erdkruste mit felsigem Untergrund. Diese Saat ging
zwar auf, verdorrte aber, weil Feuchtigkeit fehlte. 7Andere
Samenkörner fielen in die Dornen, die schnell wuchsen und
die zarten Halme erstickten. 8Wieder andere fielen auf frucht-
baren Boden. Diese Samenkörner wuchsen heran und brach-
ten eine hundertfache Ernte.« Nach diesen Worten rief er:
»Wer hören will, der soll zuhören und begreifen!«

9Seine Jünger fragten ihn, was das Gleichnis zu bedeuten
habe. 10Er entgegnete: »Euch ist es erlaubt, die Geheimnisse
des Reiches Gottes zu wissen. Allen anderen aber werden sie
in Gleichnissen verborgen erzählt, damit sich erfüllt, was in
der Schrift steht:

›Sie sehen, was ich tue, aber sie nehmen es nicht wirklich
wahr; sie hören, was ich sage, aber sie verstehen es nicht.‹

11Das Gleichnis hat folgende Bedeutung: Die Samenkörner
sind Gottes Botschaft. 12Der Same, der auf den festgetretenen
Weg fiel, steht für Menschen, die die Botschaft zwar hören,
aber dann kommt der Teufel, raubt sie ihnen wieder und ver-
hindert, dass sie glauben und gerettet werden. 13Mit dem fel-
sigen Boden sind jene gemeint, die die Botschaft freudig auf-
nehmen. Aber wie bei jungen Pflanzen in einem solchen
Boden reichen ihre Wurzeln nicht sehr tief. Eine Weile glau-
ben sie zwar, aber wenn Schwierigkeiten kommen, wenden
sie sich ab. 14Der von Dornen bewachsene Boden meint Men-
schen, die Gottes Wort zwar hören und annehmen, sich aber
durch die Verpflichtungen, den Reichtum und die Zerstreu-

ungen des Lebens schon bald wieder davon ablenken lassen. Auf diese Weise gelangt nichts zur Reife. 15Der gute Boden dagegen steht für verlässliche, aufrichtige Menschen, die Gottes Botschaft hören, an ihr festhalten und durch ihre Beständigkeit viel Frucht hervorbringen.

Das Gleichnis von der Lampe

16Niemand würde eine Lampe anzünden und dann etwas darüberstülpen oder sie unters Bett stellen. Nein, Lampen werden da aufgestellt, wo jeder, der hereinkommt, sie sehen kann. 17Denn alles, was verborgen oder geheim ist, wird irgendwann ans Licht gebracht werden, sodass alle es sehen können. 18Deshalb achtet auf das, was ihr hört. Dem Menschen, der für meine Worte offen ist, wird eine noch tiefere Einsicht geschenkt werden. Doch dem, der nicht zuhört, wird auch das genommen werden, was er zu haben glaubt.«

Die wahre Familie von Jesus

19Einmal wollten die Mutter von Jesus und seine Brüder ihn besuchen, doch sie konnten wegen der vielen Menschen nicht zu ihm durchdringen. 20Jemand sagte zu Jesus: »Deine Mutter und deine Brüder sind draußen und möchten dich sehen.«

21Jesus erwiderte: »Alle, die die Botschaft Gottes hören und sich nach ihr richten, sind meine Mutter und meine Brüder.«

Jesus stillt den Sturm

22Eines Tages sagte Jesus zu seinen Jüngern: »Lasst uns auf die andere Seite des Sees fahren.« Sie stiegen also in ein Boot und stießen vom Ufer ab. 23Unterwegs legte Jesus sich schlafen, doch während er schlief, kam Wind auf. Der Wind steigerte sich zum Sturm, sodass ihr Boot voll Wasser zu laufen drohte und sie ernsthaft in Gefahr gerieten.

24Schließlich weckten die Jünger Jesus und riefen: »Meister, Meister, wir kommen um!«

Jesus stand auf und drohte dem Wind und den stürmischen Wellen. Plötzlich legte sich der Sturm, und alles war still! 25Und er fragte sie: »Wo ist euer Glaube?«

Voll Furcht und Staunen sagten sie zueinander: »Wer ist die-
ser Mann, dass ihm sogar Wind und Wellen gehorchen?«

Jesus heilt einen von Dämonen besessenen Mann

26 So kamen sie ins Gebiet der Gerasener auf der anderen Seite
vom See Genezareth. 27 Als Jesus aus dem Boot stieg, lief ihm
ein Mann entgegen, der von Dämonen besessen war. Nackt
und ohne Obdach fristete er sein Dasein schon seit langer
Zeit in den Grabhöhlen. 28 Als er Jesus sah, warf er sich mit
einem schrillen Schrei vor ihm auf den Boden und rief laut:
»Warum bedrängst du mich, Jesus, Sohn des höchsten Gottes?
Ich flehe dich an, quäle mich nicht!« 29 Denn Jesus hatte dem
bösen Geist schon geboten, aus dem Mann auszufahren.
Schon seit langem hatte der Dämon den Mann völlig in seiner
Gewalt. Auch wenn man ihn in Ketten legte, riss er sich los
und wurde von dem bösen Geist in die Wildnis gehetzt.

30 »Wie heißt du?«, fragte Jesus.

»Legion«, antwortete er – denn der Mann war von zahlrei-
chen Dämonen besessen. 31 Diese flehten Jesus an, sie nicht in
den Abgrund zu schicken. 32 Auf den umliegenden Hügeln
weidete eine riesige Schweineherde. Die Dämonen baten Je-
sus, sie in die Schweine fahren zu lassen. Jesus gestattete es
ihnen. 33 Da fuhren die Dämonen aus dem Mann in die
Schweine, und die ganze Herde stürzte den Abhang hinunter
in den See und ertrank.

34 Als die Hirten das sahen, flohen sie in den nahe gelegenen
Ort und in das Hügelland der Umgebung und verbreiteten
die Neuigkeit überall. 35 Bald war Jesus von Menschen um-
ringt, die selbst sehen wollten, was geschehen war. Als sie
den Mann, der von Dämonen besessen gewesen war, beklei-
det und völlig bei Verstand friedlich zu Füßen von Jesus sitzen
sahen, überkam sie Furcht. 36 Diejenigen, die alles mit eigenen
Augen gesehen hatten, erzählten ihnen, wie der Besessene ge-
heilt worden war. 37 Da drängten sie Jesus, zu gehen und sie in
Ruhe zu lassen, so groß war ihre Angst.

Jesus stieg daraufhin wieder in das Boot und fuhr zurück auf
die andere Seite des Sees. 38 Der Mann, der von Dämonen be-

sessen gewesen war, wollte unbedingt mit ihm gehen, doch
Jesus sagte zu ihm: 39»Nein, geh zu deiner Familie zurück
und erzähle ihnen von dem Wunderbaren, das Gott für dich
getan hat.« Da ging er durch die ganze Stadt und erzählte,
was Jesus für ihn getan hatte.

Jesus heilt aufgrund Glaubens

40Am anderen Ufer hatten die Menschen schon auf Jesus ge-
wartet und empfingen ihn begeistert. 41Ein Mann namens Ja-
ïrus, einer der Vorsteher der örtlichen Synagoge, kam zu Je-
sus, warf sich ihm zu Füßen und bat ihn, mit in sein Haus zu
kommen. 42Sein einziges Kind, ein zwölfjähriges Mädchen,
lag im Sterben.

Jesus machte sich mit ihm auf den Weg, umringt von einer
großen Menschenmenge. 43Inmitten der dicht gedrängten
Menge befand sich auch eine Frau, die seit zwölf Jahren an
Blutungen litt. Sie hatte ihr ganzes Vermögen für Ärzte aus-
gegeben und war dennoch nicht geheilt worden. 44Nun näher-
te sie sich Jesus von hinten und berührte den Saum seines
Gewandes. Augenblicklich hörte die Blutung auf.

45»Wer hat mich berührt?«, fragte Jesus.

Alle stritten ab, ihn berührt zu haben, und Petrus meinte:
»Meister, hier sind doch so viele Menschen!«

46Doch Jesus sagte: »Nein, jemand hat mich absichtlich be-
rührt. Ich habe gespürt, dass eine heilende Kraft von mir aus-
ging.« 47Als die Frau sah, dass Jesus etwas gemerkt hatte, warf
sie sich zitternd vor Angst vor ihm auf die Knie. Alle hörten
zu, als sie erklärte, warum sie ihn berührt hatte und dass sie
augenblicklich gesund geworden war. 48»Tochter«, sagte Je-
sus zu ihr, »dein Glaube hat dich gesund gemacht. Geh in
Frieden.«

49Noch während er mit ihr sprach, kam ein Bote aus dem
Haus des Jaïrus mit der Nachricht: »Deine Tochter ist gestor-
ben. Du brauchst den Meister nicht mehr zu bemühen.«

50Doch als Jesus das hörte, sagte er zu Jaïrus: »Hab keine
Angst. Vertrau mir, und sie wird gerettet werden.«

51Als sie zum Haus des Vorstehers kamen, nahm Jesus nur

Petrus, Jakobus, Johannes, den Vater und die Mutter des Mäd-
chens mit hinein. 52Das ganze Haus war voller Leute, die
weinten und klagten, aber er sagte: »Hört auf zu weinen! Sie
ist nicht tot; sie schläft nur.«

53Doch die Menge lachte ihn aus, denn alle wussten, dass sie
gestorben war. 54Da nahm Jesus das Mädchen bei der Hand
und sagte mit lauter Stimme: »Steh auf, mein Kind!« 55Im glei-
chen Augenblick kehrte das Leben in sie zurück, und sie stand
auf! Jesus wies die anderen an, ihr etwas zu essen zu geben.
56Ihre Eltern waren außer sich vor Freude, doch Jesus gebot
ihnen, niemandem zu erzählen, was geschehen war.

Die Aussendung der zwölf Apostel

9 1Eines Tages rief Jesus seine zwölf Apostel zu sich und gab
ihnen Vollmacht, Dämonen auszutreiben und Krankhei-
ten zu heilen. 2Dann sandte er sie mit dem Auftrag aus, allen
Menschen vom Kommen des Reiches Gottes zu erzählen und
die Kranken gesund zu machen. 3»Nehmt für unterwegs
nichts mit«, wies er sie an, »keinen Wanderstab, kein Gepäck,
keine Verpflegung und kein Geld, kein zweites Hemd. 4Wenn
ihr in eine Ortschaft kommt, seid nur in einem einzigen Haus
zu Gast. 5Wenn die Einwohner eure Botschaft nicht hören
wollen, dann schüttelt beim Fortgehen den Staub von euren
Füßen als Zeichen, dass ihr diesen Ort dem Gericht über-
lasst.«

6So begannen sie durch die Dörfer in der Umgebung zu zie-
hen, verkündeten die gute Botschaft und heilten die Kranken.

Herodes fragt nach Jesus

7Als Herodes Antipas von den Wundern hörte, die Jesus voll-
brachte, war er beunruhigt und verunsichert zugleich, denn
manche Leute meinten: »Er ist Johannes der Täufer, der von
den Toten auferstanden ist.« 8Andere sagten: »Es ist Elia oder
ein anderer Prophet, der von den Toten auferstanden ist.«

9»Ich selbst habe Johannes enthaupten lassen«, sagte Hero-
des. »Wer ist dann dieser Mann, von dem ich all diese selt-

samen Geschichten höre?« Und er wollte ihn gern kennenler-
nen.

Mehr als fünftausend Menschen werden satt

10Als die Apostel zurückkehrten, berichteten sie Jesus über
alles, was sie getan hatten. Danach zog er sich mit ihnen in
die Nähe der Stadt Betsaida zurück. 11Doch die Leute fanden
heraus, wohin er gegangen war, und folgten ihm. Da wandte
er sich ihnen zu, erzählte ihnen vom Reich Gottes und heilte
die Kranken unter ihnen. 12Am späten Nachmittag kamen die
zwölf Jünger zu ihm und sagten: »Schick die Leute fort in die
nahe gelegenen Dörfer und Höfe, dann können sie etwas zu
essen und eine Unterkunft für die Nacht finden. Denn hier, in
dieser verlassenen Gegend, gibt es nichts zu essen.«
13Doch Jesus sagte: »Gebt ihr ihnen zu essen.«
Sie protestierten: »Unmöglich! Wir haben nur fünf Brote
und zwei Fische. Oder erwartest du von uns, dass wir gehen
und für diese vielen Menschen Essen kaufen?« 14Es waren
etwa fünftausend Männer.
»Sie sollen sich in Gruppen zu je fünfzig niederlassen«, er-
widerte Jesus. 15Da setzten sie sich alle hin. 16Jesus nahm die
fünf Brote und die beiden Fische, blickte zum Himmel auf
und erbat Gottes Segen für das Essen. Dann brach er die Brote
in Stücke und reichte sie den Jüngern, damit sie alles an die
Leute austeilten. 17Alle aßen, so viel sie wollten, und am
Schluss sammelten sie noch zwölf Körbe mit Resten ein!

Petrus legt sein Bekenntnis ab – Jesus kündigt seinen Tod an

18Als Jesus eines Tages allein war, fragte er sie: »Für wen hal-
ten die Leute mich?«
19»Nun«, erwiderten sie, »manche sagen, du seist Johannes
der Täufer, andere halten dich für Elia und wieder andere be-
haupten, du seist einer der alten Propheten, der von den Toten
auferstanden ist.«
20Da fragte er sie: »Und für wen haltet ihr mich?«

Petrus erwiderte: »Du bist der von Gott gesandte Christus!«
21Jesus schärfte ihnen ein, es niemandem zu sagen. 22»Denn
der Menschensohn muss viel Schlimmes erleiden«, sagte er.
»Er wird von den führenden Männern des jüdischen Volkes,
den obersten Priestern und den Schriftgelehrten verurteilt
werden. Sie werden ihn töten, doch drei Tage später wird er
von den Toten auferstehen.«
23Dann sagte er zu der Menge: »Wenn einer von euch mit
mir gehen will, muss er sich selbst verleugnen, jeden Tag
aufs Neue sein Kreuz auf sich nehmen und mir nachfolgen.
24Wer versucht, sein Leben zu retten, wird es verlieren. Aber
wer sein Leben für mich aufgibt, wird es retten. 25Was nützt
es, die ganze Welt zu gewinnen, aber dabei an der eigenen
Seele Schaden zu nehmen oder sie zu verlieren? 26Wer sich
meiner oder meiner Botschaft schämt, dessen wird sich der
Menschensohn auch schämen, wenn er in seiner Herrlichkeit
und in der Herrlichkeit seines Vaters und der heiligen Engel
wiederkommt. 27Und ich sage euch: Einige von denen, die
jetzt hier stehen, werden nicht sterben, ehe sie das Reich Got-
tes gesehen haben.«

Die Verklärung

28Etwa acht Tage später nahm Jesus Petrus, Jakobus und Jo-
hannes mit auf einen Berg, um zu beten. 29Während er betete,
veränderte sich das Aussehen seines Gesichts, und seine Klei-
der wurden strahlend weiß. 30Dann erschienen zwei Männer,
Mose und Elia, und begannen mit Jesus zu sprechen. 31Auch
sie waren von herrlichem Glanz umgeben. Sie sprachen darü-
ber, wie er bald in Jerusalem sterben würde, um damit seinen
Auftrag zu erfüllen.
32Petrus und die anderen Jünger waren sehr müde gewesen
und eingeschlafen. Nun wachten sie auf und sahen den strah-
lenden Anblick von Jesus und den beiden Männern, die neben
ihm standen. 33Als Mose und Elia sie verlassen wollten, rief
Petrus schnell – und ohne zu wissen, was er sagte: »Meister,
wie wunderbar ist das! Lass uns drei Hütten bauen – eine für
dich, eine für Mose und eine für Elia.« 34Doch er hatte kaum

ausgeredet, da zog eine Wolke auf; und als die Wolke sie ein-
hüllte, hatten sie große Angst.
35Aus der Wolke drang eine Stimme: »Dies ist mein Sohn,
mein Auserwählter. Hört auf ihn.« 36Als die Stimme verhallt
war, stand Jesus wieder allein da. Lange Zeit erzählten sie
niemandem, was sie gesehen hatten.

Jesus heilt einen besessenen Jungen

37Am nächsten Tag, als sie wieder vom Berg herabgestiegen
waren, strömten die Menschen zu Jesus. 38Ein Mann in der
Menge rief ihm zu: »Meister, sieh meinen Sohn an, mein ein-
ziges Kind. 39Ein böser Geist ergreift immer wieder von ihm
Besitz. Dann schreit er, stürzt zu Boden, windet sich und hat
Schaum vor dem Mund. Ständig schlägt und verletzt er ihn
und lässt ihm keine Ruhe. 40Ich habe deine Jünger gebeten,
den Geist auszutreiben, aber sie konnten es nicht.«
41»Ihr uneinsichtigen, ungläubigen Menschen«, sagte Jesus,
»wie lange muss ich denn noch bei euch sein und euch ertra-
gen? Bringt ihn her.« 42Als der Junge nach vorn kam, warf der
Dämon ihn zu Boden, sodass er sich heftig wand und krümm-
te. Aber Jesus bedrohte den bösen Geist und heilte den Jun-
gen. Dann schickte er ihn zu seinem Vater zurück. 43Die Leute
wurden von Angst und Ehrfurcht ergriffen, als sie dieses
sichtbare Wirken der Macht Gottes sahen.

Jesus kündigt erneut seinen Tod an

Während die Menschen noch über die Wunder staunten, die
er tat, sagte Jesus zu seinen Jüngern: 44»Hört mir zu und denkt
an das, was ich euch jetzt sage. Der Menschensohn wird in die
Hände der Menschen gegeben und verraten werden.« 45Doch
sie begriffen nicht, was er damit meinte. Die Bedeutung seiner
Worte blieb ihnen verborgen, sodass sie sie nicht verstehen
konnten, und sie wagten nicht, ihn danach zu fragen.

Der Größte im Reich Gottes

46Einmal kam es unter den Jüngern zu einem Streit darüber,
wer von ihnen der Größte sei. 47Jesus wusste, was sie dachten.

Er stellte ein kleines Kind neben sich 48und sagte zu ihnen:
»Jeder, der ein solches Kind um meinetwillen aufnimmt, der
nimmt mich auf, und wer mich aufnimmt, nimmt meinen Va-
ter auf, der mich gesandt hat. Wer der Geringste unter euch
ist, der ist der Größte.«

Im Namen von Jesus Wunder tun

49Johannes sagte zu Jesus: »Meister, wir haben gesehen, wie
einer in deinem Namen Dämonen austrieb, und haben ver-
sucht, ihn daran zu hindern, weil er nicht zu uns gehört.«

50Doch Jesus entgegnete ihm: »Hindert ihn nicht! Wer nicht
gegen euch ist, ist für euch.«

Widerstand von den Samaritanern

51Als die Zeit seiner Rückkehr in den Himmel näher kam,
machte Jesus sich auf den Weg nach Jerusalem. 52Er schickte
Boten voraus in ein Dorf in Samarien, um seine Ankunft vor-
zubereiten. 53Doch sie wurden abgewiesen. Weil Jesus auf
dem Weg nach Jerusalem war, wollten sie ihn nicht aufneh-
men. 54Als Jakobus und Johannes das hörten, sagten sie zu
Jesus: »Herr, sollen wir Feuer vom Himmel regnen lassen
und sie verbrennen?« 55Doch Jesus drehte sich um und wies
sie zurecht. 56Dann zogen sie weiter in ein anderes Dorf.

Der Preis der Nachfolge

57Unterwegs sagte einer der Jünger zu Jesus: »Ich will mit dir
gehen, wohin du auch gehst.«

58Aber Jesus hielt ihm entgegen: »Füchse haben ihren Bau
und Vögel haben Nester, doch der Menschensohn hat keinen
Ort, an dem er sich ausruhen kann.«

59Zu einem anderen sagte er: »Komm, folge mir nach.«

Dieser jedoch antwortete: »Herr, lass mich zuerst noch nach
Hause gehen und meinen Vater begraben.«

60Jesus erwiderte: »Lass die Menschen, die nicht nach Gott
fragen, für ihre Toten sorgen. Deine Aufgabe ist es hinzuge-
hen und das Kommen des Reiches Gottes zu verkündigen.«

61Ein anderer sagte: »Ja, Herr, ich will mit dir gehen, aber
lass mich zuerst noch von meiner Familie Abschied nehmen.«
62Doch Jesus sagte: »Wer eine Hand an den Pflug legt und
dann zurückschaut, ist nicht geeignet für das Reich Gottes.«

Jesus sendet seine Jünger aus

10 1Daraufhin wählte der Herr zweiundsiebzig andere
Jünger aus und schickte sie zu zweit voraus in alle
Städte und Dörfer, die er aufsuchen wollte. 2Er gab ihnen fol-
gende Anweisungen: »Die Ernte ist groß, doch die Zahl der
Arbeiter ist klein. Betet zum Herrn, der für die Ernte zustän-
dig ist, und bittet ihn, mehr Arbeiter auf seine Felder zu schi-
cken. 3Nun geht und denkt daran, dass ich euch wie Lämmer
unter die Wölfe schicke. 4Nehmt kein Geld mit, kein Gepäck,
keine Sandalen. Und haltet euch unterwegs nicht auf, um je-
manden zu grüßen.
5Wann immer ihr ein Haus betretet, segnet es. 6Wenn seine
Bewohner des Segens würdig sind, wird er bei ihnen bleiben;
wenn sie es nicht sind, wird der Segen zu euch zurückkehren.
7Wenn ihr in eine Stadt kommt, zieht nicht von Haus zu Haus.
Bleibt an einem Ort und esst und trinkt, was man euch anbie-
tet. Zögert nicht, Gastfreundschaft anzunehmen, denn wer
arbeitet, hat auch Lohn verdient.
8Wenn eine Stadt euch willkommen heißt, dann esst, was
euch vorgesetzt wird, 9heilt die Kranken und sagt dabei:
›Das Reich Gottes ist nahe bei euch.‹ 10Doch wenn eine Stadt
euch nicht willkommen heißen will, dann geht hinaus auf die
Straße und sagt: 11›Wir schütteln als Zeichen eures Verder-
bens den Staub eurer Stadt von unseren Füßen. Vergesst nicht,
dass das Reich Gottes nahe ist!‹ 12Ich sage euch, selbst der
Stadt Sodom wird es am Tag des Gerichts noch besser ergehen
als einer solchen Stadt.
13Welche Schrecken erwarten euch, Chorazin und Betsaida!
Denn wenn die Wunder, die ich bei euch getan habe, in Tyrus
und Sidon geschehen wären, hätten ihre Einwohner schon
längst ihre Schuld bekannt und sich zum Zeichen ihrer Reue

in Säcke gehüllt und Asche auf ihre Häupter gestreut. [14]Ja,
Tyrus und Sidon werden am Tag des Gerichts immer noch
besser dastehen als ihr. [15]Und ihr Bewohner von Kapernaum,
ob ihr wohl an diesem Tag in den Himmel gehoben werdet?
Ganz sicher nicht. Ihr werdet vielmehr hinunter ins Reich der
Toten geworfen.«

[16]Dann sagte er zu den Jüngern: »Wer eure Botschaft an-
nimmt, nimmt auch mich an. Wer euch jedoch ablehnt, lehnt
auch mich ab. Und wer mich ablehnt, lehnt Gott ab, der mich
gesandt hat.«

[17]Als die zweiundsiebzig Jünger zurückkehrten, berichteten
sie ihm voller Freude: »Herr, sogar die Dämonen gehorchen
uns, wenn wir sie in deinem Namen austreiben!«

[18]»Ja«, erklärte er ihnen, »ich sah den Satan wie einen Blitz
vom Himmel fallen! [19]Ich habe euch Vollmacht über den
Feind gegeben; ihr könnt unter Schlangen und Skorpionen
umhergehen und sie zertreten. Nichts und niemand wird
euch etwas anhaben können. [20]Aber freut euch nicht darüber,
dass böse Geister euch gehorchen, sondern freut euch, dass
eure Namen im Himmel aufgeschrieben sind.«

Jesus spricht ein Dankgebet

[21]Dann wurde Jesus von der Freude des Heiligen Geistes er-
füllt und sagte: »Vater, Herr des Himmels und der Erde, ich
danke dir, dass du die Wahrheit vor denen verbirgst, die sich
selbst für so klug und weise halten. Ich danke dir, dass du sie
stattdessen denen enthüllst, die ein kindliches Gemüt haben.
Ja, Vater, so wolltest du es.

[22]Mein Vater hat mir Vollmacht über alles gegeben. Nie-
mand außer dem Vater kennt den Sohn wirklich, und nie-
mand kennt den Vater außer dem Sohn und jenen, denen der
Sohn den Vater offenbaren will.«

[23]Als sie allein waren, wandte er sich an die Jünger und sag-
te: »Glücklich zu schätzen sind die, deren Augen sehen, was
ihr seht. [24]Ich sage euch: Propheten und Könige haben sich
danach gesehnt, zu sehen und zu hören, was ihr gesehen
und gehört habt, aber sie konnten es nicht.«

Das wichtigste Gebot
25 Ein Mann, der sich im Gesetz Moses besonders gut auskann-
te, stand eines Tages auf, um Jesus mit folgender Frage auf die
Probe zu stellen: »Meister, was muss ich tun, um das ewige
Leben zu bekommen?«
26 Jesus erwiderte: »Was steht darüber im Gesetz Moses? Was
liest du dort?«
27 Der Mann antwortete: »›Du sollst den Herrn, deinen Gott,
von ganzem Herzen, von ganzer Seele, mit deiner ganzen
Kraft und all deinen Gedanken lieben.‹ Und: ›Liebe deinen
Nächsten wie dich selbst.‹«
28 »Richtig!«, bestätigte Jesus. »Tu das, und du wirst leben!«
29 Der Mann wollte sich rechtfertigen; deshalb fragte er Jesus:
»Und wer ist mein Nächster?«

Das Gleichnis vom barmherzigen Samaritaner
30 Jesus antwortete: »Ein Mann befand sich auf der Straße von
Jerusalem nach Jericho, als er von Räubern überfallen wurde.
Sie raubten ihm seine Kleider und sein Geld, verprügelten ihn
und ließen ihn halb tot am Straßenrand liegen.
31 Zufällig kam ein jüdischer Priester vorbei. Doch als er den
Mann dort liegen sah, wechselte er auf die andere Straßenseite
und ging vorüber. 32 Dann kam ein Tempeldiener und sah ihn
ebenfalls dort liegen; doch auch er ging auf der anderen Stra-
ßenseite vorüber.
33 Schließlich näherte sich ein Samaritaner. Als er den Mann
sah, empfand er tiefes Mitleid mit ihm. 34 Er kniete sich neben
ihn, behandelte seine Wunden mit Öl und Wein und verband
sie. Dann hob er den Mann auf seinen eigenen Esel und brach-
te ihn zu einem Gasthaus, wo er ihn versorgte. 35 Am nächsten
Tag gab er dem Wirt zwei Denare und bat ihn, gut für den
Mann zu sorgen. ›Sollte das Geld nicht ausreichen‹, sagte er,
›dann werde ich dir den Rest bezahlen, wenn ich das nächste
Mal herkomme.‹
36 Wer von den dreien war nun deiner Meinung nach der
Nächste für den Mann, der von Räubern überfallen wurde?«,
fragte Jesus.

37 Der Mann erwiderte: »Der, der Mitleid hatte und ihm
half.«
Jesus antwortete: »Ja. Nun geh und mach es genauso.«

Jesus besucht Marta und Maria

38 Auf ihrem Weg nach Jerusalem kamen Jesus und die Jünger
auch in ein Dorf, in dem eine Frau mit Namen Marta sie in ihr
Haus einlud. 39 Ihre Schwester Maria saß Jesus zu Füßen und
hörte ihm aufmerksam zu. 40 Marta dagegen mühte sich mit
der Bewirtung der Gäste. Sie kam zu Jesus und sagte: »Herr,
ist es nicht ungerecht, dass meine Schwester hier sitzt, wäh-
rend ich die ganze Arbeit tue? Sag ihr, sie soll kommen und
mir helfen.«
41 Doch der Herr sagte zu ihr: »Meine liebe Marta, du sorgst
dich um so viele Kleinigkeiten! 42 Im Grunde ist doch nur eines
wirklich wichtig. Maria hat erkannt, was das ist – und ich
werde es ihr nicht nehmen.«

Jesus lehrt beten

11 1 Einmal hatte Jesus Halt gemacht, um zu beten. Als er
aufgehört hatte zu beten, kam einer seiner Jünger zu
ihm und bat: »Herr, lehre uns beten, so wie Johannes es seine
Jünger gelehrt hat.«
2 Jesus antwortete: »Wenn ihr betet, dann sprecht:
›Vater, dein Name werde geehrt. Dein Reich komme bald.
3 Gib uns jeden Tag die Nahrung, die wir brauchen.
4 Und vergib uns unsere Schuld – so wie auch wir denen ver-
geben, die an uns schuldig geworden sind.
Und lass nicht zu, dass wir der Versuchung nachgeben.‹«
5 Er sagte ihnen noch mehr über das Beten und erzählte ih-
nen folgendes Beispiel: »Angenommen, ihr geht um Mitter-
nacht zum Haus eines Freundes, um ihn um drei Brote zu
bitten. Ihr erklärt ihm: 6 ›Ein Freund von mir ist unerwartet
zu Besuch gekommen, und ich habe nichts zu essen im Haus.‹
7 Doch er ruft euch aus dem Schlafzimmer zu: ›Lass mich in
Ruhe. Die Tür ist schon für die Nacht verriegelt, und wir lie-
gen alle im Bett. Um diese Zeit kann ich dir nicht mehr helfen.‹

[8]Ich sage euch eins: Wenn er euch auch nicht aus Freundschaft
helfen will, wird er doch am Ende aufstehen und euch geben,
was ihr braucht, um seinem guten Ruf nicht zu schaden –
wenn ihr nur beharrlich genug klopft.

[9]Deshalb sage ich euch: Bittet, und ihr werdet erhalten.
Sucht, und ihr werdet finden. Klopft an, und die Tür wird
euch geöffnet werden. [10]Denn wer bittet, wird erhalten. Wer
sucht, wird finden. Und die Tür wird jedem geöffnet, der an-
klopft.

[11]Gibt es einen Vater, der seinem Kind eine Schlange hin-
hält, wenn es um einen Fisch bittet? [12]Oder wenn es um ein
Ei bittet, reicht er ihm dann einen Skorpion? Natürlich nicht!
[13]Wenn aber selbst ihr sündigen Menschen wisst, wie ihr eu-
ren Kindern Gutes tun könnt, wie viel eher wird euer Vater
im Himmel denen, die ihn bitten, den Heiligen Geist schen-
ken.«

Jesus und der Oberste der Dämonen

[14]Eines Tages trieb Jesus einen Dämon aus einem Mann aus,
der stumm war, und der Mann konnte daraufhin wieder spre-
chen. Die Menschen staunten, [15]doch ein paar von ihnen sag-
ten: »Kein Wunder, dass er Dämonen austreiben kann. Er hat
seine Macht vom Satan, dem Obersten der Dämonen!« [16]An-
dere wollten Jesus auf die Probe stellen, indem sie ein Zeichen
vom Himmel verlangten, um zu sehen, ob er wirklich von
Gott kam.

[17]Er wusste jedoch genau, was sie dachten, und sagte des-
halb: »Ein Königreich, das gegen sich selbst kämpft, ist dem
Untergang geweiht. Auch ein Haus, in dem Streit herrscht,
hat keinen Bestand. [18]Ihr behauptet, ich hätte meine Macht
vom Obersten der Dämonen. Doch wenn der Satan gegen
sich selbst kämpft, indem er mir die Vollmacht verleiht, seine
Dämonen auszutreiben, wie kann seine Herrschaft dann von
Dauer sein? [19]Und wenn ich meine Macht vom Herrscher der
Dämonen habe, was ist dann mit euren eigenen Leuten? Auch
sie treiben Dämonen aus – sie werden euch nach euren ei-
genen Worten richten. [20]Wenn ich aber Dämonen austrei-

be durch die Macht Gottes, dann ist das Reich Gottes zu euch
gekommen. 21Denn solange ein starker Mann bewaffnet sei-
nen Palast bewacht, ist sein Besitz sicher – 22bis ein Stärkerer
angreift und ihn besiegt. Und der Stärkere nimmt ihm seine
Waffen, auf die er vertraute, und verteilt seinen Besitz.

23Wer nicht für mich ist, ist gegen mich, und wer nicht Hand
in Hand mit mir arbeitet, arbeitet gegen mich.

24Wenn ein böser Geist einen Menschen verlässt, geht er in
die Wüste und sucht Ruhe. Wenn er sie jedoch nicht findet,
sagt er sich: ›Ich will zu dem Menschen zurückkehren, aus
dem ich ausgefahren bin.‹ 25Und so kommt der Geist zurück
und stellt fest, dass seine frühere Wohnung sorgfältig gefegt
und gesäubert wurde. 26Dann holt er sieben andere Geister,
die noch schlimmer sind als er selbst, und sie alle ziehen dort
ein. Dann ergeht es diesem Menschen noch schlimmer als zu-
vor.«

27Während er noch sprach, rief eine Frau in der Menge:
»Glücklich ist deine Mutter, die dich zur Welt brachte und an
ihren Brüsten nährte!«

28Er aber erwiderte: »Ja, aber glücklich sind alle, die das
Wort Gottes hören und danach leben.«

Das Zeichen Jonas

29Die Menge drängte sich um Jesus, und er sagte: »Es sind
böse Zeiten, und diese verdorbene Generation verlangt stän-
dig Wunder von mir. Doch das einzige Zeichen, das ihnen
gegeben wird, ist das Zeichen des Propheten Jona. 30Was mit
ihm geschah, war für die Einwohner Ninives ein Zeichen. Was
mit dem Menschensohn geschehen wird, wird das Zeichen
für diese Generation sein.

31Die Königin von Saba wird sich am Tag des Gerichts gegen
euch erheben und euch verurteilen, denn sie kam aus einem
fremden Land, um die Weisheiten König Salomos zu hören.
Und nun ist einer bei euch, der weit größer ist als Salomo –
doch ihr weigert euch, auf ihn zu hören. 32Und auch die Ein-
wohner Ninives werden sich am Tag des Gerichts gegen euch
erheben und euch verurteilen, denn sie haben auf Jonas Pre-

digt hin Reue gezeigt. Und nun ist einer bei euch, der weit größer ist als Jona – doch ihr weigert euch zu bereuen.

Das Licht annehmen

33Niemand zündet eine Lampe an und versteckt sie dann in einem verborgenen Winkel oder stellt sie unter ein umgestülptes Gefäß. Sie wird vielmehr auf einen Ständer gestellt, damit sie allen Licht gibt, die das Zimmer betreten. 34Dein Auge ist das Fenster deines Körpers. Ein klares Auge lässt das Licht bis in deine Seele dringen, doch ein schlechtes Auge sperrt das Licht aus und stürzt dich in Dunkelheit. 35Achte darauf, dass das Licht, das du hast, nicht Dunkelheit ist. 36Wenn du vom Licht erfüllt bist und keine Bereiche mehr dunkel in dir sind, dann wird dein ganzes Leben leuchten, als würde ein strahlendes Licht auf dich scheinen.«

Jesus kritisiert die jüdischen Religionsführer

37Während Jesus noch sprach, lud einer der Pharisäer ihn zu sich zum Essen ein. Er ging mit ihm und ließ sich zum Essen nieder. 38Sein Gastgeber wunderte sich, dass er die übliche Waschung vor der Mahlzeit ausgelassen hatte. 39Daraufhin sagte Jesus zu ihm: »Ihr Pharisäer achtet peinlich genau darauf, Becher und Teller äußerlich zu säubern, doch innerlich seid ihr alles andere als rein, sondern voller Habgier und Bosheit! 40Wie dumm von euch! Hat Gott nicht das Äußere und das Innere geschaffen? 41Deshalb gebt den Bedürftigen, was ihr in eurer Habgier zusammenrafft, und ihr werdet in allem rein sein.

42Doch es wird euch Pharisäern schlimm ergehen! Denn ihr gebt zwar den vorgeschriebenen zehnten Teil noch vom kleinsten Anteil eurer Einkünfte, doch die Gerechtigkeit und die Liebe Gottes vergesst ihr. Ihr sollt den zehnten Teil geben, das ist richtig, aber ihr dürft die wichtigeren Dinge dabei nicht außer Acht lassen.

43Schlimm wird es euch Pharisäern ergehen! Denn ihr liebt die Ehrenplätze in den Synagogen und die Ehrerbietung der Menschen, wenn ihr über den Markt spaziert! 44Ja, es wird

euch schlimm ergehen. Denn ihr seid wie verborgene Gräber auf einem Feld. Die Menschen gehen darüber und ahnen nicht, welche Verwesung unter ihren Füßen begraben liegt.«
45»Meister«, sagte ein Mann, der sich besonders gut im Gesetz Moses auskannte, »damit beleidigst du auch uns.«
46»Ja«, sagte Jesus, »auch euch, die ihr das Gesetz so gut kennt, wird es schlimm ergehen! Denn ihr ladet den Menschen unerfüllbare religiöse Forderungen auf, tut aber nicht das Geringste, um ihnen diese Last zu erleichtern. 47Schlimm
wird es euch ergehen! Ihr errichtet Grabmäler für die Propheten, die eure Vorfahren vor langer Zeit umgebracht haben.
48Ihr Mörder! Ihr bestätigt und erklärt für richtig, was eure Vorfahren getan haben, ja ihr hättet genauso gehandelt.
49Über euch hat Gott in seiner Weisheit gesagt: ›Ich werde ihnen Propheten und Apostel schicken, und sie werden einige töten und die anderen verfolgen.‹
50Ihr, die Angehörigen dieser Generation, werdet für die Ermordung aller Propheten Gottes seit der Erschaffung der Welt
zur Rechenschaft gezogen werden – 51angefangen von der Ermordung Abels bis zur Ermordung Secharjas, der zwischen dem Altar und dem Heiligtum getötet wurde. Ja, das alles wird euch zur Last gelegt werden.
52Wie schlimm wird es euch, die ihr das Gesetz kennt, ergehen! Denn ihr versteckt den Schlüssel der Erkenntnis vor den Menschen. Ihr kommt selbst nicht ins Reich Gottes und hindert andere daran, hineinzukommen.«
53Danach verließ Jesus das Haus. Aber von da an setzten ihm die Pharisäer und Schriftgelehrten mit vielen Fragen zu
54und versuchten, ihn zu einer Äußerung zu verleiten, die sie gegen ihn verwenden konnten.

Warnung vor Heuchelei

12 1Inzwischen drängten und schoben sich die Menschen zu Tausenden. Jesus wandte sich an seine Jünger und warnte sie: »Hütet euch vor dem Sauerteig der Pharisäer – hütet euch vor ihrer Heuchelei. 2Es kommt die Zeit, da wird alles offenbar werden; alles, was jetzt noch geheim ist, wird

dann öffentlich bekannt gemacht werden. 3Alles, was ihr im
Dunkeln gesagt habt, wird im Hellen zu hören sein, und was
ihr hinter verschlossenen Türen geflüstert habt, wird man von
den Dächern rufen, sodass alle es hören!

4Meine Freunde, habt keine Angst vor denen, die euch töten
wollen. Sie können nur den Körper töten; mehr können sie
euch nicht antun. 5Aber ich sage euch, wen ihr wirklich fürch-
ten sollt: Fürchtet Gott, der die Macht hat, Menschen zu töten
und sie danach in die Hölle zu werfen.

6Was kosten fünf Spatzen? Vielleicht ein paar Cent? Und
doch vergisst Gott nicht einen Einzigen von ihnen. 7Und
auch die Haare auf eurem Kopf sind alle gezählt. Habt des-
halb keine Angst, denn ihr seid ihm wertvoller als ein ganzer
Schwarm Spatzen.

8Und ich versichere euch: Wer sich hier auf der Erde zu mir
bekennt, zu dem wird sich der Menschensohn auch in der
Gegenwart der Engel Gottes bekennen. 9Aber wer mich hier
auf der Erde verleugnet, der wird auch vor den Engeln Gottes
verleugnet werden. 10Dennoch kann dem, der schlecht über
den Menschensohn spricht, vergeben werden; aber dem, der
gegen den Heiligen Geist lästert, wird niemals vergeben wer-
den.

11Und wenn man euch in den Synagogen und vor Herr-
schern und Beamten den Prozess machen wird, dann macht
euch keine Sorgen darüber, was ihr zu eurer Verteidigung
vorbringen sollt. 12Denn in diesem Moment wird der Heilige
Geist euch lehren, was ihr sagen sollt.«

Das Gleichnis vom reichen Bauern

13Da rief einer aus der Menge: »Meister, sag doch meinem
Bruder, dass er das väterliche Erbe mit mir teilen soll.«

14Jesus erwiderte: »Wer hat mich zum Richter über euch ge-
macht, um in solchen Dingen zu entscheiden?« 15Und er fuhr
fort: »Nehmt euch in Acht! Begehrt nicht das, was ihr nicht
habt. Das wahre Leben wird nicht daran gemessen, wie viel
wir besitzen.«

16Und er gab ihnen folgendes Gleichnis: »Ein wohlhabender

Mann besaß einen großen Hof mit Äckern, die reiche Ernten
brachten, 17so viel, dass seine Scheunen die Erträge nicht fas-
sen konnten. 18Da sagte er sich: ›Ich weiß, was ich mache! Ich
werde meine Scheunen abreißen und größere bauen. Auf die-
se Weise habe ich genug Platz, um alles zu lagern. 19Und dann
werde ich mich zurücklehnen und mir sagen: Mein Freund,
du hast für Jahre genug eingelagert. Genieße das Leben. Iss,
trink und sei fröhlich!‹
20Aber Gott sagte zu ihm: ›Wie dumm von dir! Du wirst
noch heute Nacht sterben. Und wer wird dann das alles be-
kommen?‹
21Ihr seht, wie dumm es ist, auf der Erde Reichtümer anzu-
häufen und dabei nicht nach Reichtum bei Gott zu fragen.«

Lehre über Geld und Besitz

22Darauf wandte Jesus sich wieder an seine Jünger: »Deshalb
sage ich euch: Sorgt euch nicht um Alltägliches – ob ihr genug
zu essen oder anzuziehen habt, 23denn das Leben besteht aus
weit mehr als Nahrung und Kleidung. 24Seht die Raben an. Sie
brauchen nicht zu säen, zu ernten oder Vorratsscheunen zu
bauen, denn Gott ernährt sie. Und ihr seid ihm doch weit
wichtiger als irgendwelche Vögel! 25Können all eure Sorgen
euer Leben auch nur um einen einzigen Augenblick verlän-
gern? Natürlich nicht! 26Und wenn euer Sorgen schon in so
geringen Dingen nichts bewirkt, was nützt es da, sich um grö-
ßere Dinge zu sorgen?
27Seht doch die Lilien, wie sie wachsen. Sie arbeiten nicht
und nähen sich keine Kleider, und doch war Salomo in all
seiner Pracht nicht so schön gekleidet wie eine von ihnen.
28Wenn Gott schon für die Blumen so wunderbar sorgt, die
heute blühen und morgen bereits verwelkt sind, wie viel
mehr wird er da für euch sorgen? Euer Glaube ist so klein!
29Macht euch keine Gedanken über eure Nahrung – was ihr
essen oder trinken sollt. Macht euch keine Gedanken da-
rüber, ob Gott euch damit versorgen wird. 30Diese Dinge
beherrschen das Denken der meisten Menschen, doch euer
Vater weiß, was ihr braucht. 31Er wird euch jeden Tag alles

Nötige geben, wenn das Reich Gottes für euch das Wichtigs-
te ist.
32Hab also keine Angst, kleine Herde. Denn es macht eurem
Vater große Freude, euch das Reich Gottes zu schenken.
33Verkauft, was ihr habt, und gebt es den Bedürftigen. Auf
diese Weise sammelt ihr euch Schätze im Himmel! Und die
Geldbörsen des Himmels haben keine Löcher. Dort ist euer
Schatz sicher – kein Dieb kann ihn stehlen und keine Motte
ihn zerfressen. 34Wo immer euer Reichtum ist, da wird auch
euer Herz sein.

Seid bereit für das Kommen des Herrn

35Haltet euch bereit und seid wach 36wie jemand, der auf die
Rückkehr seines Herrn vom Hochzeitsfest wartet. Dann wer-
det ihr die Tür öffnen und ihn sofort hereinlassen können,
wenn er kommt und anklopft. 37Glücklich sind diejenigen,
die vorbereitet sind und seine Rückkehr erwarten. Ich ver-
spreche euch, er wird sie Platz nehmen lassen, sich eine Schür-
ze umbinden und sie bedienen, während sie sitzen und essen!
38Vielleicht kommt er mitten in der Nacht oder kurz vor der
Morgendämmerung. Doch wann er auch kommt: Glücklich
sind all diejenigen von seinen Dienern, die dann bereit sind!
39Eines solltet ihr wissen: Wenn ein Hausbesitzer wüsste,
wann der Einbrecher kommt, würde er nicht zulassen, dass
er einbricht. 40Deshalb müsst ihr jederzeit bereit sein, denn
der Menschensohn wird dann kommen, wenn ihr es am we-
nigsten erwartet.«
41Petrus fragte: »Herr, meinst du damit nur uns oder alle
Menschen?«
42Da erwiderte der Herr: »Ich spreche von jedem treuen, um-
sichtigen Diener, dem der Herr die Verantwortung überträgt,
sein Haus zu verwalten und seine Familie zu versorgen.
43Glücklich dran ist der Diener, wenn der Herr zurückkommt
und feststellt, dass er seine Sache gut gemacht hat. 44Ich ver-
sichere euch: Der Herr wird diesem Diener die Verant-
wortung über seinen gesamten Besitz übertragen. 45Wenn
der Diener jedoch denkt: ›Mein Herr wird noch lange nicht

zurückkommen‹ und anfängt, die anderen Diener herum-
zukommandieren, Feste zu feiern und sich zu betrinken –
46nun, dann wird der Herr eines Tages unangekündigt und
zu unerwarteter Stunde zurückkehren. Dann wird er den Die-
ner davonjagen und ihn zu den Ungläubigen verbannen.
47Der Diener wird hart bestraft werden, denn er hat seine
Pflichten nicht erfüllt, obwohl er den Willen seines Herrn
kannte.

48Menschen, die diesen Willen nicht kennen und unrecht
tun, werden nur leicht bestraft werden. Von den Menschen
jedoch, denen viel anvertraut wurde, wird viel verlangt, und
von denjenigen, denen noch mehr anvertraut wurde, wird
auch noch viel mehr verlangt werden.

Rechtzeitig Entscheidungen treffen

49Ich bin gekommen, um Feuer auf der Erde zu entzünden,
und ich wünschte, meine Aufgabe wäre schon erfüllt! 50Eine
schreckliche Taufe steht mir bevor, und der Gedanke daran
lastet schwer auf mir, bis sie vollzogen ist. 51Glaubt ihr, ich
bin gekommen, um der Welt Frieden zu bringen? Nein, ich
bin gekommen, um Zwietracht zu säen! 52Von nun an werden
ganze Familien auseinanderbrechen, weil drei für mich und
zwei gegen mich sind – oder umgekehrt. 53Es wird zu Streit
zwischen Vater und Sohn, Mutter und Tochter, Schwieger-
mutter und Schwiegertochter kommen.«

54Daraufhin wandte Jesus sich an die Menge und sagte:
»Wenn ihr seht, wie sich im Westen Wolken bilden, sagt ihr:
›Es wird Regen geben.‹ Und ihr habt recht. 55Wenn ein Süd-
wind weht, sagt ihr: ›Heute wird es heiß werden.‹ Und genau
so ist es. 56Ihr Heuchler! Die Erscheinungen der Erde und des
Himmels versteht ihr zu deuten, aber die Zeichen dieser Zeit
könnt ihr nicht deuten.

57Warum könnt ihr nicht selbst entscheiden, was richtig ist?
58Wenn du auf dem Weg zum Gericht bist und deinen Anklä-
ger triffst, versuche doch, die Angelegenheit zu bereinigen,
bevor sie vor den Richter kommt, sonst wirst du womöglich
verurteilt, dem Gerichtsdiener übergeben und ins Gefängnis

geworfen. 59Und wenn das geschieht, wirst du nicht eher frei-
kommen, bis du auch den letzten Cent bezahlt hast.«

Ein Aufruf zur Umkehr

13 1Zu dieser Zeit erfuhr Jesus, dass Pilatus einige Leute
aus Galiläa hatte ermorden lassen, während sie in Je-
rusalem im Tempel Opfer darbrachten. 2»Meint ihr, diese
Galiläer seien größere Sünder gewesen als andere Menschen
in Galiläa?«, fragte er. »Glaubt ihr, dass sie deshalb leiden
mussten? 3Ganz und gar nicht! Ihr werdet genauso umkom-
men, wenn ihr euch nicht von euren bösen Wegen abkehrt
und euch Gott zuwendet. 4Und was ist mit den achtzehn
Männern, die starben, als der Turm von Siloah auf sie herab-
stürzte? Waren sie etwa die größten Sünder in Jerusalem?
5Nein. Ich sage euch noch einmal: Wenn ihr nicht Reue zeigt
und auf eurem Weg umkehrt, werdet ihr genauso umkom-
men.«

Gleichnis vom Feigenbaum

6Dann erzählte Jesus folgendes Gleichnis: »Ein Mann pflanzte
in seinem Garten einen Feigenbaum und kam von Zeit zu Zeit
nachsehen, ob er schon Früchte trug, aber er wurde jedes Mal
enttäuscht. 7Schließlich sagte er zu seinem Gärtner: ›Ich habe
jetzt drei Jahre gewartet und noch keine einzige Feige gese-
hen! Fälle den Baum. Er beansprucht nur noch unnötig den
Boden.‹

8Der Gärtner erwiderte: ›Gib ihm noch ein Jahr Zeit. Ich wer-
de ihn besonders pflegen und kräftig düngen. 9Wenn wir
dann im nächsten Jahr Feigen ernten, gut. Wenn nicht, kannst
du ihn fällen.‹«

Jesus heilt am Sabbat

10Als Jesus einmal an einem Sabbat in der Synagoge lehrte,
11sah er eine Frau, die durch einen bösen Geist verkrüppelt
war. Seit achtzehn Jahren war sie verkrümmt und konnte
nicht gerade stehen. 12Als Jesus sie sah, rief er sie zu sich und
sagte: »Frau, du bist von deiner Krankheit erlöst!« 13Dann be-

rührte er sie, und sofort konnte sie sich aufrichten. Da lobte sie
Gott und dankte ihm!
14Der Synagogenvorsteher war jedoch empört darüber, dass
Jesus die Frau an einem Sabbat geheilt hatte. »Die Woche hat
sechs Tage, an denen man arbeiten kann«, sagte er zu den
Versammelten: »Kommt an diesen Tagen, um euch heilen zu
lassen, aber nicht am Sabbat.«
15Doch der Herr sagte: »Ihr Heuchler! Arbeitet ihr nicht auch
am Sabbat, wenn ihr euren Ochsen oder Esel im Stall losbin-
det und zur Tränke hinausführt? 16War es denn nicht genauso
dringend, dass ich diese Frau – sie ist ja eine Tochter Abra-
hams – von der Fessel befreite, in der der Satan sie seit acht-
zehn Jahren gefangen hielt? Und das, auch wenn gerade Sab-
bat ist?« 17Damit beschämte er seine Feinde. Und alle anderen
freuten sich über die wunderbaren Dinge, die er tat.

Das Gleichnis vom Senfkorn

18Dann sagte Jesus: »Wie ist das Reich Gottes? Wie kann ich es
beschreiben? 19Es gleicht einem winzigen Senfkorn, das in ei-
nem Garten gepflanzt wird. Es wächst zu einem Baum heran,
und die Vögel kommen und finden Schutz in seinen Zwei-
gen.«

Das Gleichnis vom Sauerteig

20Er fragte weiter: »Wie kann ich das Reich Gottes noch be-
schreiben? 21Es ist wie Sauerteig, den eine Frau zum Brotba-
cken verwendet. Auch wenn sie eine große Menge Mehl be-
nutzt, durchdringt der Sauerteig den ganzen Teig.«

Die enge Tür

22Jesus zog auf dem Weg nach Jerusalem durch die Städte und
Dörfer und lehrte. 23Jemand fragte ihn: »Herr, werden nur
wenige errettet werden?«
Er erwiderte: 24»Die Tür zum Himmel ist eng. Bemüht euch
hineinzukommen, denn viele werden es versuchen, 25doch
wenn der Hausherr die Tür verschlossen hat, wird es zu spät
sein. Dann werdet ihr draußen stehen, klopfen und bitten:

›Herr, öffne uns!‹ Doch er wird entgegnen: ›Ich kenne euch
nicht.‹ 26Ihr werdet sagen: ›Aber wir haben doch mit dir gegessen und getrunken, und du hast in unseren Straßen gelehrt.‹ 27Da wird er entgegnen: ›Ich sage euch: Ich kenne euch nicht. Fort mit euch, die ihr böse und ungerechte Dinge tut.‹

28Dann wird lautes Weinen und Zähneknirschen ertönen, denn ihr werdet Abraham, Isaak, Jakob und die Propheten im Reich Gottes sehen, ihr aber werdet hinausgeworfen.
29Dann werden Menschen aus der ganzen Welt kommen und ihre Plätze im Reich Gottes einnehmen. 30Und macht euch eines klar: Manche, die jetzt gering geachtet sind, werden dann geehrt sein; und andere, die jetzt geehrt werden, werden dann gering geachtet sein.«

Jesus trauert über Jerusalem

31Etwas später sagten ein paar Pharisäer zu ihm: »Geh lieber fort von hier, wenn du am Leben bleiben willst. Herodes Antipas will dich umbringen!«

32Jesus erwiderte: »Geht und sagt diesem Fuchs, dass ich heute und morgen weiter Dämonen austreiben und Menschen gesund machen werde; und am dritten Tag wird mein Werk vollendet. 33Ja, heute, morgen und auch am Tag darauf muss ich meinen Weg gehen. Denn es ist nicht möglich, dass ein Prophet Gottes woanders als in Jerusalem getötet wird!

34Jerusalem, Jerusalem, du Stadt, die Propheten tötet und die Boten Gottes steinigt! Wie oft wollte ich deine Kinder sammeln, wie eine Henne ihre Küken unter ihren Flügeln birgt, aber du wolltest es nicht zulassen. 35Und nun sieh doch: Dein Haus wird veröden. Und du wirst mich nicht wieder sehen, bis du selbst rufst: ›Gepriesen sei, der da kommt im Namen des Herrn!‹«

Jesus heilt am Sabbat

14 1An einem Sabbat war Jesus im Haus eines hochrangigen Pharisäers. Die Leute beobachteten ihn genau. 2Es befand sich dort ein Mann, dessen Gliedmaßen geschwollen waren. 3Jesus fragte die Pharisäer und Gesetzeskenner: »Ist es

nun nach dem Gesetz erlaubt, Menschen am Sabbat zu heilen,
oder nicht?« 4Als sie nicht antworten wollten, berührte Jesus
den kranken Mann, heilte ihn und schickte ihn fort. 5Dann
wandte er sich an sie und fragte: »Wer von euch würde am
Sabbat nicht arbeiten, wenn es nötig ist? Wenn euer Sohn
oder euer Ochse in einen Graben fällt, geht ihr dann nicht
sofort hin und zieht ihn heraus?« 6Und wieder wussten sie
keine Antwort.

Von der Demut

7Als Jesus sah, dass alle, die zum Essen gekommen waren,
sich einen Platz am oberen Ende des Tischs aussuchten, sagte
er zu ihnen: 8»Wenn du zu einem Hochzeitsfest eingeladen
bist, strebe nicht nach dem besten Platz. Denn was ist, wenn
jemand eingeladen wurde, der angesehener ist als du? 9Der
Gastgeber wird sagen: ›Lass diesen Mann hier Platz nehmen.‹
Und dann musst du beschämt aufstehen und zum letzten
Platz gehen, der übrig geblieben ist!

10Setz dich stattdessen zunächst ans untere Tischende.
Wenn dein Gastgeber dich dann sieht, wird er kommen und
sagen: ›Freund, wir haben aber einen besseren Platz für dich!‹
So wirst du vor allen anderen Gästen geehrt werden.

11Denn die Stolzen werden gedemütigt, die Demütigen aber
geehrt werden.«

12Dann wandte er sich an seinen Gastgeber: »Wenn du mit-
tags oder abends Gäste zum Essen einlädst, dann lade nicht
deine Freunde, Brüder, Verwandten oder reichen Nachbarn
ein. Denn sie werden es dir vergelten, indem sie dich ebenfalls
einladen. 13Lade vielmehr die Armen, die Krüppel, die Ge-
lähmten und die Blinden ein. 14Bei der Auferstehung der Got-
tesfürchtigen bist du glücklich dran, denn Gott wird dich be-
lohnen, weil du Menschen eingeladen hast, die es dir nicht
vergelten konnten.«

Das Gleichnis vom großen Fest
15Als ein Mann, der mit Jesus am Tisch saß, das hörte, rief er
aus: »Glücklich sind die dran, die am Festessen im Reich Got-
tes teilnehmen!«
16Jesus antwortete ihm mit folgendem Gleichnis: »Ein Mann
bereitete ein großes Fest vor und verschickte viele Einladun-
gen. 17Als alles vorbereitet war, sandte er seinen Diener aus,
der den Gästen sagen sollte, dass es Zeit war, zum Fest zu
kommen. 18Aber sie fingen alle an, Entschuldigungen vor-
zubringen. Einer sagte, er habe gerade ein Feld gekauft und
wolle es nun begutachten; er bat, ihn deshalb zu entschuldi-
gen. 19Ein anderer erklärte, dass er gerade fünf Paar Ochsen
gekauft habe und sie prüfen wolle. 20Wieder ein anderer hatte
gerade geheiratet und meinte, er könne deshalb nicht kom-
men.
21Der Diener kam zurück und berichtete seinem Herrn, was
sie gesagt hatten. Da wurde der Herr zornig und sagte: ›Geh
hinaus auf die Straßen und Wege der Stadt und lade die Ar-
men, die Krüppel, die Lahmen und die Blinden ein.‹ 22Der
Diener tat, was ihm aufgetragen worden war, und berichtete
dann: ›Wir haben noch Platz für weitere Gäste.‹ 23Da sagte
sein Herr: ›Geh hinaus auf die Landstraßen und hinter die
Hecken und dränge darauf, dass alle kommen, damit mein
Haus voll wird. 24Denn keiner von denen, die ich zuerst einge-
laden habe, soll auch nur das Geringste von dem bekommen,
was ich für sie vorbereitet hatte.‹«

Der Preis der Nachfolge
25Eine große Menschenmenge begleitete Jesus. Er wandte sich
um und sagte zu ihnen: 26»Wer mir nachfolgen will, muss
mich mehr lieben als Vater und Mutter, Frau und Kinder, Brü-
der und Schwestern – ja, mehr als sein Leben. Sonst kann er
nicht mein Jünger sein. 27Und ihr könnt auch nicht meine Jün-
ger sein, wenn ihr nicht euer Kreuz auf euch nehmt und mir
nachfolgt.
28Aber kommt nicht, ehe ihr nicht die Kosten berechnet habt.
Denn wer würde mit dem Bau eines Hauses beginnen, ohne

zuvor die Kosten zu überschlagen und zu prüfen, ob das Geld
reicht, um alle Rechnungen zu bezahlen? 29Sonst stellt er viel-
leicht das Fundament fertig, und dann geht ihm das Geld aus.
Wie würden ihn da alle auslachen! 30Sie würden sagen: ›Das
ist der, der mit dem Bau eines Hauses angefangen hat und
dann nicht genug Geld hatte, es fertigzustellen!‹

31Oder welcher König käme je auf den Gedanken, in den
Krieg zu ziehen, ohne sich zuvor mit seinen Beratern zusam-
menzusetzen und zu erörtern, ob seine Armee von zehntau-
send Soldaten stark genug ist, die zwanzigtausend Soldaten
zu besiegen, die gegen ihn aufmarschieren? 32Wenn er dazu
nicht in der Lage ist, wird er dem Feind, wenn dieser noch
weit weg ist, Unterhändler entgegenschicken und versuchen,
einen Frieden auszuhandeln. 33Genauso kann auch niemand
mein Jünger sein, ohne alles für mich aufzugeben.

34Salz ist gut zum Würzen. Aber wie macht man es wieder
salzig, wenn es seine Würzkraft verliert? 35Es eignet sich we-
der für den Boden noch als Dünger. Vielmehr wird es wegge-
worfen. Wer bereit ist zu hören, soll zuhören und begreifen!«

Das Gleichnis vom verlorenen Schaf

15 1Oft kamen Steuereintreiber und andere, die als Sün-
der galten, um Jesus lehren zu hören. 2Die Pharisäer
und Schriftgelehrten nahmen Anstoß daran, dass er sich mit
so verrufenen Leuten abgab und sogar mit ihnen aß!

3Deshalb erzählte Jesus ihnen folgendes Gleichnis: 4»Wenn
jemand hundert Schafe hätte, und eines würde weglaufen
und sich in der Wüste verirren, würde er dann nicht die neun-
undneunzig Schafe zurücklassen, um das verlorene zu su-
chen, bis er es wiedergefunden hätte? 5Und dann würde er es
voller Freude auf seinen Schultern nach Hause tragen. 6Wie-
der daheim, würde er alle Freunde und Nachbarn zusam-
menrufen, damit sie sich mit ihm darüber freuen, dass er sein
verlorenes Schaf wiedergefunden hat. 7Genauso ist im Him-
mel die Freude über einen verlorenen Sünder, der zu Gott
zurückkehrt, größer als über neunundneunzig andere, die ge-
recht sind und gar nicht erst vom Weg abirrten!

Das Gleichnis von der verlorenen Münze
8Oder nehmt einmal an, eine Frau hätte zehn Drachmen und
würde eine verlieren. Würde sie nicht eine Lampe anzünden
und das ganze Haus auf den Kopf stellen, bis sie sie gefunden
hätte? 9Und wenn sie sie gefunden hätte, würde sie nicht ihre
Freundinnen und Nachbarinnen rufen, damit sie sich mit ihr
freuen, dass sie ihre verlorene Münze wiedergefunden hat?
10Genauso herrscht Freude bei den Engeln Gottes, wenn
auch nur ein einziger Sünder bereut und auf seinem Weg um-
kehrt.«

Das Gleichnis vom verlorenen Sohn
11Und Jesus erzählte ihnen auch folgendes Gleichnis: »Ein
Mann hatte zwei Söhne. 12Der jüngere Sohn sagte zu seinem
Vater: ›Ich möchte mein Erbteil von deinem Besitz schon jetzt
haben.‹ Da erklärte der Vater sich bereit, seinen Besitz zwi-
schen seinen Söhnen aufzuteilen.

13Einige Tage später packte der jüngere Sohn seine Sachen
und ging auf Reisen in ein fernes Land, wo er sein ganzes
Geld verprasste. 14Etwa um die Zeit, als ihm das Geld aus-
ging, brach in jenem Land eine große Hungersnot aus, und
er hatte nicht genug zu essen. 15Da überredete er einen Bau-
ern, ihm Arbeit zu geben, und er durfte seine Schweine hüten.
16Der junge Mann war so hungrig, dass er die Schoten, die er
an die Schweine verfütterte, am liebsten selbst gegessen hätte.
Aber niemand gab ihm etwas.

17Schließlich überlegte er und sagte sich: ›Daheim haben
die Tagelöhner mehr als genug zu essen, und ich sterbe hier
vor Hunger! 18Ich will zu meinem Vater nach Hause gehen
und sagen: Vater, ich habe gesündigt, gegen den Himmel
und auch gegen dich, 19und ich bin es nicht mehr wert, dein
Sohn zu heißen. Bitte stell mich als einen deiner Tagelöhner
ein.‹

20So kehrte er zu seinem Vater nach Hause zurück. Er war
noch weit entfernt, als sein Vater ihn kommen sah. Voller Lie-
be und Mitleid lief er seinem Sohn entgegen, schloss ihn in die
Arme und küsste ihn. 21Sein Sohn sagte zu ihm: ›Vater, ich

habe gesündigt, gegen den Himmel und auch gegen dich, und bin es nicht mehr wert, dein Sohn zu heißen.‹
22Aber sein Vater sagte zu den Dienern: ›Schnell! Bringt die besten Kleider im Haus und zieht sie ihm an. Holt einen Ring für seinen Finger und Sandalen für seine Füße.
23Und schlachtet das Kalb, das wir im Stall gemästet haben,
24denn mein Sohn hier war tot und ist ins Leben zurückgekehrt. Er war verloren, aber nun ist er wiedergefunden.‹ Und ein Freudenfest begann.
25Währenddessen war der ältere Sohn draußen auf den Feldern und arbeitete. Als er heimkam, hörte er Musik und Tanz im Haus
26und fragte einen der Diener, was da los sei.
27›Dein Bruder ist wieder da‹, erfuhr er, ›und dein Vater hat das Kalb geschlachtet, das wir gemästet hatten, und gibt nun ein großes Fest. Wir feiern, dass er wohlbehalten zurückgekehrt ist.‹
28Da wurde der ältere Bruder zornig und wollte nicht ins Haus gehen. Sein Vater kam heraus und redete ihm zu,
29aber er sagte: ›All die Jahre habe ich schwer für dich gearbeitet und dir nicht ein einziges Mal widersprochen, wenn du mir etwas aufgetragen hast. Und in dieser ganzen Zeit hast du mir nicht einmal eine junge Ziege gegeben, um mit meinen Freunden ein Fest zu feiern.
30Doch jetzt, wenn dein Sohn daherkommt, nachdem er dein Geld mit Huren durchgebracht hat, feierst du und schlachtest unser bestes Kalb.‹
31Sein Vater sagte zu ihm: ›Sieh, mein lieber Sohn, du und ich, wir stehen uns sehr nahe, und alles, was ich habe, gehört dir.
32Wir mussten diesen Freudentag feiern, denn dein Bruder war tot und ist ins Leben zurückgekehrt! Er war verloren, aber jetzt ist er wiedergefunden!‹«

Das Gleichnis vom unehrlichen Verwalter

16 1Jesus erzählte seinen Jüngern folgendes Gleichnis: »Ein reicher Mann stellte einen Verwalter ein, der ihm die Geschäfte führen sollte, aber schon bald kam ihm zu Ohren, dass der Verwalter ein Betrüger war.
2Da rief er ihn zu sich und sagte zu ihm: ›Was höre ich da? Du hast mich bestoh-

len? Mach deinen Bericht fertig, denn ich werde dich entlas-
sen.‹

3Der Verwalter dachte sich: ›Was soll ich nun tun? Hier kann
ich nicht mehr arbeiten. Um Gräben zu schaufeln fehlt mir die
Kraft. Und zum Betteln bin ich zu stolz. 4Ich weiß, was ich tun
muss, damit ich viele Freunde haben werde, die sich um mich
kümmern, wenn ich hier fort muss!‹

5Und er rief alle zu sich, die seinem Herrn Geld schuldeten,
um ihre Lage mit ihm zu besprechen. Den Ersten fragte er:
›Wie viel schuldest du ihm?‹ 6Der Mann antwortete: ›Ich
schulde ihm hundert Fässer Olivenöl.‹ Da sagte der Verwal-
ter: ›Zerreiß den Schuldschein und schreibe einen neuen über
fünfzig Fässer.‹

7›Und wie viel schuldest du meinem Herrn?‹, fragte er den
Nächsten. ›Hundert Sack Weizen‹, lautete die Antwort.
›Hier‹, sagte der Verwalter, ›nimm deine Rechnung und erset-
ze sie durch eine andere über achtzig Sack.‹

8Der reiche Mann konnte den unehrlichen Verwalter für sei-
ne Klugheit nur bewundern; denn die Menschen dieser Welt
sind tatsächlich klüger als die Gottesfürchtigen. 9Ich sage
euch: Nutzt euren weltlichen Besitz zum Wohl anderer und
macht euch damit Freunde. Auf diese Weise sammelt ihr
euch mit eurer Großzügigkeit Lohn im Himmel an.

10Wer in kleinen Dingen treu ist, wird auch in großen treu
sein. Und wer schon in geringen Angelegenheiten betrügt,
wird auch bei größerer Verantwortung nicht ehrlich sein.
11Wenn ihr bei weltlichem Besitz nicht vertrauenswürdig seid,
wer wird euch die wahren Reichtümer des Himmels verwal-
ten lassen? 12Und wenn ihr mit dem Geld anderer Leute nicht
treu seid, warum sollte man euch eigenes Geld anvertrauen?

13Niemand kann zwei Herren dienen. Denn man wird im-
mer den einen hassen und den anderen lieben oder dem einen
gehorchen, den anderen aber verachten. Ihr könnt nicht Gott
und dem Geld zugleich dienen.«

14Die Pharisäer, die sehr an ihrem Geld hingen, spotteten
über Jesus, als sie das hörten. 15Da sagte er zu ihnen: »In der
Öffentlichkeit wollt ihr gut dastehen, aber Gott kennt eure

bösen Herzen. Was in dieser Welt hoch angesehen wird, ist in
Gottes Augen ein Gräuel.
16Bis Johannes der Täufer zu predigen begann, hörtet ihr auf
das Gesetz Moses und die Propheten. Nun wird die Botschaft
vom Reich Gottes verkündet, und die Menschen drängen sich
mit Gewalt hinein. 17Doch das bedeutet nicht, dass das Gesetz
seine Gültigkeit auch nur im geringsten verloren hätte. Es ist
stärker und dauerhafter als Himmel und Erde.
18Wer sich von seiner Frau scheiden lässt und eine andere
heiratet, begeht Ehebruch, und wer eine geschiedene Frau
heiratet, begeht ebenfalls Ehebruch.«

Der reiche Mann und Lazarus

19Jesus sagte: »Es war einmal ein reicher Mann, der pracht-
voll gekleidet war und jeden Tag im Luxus lebte. 20Vor seiner
Tür lag ein kranker Bettler namens Lazarus, 21der sich nach
den Abfällen vom Tisch des Reichen sehnte. Um ihn herum
strichen die Hunde und leckten seine Geschwüre. 22Schließ-
lich starb der Bettler und wurde von den Engeln zu Abra-
ham getragen. Auch der reiche Mann starb und wurde be-
graben, 23und seine Seele kam ins Totenreich. Während er
dort Qualen litt, sah er in großer Entfernung Lazarus bei
Abraham.
24Der reiche Mann rief: ›Vater Abraham, hab Mitleid mit
mir! Schicke mir Lazarus, damit er seine Fingerspitze in Was-
ser taucht und mir die Zunge kühlt, denn ich leide entsetzli-
che Qualen in diesen Flammen.‹
25Doch Abraham sagte zu ihm: ›Sohn, erinnere dich, dass du
in deinem Leben alles hattest, was du wolltest, während La-
zarus nichts hatte. So wird er jetzt hier getröstet, und du lei-
dest. 26Außerdem trennt uns eine tiefe Kluft voneinander. Wer
von hier zu euch gelangen will, wird durch diesen Abgrund
daran gehindert, und ebenso kann von euch niemand hier
herüberkommen.‹
27Daraufhin sagte der reiche Mann: ›Bitte, Vater Abraham,
schicke Lazarus zum Haus meines Vaters. 28Denn ich habe

fünf Brüder und möchte sie vor diesem Ort der Qual warnen,
damit sie nicht hierher kommen müssen, wenn sie sterben.‹
29Doch Abraham sagte: ›Mose und die Propheten haben sie
gewarnt. Deine Brüder können jederzeit auf sie hören, wenn
sie es wollen.‹
30Der reiche Mann erwiderte: ›Nein, Vater Abraham! Wenn
aber einer von den Toten zu ihnen geschickt wird, dann wer-
den sie umkehren und sich von ihren Sünden abwenden.‹
31Doch Abraham sagte: ›Wenn sie nicht auf Mose und die
Propheten hören, dann werden sie sich auch nicht überzeu-
gen lassen, wenn einer von den Toten aufersteht.‹«

Lehren über Vergebung und Glauben

17 1Eines Tages sagte Jesus zu seinen Jüngern: »Es wird
immer Versuchungen geben, die zum Bösen verfüh-
ren, doch wie schlimm wird es erst dem Menschen ergehen,
der andere zur Sünde verleitet. 2Es wäre besser, mit einem
großen Mühlstein um den Hals ins Meer geworfen zu wer-
den, als die Strafe dafür erleiden zu müssen, dass man einem
dieser Kleinen Schaden zugefügt hat. 3Ich warne euch! Wenn
dein Bruder sündigt, dann ermahne ihn, und wenn er Reue
zeigt und von seinem Weg umkehrt, vergib ihm. 4Und wenn
er dir sieben Mal am Tag unrecht tut und jedes Mal umkehrt
und um Vergebung bittet, vergib ihm.«
5Eines Tages sagten die Apostel zum Herrn: »Stärke unseren
Glauben.«
6»Wenn euer Glaube nur so klein wäre wie ein Senfkorn«,
antwortete der Herr, »könntet ihr zu diesem Maulbeerfeigen-
baum sagen: ›Du sollst dich entwurzeln und ins Meer wer-
fen‹, und er würde euch gehorchen!
7Wenn ein Knecht vom Pflügen oder Schafehüten zurück-
kommt, setzt er sich nicht einfach hin und isst. 8Zuerst muss
er seinem Herrn das Abendessen zubereiten und ihn bedie-
nen, bevor er sein eigenes Abendbrot verzehrt. 9Und der
Knecht hat dafür noch nicht einmal Dank zu erwarten, denn
er tut nur seine Pflicht. 10Wenn ihr mir gehorcht, sollt auch ihr

sagen: ›Wir haben keine besondere Anerkennung verdient. Wir sind Diener und haben nur unsere Pflicht getan.‹«

Zehn Aussätzige werden geheilt

11Auf seinem Weg nach Jerusalem gelangte Jesus an die Gren-
ze zwischen Galiläa und Samarien. 12Als er dort in ein Dorf
kam, standen in einiger Entfernung zehn Aussätzige 13und
riefen: »Jesus, Meister, hab Mitleid mit uns!«
14Er sah sie an und sagte: »Geht und zeigt euch den Pries-
tern.« Und während sie gingen, verschwand ihr Aussatz.
15Einer von ihnen kam, als er es merkte, zu Jesus zurück und
rief: »Dank sei Gott, ich bin geheilt!« 16Und er fiel vor Jesus
nieder und dankte ihm. Dieser Mann war ein Samaritaner.
17Jesus fragte: »Sind nicht zehn Menschen geheilt worden?
Wo sind die anderen neun? 18Kehrt nur dieser Fremde zurück,
um Gott die Ehre zu geben?« 19Und er sagte zu dem Mann:
»Steh auf und geh. Dein Glaube hat dich gerettet.«

Das Kommen des Reiches Gottes

20Eines Tages fragten die Pharisäer Jesus: »Wann wird das
Reich Gottes kommen?«
Jesus erwiderte: »Das Reich Gottes wird nicht durch sicht-
bare Zeichen angekündigt. 21Ihr werdet nicht sagen können:
›Hier ist es!‹, oder: ›Es ist dort drüben!‹ Denn das Reich Gottes
ist mitten unter euch.«
22Später sprach er mit seinen Jüngern noch einmal darüber.
»Es kommt die Zeit, da werdet ihr euch danach sehnen, den
Menschensohn auch nur einen Tag bei euch zu haben, aber es
wird euch nicht möglich sein. 23Man wird euch berichten, der
Menschensohn sei zurückgekehrt und halte sich hier oder
dort auf. Glaubt solchen Berichten nicht und sucht auch nicht
nach ihm. 24Denn wenn der Menschensohn wiederkommt,
wird es so offensichtlich sein wie ein Blitz, der den Himmel
von einem Ende bis zum anderen erhellt. 25Doch zuerst muss
der Menschensohn vieles erleiden und von dieser Generation
abgelehnt werden.

26Wenn der Menschensohn wiederkommt, wird es in der
Welt zugehen wie zur Zeit Noahs. 27In jener Zeit vor der Flut
feierten die Menschen Feste und Hochzeiten bis zu dem Au-
genblick, als Noah in sein Schiff stieg und die Flut kam und sie
alle verschlang.
28Und es wird in der Welt zugehen wie zur Zeit Lots. Die
Menschen gingen alltäglichen Dingen nach – sie aßen und
tranken, kauften und verkauften, pflanzten und bauten –,
29bis zu dem Morgen, an dem Lot Sodom verließ. Da regnete
es Feuer und Schwefel vom Himmel, und alle in der Stadt
kamen um. 30Genauso wird es sein an dem Tag, an dem der
Menschensohn wiederkommt. 31Wer sich an diesem Tag au-
ßerhalb des Hauses befindet, darf nicht mehr ins Haus gehen,
um zu packen. Wer auf dem Feld ist, darf nicht in die Stadt
zurückkehren. 32Denkt daran, was mit Lots Frau geschah!
33Wer sich an dieses Leben klammert, wird es verlieren, und
wer dieses Leben verliert, wird sein Leben retten. 34In jener
Nacht werden zwei Menschen in einem Bett schlafen; der
eine wird weggenommen, der andere wird zurückbleiben.
35Zwei Frauen werden in der Mühle zusammen mahlen; die
eine wird weggenommen, die andere wird zurückbleiben.«
37»Herr, wo wird das geschehen?«, fragten die Jünger.
Jesus erwiderte: »Wenn die Geier sich sammeln, weiß man,
dass dort ein verendetes Tier in der Nähe liegt. Also: Man
wird sehen.«

Das Gleichnis von der hartnäckigen Witwe

18 1Eines Tages zeigte Jesus seinen Jüngern durch ein
Gleichnis, wie wichtig es ist, beständig zu beten und
nicht aufzugeben. 2»In einer Stadt lebte ein Richter«, sagte er.
»Es war ein harter, gottloser Mann, der den Menschen mit
Verachtung begegnete. 3Eine Witwe aus der Stadt sprach im-
mer wieder bei ihm vor und forderte ihr Recht gegenüber je-
mandem, der ihr unrecht getan hatte. 4Der Richter ging eine
Weile über ihre Klagen hinweg, doch irgendwann wurde er
ihrer müde. ›Ich fürchte weder Gott noch Menschen‹, dachte

er, 5›aber diese Frau raubt mir den Verstand. Ich will zusehen,
dass sie ihr Recht bekommt, damit sie mich mit ihren ständi-
gen Anträgen verschont.‹«
6Und der Herr sagte: »Aus dem Handeln dieses ungerechten
Richters sollt ihr etwas lernen: 7Wenn selbst er schließlich ein
gerechtes Urteil fällte – wird Gott da nicht seinen Auserwähl-
ten, die ihn Tag und Nacht anflehen, ihr Recht verschaffen?
Wird er sie vertrösten? 8Ich sage euch, er wird ihnen Recht
verschaffen, und zwar schnell! Doch wenn der Menschensohn
wiederkommt, wie viele wird er dann vorfinden, die solch
einen Glauben haben?«

Das Gleichnis vom Pharisäer und dem Steuereintreiber

9Dann erzählte Jesus ein paar Leuten, die sehr selbstgerecht
waren und alle anderen mit Geringschätzung behandelten,
folgendes Gleichnis: 10»Zwei Männer gingen in den Tempel,
um zu beten. Der eine war ein Pharisäer, der andere ein Steu-
ereintreiber. 11Der stolze Pharisäer stand da und betete: ›Ich
danke dir, Gott, dass ich kein Sünder bin wie die anderen
Menschen, wie die Räuber und die Ungerechten, die Ehebre-
cher oder besonders wie dieser Steuereintreiber da! Denn ich
betrüge niemanden, ich begehe keinen Ehebruch, 12ich faste
zweimal in der Woche und gebe dir regelmäßig den zehnten
Teil von meinem Einkommen.‹
13Der Steuereintreiber dagegen blieb in einigem Abstand
stehen und wagte nicht einmal den Blick zu heben, während
er betete: ›O Gott, sei mir gnädig, denn ich bin ein Sünder.‹
14Ich sage euch, dieser Sünder – und nicht der Pharisäer –
kehrte heim als ein vor Gott Gerechtfertigter. Denn die Stol-
zen werden gedemütigt, die Demütigen aber werden geehrt
werden.«

Jesus segnet die Kinder

15Eines Tages brachten Eltern ihre kleinen Kinder zu Jesus. Er
sollte ihnen die Hand auflegen und für sie beten. Doch die
Jünger fuhren die Leute an, ihn nicht zu belästigen. 16Da rief
Jesus die Kinder zu sich und sagte zu den Jüngern: »Lasst die

Kinder doch zu mir kommen. Hindert sie nicht daran! Denn
solchen gehört das Reich Gottes. [17]Ich versichere euch: Wer
nicht wie ein Kind glaubt, wird nicht ins Reich Gottes kom-
men.«

Der reiche Mann

[18]Ein führender Mann des jüdischen Volkes stellte Jesus ein-
mal folgende Frage: »Guter Meister, was muss ich tun, um das
ewige Leben zu bekommen?«

[19]»Warum nennst du mich gut?«, fragte Jesus ihn. »Nur Gott
ist wirklich gut. [20]Doch du kennst die Gebote: ›Du sollst nicht
die Ehe brechen. Du sollst nicht töten. Du sollst nicht stehlen.
Du sollst keine Falschaussage machen. Ehre deinen Vater und
deine Mutter.‹«

[21]Der Mann erwiderte: »Seit meiner Kindheit habe ich diese
Gebote alle befolgt.«

[22]»Es gibt noch eines, das dir fehlt«, sagte daraufhin Jesus.
»Verkaufe alles, was du hast, und gib das Geld den Armen,
und du wirst einen Schatz im Himmel haben. Dann komm
und folge mir nach.« [23]Als der Mann das hörte, wurde er trau-
rig, denn er war sehr reich.

[24]Jesus sah ihm nach, als er wegging, und sagte dann zu
seinen Jüngern: »Wie schwer ist es doch für die Reichen, ins
Reich Gottes zu kommen! [25]Eher geht ein Kamel durch ein
Nadelöhr, als dass ein Reicher ins Reich Gottes kommt!«

[26]Als die Umstehenden das hörten, sagten sie: »Wer kann
denn dann überhaupt gerettet werden?«

[27]Er antwortete: »Was menschlich gesehen unmöglich ist, ist
bei Gott möglich.«

[28]Da sagte Petrus: »Wir haben unser Zuhause verlassen und
sind dir nachgefolgt.«

[29]»Ja«, erwiderte Jesus, »und ich versichere euch: Wer Haus
oder Frau oder Geschwister oder Eltern oder Kinder für das
Reich Gottes aufgegeben hat, [30]wird es in diesem Leben viel-
fältig zurückbekommen und in der zukünftigen Welt das ewi-
ge Leben erhalten.«

Jesus kündigt erneut seinen Tod an

31 Jesus versammelte die zwölf Jünger um sich und erklärte
ihnen: »Wie ihr wisst, werden wir nach Jerusalem gehen. Dort
wird sich erfüllen, was die Propheten über den Menschen-
sohn gesagt haben. 32 Man wird ihn an die Römer ausliefern,
und er wird verspottet, gedemütigt und angespuckt werden.
33 Sie werden ihn auspeitschen und töten, doch am dritten Tag
wird er wieder auferstehen.«

34 Doch sie verstanden kein Wort. Die Bedeutung blieb ihnen
verborgen, und sie begriffen nicht, wovon er sprach.

Jesus heilt einen blinden Bettler

35 Kurz vor Jericho saß ein blinder Bettler am Wegrand. 36 Er
hörte die große Menschenmenge vorüberziehen und fragte,
was da los sei. 37 Man sagte ihm, dass Jesus von Nazareth vo-
rübergehe. 38 Da fing er an zu rufen: »Jesus, Sohn Davids, hab
Mitleid mit mir!« 39 Die Leute, die vor Jesus gingen, versuchten
den Mann zum Schweigen zu bringen, aber er schrie nur noch
lauter: »Sohn Davids, hab Mitleid mit mir!«

40 Als Jesus ihn hörte, blieb er stehen und befahl, den Mann
zu ihm zu bringen. Als er sich ihm näherte, 41 fragte er ihn:
»Was soll ich für dich tun?«

Er bat: »Herr, ich möchte sehen können!«

42 Da sagte Jesus: »Du sollst wieder sehen können. Dein
Glaube hat dich gerettet.« 43 Und augenblicklich konnte der
Mann sehen. Er folgte Jesus und lobte Gott. Und auch alle
anderen, die es miterlebt hatten, rühmten Gott.

Jesus und Zachäus

19 1 Jesus kam nach Jericho und ging durch die Stadt.
2 Dort lebte ein Mann namens Zachäus. Als einer der
mächtigsten Steuereintreiber war er sehr reich. 3 Zachäus hatte
versucht, einen Blick auf Jesus zu werfen, aber er war zu klein,
um über die Menge hinwegschauen zu können. 4 Deshalb lief
er voraus und kletterte auf einen Maulbeerfeigenbaum am
Wegrand, um Jesus von dort aus vorübergehen zu sehen.

5 Als Jesus kam, blickte er zu Zachäus hinauf und rief ihn

beim Namen: »Zachäus!«, sagte er, »komm schnell herunter!
Denn ich muss heute Gast in deinem Haus sein.«
6Zachäus kletterte, so schnell er konnte, hinunter und geleitete Jesus voller Aufregung und Freude in sein Haus.
7Doch den Leuten in der Menge gefiel das nicht. »Bei einem berüchtigten Sünder kehrt er als Gast ein«, murrten sie.
8Währenddessen stellte Zachäus sich vor den Herrn hin und sagte: »Herr, ich werde die Hälfte meines Reichtums den Armen geben, und wenn ich die Leute bei der Steuer betrogen habe, werde ich es ihnen vierfach erstatten!«
9Jesus erwiderte: »Heute hat dieses Haus Rettung erfahren,
denn auch dieser Mann ist Abrahams Sohn.
10Der Menschensohn ist nämlich gekommen, um Verlorene zu suchen und zu retten.«

Das Gleichnis von den zehn Dienern

11Die Menge hörte Jesus zu. Und er erzählte ihnen ein Gleichnis; denn da er nahe bei Jerusalem war, glaubten sie, dass das
Reich Gottes nun anbrechen würde.
12Er sagte: »Ein vornehmer Mann wurde in ein fernes Land gerufen, um dort zum König gekrönt zu werden. Danach wollte er wieder zurückkehren.
13Vor seiner Abreise rief er zehn Diener zu sich und gab ihnen zehn Pfund Silber, mit denen sie in seiner Abwesenheit handeln sollten.
14Aber sein Volk hasste ihn und sandte ihm eine Abordnung nach, um ihm sagen zu lassen, dass sie ihn nicht zum König haben wollten.
15Als er zurückkam, ließ der König die Diener kommen, denen er das Geld gegeben hatte. Er wollte erfahren, was sie mit dem Geld angefangen und welche Erträge sie erzielt hatten.
16Der erste Diener berichtete: ›Herr, ich habe die ursprüngliche Summe verzehnfacht!‹
17›Gut gemacht‹, rief der König. ›Du bist ein vertrauenswürdiger Diener. Du warst mit dem wenigen treu, das ich dir anvertraut habe; deshalb werde ich dich zur Belohnung als Statthalter über zehn Städte setzen.‹
18Der nächste Diener meldete: ›Herr, ich habe das Fünffache des ursprünglichen Betrags erwirtschaftet.‹
19›Gut gemacht‹, sagte der König. ›Du kannst Statthalter über fünf Städte sein.‹

20Der dritte Diener aber übergab ihm nur die ursprüngliche Summe und erklärte: ›Ich habe es versteckt und sicher aufbewahrt. 21Ich hatte Angst, weil du ein so strenger Mann bist; du nimmst, was dir nicht gehört, und erntest, was du nicht gesät hast.‹

22›Du schlechter Diener!‹, fuhr der König ihn an. ›Streng soll ich sein? Wenn du mich so gut kanntest und wusstest, wie streng ich bin, 23warum hast du das Geld dann nicht auf eine Bank gebracht, damit ich wenigstens Zinsen erhalten hätte?‹ 24Darauf wandte der König sich an die Umstehenden und befahl: ›Nehmt diesem Diener das Geld ab und gebt es dem, der seinen Anteil verzehnfacht hat.‹

25›Aber, Herr‹, wandten sie ein, ›dieser Diener hat doch schon genug!‹

26›Ja‹, entgegnete der König, ›aber denen, die ihren Anteil gut nutzen, wird noch mehr gegeben werden. Denen jedoch, die nicht treu damit umgehen, wird auch das wenige, das sie haben, noch genommen werden. 27Und nun zu meinen Widersachern, die mich nicht zum König haben wollten – führt sie herein und tötet sie vor meinen Augen.‹«

Der triumphale Einzug

28Nachdem er dieses Gleichnis erzählt hatte, setzte Jesus seinen Weg nach Jerusalem fort. Er ging vor seinen Jüngern her. 29Als sie die Orte Betfage und Betanien erreichten, die in der Nähe des Ölbergs liegen, schickte er zwei Jünger voraus. 30»Geht in den Ort vor euch«, sagte er. »Wenn ihr hineinkommt, werdet ihr ein Eselsfohlen angebunden sehen, das noch nie geritten wurde. Bindet es los und bringt es mir. 31Wenn euch jemand fragt, was ihr da tut, dann sagt einfach: ›Der Herr braucht es.‹«

32Sie gingen und fanden das Eselsfohlen genau so, wie Jesus es gesagt hatte. 33Und als sie es losbanden, fragten die Besitzer tatsächlich: »Warum bindet ihr unser Eselsfohlen los?«

34Die Jünger antworteten: »Der Herr braucht es.« 35So brachten sie Jesus das Fohlen und warfen ihre Mäntel darüber, damit er darauf reiten konnte.

[36]Die Menschen breiteten ihre Mäntel vor Jesus auf der Stra-
ße aus. [37]Als sie die Stelle erreichten, an der der Weg den Öl-
berg hinabführte, fingen alle seine Anhänger an, Gott mit lau-
tem Jubel für die großen Wunder zu loben, die sie gesehen
hatten.
[38]»Gepriesen sei der König, der im Namen des Herrn
kommt!
Friede in der Höhe und Ehre im höchsten Himmel!«
[39]Einige der Pharisäer in der Menge forderten ihn auf:
»Meister, rufe deine Jünger zur Vernunft!«
[40]Doch er entgegnete ihnen: »Würden sie schweigen, dann
würden die Steine schreien!«

Jesus weint über Jerusalem

[41]Als sie sich jedoch Jerusalem näherten und Jesus die Stadt
vor sich liegen sah, begann er zu weinen. [42]»Wie sehr wünsch-
te ich, du würdest noch heute den Weg des Friedens finden.
Doch nun ist es zu spät, und der Friede bleibt dir fremd.
[43]Nicht mehr lange, und deine Feinde werden einen Wall
rings um dich aufschütten, dich einkreisen und gegen dich
vorrücken. [44]Sie werden dich und deine Kinder dem Erdbo-
den gleichmachen und keinen Stein auf dem anderen lassen,
weil du die Gelegenheit, die Gott dir geboten hat, nicht ergrif-
fen hast.«

Die Tempelreinigung

[45]Dann ging Jesus in den Tempel und fing an, die Händler von
ihren Ständen zu vertreiben. [46]Er sagte zu ihnen: »In der
Schrift steht: ›Mein Haus soll ein Ort des Gebets sein‹, aber
ihr habt eine Räuberhöhle daraus gemacht.«
[47]Danach lehrte er täglich im Tempel, doch die obersten
Priester, die Schriftgelehrten und die anderen führenden
Männer des Volkes fingen an, nach einem Vorwand zu su-
chen, ihn umzubringen. [48]Aber ihnen fiel nichts ein, weil das
Volk an seinen Lippen hing und auf ihn hörte.

Die Frage nach der Vollmacht von Jesus

20 1Eines Tages, als Jesus gerade im Tempel die Botschaft Gottes verkündete, traten die obersten Priester, die Schriftgelehrten und die übrigen führenden Männer des Volkes auf ihn zu 2und fragten: »In wessen Vollmacht hast du die Händler aus dem Tempel vertrieben? Wer hat dir diese Vollmacht erteilt?«

3»Lasst mich euch erst eine Frage stellen«, entgegnete er. 4»War die Taufe des Johannes eine Handlung im Auftrag Gottes oder war es nur die Tat eines Menschen?«

5Sie besprachen eine Weile, was sie antworten sollten. »Wenn wir sagen, dass es eine Handlung im Auftrag Gottes war, wird er fragen, warum wir ihm dann nicht geglaubt haben. 6Sagen wir jedoch, dass sie nur die Tat eines Menschen war, wird das Volk uns steinigen, denn die Leute sind überzeugt, dass er ein Prophet war.« 7Schließlich antworteten sie: »Wir wissen es nicht.«

8Da entgegnete Jesus: »Dann beantworte ich eure Frage auch nicht.«

Das Gleichnis von den bösen Bauern

9Danach erzählte Jesus dem Volk folgendes Gleichnis: »Ein Mann pflanzte einen Weinberg, verpachtete ihn an einige Bauern und zog für mehrere Jahre in ein anderes Land. 10Zur Zeit der Weinlese schickte er einen seiner Diener, um seinen Anteil an der Ernte einzufordern. Doch die Bauern überfielen den Diener, verprügelten ihn und schickten ihn mit leeren Händen zurück. 11Darauf sandte der Besitzer einen anderen Diener, doch dem erging es genauso: Er wurde geschlagen, verspottet und musste mit leeren Händen wieder umkehren. 12Ein dritter Mann wurde geschickt und wieder geschah das Gleiche; auch er wurde verwundet und fortgejagt.

13›Was mache ich jetzt?‹, überlegte der Besitzer. ›Ich weiß! Ich werde meinen geliebten Sohn schicken. Vor ihm werden sie Respekt haben.‹

14Doch als die Bauern seinen Sohn sahen, sagten sie sich: ›Da kommt der Erbe dieses Weinguts. Lasst uns ihn umbringen;

dann gehört alles uns!‹ 15Und sie warfen ihn aus dem Wein-
berg hinaus und töteten ihn.

Was, glaubt ihr, wird der Besitzer des Weinbergs mit diesen
Bauern machen?«, fragte Jesus. 16»Ich sage euch: Er wird kom-
men, sie alle töten und den Weinberg an andere verpachten.«

Seine Zuhörer erwiderten entsetzt: »Das soll niemals ge-
schehen!«

17Jesus sah sie an und sagte: »Was hat dann die Schriftstelle
zu bedeuten:

›Der Stein, den die Bauleute verworfen haben, ist zum Eck-
stein geworden.‹?

18Wer über diesen Stein stolpert, wird daran zerbrechen,
und auf wen er fällt, den wird er zerschmettern.«

19Als die Schriftgelehrten und obersten Priester dies hörten,
hätten sie Jesus am liebsten sofort verhaftet. Sie merkten, dass
mit den Bauern in dieser Geschichte sie gemeint waren. Doch
sie fürchteten sich vor der Reaktion des Volkes, wenn sie ihn
gefangen nehmen ließen.

Steuern für den Kaiser

20Deshalb suchten sie nach einer günstigen Gelegenheit und
beauftragten Männer, die sich als ehrliche Zuhörer ausgaben,
um Jesus auszuhorchen. Sie brauchten einen Vorwand, unter
dem sie Jesus durch den römischen Statthalter verhaften las-
sen konnten. 21Sie sprachen zu Jesus: »Meister, wir wissen,
dass das, was du sagst und lehrst, richtig ist, und du dich nicht
von der Meinung anderer beeinflussen lässt. Du lehrst die
Wege Gottes, und was du sagst, ist wahr. 22Sage uns nun: Ist
es richtig, dem Kaiser Steuern zu zahlen, oder nicht?«

23Jesus durchschaute aber ihre List und sagte: 24»Zeigt mir
eine römische Münze. Wessen Bild und Titel ist darauf einge-
prägt?«

Sie antworteten: »Bild und Titel des Kaisers.«

25Da sagte er: »Dann gebt dem Kaiser, was dem Kaiser ge-
hört. Und gebt Gott, was Gott gehört.« 26So gelang es ihnen
nicht, Jesus vor dem Volk eine Falle zu stellen. Stattdessen
waren sie erstaunt über seine Antwort und schwiegen.

Gespräch über die Auferstehung

[27]Nun traten einige Sadduzäer vor – eine jüdische Gruppierung, die nicht an die Auferstehung nach dem Tod glaubt.
[28]Sie stellten ihm eine Frage: »Meister, Mose hat uns folgendes Gesetz gegeben: Wenn ein Mann stirbt und zwar eine Frau, aber keine Kinder hinterlässt, soll sein Bruder die Witwe heiraten und ihm auf diese Weise zu einem Erben verhelfen.
[29]Nun waren einmal sieben Brüder. Der älteste heiratete und starb kinderlos. [30]Sein Bruder nahm die Witwe zur Frau, aber auch er starb. [31]Das Gleiche wiederholte sich mit den anderen Brüdern, bis alle sieben sie geheiratet hatten, gestorben waren und keine Kinder hinterlassen hatten. [32]Schließlich starb auch die Frau. [33]Sage uns nun: Wessen Frau wird sie bei der Auferstehung sein? Denn alle sieben waren mit ihr verheiratet!«

[34]Jesus erwiderte: »Hier auf der Erde heiraten die Menschen und werden geheiratet, [35]doch in der zukünftigen Welt wird es anders sein. Die Menschen, die der Auferstehung für würdig befunden werden, werden nicht mehr verheiratet sein,
[36]und sie werden auch nicht mehr sterben. In dieser Hinsicht werden sie den Engeln gleichen. Sie werden Kinder Gottes sein, die zu neuem Leben auferweckt wurden. [37]Die Auferstehung der Toten hat Mose schon am brennenden Dornbusch angedeutet, als er vom Herrn als ›dem Gott Abrahams, dem Gott Isaaks und dem Gott Jakobs‹ sprach, obwohl Abraham, Isaak und Jakob längst gestorben waren. [38]So ist Gott also der Gott der Lebenden und nicht der Toten. Denn für ihn sind sie alle am Leben.«

[39]»Du hast gut geantwortet, Meister!«, bemerkten einige Schriftgelehrte, die dabeistanden. [40]Und keiner wagte mehr, ihn noch etwas zu fragen.

Wessen Sohn ist der Christus?

[41]Dann stellte Jesus ihnen eine Frage. »Warum wird der Christus als Sohn Davids bezeichnet?«, fragte er. [42]»David selbst schrieb doch in den Psalmen:

›Der Herr sprach zu meinem Herrn:
Setz dich auf den Ehrenplatz zu meiner Rechten, [43]bis ich

deine Feinde demütige und sie zum Schemel unter deinen
Füßen mache.‹
44Wenn David ihn Herr nannte, wie kann er dann gleichzei-
tig sein Sohn sein?«
45Und er wandte sich seinen Jüngern zu und sagte vor den
Ohren der Menge zu ihnen: 46»Nehmt euch in Acht vor den
Schriftgelehrten! Sie lieben es, in wehenden Gewändern über
die Marktplätze zu flanieren und die Ehrenbezeugungen der
Leute entgegenzunehmen. Und sie beanspruchen, in den Syn-
agogen und bei Festen auf den Ehrenplätzen zu sitzen! 47Doch
gleichzeitig betrügen sie Witwen schamlos um ihren Besitz,
und um zu verbergen, wie sie wirklich sind, sprechen sie in
der Öffentlichkeit lange Gebete. Deshalb wird ihre Strafe
umso härter ausfallen.«

Das Opfer der Witwe

21 1Während Jesus im Tempel war, sah er zu, wie die rei-
chen Leute ihre Spenden in den Opferkasten legten.
2Da kam eine arme Witwe und warf zwei kleine Münzen ein.
3»Ich versichere euch«, sagte er, »diese arme Witwe hat mehr
gegeben als alle anderen. 4Denn jene gaben nur einen Bruch-
teil von ihrem Überfluss, sie aber, arm wie sie ist, gab alles,
was sie besaß.«

Jesus spricht über die Zukunft

5Einige seiner Jünger lobten die schönen Steine und die mit
Weihgeschenken geschmückten Mauern des Tempels. Doch
Jesus sagte: 6»Es kommt die Zeit, da wird all dies so vollstän-
dig zerstört werden, dass nicht ein Stein auf dem anderen
bleibt.«
7»Meister«, fragten sie, »wann wird das geschehen? Und
wird es vorher irgendein Zeichen geben?«
8Er erwiderte: »Lasst euch nicht täuschen. Viele werden in
meinem Namen auftreten, sich als Christus ausgeben und sa-
gen: ›Die Zeit ist gekommen!‹ Glaubt ihnen nicht! 9Und wenn
ihr von Kriegen und Unruhen hört, geratet nicht in Panik. All
diese Dinge müssen kommen, doch das ist noch nicht das En-

de.« 10 Und er fügte hinzu: »Völker und Königreiche werden
einander den Krieg erklären. 11 Es wird Erdbeben geben, in
vielen Ländern werden Hungersnöte und Seuchen auftreten,
und am Himmel werden schreckliche Dinge und gewaltige
Zeichen erscheinen.

12 Doch noch bevor all das geschieht, wird eine Zeit schlim-
mer Verfolgungen kommen. Um meines Namens willen wird
man euch in Synagogen und Gefängnisse schleppen und vor
Königen und Regierungen anklagen. 13 Das wird euch Gele-
genheit geben, ihnen von mir zu erzählen. 14 Macht euch keine
Sorgen, wie ihr euch verteidigen sollt. 15 Ich werde euch die
richtigen Worte eingeben und die nötige Weisheit verleihen,
sodass keiner eurer Gegner euch wird widerlegen können!
16 Selbst die Menschen, die euch am nächsten stehen – eure
Eltern, Geschwister, Verwandten und Freunde –, werden
euch verraten. Einige von euch werden sogar umgebracht
werden. 17 Und um meines Namens willen werden euch alle
hassen. 18 Aber nicht ein einziges Haar auf eurem Kopf soll
verloren gehen! 19 Wenn ihr standhaft bleibt, werdet ihr eure
Seelen retten.

20 Wenn ihr Jerusalem von Feinden umringt seht, dann wisst
ihr, dass der Zeitpunkt seiner Zerstörung gekommen ist.
21 Dann müssen die, die in Judäa sind, in die Berge fliehen.
Wer in Jerusalem ist, soll flüchten, und wer sich außerhalb
der Stadt befindet, soll nicht in ihr Schutz suchen. 22 Denn das
werden die Tage der Vergeltung Gottes sein, und die Weissa-
gungen der Schrift werden sich erfüllen. 23 Schwangeren und
Stillenden wird es schlimm ergehen! Denn im Land wird gro-
ße Not herrschen, und Unheil wird über dieses Volk kommen.
24 Die Menschen werden mit dem Schwert getötet oder als Ge-
fangene in die ganze Welt verschleppt werden. Und Jerusa-
lem wird erobert und dem Erdboden gleichgemacht werden
von den fremden Völkern, bis ihre Zeit zu Ende ist.

25 An Sonne, Mond und Sternen werden Zeichen erscheinen.
Und auf der Erde werden die Völker in Aufruhr und Entset-
zen sein, den wilden Wellen der Meere hilflos ausgeliefert.
26 Viele Menschen werden den Mut verlieren, wenn sie diese

Schrecken über die Erde hereinbrechen sehen, denn selbst die
Kräfte des Himmels werden aus dem Gleichgewicht geraten.
27Und dann werden alle den Menschensohn mit Macht und
großer Herrlichkeit in den Wolken des Himmels kommen se-
hen. 28Wenn all das anfängt, dann richtet euch auf und hebt
den Blick, denn eure Erlösung ist ganz nahe!«

29Und er gab ihnen folgenden Vergleich: »Seht euch einen
Feigenbaum oder einen anderen Baum an. 30Wenn die Blät-
ter sprießen, wisst ihr, dass der Sommer kommt. 31Genauso
könnt ihr, wenn ihr all dies geschehen seht, sicher sein, dass
das Reich Gottes nahe ist. 32Ich versichere euch: Diese Gene-
ration wird nicht von der Erde verschwinden, bis alle diese
Ereignisse eingetreten sind. 33Himmel und Erde werden ver-
gehen, aber meine Worte werden für immer bleiben.

34Seid wachsam! Lasst euch nicht von zu viel Essen und
Trinken und den Sorgen des Alltags gefangen nehmen, damit
euch dieser Tag nicht unvorbereitet trifft, 35so wie man unver-
hofft in eine Falle stolpert. Denn dieser Tag wird über alle
hereinbrechen, die auf der Erde leben. 36Seid wachsam! Und
betet darum, dass ihr, wenn es möglich ist, diesen Schrecken
entkommen und vor dem Menschensohn stehen könnt.«

37Jeden Tag ging Jesus in den Tempel, um zu lehren, und
abends kehrte er zurück, um die Nacht auf dem Ölberg zu
verbringen. 38Jeden Morgen strömten die Menschen scharen-
weise herbei, um ihn zu hören.

Der Verrat des Judas

22 1Das Fest der ungesäuerten Brote, das Passahfest, rück-
te näher. 2Die obersten Priester und Schriftgelehrten
planten, Jesus umzubringen. Sie fürchteten sich allerdings
vor der Reaktion des Volkes.

3Da fuhr Satan in Judas Iskariot, der einer der zwölf Jünger
war. 4Er ging zu den obersten Priestern und den Befehls-
habern der Tempelwache, um mit ihnen zu beraten, wie er
Jesus am besten an sie verraten könnte. 5Sie freuten sich, dass
er bereit war, ihnen zu helfen, und versprachen ihm eine Be-
lohnung. 6Von da an begann er nach einer passenden Gele-

genheit Ausschau zu halten, bei der sie Jesus ohne Aufsehen verhaften konnten, wenn das Volk nicht in der Nähe war.

Das letzte Abendmahl

7Das Fest der ungesäuerten Brote rückte heran, an dem die
Passahlämmer geschlachtet wurden. 8Jesus schickte Petrus
und Johannes voraus und sagte: »Geht und bereitet das Passahmahl vor, damit wir es gemeinsam essen können.«
9»Wo sollen wir denn hingehen?«, fragten sie ihn.
10Er erwiderte: »Wenn ihr nach Jerusalem kommt, wird euch
ein Mann begegnen, der einen Wasserkrug trägt. Folgt ihm bis
zu dem Haus, in das er eintritt, 11und sagt zu dem Besitzer:
›Der Meister fragt dich: Wo ist der Raum für Gäste, in dem ich
mit meinen Jüngern das Passahmahl feiern kann?‹ 12Er wird
euch die Treppe hinauf zu einem Saal führen, in dem schon
alles vorbereitet ist. Geht voraus und richtet dort alles her.«
13Sie machten sich auf den Weg in die Stadt und fanden alles
genau so vor, wie Jesus gesagt hatte, und bereiteten dort das Passahmahl vor.
14Als es so weit war, nahmen Jesus und die Jünger miteinan-
der am Tisch Platz. 15Jesus sagte: »Ich habe mich sehr danach
gesehnt, dieses Passahmahl mit euch zu feiern, bevor mein
Leiden beginnt. 16Denn ich sage euch jetzt, ich werde es nicht
wieder essen, bis es sich im Reich Gottes erfüllt.«
17Dann nahm er einen Becher mit Wein, und nachdem er
Gott dafür gedankt hatte, sagte er: »Nehmt ihn und teilt ihn
unter euch. 18Denn ich werde keinen Wein mehr trinken, bis
das Reich Gottes gekommen ist.«
19Dann nahm er ein Brot, und nachdem er Gott dafür gedankt hatte, brach er es in Stücke und reichte es den Jüngern
mit den Worten: »Dies ist mein Leib, der für euch gegeben
wird. Tut das zur Erinnerung an mich.« 20Nach dem Essen
nahm er einen weiteren Becher mit Wein und sagte: »Dieser
Wein ist das Zeichen des neuen Bundes – ein Bund, der mit
dem Blut besiegelt wird, das ich für euch vergießen werde.
21Doch hier an diesem Tisch sitzt schon der Mann, der mich
verraten wird. Er sitzt unter uns wie ein Freund. 22Der Men-

schensohn muss zwar sterben, weil es Gott so bestimmt hat.
Doch wie schlimm wird es erst für den sein, der ihn verraten
wird!« 23Da begannen die Jünger einander zu fragen, wer von
ihnen denn so etwas je tun würde.
24Und sie fingen an zu streiten, wer von ihnen im kommen-
den Reich Gottes der Größte sein würde. 25Jesus sagte zu ih-
nen: »In dieser Welt beherrschen die Könige und Großen ihre
Untertanen und werden doch als ›Wohltäter‹ bezeichnet.
26Unter euch aber soll der Größte den niedrigsten Platz ein-
nehmen und der Leiter soll wie ein Diener sein. 27Normaler-
weise sitzt der Meister am Tisch und wird von seinen Dienern
bedient. Hier ist es anders! Denn ich bin euer Diener. 28Ihr seid
mir in der Zeit meiner Versuchung treu geblieben. 29Und so
wie mein Vater mir ein Königreich gegeben hat, gebe ich euch
das Recht, 30in diesem Reich an meinem Tisch zu essen und zu
trinken. Ihr werdet auf Thronen sitzen und die zwölf Stämme
Israels richten.

Jesus sagt voraus, dass Petrus ihn verleugnen wird

31Simon, Simon, der Satan hat euch alle haben wollen. Er woll-
te euch durchsieben wie Weizen. 32Doch ich habe für dich ge-
betet, dass dein Glaube nicht aufhöre. Wenn du also später
umgekehrt und zu mir zurückgekommen bist, dann stärke
deine Brüder.«
33Petrus sagte: »Herr, ich bin bereit, mit dir ins Gefängnis zu
gehen und sogar mit dir zu sterben.«
34Doch Jesus entgegnete: »Petrus, lass mich dir etwas sagen.
Noch bevor morgen früh der Hahn kräht, wirst du drei Mal
geleugnet haben, mich überhaupt zu kennen.«
35Dann fragte Jesus sie alle: »Als ich euch ausschickte, die
gute Botschaft zu verkünden, und ihr hattet weder Geld
noch Tasche noch Sandalen, hat es euch da an irgendetwas
gefehlt?«
Sie gaben zur Antwort: »Nein.«
36»Aber jetzt«, sagte er, »nehmt euer Geld und eure Tasche.
Und wenn ihr kein Schwert habt, verkauft eure Kleidung, um
eines zu kaufen! 37Denn die Zeit ist gekommen, in der sich

erfüllt, was in der Schrift über mich steht: ›Er wurde zu den Aufrührern gerechnet.‹ Ja, alles, was die Propheten über mich geschrieben haben, wird sich erfüllen.«
38»Herr«, erwiderten sie, »wir haben zwei Schwerter.«
Er aber sagte: »Das genügt.«

Jesus betet am Ölberg

39Dann verließ Jesus zusammen mit seinen Jüngern den Raum
und sie gingen wie gewohnt zum Ölberg. 40Dort forderte er
sie auf: »Betet, damit ihr der Versuchung nicht erliegt.«
41Er entfernte sich etwa einen Steinwurf weit, kniete nieder
und betete: 42»Vater, wenn du willst, dann lass diesen Kelch
des Leides an mir vorübergehen. Doch ich will deinen Willen
tun, nicht meinen.« 43Da erschien ein Engel vom Himmel und
stärkte ihn. 44Aber er war von Angst erfüllt und betete noch
heftiger und kämpfte so sehr, dass sein Schweiß wie Blut auf
die Erde tropfte. 45Schließlich stand er auf und ging zu den
Jüngern zurück, die, erschöpft vor Kummer, eingeschlafen
waren. 46»Warum schlaft ihr?«, fragte er. »Steht auf und betet.
Sonst wird die Versuchung euch überwältigen.«

Jesus wird verraten und verhaftet

47Er hatte noch nicht ausgeredet, da näherte sich eine Menschenmenge, angeführt von Judas, einem der zwölf Jünger. Judas ging auf Jesus zu und begrüßte ihn mit einem Kuss.
48Aber Jesus sagte: »Judas, wie kannst du den Menschensohn mit einem Kuss verraten?«
49Als die anderen Jünger begriffen, was die Menge vorhatte,
riefen sie: »Herr, sollen wir kämpfen? Wir haben die Schwerter mitgebracht!« 50Und einer von ihnen griff den Diener des
Hohen Priesters an und schlug ihm das rechte Ohr ab.
51Doch Jesus sagte: »Leistet keinen Widerstand mehr.« Und
er berührte das Ohr des Mannes und heilte ihn. 52Dann wandte er sich an die obersten Priester, die Befehlshaber der Tempelwache und die Anführer der Gruppe. »Bin ich ein Schwerverbrecher«, fragte er, »dass ihr mit Schwertern und Knüppeln bewaffnet anrückt, um mich zu verhaften? 53Warum

habt ihr mich nicht im Tempel verhaftet? Ich war doch jeden
Tag dort. Aber dies ist eure Stunde, die Zeit, in der die Macht
der Finsternis die Oberhand hat.«

Petrus verleugnet Jesus

54 Da verhafteten sie ihn und brachten ihn zum Haus des Ho-
hen Priesters. Petrus folgte in großem Abstand. 55 Als die
Wächter im Hof ein Feuer machten und sich ringsherum la-
gerten, setzte sich Petrus zu ihnen. 56 Eine Dienerin bemerkte
ihn im Schein des Feuers und beobachtete ihn. Schließlich sag-
te sie: »Dieser Mann war auch bei Jesus!«

57 Petrus leugnete es. »Frau«, sagte er, »ich kenne den Mann
überhaupt nicht!«

58 Nach einer Weile schaute ein anderer ihn an und meinte:
»Du musst auch einer von ihnen sein!«

Petrus erwiderte: »Nein, Mann, das bin ich nicht!«

59 Etwa eine Stunde später bekräftigte ein anderer: »Das
muss einer der Jünger von Jesus sein, er ist auch Galiläer.«

60 Aber Petrus entgegnete: »Ich weiß nicht, wovon du re-
dest.« Und sobald er das gesagt hatte, krähte ein Hahn. 61 In
diesem Augenblick drehte der Herr sich um und sah Petrus
an. Da erinnerte dieser sich an die Worte des Herrn: »Bevor
morgen früh der Hahn kräht, wirst du mich drei Mal verleug-
nen.« 62 Und Petrus ging hinaus und weinte bitterlich.

63 Dann fingen die Wächter, die Jesus gefangen hielten, an,
ihn zu verspotten und zu schlagen. 64 Sie verbanden ihm die
Augen, dann schlugen sie ihn und fragten: »Nun, du Prophet,
wer hat dich wohl gerade geschlagen?« 65 Und sie beschimpf-
ten ihn.

Jesus vor dem Hohen Rat

66 Gegen Tagesanbruch versammelten sich die führenden
Männer des Volkes sowie die obersten Priester und Schriftge-
lehrten. Jesus wurde diesem Hohen Rat vorgeführt, 67 und sie
fragten ihn: »Sage uns, ob du der Christus bist.«

Doch er erwiderte: »Wenn ich es euch sagte, würdet ihr mir
doch nicht glauben. 68 Und wenn ich euch eine Frage stellte,

würdet ihr mir nicht antworten. [69]Aber bald kommt die Zeit,
in der der Menschensohn zur Rechten des allmächtigen Got-
tes sitzen wird.«

[70]Da riefen alle: »Dann behauptest du also, Gottes Sohn zu
sein?«

Und er erwiderte: »Ihr sagt es selbst; ich bin es.«

[71]»Wozu brauchen wir da noch Zeugen?«, schrien sie. »Wir
haben es ihn selbst sagen hören.«

Das Verhör vor Pilatus

23 [1]Daraufhin führte der gesamte Hohe Rat Jesus zu Pila-
tus, dem römischen Statthalter, [2]und sie trugen ihm die
Anklage vor: »Dieser Mann verführt unser Volk. Er fordert es
auf, dem Kaiser keine Steuern zu zahlen, und er behauptet,
der Christus, ein König zu sein.«

[3]Pilatus fragte ihn: »Bist du der König der Juden?«

Jesus erwiderte: »Ja, du sagst es selbst.«

[4]Pilatus wandte sich an die obersten Priester und an die
Menge und sagte: »Ich finde keine Schuld an diesem Mann!«

[5]Doch sie bestanden darauf: »Wo er auch hinkommt, ver-
ursacht er Unruhe im Volk – in ganz Judäa, von Galiläa bis
nach Jerusalem!«

[6]»Der Mann ist also ein Galiläer?«, fragte Pilatus. [7]Als sie das
bestätigten, ließ Pilatus Jesus zu Herodes Antipas bringen,
denn Galiläa unterstand seiner Rechtsprechung und Herodes
hielt sich gerade in Jerusalem auf.

[8]Herodes freute sich sehr, Jesus kennenzulernen. Er hatte
schon viel von ihm gehört und immer gehofft, einmal Zeuge
eines seiner Wunder zu werden. [9]Er stellte Jesus eine Frage
nach der anderen, aber Jesus gab keine Antwort. [10]Während-
dessen standen die obersten Priester und Schriftgelehrten da-
bei und brachten mit lauter Stimme ihre Anklagen vor. [11]Da
begannen Herodes und seine Soldaten Jesus zu verhöhnen
und zu verspotten. Sie legten ihm ein prächtiges Gewand an
und schickten ihn zu Pilatus zurück. [12]An diesem Tag wurden
Herodes und Pilatus, die bis dahin verfeindet gewesen waren,
Freunde.

13Pilatus berief die obersten Priester und Schriftgelehrten
und das Volk ein 14und gab sein Urteil bekannt. »Ihr habt mir
diesen Mann vorgeführt und ihn beschuldigt, das Volk auf-
zuhetzen. Ich habe ihn in eurer Anwesenheit gründlich be-
fragt und habe keine Schuld an ihm gefunden. 15Herodes ist
zum gleichen Schluss gelangt und hat ihn zu uns zurückbrin-
gen lassen. Dieser Mann hat nichts getan, wofür er den Tod
verdient. 16Ich werde ihn auspeitschen lassen und danach las-
se ich ihn frei.«

18Da ging ein Aufschrei durch die Menge, und die Leute rie-
fen wie aus einem Mund: »Töte ihn und gib Barabbas frei!«
19Barabbas war verhaftet worden, weil er einen Mord began-
gen hatte und an einem Volksaufstand in Jerusalem beteiligt
gewesen war. 20Pilatus redete ihnen zu, denn er wollte lieber
Jesus freilassen. 21Aber sie schrien nur: »Kreuzige ihn! Kreuzi-
ge ihn!«

22Zum dritten Mal wandte er ein: »Warum? Welches Verbre-
chen hat er begangen? Ich habe keinen Grund gefunden, ihn
zum Tod zu verurteilen. Ich werde ihn auspeitschen lassen
und dann freigeben.«

23Aber die Menge schrie noch lauter und verlangte seine
Kreuzigung. Sie übertönten Pilatus mit ihrem Geschrei. 24Da
verurteilte Pilatus Jesus zum Tod, wie sie es verlangten. 25Auf
ihren Wunsch ließ er Barabbas frei, den Mann, der wegen
Aufruhr und Mord im Gefängnis saß. Jesus dagegen lieferte
er ihnen aus, wie sie es gefordert hatten.

Die Kreuzigung

26Als sie Jesus abführten, kam Simon aus Kyrene gerade vom
Feld zurück. Sie zwangen ihn, hinter Jesus herzugehen und
ihm sein Kreuz zu tragen. 27Ihnen schloss sich eine große
Menschenmenge an, darunter viele trauernde, wehklagende
Frauen. 28Doch Jesus wandte sich um und sagte zu ihnen:
»Töchter Jerusalems, weint nicht um mich, sondern klagt
über euch selbst und eure Kinder. 29Denn es kommt die Zeit,
da werden sie sagen: ›Glücklich sind die Frauen, die kinderlos
geblieben sind, deren Körper nie ein Kind geboren und deren

Brüste keinen Säugling gestillt haben.‹ 30Die Menschen wer-
den die Berge anflehen, auf sie zu fallen, und die Hügel, sie
unter sich zu begraben. 31Denn wenn dies schon mit dem grü-
nen Holz geschieht, wie wird es dann erst dem toten Holz
ergehen?«

32Auch zwei andere Männer, beides Verbrecher, wurden ab-
geführt, um mit ihm hingerichtet zu werden. 33Schließlich ka-
men sie an einen Ort, der Schädelstätte heißt. Dort wurden
alle drei gekreuzigt – Jesus in der Mitte und die zwei Verbre-
cher rechts und links von ihm.

34Jesus sagte: »Vater, vergib diesen Menschen, denn sie wis-
sen nicht, was sie tun.« Und die Soldaten würfelten um seine
Kleider.

35Das Volk schaute zu, während die führenden Männer lach-
ten und spotteten. »Er hat andere gerettet«, sagten sie. »Soll er
sich jetzt doch selbst retten, wenn er wirklich Gottes Aus-
erwählter, der Christus, ist.« 36Auch die Soldaten verhöhnten
ihn. Sie gaben ihm Weinessig zu trinken und 37riefen ihm zu:
»Wenn du der König der Juden bist, rette dich doch selbst!«
38Über ihm am Kreuz wurde eine Inschrift mit den Worten
angebracht: »Dies ist der König der Juden.«

39Einer der Verbrecher, die neben ihm hingen, spottete: »Du
bist also der Christus? Beweise es, indem du dich rettest – und
uns mit!«

40Doch der andere mahnte: »Hast du nicht einmal jetzt Ehr-
furcht vor Gott, da du den Tod vor Augen hast? 41Wir haben
für unsere Vergehen den Tod verdient, aber dieser Mann hat
nichts Unrechtes getan.« 42Dann sagte er: »Jesus, denk an
mich, wenn du in dein Reich kommst.«

43Da antwortete Jesus: »Ich versichere dir: Heute noch wirst
du mit mir im Paradies sein.«

Jesus stirbt

44Inzwischen war es Mittag geworden, und Dunkelheit legte
sich über das ganze Land bis um drei Uhr nachmittags. 45Die
Sonne hatte sich verfinstert. Plötzlich zerriss der Vorhang im

Tempel. 46Jesus rief: »Vater, ich lege meinen Geist in deine
Hände!« Und mit diesen Worten starb er.
47Der Hauptmann der römischen Soldaten, der die Hinrich-
tung überwachte, sah, was geschehen war, lobte Gott und
sagte: »Dieser Mann war wirklich unschuldig.« 48Und die vie-
len Zuschauer, die zur Kreuzigung gekommen waren und al-
les miterlebt hatten, was geschehen war, gingen voll Reue
wieder nach Hause. 49Aber die Freunde von Jesus, unter ih-
nen die Frauen, die ihm aus Galiläa gefolgt waren, schauten
aus einiger Entfernung zu.

Das Begräbnis

50Nun lebte dort ein gütiger und gerechter Mann mit Namen
Josef. Er war ein Mitglied des Hohen Rats, 51doch er war mit
der Entscheidung und dem Vorgehen der anderen Ratsmit-
glieder nicht einverstanden gewesen. Er stammte aus der
Stadt Arimathäa in Judäa und wartete auf das Kommen des
Reiches Gottes. 52Dieser Josef ging zu Pilatus und bat um den
Leichnam von Jesus. 53Dann nahm er ihn vom Kreuz, hüllte
ihn in ein langes Leinentuch und legte ihn in ein neues Grab,
das in einen Felsen gehauen war. 54Dies geschah am späten
Freitagnachmittag, dem Rüsttag für den Sabbat.
55Als sein Leichnam fortgebracht wurde, folgten die Frauen
aus Galiläa und sahen das Grab, in das sie ihn legten. 56Dann
gingen sie nach Hause und bereiteten Kräuter und Öle vor,
um ihn damit einzubalsamieren. Doch als sie mit den Vor-
bereitungen fertig waren, war der Sabbat angebrochen, und
sie ruhten den ganzen Tag, wie es im Gesetz vorgeschrieben
ist.

Die Auferstehung

24 1Früh am Sonntagmorgen gingen die Frauen zum
Grab und brachten die Öle mit, die sie vorbereitet hat-
ten. 2Sie sahen, dass der Stein, der den Eingang verschlossen
hatte, weggerollt war. 3So gingen sie in die Grabhöhle hinein,
konnten aber den Leichnam von Jesus, dem Herrn, nicht fin-

den. 4Sie waren ratlos und überlegten, was geschehen sein
konnte. Plötzlich standen zwei Männer in strahlenden Ge-
wändern neben ihnen. 5Die Frauen erschraken und verneig-
ten sich vor ihnen. Da fragten die Männer: »Warum sucht ihr
den Lebenden bei den Toten? 6Er ist nicht hier! Er ist auf-
erstanden! Erinnert ihr euch nicht, wie er euch in Galiläa sag-
te, 7dass der Menschensohn in die Hände sündiger Menschen
übergeben und gekreuzigt werden muss und dass er am drit-
ten Tag wieder auferstehen wird?«
8Da erinnerten sie sich, dass er das gesagt hatte. 9Sie liefen
schnell zurück, um den elf Jüngern – und allen anderen – zu
berichten, was geschehen war. 10Die Frauen, die zum Grab
gegangen waren, waren Maria von Magdala, Johanna und
Maria, die Mutter von Jakobus und mehrere andere. Sie er-
zählten den Aposteln, was geschehen war, 11doch für diese
klang die Geschichte völlig unsinnig, deshalb glaubten sie ih-
nen nicht. 12Nur Petrus lief trotzdem zum Grab, um nachzuse-
hen. Dort angekommen, beugte er sich vor, um einen Blick
hineinzuwerfen, und sah die losen Leinentücher; dann ging
er weg und fragte sich verwundert, was geschehen war.

Auf dem Weg nach Emmaus

13Am gleichen Tag waren zwei Jünger von Jesus unterwegs
nach Emmaus, einem Dorf, das etwa elf Kilometer von Jeru-
salem entfernt lag. 14Auf dem Weg sprachen sie über alles,
was geschehen war. 15Plötzlich kam Jesus selbst, schloss sich
ihnen an und ging mit ihnen. 16Aber sie wussten nicht, wer er
war, weil Gott verhinderte, dass sie ihn erkannten.
17»Worüber redet ihr?«, fragte Jesus. »Was beschäftigt euch
denn so?«
Da blieben sie voller Traurigkeit stehen. 18Einer von ihnen,
Kleopas, sagte: »Du bist wohl der einzige Mensch in Jerusa-
lem, der nicht gehört hat, was sich dort in den letzten Tagen
ereignet hat.«
19»Was waren das für Ereignisse?«, fragte Jesus.
»Das, was mit Jesus von Nazareth geschehen ist«, sagten sie.
»Er war ein Prophet, der vor Gott und dem ganzen Volk er-

staunliche Wunder tat und mit großer Vollmacht lehrte.
20Doch unsere obersten Priester und die anderen Ältesten ha-
ben ihn verhaftet, den Römern ausgeliefert und zum Tod ver-
urteilen lassen, und er wurde gekreuzigt. 21Wir hatten ge-
hofft, er sei der Christus, der Israel retten und erlösen wird.
Das alles geschah vor drei Tagen. 22Aber heute Morgen waren
einige Frauen aus unserer Gemeinschaft schon früh an seinem
Grab und kamen mit einem erstaunlichen Bericht zurück.
23Sie sagten, sein Leichnam sei nicht mehr da und sie hätten
Engel gesehen, die ihnen sagten, dass Jesus lebt! 24Einige von
uns liefen hin, um nachzuschauen, und tatsächlich war der
Leichnam von Jesus verschwunden, wie die Frauen gesagt
hatten.«

25Darauf sagte Jesus zu ihnen: »Was seid ihr doch für unver-
ständige Leute! Es fällt euch so schwer zu glauben, was die
Propheten in der Schrift gesagt haben. 26Haben sie nicht ange-
kündigt, dass der Christus alle diese Dinge erleiden muss, be-
vor er verherrlicht wird?« 27Und er begann bei Mose und den
Propheten und erklärte ihnen alles, was in der Schrift über ihn
geschrieben stand.

28Mittlerweile näherten sie sich ihrem Ziel, dem Dorf Em-
maus. Es schien so, als ob Jesus weitergehen wollte, 29doch
sie baten ihn inständig, über Nacht bei ihnen zu bleiben, da
es schon dunkel wurde. Da trat er mit ihnen ins Haus. 30Als sie
sich hinsetzten, um zu essen, nahm er das Brot, segnete es,
brach es und gab es ihnen. 31Da gingen ihnen die Augen auf
und sie erkannten ihn. Doch im selben Augenblick ver-
schwand er!

32Sie sagten zueinander: »War es uns nicht seltsam warm
ums Herz, als er unterwegs mit uns sprach und uns die Schrift
auslegte?« 33Und sofort brachen sie auf und gingen nach Jeru-
salem zurück, wo die elf Jünger und die, die bei ihnen waren,
sich versammelt hatten. Als sie ankamen, wurden sie mit der
Nachricht empfangen: 34»Der Herr ist tatsächlich auferstan-
den! Er ist Petrus erschienen!«

Jesus erscheint den Jüngern

35Da erzählten auch die beiden Jünger aus Emmaus ihre Ge-
schichte, wie Jesus unterwegs mit ihnen gesprochen hatte und
wie sie ihn erkannt hatten, als er das Brot brach. 36Und wäh-
rend sie noch sprachen, stand Jesus plötzlich selbst mitten un-
ter ihnen und sagte: »Friede sei mit euch!« 37Doch sie hatten
alle schreckliche Angst, weil sie dachten, sie sähen einen
Geist! 38»Warum fürchtet ihr euch so?«, fragte er. »Warum
zweifelt ihr, wer ich bin? 39Seht euch meine Hände an. Seht
euch meine Füße an. Ihr könnt doch sehen, dass ich es wirk-
lich bin. Berührt mich und vergewissert euch, dass ich kein
Geist bin; denn ein Geist hat keinen Körper, und ich habe ei-
nen, wie ihr seht!« 40Bei diesen Worten hielt er ihnen seine
Hände hin und zeigte ihnen seine Füße.

41Noch immer standen sie voller Zweifel und Freude da. Er
fragte sie: »Habt ihr etwas zu essen da?« 42Sie reichten ihm ein
Stück gebratenen Fisch, 43und er aß ihn vor ihren Augen.

44Dann sagte er: »Als ich bei euch war, habe ich euch erklärt,
dass alles, was bei Mose, bei den Propheten und in den Psal-
men über mich geschrieben steht, in Erfüllung gehen muss.«
45Nun öffnete er ihnen den Blick für das Verständnis dieser
Schriften. 46Er sagte: »Es wurde vor langer Zeit aufgeschrie-
ben, dass der Christus leiden und sterben und am dritten Tag
auferstehen muss. 47Geht in seinem Namen zu allen Völkern,
angefangen in Jerusalem, ruft sie zur Umkehr auf, damit sie
Vergebung der Sünden erhalten. 48Für all dies seid ihr meine
Zeugen.

49Und nun werde ich euch den Heiligen Geist senden, wie
mein Vater es versprochen hat. Ihr aber bleibt hier in der
Stadt, bis der Heilige Geist kommen und euch mit Kraft aus
dem Himmel erfüllen wird.«

Die Himmelfahrt

50Dann führte Jesus sie nach Betanien. Dort hob er die Hände
zum Himmel und segnete sie. 51Noch während er sie segnete,
verließ er sie und wurde in den Himmel hinaufgehoben. 52Sie

beteten ihn an und kehrten danach voll großer Freude nach
Jerusalem zurück. 53Und sie hielten sich die ganze Zeit über
im Tempel auf und priesen Gott.

Das Evangelium von Johannes

Christus, das ewige Wort

1 1Am Anfang war das Wort. Das Wort war bei Gott und
das Wort war Gott. 2Er war am Anfang bei Gott. 3Durch
ihn wurde alles geschaffen, was ist. Es gibt nichts, was er, das
Wort, nicht geschaffen hat. 4Das Leben selbst war in ihm, und
dieses Leben schenkt allen Menschen Licht. 5Das Licht scheint
in der Dunkelheit, und die Dunkelheit konnte es nicht aus-
löschen.

6Gott sandte Johannes den Täufer, 7um allen Menschen von
dem Licht zu erzählen, damit durch ihn alle daran glauben.
8Johannes selbst war nicht das Licht; er war nur ein Zeuge für
das Licht. 9Der, der das wahre Licht ist, das alle Menschen
erleuchtet, sollte erst noch in die Welt kommen.

10Doch obwohl die Welt durch ihn geschaffen wurde, er-
kannte die Welt ihn nicht, als er kam. 11Er kam in die Welt,
die ihm gehört, und sein eigenes Volk nahm ihn nicht auf.
12All denen aber, die ihn aufnahmen und an seinen Namen
glaubten, gab er das Recht, Gottes Kinder zu werden. 13Sie
wurden dies weder durch ihre Abstammung noch durch
menschliches Bemühen oder Absicht, sondern dieses neue Le-
ben kommt von Gott.

14Er, der das Wort ist, wurde Mensch und lebte unter uns. Er
war voll Gnade und Wahrheit und wir wurden Zeugen seiner
Herrlichkeit, der Herrlichkeit, die der Vater ihm, seinem ein-
zigen Sohn, gegeben hat.

15Auf ihn wies Johannes die Menschen hin. Er rief ihnen zu:
»Das ist der, von dem ich gesagt habe: ›Es kommt einer nach
mir, der ist größer als ich, denn er war da, lange bevor es mich
gab.‹«

16Aus seiner Fülle haben wir ja alle geschöpft: Eine Gnade
folgte auf die andere. 17Denn das Gesetz wurde durch Mose
gegeben; Gottes Gnade und Wahrheit kamen durch Jesus
Christus. 18Niemand hat Gott je gesehen. Doch sein einziger

Sohn, der selbst Gott ist, ist dem Herzen des Vaters ganz nahe;
er hat uns von ihm erzählt.

Das Zeugnis Johannes des Täufers

19Die führenden Männer des jüdischen Volkes schickten Pries-
ter und Leviten aus Jerusalem zu Johannes, um ihn zu fragen:
»Wer bist du eigentlich?« 20Johannes schwieg nicht, sondern
bekannte klar und deutlich: »Ich bin nicht der Christus.«
21»Wer bist du dann?«, fragten sie. »Bist du Elia?«
»Nein«, erwiderte er.
»Bist du der Prophet?«
»Nein.«
22»Wer bist du dann? Sag es uns, damit wir die Antwort de-
nen überbringen können, die uns geschickt haben. Was sagst
du selbst, wer du bist?«
23Johannes antwortete mit den Worten des Propheten Jesaja:
»Ich bin eine Stimme, die in der Wüste ruft: ›Ebnet den Weg
für das Kommen des Herrn!‹«
24Darauf fragten ihn die Abgesandten der Pharisäer:
25»Wenn du weder der Christus noch Elia oder der Prophet
bist, mit welchem Recht taufst du dann?«
26Johannes antwortete ihnen: »Ich taufe nur mit Wasser,
doch hier mitten unter euch steht einer, den ihr noch nicht
kennt. 27Er wird aber schon bald nach mir kommen. Ich bin
nicht einmal wert, sein Diener zu sein.« 28Diese Begebenheit
ereignete sich in Betanien, einem Dorf am Ostufer des Jordan,
wo Johannes taufte.

Jesus, das Lamm Gottes

29Am nächsten Tag, als Johannes Jesus auf sich zukommen
sah, sagte er: »Seht her! Da ist das Lamm Gottes, das die Sün-
de der Welt wegnimmt! 30Er ist es, von dem ich sagte: ›Bald
nach mir kommt ein Mann, der größer ist als ich, denn er war
da, lange bevor es mich gab.‹ 31Ich kannte ihn nicht. Aber um
Israel die Augen für ihn zu öffnen, bin ich gekommen und
habe mit Wasser getauft.«

32 Und er fuhr fort: »Ich sah den Heiligen Geist wie eine Tau-
be vom Himmel herabkommen und sich auf ihm niederlas-
sen. 33 Ich kannte ihn nicht, doch Gott, der mir den Auftrag
gegeben hat, mit Wasser zu taufen, sagte zu mir: ›Der, auf
den du den Heiligen Geist herabkommen und sich niederlas-
sen siehst, ist der, den du suchst. Er ist es, der mit dem Heili-
gen Geist tauft.‹ 34 Das habe ich nun gesehen und deshalb be-
zeuge ich, dass dieser Mann der Sohn Gottes ist.«

Die ersten Jünger

35 Am nächsten Tag stand Johannes an der gleichen Stelle und
zwei seiner Jünger waren bei ihm. 36 Als Jesus vorüberging,
blickte Johannes ihn an und rief aus: »Seht hin! Dieser ist das
Lamm Gottes!« 37 Da wandten sich seine beiden Jünger um
und folgten Jesus.

38 Jesus schaute sich um und sah, dass sie ihm folgten. »Was
wollt ihr?«, fragte er sie.

Sie antworteten: »Rabbi« (das bedeutet: Meister), »wo
wohnst du?«

39 »Kommt mit, dann werdet ihr es sehen«, sagte er. Es war
etwa vier Uhr nachmittags, als sie mit ihm dorthin gingen,
und sie blieben für den Rest des Tages dort.

40 Andreas, der Bruder von Simon Petrus, war einer der bei-
den Männer, die Jesus gefolgt waren, weil sie gehört hatten,
was Johannes über ihn sagte. 41 Sofort suchte er seinen Bruder
Simon auf und erzählte ihm: »Wir haben den Messias gefun-
den« (das bedeutet: den Christus).

42 Dann nahm Andreas Simon mit zu Jesus. Jesus sah ihn
aufmerksam an und sagte: »Du bist Simon, der Sohn des Jo-
hannes – doch du wirst Kephas genannt werden« (das bedeu-
tet: Petrus).

43 Als Jesus am nächsten Tag beschloss, nach Galiläa zu ge-
hen, begegnete er Philippus und sagte zu ihm: »Komm mit
und folge mir nach.« 44 Philippus stammte aus Betsaida, der
Heimatstadt von Andreas und Petrus.

45 Philippus machte sich auf die Suche nach Nathanael und
erzählte ihm: »Wir haben den gefunden, von dem Mose und

die Propheten geschrieben haben! Es ist Jesus, der Sohn von
Josef aus Nazareth.«
46»Aus Nazareth!«, rief Nathanael aus. »Kann denn aus Na-
zareth etwas Gutes kommen?«
Philippus antwortete: »Komm mit und überzeuge dich
selbst.«
47Als Jesus Nathanael auf sich zukommen sah, sagte er: »Da
kommt ein aufrechter Mann – ein wahrer Sohn Israels.«
48Nathanael fragte: »Woher kennst du mich?«
Jesus antwortete: »Ich sah dich unter dem Feigenbaum,
noch bevor Philippus dich rief.«
49Da antwortete Nathanael: »Rabbi, du bist der Sohn Got-
tes – du bist der König Israels!«
50Jesus entgegnete: »Glaubst du das jetzt nur, weil ich dir ge-
sagt habe, dass ich dich unter dem Feigenbaum sah? Du wirst
viel Größeres sehen.« 51Und er fuhr fort: »Ich versichere euch:
Ihr werdet sehen, dass der Himmel offen steht und die Engel
Gottes über dem Menschensohn hinauf- und herabsteigen.«

Die Hochzeit in Kana

2 1Am übernächsten Tag war die Mutter von Jesus bei einer
Hochzeitsfeier in Kana, einem Dorf in Galiläa. 2Auch Je-
sus und seine Jünger waren zu der Feier eingeladen. 3Wäh-
rend des Festes ging der Wein aus, und die Mutter von Jesus
machte ihn darauf aufmerksam. »Sie haben keinen Wein
mehr«, sagte sie zu ihm.
4»Was hat das mit mir und dir zu tun?«, fragte Jesus. »Meine
Zeit ist noch nicht gekommen.«
5Doch seine Mutter wies die Diener an: »Tut, was immer er
euch befiehlt.«
6Im Haus gab es sechs steinerne Wasserbehälter, die für die
vorgeschriebenen Reinigungshandlungen der Juden verwen-
det wurden und jeweils rund hundert Liter fassten. 7Jesus
sprach zu den Dienern: »Füllt die Krüge mit Wasser.« Als sie
die Krüge bis zum Rand gefüllt hatten, 8sagte er: »Schöpft
daraus und bringt es dem Zeremonienmeister.« Sie folgten
seiner Anweisung.

9Der Zeremonienmeister kostete von dem Wasser, das nun
Wein war. Da er nicht wusste, woher der Wein kam – denn
nur die Diener, die ihn geschöpft hatten, wussten es –, ließ er
den Bräutigam holen. 10»Eigentlich schenkt ein Gastgeber den
besseren Wein zuerst aus«, sagte er. »Später, wenn alle betrun-
ken sind und es ihnen nichts mehr ausmacht, holt er den we-
niger guten. Du dagegen hast den besten Wein bis jetzt zu-
rückbehalten!«
11Durch dieses Wunder in Kana in Galiläa zeigte Jesus zum
ersten Mal seine Herrlichkeit. Und seine Jünger glaubten an
ihn.
12Nach der Hochzeit ging er nach Kapernaum, wo er einige
Tage mit seiner Mutter, seinen Brüdern und seinen Jüngern
verbrachte.

Jesus reinigt den Tempel

13Das alljährliche Passahfest stand bevor, und Jesus ging nach
Jerusalem. 14Im Hof des Tempels sah er Händler, die Rinder,
Schafe und Tauben als Opfertiere zum Verkauf anboten; und
er sah Geldwechsler hinter ihren Tischen sitzen. 15Da machte
Jesus aus Stricken eine Peitsche und jagte sie alle aus dem
Tempel. Er trieb die Schafe und Rinder hinaus, warf die Mün-
zen der Geldwechsler auf den Boden und stieß ihre Tische
um. 16Dann ging er zu den Taubenverkäufern und befahl ih-
nen: »Schafft das alles fort. Macht aus dem Haus meines Va-
ters keinen Marktplatz!«
17Da erinnerten sich die Jünger an die Prophezeiung aus der
Schrift: »Die Leidenschaft für dein Haus brennt in mir.«
18»Woher nimmst du das Recht, so etwas zu tun?«, fragten
die Juden. »Wenn du diese Vollmacht von Gott hast, dann
beweise es uns durch ein Wunder.«
19»Nun gut«, erwiderte Jesus. »Zerstört diesen Tempel, und
in drei Tagen werde ich ihn wieder aufbauen.«
20»Was?«, riefen sie aus. »Es hat sechsundvierzig Jahre ge-
dauert, diesen Tempel zu bauen, und du willst ihn in drei
Tagen wieder aufbauen?« 21Doch Jesus hatte mit »diesem
Tempel« seinen eigenen Körper gemeint. 22Später, als er von

den Toten auferstanden war, erinnerten sich die Jünger an
das, was Jesus gesagt hatte. Und sie glaubten der Schrift und
den Worten von Jesus.
23Durch die Wunder, die er während des Passahfestes in Je-
rusalem tat, glaubten viele Menschen an seinen Namen.
24Aber Jesus vertraute sich ihnen nicht an, denn er kannte sie
und wusste, wie es in den Menschen wirklich aussieht. 25Ihm
brauchte über die menschliche Natur niemand etwas zu sa-
gen.

Jesus und Nikodemus

3 1Eines Nachts kam ein Pharisäer mit Namen Nikodemus,
der zu den führenden Juden zählte, 2zu Jesus. »Meister«,
sagte er, »wir alle wissen, dass Gott dich gesandt hat, um uns
zu lehren. Die Wunder, die du tust, beweisen, dass Gott mit
dir ist.«
3Jesus erwiderte: »Ich versichere dir: Wenn jemand nicht von
Neuem geboren wird, kann er das Reich Gottes nicht sehen.«
4»Was meinst du damit?«, rief Nikodemus aus. »Wie kann
denn ein alter Mensch wieder in den Leib seiner Mutter zu-
rückkehren und zum zweiten Mal geboren werden?«
5Jesus erwiderte: »Ich sage dir: Niemand kommt in das
Reich Gottes, der nicht aus Wasser und Geist geboren wird.
6Menschen können nur menschliches Leben hervorbringen,
der Heilige Geist jedoch schenkt neues Leben von Gott her.
7Darum wundere dich nicht, wenn ich sage, dass ihr von Neu-
em geboren werden müsst. 8Der Wind weht, wo er will. Du
hörst ihn zwar, aber du kannst nicht sagen, woher er kommt
oder wohin er geht. So kannst du auch nicht erklären, wie die
Menschen aus dem Geist geboren werden.«
9»Aber wie geschieht so etwas?«, fragte Nikodemus.
10Jesus antwortete: »Du bist ein angesehener Lehrer Israels,
und trotzdem weißt du das nicht? 11Ich versichere dir: Wir
reden nur von dem, was wir wissen und gesehen haben, und
erzählen es weiter. Doch ihr wollt unseren Worten nicht
glauben. 12Aber wenn ihr mir nicht einmal glaubt, wenn ich
euch von Dingen erzähle, die hier auf Erden geschehen, wie

werdet ihr mir dann glauben können, wenn ich euch sage,
was im Himmel geschieht? [13]Es ist noch nie jemand in den
Himmel hinaufgestiegen, bis auf den Menschensohn, der
vom Himmel herab auf die Erde gekommen ist. [14]Und wie
Mose in der Wüste die Bronzeschlange auf einem Pfahl auf-
gerichtet hat, so muss auch der Menschensohn an einem
Pfahl aufgerichtet werden, [15]damit jeder, der glaubt, das ewi-
ge Leben hat.

[16]Denn Gott hat die Welt so sehr geliebt, dass er seinen ein-
zigen Sohn hingab, damit jeder, der an ihn glaubt, nicht ver-
loren geht, sondern das ewige Leben hat. [17]Gott sandte seinen
Sohn nicht in die Welt, um sie zu verurteilen, sondern um sie
durch seinen Sohn zu retten.

[18]Wer an ihn glaubt, wird nicht verurteilt. Wer aber nicht an
ihn glaubt, ist schon verurteilt, weil er nicht an den Namen
des einzigen Sohnes Gottes geglaubt hat. [19]Und so vollzieht
sich das Gericht: Das Licht ist vom Himmel in die Welt ge-
kommen, aber sie liebten die Dunkelheit mehr als das Licht,
weil ihre Taten böse waren. [20]Sie hassen das Licht, weil sie im
Dunkeln Böses tun. Sie bleiben dem Licht fern, weil sie Angst
haben, dass ihre Taten aufgedeckt werden. [21]Wer sich aber
nach der Wahrheit ausrichtet, tritt ans Licht und jeder kann
sehen, dass er in Verantwortung vor Gott handelt.«

Johannes der Täufer bezeugt Jesus

[22]Danach verließen Jesus und seine Jünger Jerusalem. Sie blie-
ben aber noch eine Zeit lang in Judäa und tauften dort.

[23]Zu dieser Zeit taufte Johannes der Täufer in Änon, in der
Nähe von Salim, weil es dort reichlich Wasser gab. Und viele
Leute kamen zu ihm, um sich taufen zu lassen. [24]Das war,
bevor Johannes ins Gefängnis geworfen wurde. [25]Eines Tages
fingen die Jünger des Johannes ein Streitgespräch mit einem
Juden über die Reinigungsvorschriften an. [26]Daraufhin ka-
men sie zu Johannes und sagten: »Meister, der Mann, dem
du auf der anderen Seite des Jordan begegnet bist und auf
den du hingewiesen hast – der tauft auch Menschen. Und an-
statt zu uns kommen nun alle zu ihm.«

[27]Johannes erwiderte: »Ein Mensch kann sich nichts neh-
men, wenn es ihm nicht vom Himmel her gegeben wird. [28]Ihr
wisst selbst, dass ich euch ganz offen gesagt habe: ›Ich bin
nicht der Christus. Ich bin von Gott beauftragt, ihm den Weg
zu bereiten – mehr nicht.‹ [29]Wo die Braut hingeht, da ist der
Bräutigam. Und der Freund des Bräutigams, der dasteht und
ihm zuhört, freut sich an der Stimme des Bräutigams. Darü-
ber freue auch ich mich – und meine Freude ist nun vollkom-
men. [30]Er muss immer größer werden und ich immer gerin-
ger.

[31]Er ist von oben gekommen und ist größer als jeder andere.
Ich bin von der Erde, und mein Verständnis beschränkt sich
auf die irdischen Dinge. Davon kann ich sprechen. Er aber ist
vom Himmel gekommen. [32]Er sagt, was er gesehen und ge-
hört hat, doch niemand glaubt, was er ihnen sagt! [33]Wer ihm
glaubt, bestätigt damit, dass Gott wahrhaftig ist. [34]Denn er ist
von Gott gesandt. Und er spricht Gottes Worte, denn Gott gibt
ihm seinen Geist ohne jede Einschränkung. [35]Der Vater liebt
seinen Sohn und hat ihm Macht über alles gegeben. [36]Und
alle, die an den Sohn Gottes glauben, haben das ewige Leben.
Doch die, die dem Sohn nicht gehorchen, werden das ewige
Leben nie erfahren, sondern der Zorn Gottes liegt weiterhin
auf ihnen.«

Jesus und die Samaritanerin

4 [1]Jesus hörte, was den Pharisäern berichtet wurde: »Jesus
macht mehr Menschen zu Jüngern und tauft mehr als Jo-
hannes.« [2]Allerdings taufte Jesus nicht selbst, sondern seine
Jünger. [3]Da verließ er Judäa und ging wieder zurück nach
Galiläa.

[4]Sein Weg führte ihn durch Samarien. [5]Er kam zu der sama-
ritanischen Stadt Sychar, in der Nähe des Feldes, das Jakob
seinem Sohn Josef gegeben hatte. [6]Dort befand sich der Ja-
kobsbrunnen. Erschöpft von der langen Wanderung setzte Je-
sus sich um die Mittagszeit an den Brunnen. [7]Kurz darauf
kam eine Samaritanerin, um Wasser zu schöpfen. Jesus sagte
zu ihr: »Bitte, gib mir zu trinken.« [8]Er war zu diesem Zeit-

punkt allein, denn seine Jünger waren ins Dorf gegangen, um
etwas zu essen zu kaufen.
9Die Frau war überrascht, denn sonst wollen die Juden
nichts mit den Samaritanern zu tun haben. Sie erwiderte:
»Du bist ein Jude und ich bin eine Samaritanerin. Warum bit-
test du mich, dir zu trinken zu geben?«
10Jesus antwortete: »Wenn du wüsstest, welche Gabe Gott
für dich bereithält und wer der ist, der zu dir sagt: ›Gib mir
zu trinken‹, dann wärst du diejenige, die ihn bittet, und er
würde dir lebendiges Wasser geben.«
11»Aber, Herr, du hast weder ein Seil noch einen Eimer«,
entgegnete sie, »und dieser Brunnen ist sehr tief. Woher willst
du denn dieses lebendige Wasser nehmen? 12Bist du etwa grö-
ßer als unser Vater Jakob, der uns diesen Brunnen hinterließ?
Wie kannst du besseres Wasser versprechen, als er und seine
Söhne und sein Vieh hatten?«
13Jesus erwiderte: »Wenn die Menschen dieses Wasser ge-
trunken haben, werden sie schon nach kurzer Zeit wieder
durstig. 14Wer aber von dem Wasser trinkt, das ich ihm geben
werde, der wird niemals mehr Durst haben. Das Wasser, das
ich ihm gebe, wird in ihm zu einer nie versiegenden Quelle,
die unaufhörlich bis ins ewige Leben fließt.«
15»Bitte, Herr«, sagte die Frau, »gib mir von diesem Wasser!
Dann werde ich nie wieder durstig und brauche nicht mehr
herzukommen, um Wasser zu schöpfen.«
16»Geh, rufe deinen Mann und komm mit ihm hierher«, sag-
te Jesus zu ihr.
17»Ich habe keinen Mann«, entgegnete die Frau.
Jesus sagte: »Das stimmt! Du hast keinen Mann. 18Du hattest
fünf Ehemänner, und mit dem Mann, mit dem du jetzt zusam-
menlebst, bist du nicht verheiratet. Das hast du richtig ge-
sagt.«
19»Herr«, sagte die Frau, »ich sehe, dass du ein Prophet bist.
20Sage mir doch, warum ihr Juden darauf besteht, dass Jeru-
salem der einzige Ort ist, um Gott anzubeten. Wir Samarita-
ner dagegen behaupten, dass es dieser Berg hier ist, wo unsere
Vorfahren gebetet haben.«

21 Jesus erwiderte: »Glaube mir, es kommt die Zeit, in der es
keine Rolle mehr spielt, ob ihr den Vater hier oder in Jerusa-
lem anbetet. 22 Ihr Samaritaner wisst wenig über den, den ihr
anbetet – wir Juden dagegen kennen ihn, denn die Erlösung
kommt durch die Juden. 23 Aber die Zeit kommt, ja sie ist
schon da, in der die wahren Anbeter den Vater im Geist und
in der Wahrheit anbeten. Der Vater sucht Menschen, die ihn so
anbeten. 24 Denn Gott ist Geist; deshalb müssen die, die ihn
anbeten wollen, ihn im Geist und in der Wahrheit anbeten.«

25 Die Frau sagte: »Ich weiß, dass der Messias kommen wird –
der, den man den Christus nennt. Wenn er kommt, wird er
uns alle diese Dinge erklären.«

26 Da sagte Jesus zu ihr: »Ich bin es, der mit dir spricht!«

27 In diesem Augenblick kehrten seine Jünger zurück. Sie wa-
ren erstaunt, ihn im Gespräch mit einer Frau zu sehen, aber
keiner fragte ihn, warum er das tat oder worüber sie gespro-
chen hatten. 28 Die Frau ließ ihren Krug neben dem Brunnen
stehen, lief ins Dorf zurück und erzählte allen: 29 »Kommt mit
und lernt einen Mann kennen, der mir alles ins Gesicht gesagt
hat, was ich jemals getan habe! Könnte das vielleicht der
Christus sein?« 30 Da strömten die Leute aus dem Dorf herbei,
um ihn zu sehen.

31 Inzwischen drängten die Jünger Jesus, etwas zu essen.
32 »Nein«, sagte er, »ich lebe von einer Nahrung, von der ihr
nichts wisst.«

33 »Wer sie ihm wohl gebracht hat?«, fragten die Jünger ei-
nander.

34 Da erklärte Jesus: »Meine Nahrung ist, dass ich den Willen
Gottes tue, der mich gesandt hat, und sein Werk vollende.
35 Meint ihr etwa, dass erst in vier Monaten zum Ende des
Sommers die Zeit der Ernte beginnen wird? Schaut euch
doch um! Überall reifen die Felder heran und sind schon jetzt
bereit zur Ernte. 36 Der Erntearbeiter erhält guten Lohn, und
die Früchte, die er einsammelt, sind Menschen, die zum ewi-
gen Leben geführt werden. Welche Freude erwartet beide zu-
gleich: den, der pflanzt, und den, der erntet! 37 Ihr kennt den
Spruch: ›Der eine pflanzt und ein anderer erntet.‹ Das ist

wahr. 38Ich habe euch ausgesandt zu ernten, was ihr vorher nicht selbst erarbeitet habt; andere hatten diese Arbeit schon getan, und ihr werdet nun die Ernte einbringen.«

Viele Samaritaner glauben

39Viele Samaritaner aus dem Dorf glaubten nun an Jesus, weil die Frau ihnen erzählt hatte: »Er hat mir alles ins Gesicht gesagt, was ich jemals getan habe!« 40Als sie dann mit Jesus zusammentrafen, baten sie ihn, bei ihnen zu bleiben. Deshalb blieb er noch zwei Tage 41und noch viel mehr Menschen hörten seine Botschaft und glaubten an ihn. 42Zu der Frau sagten sie: »Nun glauben wir, weil wir ihn selbst gehört haben, und nicht nur aufgrund deiner Worte. Jetzt wissen wir, dass er wirklich der Retter der Welt ist.«

Jesus heilt den Sohn eines Beamten

43Nach diesen zwei Tagen setzte Jesus seine Reise nach Galiläa fort. 44Jesus hatte selbst einmal gesagt: »Ein Prophet wird überall geehrt, nur nicht in seiner eigenen Heimat.« 45Doch als er dort ankam, nahmen ihn die Galiläer herzlich auf. Denn sie waren beim Passahfest in Jerusalem gewesen und hatten gesehen, was er dort getan hatte.

46Seine Reise durch Galiläa führte ihn auch wieder in die Stadt Kana, wo er das Wasser in Wein verwandelt hatte. In Kapernaum lebte ein königlicher Beamter, dessen Sohn krank war. 47Als er hörte, dass Jesus aus Judäa gekommen war und durch Galiläa reiste, brach er nach Kana auf. Er suchte Jesus und bat ihn, mit ihm nach Kapernaum herabzukommen und seinen Sohn zu heilen, der im Sterben lag.

48Jesus sagte: »Wenn ihr nicht Zeichen und Wunder seht, glaubt ihr nicht an mich.«

49Doch der Beamte sagte zu ihm: »Herr, bitte komm zu mir herab nach Kapernaum, ehe mein kleiner Junge stirbt.«

50Da sagte Jesus zu ihm: »Geh zurück nach Hause! Dein Sohn lebt.« Der Mann glaubte dem Wort, das Jesus zu ihm gesagt hatte, und machte sich auf den Heimweg.

51Unterwegs kamen ihm einige seiner Knechte mit der

Nachricht entgegen, dass sein Sohn lebte und gesund war.
52Er fragte sie, seit wann genau es dem Jungen wieder besser
gehe, und sie erwiderten: »Gestern Mittag um ein Uhr ver-
schwand das Fieber!« 53Da erkannte der Vater, dass es genau
der Zeitpunkt gewesen war, an dem Jesus ihm gesagt hatte:
»Dein Sohn lebt.« Und der Beamte und sein ganzes Haus
glaubten an Jesus. 54Das war das zweite Wunder von Jesus in
Galiläa, nachdem er aus Judäa gekommen war.

Jesus heilt einen Gelähmten

5 1Danach ging Jesus zu einem der jüdischen Feste nach Je-
rusalem hinauf. 2Innerhalb der Stadtmauern, in der Nähe
des Schaftores, befindet sich ein Teich mit fünf Säulenhallen,
der auf Hebräisch Bethesda genannt wird. 3Scharen von kran-
ken Menschen – Blinde, Gelähmte oder Verkrüppelte – lagen
in den Hallen. 5Einer der Männer, die dort lagen, war seit acht-
unddreißig Jahren krank. 6Als Jesus ihn sah und erfuhr, wie
lange er schon krank war, fragte er ihn: »Willst du gesund
werden?«

7»Herr, ich kann nicht«, sagte der Kranke, »denn ich habe
niemanden, der mich in den Teich trägt, wenn sich das Wasser
bewegt. Während ich noch versuche hinzugelangen, steigt
immer schon ein anderer vor mir hinein.«

8Jesus sagte zu ihm: »Steh auf, nimm deine Matte und geh!«

9Im selben Augenblick war der Mann geheilt! Er rollte die
Matte zusammen und begann umherzugehen. Doch dies ge-
schah an einem Sabbat, 10und das wollten die führenden Män-
ner des jüdischen Volkes nicht dulden. Sie sagten zu dem
Mann, der geheilt worden war: »Du darfst am Sabbat nicht
arbeiten! Es ist gegen das Gesetz, diese Matte herumzutra-
gen!«

11Er entgegnete: »Der Mann, der mich geheilt hat, sagte zu
mir: ›Nimm deine Matte und geh!‹«

12»Wer ist dieser Mann, der das zu dir gesagt hat?«, fragten
sie.

13Der geheilte Mann wusste es aber nicht, denn Jesus war in
der Menge verschwunden. 14Später traf Jesus den Mann im

Tempel wieder und sagte zu ihm: »Du bist jetzt gesund. Nun
höre auf zu sündigen, damit dir nicht noch etwas Schlimme-
res widerfährt.« 15Danach suchte der Mann die führenden Ju-
den wieder auf und berichtete ihnen, dass es Jesus war, der
ihn geheilt hatte.

Jesus sagt, dass er Gottes Sohn ist

16Von da an verfolgten die führenden Juden Jesus, weil er dies
an einem Sabbat getan hatte. 17Doch Jesus entgegnete ihnen:
»Mein Vater hat bis heute nicht aufgehört zu wirken und des-
halb wirke ich auch.« 18Danach versuchten sie erst recht, ihn
zu töten, hatte er doch nicht nur den Sabbat aufgehoben, son-
dern auch Gott als seinen Vater bezeichnet und sich damit
Gott gleichgestellt.

19Daraufhin erwiderte Jesus: »Ich versichere euch: Der Sohn
kann nichts aus sich heraus tun. Er tut nur, was er den Vater
tun sieht. Was immer der Vater tut, das tut auch der Sohn.
20Denn der Vater liebt den Sohn und zeigt ihm alles, was er
selbst tut; und der Sohn wird noch weit Größeres tun. Ihr
werdet staunen über das, was er tun wird. 21Er wird von den
Toten auferwecken und lebendig machen, wen er will, genau
wie der Vater. 22Und der Vater richtet niemanden, sondern
das Gericht hat er ganz in die Hände seines Sohnes gegeben,
23damit alle den Sohn ebenso ehren, wie sie den Vater ehren.
Doch wer den Sohn nicht ehrt, ehrt auch den Vater nicht, der
ihn gesandt hat.

24Ich versichere euch: Wer meine Botschaft hört und an Gott
glaubt, der mich gesandt hat, der hat das ewige Leben. Er
wird nicht für seine Sünden verurteilt werden, sondern ist
bereits den Schritt vom Tod ins Leben gegangen.

25Und ich versichere euch: Die Zeit kommt, ja sie ist bereits
da, in der die Toten die Stimme des Sohnes Gottes hören wer-
den. Und wer sie hört, wird leben. 26Der Vater hat Leben aus
sich selbst heraus, und er hat auch seinem Sohn die Vollmacht
gegeben, aus sich selbst heraus Leben zu haben. 27Und er ver-
lieh ihm die Vollmacht, die ganze Menschheit zu richten, weil
er der Menschensohn ist. 28Wundert euch nicht! Die Zeit wird

kommen, in der die Toten in ihren Gräbern die Stimme des
Sohnes Gottes hören 29und auferstehen werden. Diejenigen,
die Gutes getan haben, werden zum ewigen Leben auferste-
hen, und diejenigen, die Schlechtes getan haben, werden zum
Gericht auferstehen. 30Doch ich tue nichts, ohne den Vater zu
fragen, sondern richte, wie er mir rät. Und mein Urteil ist voll-
kommen gerecht, weil es nicht meinem, sondern dem Willen
des Vaters entspricht, der mich gesandt hat; ich richte nicht
aus mir selbst heraus.

Zeugen für Jesus

31Wenn ich als Zeuge für mich selbst auftreten würde, wäre
mein Zeugnis nicht glaubwürdig. 32Doch es gibt noch einen
anderen Zeugen für mich, und ich weiß, dass alles, was er
über mich sagt, wahr ist. 33Ihr habt Boten zu Johannes dem
Täufer geschickt, um ihn zu hören, und er hat die Wahrheit
gesagt. 34Das beste Zeugnis für mich stammt jedoch nicht von
einem Menschen; ich habe euch nur an das Zeugnis von Jo-
hannes erinnert, damit ihr gerettet werdet. 35Johannes leuch-
tete eine Weile als helles Licht und ihr habt euch eine Zeit lang
an seinem Licht erfreut. 36Doch ich habe ein größeres Zeugnis
als das von Johannes: meine Taten. Sie sind mir vom Vater
gegeben, damit ich sie ausführe und vollende, und sie bezeu-
gen, dass der Vater mich gesandt hat. 37Aber auch der Vater
selbst hat für mich Zeugnis abgelegt. Ihr habt seine Stimme
nie gehört, ihr habt ihn nie von Angesicht zu Angesicht gese-
hen, 38und ihr tragt seine Botschaft nicht in euren Herzen, weil
ihr mir – dem, den er gesandt hat – nicht glaubt.

39Ihr forscht in der Schrift, weil ihr glaubt, dass sie euch das
ewige Leben geben kann. Und gerade sie verweist auf mich!
40Dennoch weigert ihr euch, zu mir zu kommen, damit ich
euch das ewige Leben schenken kann.

41Eure Zustimmung oder Ablehnung kümmert mich nicht,
42weil ich weiß, dass ihr Gottes Liebe nicht in euch habt. 43Ich
bin im Namen meines Vaters gekommen, aber ihr wollt mich
nicht akzeptieren, obwohl ihr andere, die nur in ihrem eige-
nen Namen auftreten, bereitwillig akzeptieren werdet. 44Kein

Wunder, dass ihr nicht glauben könnt! Denn ihr seid stets be-
reit, euch gegenseitig zu ehren, die Ehre aber, die nur von Gott
kommen kann, bedeutet euch nichts.
[45]Meint nicht, dass ich es bin, der euch beim Vater anklagen
wird. Mose wird euch anklagen! Ja, Mose, auf den ihr eure
Hoffnungen gesetzt habt. [46]Wenn ihr Mose geglaubt hättet,
dann hättet ihr mir geglaubt, denn er hat über mich geschrie-
ben. [47]Und wenn ihr schon nicht glaubt, was er aufgeschrie-
ben hat, wie werdet ihr da glauben, was ich sage?«

Mehr als fünftausend Menschen werden satt

6 [1]Danach ging Jesus auf die andere Seite des galiläischen
Meeres, das auch als See von Tiberias bekannt ist. [2]Eine
große Menschenmenge folgte ihm, weil sie seine Wunder sa-
hen, mit denen er die Kranken heilte. [3]Jesus stieg in die Berge
hinauf und lagerte dort mit seinen Jüngern. [4]Es war kurz vor
dem jährlichen Passahfest, das die Juden feiern. [5]Als Jesus sei-
nen Blick hob, sah er eine große Menschenmenge auf der Su-
che nach ihm die Berge heraufkommen. Er wandte sich an
Philippus und fragte: »Philippus, wo können wir so viel Brot
kaufen, dass all diese Menschen zu essen bekommen?« [6]Er
stellte Philippus jedoch nur auf die Probe, denn er wusste
schon, was er tun würde.
[7]Philippus antwortete: »Es würde ein kleines Vermögen kos-
ten, sie mit Nahrung zu versorgen!«
[8]Ein anderer Jünger, Andreas, der Bruder von Simon Petrus,
meldete sich zu Wort: [9]»Hier ist ein kleiner Junge mit fünf
Gerstenbroten und zwei Fischen. Doch was nützt uns das bei
so vielen Menschen?«
[10]»Sagt den Leuten, sie sollen sich hinsetzen«, befahl Jesus.
Da ließen sich alle – allein die Männer zählten schon fünftau-
send – auf den grasbewachsenen Hängen nieder. [11]Dann
nahm Jesus die Brote, dankte Gott und reichte sie den Men-
schen, wie viel sie auch wollten. Ebenso machte er es mit den
Fischen. [12]Und alle aßen, bis sie satt waren. »Sammelt die Res-
te wieder ein«, wies Jesus seine Jünger an, »damit nichts um-
kommt.« [13]Am Anfang waren es nur fünf Gerstenbrote gewe-

sen, doch nach dem Essen wurden zwölf Körbe mit den Brot-
resten gefüllt, die übrig geblieben waren!
14Als die Leute dieses Wunder sahen, riefen sie aus: »Dieser
ist wirklich der Prophet, den wir erwartet haben. Er ist es, der
in die Welt kommen soll.« 15Jesus merkte, dass sie im Begriff
waren, ihn mit Gewalt aufzuhalten und zum König zu ma-
chen. Da zog er sich wieder auf den Berg zurück und blieb
dort für sich allein.

Jesus geht auf dem Wasser

16Am Abend gingen seine Jünger zum Ufer hinunter, um dort
auf ihn zu warten. 17Doch als es dunkel wurde und Jesus noch
immer nicht kam, stiegen sie ins Boot, um über den See nach
Kapernaum zu fahren. 18Da überraschte sie auf dem See ein
Sturm, der das Wasser aufpeitschte. 19Sie waren etwa fünf Ki-
lometer weit gekommen, als sie plötzlich Jesus übers Wasser
auf ihr Boot zukommen sahen. Sie erschraken fürchterlich,
20doch er rief ihnen zu: »Ich bin es! Habt keine Angst.« 21Sie
beeilten sich, ihn ins Boot zu holen, und schon war das Boot
am Ufer angekommen!

Jesus, das Brot des Lebens

22Am nächsten Tag versammelten sich die Menschen wieder
auf der anderen Seite des Sees und warteten auf Jesus. Sie
wussten, dass er mit seinen Jüngern zusammen herüberge-
kommen war, die Jünger dann jedoch allein im Boot fort-
gefahren waren und ihn zurückgelassen hatten. 23Mehrere
Boote aus Tiberias legten in der Nähe der Stelle an, wo sie
nach einem Dankgebet des Herrn das Brot gegessen hatten.
24Als die Menge sah, dass weder Jesus noch die Jünger da
waren, stiegen sie in die Boote und fuhren nach Kapernaum
hinüber, um ihn zu suchen. 25Als sie dort ankamen und ihn
fanden, fragten sie: »Rabbi, wie bist du hierher gekommen?«
26Jesus erwiderte: »Ich sage euch: Ihr wollt bei mir sein, weil
ich euch satt gemacht habe, und nicht weil ihr das Wunder
gesehen habt. 27Ihr solltet euch um vergängliche Dinge wie
Nahrung nicht solche Sorgen machen. Sucht stattdessen, was

euch in das ewige Leben führt, das der Menschensohn euch
schenken kann. Denn dazu hat Gott, der Vater, ihn gesandt.«
28Sie erwiderten: »Was sollen wir denn nach dem Willen
Gottes tun?«
29Jesus erklärte: »Dies ist der Wille Gottes, dass ihr an den
glaubt, den er gesandt hat.«
30Sie entgegneten: »Wenn du willst, dass wir an dich glau-
ben, dann zeige uns ein Wunder. Was wirst du für uns tun?
31Immerhin haben unsere Vorfahren auf ihrer Wüstenwan-
derung Manna gegessen! In der Schrift heißt es: ›Mose gab
ihnen Brot vom Himmel zu essen.‹«
32Jesus sagte: »Ich versichere euch: Nicht Mose hat euch das
Brot vom Himmel gegeben, sondern mein Vater gibt euch das
wahre Brot vom Himmel. 33Das Brot, das Gott gibt, ist der, der
vom Himmel herabkommt und der Welt das Leben gibt.«
34»Herr«, sagten sie, »gib uns dieses Brot an jedem Tag unse-
res Lebens.«
35Jesus erwiderte: »Ich bin das Brot des Lebens. Wer zu mir
kommt, wird nie wieder hungern. Wer an mich glaubt, wird
nie wieder Durst haben. 36Doch ihr habt nicht an mich ge-
glaubt, obwohl ihr mich gesehen habt. 37Alle aber, die der Va-
ter mir gegeben hat, werden zu mir kommen, und ich werde
sie nicht zurückweisen oder hinausstoßen. 38Denn ich bin
vom Himmel herabgekommen, um den Willen Gottes zu
tun, der mich gesandt hat, und nicht, um zu tun, was ich selbst
will. 39Und es ist der Wille Gottes, dass ich von allen, die er
mir gegeben hat, auch nicht einen verliere, sondern sie am
letzten Tag zum ewigen Leben auferwecke. 40Denn mein Va-
ter will, dass alle, die seinen Sohn sehen und an ihn glauben,
das ewige Leben haben – und dass ich sie am letzten Tag auf-
erwecke.«
41Da fingen die Leute an aufzubegehren, weil er gesagt hat-
te: »Ich bin das Brot, das vom Himmel herabgekommen ist.«
42Sie sagten: »Das ist doch Jesus, der Sohn Josefs. Wir kennen
seinen Vater und seine Mutter. Wie kann er jetzt sagen: ›Ich
bin vom Himmel herabgekommen‹?«
43Aber Jesus erwiderte: »Empört euch nicht über das, was

ich gesagt habe. 44Niemand kann zu mir kommen, wenn der
Vater, der mich gesandt hat, ihn nicht zu mir zieht; und am
letzten Tag werde ich ihn von den Toten auferwecken. 45In
den Propheten steht geschrieben: ›Sie werden alle von Gott
unterwiesen sein.‹ Wer aber den Vater hört und von ihm lernt,
der kommt zu mir. 46Nicht, dass irgendjemand den Vater je
gesehen hat. Nur der eine, der von Gott kommt, hat den Vater
gesehen.

47Ich versichere euch: Wer an mich glaubt, hat schon das
ewige Leben. 48Ja, ich bin das Brot des Lebens! 49Eure Vorfah-
ren aßen Manna in der Wüste, doch sie sind alle gestorben.
50Dieses aber ist das Brot, das vom Himmel herabkommt.
Wer davon isst, wird nicht sterben. 51Ich bin das lebendige
Brot, das vom Himmel herabgekommen ist. Wer dieses Brot
isst, wird ewig leben; dieses Brot ist mein Fleisch, ich gebe es,
damit die Welt leben kann.«

52Da fingen die Leute an zu streiten. »Wie kann dieser Mann
uns sein Fleisch zu essen geben?«, fragten sie.

53Deshalb sagte Jesus noch einmal: »Ich sage euch: Wenn ihr
das Fleisch des Menschensohnes nicht esst und sein Blut nicht
trinkt, könnt ihr das ewige Leben nicht in euch haben. 54Wer
aber mein Fleisch isst und mein Blut trinkt, hat das ewige Le-
ben, und ich werde ihn am letzten Tag auferwecken. 55Denn
mein Fleisch ist die wahre Nahrung und mein Blut der wahre
Trank. 56Wer mein Fleisch isst und mein Blut trinkt, bleibt in
mir und ich in ihm. 57Ich lebe durch die Macht des lebendigen
Vaters, der mich gesandt hat, und ebenso werden alle, die an
mir teilhaben, durch mich leben. 58Dies ist das Brot, das vom
Himmel herabkommt. Wer dieses Brot isst, wird ewig leben
und nicht sterben wie eure Vorfahren, die das Manna aßen.«

59Dies alles sagte er, als er in der Synagoge von Kapernaum
lehrte.

Viele Jünger verlassen Jesus

60Daraufhin sagten selbst einige seiner Jünger: »Das ist unge-
heuerlich. Wie kann man das glauben?«

61Jesus wusste, dass seine Jünger sich über seine Worte auf-

regten; deshalb sagte er zu ihnen: »Nehmt ihr daran Anstoß?
[62]Was werdet ihr dann erst denken, wenn ihr den Menschen-
sohn wieder in den Himmel zurückkehren seht? [63]Es ist der
Geist, der lebendig macht. Das Fleisch hat keine Macht. Die
Worte aber, die ich euch gesagt habe, sind Geist und Leben.
[64]Doch einige von euch glauben mir nicht.« Denn Jesus wuss-
te von Anfang an, wer die waren, die nicht glaubten, und er
wusste auch, wer ihn verraten würde. [65]Er fuhr fort: »Deshalb
habe ich gesagt: Niemand kann zu mir kommen, wenn der
Vater ihn nicht zu mir zieht.«

[66]Von da an wandten sich viele seiner Jünger von ihm ab und
folgten ihm nicht mehr nach. [67]Da fragte Jesus die zwölf:
»Werdet ihr auch weggehen?«

[68]Simon Petrus antwortete: »Herr, zu wem sollten wir ge-
hen? Nur du hast Worte, die ewiges Leben schenken. [69]Wir
glauben und haben erkannt, dass du der Heilige Gottes bist.«

[70]Da sagte Jesus: »Ich habe euch zwölf auserwählt, aber ei-
ner von euch ist ein Teufel.« [71]Er sprach von Judas, dem Sohn
des Simon Iskariot, einem der zwölf, der ihn später verriet.

Jesus und seine Brüder

7 [1]Jesus blieb noch eine Weile in Galiläa und zog von Dorf
zu Dorf. Er mied Judäa, denn dort schmiedeten die füh-
renden Männer des jüdischen Volkes Mordpläne gegen ihn.
[2]Doch die Zeit des Laubhüttenfestes rückte näher, [3]und seine
Brüder drängten ihn, zum Fest nach Judäa mitzugehen. »Geh
doch nach Judäa, damit deine Jünger deine Wunder sehen
können, die du tust!«, spotteten sie. [4]»Wenn du dich so ver-
steckst, wirst du nie bekannt werden! Falls du wirklich so
wunderbare Dinge tun kannst, dann beweise es vor aller
Welt!« [5]Denn selbst seine Brüder glaubten nicht an ihn.

[6]Jesus erwiderte: »Für mich ist der richtige Zeitpunkt noch
nicht da; aber ihr könnt jederzeit gehen. [7]Euch kann die Welt
nicht hassen. Mich dagegen hasst sie, weil ich sage, dass ihre
Taten böse sind. [8]Geht ihr nur hinauf zum Fest. Ich bin noch
nicht so weit, zu diesem Fest zu gehen, weil meine Zeit noch
nicht gekommen ist.« [9]Und Jesus blieb in Galiläa.

Jesus lehrt öffentlich im Tempel

10Doch nachdem seine Brüder zum Fest aufgebrochen waren,
folgte ihnen Jesus, allerdings heimlich und ohne öffentliches
Aufsehen zu erregen. 11Die führenden Männer des jüdischen
Volkes ließen ihn suchen und fragten überall nach ihm. 12Die
Menschen sprachen untereinander heimlich über ihn. Ein
paar sagten: »Er ist ein guter Mensch«, andere meinten: »Er
ist nichts als ein Betrüger, der die Leute verführt.« 13Aber kei-
ner hatte den Mut, in aller Öffentlichkeit für ihn einzutreten,
weil sie den Konflikt mit den führenden Juden scheuten.

14Als das Fest zur Hälfte vorüber war, ging Jesus zum Tem-
pel hinauf und begann zu lehren. 15Die Juden waren zutiefst
erstaunt, als sie ihn hörten. »Woher weiß er das alles, ohne
dass er die Schrift studiert hat?«, fragten sie.

16Da sagte Jesus zu ihnen: »Ich lehre nicht meine eigenen
Gedanken, sondern die Gedanken Gottes, der mich gesandt
hat. 17Wer den Willen Gottes tun will, wird erkennen, ob mei-
ne Lehre von Gott kommt oder ob ich aus mir selbst heraus
rede. 18Wer nur seine eigenen Anschauungen vertritt, sucht
Anerkennung für sich selbst. Wer aber den ehren will, der
ihn gesandt hat, der ist glaubwürdig und ohne falsche Ab-
sichten. 19Keiner von euch gehorcht dem Gesetz, das Mose
euch gab, ja ihr versucht sogar, mich zu töten! Mit welchem
Recht?«

20Die Menge erwiderte: »Du bist ja von einem Dämon beses-
sen! Wer will dich töten?«

21Jesus erwiderte: »Eine einzige Tat habe ich am Sabbat ge-
tan, an der ihr Anstoß nehmt. 22Aber auch ihr arbeitet am
Sabbat, wenn ihr einen Menschen an diesem Tag beschnei-
det, weil Mose euch das Gesetz der Beschneidung gab. Dabei
ist der Brauch der Beschneidung älter als das mosaische Ge-
setz; er geht auf die Stammväter zurück. 23Denn wenn der
vorgeschriebene Zeitpunkt für die Beschneidung eurer Söh-
ne auf einen Sabbat fällt, dann vollzieht ihr die Beschnei-
dung, um das mosaische Gesetz nicht zu brechen. Warum
also empört ihr euch und verurteilt mich? Weil ich einen
Menschen am Sabbat geheilt habe? 24Denkt darüber nach

und richtet nicht nach dem äußeren Schein, sondern richtet
gerecht!«

Ist Jesus der Messias?

25Einige Leute aus Jerusalem sagten zueinander: »Ist das nicht
der Mann, den sie umbringen wollen? 26Da lehrt er hier in
aller Öffentlichkeit, und sie schweigen dazu. Haben sie etwa
erkannt, dass er wirklich der Christus ist? 27Aber wie könnte
das sein? Wir wissen doch, woher dieser Mann stammt. Wenn
der Christus kommt, wird er einfach da sein, ohne dass je-
mand weiß, woher er kommt.«

28Während Jesus im Tempel lehrte, rief er: »Ja, ihr denkt, ihr
kennt mich und wisst, woher ich komme. Doch ich komme
nicht in meinem eigenen Auftrag, sondern im Namen dessen,
der mich gesandt hat. Doch den kennt ihr nicht. 29Ich aber
kenne ihn, denn ich komme von ihm, und er hat mich ge-
sandt.« 30Da wollten sie ihn verhaften lassen, aber niemand
legte Hand an ihn, denn seine Zeit war noch nicht gekommen.
31Viele von den Menschen im Tempel glaubten an ihn.
»Denn«, so sagten sie, »würde man von Christus mehr Wun-
der erwarten, als dieser Mann sie getan hat?«

32Als die Pharisäer diese und ähnliche Äußerungen der Leu-
te hörten, schickten sie und die obersten Priester Männer der
Tempelwache aus, um Jesus verhaften zu lassen. 33Doch Jesus
sagte zu ihnen: »Ich werde nur noch kurze Zeit hier sein.
Dann werde ich zu dem zurückkehren, der mich gesandt
hat. 34Ihr werdet nach mir suchen, doch ihr werdet mich nicht
finden. Und ihr werdet nicht dorthin kommen können, wo ich
dann bin.«

35Diese Aussage irritierte die Juden. »Wo will er hingehen,
sodass wir ihn nicht finden können?«, fragten sie. »Will er
etwa das Land verlassen und zu den Juden in anderen Län-
dern gehen, ja vielleicht sogar zu den Heiden? 36Was meint er
mit den Worten: ›Ihr werdet nach mir suchen, doch ihr werdet
mich nicht finden‹, oder ›Ihr werdet nicht dorthin kommen
können, wo ich dann bin‹?«

Jesus verspricht lebendiges Wasser
37Am letzten Tag, dem Höhepunkt des Festes, stellte Jesus sich
hin und rief der Menge zu: »Wenn jemand Durst hat, soll er zu
mir kommen und trinken! 38Wer an mich glaubt, aus dessen
Innerem werden Ströme lebendigen Wassers fließen, wie es in
der Schrift heißt.« 39Mit dem »lebendigen Wasser« meinte er
den Geist, der jedem zuteilwerden sollte, der an ihn glaubte.
Aber der Geist war noch nicht gekommen, weil Jesus noch
nicht verherrlicht worden war.

Spaltung und Unglauben
40Als die Menge das hörte, meinten einige: »Bestimmt ist die-
ser Mann der Prophet.« 41Andere sagten: »Er ist der Chris-
tus.« Wieder andere wandten dagegen ein: »Das kann nicht
sein! Oder kommt der Christus etwa aus Galiläa? 42In der
Schrift steht, dass der Messias aus dem königlichen Ge-
schlecht Davids geboren wird, und zwar in Bethlehem, dem
Dorf, in dem David geboren wurde.« 43So war die Menge un-
terschiedlicher Meinung über ihn. 44Und einige wollten ihn
verhaften lassen, aber niemand legte Hand an ihn.

45Die Männer der Tempelwache, die ausgeschickt worden
waren, um ihn zu verhaften, kehrten unverrichteter Dinge zu
den obersten Priestern und Pharisäern zurück. »Warum habt
ihr ihn nicht hergebracht?«, wollten diese wissen.

46»Noch nie haben wir einen Menschen so sprechen hören!«,
antworteten die Männer.

47»Habt ihr euch etwa auch von ihm in die Irre führen las-
sen?«, spotteten die Pharisäer. 48»Glaubt auch nur ein Einziger
der oberen Priester oder Pharisäer an ihn? 49Aber nur dieses
Volk, diese Menschen, die das Gesetz nicht kennen, diese
Menschen, die verflucht sind!«

50Da sagte Nikodemus, der selbst Pharisäer war und Jesus
einmal aufgesucht hatte: 51»Entspricht es etwa unserem Ge-
setz, einen Mann zu verurteilen, ehe man ihn angehört und
erkannt hat, ob er schuldig ist?«

52Sie erwiderten: »Stammst du etwa auch aus Galiläa? For-

sche doch in der Schrift nach, dann wirst du es selbst sehen:
Aus Galiläa kommt kein Prophet!«
53 Da trennten sie sich und jeder ging nach Hause.

Eine Frau wird beim Ehebruch ertappt

8 1 Jesus ging zum Ölberg zurück, 2 doch schon früh am Mor-
gen war er wieder im Tempel. Bald hatte sich eine Men-
schenmenge um ihn versammelt, und er setzte sich und un-
terwies sie. 3 Während er sprach, brachten die Gesetzeslehrer
und Pharisäer eine Frau herein, die sie beim Ehebruch ertappt
hatten. Sie stellten sie in die Mitte.
4 »Meister«, sagten sie zu Jesus, »diese Frau ist auf frischer
Tat beim Ehebruch ertappt worden. 5 Nach dem Gesetz Moses
muss sie gesteinigt werden. Was sagst du dazu?«
6 Damit wollten sie ihn zu einer Aussage verleiten, die sie
gegen ihn verwenden konnten. Doch Jesus bückte sich und
schrieb mit dem Finger in den Staub. 7 Aber sie ließen nicht
locker und verlangten eine Antwort. Schließlich richtete er
sich auf und sagte: »Wer von euch ohne Sünde ist, der soll
den ersten Stein auf sie werfen!« 8 Damit bückte er sich wieder
und schrieb weiter in den Staub.
9 Als die Ankläger das hörten, machten sie sich einer nach
dem anderen davon, die Ältesten zuerst. Schließlich war Jesus
allein mit der Frau, die noch immer an der gleichen Stelle in
der Mitte stand. 10 Da richtete Jesus sich wieder auf und sagte
zu ihr: »Wo sind sie? Hat dich keiner von ihnen verurteilt?«
11 »Niemand, Herr«, antwortete sie.
»Dann verurteile ich dich auch nicht«, erklärte Jesus. »Geh
und sündige nicht mehr.«

Jesus, das Licht der Welt

12 Jesus sagte zu den Leuten: »Ich bin das Licht der Welt. Wer
mir nachfolgt, braucht nicht im Dunkeln umherzuirren, denn
er wird das Licht haben, das zum Leben führt.«
13 Die Pharisäer erwiderten: »Du bist dein eigener Zeuge.
Deine Worte sind nicht glaubwürdig!«
14 Jesus antwortete: »Was ich über mich gesagt habe, ist

wahr, auch wenn ich damit für mich selbst spreche. Denn ich
weiß, wo ich herkomme und wo ich hingehe, während ihr das
nicht von mir wisst. 15Ihr verurteilt mich nach menschlichen
Maßstäben, ich dagegen verurteile niemanden. 16Wenn ich
euch aber verurteilen würde, wäre mein Urteil wahr, denn
ich handle nicht allein – der Vater, der mich gesandt hat, ist
mit mir. 17Euer eigenes Gesetz sagt: Wenn zwei Personen et-
was übereinstimmend bezeugen, gilt ihre Aussage als Tatsa-
che. 18Ich bin der eine Zeuge, und mein Vater, der mich ge-
sandt hat, ist der andere.«

19»Wo ist denn dein Vater?«, fragten sie. Jesus antwortete:
»Da ihr nicht wisst, wer ich bin, wisst ihr auch nicht, wer
mein Vater ist. Würdet ihr mich kennen, dann würdet ihr
auch meinen Vater kennen.« 20Dies sagte er, als er in dem Be-
reich des Tempels lehrte, der als Schatzkammer bezeichnet
wird. Aber er wurde nicht verhaftet, weil seine Zeit noch nicht
gekommen war.

Warnung an die Ungläubigen

21Jesus sagte noch einmal: »Ich werde fortgehen. Ihr werdet
mich suchen und in eurer Sünde sterben. Ihr könnt nicht dort-
hin kommen, wo ich hingehe.«

22Da fragten sich die Juden: »Will er etwa Selbstmord bege-
hen? Was meint er mit den Worten: ›Ihr könnt nicht dorthin
kommen, wo ich hingehe‹?«

23Er antwortete ihnen: »Ihr seid von unten; ich bin von oben.
Ihr seid von dieser Welt; ich bin nicht von dieser Welt. 24Des-
halb habe ich gesagt, dass ihr in eurer Sünde sterben werdet:
Weil ihr nicht an mich als den glaubt, der ich bin, werdet ihr in
eurer Sünde sterben.«

25»Wer bist du denn?«, fragten sie.

Jesus erwiderte: »Ich bin der, als der ich mich immer be-
zeichnet habe. 26Ich hätte noch vieles über euch zu sagen und
vieles zu verurteilen. Aber ich sage der Welt nur das, was ich
von dem gehört habe, der mich gesandt hat, und er sagt die
Wahrheit.« 27Doch sie begriffen noch immer nicht, dass er mit
ihnen über seinen Vater sprach.

28 Also sagte Jesus: »Wenn ihr den Menschensohn am Kreuz
erhöht habt, werdet ihr erkennen, dass ich es bin und dass ich
nichts von mir selbst aus tue, sondern das sage, was der Vater
mich gelehrt hat. 29 Der, der mich gesandt hat, ist mit mir – er
hat mich nicht verlassen. Denn ich tue immer, was ihm ge-
fällt.« 30 Als er das alles gesagt hatte, glaubten viele an ihn.

Jesus und Abraham

31 Jesus sagte zu den Menschen, die nun an ihn glaubten:
»Wenn ihr euch nach meinen Worten richtet, seid ihr wirklich
meine Jünger. 32 Ihr werdet die Wahrheit erkennen, und die
Wahrheit wird euch frei machen.«

33 »Aber wir sind doch Nachkommen Abrahams«, sagten
sie. »Wir sind nie Sklaven von irgendjemand gewesen. Wa-
rum redest du dann von ›frei machen‹? Was meinst du da-
mit?«

34 Jesus erwiderte: »Ich versichere euch: Jeder, der sündigt,
ist ein Sklave der Sünde. 35 Ein Sklave ist kein Familienmit-
glied; ein Sohn dagegen gehört für immer zur Familie. 36 Nur
dann, wenn der Sohn euch frei macht, seid ihr wirklich frei.
37 Ich weiß, dass ihr Nachkommen Abrahams seid. Und trotz-
dem wollt ihr mich töten, weil meine Botschaft in euren Her-
zen keinen Platz hat. 38 Ich erzähle euch von dem, was ich bei
meinem Vater gesehen habe. So folgt auch ihr dem Rat eures
Vaters und tut, was ihr gehört habt.«

39 »Unser Vater ist Abraham«, erklärten sie.

»Nein«, erwiderte Jesus, »denn wenn ihr Kinder Abrahams
wärt, würdet ihr nach seinem Vorbild handeln. 40 Ich habe
euch die Wahrheit gesagt, die ich von Gott gehört habe, aber
ihr versucht, mich zu töten. So etwas hätte Abraham nie ge-
tan. 41 Nein, wenn ihr so handelt, gehorcht ihr eurem wirk-
lichen Vater.« Sie entgegneten: »Wir jedenfalls sind nicht un-
ehelich geboren! Unser einziger Vater ist Gott.«

42 Jesus sagte zu ihnen: »Wenn Gott euer Vater wäre, würdet
ihr mich lieben, weil ich von Gott zu euch gekommen bin. Ich
bin nicht hier, weil ich es selbst so wollte, sondern er hat mich
gesandt. 43 Warum versteht ihr nicht, was ich sage? Weil ihr

gar nicht fähig seid, mein Wort zu hören. 44Ihr habt den Teufel
zum Vater: Ihr tut mit Vorliebe die bösen Dinge, die er tut. Er
war von Anbeginn an ein Mörder und hat die Wahrheit im-
mer gehasst. In ihm ist keine Wahrheit. Wenn er lügt, ent-
spricht das seinem Wesen, denn er ist ein Lügner und der Va-
ter der Lüge. 45Wenn ich euch also die Wahrheit sage, ist es
nur natürlich, dass ihr mir nicht glaubt! 46Wer von euch kann
mir zu Recht eine Sünde vorwerfen? Und wenn ich euch aber
die Wahrheit sage, warum glaubt ihr mir dann nicht? 47Wer
Gott zum Vater hat, der hört Gottes Worte. Dass ihr nicht da-
rauf hört, zeigt, dass ihr nicht Gottes Kinder seid.«

48Die Leute entgegneten: »Du samaritanischer Teufel! Ha-
ben wir nicht immer gesagt, dass du von einem Dämon beses-
sen bist?«

49»Nein«, sagte Jesus, »ich habe keinen Dämon in mir. Ich
gebe meinem Vater die Ehre – ihr aber beleidigt mich. 50Ich
will mir nicht selbst die Ehre geben, mein Vater will das tun.
Er wird der Richter sein. 51Ich versichere euch: Wenn jemand
meinem Wort gehorcht, wird er niemals sterben!«

52Die Leute sagten: »Jetzt wissen wir, dass du von einem
Dämon besessen bist. Sogar Abraham und die Propheten
sind gestorben, und da behauptest du, wer deinem Wort ge-
horcht, werde niemals sterben! 53Bist du vielleicht größer als
unser Vater Abraham, der doch gestorben ist? Bist du etwa
größer als die Propheten, die gestorben sind? Für wen hältst
du dich?«

54Jesus antwortete: »Wenn ich mich nur selbst rühme, ist das
ohne Bedeutung. Doch es ist mein Vater, der mich ehrt. Ihr
behauptet: ›Er ist unser Gott‹, 55aber ihr kennt ihn ja nicht
einmal. Ich dagegen kenne ihn. Wenn ich etwas anderes be-
haupten würde, dann wäre ich ein ebensolcher Lügner wie
ihr! Aber es ist wahr – ich kenne ihn und gehorche ihm. 56Euer
Vater Abraham freute sich auf mein Kommen. Er sah es vo-
raus und war froh.«

57Die Leute erwiderten: »Du bist nicht einmal fünfzig Jahre
alt. Wie kannst du behaupten, du hättest Abraham gesehen?«

58Jesus antwortete: »Ich versichere euch: Ich war schon da,

bevor Abraham auch nur geboren wurde!« [59]Da hoben sie
Steine auf, um ihn zu töten. Aber Jesus floh vor ihnen und
verließ den Tempel.

Jesus heilt einen Blindgeborenen

9 [1]Unterwegs sah Jesus einen Mann, der von Geburt an
blind war. [2]»Meister«, fragten die Jünger ihn, »warum
wurde dieser Mann blind geboren? Ist es wegen seiner eige-
nen Sünden oder wegen der Sünden seiner Eltern?«
[3]»Es lag nicht an seinen Sünden oder den Sünden seiner El-
tern«, antwortete Jesus. »Er wurde blind geboren, damit die
Kraft Gottes an ihm sichtbar werde. [4]Wir alle müssen die Auf-
gaben dessen, der mich gesandt hat, rasch erfüllen. Denn
nicht mehr lange und die Nacht bricht herein, in der niemand
mehr etwas tun kann. [5]Doch solange ich noch in der Welt bin,
bin ich das Licht der Welt.«
[6]Dann spuckte er auf die Erde, vermischte den Lehm mit
seinem Speichel zu einem Brei und strich ihn dem Blinden
auf die Augen. [7]Daraufhin sagte er zu ihm: »Geh und wasch
dich im Teich Siloah.« Siloah bedeutet: Gesandter. Da ging der
Mann und wusch sich und kam sehend zurück!
[8]Seine Nachbarn und andere, die ihn als blinden Bettler
kannten, fragten einander: »Ist das derselbe Mann – der Bett-
ler?« [9]Einige meinten, er sei es; andere sagten: »Nein, aber er
sieht aus wie jener!«
Der Bettler aber sagte immer nur: »Ich bin derselbe Mann!«
[10]Da fragten sie ihn: »Was ist geschehen? Wie wurden deine
Augen geöffnet?«
[11]Und er erzählte: »Der Mann, den sie Jesus nennen, machte
aus Lehm und Speichel einen Brei, den er mir auf die Augen
strich, und dann sagte er: ›Geh zum Teich Siloah und wasche
dich.‹ Ich ging und wusch mich, und nun kann ich sehen!«
[12]»Wo ist er jetzt?«, fragten sie.
»Das weiß ich nicht«, erwiderte er.
[13]Daraufhin brachten sie den Mann, der blind gewesen war,
zu den Pharisäern. [14]Nun hatte Jesus den Mann an einem Sab-
bat geheilt. [15]Die Pharisäer ließen sich von dem Mann alles

erzählen. Er berichtete: »Er strich mir einen Brei auf die Au-
gen, und als ich ihn abgewaschen hatte, konnte ich sehen!«
16Einige der Pharisäer meinten: »Dieser Mensch, Jesus,
kommt nicht von Gott, denn er bricht das Gesetz und arbeitet
am Sabbat.« Andere dagegen sagten: »Aber wie könnte ein
gewöhnlicher Sünder solche Wunder tun?« So gingen ihre
Meinungen über ihn weit auseinander.
17Da befragten die Pharisäer den Mann, der blind gewesen
war, noch einmal und wollten wissen: »Dieser Mann, der dir
die Augen geöffnet hat – was meinst du, wer er ist?«
Der Mann erwiderte: »Er muss ein Prophet sein.«
18Die führenden Juden wollten nicht glauben, dass der
Mann blind gewesen war. Deshalb ließen sie seine Eltern ho-
len 19und fragten: »Ist das euer Sohn? Behauptet ihr, dass er
von Geburt an blind gewesen ist? Wenn das stimmt, wie
kommt es, dass er jetzt sehen kann?«
20Seine Eltern antworteten: »Wir wissen, dass dies unser
Sohn ist und dass er blind geboren wurde, 21aber wir wissen
nicht, warum er jetzt sehen kann oder wer ihn geheilt hat. Er
ist alt genug, um für sich selbst zu sprechen. Fragt ihn doch
selbst.« 22Das sagten sie aus Angst vor den führenden Juden,
weil diese angekündigt hatten, jeden aus der Synagoge aus-
zuschließen, der Jesus als Christus bezeichnete. 23Deshalb
sagten die Eltern: »Er ist alt genug, um für sich selbst zu spre-
chen. Fragt ihn doch selbst.«
24Da riefen sie den Mann, der blind geboren worden war,
zum zweiten Mal herein und ermahnten ihn: »Gib Gott die
Ehre und sage die Wahrheit, denn wir wissen, dass dieser
Mann ein Sünder ist.«
25»Ich weiß nicht, ob er ein Sünder ist«, erwiderte der Mann.
»Aber eins weiß ich: Ich war blind, und jetzt kann ich sehen!«
26»Aber was hat er mit dir gemacht?«, fragten sie. »Wie hat
er dich von deiner Blindheit geheilt?«
27»Das habe ich euch doch bereits erzählt!«, rief der Mann
aus. »Habt ihr denn nicht zugehört? Warum wollt ihr es noch
einmal hören? Wollt ihr auch seine Jünger werden?«
28Da beschimpften sie ihn und sagten: »Du bist sein Jünger,

wir aber sind Jünger Moses. 29Wir wissen, dass Gott zu Mose
gesprochen hat, doch von diesem Mann wissen wir nicht ein-
mal, woher er ist.«

30»Seltsam!«, entgegnete der Mann. »Er hat meine Augen
geheilt und ihr wisst nicht, woher er ist! 31Wir wissen, dass
Gott Sünder nicht erhört, aber er erhört die, die ihn anbeten
und seinen Willen tun. 32Solange die Welt besteht, hat noch
niemand die Augen eines Blindgeborenen öffnen können.
33Wenn dieser Mann nicht von Gott käme, könnte er so etwas
nicht tun.«

34Da hielten sie ihm vor: »Du bist ganz in Sünden geboren
und willst uns belehren?« Und sie warfen ihn aus der Synago-
ge.

Glaubensblindheit

35Als Jesus hörte, was geschehen war, suchte er den Mann auf
und sagte: »Glaubst du an den Menschensohn?«

36Der Mann erwiderte: »Sag mir, wer es ist, Herr, denn ich
würde gern an ihn glauben.«

37»Du hast ihn gesehen«, sagte Jesus, »und jetzt spricht er
mit dir!«

38»Ja, Herr!«, antwortete der Mann. »Ich glaube!« Und er fiel
vor Jesus nieder und betete ihn an.

39Da sagte Jesus zu ihm: »Zum Gericht bin ich in die Welt
gekommen. Ich bin gekommen, die Blinden sehend zu ma-
chen, und denen, die sich für sehend halten, zeige ich, dass
sie blind sind.«

40Die Pharisäer, die in der Nähe standen, hörten ihn und
fragten: »Willst du damit sagen, dass etwa auch wir blind
sind?«

41»Wenn ihr blind wärt, wärt ihr unschuldig«, erwiderte Je-
sus. »So aber bleibt ihr schuldig, weil ihr behauptet, sehen zu
können.

Der gute Hirte und seine Schafe

10 1Ich versichere euch: Wer sich über die Mauer in den
Schafpferch schleicht, statt durchs Tor hineinzugehen,

ist ein Dieb und ein Räuber! [2]Denn ein Hirte tritt durch das
Tor ein. [3]Der Torhüter öffnet ihm, und die Schafe hören seine
Stimme und kommen zu ihm. Er ruft seine Schafe, die ihm
gehören, beim Namen und führt sie hinaus. [4]Wenn er seine
Herde versammelt hat, geht er vor ihnen her, und die Schafe
folgen ihm, weil sie seine Stimme kennen. [5]Einem Fremden
aber folgen sie nicht, sondern laufen vor ihm weg, weil sie
seine Stimme nicht kennen.«

[6]Die Zuhörer wussten nicht, was Jesus mit diesem Bild
meinte, [7]deshalb erklärte er es ihnen. »Ich versichere euch:
Ich bin das Tor zu den Schafen«, sagte er. [8]»Alle, die vor mir
kamen, waren Diebe und Räuber. Doch die Schafe hörten
nicht auf sie. [9]Ja, ich bin das Tor. Wer durch mich hineingeht,
wird gerettet werden. Wo er auch hinkommt, wird er grüne
Weiden finden. [10]Ein Dieb will rauben, morden und zerstören.
Ich aber bin gekommen, um ihnen das Leben in ganzer Fülle
zu schenken.

[11]Ich bin der gute Hirte. Der gute Hirte opfert sein Leben für
die Schafe. [12]Ein Schäfer, der nur für Lohn arbeitet, läuft da-
von, wenn er einen Wolf kommen sieht. Er wird die Schafe im
Stich lassen, weil sie ihm nicht gehören und er nicht ihr Hirte
ist. Und so greift der Wolf sie an und zerstreut die Herde.
[13]Der bezahlte Arbeiter läuft davon, weil er nur angeworben
wurde und die Schafe ihm nicht wirklich am Herzen liegen.

[14]Ich bin der gute Hirte; ich kenne meine Schafe und sie ken-
nen mich, [15]so wie mein Vater mich kennt und ich den Vater.
Ich gebe mein Leben für die Schafe. [16]Ich habe auch noch an-
dere Schafe, die nicht in diesem Pferch sind. Auch sie muss ich
herführen, und sie werden auf meine Stimme hören; und alle
werden eine Herde mit einem Hirten sein.

[17]Der Vater liebt mich, weil ich mein Leben hingebe, um es
wiederzuerlangen. [18]Niemand kann es mir nehmen. Ich gebe
es freiwillig hin. Ich habe die Macht, es hinzugeben, und ich
habe die Macht, es wieder zu nehmen. Denn mein Vater hat
mir diesen Auftrag gegeben.«

[19]Wegen dieser Worte waren die Menschen wieder geteilter
Meinung über ihn. [20]Manche meinten: »Er hat einen Dämon

und ist verrückt. Warum hört ihr auf einen solchen Mann?«
21Andere dagegen sagten: »Das klingt nicht nach einem
Mann, der von einem Dämon besessen ist! Oder kann ein Dä-
mon etwa den Blinden die Augen öffnen?«

Jesus erhebt den Anspruch, Gottes Sohn zu sein

22Inzwischen war es Winter. Jesus war zum Fest der Tempel-
weihe nach Jerusalem gereist. 23Nun hielt er sich im Tempel
auf, in dem Bereich der Säulenhalle Salomos. 24Da umringten
ihn die Juden und fragten: »Wie lange willst du uns noch hin-
halten? Wenn du der Christus bist, dann sag es uns offen.«

25Jesus erwiderte: »Ich habe es euch bereits gesagt, aber ihr
glaubt mir nicht. Alles, was ich im Namen meines Vaters tue,
beweist, wer ich bin. 26Aber ihr glaubt mir nicht, weil ihr nicht
zu meiner Herde gehört. 27Meine Schafe hören auf meine
Stimme; ich kenne sie, und sie folgen mir. 28Ich schenke ihnen
das ewige Leben, und sie werden niemals umkommen. Nie-
mand wird sie mir entreißen, 29denn mein Vater hat sie mir
gegeben, und er ist mächtiger als alles andere. Und niemand
kann sie aus der Hand des Vaters reißen. 30Der Vater und ich
sind eins.«

31Da hoben die Juden wieder Steine auf, um ihn zu töten.
32Doch Jesus sagte: »Ich habe euch durch die Kraft meines
Vaters viele gute Taten gezeigt. Für welche dieser Taten wollt
ihr mich steinigen?«

33Sie erwiderten: »Nicht wegen einer guten Tat wollen wir
dich steinigen, sondern wegen Gotteslästerung, weil du, ob-
wohl nur Mensch, dich zu Gott gemacht hast.«

34Jesus erwiderte: »In eurem eigenen Gesetz steht geschrie-
ben: ›Ich habe gesagt: Ihr seid Götter!‹ 35Ihr wisst, dass die
Schrift nicht geändert werden darf. Wenn also diese Men-
schen, die Gottes Botschaft empfingen, von ihm selbst ›Göt-
ter‹ genannt wurden, 36warum nennt ihr es dann Gotteslaste-
rung, wenn der, der vom Vater geheiligt und in die Welt
gesandt wurde, von sich sagt: ›Ich bin Gottes Sohn‹? 37Wenn
ich nicht die Werke meines Vaters tue, braucht ihr mir nicht zu
glauben! 38Wenn ich aber sein Werk tue, dann glaubt wenigs-

tens an das, was ich getan habe, wenn ihr schon nicht an mich glaubt. Dann werdet ihr begreifen und erkennen, dass der Vater in mir ist und ich im Vater bin.«
39Wieder wollten sie ihn verhaften, doch er entkam ihnen.
40Er ging über den Jordan nahe der Stelle, an der Johannes
getauft hatte, und blieb dort. 41Viele Menschen kamen zu
ihm. »Johannes hat zwar keine Wunder getan«, sagten sie zueinander, »aber seine Voraussagen über diesen Mann haben
sich als wahr erwiesen.« 42Und viele kamen dort zum Glauben an ihn.

Der Tod des Lazarus

11 1Ein Mann namens Lazarus war krank. Er wohnte mit
seinen Schwestern Maria und Marta in Betanien. 2Das
ist dieselbe Maria, die dem Herrn das kostbare Duftöl über die Füße goss und sie mit ihrem Haar trocknete. Weil ihr Bruder
Lazarus krank geworden war, 3schickten die beiden Schwestern Jesus eine Nachricht und ließen ihm ausrichten: »Herr, der, den du lieb hast, ist sehr krank.«
4Als Jesus jedoch davon hörte, sagte er: »Lazarus' Krankheit wird nicht zum Tode führen; sie dient vielmehr der Verherrlichung Gottes. Der Sohn Gottes wird durch sie verherrlicht
werden.« 5Jesus hatte Marta, Maria und Lazarus lieb. 6Als er
von seiner Krankheit erfahren hatte, blieb er noch zwei Tage,
wo er war. 7Erst dann sagte er zu seinen Jüngern: »Lasst uns wieder nach Judäa gehen.«
8Doch seine Jünger wandten ein: »Meister, erst vor wenigen Tagen haben die Juden dort versucht, dich zu steinigen. Und nun willst du dorthin zurückkehren?«
9Jesus erwiderte: »Es ist doch zwölf Stunden jeden Tag hell. Solange es hell ist, können die Menschen sicher einen Fuß vor den anderen setzen. Sie können sehen, weil sie das Licht dieser Welt haben. 10Nur in der Nacht laufen sie Gefahr zu stol-
pern, weil das Licht nicht bei ihnen ist.« 11Und er fuhr fort:
»Unser Freund Lazarus ist eingeschlafen, doch nun gehe ich hin und wecke ihn auf.«
12Die Jünger meinten: »Herr, wenn er schläft, wird er bald

wieder gesund!« 13Sie dachten, Jesus rede von einem heil-
samen Schlaf; Jesus sprach aber davon, dass Lazarus gestor-
ben war.

14Da sagte er ihnen offen: »Lazarus ist tot. 15Euretwegen bin
ich froh, dass ich nicht dort war, weil ihr so einen weiteren
Grund haben werdet, an mich zu glauben. Kommt, wir wol-
len zu ihm gehen.«

16Thomas, auch »Zwilling« genannt, sagte zu den anderen
Jüngern: »Wir wollen mitgehen – und mit ihm sterben.«

17In Betanien berichtete man Jesus, dass Lazarus schon vier
Tage im Grab lag. 18Betanien war nur wenige Kilometer von
Jerusalem entfernt, 19und viele Leute waren gekommen, um
Marta und Maria ihr Beileid auszusprechen und sie über den
Verlust ihres Bruders zu trösten. 20Als Marta erfuhr, dass Je-
sus auf dem Weg zu ihnen war, eilte sie ihm entgegen. Maria
aber blieb im Haus. 21Marta sagte zu Jesus: »Herr, wärst du
hier gewesen, wäre mein Bruder nicht gestorben. 22Aber auch
so weiß ich, Gott wird dir alles geben, was auch immer du ihn
bittest.«

23Jesus sagte zu ihr: »Dein Bruder wird auferstehen.«

24»Ja«, erwiderte Marta, »am Tag der Auferstehung, wenn
alle Menschen auferstehen.«

25Jesus sagte zu ihr: »Ich bin die Auferstehung und das Le-
ben. Wer an mich glaubt, wird leben, auch wenn er stirbt. 26Er
wird ewig leben, weil er an mich geglaubt hat, und niemals
sterben. Glaubst du das, Marta?«

27»Ja, Herr«, antwortete sie. »Ich bin zu dem Glauben ge-
kommen, dass du der Christus bist, der Sohn Gottes, der in
die Welt kommen soll.« 28Damit verließ sie ihn und kehrte zu
Maria zurück. Sie nahm Maria beiseite und sagte zu ihr: »Der
Meister ist hier und will dich sehen.« 29Als Maria dies gehört
hatte, ging sie sofort zu ihm.

30Jesus war außerhalb des Dorfes geblieben, dort, wo Marta
ihn getroffen hatte. 31Die Leute, die zum Haus gekommen
waren, um Maria zu trösten, sahen sie eilig weggehen. Da
folgten sie ihr, weil sie vermuteten, dass sie zu Lazarus' Grab
wollte, um zu weinen. 32Als Maria nun an die Stelle kam, wo

Jesus war, und ihn sah, warf sie sich ihm zu Füßen und sagte:
»Herr, wärst du hier gewesen, wäre mein Bruder nicht gestor-
ben.«
33Als Jesus die weinende Maria und die Leute sah, die mit
ihr trauerten, erfüllten ihn Zorn und Schmerz. 34»Wo habt ihr
ihn hingelegt?«, fragte er.
Sie antworteten: »Herr, komm mit und sieh.« 35Da weinte
Jesus. 36Die Leute, die in seiner Nähe standen, sagten: »Seht,
wie sehr er ihn geliebt hat.« 37Einige meinten jedoch: »Dieser
Mann hat doch einen Blinden geheilt. Warum konnte er Laza-
rus nicht vor dem Tod bewahren?«

Jesus erweckt Lazarus von den Toten auf

38Und wieder war Jesus innerlich erschüttert, während er zum
Grab ging. Es war eine Gruft, vor deren Eingang man einen
Stein gerollt hatte. 39»Rollt den Stein fort«, befahl Jesus.
Doch Marta, die Schwester des Verstorbenen, wandte ein:
»Herr, inzwischen wird der Gestank schrecklich sein, denn
er ist schon seit vier Tagen tot.«
40Jesus erwiderte: »Habe ich dir nicht gesagt, dass du die
Herrlichkeit Gottes sehen wirst, wenn du glaubst?« 41Da roll-
ten sie den Stein beiseite. Dann blickte Jesus zum Himmel auf
und sagte: »Vater, ich danke dir, dass du mich erhört hast.
42Ich weiß, dass du mich immer erhörst, doch ich sage es we-
gen der vielen Menschen, die hier stehen, damit sie glauben
können, dass du mich gesandt hast.« 43Dann rief er mit lauter
Stimme: »Lazarus, komm heraus!« 44Und Lazarus kam he-
raus. Er war in Grabtücher gewickelt und sein Kopf war mit
einem Tuch verhüllt. Jesus sagte: »Löst die Binden und lasst
ihn gehen!«

Das Mordkomplott gegen Jesus

45Viele von den Juden, die bei Maria gewesen und Zeugen
dieses Geschehens geworden waren, glaubten nun an Jesus.
46Ein paar jedoch liefen zu den Pharisäern und trugen ihnen
zu, was Jesus getan hatte. 47Da ließen die obersten Priester
und Pharisäer den Hohen Rat einberufen, um die Lage zu

erörtern. »Was sollen wir tun?«, fragten sie einander. »Dieser
Mann tut viele Wunder. 48Wenn wir ihn gewähren lassen,
wird das ganze Volk ihm folgen, und dann wird die römische
Armee kommen und unseren Tempel und auch unser Volk
vernichten.«

49Einer von ihnen, Kaiphas, der in jenem Jahr Hoher Priester
war, sagte: »Begreift ihr denn nicht? 50Versteht ihr nicht, dass
es besser ist, wenn nur ein Mann anstelle des Volkes stirbt und
so nicht das ganze Volk umkommt?« 51Diese prophetische
Aussage, dass Jesus für das ganze Volk sterben sollte, machte
Kaiphas in seiner Eigenschaft als Hoher Priester. Er hatte das
nicht von sich aus gesagt, sondern Gott hatte es ihm einge-
geben. 52Es war eine Weissagung: Jesus sollte nicht nur für
das Volk sterben, sondern durch seinen Tod die Kinder Gottes
auf der ganzen Welt zusammenführen.

53Von diesem Tag an setzten die führenden Männer des jü-
dischen Volkes alles daran, Jesus zu töten. 54Deshalb hörte
Jesus auf, sich öffentlich im Volk zu zeigen, und verließ Jeru-
salem. Er ging an einen Ort in der Nähe der Wüste, in das Dorf
Ephraim, und blieb dort mit seinen Jüngern.

55Es waren nur noch wenige Tage bis zum Passahfest. Schon
waren viele Leute vom Land in Jerusalem eingetroffen, um
noch vor dem Fest die vorgeschriebenen Reinigungshandlun-
gen vollziehen zu können. 56Sie wollten Jesus sehen, und als
sie im Tempel miteinander redeten, fragten sie sich gegensei-
tig: »Was meint ihr? Wird er zum Passahfest kommen?« 57Die
obersten Priester und Pharisäer hatten mittlerweile öffentlich
verkündet, dass jeder, der Jesus sah, ihnen sofort Meldung
machen müsse, damit sie ihn verhaften könnten.

Jesus wird in Betanien gesalbt

12 1Sechs Tage vor Beginn der Passah-Feierlichkeiten kam
Jesus nach Betanien, in die Heimatstadt von Lazarus –
jenes Mannes, den er von den Toten auferweckt hatte. 2Dort
wurde zu seinen Ehren ein Festessen gegeben. Marta bediente
die Gäste, und Lazarus saß mit ihm am Tisch. 3Da nahm Ma-
ria ein zwölf Unzen fassendes Fläschchen mit kostbarem Nar-

denöl, salbte Jesus mit dem Öl die Füße und trocknete sie mit
ihrem Haar. Der Duft des Öls erfüllte das ganze Haus.
4Da sagte Judas Iskariot, einer seiner Jünger – der, der ihn
später verriet: 5»Dieses Parfüm war ein kleines Vermögen
wert. Man hätte es verkaufen und das Geld den Armen geben
sollen.« 6Doch es ging ihm gar nicht um die Armen – er war
ein Dieb und führte die Kasse der Jünger und entwendete hin
und wieder etwas Geld für den eigenen Bedarf.
7Jesus erwiderte: »Lass sie. Sie hat es als Vorbereitung für
mein Begräbnis getan. 8Die Armen habt ihr immer bei euch,
aber ich werde nicht mehr lange bei euch sein.«
9Als die Leute erfuhren, dass Jesus dort war, kamen sie scha-
renweise herbei, um nicht nur Jesus, sondern vor allem Laza-
rus zu sehen, den Jesus von den Toten auferweckt hatte. 10Da-
raufhin beschlossen die obersten Priester, auch Lazarus
umzubringen, 11denn seinetwegen waren viele Leute von ih-
nen abgefallen und glaubten nun an Jesus.

Der triumphale Einzug

12Am nächsten Tag verbreitete sich die Nachricht, dass Jesus
auf dem Weg nach Jerusalem sei, in der ganzen Stadt. Scharen
von Menschen, die zum Passahfest gekommen waren, 13hiel-
ten Palmzweige in den Händen und zogen die Straße hinun-
ter, ihm entgegen. Dabei riefen sie:
»Gelobt sei Gott! Gepriesen sei, der im Namen des Herrn
kommt! Heil dem König Israels!«
14Jesus fand einen jungen Esel und setzte sich darauf. Damit
erfüllte er die Prophezeiung der Heiligen Schrift:
15»Fürchte dich nicht, Volk Israel. Sieh, dein König kommt;
er sitzt auf einem Eselsfohlen.«
16Damals erkannten die Jünger noch nicht, dass sich damit
eine Weissagung erfüllte. Doch nachdem Jesus verherrlicht
worden war, erinnerten sie sich daran, wie diese Schriftstelle
sich vor ihren eigenen Augen erfüllt hatte.
17Die Leute in der Menge, die gesehen hatten, wie Jesus La-
zarus aus dem Grab ins Leben zurückgerufen hatte, erzähl-
ten den anderen davon. 18Das war der Hauptgrund, warum

so viele ihm entgegenzogen – weil sie von diesem großen
Wunder gehört hatten, dass er es getan hatte. 19Da sagten die
Pharisäer zueinander: »So bewirken wir nichts. Seht doch, die
ganze Welt läuft ihm nach!«

Jesus sagt seinen Tod voraus

20Einige Griechen, die zum Passahfest nach Jerusalem gekom-
men waren, um anzubeten, 21besuchten Philippus, der aus
Betsaida in Galiläa stammte. Sie sagten: »Herr, wir möchten
gern Jesus kennenlernen.« 22Philippus sagte es Andreas, und
beide gingen gemeinsam zu Jesus, um ihn zu fragen.

23Jesus erwiderte: »Für den Menschensohn ist die Zeit ge-
kommen, dass er verherrlicht wird. 24Ich versichere euch: Ein
Weizenkorn muss in die Erde ausgesät werden. Wenn es dort
nicht stirbt, wird es allein bleiben – ein einzelnes Samenkorn.
Sein Tod aber wird viele neue Samenkörner hervorbringen –
eine reiche Ernte neuen Lebens. 25Wer sein Leben in dieser
Welt liebt, wird es verlieren. Wer sein Leben in dieser Welt
gering achtet, wird es zum ewigen Leben bewahren. 26Wer
mein Jünger sein will, muss sich aufmachen und mir nachfol-
gen, denn mein Diener wird da sein, wo ich bin. Wer mir nach-
folgt, den wird der Vater ehren. 27Meine Seele ist in diesem
Augenblick tief traurig. Soll ich beten: ›Vater, bewahre mich
vor dem, was vor mir liegt‹? Doch eben deshalb bin ich ja
gekommen! 28Vater, verherrliche deinen Namen.«

Da sprach eine Stimme aus dem Himmel: »Ich habe ihn
schon verherrlicht und werde es wieder tun.« 29Als die Menge
die Stimme hörte, hielten einige sie für Donner, während an-
dere erklärten, ein Engel habe zu ihm gesprochen.

30Da sagte Jesus zu ihnen: »Die Stimme erklang euretwegen,
nicht meinetwegen. 31Für die Welt ist die Zeit des Gerichts
gekommen, in der der Herrscher dieser Welt vertrieben wird.
32Und wenn ich am Kreuz aufgerichtet bin, werde ich alle zu
mir ziehen.« 33Mit diesen Worten deutete er an, wie er sterben
würde.

34Da erwiderte die Menge: »Wir haben in der Schrift gelesen,
dass der Christus ewig leben wird. Warum sagst du, der Men-

schensohn müsse am Kreuz aufgerichtet werden? Wer ist dieser Menschensohn, von dem du sprichst?«
[35]Jesus erwiderte: »Das Licht wird nur noch kurze Zeit für euch leuchten. Lebt darin, solange ihr es noch könnt, damit ihr nicht stolpert, wenn die Dunkelheit kommt. Wenn ihr im Dunkel lebt, könnt ihr nicht sehen, wohin ihr geht.
[36]Glaubt an das Licht, solange noch Zeit dazu ist; dann werdet ihr Kinder des Lichts werden.« Nachdem er diese Dinge gesagt hatte, ging Jesus fort, und sie sahen ihn nicht mehr.

Der Unglaube des Volkes

[37]Doch trotz der vielen Wunder, die er getan hatte, glaubten die meisten Menschen nicht an ihn.
[38]Genau das hatte der Prophet Jesaja vorausgesagt:
»Herr, wer hat unserer Botschaft geglaubt? Wem wird der Herr seine rettende Macht offenbaren?«
[39]Die Menschen waren nicht fähig zu glauben, denn Jesaja sagte auch:
[40]»Der Herr hat ihre Augen blind gemacht und ihre Herzen verhärtet – damit ihre Augen nicht sehen und ihre Herzen nicht verstehen können und damit sie nicht zu mir umkehren, um sich von mir heilen zu lassen.«
[41]Diese Weissagung Jesajas bezog sich auf Jesus, denn Jesaja hatte dessen Herrlichkeit gesehen.
[42]Viele Menschen, darunter auch einige der führenden Männer, glaubten an Jesus, scheuten sich aber, es zuzugeben. Sie fürchteten, dass die Pharisäer sie deswegen aus der Synagoge ausschließen würden.
[43]Die Anerkennung der Menschen war ihnen wichtiger als die Anerkennung durch Gott.
[44]Jesus rief der Menge zu: »Wenn ihr mir glaubt, glaubt ihr nicht nur an mich, sondern an Gott, der mich gesandt hat.
[45]Denn wenn ihr mich seht, seht ihr den, der mich gesandt hat.
[46]Ich bin als Licht gekommen, um in dieser dunklen Welt zu leuchten, damit alle, die an mich glauben, nicht im Dunkel bleiben.
[47]Wenn jemand mich hört und mir nicht gehorcht, bin ich nicht sein Richter – denn ich bin gekommen, um die Welt zu retten, und nicht, um sie zu richten.
[48]Doch wer mich und

meine Botschaft ablehnt, wird am Tag des Gerichts durch mei-
ne Worte, die ich gesprochen habe, gerichtet werden. 49Ich
spreche nicht aufgrund eigener Vollmacht. Der Vater, der
mich gesandt hat, hat mir aufgetragen, was ich sagen soll.
50Und ich weiß, dass seine Weisungen zum ewigen Leben füh-
ren; deshalb sage ich, was der Vater mir zu sagen gebietet!«

Jesus wäscht seinen Jüngern die Füße

13 1Vor dem Passahfest wusste Jesus, dass für ihn die Zeit
gekommen war, diese Welt zu verlassen und zu sei-
nem Vater zurückzukehren. Nun bewies er seinen Jüngern
das ganze Ausmaß seiner Liebe. 2Es war Zeit für das Abend-
essen, und der Teufel hatte Judas, den Sohn des Simon Iska-
riot, schon dazu verleitet, seinen Plan wahr zu machen und
Jesus zu verraten. 3Jesus aber wusste, dass der Vater ihm un-
eingeschränkte Macht über alles gegeben hatte und dass er
von Gott gekommen war und zu Gott zurückkehren würde.
4Er stand vom Tisch auf, zog sein Obergewand aus, band sich
ein Handtuch um die Hüften 5und goss Wasser in eine Schale.
Dann begann er, seinen Jüngern die Füße zu waschen und sie
mit dem Handtuch abzutrocknen, das er sich umgebunden
hatte.

6Als er zu Simon Petrus kam, sagte Petrus zu ihm: »Herr,
warum willst du mir die Füße waschen?«

7Jesus antwortete: »Du verstehst jetzt nicht, warum ich das
tue; eines Tages wirst du es verstehen.«

8»Nein«, protestierte Petrus. »Du sollst mir niemals die Füße
waschen!«

Jesus erwiderte: »Wenn ich dich nicht wasche, gehörst du
nicht zu mir.«

9Da rief Simon Petrus: »Dann wasche mir auch die Hände
und den Kopf, Herr, und nicht nur die Füße!«

10Jesus erwiderte: »Wer gebadet hat, braucht sich – aus-
genommen die Füße – nicht zu waschen, um völlig rein zu
sein. Ihr seid rein, allerdings nicht jeder hier.« 11Denn Jesus
wusste, wer ihn verraten würde. Das meinte er mit dem Satz:
»Nicht jeder hier von euch ist rein.«

12 Nachdem er ihnen die Füße gewaschen hatte, zog Jesus
sein Obergewand wieder an, setzte sich und fragte: »Versteht
ihr, was ich getan habe? 13 Ihr nennt mich ›Meister‹ und ›Herr‹
und damit habt ihr recht, denn das bin ich. 14 Und weil ich, der
Herr und Meister, euch die Füße gewaschen habe, sollt auch
ihr einander die Füße waschen. 15 Ich habe euch ein Beispiel
gegeben, dem ihr folgen sollt. Tut, was ich für euch getan ha-
be. 16 Es ist nur zu wahr: Ein Diener ist nicht größer als sein
Herr. Genauso sind die Boten nicht wichtiger als der, der sie
gesandt hat. 17 Ihr wisst das alles – nun handelt auch danach.
Das ist der Weg zu eurem Glück!

Jesus sagt voraus, dass er verraten wird

18 Ich sage diese Dinge nicht zu euch allen; denn ich kenne
jeden Einzelnen von euch, die ich erwählt habe, ganz genau.
In der Schrift steht: ›Der, mit dem ich mein Brot geteilt habe,
hat sich gegen mich gewandt‹, und das wird sich bald erfül-
len. 19 Ich sage euch das jetzt, damit ihr, wenn es eintrifft, er-
kennt, dass ich der Christus bin. 20 Ich versichere euch: Wer
meinen Boten willkommen heißt, der heißt mich willkom-
men, und wer mich willkommen heißt, der heißt meinen Va-
ter willkommen, der mich gesandt hat.«

21 Nach diesen Worten sagte Jesus bis ins Tiefste erschüttert:
»Ich sage euch: Einer von euch wird mich verraten!«

22 Die Jünger sahen einander an und fragten sich, wen er
wohl damit meinte. 23 Einer seiner Jünger – der, den Jesus lieb-
te –, saß neben ihm am Tisch. 24 Simon Petrus bedeutete ihm,
er solle fragen, wer so etwas Schreckliches tun würde. 25 Jener
Jünger lehnte sich zu Jesus hinüber und fragte: »Herr, wer ist
es?«

26 Jesus sagte: »Es ist der, dem ich das Stück Brot reiche, nach-
dem ich es eingetaucht habe.« Und als er das Brot eingetaucht
hatte, gab er es Judas, dem Sohn des Simon Iskariot. 27 Sobald
Judas das Brot gegessen hatte, ergriff der Satan Besitz von
ihm. Da sagte Jesus zu ihm: »Beeile dich. Was du tun willst,
tue bald!« 28 Keiner der anderen am Tisch wusste, was Jesus
damit meinte. 29 Da Judas die Kasse verwaltete, dachten eini-

ge, Jesus habe ihn aufgefordert, für das Fest einkaufen zu ge-
hen oder den Armen etwas Geld zu geben. 30Judas aber stand
sofort auf und ging in die Nacht hinaus.

Jesus sagt voraus, dass Petrus ihn verleugnen wird

31Sobald Judas den Raum verlassen hatte, sagte Jesus: »Nun
ist für den Menschensohn die Zeit gekommen, dass er ver-
herrlicht wird. Gott wird durch alles, was geschieht, verherr-
licht, 32und das wird sehr bald geschehen. 33Liebe Kinder, es
ist nur noch kurze Zeit, bis ich fortgehen und euch verlassen
muss! Ihr werdet nach mir suchen, doch wie ich schon den
Juden gesagt habe: Wohin ich gehe, da könnt ihr nicht hin-
kommen. 34So gebe ich euch nun ein neues Gebot: Liebt einan-
der. So wie ich euch geliebt habe, sollt auch ihr einander lie-
ben. 35Eure Liebe zueinander wird der Welt zeigen, dass ihr
meine Jünger seid.«

36Simon Petrus sagte: »Herr, wohin gehst du?«
Und Jesus erwiderte: »Wo ich hingehe, dahin kannst du jetzt
nicht mitkommen, aber später wirst du mir dorthin folgen.«

37»Warum kann ich jetzt nicht mitkommen, Herr?«, fragte er.
»Ich bin bereit, für dich zu sterben.«

38Jesus antwortete: »Für mich sterben? Nein. Ehe morgen
früh der Hahn kräht, wirst du drei Mal leugnen, mich auch
nur zu kennen.

Jesus, der Weg zum Vater

14 1Habt keine Angst. Ihr vertraut auf Gott, nun vertraut
auch auf mich! 2Es gibt viele Wohnungen im Haus
meines Vaters, und ich gehe voraus, um euch einen Platz vor-
zubereiten. Wenn es nicht so wäre, hätte ich es euch dann so
gesagt? 3Wenn dann alles bereit ist, werde ich kommen und
euch holen, damit ihr immer bei mir seid, dort, wo ich bin.
4Ihr wisst ja, wohin ich gehe und wie ihr dorthin kommen
könnt.«

5»Nein, Herr, das wissen wir nicht«, sagte Thomas. »Wir ha-
ben keine Ahnung, wo du hingehst; wie können wir da den
Weg kennen?«

6Jesus sagte zu ihm: »Ich bin der Weg, die Wahrheit und das
Leben. Niemand kommt zum Vater außer durch mich. 7Wenn
ihr erkannt habt, wer ich bin, dann habt ihr auch erkannt, wer
mein Vater ist. Doch von nun an kennt ihr ihn und habt ihn
gesehen!«
8Philippus sagte: »Herr, zeig uns den Vater, dann sind wir
zufrieden.«
9Jesus erwiderte: »Philippus, weißt du denn nach all der
Zeit, die ich bei euch war, noch immer nicht, wer ich bin?
Wer mich gesehen hat, hat den Vater gesehen! Warum ver-
langst du noch, ihn zu sehen? 10Glaubst du nicht, dass ich im
Vater bin und der Vater in mir ist? Die Worte, die ich euch
sage, stammen ja nicht von mir, sondern der Vater, der in mir
lebt, wirkt durch mich. 11Glaubt doch, dass ich im Vater bin
und der Vater in mir ist. Oder glaubt wenigstens aufgrund
von dem, was ich getan habe.
12Ich versichere euch: Wer an mich glaubt, wird dieselben
Dinge tun, die ich getan habe, ja noch größere, denn ich gehe,
um beim Vater zu sein. 13Ihr dürft in meinem Namen um alles
bitten, und ich werde eure Bitten erfüllen, weil durch den
Sohn der Vater verherrlicht wird. 14Bittet, um was ihr wollt,
in meinem Namen, und ich werde es tun!

Jesus verspricht den Jüngern den Heiligen Geist

15Wenn ihr mich liebt, werdet ihr meine Gebote halten. 16Und
ich werde den Vater bitten, und er wird euch einen anderen
Ratgeber geben, der euch nie verlassen wird. 17Es ist der Hei-
lige Geist, der in alle Wahrheit führt. Die Welt kann ihn nicht
empfangen, denn sie sucht ihn nicht und erkennt ihn nicht. Ihr
aber kennt ihn, weil er bei euch bleibt und später in euch sein
wird. 18Nein, ich werde euch nicht verwaist zurücklassen –
ich werde zu euch kommen. 19Die Welt wird mich schon bald
nicht mehr sehen, doch ihr werdet es. Denn ich werde leben,
und ihr werdet auch leben. 20Wenn ich wieder zum Leben
auferstanden bin, werdet ihr wissen, dass ich in meinem Vater
bin und ihr in mir seid und ich in euch. 21Wer meine Gebote
kennt und sie befolgt, der liebt mich. Und weil er mich liebt,

wird mein Vater ihn lieben und ich werde ihn lieben. Und ich
werde mich ihm persönlich zu erkennen geben.«
22Judas (nicht Judas Iskariot, sondern der andere Jünger glei-
chen Namens) sagte zu ihm: »Herr, warum willst du dich nur
uns zu erkennen geben und nicht der ganzen Welt?«
23Jesus erwiderte: »Wer mich liebt, wird tun, was ich sage.
Mein Vater wird ihn lieben, und wir werden zu ihm kommen
und bei ihm wohnen. 24Wer mich nicht liebt, wird nicht tun,
was ich sage. Vergesst nicht: Meine Worte kommen nicht aus
mir selbst, sondern vom Vater, der mich gesandt hat. 25Ich
sage euch all diese Dinge jetzt, solange ich noch bei euch bin.
26Doch wenn der Vater den Ratgeber als meinen Stellvertreter
schickt – und damit meine ich den Heiligen Geist –, wird er
euch alles lehren und euch an alles erinnern, was ich euch
gesagt habe.
27Ich lasse euch ein Geschenk zurück – meinen Frieden. Und
der Friede, den ich schenke, ist nicht wie der Friede, den die
Welt gibt. Deshalb sorgt euch nicht und habt keine Angst.
28Denkt an das, was ich euch gesagt habe: Ich gehe fort, aber
ich werde wieder zu euch kommen. Wenn ihr mich wirklich
lieb habt, freut ihr euch für mich, weil ich jetzt zum Vater ge-
hen darf, der größer ist als ich. 29Ich habe euch all diese Din-
ge gesagt, ehe sie geschehen, damit ihr, wenn sie eintreffen,
glaubt.
30Mir bleibt nicht mehr viel Zeit, mit euch zu sprechen, weil
der Herrscher dieser Welt schon ganz nah ist. Er hat keine
Macht über mich; 31doch ich werde tun, was der Vater von
mir will, damit die Welt erkennt, dass ich den Vater liebe.
Kommt, lasst uns von hier weggehen.

Jesus, der wahre Weinstock

15 1Ich bin der wahre Weinstock und mein Vater ist der
Weingärtner. 2Er schneidet jede Rebe ab, die keine
Frucht bringt, und beschneidet auch die Reben, die bereits
Früchte tragen, damit sie noch mehr Frucht bringen. 3Ihr seid
schon durch die Botschaft, die ich euch gegeben habe, be-
schnitten. 4Bleibt in mir, und ich werde in euch bleiben. Denn

eine Rebe kann keine Frucht tragen, wenn sie vom Weinstock
abgetrennt wird, und auch ihr könnt nicht, wenn ihr von mir
getrennt seid, Frucht hervorbringen.
5Ich bin der Weinstock; ihr seid die Reben. Wer in mir bleibt
und ich in ihm, wird viel Frucht bringen. Denn getrennt von
mir könnt ihr nichts tun. 6Wer nicht in mir bleibt, wird fort-
geworfen wie eine nutzlose Rebe und verdorrt. Solche Reben
werden auf einen Haufen geworfen und verbrannt. 7Doch
wenn ihr mit mir verbunden bleibt und meine Worte in euch
bleiben, könnt ihr bitten, um was ihr wollt, und es wird euch
gewährt werden! 8Darin wird mein Vater verherrlicht, dass
ihr viel Frucht hervorbringt und meine Jünger werdet.
9Ich habe euch genauso geliebt, wie der Vater mich geliebt
hat. Bleibt in meiner Liebe. 10Wenn ihr mir gehorcht, bleibt ihr
in meiner Liebe, genauso wie ich meinem Vater gehorche und
in seiner Liebe bleibe. 11Ich sage euch das, damit meine Freude
euch erfüllt. Ja, eure Freude soll vollkommen sein! 12Ich gebie-
te euch, einander genauso zu lieben, wie ich euch liebe. 13Die
größte Liebe beweist der, der sein Leben für die Freunde hin-
gibt. 14Ihr seid meine Freunde, wenn ihr tut, was ich euch auf-
trage. 15Ich nenne euch nicht mehr Diener, weil ein Herr seine
Diener nicht ins Vertrauen zieht. Ihr seid jetzt meine Freunde,
denn ich habe euch alles gesagt, was ich von meinem Vater
gehört habe. 16Nicht ihr habt mich erwählt, ich habe euch er-
wählt. Ich habe euch dazu berufen, hinzugehen und Frucht zu
tragen, die Bestand hat, damit der Vater euch gibt, um was
immer ihr ihn in meinem Namen bittet. 17Ich gebe euch das
Gebot, einander zu lieben.

Der Hass der Welt

18Wenn die Welt euch hasst, dann denkt daran, dass sie mich
schon gehasst hat, ehe sie euch gehasst hat. 19Die Welt würde
euch lieben, wenn ihr zu ihr gehören würdet, aber das tut ihr
nicht. Ich habe euch erwählt, aus der Welt herauszutreten;
deshalb hasst sie euch. 20Denkt an das Wort, das ich euch ge-
sagt habe: ›Ein Diener ist nicht größer als sein Herr.‹ Da sie
mich verfolgt haben, werden sie auch euch verfolgen. Und

wenn sie auf mein Wort gehört haben, werden sie auch auf
euch hören! 21Die Menschen in der Welt werden gegen euch
sein, weil ihr zu mir gehört, denn sie kennen Gott nicht, der
mich gesandt hat. 22Sie hätten sich nicht schuldig gemacht,
wenn ich nicht gekommen wäre und zu ihnen gesprochen
hätte. Doch so haben sie keine Entschuldigung mehr für ihre
Sünde. 23Wer mich hasst, hasst auch meinen Vater. 24Wenn ich
nicht solche Wunder unter ihnen getan hätte, die niemand
sonst hätte tun können, wären sie nicht schuldig. Doch sie
haben alles gesehen, was ich tat, und trotzdem sowohl mich
als auch meinen Vater gehasst. 25Dadurch hat sich erfüllt, was
im Gesetz vorausgesagt ist: ›Sie haben mich ohne Grund gehasst.‹

26Doch ich werde euch den Ratgeber schicken – den Geist
der Wahrheit. Er wird vom Vater zu euch kommen und wird
mein Zeuge sein. 27Und ihr werdet meine Zeugen sein, weil
ihr von Anfang an bei mir gewesen seid.

16 1Ich habe euch diese Dinge gesagt, damit ihr den Glauben nicht verliert. 2Denn ihr werdet aus den Synagogen ausgeschlossen werden, und es wird die Zeit kommen,
in der die, die euch töten, glauben, Gott damit einen Dienst
zu erweisen. 3Das tun sie, weil sie den Vater und mich nicht
erkannt haben. 4Ja, ich sage euch diese Dinge jetzt, damit ihr
euch daran erinnert, wenn sie eintreffen. Ich habe nicht früher
davon gesprochen, weil ich noch bei euch war.

Das Wirken des Heiligen Geistes

5Nun aber gehe ich fort zu dem, der mich gesandt hat, doch
keiner von euch hat mich gefragt, wohin ich gehe. 6Stattdessen seid ihr traurig. 7Ich sage euch aber die Wahrheit: Es ist
das Beste für euch, dass ich fortgehe, denn wenn ich nicht
gehe, wird der Ratgeber nicht kommen. Wenn ich jedoch
fortgehe, wird er kommen, denn ich werde ihn zu euch senden. 8Und wenn er kommt, wird er die Welt von ihrer Sünde und von Gottes Gerechtigkeit und vom Gericht überzeugen. 9Die Sünde der Welt ist, dass sie nicht an mich glaubt.
10Die Gerechtigkeit erweist sich darin, dass ich zum Vater

gehe und ihr mich nicht mehr sehen werdet. 11Das Gericht
bedeutet, dass der Herrscher dieser Welt schon gerichtet
ist.

12Ich hätte euch noch so vieles zu sagen, aber ihr könnt es
jetzt nicht ertragen. 13Doch wenn der Geist der Wahrheit
kommt, wird er euch in alle Wahrheit leiten. Er wird nicht
seine eigenen Anschauungen vertreten, sondern wird euch
sagen, was er gehört hat. Er wird euch von dem erzählen,
was kommt. 14Er wird mich verherrlichen, indem er euch alles
offenbart, was er von mir empfängt. 15Alles, was der Vater hat,
gehört mir; das habe ich gemeint, als ich sagte, dass der Geist
euch alles offenbaren wird, was er von mir empfängt.

Traurigkeit wird sich in Freude verwandeln

16Schon sehr bald werdet ihr mich nicht mehr sehen. Dann,
nach einer weiteren kurzen Zeit, werdet ihr mich wieder se-
hen.«

17Da fragten die Jünger einander: »Was meint er damit: ›Ihr
werdet mich nicht sehen und dann werdet ihr mich wieder
sehen‹? Was soll das bedeuten: ›Ich gehe zum Vater‹? 18Und
was heißt ›eine kurze Zeit‹? Das verstehen wir nicht.«

19Jesus merkte, dass sie ihn gern gefragt hätten. Deshalb
sagte er: »Ihr fragt euch, was ich gemeint habe? Ich sagte,
dass ich sehr bald fort sein werde und ihr mich nicht mehr
sehen werdet. Dann, nach einer weiteren kurzen Zeit, wer-
det ihr mich wieder sehen. 20Ich versichere euch: Ihr werdet
weinen und trauern über das, was mit mir geschehen wird,
aber die Welt wird sich freuen. Ihr werdet trauern, doch eure
Trauer wird sich von einem Augenblick zum anderen in gro-
ße Freude verwandeln, wenn ihr mich wieder seht. 21Es wird
sein wie bei einer Frau in den Wehen. Wenn ihr Kind erst
geboren ist, verblassen die Schmerzen angesichts der Freu-
de, dass ein neuer Mensch zur Welt gekommen ist. 22Jetzt
seid ihr traurig, aber ich werde euch wieder sehen, und
dann werdet ihr euch freuen, und niemand kann euch diese
Freude nehmen. 23Wenn es so weit ist, werdet ihr mich um
nichts mehr bitten müssen. Ich versichere euch: Dann könnt

ihr selbst zum Vater gehen und ihn bitten, und er wird eure
Bitte erfüllen, weil ihr in meinem Namen bittet. 24Bis jetzt
habt ihr das nicht getan. Bittet in meinem Namen, und ihr
werdet empfangen, dann wird eure Freude vollkommen
sein.
25Bis jetzt habe ich über diese Dinge in Gleichnissen geredet,
aber es kommt die Zeit, in der das nicht mehr nötig sein wird;
dann werde ich offen mit euch reden und euch alles über den
Vater erzählen. 26Und dann werdet ihr in meinem Namen bit-
ten. Ich sage nicht, dass ich den Vater für euch bitten werde,
27denn der Vater selbst hat euch lieb, weil ihr mich liebt und
glaubt, dass ich von Gott ausgegangen bin. 28Ich kam vom
Vater in die Welt, und ich werde die Welt verlassen und zum
Vater zurückkehren.«
29Da sagten seine Jünger: »Endlich sprichst du offen und
nicht mehr in Gleichnissen. 30Jetzt verstehen wir, dass du alles
weißt und nicht darauf angewiesen bist, dass irgendjemand
dir etwas sagt. Deshalb glauben wir, dass du von Gott gekom-
men bist.«
31Jesus fragte: »Jetzt glaubt ihr? 32Doch es kommt die Zeit –
ja, sie ist schon angebrochen –, da werdet ihr zerstreut wer-
den, und jeder wird seine eigenen Wege gehen und mich ver-
lassen. Doch ich bin nicht allein, denn der Vater ist bei mir.
33Ich habe euch das alles gesagt, damit ihr in mir Frieden habt.
Hier auf der Erde werdet ihr viel Schweres erleben. Aber habt
Mut, denn ich habe die Welt überwunden.«

Jesus betet für seine Jünger

17 1Nachdem Jesus all das gesagt hatte, blickte er zum
Himmel auf und sagte: »Vater, die Zeit ist gekommen.
Verherrliche deinen Sohn, damit er dich verherrlichen kann.
2Denn du hast ihm Macht über alle Menschen auf der ganzen
Welt gegeben. Er schenkt allen, die du ihm gegeben hast, das
ewige Leben. 3Und das ist der Weg zum ewigen Leben: dich
zu erkennen, den einzig wahren Gott, und Jesus Christus, den
du in die Welt gesandt hast. 4Ich habe dich hier auf Erden
verherrlicht, indem ich alles tat, was du mir aufgetragen hast.

5Und nun, Vater, verherrliche mich mit der Herrlichkeit, die
wir schon teilten, ehe die Welt erschaffen wurde.

6Ich habe deinen Namen diesen Menschen offenbart. Sie wa-
ren in der Welt, doch dann hast du sie mir gegeben. Sie haben
dir schon immer gehört, und du hast sie mir gegeben, und sie
haben dein Wort bewahrt. 7Jetzt wissen sie, dass alles, was ich
habe, von dir ist, 8denn ich habe ihnen die Worte weiterge-
geben, die du mir mitgegeben hast. Sie haben diese Worte
angenommen und wissen, dass ich von dir gekommen bin;
und sie glauben, dass du mich gesandt hast.

9Mein Gebet gilt nicht der Welt, sondern denen, die du mir
gegeben hast, weil sie dir gehören. 10Weil sie die Meinen sind,
gehören sie auch dir; doch du hast sie mir gegeben, damit ich
durch sie verherrlicht werde! 11Jetzt verlasse ich die Welt; ich
lasse sie zurück in der Welt und komme zu dir. Heiliger Vater,
bewahre sie in deinem Namen, den du mir gegeben hast, da-
mit sie eins sind, so wie wir eins sind. 12Während meiner Zeit
hier auf Erden habe ich sie bewahrt. Ich habe über sie ge-
wacht, sodass nicht einer verloren ging außer dem, der den
Weg des Verderbens beschritt, so wie es die Schrift voraus-
gesagt hat.

13Jetzt aber komme ich zu dir. Ich habe ihnen vieles gesagt,
während ich in der Welt war, damit sie von meiner Freude
vollkommen erfüllt sind. 14Ich habe ihnen dein Wort gegeben.
Die Welt hasst sie, weil sie genau wie ich nicht zur Welt gehö-
ren. 15Ich bitte dich nicht, dass du sie aus der Welt heraus-
nimmst, sondern dass du sie vor dem Bösen bewahrst. 16Sie
gehören genauso wenig zu dieser Welt wie ich. 17Reinige sie
und heilige sie, indem du sie deine Worte der Wahrheit lehrst.
18Wie du mich in die Welt gesandt hast, so sende ich sie in die
Welt. 19Und ich gebe mich ganz für sie hin, damit auch sie
durch die Wahrheit ganz dir gehören.

20Ich bete nicht nur für diese Jünger, sondern auch für alle,
die durch ihr Wort an mich glauben werden. 21Ich bete für sie
alle, dass sie eins sind, so wie du und ich eins sind, Vater –
damit sie in uns eins sind, so wie du in mir bist und ich in dir
bin, und die Welt glaubt, dass du mich gesandt hast.

22Ich habe ihnen die Herrlichkeit geschenkt, die du mir ge-
geben hast, damit sie eins sind, wie wir eins sind – 23ich in
ihnen und du in mir, damit sie alle zur Einheit vollendet wer-
den. Dann wird die Welt wissen, dass du mich gesandt hast,
und wird begreifen, dass du sie liebst, wie du mich liebst.
24Vater, ich möchte, dass die, die du mir gegeben hast, bei
mir sind, damit sie meine Herrlichkeit sehen können. Du
hast mir die Herrlichkeit geschenkt, weil du mich schon vor
Erschaffung der Welt geliebt hast!

25Gerechter Vater, die Welt kennt dich nicht, aber ich kenne
dich, und diese Jünger wissen, dass du mich gesandt hast.
26Ich habe ihnen deinen Namen offenbart und werde ihn
auch weiterhin offenbaren. Das tue ich, damit deine Liebe zu
mir in ihnen bleibt und ich in ihnen.«

Jesus wird verraten und verhaftet

18 1Nachdem er ihnen all das gesagt hatte, überquerte Je-
sus mit seinen Jüngern den Bach Kidron und ging in
einen Olivenhain. 2Judas, der Verräter, kannte den Ort, weil
Jesus oft mit seinen Jüngern dort gewesen war. 3Die obersten
Priester und Pharisäer hatten Judas einen Trupp römischer
Soldaten und Tempelwächter mitgegeben, die ihn begleiten
sollten. Nun marschierten sie mit lodernden Fackeln, Later-
nen und Waffen dorthin.

4Jesus wusste, was mit ihm geschehen würde. Er ging ihnen
entgegen und fragte: »Wen sucht ihr?«

5»Jesus von Nazareth«, erwiderten sie.

»Ich bin es«, sagte Jesus. Judas stand bei ihnen, als Jesus sich
zu erkennen gab. 6Und als er sagte: »Ich bin es«, wichen sie
alle zurück und fielen zu Boden. 7Noch einmal fragte er sie:
»Wen sucht ihr?«

Und wieder antworteten sie: »Jesus von Nazareth.«

8»Ich habe euch doch gesagt, dass ich es bin«, sagte Jesus.
»Und da ich derjenige bin, den ihr sucht, lasst die anderen
gehen.« 9Damit erfüllte er seine eigene Aussage: »Ich habe
auch nicht einen Einzigen von denen verloren, die du mir ge-
geben hast.«

10Plötzlich zog Simon Petrus ein Schwert und schlug Mal-
chus, dem Diener des Hohen Priesters, das rechte Ohr ab.
11Aber Jesus sagte zu Petrus: »Steck dein Schwert wieder in
die Scheide. Soll ich etwa nicht aus dem Kelch trinken, den
mir der Vater gegeben hat?«

Hannas verhört Jesus

12Die Soldaten, ihr Befehlshaber und die Männer der Tempel-
wache verhafteten Jesus und fesselten ihn. 13Zunächst brach-
ten sie ihn zu Hannas, dem Schwiegervater von Kaiphas, dem
amtierenden Hohen Priester. 14Kaiphas war es gewesen, der
zu den Juden gesagt hatte: »Es ist besser, wenn einer für das
ganze Volk stirbt.«

Petrus verleugnet Jesus zum ersten Mal

15Simon Petrus und ein anderer Jünger folgten ihnen. Dieser
andere Jünger war mit dem Hohen Priester bekannt und durf-
te deshalb mit Jesus den Innenhof des hohepriesterlichen Pa-
lastes betreten. 16Petrus stand draußen vor dem Tor. Da
sprach der andere Jünger mit der Türhüterin, und sie ließ
auch Petrus herein. 17Die Frau fragte Petrus: »Bist du nicht
auch einer von den Jüngern, die zu Jesus gehören?«

Er sagte: »Nein, das bin ich nicht.«

18Die Wachen und die Bediensteten standen um ein Kohlen-
feuer, das sie angezündet hatten, weil es kalt war. Und Petrus
stand bei ihnen und wärmte sich.

Der Hohe Priester verhört Jesus

19Inzwischen begann der Hohe Priester, Jesus über seine An-
hänger und seine Lehre zu befragen. 20Jesus sagte: »Was ich
lehre, ist überall bekannt, denn ich habe regelmäßig in den
Synagogen und im Tempel gesprochen. Überall haben die
Menschen mich gehört, und ich lehre nichts hinter verschlos-
senen Türen, was ich nicht in der Öffentlichkeit gesagt habe.
21Warum fragst du mich? Frag doch die, die mich gehört ha-
ben. Sie wissen, was ich gesagt habe.«

22Ein Mann der Tempelwache, der dabeistand, schlug Jesus

ins Gesicht und meinte: »Ist das eine Art und Weise, dem Hohen Priester zu antworten?«
23Jesus erwiderte: »Wenn ich etwas Falsches gesagt habe, dann beweise es. Darfst du einen Menschen schlagen, weil er die Wahrheit sagt?«
24Da ließ Hannas Jesus fesseln und zum Hohen Priester Kaiphas führen.

Petrus verleugnet Jesus zum zweiten und dritten Mal

25In der Zwischenzeit stand Simon Petrus immer noch am Feuer und wärmte sich, als sie ihn erneut fragten: »Bist du nicht auch einer von seinen Jüngern?«
Er leugnete: »Das bin ich nicht.«
26Doch ein Diener des Hohen Priesters, ein Verwandter des Mannes, dem Petrus ein Ohr abgeschlagen hatte, fragte ihn: »Habe ich dich nicht dort im Olivenhain bei Jesus gesehen?«
27Wieder leugnete Petrus, und in diesem Augenblick krähte ein Hahn.

Jesus wird von Pilatus verhört

28Das Verhör vor Kaiphas endete in den frühen Morgenstunden. Danach wurde Jesus in das Prätorium, den Palast des römischen Statthalters, gebracht. Seine Ankläger gingen nicht mit ihm hinein, weil sie sich nicht verunreinigen wollten; sie hätten sonst nicht an den Passah-Feierlichkeiten teilnehmen dürfen.
29Deshalb kam Pilatus zu ihnen heraus und fragte: »Was habt ihr gegen diesen Mann vorzubringen?«
30»Wir würden ihn dir nicht vorführen, wenn er kein Verbrecher wäre!«, gaben sie zurück.
31»Dann führt ihn ab und verurteilt ihn nach euren eigenen Gesetzen«, erklärte Pilatus.
»Unser Gesetz erlaubt es uns nicht, jemanden hinzurichten«, erwiderten die Juden.
32Damit erfüllte sich die Voraussage von Jesus über die Art, wie er sterben würde.
33Pilatus ging wieder hinein in das Prätorium und ließ Jesus vorführen. »Bist du der König der Juden?«, fragte er ihn.
34Jesus erwiderte: »Bist du selbst auf diese Frage gekommen oder haben andere dir von mir erzählt?«

35»Bin ich etwa ein Jude?«, entgegnete Pilatus. »Dein eigenes
Volk und ihre obersten Priester haben dich hergebracht. Wa-
rum? Was hast du getan?«
36Darauf antwortete Jesus: »Mein Reich ist nicht von dieser
Welt. Wenn es so wäre, hätten meine Diener für mich ge-
kämpft, als ich verhaftet wurde. Aber mein Königreich ist
nicht von dieser Welt.«
37Pilatus entgegnete: »Dann bist du also doch ein König?«
Jesus bestätigte: »Du sagst es: Ich bin ein König. Dazu bin ich
geboren. Ich bin gekommen, um der Welt die Wahrheit zu
bringen. Wer die Wahrheit liebt, wird erkennen, dass meine
Worte wahr sind.«
38Da fragte Pilatus: »Was ist Wahrheit?« Dann ging er wie-
der zu den Leuten hinaus und sagte zu ihnen: »Er ist keines
Verbrechens schuldig. 39Ihr habt doch den Brauch, mich je-
des Jahr zum Passahfest um die Freilassung eines Gefange-
nen zu bitten. Wollt ihr, dass ich euch den König der Juden
freilasse?«
40Aber sie schrien: »Nein! Nicht diesen Mann, sondern Ba-
rabbas!« Barabbas war ein Verbrecher.

Jesus wird zum Tod verurteilt

19 1Daraufhin ließ Pilatus Jesus auspeitschen. 2Die Sol-
daten flochten eine Krone aus langen Dornenzweigen,
setzten sie ihm auf den Kopf und legten ihm ein purpurfarbe-
nes Gewand um. 3Dann spotteten sie: »Sei gegrüßt, du König
der Juden!«, und sie schlugen ihn mit den Fäusten.
4Pilatus ging wieder hinaus und sagte zu den Leuten: »Ich
lasse ihn jetzt zu euch hinausbringen, damit ihr wisst, dass ich
keine Schuld an ihm finden kann.« 5Dann kam Jesus heraus.
Er trug die Dornenkrone und das Purpurgewand. Und Pila-
tus sagte: »Hier ist er, der Mensch!«
6Als sie ihn sahen, fingen die obersten Priester und die Män-
ner der Tempelwache an zu schreien: »Kreuzige ihn! Kreuzige
ihn!«
Pilatus entgegnete: »Nehmt ihr ihn selbst und kreuzigt ihr
ihn. Ich kann keine Schuld an ihm finden.«

7Die Juden erwiderten: »Nach unserem Gesetz muss er sterben, weil er sich selbst als Gottes Sohn bezeichnet hat.«
8Als Pilatus das hörte, fürchtete er sich noch mehr.
9Er ließ Jesus wieder zurück ins Prätorium bringen und fragte ihn: »Woher kommst du?« Aber Jesus gab keine Antwort.
10»Sprichst du nicht mit mir?«, fragte Pilatus. »Weißt du denn nicht, dass ich die Macht habe, dich freizulassen oder dich zu kreuzigen?«
11Da sagte Jesus: »Du hättest keine Macht über mich, wenn sie dir nicht von oben gegeben wäre. Deshalb hat der, der mich dir ausgeliefert hat, die schwerere Sünde begangen.«
12Darauf wollte Pilatus ihn erneut freilassen, die Juden aber schrien: »Wenn du diesen Mann freilässt, bist du kein Freund des Kaisers. Wer sich zum König erklärt, erhebt sich gegen den Kaiser.«
13Auf diese Worte hin ließ Pilatus Jesus wieder hinausführen. Dann setzte er sich auf den Richterstuhl, an einer Stelle, die man »Steinpflaster« nannte (auf Hebräisch Gabbata).
14Das war um die Mittagszeit am Tag vor dem Passahfest. Und Pilatus sagte zu den Leuten: »Hier ist euer König!«
15Sie schrien: »Weg mit ihm! Weg mit ihm – kreuzige ihn!«
Pilatus fragte: »Was? Euren König soll ich kreuzigen lassen?«
Die obersten Priester gaben zurück: »Wir haben keinen König außer dem Kaiser.«
16Da überließ Pilatus ihnen Jesus zur Kreuzigung.

Die Kreuzigung

Sie nahmen Jesus und führten ihn ab.
17Jesus trug das Kreuz selbst zu dem Ort, der Schädelstätte genannt wird (auf Hebräisch Golgatha).
18Dort kreuzigten sie ihn und mit ihm noch zwei andere, einen auf jeder Seite von ihm, mit Jesus in der Mitte.
19Pilatus ließ ein Schild über ihm anbringen, auf dem stand: »Jesus von Nazareth, König der Juden.«
20Der Ort, an dem Jesus gekreuzigt wurde, lag in unmittelbarer Nähe der Stadt; und das Schild war in Hebräisch, Lateinisch und Griechisch geschrieben, sodass viele Leute es lesen konnten.

[21]Da sagten die obersten Priester zu Pilatus: »Schreib nicht
›König der Juden‹, sondern schreib: ›Er hat behauptet: Ich bin
der König der Juden.‹«
[22]Pilatus entgegnete: »Was ich geschrieben habe, habe ich
geschrieben.«
[23]Nachdem die Soldaten – es waren vier Mann – Jesus ge-
kreuzigt hatten, teilten sie seine Kleider unter sich auf. Sie
nahmen auch sein Untergewand an sich. Es war ohne Naht
aus einem einzigen Stück gewebt, [24]deshalb sagten sie: »Wir
wollen es nicht zerreißen, sondern darum würfeln.« Damit
erfüllte sich die Schrift, in der es heißt: »Sie teilten meine Klei-
der unter sich auf und würfelten um mein Gewand.« [25]Und so
machten sie es.
In der Nähe des Kreuzes standen die Mutter von Jesus und
ihre Schwester sowie Maria, die Frau von Klopas, und Maria
von Magdala. [26]Als Jesus seine Mutter dort neben dem Jünger
stehen sah, den er lieb hatte, sagte er zu ihr: »Frau, das ist jetzt
dein Sohn.« [27]Und zu dem Jünger sagte er: »Das ist nun deine
Mutter.« Von da an nahm der Jünger sie zu sich in sein Haus.

Jesus stirbt

[28]Jesus wusste, dass nun alles vollbracht war, und um zu er-
füllen, was in der Schrift vorausgesagt war, sagte er: »Ich habe
Durst.« [29]Sie tauchten einen Schwamm in ein Gefäß mit Wein-
essig und steckten ihn auf einen Ysopzweig, den sie an seine
Lippen hielten. [30]Als Jesus davon genommen hatte, sagte er:
»Es ist vollbracht!« Dann neigte er den Kopf und starb.
[31]Die führenden Männer des jüdischen Volkes wollten die
Gekreuzigten nicht bis zum nächsten Tag, einem Sabbat –
der wegen des Passahfestes noch dazu ein besonderer Sabbat
war –, am Kreuz hängen lassen. Um den Tod schneller herbei-
zuführen, baten sie Pilatus, dass man ihnen die Beine brach.
Dann konnten die Leichname vom Kreuz abgenommen wer-
den. [32]Da kamen die Soldaten und brachen den beiden Män-
nern, die mit Jesus gekreuzigt worden waren, die Beine.
[33]Doch als sie zu Jesus kamen, sahen sie, dass er schon tot
war, deshalb brachen sie ihm nicht die Beine. [34]Einer der Sol-

daten bohrte jedoch einen Speer in seine Seite, und Blut und
Wasser flossen heraus. 35Dieser Bericht stammt von einem
Augenzeugen. Alles, was er sagt, ist zuverlässig und wahr;
er berichtet darüber, damit auch ihr zum Glauben findet.
36Diese Dinge sind geschehen, damit sich erfüllt, was in der
Schrift vorausgesagt ist: »Nicht einer seiner Knochen wird
zerbrochen werden«, 37und: »Sie werden auf den schauen,
den sie durchbohrt haben«.

Die Grablegung

38Danach bat Josef von Arimathäa Pilatus um die Erlaubnis,
den Leichnam vom Kreuz abnehmen zu dürfen. Er war ins-
geheim ein Jünger von Jesus, denn er fürchtete sich vor den
führenden Juden. Als Pilatus es ihm gestattete, ging er und
holte den Leichnam. 39Auch Nikodemus, der Jesus einmal in
der Nacht aufgesucht hatte, kam und brachte zum Einbal-
samieren etwa dreißig Kilogramm Myrrhe und Aloe mit.
40Gemeinsam wickelten sie den Leichnam mit den Kräutern
in lange Leinentücher, wie es bei den Juden vor dem Begräb-
nis Brauch ist. 41Der Ort der Kreuzigung befand sich in der
Nähe eines Gartens; dort lag ein neues Grab, das noch nie
benutzt worden war. 42Und weil es der Tag der Vorbereitung
für das Passahfest war und das Grab sich in der Nähe befand,
bestatteten sie Jesus dort.

Die Auferstehung

20 1Früh am ersten Tag der Woche, als es noch dunkel
war, kam Maria von Magdala zum Grab und fand
den Stein vom Eingang weggerollt. 2Sie lief zu Simon Petrus
und dem anderen Jünger, den Jesus lieb hatte, und sagte: »Sie
haben den Herrn aus dem Grab weggenommen, und ich weiß
nicht, wo sie ihn hingebracht haben!«
3Petrus und der andere Jünger liefen zum Grab, um nach-
zusehen. 4Der andere Jünger lief schneller als Petrus und
kam als Erster an. 5Er beugte sich vor, um hineinzuschauen,
und sah die Leinentücher daliegen, aber er ging nicht hinein.
6Dann kam Simon Petrus und ging in die Grabhöhle hinein.

Auch er sah die Leinentücher dort liegen; [7]das Tuch, das den
Kopf von Jesus bedeckt hatte, lag zusammengefaltet auf der
Seite. [8]Da ging auch der andere Jünger hinein, der zuerst bei
dem Grab angekommen war, und er sah und glaubte – [9]denn
bis dahin hatten sie die Aussage der Schrift nicht verstanden,
dass Jesus von den Toten auferstehen würde. [10]Dann gingen
sie nach Hause zurück.

Jesus erscheint Maria von Magdala

[11]Maria stand weinend draußen vor dem Grab, und während
sie weinte, beugte sie sich vor und schaute hinein. [12]Da sah sie
zwei weiß gekleidete Engel sitzen, einen am Kopf- und einen
am Fußende der Stelle, an der der Leichnam von Jesus gelegen
hatte. [13]»Warum weinst du?«, fragten die Engel sie.

»Weil sie meinen Herrn weggenommen haben«, erwiderte
sie, »und ich nicht weiß, wo sie ihn hingelegt haben.«

[14]Sie blickte über ihre Schulter zurück und sah jemanden
hinter sich stehen. Es war Jesus, aber sie erkannte ihn nicht.
[15]»Warum weinst du?«, fragte Jesus sie. »Wen suchst du?«

Sie dachte, er sei der Gärtner. »Herr«, sagte sie, »wenn du
ihn weggenommen hast, sag mir, wo du ihn hingebracht hast;
dann gehe ich ihn holen.«

[16]»Maria!«, sagte Jesus.

Sie drehte sich um zu ihm und rief aus: »Meister!«

[17]»Berühre mich nicht«, sagte Jesus, »denn ich bin noch nicht
zum Vater aufgefahren. Aber geh zu meinen Brüdern und
sage ihnen, dass ich zu meinem Vater und zu eurem Vater,
zu meinem Gott und zu eurem Gott auffahre.«

[18]Maria von Magdala fand die Jünger und erzählte ihnen:
»Ich habe den Herrn gesehen!« Dann berichtete sie, was er
ihr aufgetragen hatte.

Jesus erscheint seinen Jüngern

[19]Am Abend dieses ersten Tages der Woche trafen die Jünger
sich hinter verschlossenen Türen, weil sie Angst vor den Ju-
den hatten. Plötzlich stand Jesus mitten unter ihnen! »Friede
sei mit euch«, sagte er. [20]Und nach diesen Worten zeigte er

ihnen seine Hände und seine Seite. Freude erfüllte die Jünger,
als sie ihren Herrn sahen. [21]Wieder sprach er zu ihnen und
sagte: »Friede sei mit euch. Wie der Vater mich gesandt hat,
so sende ich euch.« [22]Dann hauchte er sie an und sprach:
»Empfangt den Heiligen Geist. [23]Wem ihr die Sünden ver-
gebt, dem sind sie vergeben. Wem ihr sie nicht vergebt, dem
sind sie nicht vergeben.«

Zweifel und Glaube des Thomas

[24]Einer der Jünger, Thomas, der auch »Zwilling« genannt
wurde, war nicht dabei gewesen, als Jesus kam. [25]Sie erzähl-
ten ihm: »Wir haben den Herrn gesehen!« Doch er erwiderte:
»Das glaube ich nicht, es sei denn, ich sehe die Wunden von
den Nägeln in seinen Händen, berühre sie mit meinen Fingern
und lege meine Hand in die Wunde an seiner Seite.«

[26]Acht Tage später waren die Jünger wieder beisammen,
und diesmal war auch Thomas bei ihnen. Die Türen waren
verschlossen; doch plötzlich stand Jesus, genau wie zuvor, in
ihrer Mitte. Er sprach: »Friede sei mit euch!« [27]Dann sagte er
zu Thomas: »Lege deine Finger auf diese Stelle hier und sieh
dir meine Hände an. Lege deine Hand in die Wunde an mei-
ner Seite. Sei nicht mehr ungläubig, sondern glaube!«

[28]»Mein Herr und mein Gott!«, rief Thomas aus.

[29]Da sagte Jesus zu ihm: »Du glaubst, weil du mich gesehen
hast. Glücklich sind die, die mich nicht sehen und dennoch
glauben.«

Der Zweck dieses Buches

[30]Die Jünger sahen, wie Jesus noch viele andere Wunder tat,
die nicht in diesem Buch aufgezeichnet sind. [31]Diese aber
wurden aufgeschrieben, damit ihr glaubt, dass Jesus der
Christus ist, der Sohn Gottes, und damit ihr durch den Glau-
ben an ihn in seinem Namen das ewige Leben habt.

Jesus erscheint sieben Jüngern

21 [1]Später zeigte sich Jesus den Jüngern noch einmal am
See von Tiberias. Das geschah folgendermaßen: [2]Si-

mon Petrus, Thomas, der auch »Zwilling« genannt wurde,
Nathanael aus Kana in Galiläa, die Söhne des Zebedäus und
zwei andere Jünger waren dort zusammen.
3Simon Petrus sagte: »Ich gehe fischen.«
Die anderen meinten: »Wir kommen mit.« Also fuhren sie
im Boot hinaus, doch sie fingen die ganze Nacht über nichts.
4Bei Morgengrauen sahen die Jünger Jesus am Ufer stehen,
doch sie konnten nicht sehen, wer es war. 5Er rief ihnen zu:
»Freunde, habt ihr etwas gefangen?«
Sie antworteten: »Nein.«
6Da sagte er: »Werft euer Netz auf der rechten Seite des Boo-
tes aus, dann werdet ihr etwas fangen!« Sie taten es, und bald
konnten sie das Netz nicht mehr einholen, weil so viele Fische
darin waren.
7Da sagte der Jünger, den Jesus liebte, zu Petrus: »Es ist der
Herr!« Als Simon Petrus hörte, dass es der Herr war, legte er
sein Obergewand an – denn er hatte es zur Arbeit ausgezo-
gen –, sprang ins Wasser und schwamm ans Ufer. 8Die ande-
ren blieben beim Boot und zogen das gefüllte Netz hinter
sich her. Sie waren etwa hundert Meter vom Ufer entfernt.
9Als sie ausstiegen und an Land gingen, sahen sie ein Koh-
lenfeuer brennen, auf dem Fisch gebraten wurde; dazu gab
es Brot.
10»Holt ein paar von den Fischen, die ihr gerade gefangen
habt«, sagte Jesus. 11Da stieg Simon Petrus ins Boot und holte
das Netz an Land. Obwohl es mit hundertdreiundfünfzig gro-
ßen Fischen gefüllt war, zerriss das Netz nicht.
12»Kommt her und frühstückt!«, sagte Jesus. Doch keiner
wagte ihn zu fragen, ob er wirklich der Herr sei. Sie wussten,
dass er es war. 13Jesus kam auf sie zu, nahm das Brot und gab
es ihnen, ebenso den Fisch. 14Das war das dritte Mal, dass
Jesus seinen Jüngern erschien, seit er von den Toten auferstan-
den war.

Jesus fragt nach der Liebe

15Nach dem Frühstück sagte Jesus zu Simon Petrus: »Simon,
Sohn des Johannes, liebst du mich mehr als die anderen?«

Petrus erwiderte: »Ja, Herr, du weißt, dass ich dich lieb habe.«

Jesus sagte: »Dann weide meine Lämmer.«

16Jesus wiederholte die Frage: »Simon, Sohn des Johannes, liebst du mich?«

Petrus antwortete: »Ja, Herr, du weißt, dass ich dich lieb habe.«

Jesus sagte: »Dann hüte meine Schafe.«

17Noch einmal fragte er ihn: »Simon, Sohn des Johannes, hast du mich lieb?«

Petrus wurde traurig, weil Jesus die Frage zum dritten Mal stellte, und sagte: »Herr, du weißt alles. Du weißt, dass ich dich lieb habe.«

Jesus sagte: »Dann weide meine Schafe. 18Ich versichere dir:
Als du jung warst, konntest du tun, was du wolltest, und hingehen, wo es dir gefiel. Doch wenn du alt bist, wirst du deine Hände ausstrecken, und ein anderer wird dich führen und
hinbringen, wo du nicht hingehen willst.« 19So deutete Jesus
an, auf welche Weise Petrus sterben würde, um Gott damit zu verherrlichen. Dann forderte Jesus ihn auf: »Folge mir nach.«

20Petrus drehte sich um und sah, dass der Jünger hinter ihnen ging, den Jesus liebte – jener Jünger, der sich beim Abendmahl zu Jesus hinübergelehnt und gefragt hatte: »Herr, wer
von uns wird dich verraten?« 21Petrus fragte Jesus: »Was ist
mit ihm, Herr?«

22Jesus erwiderte: »Wenn ich will, dass er am Leben bleibt, bis ich wiederkomme, was geht das dich an? Folge du mir
nach.« 23Deshalb verbreitete sich in der Gemeinde der Gläubigen das Gerücht, dass dieser Jünger nicht sterben würde. Doch das hatte Jesus nicht gesagt. Er hatte nur gesagt: »Wenn ich will, dass er am Leben bleibt, bis ich wiederkomme, was geht das dich an?«

Schlusswort

24Dies ist der Jünger, der diese Ereignisse miterlebt hat und sie hier aufzeichnete. Und wir alle wissen, dass sein Bericht über
diese Dinge wahr ist. 25Es gibt noch vieles andere, was Jesus

getan hat. Wenn man dies alles aufschreiben würde, glaube ich, könnte die ganze Welt die Bücher nicht fassen, die man dann schreiben müsste.

Die Apostelgeschichte

Die Ankündigung des Heiligen Geistes

1 1 Lieber Theophilus, in meinem ersten Buch habe ich dir
von allem erzählt, was Jesus von Anfang an tat und lehrte,
2 bis zu dem Tag, an dem er in den Himmel auffuhr, nachdem
er seinen erwählten Aposteln durch den Heiligen Geist wei-
tere Anweisungen erteilt hatte. 3 In den vierzig Tagen nach
seiner Kreuzigung erschien er den Aposteln immer wieder
und bewies ihnen auf vielfältige Weise, dass er wirklich lebt.
Und er sprach mit ihnen über das Reich Gottes.

4 Bei einer dieser Begegnungen, als sie gerade aßen, sagte er:
»Bleibt hier in Jerusalem, bis der Vater euch sendet, was er
versprochen hat. Erinnert euch: Ich habe schon mit euch da-
rüber geredet. 5 Johannes hat mit Wasser getauft, doch schon
in wenigen Tagen werdet ihr mit dem Heiligen Geist getauft
werden.«

Jesus fährt zum Himmel auf

6 Wenn die Apostel mit Jesus zusammen waren, fragten sie ihn
immer wieder: »Herr, wirst du Israel jetzt befreien und unser
Königreich wiederherstellen?«

7 »Die Zeit dafür bestimmt allein der Vater«, erwiderte er, »es
steht euch nicht zu, sie zu kennen. 8 Aber wenn der Heilige
Geist über euch gekommen ist, werdet ihr seine Kraft empfan-
gen. Dann werdet ihr von mir berichten – in Jerusalem, in
ganz Judäa, in Samarien, ja bis an die Enden der Erde.«

9 Nicht lange nachdem er das gesagt hatte, wurde er vor ih-
ren Augen in den Himmel aufgehoben und verschwand in
einer Wolke. 10 Während sie ihm nachschauten, standen plötz-
lich zwei weiß gekleidete Männer bei ihnen. 11 Sie sagten:
»Männer aus Galiläa, warum steht ihr hier und starrt zum
Himmel? Jesus ist von euch fort in den Himmel geholt wor-
den. Eines Tages wird er genauso wiederkommen, wie ihr ihn
habt fortgehen sehen!«

Matthias tritt an die Stelle von Judas

12Als das geschah, befanden sich die Apostel auf dem Ölberg,
etwa einen Kilometer von Jerusalem entfernt. Nun kehrten sie
zurück und 13gingen in den im oberen Stock gelegenen Raum,
in dem sie sich auch sonst aufhielten. Dort waren Petrus, Johannes, Jakobus, Andreas, Philippus, Thomas, Bartholomäus, Matthäus, Jakobus (der Sohn des Alphäus), Simon (der Zelot) und Judas (der Sohn des Jakobus).

14Sie alle kamen regelmäßig zum Gebet zusammen, gemeinsam mit Maria, der Mutter von Jesus, einigen anderen Frauen und den Brüdern von Jesus.

15In diesen Tagen stand Petrus auf, als etwa hundertzwanzig Menschen anwesend waren, und sagte:

16»Brüder, es musste sich erfüllen, was die Schrift über Judas
gesagt hat, der die Tempelwache zu Jesus führte, damit er verhaftet werden konnte. Schon vor langer Zeit wurde dies
durch den Heiligen Geist vorausgesagt, der durch David
sprach. 17Judas war einer von uns, auserwählt für dieselbe
Aufgabe wie wir.

18Judas kaufte sich von dem Geld, das er für seinen Verrat
erhalten hatte, einen Acker, und als er dort stürzte, platzte
sein Körper auf, und seine Eingeweide quollen heraus. 19Die
Nachricht von seinem Tod verbreitete sich rasch unter den Einwohnern Jerusalems, und sie gaben dem Ort den aramäischen Namen Hakeldamach, das heißt ›Blutacker‹.«

20Petrus fuhr fort: »Genau das wurde im Buch der Psalmen vorausgesagt. Dort steht: ›Sein Haus soll leer werden, sodass niemand mehr darin lebt‹, und: ›Sein Amt gib einem andern‹.

21Dieser andere muss jemand sein, der die ganze Zeit dabei
war, als wir mit Jesus, dem Herrn, zusammen waren – 22und
zwar von dem Tag an, als er von Johannes getauft wurde, bis zu dem Tag, als er von uns fort in den Himmel geholt wurde. Derjenige, der gewählt wird, soll mit uns ein Zeuge der Auferstehung von Jesus sein.«

23Daraufhin stellten sie zwei Männer zur Wahl auf: Josef, genannt Barsabbas (auch unter dem Namen Justus bekannt),

und Matthias. 24Dann beteten alle darum, dass der richtige
Mann gewählt würde. »Herr«, baten sie, »du kennst die Her-
zen der Menschen. Zeig uns, welchen dieser beiden Männer
du dazu erwählt hast, 25als Apostel die Stelle von Judas ein-
zunehmen und sein Amt anzutreten, denn der hat uns verlas-
sen und ist dahin gegangen, wo er hingehört.« 26Dann zogen
sie Lose, und auf diese Weise wurde Matthias gewählt und
den elf anderen als Apostel an die Seite gestellt.

Das Kommen des Heiligen Geistes

2 1Am Pfingsttag waren alle versammelt. 2Plötzlich ertönte
vom Himmel ein Brausen wie das Rauschen eines mächti-
gen Sturms und erfüllte das Haus, in dem sie versammelt wa-
ren. 3Dann erschien etwas, das aussah wie Flammen, die sich
zerteilten, wie Feuerzungen, die sich auf jeden Einzelnen von
ihnen niederließen. 4Und alle Anwesenden wurden vom Hei-
ligen Geist erfüllt und fingen an, in anderen Sprachen zu spre-
chen, wie der Heilige Geist es ihnen eingab.

5Damals lebten in Jerusalem gottesfürchtige Juden aus vie-
len verschiedenen Ländern. 6Als sie das Brausen hörten, liefen
sie herbei. Bestürzt hörte jeder von ihnen die Versammelten in
seiner eigenen Sprache reden.

7Außer sich vor Staunen riefen sie: »Wie kann das sein? Die-
se Leute stammen alle aus Galiläa, 8und doch hören wir sie in
den Sprachen der Länder sprechen, in denen wir geboren
wurden! 9Da stehen wir – Parther, Meder, Elamiter, Leute
aus Mesopotamien, Judäa, Kappadozien, Pontus, der Provinz
Asien, 10Phrygien, Pamphylien, Ägypten und den Gebieten
von Libyen aus der Gegend von Kyrene, Besucher aus Rom,
Juden sowie zum Judentum Übergetretene, 11Kreter und Ara-
ber – und wir alle hören diese Leute in unseren eigenen Spra-
chen über die Taten Gottes reden.« 12Erstaunt und verwirrt
standen sie da. »Was mag das bedeuten?«, fragten sie einan-
der. 13Doch manche spotteten auch: »Die sind nur betrunken,
das ist alles.«

Petrus predigt zu der Menge

14Da trat Petrus mit den elf anderen Aposteln vor und rief der
Menge zu: »Hört zu, ihr jüdischen Männer und ihr Einwohner
Jerusalems! Ich will euch etwas sagen. 15Manche von euch
meinen, diese Leute seien betrunken. Das ist nicht wahr! Um
neun Uhr morgens betrinkt man sich nicht. 16Nein, was ihr
heute Morgen seht, ist vor vielen hundert Jahren von dem
Propheten Joel vorausgesagt worden:

17›In den letzten Tagen, spricht Gott, werde ich meinen Geist
über alle Menschen ausgießen. Eure Söhne und Töchter wer-
den weissagen, eure jungen Männer werden Visionen haben
und eure alten Männer prophetische Träume. 18In diesen
Tagen werde ich meinen Geist sogar über alle meine Diener,
ob Mann oder Frau, ausgießen, und sie werden weissagen.
19Und ich werde Wunder oben am Himmel tun und Zeichen
unten auf der Erde – Blut und Feuer und Rauchwolken.

20Die Sonne wird finster werden und der Mond blutrot, ehe
der große und herrliche Tag des Herrn anbricht. 21Und jeder,
der den Namen des Herrn anruft, wird gerettet werden.‹

22Hört zu, ihr Menschen aus Israel! Ihr alle wisst, dass Gott
durch Jesus von Nazareth große Taten, Wunder und Zeichen
wirkte und ihn dadurch vor euch allen bestätigte. 23Ihr aber
habt ihn mit der Hilfe von Menschen, die das Gesetz Gottes
nicht kennen, ans Kreuz nageln und ermorden lassen. Damit
erfüllte sich, was bei Gott lang zuvor beschlossen war. 24Doch
Gott hat ihn aus den Schrecken des Todes befreit und wieder
zum Leben auferweckt, denn der Tod konnte ihn nicht fest-
halten. 25David hat über ihn gesagt:

›Ich weiß, dass der Herr immer bei mir ist. Ich werde nicht
mutlos, denn er ist an meiner Seite.

26Deshalb ist mein Herz voller Freude und mein Mund vol-
ler Lob! Mein Körper ruht in Hoffnung.

27Denn du wirst meine Seele nicht bei den Toten lassen, du
wirst nicht zulassen, dass dein Heiliger im Grab verwest.

28Du hast mir den Weg des Lebens gezeigt und wirst mir
Freude schenken in deiner Gegenwart.‹

[29]Liebe Brüder, denkt einmal darüber nach! David starb ja
und wurde begraben und sein Grab befindet sich noch heute
hier. [30]Aber er war ein Prophet und wusste, was Gott ihm
geschworen hatte: Einer der Nachkommen Davids würde
auf dem Thron Davids sitzen. [31]David sah also in die Zukunft
und sagte die Auferstehung des Christus voraus: Dieser wür-
de nicht bei den Toten bleiben und sein Leib nicht im Grab
verwesen.

[32]Diese Weissagung bezog sich auf Jesus, den Gott von den
Toten auferweckt hat, was wir alle bezeugen können. [33]Jetzt
sitzt er auf dem höchsten Ehrenplatz zur Rechten Gottes im
Himmel. Und der Vater hat ihm, wie er es versprochen hat,
den Heiligen Geist gegeben, damit dieser über uns ausgegos-
sen wird. So habt ihr es heute selbst gesehen und gehört.
[34]Denn David ist nie in den Himmel aufgefahren, und doch
hat er gesagt:

›Der Herr sprach zu meinem Herrn: Setze dich auf den Eh-
renplatz zu meiner Rechten, [35]bis ich deine Feinde demütige
und sie zum Schemel unter deinen Füßen mache.‹

[36]So soll nun jedermann in Israel sicher wissen, dass Gott
diesen Jesus, den ihr gekreuzigt habt, zum Herrn und Chris-
tus gemacht hat!«

[37]Was sie von Petrus hörten, traf sie ins Herz, und sie fragten
ihn und die anderen Apostel: »Brüder, was sollen wir tun?«

[38]Petrus antwortete ihnen: »Kehrt euch ab von euren Sünden
und wendet euch Gott zu. Lasst euch alle taufen im Namen
von Jesus Christus zur Vergebung eurer Sünden. Dann wer-
det ihr die Gabe des Heiligen Geistes empfangen. [39]Diese Zu-
sage Gottes gilt euch und euren Kindern und auch denen, die
fern von Gott sind – allen, die vom Herrn, unserem Gott, be-
rufen werden.« [40]Und Petrus predigte noch lange weiter und
forderte seine Zuhörer immer wieder auf: »Rettet euch vor
dieser Generation, die auf einem verkehrten Weg ist!« [41]Dieje-
nigen, die glaubten, was Petrus gesagt hatte, wurden getauft
und zur Gemeinde hinzugefügt – an diesem Tag etwa drei-
tausend Menschen.

Die erste Gemeinde

42Sie nahmen stetig an der Lehre der Apostel teil, an der Ge-
meinschaft, an den Mahlfeiern und an den Gebeten. 43Eine
tiefe Ehrfurcht erfasste alle, und die Apostel vollbrachten vie-
le Zeichen und Wunder. 44Alle Gläubigen kamen regelmäßig
zusammen und teilten alles miteinander, was sie besaßen.
45Sie verkauften ihren Besitz und teilten den Erlös mit allen,
die bedürftig waren. 46Gemeinsam beteten sie täglich im Tem-
pel zu Gott, trafen sich zur Mahlfeier in den Häusern und
nahmen gemeinsam die Mahlzeiten ein, bei denen es fröhlich
zuging und großzügig geteilt wurde. 47Sie hörten nicht auf,
Gott zu loben, und waren bei den Leuten angesehen. Und
jeden Tag fügte der Herr neue Menschen hinzu, die gerettet
wurden.

Petrus heilt einen gelähmten Bettler

3 1Eines Nachmittags gegen drei Uhr gingen Petrus und Jo-
hannes in den Tempel, um am Gebet teilzunehmen. 2Als
sie hinkamen, wurde gerade ein Mann herbeigetragen, der
von Geburt an gelähmt war. Wie an jedem Tag wurde er an
den Eingang des Tempels gebracht, der allgemein die »Schö-
ne Pforte« hieß, damit er dort bei den Leuten betteln konnte,
die zum Tempelbezirk kamen. 3Als er Petrus und Johannes
sah, die gerade den Tempel betreten wollten, bat er auch sie
um etwas Geld.

4Petrus und Johannes blickten ihn aufmerksam an, und Pet-
rus sagte: »Sieh uns an!« 5Der gelähmte Mann blickte erwar-
tungsvoll auf, weil er glaubte, dass er etwas bekäme. 6Doch
Petrus sagte: »Ich habe kein Geld für dich. Aber was ich habe,
gebe ich dir. Im Namen von Jesus Christus von Nazareth: Steh
auf und geh!«

7Dann nahm er den Gelähmten an der rechten Hand und
half ihm auf. Als er das tat, wurden die Füße und Knöchel
des Mannes geheilt und erhielten ihre Kraft zurück. 8Er
sprang auf, konnte auf seinen Füßen stehen und fing an um-
herzugehen! Dann trat er – gehend, hüpfend und Gott lo-
bend – mit ihnen in den Tempel.

9Die Leute sahen ihn gehen und hörten, wie er Gott lobte.
10Als sie erkannten, dass es der gelähmte Bettler war, den sie
so oft an der »Schönen Pforte« gesehen hatten, waren sie starr
vor Staunen! 11Sie liefen hinaus zur Säulenhalle Salomos, wo
der Geheilte sich dicht bei Petrus und Johannes hielt, und alle
staunten über das Wunderbare, das dort geschehen war.

Petrus predigt im Tempel

12Petrus sah dies und wandte sich an die Menge. »Ihr Men-
schen aus Israel«, sagte er, »was ist daran so erstaunlich? Wa-
rum starrt ihr uns an, als hätten wir diesen Mann aus eigener
Kraft und Frömmigkeit geheilt? 13Es ist der Gott Abrahams,
der Gott Isaaks und der Gott Jakobs, der Gott aller unserer
Vorfahren, der seinen Knecht Jesus durch diese Tat verherr-
licht hat – den Jesus, den ihr den Römern ausgeliefert und
vor Pilatus verleugnet habt, obwohl Pilatus ihn freilassen
wollte. 14Ihr habt diesen Heiligen und Gerechten verleugnet
und stattdessen die Freilassung eines Mörders verlangt. 15Ihr
habt den Urheber des Lebens getötet, doch Gott hat ihn wie-
der zum Leben erweckt. Und wir alle sind Zeugen davon!

16Der Name von Jesus hat diesen Mann geheilt – und ihr
wisst alle, wie krank er war. Vor euren eigenen Augen hat
der Glaube an den Namen von Jesus diese Heilung bewirkt.

17Freunde, ich bin mir bewusst, dass ihr Jesus aus Unwissen-
heit so behandelt habt, und dasselbe gilt für die führenden
Männer unter euch. 18Doch Gott hat erfüllt, was die Propheten
über den Christus vorausgesagt hatten: dass er dies alles er-
leiden müsse. 19Nun kehrt euch ab von euren Sünden und
wendet euch Gott zu, damit ihr von euren Sünden gereinigt
werden könnt. 20Dann brechen herrliche Zeiten an, und ihr
werdet durch den Herrn gestärkt werden und er wird euch
sogar Jesus, den Christus, wieder senden. 21Doch bis Gott al-
les erneuert, wird Jesus im Himmel bleiben, wie Gott es vor
langer Zeit durch seine Propheten angekündigt hat. 22Mose
sagte: ›Der Herr, euer Gott, wird einen Propheten wie mich
aus eurem Volk erwählen. Hört genau auf alles, was er euch

sagt. 23Wer nicht auf diesen Propheten hört, wird aus dem
Volk Gottes ausgeschlossen und wird umkommen.‹
24Alle Propheten, angefangen mit Samuel, haben von dem,
was heute geschieht, gesprochen. 25Ihr seid die Nachkommen
jener Propheten, und ihr gehört dem Bund an, den Gott euren
Vorfahren verheißen hat. Denn Gott hat zu Abraham gesagt:
›Durch deine Nachkommen sollen alle Völker der Erde geseg-
net sein.‹ 26Als Gott seinen Knecht erweckte, sandte er ihn
zuerst zu euch, damit er euch segnet und euch von euren bö-
sen Wegen abbringt.«

Petrus und Johannes vor dem Hohen Rat

4 1Während Petrus und Johannes noch zu der Menge spra-
chen, kamen die obersten Priester, der Hauptmann der
Tempelwache und ein paar Sadduzäer zu ihnen herüber.
2Als sie hörten, wie Petrus und Johannes lehrten, dass es eine
Auferstehung der Toten gebe, und zum Beweis dafür auf Je-
sus verwiesen, waren sie höchst beunruhigt. 3Sie ließen die
beiden festnehmen, und da es schon Abend war, sperrten sie
sie bis zum Morgen ein. 4Doch viele der Menschen, die ihre
Botschaft gehört hatten, glaubten daran, sodass die Zahl der
Gläubigen auf etwa fünftausend Männer anstieg, Frauen und
Kinder nicht mitgerechnet.
5Am nächsten Tag trat in Jerusalem der Hohe Rat zusam-
men, bestehend aus den führenden Männern des jüdischen
Volkes sowie den Ältesten und Schriftgelehrten. 6Der Hohe
Priester Hannas sowie Kaiphas, Johannes, Alexander und
weitere Verwandte des Hohen Priesters waren ebenfalls an-
wesend. 7Die beiden Jünger wurden hereingeführt und ge-
fragt: »Mit welcher Kraft oder in wessen Namen habt ihr das
getan?«
8Da wurde Petrus vom Heiligen Geist erfüllt und sprach zu
ihnen: »Ihr führenden Männer und ihr Ältesten unseres Vol-
kes, 9werden wir verhört, weil wir einem Gelähmten Gutes
getan haben? Wollt ihr wissen, wie er geheilt wurde? 10Ich
erkläre vor euch und dem ganzen Volk Israel, dass er im Na-

men des Jesus Christus von Nazareth geheilt wurde, des Mannes, den ihr gekreuzigt habt, den Gott aber von den Toten auferweckt hat. 11Denn Jesus ist ›der Stein, den ihr Bauleute verworfen habt, der nun zum Eckstein geworden ist.‹

12In ihm allein gibt es Erlösung! Im ganzen Himmel gibt es keinen anderen Namen, den die Menschen anrufen können, um errettet zu werden.«

13Die Mitglieder des Hohen Rats waren erstaunt, wie furchtlos und sicher Petrus und Johannes sprachen, denn sie konnten sehen, dass sie ganz einfache Männer ohne besondere Bildung waren. Außerdem wussten sie, dass diese Männer dem engsten Kreis um Jesus angehört hatten. 14Doch da der Gelähmte geheilt vor ihnen stand, konnten sie nichts dagegen sagen. 15Also schickten sie Petrus und Johannes hinaus und berieten sich.

16»Was sollen wir mit diesen Männern machen?«, fragten sie einander. »Wir können nicht bestreiten, dass sie ein Wunder vollbracht haben; alle in Jerusalem wissen davon. 17Aber vielleicht können wir verhindern, dass sie ihre Botschaft noch weiter verbreiten. Wir werden ihnen verbieten, weiterhin im Namen von Jesus zu den Menschen zu sprechen.« 18Also riefen sie die Apostel wieder herein und untersagten ihnen, je wieder im Namen von Jesus zu sprechen oder zu lehren.

19Doch Petrus und Johannes erwiderten: »Was meint ihr, will Gott, dass wir euch mehr gehorchen als ihm? 20Wir können nicht aufhören, von dem zu erzählen, was wir gesehen und gehört haben.«

21Der Hohe Rat drohte ihnen erneut, doch schließlich ließ man sie gehen, weil sie nicht wussten, wie man sie bestrafen sollte, ohne einen Aufruhr im Volk heraufzubeschwören. Denn alle Menschen lobten Gott für das, was geschehen war – 22die Heilung eines Mannes, der über vierzig Jahre gelähmt gewesen war.

Die Gläubigen beten um Mut

23Sobald sie wieder frei waren, suchten Petrus und Johannes die anderen Gläubigen und erzählten ihnen, was die obersten

Priester und Ältesten gesagt hatten. 24Als sie es hörten, erho-
ben alle gemeinsam ihre Stimme und beteten: »Allmächtiger
Herr, Schöpfer des Himmels, der Erde und des Meeres und
von allem, was darin lebt – 25vor langer Zeit hast du durch
den Heiligen Geist und durch den Mund unseres Vorfahren
David, deines Dieners, gesagt: ›Warum tobten die Völker vor
Zorn? Warum schmiedeten sie vergebliche Pläne?

26Die Könige der Erde lehnten sich auf; die Herrscher der
Welt verschworen sich gegen den Herrn und seinen Gesalb-
ten.‹

27Genau das ist hier in dieser Stadt geschehen! Denn Hero-
des Antipas, der Statthalter Pontius Pilatus und das Volk Isra-
el haben sich gegen Jesus, deinen heiligen Knecht, den du ge-
salbt hast, verschworen. 28Alles, was sie taten, geschah nach
deinem ewigen Willen und Plan. 29Und nun höre ihre Dro-
hung, Herr, und gib deinen Dienern Mut, wenn sie weiterhin
die gute Botschaft verkünden. 30Sende deine heilende Kraft,
damit im Namen deines heiligen Knechtes Jesus Zeichen und
Wunder geschehen.«

31Nach diesem Gebet bebte das Gebäude, in dem sie sich
versammelt hatten, und sie wurden alle vom Heiligen Geist
erfüllt. Und sie predigten mutig und unerschrocken die Bot-
schaft Gottes.

Die Gläubigen teilen ihren Besitz

32Die Gläubigen waren ein Herz und eine Seele; sie betrachte-
ten ihren Besitz nicht als ihr persönliches Eigentum und teil-
ten alles, was sie hatten, miteinander. 33Die Apostel bezeugten
eindrucksvoll die Auferstehung von Jesus Christus, und mit
ihnen war die große Gnade Gottes. 34Armut gab es bei ihnen
nicht, weil die Leute, die Land oder Häuser besaßen, etwas
von ihrem Besitz verkauften 35und das Geld den Aposteln
brachten, damit sie es an alle, je nach Bedarf, verteilen konn-
ten.

36Ein Beispiel dafür war Josef, den die Apostel Barnabas
nannten (das bedeutet »Sohn des Trostes«). Er gehörte zum
Stamm Levi und kam ursprünglich von der Insel Zypern.

37 Josef verkaufte einen Acker, den er besaß, und brachte den
Aposteln das Geld als Hilfe für die Bedürftigen.

Hananias und Saphira

5 1 Auch ein Mann mit Namen Hananias verkaufte mit sei-
ner Frau Saphira etwas von seinem Besitz. 2 Er brachte mit
Wissen seiner Frau den Aposteln einen Teil des Geldes, be-
hauptete aber, es sei der gesamte Erlös. 3 Da sagte Petrus: »Ha-
nanias, warum hat der Satan Besitz von deinem Herzen er-
griffen? Du hast den Heiligen Geist belogen und einen Teil
des Geldes für dich behalten. 4 Es war dein Besitz, den du
nach Belieben verkaufen oder behalten konntest. Und auch
nachdem du ihn verkauft hattest, durftest du mit dem Geld
machen, was du wolltest. Warum hast du das getan? Du hast
nicht uns belogen, sondern Gott.«

5 Als Hananias diese Worte hörte, fiel er um und war tot.
Jeder, der von der Geschichte erfuhr, war entsetzt. 6 Schließ-
lich kamen einige junge Männer, wickelten Hananias in ein
Tuch, trugen ihn hinaus und begruben ihn.

7 Etwa drei Stunden später kam seine Frau. Sie wusste noch
nicht, was geschehen war. 8 Petrus fragte sie: »War das der
Preis, den dein Mann und du bei dem Verkauf erzielt habt?«

Sie erwiderte: »Ja, das war der Preis.«

9 Da sagte Petrus: »Wie konntet ihr beide nur auf einen sol-
chen Gedanken kommen, den Geist des Herrn auf die Probe
zu stellen? Gleich vor der Tür stehen die jungen Männer, die
gerade deinen Mann begraben haben; sie werden auch dich
hinaustragen.«

10 Augenblicklich stürzte auch sie zu Boden und starb. Als
die jungen Männer hereinkamen und sahen, dass sie tot war,
trugen sie sie hinaus und begruben sie neben ihrem Mann.
11 Furcht überkam die gesamte Gemeinde und auch alle ande-
ren, die davon erfuhren.

Die Apostel heilen viele Menschen

12 Währenddessen vollbrachten die Apostel viele Zeichen und
Wunder im Volk. Die Gläubigen trafen sich im Tempel in der

Säulenhalle Salomos. [13]Doch niemand sonst wagte, sich ihnen
anzuschließen, obwohl sie bei allen hoch geachtet waren.
[14]Immer mehr Menschen fanden zum Glauben an den Herrn –
Männer wie Frauen. [15]Das Wirken der Apostel hatte zur Fol-
ge, dass man die Kranken auf Betten und Bahren auf die Stra-
ße trug, nur damit der Schatten von Petrus auf sie fiel, wenn er
vorüberging. [16]Scharenweise strömten die Leute aus den um-
liegenden Dörfern nach Jerusalem und brachten ihre Kranken
und die von bösen Geistern Besessenen, und alle wurden ge-
heilt.

Die Apostel stoßen auf Widerstand

[17]Der Hohe Priester und seine Begleiter, die Sadduzäer, wur-
den von Neid erfüllt. [18]Sie ließen die Apostel verhaften und
ins Gefängnis werfen. [19]Doch in der Nacht kam ein Engel des
Herrn, öffnete die Gefängnistore und führte sie hinaus. Dann
sagte er zu ihnen: [20]»Geht in den Tempel und verkündet den
Menschen die Botschaft des Lebens!« [21]Daraufhin gingen die
Apostel bei Tagesanbruch in den Tempel und begannen zu
lehren.

Als der Hohe Priester mit seinem Gefolge eintraf, riefen sie
den Hohen Rat und die Ältesten Israels zusammen. Dann
wollten sie die Apostel zum Verhör vorführen lassen. [22]Doch
als die Männer der Tempelwache zum Gefängnis kamen, wa-
ren die Männer fort. Sie kehrten zum Hohen Rat zurück und
erstatteten Bericht: [23]»Das Gefängnis war verriegelt und die
Wachen standen draußen vor der Zelle, doch als wir die Türen
öffneten, war niemand da!«

[24]Als der Hauptmann der Tempelwache und die obersten
Priester das hörten, waren sie ratlos und fragten sich beunru-
higt, was wohl geschehen war. [25]In diesem Moment über-
brachte ihnen jemand die Nachricht, dass die Männer, die sie
hatten verhaften lassen, sich draußen im Tempelbezirk befan-
den und das Volk lehrten.

[26]Der Hauptmann und seine Tempelwächter gingen hin und
führten sie erneut ab, allerdings ohne Gewalt anzuwenden.
Sie hatten Angst, dass das Volk sie steinigen würde, falls sie

den Apostelп etwas antaten. 27 Sie brachten die Apostel vor
den Rat. 28 »Haben wir euch nicht befohlen, nie wieder im Na-
men dieses Mannes zu lehren?«, fragte der Hohe Priester.
»Stattdessen habt ihr eure Lehre von Jesus in ganz Jerusalem
verbreitet und wollt uns die Schuld an seinem Tod geben!«
29 Doch Petrus und die Apostel entgegneten: »Man muss
Gott mehr gehorchen als den Menschen. 30 Der Gott unserer
Vorfahren hat Jesus von den Toten auferweckt, den ihr getötet
habt, indem ihr ihn kreuzigen ließt. 31 Nun hat Gott ihm als
Herrscher und Erlöser den Ehrenplatz zu seiner Rechten ge-
geben, damit Israel umkehren und sich Gott zuwenden kann
und Vergebung seiner Sünden erhält. 32 Wir sind Zeugen da-
von, ebenso wie der Heilige Geist, den Gott denen gibt, die
ihm gehorchen.«
33 Bei diesen Worten wurden die Mitglieder des Hohen Rats
sehr wütend und sie beschlossen, die Apostel umzubringen.
34 Im Rat gab es aber auch einen Pharisäer mit Namen Gama-
liel. Dieser war ein ausgezeichneter Kenner der Heiligen
Schrift und beim Volk sehr beliebt. Er erhob sich und befahl,
die Apostel für kurze Zeit hinauszuführen. 35 Dann richtete er
das Wort an die Ratsmitglieder: »Männer Israels, überlegt
euch gut, wie ihr mit diesen Männern verfahren wollt! 36 Vor
einiger Zeit trat ein gewisser Theudas auf und gab vor, ein
bedeutender Mann zu sein. Etwa vierhundert Leute schlossen
sich ihm an, doch er wurde getötet, seine Anhänger zerstreu-
ten sich wieder, und die Bewegung wurde zerschlagen.
37 Nach ihm, zur Zeit der Volkszählung, erlebten wir das Glei-
che mit Judas von Galiläa. Auch er versammelte Anhänger
um sich, doch auch er wurde getötet und seine Nachfolger
zerstreut.
38 Deshalb rate ich euch, diese Männer in Ruhe zu lassen.
Wenn es ihre eigenen Lehren und Taten sind, wird das Ganze
bald scheitern. 39 Wenn es jedoch von Gott ist, werdet ihr sie
nicht aufhalten können, und am Ende stellt ihr womöglich
fest, dass ihr gegen Gott selbst kämpft.«
Der Hohe Rat hörte auf Gamaliel. 40 Man ließ die Apostel
vorführen und auspeitschen. Bevor sie wieder freigelassen

wurden, befahl man ihnen nochmals, nie wieder im Namen
von Jesus zu sprechen. 41Die Apostel verließen den Hohen Rat
voller Freude darüber, dass Gott sie für würdig gehalten hat-
te, für den Namen von Jesus zu leiden. 42Und sie fuhren fort,
täglich im Tempel und in den Häusern die Botschaft zu ver-
künden, dass Jesus der Christus sei.

Die Wahl der sieben Helfer

6 1Doch als die Zahl der Gläubigen immer größer wurde,
kam es auch zu Auseinandersetzungen. Diejenigen aus
den griechischsprachigen Gebieten beschwerten sich bei den
Hebräern, weil sie glaubten, dass ihre Witwen bei der täg-
lichen Versorgung benachteiligt würden. 2Deshalb beriefen
die zwölf eine Versammlung aller Gläubigen ein.

»Wir Apostel sollten unsere Zeit dazu nutzen, das Wort Got-
tes zu predigen und zu lehren, und uns nicht mit der Organi-
sation der Mahlzeiten oder Ähnlichem beschäftigen«, sagten
sie. 3»Deshalb, Freunde, wählt unter euch sieben Männer mit
gutem Ruf aus, die vom Heiligen Geist erfüllt sind und Weis-
heit besitzen. Ihnen wollen wir die Verantwortung für diese
Aufgabe übertragen. 4Auf diese Weise haben wir Zeit für das
Gebet und die Verkündigung von Gottes Wort.«

5Dieser Vorschlag gefiel allen, und sie wählten folgende
Männer: Stephanus – ein Mann voller Glauben und erfüllt
vom Heiligen Geist, Philippus, Prochorus, Nikanor, Timon,
Parmenas und Nikolaus aus Antiochia, der zum jüdischen
Glauben übergetreten und jetzt Christ geworden war. 6Diese
sieben wurden den Aposteln vorgestellt, und sie legten ihnen
die Hände auf und beteten für sie.

7Gottes Botschaft breitete sich immer weiter aus. Die Zahl
der Gläubigen in Jerusalem nahm weiter zu und auch viele
jüdische Priester schlossen sich dem neuen Glauben an.

Stephanus wird verhaftet

8Stephanus, ein Mann, bei dem die Gnade und Kraft Gottes in
ganz besonderer Weise spürbar war, wirkte erstaunliche
Wunder und Zeichen unter den Menschen. 9Doch eines Tages

fingen einige Männer aus der Synagoge der Freigelassenen
Streit mit ihm an. Es waren Juden aus Kyrene, Alexandrien,
Zilizien und der Provinz Asien. 10Aber keiner von ihnen hatte
der Weisheit und dem Geist des Stephanus etwas entgegen-
zusetzen.
11Deshalb überredeten sie einige Männer, Lügen über Ste-
phanus zu verbreiten: »Wir haben gehört, wie er gegen Mose
und sogar gegen Gott gelästert hat.« 12Damit versetzten sie
das Volk, die Ältesten und die Schriftgelehrten in Aufruhr.
Stephanus wurde verhaftet und dem Hohen Rat vorgeführt.
13Die falschen Zeugen logen: »Dieser Mann redet ständig ab-
fällig über den Tempel und über das Gesetz Moses. 14Wir ha-
ben gehört, dass er gesagt hat, dieser Jesus von Nazareth wer-
de den Tempel zerstören und die Ordnungen ändern, die
Mose uns überliefert hat.« 15Und alle im Hohen Rat Versam-
melten richteten die Augen auf Stephanus, weil sein Gesicht
plötzlich so strahlend wurde wie das eines Engels.

Die Rede des Stephanus

7 1Der Hohe Priester fragte Stephanus: »Stimmen diese An-
schuldigungen?«
2Stephanus antwortete: »Brüder und ehrwürdige Väter, hört
mich an. Unser herrlicher Gott erschien unserem Vorfahren
Abraham in Mesopotamien, ehe er nach Haran zog. 3Gott ge-
bot ihm: ›Verlass deine Heimat und deine Verwandten und
geh in das Land, das ich dir zeigen werde.‹ 4Da verließ Abra-
ham das Land der Chaldäer und lebte in Haran, bis sein Vater
starb. Dann führte Gott ihn hierher in das Land, in dem ihr
heute lebt. 5Aber Gott wies ihm dort kein Erbe zu, nicht einen
einzigen Fußbreit Land. Doch er versprach ihm, dass das gan-
ze Land einmal ihm und seinen Nachkommen gehören sollte –
obwohl Abraham bis zu diesem Zeitpunkt noch keine Kinder
hatte. 6Gott sagte ihm aber auch, dass seine Nachkommen in
einem fremden Land leben würden, wo man sie vierhundert
Jahre lang als Sklaven ausbeuten würde. 7›Aber ich werde das
Volk bestrafen, das sie versklavt‹, sprach Gott, ›und am Ende
werden sie kommen und mich hier an diesem Ort anbeten.‹

[8]Damals gab Gott Abraham auch den Bund der Beschnei-
dung. So wurde Isaak, der Sohn Abrahams, beschnitten, als
er acht Tage alt war. Isaak wurde der Vater Jakobs, und Jakob
war der Vater der zwölf Patriarchen des jüdischen Volkes.

[9]Die Söhne Jakobs waren eifersüchtig auf ihren Bruder Josef
und verkauften ihn als Sklaven nach Ägypten. Doch Gott ließ
ihn nicht allein [10]und rettete ihn aus seiner Not. Er schenkte
ihm das Wohlwollen des Pharaos, des ägyptischen Königs,
und verlieh ihm große Weisheit, sodass Pharao ihn zum Statt-
halter über ganz Ägypten ernannte und ihm die Verantwor-
tung über alle Angelegenheiten des Palastes übertrug.

[11]Dann kam eine Hungersnot über Ägypten und Kanaan.
Unsere Vorfahren gerieten in große Not, als sie nichts mehr
zu essen hatten. [12]Jakob hörte, dass es in Ägypten noch Ge-
treide gab, und schickte seine Söhne, um etwas davon zu kau-
fen. [13]Als sie zum zweiten Mal nach Ägypten kamen, gab Jo-
sef sich seinen Brüdern zu erkennen, und auch der Pharao
erfuhr davon. [14]Josef ließ seinen Vater Jakob und alle seine
Angehörigen nach Ägypten holen, insgesamt fünfundsiebzig
Personen. [15]Daraufhin zog Jakob nach Ägypten und starb
dort, wie auch alle seine Söhne. [16]Sie wurden nach Sichem
gebracht und dort in dem Grab beigesetzt, das Abraham von
den Söhnen Hamors in Sichem gekauft hatte.

[17]Als sich das Versprechen, das Gott Abraham gegeben hat-
te, erfüllen sollte, war unser Volk in Ägypten sehr groß gewor-
den. [18]Ein anderer Pharao bestieg den Thron Ägyptens, der
nichts von Josef wusste. [19]Er plante Böses gegen unser Volk.
Er zwang unsere Väter, ihre neugeborenen Kinder auszuset-
zen, sodass sie starben.

[20]In dieser Zeit wurde Mose geboren – ein schönes Kind in
Gottes Augen. Drei Monate sorgten seine Eltern zu Hause für
ihn. [21]Als sie ihn schließlich aussetzen mussten, fand ihn die
Tochter des Pharaos und zog ihn auf wie ihren eigenen Sohn.
[22]Mose wurde in allem Wissen der Ägypter unterrichtet und
wuchs zu einem wortgewandten, tatkräftigen Mann heran.

[23]Als er vierzig Jahre alt war, beschloss er eines Tages, seine
Brüder und Schwestern aus dem Volk Israel aufzusuchen.

[24]Unterwegs sah er, wie ein Ägypter einen Israeliten misshan-
delte. Mose kam ihm zu Hilfe, rächte ihn und erschlug den
Ägypter. [25]Er nahm an, seine Landsleute würden nun erken-
nen, dass Gott ihn beauftragt hatte, sie zu retten, aber das
taten sie nicht.

[26]Am nächsten Tag besuchte er sie wieder und sah zwei Is-
raeliten miteinander kämpfen. Er versuchte, Frieden zwi-
schen ihnen zu stiften. ›Männer‹, sagte er, ›ihr seid doch Brü-
der. Warum schadet ihr einander?‹ [27]Doch der Mann, der im
Unrecht war, stieß Mose beiseite: ›Wer hat dich zum Herr-
scher und Richter über uns gemacht?‹, fragte er. [28]›Willst du
mich vielleicht auch umbringen, so wie den Ägypter gestern?‹
[29]Als Mose das hörte, floh er aus Ägypten und lebte als Frem-
der im Land Midian, wo auch seine beiden Söhne geboren
wurden.

[30]Vierzig Jahre später erschien Mose in der Wüste am Berg
Sinai ein Engel in den Flammen eines brennenden Busches.
[31]Mose sah es und fragte sich, was das wohl sein mochte. Als
er näher kam, um es sich anzusehen, hörte er die Stimme des
Herrn: [32]›Ich bin der Gott deiner Väter – der Gott Abrahams,
Isaaks und Jakobs.‹ Da zitterte Mose vor Angst und Schrecken
und wagte nicht hinzuschauen.

[33]Der Herr sagte zu ihm: ›Zieh deine Sandalen aus, denn du
stehst auf heiligem Boden. [34]Ich versichere dir, dass mir das
Leid meines Volkes in Ägypten nicht verborgen geblieben ist.
Ich habe ihr Schreien gehört und bin gekommen, um sie zu
retten. Nun geh, denn ich sende dich nach Ägypten.‹ [35]Und
so sandte Gott den Mann zurück, den sein Volk abgewiesen
hatte, als sie fragten: ›Wer hat dich zum Herrscher und Richter
über uns gemacht?‹ Durch den Engel, der ihm in dem bren-
nenden Busch erschienen war, wurde Mose als ihr Anführer
und Befreier eingesetzt. [36]Und tatsächlich führte er das Volk
unter vielen Zeichen und Wundern aus Ägypten heraus,
durch das Rote Meer und vierzig Jahre lang durch die Wüste.

[37]Mose selbst erklärte dem Volk Israel: ›Gott wird einen Pro-
pheten wie mich aus eurem Volk erwählen.‹ [38]Mose war in der
Wüste der Vermittler zwischen dem Volk Israel und dem En-

gel, der ihm auf dem Berg Sinai Worte des Lebens für uns
mitgab.
[39]Doch unsere Vorfahren wollten Mose nicht folgen. Sie
lehnten ihn ab und wollten nach Ägypten zurückkehren. [40]Sie
sagten zu Aaron: ›Mach uns Götter, die vor uns hergehen kön-
nen, denn wir wissen nicht, was aus diesem Mose geworden
ist, der uns aus Ägypten herausgeführt hat.‹ [41]Und so mach-
ten sie sich ein Kalb als Götzen, dem sie Opfer darbrachten,
und freuten sich über das Werk ihrer Hände. [42]Da wandte
Gott sich von ihnen ab und überließ sie der Anbetung von
Sonne, Mond und Sternen! Im Buch der Propheten steht ge-
schrieben:
›Habt ihr eure Opfer während dieser vierzig Jahre in der
Wüste etwa mir gebracht, Israel? [43]Nein, euer eigentliches In-
teresse galt dem Zelt des Moloch, dem Sternbild eures Gottes
Räfan und den Götzenfiguren, die ihr euch gemacht habt, um
sie anzubeten. Deshalb schicke ich euch weit fort in die Gefan-
genschaft, noch weiter als Babylon.‹
[44]Unsere Vorfahren trugen das Bundeszelt mit sich durch
die Wüste. Es war genau nach dem Plan angefertigt worden,
den Gott Mose gegeben hatte. [45]Und es wurde an unsere Väter
weitergegeben und sie nahmen es unter der Führung Josuas
mit in das Gebiet, aus welchem Gott die fremden Völker vor
ihnen her vertrieben hatte. Und dort blieb das Bundeszelt bis
zur Zeit Davids.
[46]David fand Gnade vor Gott und bat darum, dem Gott Ja-
kobs einen Tempel bauen zu dürfen. [47]Doch es war Salomo,
der das Haus schließlich erbaute. [48]Aber der Höchste wohnt
nicht in Häusern, die von Menschenhand errichtet wurden.
Der Prophet sagt:
[49]›Der Himmel ist mein Thron und die Erde der Schemel für
meine Füße. Könnt ihr mir ein Haus bauen, das diesem gleich-
kommt?‹, fragt der Herr. ›Könnt ihr mir eine Wohnung bau-
en? [50]Habe ich nicht alles im Himmel und auf der Erde er-
schaffen?‹
[51]Starrköpfig seid ihr! Im Herzen seid ihr wie die Menschen,
die Gott nicht kennen, und taub für die Wahrheit. Könnt ihr

nicht endlich aufhören, euch dem Heiligen Geist zu widerset-
zen? Eure Vorfahren taten es, und ihr macht es genauso!
52Nennt mir nur einen einzigen Propheten, den eure Vorfah-
ren nicht verfolgt haben! Sie gingen sogar so weit, diejenigen
umzubringen, die das Kommen des Gerechten prophezeiten,
den ihr nun verraten und ermordet habt. 53Ihr habt Gottes
Gesetz mit Absicht missachtet, obwohl ihr es durch die Hand
von Engeln empfangen habt.«

54Die Anschuldigungen, die Stephanus gegen sie erhob, ver-
setzten die führenden Männer des jüdischen Volkes in maß-
lose Wut. 55Doch Stephanus, vom Heiligen Geist erfüllt, blick-
te unverwandt zum Himmel hinauf, wo er die Herrlichkeit
Gottes sah, und er sah Jesus auf dem Ehrenplatz zur Rechten
Gottes stehen. 56Er sagte zu ihnen: »Schaut doch, ich sehe den
Himmel offen und den Menschensohn auf dem Ehrenplatz
zur Rechten Gottes stehen!«

57Da hielten sie sich die Ohren zu, schrien mit lauter Stimme
und stürzten sich auf ihn. 58Sie schleppten ihn hinaus vor die
Stadt und steinigten ihn. Die amtlichen Zeugen der Hinrich-
tung zogen ihre Mäntel aus und legten sie zu Füßen eines
jungen Mannes mit Namen Saulus nieder.

59Während sie ihn steinigten, betete Stephanus: »Herr Jesus,
nimm meinen Geist auf.« 60Und kniend rief er: »Herr, rechne
ihnen diese Sünde nicht an!« Mit diesen Worten starb er.

8 1Saulus aber hatte Gefallen an seinem Tod.

Die Gläubigen werden verfolgt und zerstreut

Mit diesem Tag setzte eine große Welle der Verfolgung ein,
von der die ganze Gemeinde in Jerusalem erfasst wurde, und
außer den Aposteln flohen alle Gläubigen nach Judäa und
Samarien. 2Einige gottesfürchtige Leute kamen und bestatte-
ten Stephanus unter lautem Klagen. 3Saulus zog durch die
ganze Stadt und versuchte, die Gemeinde mit allen Mitteln
zu vernichten. Er ging von Haus zu Haus und zerrte Männer
und Frauen heraus und ließ sie ins Gefängnis werfen.

Die Predigt des Philippus in Samaria

4Doch die Gläubigen, die aus Jerusalem geflohen waren, zo-
gen umher und verkündeten die Botschaft von Jesus. 5Philip-
pus ging in die Stadt Samaria und erzählte den Bewohnern
von Christus. 6Die Menge hörte ihm bereitwillig zu, und sie
sahen auch die Wunder, die er tat. 7Viele böse Geister wurden
ausgetrieben und fuhren mit lautem Geschrei aus. Außerdem
wurden viele Menschen geheilt, die gelähmt oder verkrüppelt
gewesen waren. 8Darüber herrschte große Freude in der Stadt.

9Schon seit vielen Jahren lebte in dieser Stadt Simon, ein Ma-
gier, der sich für etwas Besonderes hielt. Mit seiner Zauberei
zog er die Leute in seinen Bann. 10In Samaria nannte ihn jeder,
den man fragte, nur »den Großen – die Kraft Gottes«. 11Durch
die Zauberkünste besaß er großen Einfluss, denn er hatte viele
Anhänger. 12Doch nun glaubten die Menschen an die Bot-
schaft vom Reich Gottes und vom Namen Jesus Christus, die
Philippus predigte. Viele Männer und Frauen ließen sich tau-
fen. 13Auch Simon wurde gläubig und empfing die Taufe. Er
begann, Philippus auf Schritt und Tritt zu folgen, und staunte
über die großartigen Wunder und Zeichen, die dieser voll-
brachte. 14Als die Apostel in Jerusalem hörten, dass das Volk
in Samaria die Botschaft Gottes angenommen hatte, schickten
sie Petrus und Johannes. 15In Samaria angekommen, beteten
die beiden für die neuen Gläubigen, damit sie den Heiligen
Geist empfingen. 16Bis dahin war der Heilige Geist noch auf
keinen von ihnen herabgekommen; sie waren nur auf den Na-
men von Jesus, dem Herrn, getauft worden. 17Petrus und Jo-
hannes legten den Gläubigen nun die Hände auf, und sie
empfingen den Heiligen Geist.

18Als Simon sah, dass der Heilige Geist gegeben wurde,
wenn die Apostel den Leuten die Hände auflegten, bot er ih-
nen Geld und sagte: 19»Gebt auch mir diese Macht, damit die
Menschen den Heiligen Geist auch empfangen, wenn ich ih-
nen die Hände auflege!«

20Doch Petrus erwiderte: »Dein Geld soll zusammen mit dir
verderben, weil du glaubst, du könntest Gottes Geschenk
kaufen! 21Du hast kein Recht darauf, weil dein Herz vor Gott

nicht aufrichtig ist. [22]Kehre dich ab von deiner Verdorbenheit und bete zum Herrn. Vielleicht vergibt er dir deine bösen Gedanken, [23]denn ich sehe, dass du voll Bitterkeit bist und gefangen in der Ungerechtigkeit.«

[24]»Betet für mich zum Herrn«, rief Simon, »dass mir nichts von dem Schrecklichen zustoße, wovon ihr gesprochen habt!«

[25]Nachdem Petrus und Johannes in Samaria das Wort des Herrn bezeugt und gelehrt hatten, kehrten sie nach Jerusalem zurück. Unterwegs machten sie in vielen Städten Samariens Halt, um auch dort die Botschaft zu verkünden.

Philippus und der äthiopische Schatzmeister

[26]Zu Philippus aber sagte ein Engel des Herrn: »Geh nach Süden auf der einsamen Straße, die von Jerusalem nach Gaza führt.« [27]Philippus ging und begegnete auf dem Weg dem Schatzmeister Äthiopiens, einem Eunuchen der äthiopischen Königin, der großen Einfluss hatte. Er war nach Jerusalem gekommen, um dort anzubeten, [28]und befand sich nun auf dem Heimweg. Er saß in seinem Wagen und las im Buch des Propheten Jesaja.

[29]Der Heilige Geist sagte zu Philippus: »Lauf hinüber und geh neben dem Wagen her.«

[30]Da lief Philippus hin und hörte, wie der Mann aus dem Propheten Jesaja las. Er fragte ihn: »Verstehst du auch, was du da liest?«

[31]Der Mann erwiderte: »Wie soll ich es verstehen, wenn es mir niemand erklärt?« Und er bat Philippus, einzusteigen und sich neben ihn zu setzen. [32]Er hatte gerade folgende Schriftstelle gelesen:

»Er wurde wie ein Schaf zum Schlachten geführt. Und wie ein Lamm vor dem Scherer verstummt, so machte er den Mund nicht auf. [33]Er wurde gedemütigt und erfuhr kein gerechtes Urteil. Wer kann von seinen Nachkommen sprechen? Denn sein Leben wurde von der Erde fortgenommen.«

[34]Der Hofbeamte fragte Philippus: »Von wem spricht der Prophet? Von sich selbst oder von jemand anderem?« [35]Da

begann Philippus bei dieser Schriftstelle und erklärte ihm die
gute Botschaft von Jesus.
36Unterwegs kamen sie an einem Gewässer vorbei, und der
Hofbeamte meinte: »Sieh, da ist Wasser! Kann ich mich nicht
hier taufen lassen?« 38Er ließ den Wagen anhalten. Sie stiegen
in das Wasser, und Philippus taufte ihn.
39Als sie wieder aus dem Wasser herauskamen, nahm der
Geist Gottes Philippus fort und der Hofbeamte sah ihn nicht
mehr. Aber er setzte seine Reise voller Freude fort. 40Philippus
fand sich in der Stadt Aschdod wieder. Er verkündete die Bot-
schaft Gottes dort und in jeder Stadt auf dem Weg, bis er nach
Cäsarea kam.

Die Bekehrung des Saulus

9 1Währenddessen wütete Saulus gegen die Anhänger des
Herrn und setzte alles daran, sie zu vernichten. Er wandte
sich an den Hohen Priester 2und bat ihn um Empfehlungs-
schreiben für die Synagogen in Damaskus. Damit wollte er
alle, die dieser neuen Richtung angehörten, aufspüren, um
sie zu verhaften und – gleichgültig, ob Mann oder Frau – in
Ketten nach Jerusalem zurückzubringen.
3Während er nach Damaskus unterwegs war, umstrahlte
ihn plötzlich vom Himmel her ein blendend helles Licht! 4Er
fiel zu Boden und hörte eine Stimme: »Saul, Saul! Warum ver-
folgst du mich?«
5»Wer bist du, Herr?«, fragte er.
Die Stimme antwortete: »Ich bin Jesus, den du verfolgst!
6Steh auf und geh in die Stadt; dort wirst du erfahren, was
du tun sollst.«
7Die Männer, die Saulus begleiteten, standen stumm vor
Verwunderung da, denn sie hatten zwar die Stimme gehört,
aber niemanden gesehen! 8Als Saulus sich vom Boden erhob
und seine Augen öffnete, konnte er nichts mehr sehen. So
führten ihn seine Begleiter an der Hand nach Damaskus.
9Drei Tage lang war er blind, und während der ganzen Zeit
aß und trank er nichts.

[10]In Damaskus lebte ein gläubiger Mann mit Namen Hananias. Den rief der Herr in einer Vision: »Hananias!«

Er antwortete: »Ja, Herr!«

[11]Der Herr sagte: »Geh in die Straße, die ›Gerade‹ genannt wird, zum Haus von Judas. Dort frage nach Saulus von Tarsus. Er betet zu mir,
[12]und er hat in einer Vision gesehen, dass ein Mann mit Namen Hananias kommt und ihm die Hände auflegt, sodass er wieder sehen kann.«

[13]»Aber, Herr«, rief Hananias aus, »ich habe gehört, wie viel Schlimmes dieser Mann den Gläubigen in Jerusalem angetan hat!
[14]Und er hat von den obersten Priestern die Vollmacht erhalten, alle hier zu verhaften, die deinen Namen anrufen.«

[15]Doch der Herr erwiderte: »Geh und tu, was ich sage. Saulus ist mein auserwähltes Werkzeug. Er soll meine Botschaft den Völkern und Königen bringen und auch dem Volk Israel.
[16]Ich werde ihm zeigen, wie sehr er für meinen Namen leiden muss.«

[17]Da machte Hananias sich auf den Weg und fand Saulus. Er legte ihm die Hände auf und sagte: »Saul, Bruder, der Herr, der dir auf dem Weg erschienen ist, Jesus, der hat mich zu dir gesandt, damit du wieder sehen kannst und mit dem Heiligen Geist erfüllt wirst.«
[18]Im gleichen Augenblick fiel es Saulus wie Schuppen von den Augen, und er konnte wieder sehen. Da stand er auf und ließ sich taufen.
[19]Danach aß er und kam wieder zu Kräften.

Saulus in Damaskus und Jerusalem

Saulus blieb zunächst bei den Gläubigen in Damaskus.
[20]Er begann sofort damit, in den Synagogen von Jesus zu predigen und zu verkünden, dass er der Sohn Gottes sei.

[21]Alle, die ihn hörten, wunderten sich. »Ist das nicht derselbe Mann, der die Anhänger von Jesus in Jerusalem so hart verfolgt hat?«, fragten sie. »War er nicht gekommen, um sie auch hier in Fesseln zu legen und vor die obersten Priester zu führen?«

[22]Doch Saulus predigte immer überzeugender. Er verwirrte damit die in Damaskus lebenden Juden, weil er bewies, dass

Jesus der Christus ist. 23Nachdem einige Zeit vergangen war,
beschlossen die führenden Männer des jüdischen Volkes, ihn
zu töten. 24Saulus erfuhr davon und wusste, dass man ihm
Tag und Nacht am Stadttor auflauerte, um ihn umzubringen.
25Deshalb ließen einige der Gläubigen ihn nachts in einem
großen Korb durch eine Öffnung in der Stadtmauer hinab.

26Als Saulus wieder in Jerusalem eintraf, versuchte er, sich
mit den Gläubigen dort in Verbindung zu setzen, aber alle
hatten Angst vor ihm, denn sie glaubten nicht, dass er wirk-
lich zu Jesus gehörte. 27Doch schließlich führte Barnabas ihn
zu den Aposteln und erzählte ihnen, wie Saulus auf dem Weg
nach Damaskus den Herrn gesehen hatte. Er berichtete ihnen,
was der Herr zu ihm gesagt hatte und wie mutig Saulus in
Damaskus im Namen von Jesus gesprochen hatte. 28Darauf-
hin nahmen die Apostel Saulus in die Gemeinde auf. Er blieb
bei ihnen in Jerusalem und fuhr fort, unerschrocken im Na-
men des Herrn zu predigen. 29Dabei wandte er sich auch an
die Griechisch sprechenden Juden, doch diese schmiedeten
Pläne, ihn zu töten. 30Als die Gläubigen davon erfuhren,
brachten sie ihn nach Cäsarea in Sicherheit und schickten ihn
von dort weiter in seine Heimatstadt Tarsus.

31In der nun folgenden Zeit lebte die Gemeinde in ganz Ju-
däa, Galiläa und Samarien in Frieden. Die Gläubigen wurden
gestärkt durch die Hingabe zu Gott und die Gemeinde ver-
größerte sich durch das Wirken des Heiligen Geistes.

Petrus heilt Äneas und erweckt Tabita vom Tod auf

32Petrus zog von Ort zu Ort und kam schließlich zu den Gläu-
bigen in Lydda. 33Dort fand er einen Mann mit Namen Äneas,
der seit acht Jahren gelähmt im Bett lag. 34Petrus sagte zu ihm:
»Äneas, Jesus Christus heilt dich! Steh auf und mache dir
selbst dein Bett!« Sofort stand Äneas auf. 35Als die Einwohner
von Lydda und Scharon sahen, dass Äneas wieder gehen
konnte, bekehrten sie sich zum Herrn.

36In Joppe lebte eine gläubige Frau mit Namen Tabita, die
viel Gutes tat und den Armen half, wo sie konnte. 37Etwa um
die Zeit, als Petrus in Lydda war, wurde sie krank und starb.

Ihre Freunde bereiteten sie für das Begräbnis vor und bahrten
sie in einem Zimmer oben im Haus auf. [38]Sie hatten jedoch
gehört, dass Petrus sich im nahe gelegenen Lydda aufhielt,
und schickten zwei Männer hin, die ihn baten: »Komm so
schnell wie möglich zu uns!«

[39]Petrus machte sich sofort mit ihnen auf den Weg. In Joppe
angekommen, wurde er unverzüglich in den oberen Raum
geführt. Viele Witwen waren gekommen, die weinten und
ihm die Gewänder und Kleider zeigten, die Tabita für sie ge-
näht hatte, als sie noch bei ihnen war. [40]Petrus schickte sie alle
hinaus. Dann kniete er nieder und betete. Schließlich drehte er
sich zu dem Leichnam um und sagte: »Tabita, steh auf.« Da
öffnete sie die Augen! Als sie Petrus sah, setzte sie sich im Bett
auf. [41]Er reichte ihr die Hand und half ihr aufzustehen. Dann
rief er die Witwen und die anderen Gläubigen herein und
zeigte ihnen, dass sie lebte.

[42]Die Nachricht verbreitete sich schnell im ganzen Ort und
es kamen viele Menschen zum Glauben an den Herrn. [43]Pet-
rus blieb noch eine Weile in Joppe; er wohnte im Haus des
Gerbers Simon.

Kornelius lässt Petrus holen

10 [1]In Cäsarea lebte ein römischer Hauptmann mit Na-
men Kornelius, der Befehlshaber der »Italischen Ein-
heit«. [2]Er war ein gottesfürchtiger Mann, der mit allen in sei-
nem Haus den Gott Israels achtete. Kornelius unterstützte die
Bedürftigen und betete regelmäßig zu Gott. [3]Eines Tages – es
war gegen drei Uhr – hatte er eine Vision: Ein Engel Gottes
kam auf ihn zu und sagte: »Kornelius!«

[4]Kornelius sah ihn an und erschrak. »Was ist, Herr?«

Der Engel sprach zu ihm: »Deine Gebete und Geschenke
für die Armen sind Gott nicht verborgen geblieben! [5]Schick
ein paar Männer nach Joppe, zu einem Mann mit Namen
Simon Petrus. Bitte ihn, zu dir zu kommen. [6]Er wohnt als
Gast bei dem Gerber Simon, der ein Haus am Meer hat.«
[7]Sobald der Engel fort war, rief Kornelius zwei seiner Diener
und einen gottesfürchtigen Soldaten aus seiner Leibgarde zu

sich. [8]Er sagte ihnen, was geschehen war, und schickte sie nach Joppe.

Petrus besucht Kornelius

[9]Am nächsten Tag – die Boten des Kornelius waren bereits vor der Stadt – stieg Petrus auf das Dach des Hauses, um zu beten. Es war kurz vor Mittag, [10]und er hatte großen Hunger. Doch während das Essen zubereitet wurde, hatte er eine Vision.
[11]Er sah den Himmel offen stehen, und etwas wie ein großes Tuch wurde an den vier Zipfeln zur Erde heruntergelassen.
[12]In diesem Tuch befanden sich verschiedene vierfüßige Tiere sowie Schlangen und Vögel. [13]Er hörte eine Stimme, die sprach zu ihm: »Petrus, steh auf. Schlachte sie und iss davon.«

[14]»Niemals, Herr«, erklärte Petrus. »In meinem ganzen Leben habe ich noch nie etwas gegessen, das uns nach unserem jüdischen Gesetz verboten ist.«

[15]Da sprach die Stimme zum zweiten Mal: »Wenn Gott sagt, dass etwas rein ist, dann sag du nicht, dass es unrein ist.«
[16]Diese Vision wiederholte sich dreimal, und sofort danach wurde das Tuch wieder in den Himmel hinaufgezogen.

[17]Petrus war ratlos, was dies zu bedeuten hatte. In diesem Augenblick fanden die Männer, die Kornelius geschickt hatte, das Haus des Simon. Sie standen draußen vor dem Tor [18]und erkundigten sich, ob dies das Haus sei, in dem Simon Petrus als Gast wohne. [19]Gleichzeitig sprach der Heilige Geist zu Petrus, während dieser noch über die Vision nachdachte: »Drei Männer sind gekommen, die dich suchen. [20]Steig hinunter und geh ohne Bedenken mit ihnen, denn ich habe sie gesandt.«

[21]Da stieg Petrus hinunter und sagte: »Ich bin der Mann, den ihr sucht. Warum seid ihr gekommen?«

[22]Sie antworteten: »Kornelius, ein römischer Hauptmann, hat uns geschickt. Er ist ein gottesfürchtiger Mann, der den Gott Israels achtet und bei den Juden hoch angesehen ist. Ein heiliger Engel gab ihm Anweisung, dich holen zu lassen, damit du in sein Haus kommst und er hören kann, was du zu sagen hast.« [23]Petrus lud die Männer ein, bei ihm zu über-

nachten. Am nächsten Morgen machte er sich mit ihnen auf
den Weg, begleitet von einigen Gläubigen aus Joppe.
[24]Am folgenden Tag trafen sie in Cäsarea ein. Kornelius er-
wartete sie schon. Er hatte seine Verwandten und engsten
Freunde eingeladen, damit sie Petrus kennenlernen konnten.
[25]Als Petrus sein Haus betrat, fiel Kornelius ehrfürchtig vor
ihm auf die Knie. [26]Aber Petrus richtete ihn auf und sagte:
»Steh auf! Ich bin ein Mensch wie du!« [27]Und sie sprachen
miteinander, während sie hineingingen. Drinnen fand Petrus
eine große Menge versammelt.
[28]Er erklärte ihnen: »Ihr wisst, dass es mir nach jüdischem
Gesetz verboten ist, mit einem Angehörigen eines fremden
Volkes zusammenzukommen oder ein nichtjüdisches Haus
wie dieses zu betreten. Aber Gott hat mir gezeigt, dass ich
niemanden für unrein halten darf. [29]Deshalb bin ich sofort,
als ihr mich holen ließt, mitgekommen. Nun sagt mir aber,
warum ihr nach mir geschickt habt.«
[30]Kornelius antwortete: »Vor vier Tagen betete ich zur glei-
chen Zeit wie jetzt, gegen drei Uhr nachmittags, in meinem
Haus. Plötzlich stand ein Mann in einem strahlend weißen
Gewand vor mir. [31]Er sagte: ›Kornelius, deine Gebete sind er-
hört worden, und deine Geschenke an die Armen sind Gott
nicht verborgen geblieben! [32]Schick ein paar Männer nach
Joppe und bitte Simon Petrus zu kommen. Er wohnt als Gast
bei Simon, dem Gerber, in einem Haus am Meer.‹ [33]Da schick-
te ich sofort nach dir, und es ist gut, dass du gekommen bist.
Jetzt sind wir hier und warten in Gottes Gegenwart, um die
Botschaft zu hören, die der Herr dir gegeben hat.«

Kornelius hört die Botschaft Gottes

[34]Da erwiderte Petrus: »Jetzt weiß ich, dass es wahr ist: Gott
macht keine Unterschiede zwischen den Menschen. [35]In je-
dem Volk nimmt er jene an, die ihn achten und tun, was ge-
recht ist. [36]Ihr habt Gottes Botschaft für das Volk Israel gehört:
von dem Frieden durch Jesus Christus, der Herr über alle ist.
[37]Ihr wisst, was überall in Judäa geschah, angefangen in Gali-
läa, nachdem Johannes der Täufer zu predigen begann. [38]Und

ihr wisst auch, dass Gott Jesus von Nazareth mit dem Heili-
gen Geist und mit Kraft gesalbt hat. Er zog umher, tat Gutes
und heilte alle, die vom Teufel bedrängt waren, denn Gott war
mit ihm.
39Wir Apostel können bezeugen, was er in ganz Israel und in
Jerusalem getan hat. Sie haben ihn umgebracht, indem sie ihn
kreuzigten, 40aber Gott hat ihn drei Tage später wieder auf-
erweckt. Danach ließ er ihn 41nicht vor dem Volk, sondern
nur vor uns erscheinen, die Gott zuvor als seine Zeugen er-
wählt hatte. Wir waren es, die mit ihm aßen und tranken,
nachdem er von den Toten auferstanden war. 42Und er befahl
uns, überall zu predigen und zu bezeugen, dass Jesus von
Gott zum Richter über alle Menschen – Lebende und Tote –
bestimmt ist. 43Er ist es, den die Propheten vorausgesagt ha-
ben und von dem sie sagten, dass allen, die an ihn glauben,
durch seinen Namen die Sünden vergeben werden.«

Die Nichtjuden empfangen den Heiligen Geist

44Noch während Petrus sprach, kam der Heilige Geist über
alle, die seine Botschaft hörten. 45Die jüdischen Gläubigen,
die mit Petrus gekommen waren, staunten, dass Gott auch
Nichtjuden den Heiligen Geist schenkte, 46denn sie hörten sie
in anderen Sprachen reden und Gott loben.
Da fragte Petrus: 47»Wer könnte jetzt noch etwas dagegen
einwenden, dass sie getauft werden, nun, da sie den Heiligen
Geist empfangen haben, genau wie wir!« 48Und er gab Anwei-
sung, sie im Namen von Jesus Christus zu taufen. Anschlie-
ßend baten sie Petrus, noch einige Tage bei ihnen zu bleiben.

Petrus erklärt den Gläubigen in Jerusalem sein Handeln

11 1Es dauerte nicht lange, bis die Apostel und anderen
Gläubigen in Judäa hörten, dass Nichtjuden das Wort
Gottes angenommen hatten. 2Als Petrus wieder in Jerusalem
eintraf, kritisierten ihn daher einige der jüdischen Gläubigen.
3»Du hast das Haus von Nichtjuden betreten und mit ihnen
gegessen!«, warfen sie ihm vor.
4Da berichtete Petrus ihnen genau, was geschehen war. 5»Ei-

nes Tages in Joppe«, begann er, »hatte ich beim Beten eine
Vision. Etwas wie ein großes Tuch wurde an den vier Zipfeln
vom Himmel herabgelassen und kam direkt zu mir herunter.
6Als ich hineinschaute, sah ich alle Arten von vierfüßigen und
wilden Tieren, Schlangen und Vögeln. 7Und ich hörte eine
Stimme sagen: ›Petrus, steh auf; schlachte sie und iss davon.‹
8›Niemals, Herr‹, antwortete ich. ›In meinem ganzen Leben
habe ich noch nie etwas gegessen, das unser jüdisches Gesetz
uns verbietet.‹
9Doch die Stimme vom Himmel wiederholte: ›Wenn Gott
sagt, dass etwas rein ist, dann sag du nicht, dass es unrein ist.‹
10Das wiederholte sich dreimal, dann wurde das Tuch mit
dem, was darin war, wieder in den Himmel hinaufgeholt.
11In diesem Augenblick kamen drei Männer, die aus Cäsarea
geschickt worden waren, an das Haus, in dem ich wohnte.
12Der Heilige Geist sagte mir, ich solle mit ihnen gehen und
keine Bedenken haben. Diese sechs Brüder hier begleiteten
mich, und bald kamen wir in das Haus des Mannes, der nach
uns geschickt hatte. 13Er berichtete uns, wie ein Engel ihm in
seinem Haus erschienen war und gesagt hatte: ›Sende Boten
nach Joppe, um Simon Petrus zu holen. 14Er wird euch sagen,
wie du und alle in deinem Haus gerettet werden können!‹
15Als ich begann, zu ihnen zu reden, kam der Heilige Geist
genauso auf sie, wie er am Anfang auf uns gekommen ist.
16Da dachte ich daran, wie der Herr gesagt hatte: ›Johannes
taufte mit Wasser, ihr aber werdet mit dem Heiligen Geist
getauft werden.‹ 17Und wenn Gott diesen dieselbe Gabe ge-
schenkt hat wie uns, als wir zum Glauben an den Herrn Jesus
Christus gekommen waren: Wer war ich, dass ich Gott daran
hätte hindern können?«
18Als die anderen das hörten, beruhigten sie sich und fingen
an, Gott zu loben. Sie sagten: »Also schenkt Gott allen Men-
schen die Möglichkeit zur Umkehr, damit sie leben können.«

Die Gemeinde im syrischen Antiochia

19Inzwischen waren die Gläubigen, die wegen der Verfolgung
nach dem Tod des Stephanus aus Jerusalem geflohen waren,

bis nach Phönizien, Zypern und Antiochia in Syrien gelangt.
Jedoch verkündeten sie die gute Botschaft nur den Juden.
20Aber einige der Gläubigen, die aus Zypern und Kyrene
nach Antiochia gekommen waren, fingen an, auch den Nicht-
juden die Botschaft von Jesus, dem Herrn, zu erzählen. 21Die
Kraft des Herrn war mit ihnen, und viele Nichtjuden glaubten
und bekehrten sich zum Herrn.

22Als die Gemeinde in Jerusalem erfuhr, was geschehen war,
schickten sie Barnabas nach Antiochia. 23Dort freute er sich
sehr über die vielen sichtbaren Beweise von Gottes Handeln.
Barnabas ermutigte die Gläubigen, dem Herrn treu zu blei-
ben. 24Er war ein guter Mann, tief erfüllt vom Heiligen Geist
und im Glauben verwurzelt. Viele Menschen wurden in die-
ser Zeit gläubig.

25Dann reiste Barnabas nach Tarsus, um Saulus aufzusu-
chen. 26Als er ihn gefunden hatte, brachte er ihn nach Antio-
chia. Dort blieben sie ein ganzes Jahr bei der Gemeinde und
lehrten eine große Anzahl Menschen. In Antiochia nannte
man die Gläubigen zum ersten Mal Christen.

27In jener Zeit kamen auch einige Propheten aus Jerusalem
nach Antiochia. 28Einer von ihnen, ein Mann mit Namen Aga-
bus, stand in einer der Versammlungen auf und weissagte,
getrieben vom Heiligen Geist, dass eine große Hungersnot
über das ganze Römische Reich hereinbrechen würde. Diese
Prophezeiung erfüllte sich in der Regierungszeit des Claudi-
us. 29In Antiochia beschlossen sie deshalb, die Gläubigen in
Judäa zu unterstützen; jeder sollte geben, so viel er konnte.
30Das taten sie dann auch und vertrauten das gesammelte
Geld Barnabas und Saulus an, die es den Ältesten der Jerusa-
lemer Gemeinde überbringen sollten.

Jakobus wird getötet und Petrus verhaftet

12 1Etwa um diese Zeit begann König Herodes Agrippa,
einige Gläubige in der Gemeinde zu verfolgen. 2Er ließ
den Apostel Jakobus, den Bruder von Johannes, mit dem
Schwert hinrichten. 3Als Herodes sah, dass diese Entschei-
dung den führenden Männern des jüdischen Volkes gefiel,

ließ er Petrus während der Passah-Feierlichkeiten verhaften
4und ins Gefängnis werfen. Vier Einheiten zu je vier Soldaten
waren beauftragt, ihn zu bewachen. Herodes plante, Petrus
nach dem Passahfest in einer öffentlichen Verhandlung vor
das Volk zu stellen. 5Doch während Petrus im Gefängnis saß,
betete die Gemeinde inständig für ihn zu Gott.

Petrus kann auf wunderbare Weise fliehen

6In der Nacht vor der Verhandlung schlief Petrus angekettet
zwischen zwei Soldaten. Vor dem Gefängnistor hielten wei-
tere Soldaten Wache. 7Plötzlich erschien ein strahlendes Licht
in der Zelle, und ein Engel des Herrn stand vor Petrus. Der
Engel stieß ihm in die Seite, um ihn zu wecken, und sagte:
»Schnell! Steh auf!« Und die Ketten fielen von seinen Hand-
gelenken. 8Dann sagte der Engel zu ihm: »Zieh dich an und
schnüre deine Sandalen.« Das tat Petrus. »Und nun nimm dei-
nen Mantel und folge mir«, befahl der Engel.

9Petrus verließ die Zelle und folgte dem Engel in dem Glau-
ben, er habe eine Vision. Ihm war nicht bewusst, dass das
Ganze tatsächlich geschah. 10Sie passierten die erste und die
zweite Wache und erreichten das Eisentor zur Straße, das sich
wie von selbst vor ihnen öffnete. Sie traten hindurch und gin-
gen eine Gasse hinunter, als der Engel ihn plötzlich verließ.

11Da begriff Petrus, was geschehen war. »Es ist wirklich
wahr!«, sagte er. »Der Herr hat seinen Engel gesandt, mich
vor Herodes gerettet und vor dem, was die Juden mit mir vor-
hatten!«

12Er überlegte und ging dann zum Haus von Maria, der
Mutter des Johannes Markus. Dort waren viele Menschen zu-
sammengekommen, um zu beten. 13Er klopfte an die Tür im
Hofeingang, und eine Dienerin mit Namen Rhode kam, um
zu öffnen. 14Als sie seine Stimme erkannte, war sie so durch-
einander vor Freude, dass sie, ohne die Tür zu öffnen, wieder
zu den anderen zurücklief. »Petrus steht vor der Tür!«, rief sie.

15»Du bist von Sinnen«, meinten die anderen. Und als sie
darauf beharrte, kamen sie zu dem Schluss: »Es muss wohl
sein Engel sein.«

16Petrus hatte weiter geklopft. Als sie schließlich die Tür öff-
neten und ihn sahen, waren sie außer sich vor Staunen. 17Mit
einer Handbewegung bedeutete er ihnen, ruhig zu sein, und
erzählte ihnen dann, was geschehen war und wie der Herr ihn
aus dem Gefängnis herausgeführt hatte. »Berichtet Jakobus
und den anderen Brüdern, was passiert ist«, sagte er. Dann
ging er hinaus und zog weiter an einen anderen Ort.
18Beim Morgengrauen herrschte große Bestürzung unter
den Soldaten, die sich fragten, was mit Petrus geschehen war.
19Herodes Agrippa erteilte Befehl, alles gründlich nach ihm
zu durchsuchen. Als er nicht aufzufinden war, verhörte Hero-
des die Wachen und ließ sie abführen und hinrichten. Danach
verließ Herodes Judäa und blieb für längere Zeit in Cäsarea.

Herodes Agrippa stirbt

20Nun war Herodes sehr zornig über die Einwohner von Ty-
rus und Sidon. Gemeinsam schickten sie deshalb Gesandte,
die um Frieden bitten sollten, denn die Versorgung ihrer Städ-
te hing von seinem Land ab. Es gelang ihnen, Blastus, den
Kämmerer des Königs, für sich zu gewinnen. 21Als dann der
Tag der Aussöhnung gekommen war, legte Herodes seine kö-
niglichen Gewänder an, bestieg seinen Thron und hielt eine
öffentliche Rede. 22Das Volk applaudierte begeistert und rief:
»Das ist die Stimme eines Gottes, nicht die eines Menschen.«
23In diesem Augenblick schlug ein Engel des Herrn Herodes
mit einer Krankheit, weil er zugelassen hatte, dass das Volk
ihn anbetete, statt Gott die Ehre zu geben. Und von Würmern
zerfressen starb er.
24Doch Gottes Botschaft verbreitete sich weiter, und immer
mehr Menschen fanden zum Glauben.
25Als Barnabas und Saulus ihren Auftrag in Jerusalem erfüllt
hatten, kehrten sie nach Antiochia zurück und nahmen Johan-
nes Markus mit.

Barnabas und Saulus werden ausgesandt

13 1Zu den Propheten und Lehrern der Gemeinde im sy-
rischen Antiochia gehörten Barnabas, Simeon (ge-

nannt »der Schwarze«), Luzius (aus Kyrene), Manaën (der
seine Kindheit mit König Herodes Antipas verbracht hatte)
und Saulus. 2Eines Tages, während diese Männer einen Got-
tesdienst hielten und fasteten, sprach der Heilige Geist: »Ihr
sollt Barnabas und Saulus für die besondere Aufgabe freistel-
len, für die ich sie ausersehen habe.« 3Da fasteten und beteten
sie, legten ihnen die Hände auf und sandten sie aus.

Die erste Missionsreise

4Saulus und Barnabas wurden vom Heiligen Geist aus-
gesandt. Sie gingen hinunter zum Seehafen Seleuzia und se-
gelten von dort zur Insel Zypern. 5Auf Zypern suchten sie in
der Stadt Salamis die jüdischen Synagogen auf und verkün-
deten Gottes Wort. Johannes Markus ging als ihr Gehilfe mit.
6Sie zogen von Ort zu Ort über die ganze Insel und predig-
ten. Schließlich erreichten sie Paphos. Dort begegneten sie
einem jüdischen Zauberer, einem falschen Propheten mit
Namen Barjesus. 7Dieser hatte sich dem Statthalter Sergius
Paulus angeschlossen, einem sehr vernünftigen und klugen
Mann. Der Statthalter lud Barnabas und Saulus ein, ihn zu
besuchen, denn er wollte das Wort Gottes hören. 8Doch der
Zauberer Elymas (so lautet der griechische Name von Barje-
sus) stellte sich gegen sie und versuchte den Statthalter vom
Glauben an Jesus Christus abzuhalten. 9Saulus, der auch un-
ter dem Namen Paulus bekannt war, sah dem Zauberer fest in
die Augen, und erfüllt vom Heiligen Geist sagte er: 10»Du
Sohn des Teufels! Du steckst voller List und Bosheit und bist
der Feind aller Gerechtigkeit. Wirst du denn nie aufhören, die
geraden Wege des Herrn zu verdrehen? 11Jetzt wird der Herr
dich strafen und dich für eine Weile mit Blindheit schlagen.«
Im gleichen Augenblick kam eine tiefe Finsternis über den
Zauberer, und er begann umherzustolpern und jemanden zu
suchen, der ihn an die Hand nahm und führte. 12Als der Statt-
halter sah, was geschehen war, glaubte er und staunte über
die Lehre des Herrn.

Paulus predigt in Antiochia in Pisidien
13Paulus und seine Begleiter verließen Paphos. Sie fuhren mit
dem Schiff nach Pamphylien und legten in der Hafenstadt
Perge an. Dort trennte sich Johannes Markus von ihnen und
kehrte nach Jerusalem zurück. 14Barnabas und Paulus wan-
derten landeinwärts nach Antiochia in Pisidien.
Am Sabbat gingen sie zur Versammlung in die Synagoge.
15Nach den üblichen Lesungen aus den Büchern des Gesetzes
und der Propheten ließen die Vorsteher der Synagoge ihnen
sagen: »Brüder, wenn ihr ein Wort der Ermutigung für uns
habt, dann steht auf und sagt es uns!«
16Da erhob sich Paulus, bat mit einer Geste um Ruhe und
begann: »Ihr Männer Israels«, sagte er, »und ihr anderen, die
ihr den Gott Israels verehrt, hört mir zu.
17Der Gott dieses Volkes Israel hat unsere Vorfahren er-
wählt. Er ließ unser Volk in Ägypten wachsen und ließ es
ihm gut gehen. Dann hat er es mit Macht aus Ägypten heraus-
geführt. 18Vierzig Jahre lang hat er es in der Wüste ertragen.
19Dann hat er sieben Völker im Lande Kanaan vernichtet und
den Israeliten das Land zum Erbe gegeben. 20Das alles dauer-
te etwa vierhundertfünfzig Jahre. Danach regierten Richter
bis zur Zeit des Propheten Samuel. 21Dann wollte das Volk
einen König haben, und Gott gab ihnen Saul, den Sohn des
Kisch, einen Mann aus dem Stamm Benjamin, der vierzig Jah-
re lang regierte. 22Doch Gott nahm ihm das Königtum wieder
und setzte David an seine Stelle, einen Mann, von dem Gott
sagte: ›David, der Sohn Isais, ist ein Mann nach meinem Her-
zen. Er wird alles tun, was ich von ihm will.‹
23Einer der Nachkommen Davids – Jesus – ist der von Gott
verheißene Retter Israels! 24Doch bevor er kam, predigte Jo-
hannes der Täufer, jeder im Volk Israel sollte sich von der
Sünde abkehren und Gott zuwenden und sich taufen lassen.
25Gegen Ende seines Wirkens fragte Johannes: ›Wer denkt ihr,
dass ich bin? Ich bin nicht der, für den ihr mich haltet! Doch
dieser wird nach mir kommen, und ich bin nicht einmal wür-
dig, sein Sklave zu sein.‹
26Brüder – ihr Söhne Abrahams und auch ihr, die ihr den

Gott Israels verehrt –, diese Erlösung gilt uns! 27Die Einwoh-
ner Jerusalems und die führenden Männer des jüdischen Vol-
kes haben eine uralte Prophezeiung erfüllt, als sie Jesus zum
Tod verurteilten. Sie erkannten nicht, dass er derjenige ist,
über den die Propheten schrieben – obwohl ihnen an jedem
Sabbat die Worte der Propheten vorgelesen werden. 28Sie fan-
den keinen rechtmäßigen Grund, ihn hinzurichten, und for-
derten Pilatus trotzdem auf, ihn töten zu lassen.

29Als sie alle Prophezeiungen über seinen Tod erfüllt hatten,
nahmen sie ihn vom Kreuz und legten ihn in ein Grab. 30Aber
Gott hat ihn von den Toten auferweckt, 31und viele Tage lang
erschien er denen, die ihn von Galiläa nach Jerusalem beglei-
tet hatten – sie sind heute seine Zeugen vor dem Volk Israel.

32Und nun sind Barnabas und ich hier, um euch diese gute
Botschaft zu verkünden. Gottes Verheißung an unsere Vor-
fahren 33hat sich an uns, den Kindern, erfüllt, als Gott Jesus
auferweckt hat. Davon ist im zweiten Psalm die Rede, wenn
über Jesus gesagt wird:

›Du bist mein Sohn. Heute habe ich dich gezeugt.‹

34Denn Gott hatte in der Schrift zugesagt, dass Jesus von den
Toten auferweckt und nie mehr sterben würde: ›Ich werde dir
Segen zuteilwerden lassen, den ich David versprochen habe.‹
35In einem anderen Psalm wird es noch genauer erklärt: ›Du
wirst deinen Heiligen nicht im Grab verwesen lassen.‹ 36Diese
Worte beziehen sich nicht etwa auf David. Denn nachdem
David seiner Generation nach dem Willen Gottes gedient hat-
te, starb er und wurde begraben, und sein Leichnam verwes-
te. 37Aber der, den Gott auferweckt hat, dessen Körper ver-
weste nicht.

38Brüder, hört mir zu! In diesem Mann, Jesus, findet ihr Ver-
gebung für eure Sünden. 39Wer an ihn glaubt, wird von aller
Schuld frei und vor Gott gerecht gesprochen – wie es das jü-
dische Gesetz nie vermochte. 40Seht euch vor, dass die Worte
der Propheten nicht auf euch zutreffen. Denn sie sagten:

41›Schaut her, ihr Spötter, wundert euch und sterbt! Denn ich
tue etwas in eurer Zeit, das ihr auch dann nicht glauben wür-
det, wenn es euch jemand erzählte.‹«

42 Als Paulus und Barnabas die Synagoge an diesem Tag ver-
ließen, baten die Leute sie, in der folgenden Woche wieder-
zukommen und weiter darüber zu sprechen. 43 Viele Juden
und gottesfürchtige Menschen, die in dieser Synagoge Gott
anbeteten, folgten Paulus und Barnabas, und die beiden Män-
ner ermahnten sie: »Haltet an Gottes Gnade fest.«

Paulus wendet sich den anderen Völkern zu

44 In der folgenden Woche erschien fast die ganze Stadt, um
das Wort des Herrn zu hören. 45 Als die führenden Männer
der jüdischen Gemeinde das sahen, wurden sie neidisch; des-
halb verleumdeten sie Paulus und versuchten, alles, was er
sagte, zu widerlegen.
46 Da erklärten Paulus und Barnabas: »Es war nötig, diese
Botschaft von Gott zuerst euch Juden zu verkünden. Doch da
ihr sie ablehnt und euch damit selbst des ewigen Lebens für
unwürdig erklärt, werden wir sie den anderen Völkern brin-
gen. 47 Denn so lautete der Auftrag des Herrn:
›Ich habe dich zum Licht für die Völker gemacht, um der
ganzen Welt die Erlösung zu verkünden.‹«
48 Als die Nichtjuden das hörten, waren sie sehr froh und
dankten dem Herrn für diese Botschaft; und alle, die zum
ewigen Leben bestimmt waren, begannen zu glauben. 49 Auf
diese Weise verbreitete sich die Botschaft des Herrn in der
gesamten Region.
50 Da wiegelten die Anführer des jüdischen Volkes die ein-
flussreichen gottesfürchtigen Frauen, die in die Synagoge ka-
men, und die angesehenen Männer der Stadt auf, hetzten das
Volk gegen Paulus und Barnabas und vertrieben sie aus der
Stadt. 51 Doch diese schüttelten vor ihren Augen den Staub
von ihren Füßen und wanderten weiter in die Stadt Ikonion.
52 Und die Gläubigen wurden von Freude und vom Heiligen
Geist erfüllt.

Paulus und Barnabas in Ikonion

14 1 In Ikonion gingen Paulus und Barnabas gemeinsam in
die Synagoge und predigten mit solcher Vollmacht,

dass viele – Juden wie Nichtjuden – zum Glauben kamen.
2Die Juden, die Gottes Botschaft ablehnten, schürten jedoch
unter den Nichtjuden Misstrauen gegen Paulus und Barna-
bas. 3Die Apostel blieben lange Zeit in der Stadt und verkün-
deten mutig und im Vertrauen auf Gott die Gnade des Herrn.
Der Herr bestätigte ihre Botschaft durch Zeichen und Wun-
der, die sie mit seiner Hilfe vollbrachten. 4Doch die Einwoh-
ner der Stadt waren geteilter Meinung über sie. Einige stellten
sich auf die Seite der Juden, andere auf die der Apostel.

5Eine Gruppe von Nichtjuden und Juden beschloss gemein-
sam mit ihren jeweiligen Anführern, die beiden Männer zu
ergreifen und zu steinigen. 6Als die Apostel davon erfuhren,
flohen sie. Sie zogen weiter in die Gegend von Lykaonien, in
die Städte Lystra und Derbe und ihre Umgebung, 7wo sie die
Botschaft Gottes predigten.

Paulus und Barnabas in Lystra und Derbe

8In Lystra begegneten Paulus und Barnabas einem Mann mit
verkrüppelten Füßen. Der Mann war von Geburt an gelähmt
und hatte noch nie gehen können. 9Er hörte zu, als Paulus
predigte. Paulus bemerkte ihn und erkannte, dass er fest da-
ran glaubte, dass er geheilt werden konnte. 10Da rief Paulus
ihm mit lauter Stimme zu: »Steh auf!« Und der Mann sprang
auf die Füße und fing an umherzugehen.

11Als die vielen Zuhörer sahen, was Paulus getan hatte, rie-
fen sie auf Lykaonisch: »Diese Männer sind Götter in Men-
schengestalt!« 12Sie hielten Barnabas für den griechischen
Gott Zeus und Paulus, weil er das Wort führte, für Hermes.
13Der Zeustempel befand sich am Stadtrand. Die Priester des
Tempels und die Menge brachten Ochsen und Blumenkränze
herbei und trafen Vorbereitungen, den Aposteln an den Stadt-
toren Opfer darzubringen.

14Als Barnabas und Paulus merkten, was da vor sich ging,
zerrissen sie bestürzt ihre Kleider, liefen hinaus unter die
Menge und schrien: 15»Freunde, warum tut ihr das? Wir sind
nur Menschen wie ihr! Wir sind gekommen, um euch die Bot-
schaft zu bringen, dass ihr euch von solch wertlosen Göttern

zu dem lebendigen Gott bekehren sollt, der Himmel und Er-
de, das Meer und alles, was darin lebt, erschaffen hat. 16Früher
ließ er die Völker ihre eigenen Wege gehen, 17und doch hat er
klare Spuren von sich hinterlassen, indem er Gutes tat; so
schenkte er euch Regen vom Himmel und gute Ernten, Nah-
rung und fröhliche Herzen.« 18Trotz alledem konnten Paulus
und Barnabas die Leute kaum davon abhalten, ihnen zu op-
fern.

19Da kamen einige Juden aus Antiochia und Ikonion und
hetzten die Menge so sehr auf, dass sie Paulus steinigten und
ihn vor die Stadt schleppten. Dort ließen sie ihn liegen, denn
sie dachten, er sei tot. 20Doch als die Gläubigen ihn umringten,
stand er auf und kehrte in die Stadt zurück. Am nächsten Tag
zog er mit Barnabas weiter nach Derbe.

Rückkehr nach Antiochia in Syrien

21Nachdem sie die Botschaft in Derbe verkündet und viele
Menschen zu Jüngern gemacht hatten, kehrten Paulus und
Barnabas wieder nach Lystra, Ikonion und Antiochia in Pisi-
dien zurück. 22Sie stärkten und ermutigten die Gläubigen, am
Glauben festzuhalten, und erklärten ihnen noch einmal, dass
wir alle durch viele Bedrängnisse in das Reich Gottes kom-
men müssen. 23In jeder Gemeinde beriefen sie Älteste. Sie fas-
teten und beteten und befahlen sie der Fürsorge des Herrn, an
den sie nun gläubig geworden waren. 24Danach reisten sie
durch Pisidien wieder nach Pamphylien. 25Sie predigten wie-
der in Perge und zogen von dort weiter nach Attalia.

26Schließlich fuhren sie mit dem Schiff nach Antiochia in Sy-
rien zurück, wo ihre Reise begonnen hatte. Dort waren sie der
Gnade Gottes anvertraut worden, um den Auftrag auszufüh-
ren, den sie nun erfüllt hatten. 27Als sie in Antiochia eintrafen,
riefen sie die Gemeinde zusammen und berichteten von ihrer
Reise. In allen Einzelheiten erzählten sie, was Gott getan hatte
und wie er auch den Nichtjuden die Tür des Glaubens geöff-
net hatte. 28Danach blieben sie noch längere Zeit bei den Gläu-
bigen in Antiochia.

Das Jerusalemer Konzil

15 1Währenddessen kamen einige Männer aus Judäa in
die Stadt und begannen die Gläubigen zu lehren:
»Wenn ihr den jüdischen Brauch der Beschneidung nach der
Lehre des Mose nicht einhaltet, könnt ihr nicht gerettet wer-
den.« 2Paulus und Barnabas widersprachen dieser Auffas-
sung nachdrücklich, und es kam zu einem heftigen Streit-
gespräch. Schließlich wurden Paulus und Barnabas in
Begleitung einiger Männer aus Antiochia nach Jerusalem ge-
schickt, wo sie mit den Aposteln und Ältesten über diese Fra-
ge sprechen sollten. 3Unterwegs machten sie in Phönizien und
Samarien Halt, um die dort lebenden Gläubigen zu besuchen.
Sie erzählten ihnen – zur großen Freude aller –, dass sich nun
auch die Nichtjuden bekehrten.

4Als sie in Jerusalem ankamen, wurden Paulus und Barna-
bas von der ganzen Gemeinde sowie von den Aposteln und
den Ältesten willkommen geheißen. Sie berichteten, was Gott
in der Zwischenzeit durch sie bewirkt hatte. 5Doch dann er-
hoben sich einige aus der Gruppe der Pharisäer, die zum
Glauben gekommen waren, und erklärten, die Nichtjuden
müssten beschnitten werden und sich an das mosaische Ge-
setz halten.

6Daraufhin setzten sich die Apostel und Gemeindeältesten
zusammen, um über diese Frage zu entscheiden. 7Nach lan-
gen Beratungen erhob sich schließlich Petrus und wandte sich
an die Versammlung: »Brüder, ihr alle wisst, dass Gott mich
vor einiger Zeit erwählt hat, auch den anderen Völkern die
gute Botschaft zu verkünden, damit sie gläubig werden.
8Gott, der die Herzen der Menschen kennt, hat bewiesen,
dass er auch sie annimmt, indem er ihnen genauso wie uns
den Heiligen Geist schenkte. 9Er machte keinen Unterschied
zwischen uns und ihnen, denn er reinigte auch ihre Herzen
durch den Glauben. 10Warum zweifelt ihr nun an Gottes
Weg, indem ihr ihnen eine Last aufbürdet, die weder wir
noch unsere Vorfahren tragen konnten? 11Wir glauben, dass
wir alle auf demselben Weg wie jene gerettet werden, nämlich
durch die Gnade des Herrn Jesus.«

12Danach verstummten alle. Sie hörten aufmerksam zu, wie
Barnabas und Paulus von den Zeichen und Wundern berich-
teten, die Gott durch sie unter den Nichtjuden gewirkt hatte.
13Als sie geendet hatten, stand Jakobus auf und sagte: »Brü-
der, hört mich an. 14Petrus hat euch erzählt, wie Gott zum
ersten Mal die Nichtjuden aufsuchte, um sich aus ihnen ein
Volk zu wählen, das seinen Namen trägt. 15Diese Bekehrung
der Nichtjuden stimmt mit den Voraussagen der Propheten
überein. So steht geschrieben:
16›Danach werde ich zurückkommen und das gefallene Kö-
nigreich Davids wiederherstellen. Aus den Trümmern werde
ich es wieder aufbauen, und ich werde es wiederherstellen,
17damit die Übriggebliebenen den Herrn suchen, die Nicht-
juden eingeschlossen – alle, die ich zu mir gerufen habe. So
spricht der Herr, 18der dies alles schon vor langer Zeit bekannt
gemacht hat.‹
19Deshalb bin ich der Überzeugung, dass wir den Nicht-
juden, die sich zu Gott bekehren, das Leben nicht unnötig er-
schweren sollten. 20Allerdings sollten wir ihnen schreiben
und ihnen auftragen, kein Fleisch zu essen, das den Götzen
geopfert wurde, alle Unzucht zu meiden und weder Blut
noch das Fleisch nicht ausgebluteter Tiere zu essen. 21Denn
seit vielen Generationen wurden diese Vorschriften aus dem
Gesetz des Mose Sabbat für Sabbat überall in den jüdischen
Synagogen gepredigt.«

Der Brief an die nichtjüdischen Gläubigen

22Daraufhin bestimmten die Apostel und Ältesten und die
ganze Gemeinde in Jerusalem einige Männer, die sie mit Pau-
lus und Barnabas nach Antiochia in Syrien schickten, um über
diese Entscheidung zu berichten. Die Männer, die gewählt
wurden, waren zwei der Leiter der Gemeinde – Judas (auch
Barsabbas genannt) und Silas. 23Der Inhalt des Briefes, den sie
mitnahmen, lautete:
»Diesen Brief schreiben die Apostel und Ältesten, eure Brü-
der in Jerusalem, an die nichtjüdischen Gläubigen im syri-
schen Antiochia und in Zilizien. Wir grüßen euch!

24Wir haben erfahren, dass einige Männer aus unserem Kreis
euch beunruhigt und mit ihren Aussagen verunsichert haben,
doch sie waren nicht von uns beauftragt. 25Nachdem wir ein-
stimmig zu einer Entscheidung gekommen waren, hielten wir
es für das Beste, euch diese Männer zu schicken mit unseren
beiden lieben Brüdern Barnabas und Paulus, 26die für Jesus
Christus, unseren Herrn, ihr Leben aufs Spiel gesetzt haben.
27Wir schicken euch Judas und Silas, die euch mitteilen sollen,
was wir zu eurer Frage beschlossen haben.

28Denn durch den Heiligen Geist haben wir beschlossen,
euch keine größeren Lasten aufzuladen als diese: 29Esst kein
Fleisch, das Götzen geopfert wurde, und weder das Blut noch
das Fleisch nicht ausgebluteter Tiere, und meidet alle Un-
zucht. Wenn ihr euch daran haltet, handelt ihr richtig. Lebt
wohl.«

30Die vier Boten brachen sofort nach Antiochia auf, wo sie
eine Versammlung aller Gläubigen einberiefen und den Brief
überreichten. 31Als sie diese ermutigende Nachricht gelesen
hatten, freuten sich die Anwesenden.

32Danach sprachen Judas und Silas, die beide die Gabe der
Prophetie besaßen, noch lange zu ihnen, um sie im Glauben
zu ermutigen und zu stärken. 33Die beiden blieben noch eine
Zeit lang dort und wurden dann mit reichen Segenswünschen
der Gemeinde von Antiochia an die, die sie gesandt hatten,
nach Jerusalem zurückgeschickt. 35Paulus und Barnabas blie-
ben in Antiochia, um viele andere zu unterstützen, die dort
das Wort des Herrn verkündeten und lehrten.

Schwierige Planung der zweiten Missionsreise

36Nach einiger Zeit sagte Paulus zu Barnabas: »Lass uns in die
Städte zurückkehren, in denen wir vor einiger Zeit das Wort
des Herrn verkündet haben, und sehen, wie die neuen Gläu-
bigen zurechtkommen.« 37Barnabas willigte ein und wollte
Johannes Markus mitnehmen. 38Paulus widersprach jedoch,
weil Johannes Markus sie in Pamphylien im Stich gelassen
und nicht mit ihnen weitergearbeitet hatte. 39Ihre Uneinigkeit
in dieser Frage führte dazu, dass sie sich trennten. Barnabas

segelte mit Johannes Markus nach Zypern. 40Paulus wählte
Silas als Begleiter. Die Gläubigen sandten ihn aus und ver-
trauten ihn der Gnade des Herrn an.

Die zweite Missionsreise

41Er zog nun durch Syrien und Zilizien, um die Gemeinden zu
stärken.

16

1Er kam auch nach Derbe und nach Lystra. Dort traf er
Timotheus, einen Jünger, dessen Mutter eine jüdische
Gläubige, dessen Vater aber ein Grieche war. 2Timotheus war
bei den Gläubigen in Lystra und Ikonion hoch angesehen,
3deshalb wollte Paulus, dass er ihn auf seiner Reise begleitete.
Mit Rücksicht auf die Juden in dieser Region ließ Paulus Ti-
motheus vor ihrer Abreise beschneiden, denn alle wussten,
dass sein Vater ein Grieche war. 4Dann zogen sie von Ort zu
Ort und erklärten den Menschen, was die Apostel und Ältes-
ten in Jerusalem im Blick auf die Gebote für die Nichtjuden
beschlossen hatten. 5So wurden die Gemeinden im Glauben
gestärkt, und die Zahl der Gläubigen wurde von Tag zu Tag
größer.

Ein Ruf aus Mazedonien

6Danach reisten Paulus und Silas durch das Gebiet von Phry-
gien und Galatien, weil der Heilige Geist ihnen untersagt hat-
te, in die Provinz Asien zu gehen. 7Als sie dann ins Grenz-
gebiet von Mysien gelangten, wollten sie weiter in die
Provinz Bithynien, doch auch das ließ der Heilige Geist nicht
zu. 8Also zogen sie durch Mysien in die Stadt Troas.

9In der folgenden Nacht hatte Paulus eine Vision. Er sah ei-
nen Mann aus Mazedonien im Norden Griechenlands, der
ihn bat: »Komm herüber und hilf uns.« 10Da beschlossen wir,
sofort nach Mazedonien abzureisen. Wir waren sicher, dass
Gott uns rief, auch dort seine Botschaft zu verkünden.

Lydia aus Philippi glaubt an Jesus

11Wir gingen in Troas an Bord eines Schiffs, segelten zur Insel
Samothrake und von dort nach Neapolis, wo wir am nächsten
Tag anlegten. 12Von dort aus erreichten wir Philippi, eine grö-
ßere Stadt in der Provinz Mazedonien und römische Kolonie;
dort blieben wir mehrere Tage.

13Am Sabbat gingen wir ans Ufer eines Flusses etwas außer-
halb der Stadt, weil wir annahmen, dass man sich hier zum
Gebet traf, und wir setzten uns hin, um mit einigen Frauen zu
sprechen, die dort zusammengekommen waren. 14Eine dieser
Frauen war Lydia aus Thyatira, die mit kostbaren Purpurstof-
fen Handel trieb. Sie war keine Jüdin, hielt sich aber zur jüdi-
schen Versammlung. Während sie uns zuhörte, öffnete der
Herr ihr das Herz für die Botschaft, die Paulus verkündete.
15Sie ließ sich zusammen mit allen, die zu ihrem Haus gehör-
ten, taufen und bat uns, ihre Gäste zu sein. »Wenn ihr wirklich
der Meinung seid, dass ich dem Herrn treu bin«, sagte sie,
»dann kommt und bleibt in meinem Haus.« Und sie drängte
uns so lange, bis wir nachgaben.

Paulus und Silas im Gefängnis

16Eines Tages, als wir gerade auf dem Weg zur Gebetsver-
sammlung waren, begegneten wir einer Sklavin, die von ei-
nem Geist besessen war. Sie betrieb Wahrsagerei und brachte
ihren Herren damit viel Geld ein. 17Sie lief nun hinter uns her
und schrie: »Diese Männer sind Diener des höchsten Gottes
und sind gekommen, um euch zu sagen, wie ihr gerettet wer-
den könnt.«

18Das wiederholte sich Tag für Tag. Paulus war schließlich so
aufgebracht, dass er sich umdrehte und zu dem Dämon in ihr
sagte: »Ich befehle dir im Namen von Jesus Christus, aus ihr
auszufahren.« Und augenblicklich verließ er sie.

19Als ihre Besitzer ihre Hoffnung auf sichere Einkünfte zer-
schlagen sahen, packten sie Paulus und Silas und schleppten
sie auf den Marktplatz vor die oberste Stadtbehörde. 20Sie
brachten sie vor die obersten Beamten der Stadt. »Wegen die-
ser Juden ist die ganze Stadt in Aufruhr!«, riefen sie. 21»Sie

reden den Leuten Dinge ein, die im Widerspruch zu den rö-
mischen Bräuchen stehen.«

[22]Schnell hatte sich eine große Volksmenge gegen Paulus
und Silas zusammengetan, und die Beamten erteilten Befehl,
ihnen die Kleider zu zerreißen und sie mit Knüppeln zu schla-
gen. [23]Sie wurden geschlagen und anschließend ins Gefängnis
geworfen. Der Gefängnisvorsteher erhielt Anweisung, streng
darauf zu achten, dass sie nicht entfliehen konnten. [24]Aus die-
sem Grund ließ er sie in die sicherste Zelle bringen und ihre
Füße in den Block schließen.

[25]Gegen Mitternacht beteten Paulus und Silas und lobten
Gott mit Liedern. Die übrigen Gefangenen hörten ihnen zu.
[26]Plötzlich gab es ein heftiges Erdbeben, und das Gefängnis
wurde bis in die Grundmauern erschüttert. Alle Tore spran-
gen auf und die Ketten sämtlicher Häftlinge fielen ab! [27]Der
Gefängnisvorsteher wachte auf und sah die Zellen weit offen
stehen. Er nahm an, die Gefangenen seien geflohen; deshalb
zog er sein Schwert und wollte sich umbringen. [28]Doch Paulus
rief ihm zu: »Tu dir nichts an! Wir sind alle hier!«

[29]Da verlangte der Gefängnisvorsteher Licht, lief in das In-
nere des Gefängnisses und fiel zitternd vor Angst vor Paulus
und Silas auf die Knie. [30]Dann führte er sie hinaus und fragte:
»Ihr Herren, was muss ich tun, um gerettet zu werden?«

[31]Sie erwiderten: »Glaube an Jesus, den Herrn, dann wirst
du gerettet, zusammen mit allen in deinem Haus.« [32]Dann
verkündeten sie ihm und allen, die in seinem Haus lebten,
das Wort des Herrn. [33]Noch in derselben Stunde wusch der
Gefängnisvorsteher ihnen die Wunden aus, und er und alle
Mitglieder seines Hauses wurden getauft. [34]Schließlich brach-
te er sie zu sich und gab ihnen zu essen. Er und alle in seinem
Haus freuten sich, nachdem sie nun zum Glauben an Gott
gefunden hatten. [35]Am nächsten Morgen schickten die obers-
ten Beamten der Stadt Amtsdiener, um dem Gefängnisvorste-
her ausrichten zu lassen: »Lass die Männer frei!« [36]Der Ge-
fängnisvorsteher berichtete Paulus und sagte: »Die
Amtsdiener sind gekommen, um mir zu sagen, dass ihr frei
seid. Geht in Frieden.«

37Aber Paulus entgegnete: »Sie haben uns ohne Prozess öf-
fentlich auspeitschen und ins Gefängnis werfen lassen, ob-
wohl wir römische Bürger sind, und jetzt erwarten sie, dass
wir uns heimlich fortschleichen? Niemals! Sie sollen selbst
kommen und uns freilassen.«
38Die Amtsdiener überbrachten den Beamten diese Ant-
wort, und diese fürchteten sich, als sie erfuhren, dass Paulus
und Silas die römische Bürgerschaft besaßen. 39Sie kamen ins
Gefängnis und entschuldigten sich bei ihnen. Dann führten
sie sie hinaus und baten sie inständig, die Stadt zu verlassen.
40Daraufhin kehrten Paulus und Silas in Lydias Haus zurück,
wo sie mit den Gläubigen zusammenkamen und sie noch ein-
mal ermutigten, bevor sie die Stadt verließen.

Paulus predigt in Thessalonich

17 1Nun zogen Paulus und Silas durch die Städte in Am-
phipolis und Apollonia und kamen nach Thessalonich,
wo es eine jüdische Synagoge gab. 2Wie gewohnt ging Paulus
zur Synagogenversammlung und legte den Leuten dort an
drei Sabbaten die Schrift aus. 3Ausführlich erläuterte er die
Prophezeiungen über das Leiden des Christus und über seine
Auferstehung von den Toten und sagte: »Dieser Jesus, von
dem ich euch erzähle, ist der Christus.« 4Einige Zuhörer lie-
ßen sich überzeugen und bekehrten sich, darunter zahlreiche
gottesfürchtige Griechen sowie viele angesehene Frauen der
Stadt.
5Doch die einflussreichen Juden wurden neidisch. Sie ge-
brauchten einige üble Männer von der Straße dafür, dass sie
das Volk aufhetzten und einen Aufruhr anzettelten. Sie zogen
vor das Haus von Jason, um Paulus und Silas zu fassen und in
die aufgebrachte Menge hinauszuzerren. 6Da sie die beiden
nicht fanden, packten sie Jason und einige andere Gläubige
und schleppten sie vor die Obersten der Stadt. »Paulus und
Silas haben die ganze Welt aufgewiegelt, und jetzt bringen sie
auch unsere Stadt in Aufruhr«, riefen sie. 7»Und Jason hat sie
in sein Haus aufgenommen. Sie alle haben den Kaiser ver-

taten, denn sie fordern die Menschen auf, einem anderen Kö-
nig, diesem Jesus, die Treue zu halten.«
8 Als die Einwohner der Stadt und ihre Obersten das hörten,
brach ein Tumult los. 9 Doch nachdem Jason und die anderen
Gläubigen eine Bürgschaft hinterlegt hatten, ließen die Beam-
ten sie frei.

Paulus und Silas in Beröa

10 Noch in derselben Nacht schickten die Gläubigen Paulus
und Silas nach Beröa. Als sie dort ankamen, gingen sie in die
Synagoge. 11 Die Einwohner Beröas waren offener als die Leu-
te in Thessalonich und hörten die Botschaft Gottes mit Interes-
se an. Tag für Tag forschten sie in den Schriften nach, um zu
prüfen, ob Paulus und Silas tatsächlich die Wahrheit lehrten.
12 Die Folge war, dass viele Juden und viele vornehme grie-
chische Frauen und Männer zum Glauben fanden.
13 Als jedoch einige von den Juden aus Thessalonich erfuh-
ren, dass Paulus nun in Beröa das Wort Gottes verkündete,
kamen sie und hetzten die Leute auf. 14 Die Gläubigen schick-
ten Paulus daraufhin rasch an die Küste. Silas und Timotheus
blieben zurück. 15 Die Begleiter des Paulus reisten mit ihm bis
nach Athen; dann kehrten sie nach Beröa zurück und über-
brachten Silas und Timotheus die Nachricht, ihm schnell
nachzukommen.

Paulus predigt in Athen

16 Während Paulus in Athen auf sie wartete, war er erschüttert
über die vielen Götzen, die er überall in der Stadt sah. 17 Er
ging in die Synagoge, um mit den Juden und den gottesfürch-
tigen Nichtjuden zu reden, und sprach außerdem täglich auf
dem Marktplatz zu allen, die sich gerade dort aufhielten.
18 Auch mit einigen Philosophen – Epikureern und Stoikern –
kam er ins Gespräch. Als er ihnen von Jesus und von der Auf-
erstehung erzählte, meinten einige von ihnen: »Was für selt-
same Ideen hat dieser Schwätzer.« Andere sagten: »Er ver-
breitet irgendeine fremde Religion.«

[19]Dann führten sie ihn auf den Areopag. »Komm und erzäh-
le uns mehr von dieser neuen Religion«, sagten sie. [20]»Du
sprichst von vielem, wovon wir noch nie gehört haben, und
wir wollen wissen, was es damit auf sich hat.« [21]Die Athener
und auch die Fremden, die sich in Athen aufhielten, verbrach-
ten ihre Zeit vor allem damit, die neuesten Ideen zu hören und
darüber zu reden. [22]Als Paulus nun auf dem Hügel stand, rief
er: »Männer von Athen, ich habe bemerkt, dass ihr den Göt-
tern besonders zugewandt seid, [23]denn als ich umherging, sah
ich eure vielen Altäre. Einer davon trug die Inschrift: ›Dem
unbekannten Gott‹. Ihr habt ihn angebetet, ohne zu wissen,
wer er ist, und nun möchte ich euch von ihm erzählen.

[24]Er ist der Gott, der die Welt und alles, was darin ist, er-
schuf. Weil er der Herr über Himmel und Erde ist, wohnt er
nicht in Tempeln, die Menschen erbaut haben. [25]Er braucht
keine Hilfe von Menschen. Er selbst gibt allem, was ist, Leben
und Atem, und er stillt jedes Bedürfnis, das ein Mensch haben
kann. [26]Aus einem einzigen Menschen hat er alle Völker der
ganzen Welt hervorgebracht. Er hat im Voraus festgelegt, wel-
che aufsteigen und welche stürzen sollten, und er hat ihre
Grenzen festgelegt.

[27]Von Anfang an war es sein Plan, dass die Völker Gott su-
chen und auf ihn aufmerksam werden sollten und ihn finden
würden – denn er ist keinem von uns fern. [28]In ihm leben wir,
regen wir uns und sind wir. Wie einer eurer eigenen Dichter
gesagt hat: ›Wir sind seine Nachkommen.‹ [29]Deshalb sollten
wir uns Gott nicht als Götzenbild vorstellen, das Kunsthand-
werker aus Silber, Gold oder Stein anfertigen. [30]Bis jetzt hat
Gott über die Unwissenheit der Menschen hinweggesehen,
doch nun gebietet er den Menschen auf der ganzen Welt, sich
von den Götzen abzukehren und sich ihm zuzuwenden.
[31]Denn er hat einen Tag festgesetzt, an dem er die Welt gerecht
richten wird, und zwar durch den Mann, den er dazu be-
stimmt hat. Und er hat allen bewiesen, wer dieser Mann ist,
indem er ihn von den Toten auferweckte.«

[32]Als sie Paulus von der Auferstehung eines Menschen re-
den hörten, der tot gewesen war, lachten die einen, doch an-

dere sagten: »Wir würden gern später mehr darüber hören.«
33Damit verließ Paulus die Versammlung, 34doch einige
schlossen sich ihm an und fanden zum Glauben. Unter ihnen
waren Dionysius, ein Ratsmitglied, eine Frau mit Namen Da-
maris und andere mehr.

Paulus begegnet Priszilla und Aquila in Korinth

18 1Danach verließ Paulus Athen und ging nach Korinth.
2Dort lernte er einen Juden mit Namen Aquila kennen,
der aus Pontus stammte und vor kurzem mit seiner Frau Pris-
zilla aus Italien gekommen war. Man hatte sie aus Italien ver-
trieben, nachdem Kaiser Klaudius allen Juden befohlen hatte,
Rom zu verlassen. 3Paulus wohnte und arbeitete bei ihnen,
denn sie waren, wie er, von Beruf Zeltmacher.

4Jeden Sabbat ging Paulus in die Synagoge, wo er Juden wie
Griechen für seine Botschaft gewann. 5Nachdem Silas und Ti-
motheus aus Mazedonien eingetroffen waren, widmete Pau-
lus seine ganze Zeit der Aufgabe, den Juden zu predigen und
zu bezeugen: »Der Messias, auf den ihr wartet, ist Jesus.«
6Doch da die Juden sich ihm gegenüber ablehnend verhielten
und ihn sogar beschimpften, schüttelte Paulus den Staub von
seinem Mantel und sagte: »Euer Blut komme über euch – ich
bin unschuldig. Von jetzt an werde ich zu den Nichtjuden ge-
hen.«

7Danach wohnte er bei Titius Justus, einem gottesfürchtigen
Nichtjuden, dessen Haus direkt neben der Synagoge stand.
8Der Synagogenvorsteher Krispus und alle in seinem Haus
glaubten an den Herrn. Auch viele andere in Korinth kamen
zum Glauben und ließen sich taufen.

9Eines Nachts sprach der Herr in einer Vision zu Paulus und
sagte: »Hab keine Angst! Rede weiter und schweige nicht!
10Denn ich bin mit dir. Niemand wird dir schaden, denn ich
habe viele Menschen hier in dieser Stadt.« 11So blieb Paulus
eineinhalb Jahre dort und lehrte Gottes Wort.

12Als jedoch Gallio Statthalter von Achaja wurde, verbünde-
ten sich einige Juden gegen Paulus und brachten ihn vor das
Gericht des Statthalters. 13Sie warfen ihm vor, er habe die Leu-

te überredet, Gott in einer Weise zu verehren, die im Wider-
spruch zum Gesetz stehe. 14Doch in dem Augenblick, in dem
Paulus zu seiner Verteidigungsrede ansetzen wollte, wandte
Gallio sich an die Ankläger und sagte: »Hört, ihr Juden, wenn
dieser Fall mit einem Vergehen oder einem ernsten Verbre-
chen zu tun hätte, dann wäre ich verpflichtet, euch anzuhö-
ren. 15Da es aber nur um Spitzfindigkeiten über Worte und
Personen und eure jüdischen Gesetze geht, könnt ihr euch
selbst darum kümmern. Ich weigere mich, über solche Ange-
legenheiten zu Gericht zu sitzen.« 16Und damit trieb er sie aus
dem Gerichtssaal. 17Da ergriffen die Männer aus dem Volk
den Synagogenvorsteher Sosthenes und verprügelten ihn im
Gerichtssaal. Doch Gallio kümmerte sich nicht darum.

Paulus kehrt nach Antiochia in Syrien zurück

18Paulus blieb nach diesem Vorfall noch einige Zeit in Korinth,
doch schließlich nahm er Abschied von den Gläubigen und
brach zur Überfahrt nach Syrien auf. Priszilla und Aquila
nahm er mit. Zuvor hatte Paulus in Kenchreä nach jüdischer
Sitte seinen Kopf geschoren, weil er ein Gelübde abgelegt hat-
te. 19Als sie im Hafen von Ephesus ankamen, ließ Paulus die
anderen zurück. Während seines Aufenthalts in der Stadt
ging er in die Synagoge, um mit den Juden zu reden. 20Sie
baten ihn eindringlich, noch länger zu bleiben, aber er lehnte
ab. 21Beim Abschied sagte er: »Wenn Gott es will, werde ich
später zurückkommen.« Dann segelte er von Ephesus ab.
22Die nächste Anlegestelle war der Hafen von Cäsarea. Von
dort aus reiste er hinauf zur Gemeinde in Jerusalem und kehr-
te dann nach Antiochia zurück.

Die dritte Missionsreise

23Nachdem er einige Zeit in Antiochia verbracht hatte, brach
Paulus auf und zog durch Galatien und dann durch Phrygien.
Er besuchte die Gläubigen dort, ermutigte sie und half ihnen,
im Glauben zu wachsen.

Apollos wird in Ephesus unterwiesen

[24]Inzwischen war ein Jude mit Namen Apollos aus dem ägyp-
tischen Alexandrien in Ephesus aufgetaucht, ein äußerst rede-
gewandter Mann, der sich gut in der Schrift auskannte. [25]Er
war im christlichen Glauben unterwiesen worden und erzähl-
te den Menschen mit großer Begeisterung von Jesus. Aller-
dings kannte er nur die Taufe des Johannes. [26]Als Priszilla
und Aquila ihn so furchtlos in der Synagoge predigen hörten,
nahmen sie ihn beiseite und erklärten ihm den Weg Gottes
genauer.

[27]Apollos hatte vorgehabt, nach Achaja zu reisen. Die Chris-
ten in Ephesus bestärkten ihn in diesem Plan. Sie schrieben
einen Brief an die Gläubigen in Achaja und baten sie, ihn
freundlich aufzunehmen. Dort angekommen, bewährte er
sich und erwies sich als überaus hilfreich für alle, die durch
Gottes Gnade zum Glauben gefunden hatten. [28]Er widerlegte
die Juden in öffentlichen Auseinandersetzungen mit überzeu-
genden Argumenten. Anhand der Schrift wies er ihnen nach:
»Der Messias, auf den ihr wartet, ist Jesus.«

Paulus in Ephesus

19 [1]Während Apollos sich in Korinth aufhielt, reiste Pau-
lus durch die Gegenden im Landesinneren. Schließlich
kam er nach Ephesus, wo er eine Gruppe von Gläubigen vor-
fand. [2]»Habt ihr den Heiligen Geist empfangen, als ihr gläu-
big wurdet?«, fragte er sie.

»Nein«, antworteten sie, »wir wissen gar nicht, was du da-
mit meinst. Wir haben noch nicht einmal gehört, dass es einen
Heiligen Geist gibt.«

[3]»Worauf seid ihr denn getauft worden?«, erkundigte er
sich. Und sie erwiderten: »Auf die Taufe des Johannes.«

[4]Paulus sagte: »Die Taufe des Johannes war eine Taufe der
Umkehr zu Gott. Doch Johannes selbst hat die Menschen auf-
gefordert, an Jesus zu glauben, der, wie er sagte, nach ihm
kommen würde.«

[5]Sobald sie das hörten, ließen sie sich auf den Namen von
Jesus, dem Herrn, taufen. [6]Als Paulus ihnen danach die Hän-

de auflegte, kam der Heilige Geist über sie, und sie redeten in
anderen Sprachen und weissagten. 7 Es waren insgesamt
zwölf Männer.

8 Dann ging Paulus in die Synagoge. Drei Monate lang
sprach er frei und offen mit Überzeugungskraft vom Reich
Gottes. 9 Da einige seine Botschaft aber dennoch ablehnten
und sich in aller Öffentlichkeit dagegen aussprachen, verließ
Paulus die Synagoge und nahm die Gläubigen mit. Er begann
öffentlich in der Schule des Tyrannus zu predigen. 10 Dort lehr-
te er zwei Jahre, sodass die Menschen überall in der Provinz
Asien – Juden wie Griechen – die Botschaft des Herrn hören
konnten.

11 Gott verlieh Paulus die Kraft, ungewöhnliche Wunder zu
bewirken. 12 Wenn man zum Beispiel Tücher oder Kleidungs-
stücke, die seine Haut berührt hatten, Kranken auflegte, wur-
den sie gesund, und wenn sie von bösen Geistern besessen
waren, fuhren diese aus ihnen aus.

13 Einige Juden, die von Ort zu Ort zogen und böse Geister
austrieben, versuchten ebenfalls, den Namen von Jesus, dem
Herrn, für sich einzusetzen. Sie gebrauchten dabei die Formel:
»Ich gebiete dir durch Jesus, den Paulus predigt: Fahre aus!«
14 Sieben Söhne des Hohen Priesters Skevas gingen so vor.
15 Doch als sie es bei einem Mann versuchten, der auch von
einem bösen Geist besessen war, erwiderte der Geist: »Ich
kenne Jesus und ich kenne Paulus. Aber wer seid ihr?« 16 Und
der Besessene stürzte sich auf sie und attackierte sie mit sol-
cher Heftigkeit, dass sie nackt und verletzt aus dem Haus flo-
hen.

17 Diese Geschichte verbreitete sich schnell in Ephesus unter
Juden und Griechen. Ehrfurcht erfasste die Stadt, und der
Name von Jesus, dem Herrn, wurde sehr geehrt. 18 Viele Men-
schen fanden zum Glauben und bekannten ihre Sünden. 19 Ei-
ne ganze Reihe unter ihnen, die Zauberei getrieben hatten,
brachten ihre Bücher mit Zaubersprüchen und verbrannten
sie. Der Wert der Bücher belief sich auf fünfzigtausend Silber-
stücke. 20 So fand die Botschaft des Herrn weite Verbreitung
und zeigte eindrucksvolle Auswirkungen.

Der Aufruhr in Ephesus

21Nach einiger Zeit fühlte Paulus sich vom Heiligen Geist ge-
drängt, nach Mazedonien und Achaja zu gehen, bevor er nach
Jerusalem zurückkehrte. »Und danach«, sagte er, »muss ich
Rom sehen!« 22Er schickte seine Gehilfen Timotheus und Eras-
tus voraus nach Mazedonien, während er selbst noch eine
Weile in der Provinz Asien blieb.

23Doch etwa um diese Zeit kam es in Ephesus zu heftigen
Ausschreitungen über den neuen Glauben. 24Den Anstoß
gab der Silberschmied Demetrius, der eine große Werkstatt
für Silberstatuen der griechischen Göttin Artemis besaß und
viele Kunsthandwerker beschäftigte. 25Er rief die Handwer-
ker und einige andere, die diesem Gewerbe angehörten, zu-
sammen und erklärte:

»Männer, ihr wisst alle, dass unser Wohlstand auf diesem
Geschäft beruht. 26Wie ihr gesehen und gehört habt, hat dieser
Paulus vielen Leuten eingeredet, dass handgefertigte Götter
gar keine Götter sind. Und das geschah nicht nur hier in Ephe-
sus, sondern überall in der ganzen Provinz! 27Natürlich spre-
che ich hier nicht nur von dem Verlust an Ansehen für unser
Geschäft. Ich befürchte auch, dass der Tempel der großen Göt-
tin Artemis an Einfluss verlieren könnte und dass Artemis
selbst – die herrliche Göttin, die überall in der Provinz Asien
und in der ganzen Welt verehrt wird –, ihr Ansehen einbüßen
könnte!«

28Bei diesen Worten gerieten die Leute in Zorn und fingen an
zu schreien: »Groß ist die Artemis der Epheser!« 29Es kam zu
einem Menschenauflauf, und bald war die ganze Stadt in Auf-
ruhr. Sie rannten zum Amphitheater und ergriffen Gajus und
Aristarch, die Reisebegleiter von Paulus aus Mazedonien.
30Paulus wollte auch hingehen, doch die Gläubigen ließen es
nicht zu. 31Einige Provinzbeamte, die mit Paulus befreundet
waren, schickten ihm eine Nachricht und baten ihn, nicht im
Amphitheater zu erscheinen.

32Dort schrien alle durcheinander, der eine dies, der andere
das. Es herrschte große Verwirrung. Ja, die meisten wussten
nicht einmal, warum sie eigentlich dort waren. 33Einige Juden

stießen Alexander nach vorn und forderten ihn auf, die Lage
zu erklären. Er bat mit Gesten um Ruhe und setzte zu einer
Verteidigungsrede an. 34Doch als die Menge merkte, dass er
Jude war, brach das Geschrei erneut los, und diesmal dauerte
es zwei Stunden: »Groß ist die Artemis der Epheser! Groß ist
die Artemis der Epheser!«

35Schließlich gelang es dem Stadtschreiber, die Menge so
weit zu beschwichtigen, dass er zu ihnen sprechen konnte.
»Bürger von Ephesus«, sagte er. »Jeder weiß, dass Ephesus
die offizielle Hüterin des Tempels der großen Artemis ist, de-
ren Bildnis vom Himmel zu uns herabfiel. 36Da diese Tatsache
unbestreitbar feststeht, braucht ihr euch nicht zu beunruhi-
gen. Tut nichts Unbedachtes. 37Ihr habt diese Männer her-
gebracht, doch sie haben nichts aus dem Tempel gestohlen
und nichts gegen unsere Göttin gesagt. 38Wenn Demetrius
und die Handwerker ihnen etwas vorzuwerfen haben, dann
wird der Gerichtshof tagen, und die Richter können den Fall
entscheiden. Sie sollen den gerichtlichen Weg beschreiten.
39Und wenn andere Beschwerden vorliegen, lassen sie sich in
einer ordentlichen Versammlung klären. 40Denn wir laufen
Gefahr, von der römischen Regierung eines Aufstands be-
schuldigt zu werden, da es keinen Grund für dieses Durch-
einander gibt. Und wenn eine Erklärung von uns verlangt
wird, wissen wir nicht, was wir sagen sollen.« Damit entließ
er sie, und sie zerstreuten sich.

Paulus reist nach Mazedonien und Griechenland

20 1Als alles vorüber war, rief Paulus die Gläubigen zu-
sammen und sprach ihnen Mut zu. Dann nahm er Ab-
schied und brach nach Mazedonien auf. 2Unterwegs stärkte
er die Gläubigen in allen Orten, die auf seinem Weg lagen.
Dann reiste er weiter nach Griechenland, 3wo er drei Monate
blieb. Er war eben im Begriff, nach Syrien abzusegeln, als er
erfuhr, dass die Juden planten, ihn umzubringen. Daraufhin
beschloss er, über Mazedonien zurückzukehren.

4Mehrere Männer begleiteten ihn: Sopater, der Sohn des Pyr-
rhus, aus Beröa, von den Thessalonichern Aristarch und Se-

kundus, Gajus aus Derbe, Timotheus sowie Tychikus und
Trophimus, die aus der Provinz Asien stammten. 5Sie reisten
voraus und warteten in Troas auf uns. 6Sobald die Passahzeit
vorüber war, gingen wir in Philippi an Bord eines Schiffs nach
Troas. Dort trafen wir fünf Tage später ein und blieben eine
Woche.

Der letzte Besuch von Paulus in Troas

7Am ersten Tag der Woche versammelten wir uns, um das
Abendmahl zu feiern. Paulus predigte. Da er am nächsten
Tag abreisen wollte, sprach er bis Mitternacht. 8Der Raum im
oberen Stockwerk, in dem wir uns versammelt hatten, war
von vielen Lampen erleuchtet. 9Paulus sprach sehr lang. Ein
junger Mann mit Namen Eutychus, der auf der Fensterbank
saß, wurde immer müder. Schließlich schlief er fest ein, verlor
das Gleichgewicht und stürzte drei Stockwerke tief. Als man
ihn aufhob, war er tot. 10Paulus lief hinunter, beugte sich über
ihn und nahm ihn in die Arme. »Habt keine Angst«, sagte er,
»er lebt!« 11Dann gingen sie alle wieder hinauf und nahmen
gemeinsam das Abendmahl. Paulus sprach weiter bis zur
Morgendämmerung; dann brach er auf. 12Inzwischen war
der junge Mann nach Hause gebracht worden. Er lebte, und
alle waren darüber sehr getröstet.

Paulus trifft die Ältesten aus Ephesus

13Paulus wanderte auf dem Landweg nach Assos, wo er wie-
der zu uns stoßen wollte, und wir fuhren mit dem Schiff vo-
raus. 14In Assos schloss er sich uns wieder an, und wir segel-
ten zusammen nach Mitylene. 15Am nächsten Tag kamen wir
an der Insel Chios vorbei. Am folgenden Tag steuerten wir
auf die Insel Samos zu und erreichten einen Tag später Mi-
let.

16Paulus hatte sich entschieden, diesmal nicht in Ephesus
Halt zu machen, weil er nicht noch mehr Zeit in der Provinz
Asien verbringen wollte. Er hatte es eilig, denn er wollte Jeru-
salem möglichst noch rechtzeitig zum Pfingstfest erreichen.
17Als wir in Milet anlegten, schickte er jedoch einen Boten zu

den Ältesten der Gemeinde in Ephesus und bat sie, zu ihm zu
kommen.
18Als sie da waren, sagte er: »Ihr wisst, dass ich seit dem Tag,
als ich die Provinz Asien betrat, bis heute 19in aller Beschei-
denheit und sogar mit Tränen den Auftrag des Herrn erfüllt
habe. Ich habe die Belastungen ertragen, die mir die Anschlä-
ge der Juden zugefügt haben. 20Trotzdem habe ich euch im-
mer die Wahrheit gelehrt, sei es in der Öffentlichkeit oder bei
euch zu Hause. 21Ich habe immer nur eine einzige Botschaft
für Juden wie für Griechen gehabt: dass die Menschen sich
unbedingt von der Sünde abwenden und zu Gott umkehren
müssen und dass sie glauben an Jesus Christus, unseren
Herrn.
22Nun gehe ich nach Jerusalem, unwiderstehlich gezogen
vom Heiligen Geist, ohne genau zu wissen, was mich dort
erwartet, 23obwohl der Heilige Geist mir in jeder Stadt gesagt
hat, dass mich Gefangenschaft und Leid erwarten. 24Doch
mein Leben ist mir nicht der Rede wert, es sei denn, ich nutze
es, um das zu tun, was der Herr Jesus mir aufgetragen hat –
das Werk, anderen die Botschaft von Gottes Gnade zu brin-
gen.
25Ich weiß, dass keiner von euch, denen ich das Reich Gottes
verkündet habe, mich je wieder sehen wird. 26Ich kann euch
offen sagen, dass ich meine Aufgabe treu erfüllt habe. Nie-
mand kann es mir zur Last legen, wenn er verloren geht,
27denn ich habe mich nicht gescheut, euch den Plan, den Gott
mit euch verfolgt, zu erklären.
28Und nun seht euch vor! Achtet darauf, die Herde Gottes –
seine Gemeinde, die er durch das Blut seines eigenen Sohnes
erkauft hat –, zu hüten und zu betreuen, über die der Heilige
Geist euch als Älteste eingesetzt hat. 29Ich weiß genau, dass
sich nach meinem Weggang falsche Lehrer wie böse Wölfe
unter euch mischen und die Herde nicht verschonen werden.
30Ja, selbst einige von euch werden die Wahrheit verdrehen,
um eine eigene Anhängerschaft an sich zu binden. 31Seid
wachsam! Denkt an die drei Jahre, die ich bei euch gewesen

bin – wie ich Tag und Nacht über euch gewacht und mich
unter Tränen um euch gesorgt habe.
32Und nun vertraue ich euch Gott und dem Wort seiner Gna-
de an – seiner Botschaft, die euch ermutigen und euch ein
Erbe geben kann gemeinsam mit allen, die er für sich aus-
gesondert hat.
33Nie habe ich von jemandem Geld oder Kleider verlangt.
34Ihr wisst, dass ich mit meinen eigenen Händen gearbeitet
habe, um mir meinen Lebensunterhalt zu verdienen und
auch meine Begleiter zu versorgen. 35Stets war ich euch ein
Vorbild, wie ihr durch harte Arbeit den Armen helfen könnt.
Behaltet die Worte von Jesus, dem Herrn, in Erinnerung: ›Es
liegt mehr Glück im Geben als im Nehmen.‹«
36Als er zu Ende geredet hatte, kniete er nieder und bete-
te mit ihnen. 37Sie weinten laut, als sie ihn zum Abschied
umarmten und küssten; 38am meisten aber waren sie darüber
traurig, dass er gesagt hatte, sie würden ihn nicht wieder se-
hen. Dann begleiteten sie ihn zum Schiff hinunter.

Paulus reist nach Jerusalem

21 1Nachdem wir uns von den Ältesten aus Ephesus ver-
abschiedet hatten, segelten wir direkt zur Insel Kos.
Am nächsten Tag erreichten wir Rhodos und fuhren weiter
nach Patara. 2Dort gingen wir an Bord eines Schiffs, das zur
syrischen Provinz Phönizien segelte. 3Wir sichteten die Insel
Zypern, die wir links liegen ließen, und legten im Hafen von
Tyrus in Syrien an, wo das Schiff entladen werden sollte. 4Wir
suchten die Gläubigen in der Stadt auf und blieben eine Wo-
che bei ihnen. Diese warnten Paulus durch den Heiligen Geist
davor, nach Jerusalem zu reisen. 5Als wir am Ende der Woche
zum Schiff zurückkehrten, begleitete uns die ganze Gemeinde
einschließlich der Frauen und Kinder zum Strand. Dort knie-
ten wir nieder, beteten 6und verabschiedeten uns. Dann gin-
gen wir an Bord, und sie kehrten nach Hause zurück.
7Der nächste Halt nach Tyrus war Ptolemaïs. Wir begrüßten
die dortigen Gläubigen, blieben aber nur einen Tag. 8Dann

reisten wir weiter nach Cäsarea und wohnten im Haus des Evangelisten Philippus, einer der sieben Männer, die gewählt worden waren, die Essensausgabe zu überwachen.
9Philippus hatte vier unverheiratete Töchter, die alle die Gabe der Prophetie besaßen.
10Während unseres mehrtägigen Aufenthalts traf ein Prophet mit Namen Agabus aus Judäa ein.
11Als er uns besuchte, nahm er den Gürtel des Paulus und fesselte sich damit an Händen und Füßen. Dann sagte er: »Der Heilige Geist erklärt: ›So wird der Besitzer dieses Gürtels von den führenden Männern der jüdischen Gemeinde in Jerusalem gefesselt und den fremden Völkern ausgeliefert werden.‹«
12Als wir, die wir mit ihm reisten, und die Gläubigen am Ort das hörten, baten wir Paulus inständig, nicht nach Jerusalem zu gehen.
13Doch er sagte: »Was soll das Weinen? Ihr zerreißt mir das Herz! Ich bin nicht nur bereit, mich in Jerusalem verhaften zu lassen, sondern auch für Jesus, den Herrn, zu sterben.«
14Als uns klar war, dass wir ihn nicht überreden konnten, gaben wir nach und sagten: »Der Wille des Herrn geschehe.«

Paulus in Jerusalem

15Kurz danach machten wir uns zur Weiterreise bereit und brachen nach Jerusalem auf.
16Einige Gläubige aus Cäsarea begleiteten uns und brachten uns zum Haus von Mnason, einem Mann, der aus Zypern stammte und einer der ersten Gläubigen war.
17Die Gemeinde in Jerusalem begrüßte uns herzlich.
18Am nächsten Tag kam Paulus mit uns zu Jakobus, und alle Ältesten der Jerusalemer Gemeinde wurden herbeigeholt.
19Nachdem Paulus sie begrüßt hatte, erstattete er einen ausführlichen Bericht über alles, was Gott durch sein Wirken unter den Nichtjuden vollbracht hatte.
20Als sie das gehört hatten, lobten sie Gott. Dann aber sagten sie: »Du weißt, lieber Bruder, wie viele Tausend der Juden gläubig geworden sind, und sie alle nehmen das Gesetz Moses sehr ernst.
21Unseren jüdischen Christen hier in Jerusalem hat man erzählt, ihr würdet die Juden, die außerhalb Israels

leben, lehren, sich von den Gesetzen Moses abzuwenden. Sie
behaupten, dass die Leute aufgrund eurer Lehre ihre Kinder
nicht mehr beschneiden und auch andere jüdische Bräuche
nicht mehr halten. 22Was ist da zu tun? Denn sie werden
ganz sicher erfahren, dass du gekommen bist.
23Deshalb ist dies unser Vorschlag: Wir haben hier vier Män-
ner, die ein Gelübde abgelegt haben und sich den Kopf sche-
ren lassen werden. 24Geh mit ihnen zum Tempel, schließe dich
ihrer Reinigungszeremonie an und bezahle, was nötig ist, da-
mit sie sich scheren lassen können. Dann werden alle wissen,
dass sämtliche Gerüchte falsch sind und du selbst die jüdi-
schen Gesetze hältst.
25Was die nichtjüdischen Gläubigen betrifft, so verlangen
wir von ihnen nur, was wir ihnen bereits in einem Brief mit-
geteilt haben: Sie sollen nichts essen, was Götzen geopfert
wurde, sollen weder Blut noch Fleisch von nicht ausgeblute-
ten Tieren verzehren und sich von aller Unzucht fernhalten.«

Paulus wird verhaftet

26Paulus war mit ihrer Bitte einverstanden, unterzog sich am
folgenden Tag mit den vier Männern der Reinigungszeremo-
nie und ging zum Tempel. Dann gab er öffentlich das Datum
bekannt, wann ihre Gelübde enden und für jeden von ihnen
Opfer dargebracht werden würden.
27Die sieben Tage waren fast vorüber, als einige Juden aus
der Provinz Asien Paulus im Tempel sahen und einen Auf-
ruhr gegen ihn anzettelten. Sie packten ihn 28und schrien:
»Männer Israels! Helft uns! Das ist der Mann, der sich in sei-
ner Lehre gegen unser Volk wendet und es dazu verführt, die
jüdischen Gesetze zu missachten. Er ist nach seinen eigenen
Aussagen gegen den Tempel – ja er entweiht ihn sogar, indem
er Nichtjuden hereinbringt!« 29Früher an jenem Tag hatten sie
ihn nämlich mit dem Griechen Trophimus aus Ephesus in der
Stadt gesehen und angenommen, Paulus habe ihn in den
Tempel mitgebracht.
30Durch diese Anschuldigungen geriet die gesamte Bevölke-
rung der Stadt in Aufruhr, und es kam zu einem Tumult. Sie

zerrten Paulus aus dem Tempel und schlossen hinter ihm so-
fort die Tore. 31Während sie versuchten, ihn zu töten, erfuhr
der Oberste der römischen Garnison, dass ganz Jerusalem in
Aufregung war. 32Sofort ließ er seine Soldaten und Offiziere
antreten und ging rasch hinaus, mitten unter die Menge. Als
das Volk den Befehlshaber und die Soldaten kommen sah,
hörten sie auf, Paulus zu prügeln. 33Der Befehlshaber verhaf-
tete ihn und ließ ihn mit zwei Ketten fesseln. Dann fragte er
die Menge, wer dieser Mann sei und was er getan habe. 34Die
einen riefen dies, die anderen jenes. In dem Geschrei und
Durcheinander konnte er die Wahrheit nicht herausfinden,
also befahl er, Paulus in die Festung zu bringen. 35Als sie die
Treppe erreichten, wurde die Menge so gewalttätig, dass die
Soldaten Paulus auf ihre Schultern heben mussten, um ihn zu
schützen. 36Die Menge drängte hinterher und schrie: »Weg
mit ihm, weg mit ihm!«

Paulus spricht zu der Menge

37Als sie Paulus hineinführen wollten, fragte er den Befehls-
haber: »Ist es mir erlaubt, mit dir zu sprechen?«
Der Kommandant wunderte sich: »Du verstehst Griechisch?
38Bist du denn nicht der Ägypter, der vor einiger Zeit einen
Aufstand anzettelte und viertausend Mitglieder jener fanati-
schen Partei in die Wüste führte?«
39Paulus erwiderte: »Nein, ich bin ein Jude aus der bedeu-
tenden Stadt Tarsus in Zilizien. Bitte, lass mich zu diesen
Leuten sprechen.« 40Der Befehlshaber stimmte zu, und so
stellte sich Paulus auf die Treppe und bat mit Gesten um Ru-
he. Bald herrschte tiefes Schweigen in der Menge. Dann
sprach er die Menschen in ihrer Muttersprache Hebräisch an.

22 1»Brüder und verehrte Väter«, sagte Paulus, »hört, was
ich zu meiner Verteidigung zu sagen habe.« 2Als sie
ihn in ihrer eigenen Sprache reden hörten, wurde es noch stil-
ler. Er fuhr fort: 3»Ich bin ein Jude. Ich wurde in der Stadt
Tarsus in Zilizien geboren und wuchs hier in Jerusalem auf.
Ich bin bei Gamaliel in die Schule gegangen. Zu seinen Füßen

lernte ich, unsere jüdischen Gesetze und Bräuche genau zu
befolgen. Ich entwickelte großen Eifer darin, Gott zu ehren,
genauso wie ihr alle es heute tut. 4Und ich verfolgte die An-
hänger des neuen Glaubens bis in den Tod. Männer und Frau-
en verhaftete ich und brachte sie ins Gefängnis. 5Der Hohe
Priester und der gesamte Hohe Rat können dies bezeugen.
Denn sie gaben mir Briefe an unsere jüdischen Brüder in Da-
maskus, die mir die Vollmacht verliehen, die dortigen Gläubi-
gen in Ketten nach Jerusalem abzuführen, damit sie bestraft
würden.

6Auf dem Weg dorthin – ich war bereits in der Nähe von
Damaskus – umstrahlte mich um die Mittagszeit plötzlich
vom Himmel ein blendend helles Licht. 7Ich stürzte zu Boden
und hörte eine Stimme zu mir sprechen: ›Saul, Saul, warum
verfolgst du mich?‹

8›Herr, wer bist du?‹, fragte ich. Und er antwortete: ›Ich bin
Jesus von Nazareth, den du verfolgst.‹ 9Meine Begleiter sahen
das Licht auch, aber sie hörten die Stimme nicht.

10Ich sagte: ›Was soll ich tun, Herr?‹ Und der Herr erwiderte:
›Steh auf und geh nach Damaskus; dort wird dir gesagt wer-
den, was du tun sollst.‹

11Durch das helle Licht war ich erblindet, sodass meine Be-
gleiter mich an der Hand nach Damaskus hineinführen muss-
ten. 12Dort lebte ein Mann mit Namen Hananias, ein frommer
Jude, der sich an das Gesetz hielt und unter seinen Glaubens-
brüdern in Damaskus hohes Ansehen genoss. 13Er kam zu
mir, stellte sich neben mich und sagte: ›Bruder Saul, du sollst
wieder sehen können!‹ Und noch in derselben Stunde konnte
ich ihn sehen!

14Dann sagte er zu mir: ›Der Gott unserer Vorfahren hat dich
erwählt, seinen Willen zu erfahren und den Gerechten zu se-
hen und ihn sprechen zu hören. 15Du sollst seine Botschaft in
die ganze Welt tragen und allen Menschen sagen, was du ge-
sehen und gehört hast. 16Was zögerst du noch? Steh auf und
lass dich taufen. Rufe den Namen des Herrn an und lass deine
Sünden abwaschen.‹

17Eines Tages, nachdem ich nach Jerusalem zurückgekehrt

war, betete ich gerade im Tempel, als ich in Verzückung fiel.
18In einer Vision sah ich Jesus, der zu mir sagte: ›Schnell! Ver-
lasse Jerusalem, denn die Menschen hier werden dir nicht
glauben, was du von mir sagst.‹

19›Aber Herr‹, wandte ich ein, ›sie wissen ganz bestimmt,
dass ich alle, die an dich glaubten, in den Synagogen verhaf-
ten und auspeitschen ließ. 20Und als dein Zeuge Stephanus
getötet wurde, stand ich daneben und gab meine Zustim-
mung. Ich verwahrte die Mäntel, die sie ablegten, als sie ihn
steinigten.‹

21Doch der Herr sagte zu mir: ›Verlasse Jerusalem, denn ich
werde dich weit fort zu den anderen Völkern senden!‹«

22Bis dahin hatte die Menge zugehört, doch jetzt riefen sie
wie aus einem Mund: »Fort mit einem solchen Mann! Bringt
ihn um! Er verdient es nicht, weiterzuleben!« 23Sie schrien,
zogen ihre Mäntel aus und warfen Staub in die Luft.

Paulus offenbart sein römisches Bürgerrecht

24Der Befehlshaber führte Paulus hinein und befahl, ihn aus-
zupeitschen, um ihn zu einem Geständnis seines Verbrechens
zu zwingen. Er wollte herausfinden, was die Menge so in Wut
versetzt hatte. 25Als sie Paulus festbanden, um ihn auszupeit-
schen, sagte dieser zu dem Offizier, der neben ihm stand: »Ist
es etwa rechtens, einen römischen Bürger auszupeitschen,
und das ohne Gerichtsverhandlung?«

26Da ging der Offizier zum Befehlshaber und fragte: »Was
tust du da? Dieser Mann ist ein römischer Bürger!«

27Daraufhin ging der Kommandant hinüber und fragte Pau-
lus: »Sag mir, bist du ein römischer Bürger?«

Der erwiderte: »Ja, das bin ich.«

28»Ich habe viel Geld dafür bezahlt, das Bürgerrecht zu er-
werben«, sagte der Kommandant. Und Paulus sprach: »Ich
aber bin Bürger Roms durch Geburt!«

29Die Soldaten, die Paulus verhören wollten, zogen sich
schnell zurück, als sie hörten, dass er das römische Bürger-
recht besaß, und der Befehlshaber bekam es mit der Angst zu
tun, weil er ihn hatte fesseln lassen.

Paulus vor dem Hohen Rat

30Am nächsten Tag ließ der Kommandant Paulus die Ketten
abnehmen und ordnete eine Versammlung der obersten
Priester und des jüdischen Hohen Rats an. Er ließ ihnen Pau-
lus vorführen, um herauszufinden, wie der ganze Aufruhr
entstanden war.

23
1Paulus sah den Hohen Rat mit festem Blick an und
begann zu sprechen: »Brüder, ich habe immer mit gu-
tem Gewissen vor Gott gelebt!«
2Sofort befahl der Hohe Priester Hananias denen, die neben
Paulus standen, ihn auf den Mund zu schlagen. 3Doch Paulus
erwiderte: »Gott wird dich schlagen, du getünchte Wand!
Was für ein Richter bist du denn, wenn du selbst das Gesetz
brichst, indem du mich schlagen lässt?«
4Die, die neben Paulus standen, sagten zu ihm: »Ist das die
Art, wie man mit einem Hohen Priester spricht?«
5»Es tut mir leid, Brüder. Ich wusste nicht, dass er der Hohe
Priester ist«, entgegnete Paulus, »denn in der Schrift heißt es:
›Eine führende Persönlichkeit deines Volkes sollst du nicht
beschimpfen.‹«
6Paulus wusste, dass einige Mitglieder des Hohen Rats Sad-
duzäer und andere Pharisäer waren, deshalb rief er: »Brüder,
ich bin ein Pharisäer, wie schon alle meine Vorfahren es wa-
ren! Und ich stehe unter Anklage, weil ich auf die Auferste-
hung der Toten hoffe!«
7Daraufhin entstand im Rat Streit zwischen Pharisäern und
Sadduzäern. 8Denn die Sadduzäer behaupten, dass es weder
eine Auferstehung noch Engel oder Geister gibt, während die
Pharisäer an all das glauben. 9Und so kam es zu einem lauten
Wortgefecht. Einige Schriftgelehrte, die Pharisäer waren,
sprangen auf und verkündeten, dass Paulus recht habe. »Wir
können nichts Unrechtes an ihm finden«, riefen sie. »Viel-
leicht hat ja ein Geist oder ein Engel zu ihm gesprochen.«
10Das Geschrei wurde immer lauter, und die Männer packten
Paulus von beiden Seiten und zerrten ihn hin und her. Als der
römische Befehlshaber schließlich befürchtete, sie könnten

Paulus in Stücke reißen, befahl er seinen Soldaten, ihn herauszuholen und in die Festung zurückzubringen.

11In dieser Nacht erschien der Herr Paulus und sagte zu ihm: »Sei zuversichtlich, Paulus. Genauso, wie du den Menschen hier in Jerusalem von mir erzählt hast, musst du meine Botschaft auch in Rom predigen.«

Der Mordplan gegen Paulus

12Am nächsten Morgen traf sich eine Gruppe Juden. Sie verpflichteten sich mit einem Eid, weder zu essen noch zu trinken, bis sie Paulus getötet hätten.
13Es waren über vierzig Männer, die das beschlossen hatten.
14Sie gingen zu den obersten Priestern und den anderen führenden Männer des jüdischen Volkes und sagten: »Wir haben uns unter Eid verpflichtet, weder zu essen noch zu trinken, bis wir Paulus getötet haben.
15Ihr und der Hohe Rat solltet den römischen Kommandanten bitten, Paulus noch einmal dem Rat vorzuführen«, schlugen sie vor. »Tut so, als wolltet ihr den Fall noch genauer untersuchen. Unterwegs werden wir ihn dann töten.«

16Doch der Neffe von Paulus erfuhr von ihrem Plan. Er ging zur Festung und unterrichtete Paulus darüber.
17Paulus rief einen der Offiziere zu sich und sagte: »Führt diesen jungen Mann zum Befehlshaber. Er hat ihm etwas Wichtiges zu melden.«

18Das tat der Offizier und erklärte: »Der Gefangene Paulus rief mich und bat mich, diesen jungen Mann zu dir zu bringen, weil er dir etwas zu berichten hat.«

19Der Befehlshaber nahm ihn am Arm, führte ihn zur Seite und fragte: »Was hast du mir also zu sagen?«

20Er erklärte ihm: »Einige Juden werden dich bitten, Paulus morgen noch einmal dem jüdischen Hohen Rat vorzuführen, und zwar unter dem Vorwand, genauere Aussagen von ihm erhalten zu wollen.
21Doch das darfst du auf keinen Fall zulassen! Mehr als vierzig Männer werden ihm auflauern, um ihn zu töten. Sie haben geschworen, nichts zu essen oder zu trinken, bis sie ihn getötet haben. Sie stehen bereit und rechnen damit, dass du ihnen ihre Bitte gewährst.«

22»Lass niemanden wissen, dass du mir das gesagt hast«,
warnte der Befehlshaber den jungen Mann und entließ ihn.

Paulus wird nach Cäsarea gebracht

23Dann rief er zwei seiner Offiziere und ordnete an: »Haltet
zweihundert Soldaten bereit, heute Abend um neun Uhr
nach Cäsarea aufzubrechen. Außerdem sollt ihr zweihundert
Leichtbewaffnete und siebzig Reiter mitnehmen. 24Stellt Reit-
pferde für Paulus zur Verfügung und bringt ihn sicher zum
Statthalter Felix.« 25Dann schrieb er folgenden Brief an den
Statthalter:

26»Von Klaudius Lysias an Seine Exzellenz, den Statthalter
Felix. Sei gegrüßt! 27Dieser Mann fiel einigen Juden in die
Hände, und sie waren im Begriff, ihn zu töten, als ich mit den
Truppen hinzukam. Als ich erfuhr, dass er ein römischer Bür-
ger ist, brachte ich ihn in Sicherheit. 28Dann führte ich ihn dem
jüdischen Hohen Rat vor, um herauszufinden, was er getan
hatte. 29Ich erfuhr, dass es um irgendeine Frage ihres religiö-
sen Gesetzes ging – nichts, was die Todesstrafe oder auch nur
eine Verhaftung gerechtfertigt hätte. 30Als ich nun von einem
geplanten Mordanschlag gegen ihn erfuhr, schickte ich ihn
sofort zu dir und habe auch seinen Anklägern gesagt, sie sol-
len mit ihren Anschuldigungen zu dir kommen.«

31Noch in derselben Nacht brachten die Soldaten, wie es ih-
nen befohlen worden war, Paulus bis Antipatris. 32Am nächs-
ten Morgen kehrten sie in die Festung zurück, während die
Reiter ihn nach Cäsarea brachten. 33Als sie dort ankamen,
führten sie Paulus dem Statthalter Felix vor und übergaben
diesem den Brief. 34Er las ihn und fragte Paulus dann, aus
welcher Provinz er stamme. »Aus Zilizien«, antwortete Pau-
lus.

35»Ich werde mir deinen Fall selbst vornehmen, wenn deine
Ankläger eintreffen«, teilte der Statthalter ihm mit. Dann be-
fahl er, Paulus bis dahin im Gefängnis in Gewahrsam zu neh-
men, das sich im ehemaligen Palast des Herodes befand.

Paulus wird Felix vorgeführt

24 1 Fünf Tage später traf der Hohe Priester Hananias mit
einigen führenden Männern der Juden und dem An-
walt Tertullus ein, um gegen Paulus Anklage zu erheben.
2 Als Paulus hereingerufen wurde, erhob Tertullus in folgen-
der Rede vor dem Statthalter Anklage gegen ihn:
»Sehr verehrter Felix, du hast uns Juden Frieden verschafft
und für uns Reformen durchgeführt. 3 Für all das sind wir dir
sehr dankbar. 4 Doch um dich nicht zu langweilen, bitte ich
nur einen Augenblick um deine freundliche Aufmerksamkeit,
um dir kurz unser Anliegen gegen diesen Mann darzulegen.
5 Denn wir haben festgestellt, dass er ein Unruhestifter ist, der
überall in der Welt die Juden zu Aufständen und zur Rebelli-
on gegen die römische Regierung aufhetzt. Er ist einer der
Anführer der Sekte der Nazarener. 6 Als wir ihn verhafteten,
war er soeben im Begriff, den Tempel zu entweihen. 8 Die
Wahrheit unserer Anklagen kannst du überprüfen, indem du
ihn selbst verhörst.« 9 An dieser Stelle pflichteten die anderen
Juden ihm bei und erklärten, alles, was Tertullus behauptet
hatte, sei wahr.

10 Der Statthalter bedeutete Paulus, aufzustehen und zu
sprechen. Paulus sagte: »Ich weiß, Herr, dass du schon seit
Jahren Richter für jüdische Angelegenheiten bist, und das
gibt mir Sicherheit, wenn ich nun meine Verteidigung vor-
bringe. 11 Du kannst ohne Weiteres feststellen, dass es höchs-
tens zwölf Tage her ist, seit ich nach Jerusalem gekommen bin,
um im Tempel zu Gott zu beten. 12 Ich stritt mit niemandem im
Tempel, noch habe ich in irgendeiner Synagoge oder auf den
Straßen der Stadt einen Aufruhr angezettelt. 13 Diese Männer
können mit Sicherheit nicht beweisen, was sie gegen mich
vorbringen.

14 Ich gebe allerdings zu, dass ich dem neuen Glauben folge,
den sie als Sekte bezeichnen. Ich bete daher den Gott unserer
Vorfahren an, indem ich an alles glaube, was im jüdischen
Gesetz und in den prophetischen Büchern steht. 15 Genau wie
diese Männer hoffe ich im Vertrauen auf Gott darauf, dass er
sowohl die Gerechten als auch die Ungerechten auferwecken

wird. 16Aus diesem Grund versuche ich immer, mir vor Gott
und den Menschen ein reines Gewissen zu bewahren.
17Nachdem ich mehrere Jahre fort war, kehrte ich nach Jeru-
salem zurück, um meinem Volk Geld zur Unterstützung zu
bringen und Gott zu opfern. 18Meine Ankläger sahen mich im
Tempel, als ich gerade eine Reinigungszeremonie erfüllte. Ich
hatte keine Menschenmenge um mich versammelt, und es
kam auch nicht zu einem Aufstand. 19Aber es waren einige
Juden aus der Provinz Asien dort – diese Leute sollten jetzt
eigentlich hier sein, um Anklage zu erheben, wenn sie mir
denn etwas vorzuwerfen haben! 20Frag doch diese Männer
hier, welches Unrecht der jüdische Hohe Rat mir nachgewie-
sen hat, 21abgesehen von meinem Ausruf: ›Ich stehe heute hier
vor Gericht, weil ich an die Auferstehung von den Toten glau-
be!‹«
22Felix, der mit der neuen Glaubenslehre recht gut vertraut
war, vertagte die Anhörung und sagte: »Wartet, bis Lysias,
der Befehlshaber des Regiments, eintrifft. Dann werde ich
den Fall entscheiden.« 23Er gab einem Offizier Anweisung,
Paulus zwar in Gewahrsam zu halten, ihm aber Freiheiten
einzuräumen. So durfte er Besuch von seinen Freunden ha-
ben, die für seine Bedürfnisse sorgten.
24Ein paar Tage später kam Felix mit seiner Frau Drusilla, die
Jüdin war. Sie ließen Paulus holen und hörten zu, während er
ihnen vom Glauben an Christus Jesus erzählte. 25Doch als er
mit ihnen über Gerechtigkeit und Enthaltsamkeit und das
kommende Gericht sprach, bekam Felix es mit der Angst zu
tun. »Für den Augenblick kannst du gehen«, entgegnete er.
»Zu einem passenderen Zeitpunkt werde ich dich dann wie-
der holen lassen.« 26Außerdem hoffte er, dass Paulus ihm ein
Bestechungsgeld anbieten würde; deshalb ließ er ihn öfter ho-
len und unterhielt sich mit ihm.
27Auf diese Weise vergingen zwei Jahre; dann wurde Porzi-
us Festus Nachfolger von Felix. Und weil Felix sich bei den
Juden beliebt machen wollte, ließ er Paulus nicht frei, sondern
hielt ihn weiter im Gefängnis in Haft.

Paulus wird Festus vorgeführt

25 1Drei Tage, nachdem Festus in Cäsarea angekommen
war, um sein neues Amt anzutreten, reiste er nach Je-
rusalem. 2Dort trafen die obersten Priester und andere führen-
de Männer des jüdischen Volkes mit ihm zusammen und
trugen ihre Anschuldigungen gegen Paulus vor. 3Sie baten
Festus um die Gefälligkeit, Paulus nach Jerusalem zu über-
stellen, denn sie planten, ihn unterwegs hinterrücks zu über-
fallen und umzubringen. 4Doch Festus entgegnete, dass Pau-
lus sich in Cäsarea befände und dass er selbst bald dorthin
zurückkehren werde. 5»Wer von euch dazu ermächtigt ist«,
sagte er, »der kann ja mit mir zurückkehren. Wenn Paulus
etwas Unrechtes getan hat, könnt ihr eure Anschuldigungen
dort vorbringen.«

6Acht oder zehn Tage später kehrte er nach Cäsarea zurück,
und am folgenden Tag begann der Prozess. 7Als Paulus vor
Gericht erschien, versammelten sich die führenden Juden aus
Jerusalem und erhoben viele schwerwiegende Anklagen, die
sie allerdings nicht beweisen konnten. 8Paulus wies die An-
schuldigungen zurück. »Ich bin nicht schuldig«, erklärte er.
»Ich habe keinen Verstoß gegen die jüdischen Gesetze oder
den Tempel oder die römische Regierung begangen.«

9Da Festus sich bei den Juden beliebt machen wollte, fragte
er ihn: »Bist du bereit, nach Jerusalem zu gehen und dich dort
einem Gerichtsverfahren unter meinem Vorsitz zu stellen?«

10»Nein!« erwiderte Paulus. »Ich stehe hier vor dem Richter-
stuhl des Kaisers, wo ich auch gerichtet werden muss. Ich
habe den Juden in keiner Weise unrecht getan. Und das weißt
du auch. 11Wenn ich etwas getan habe, was die Todesstrafe
verdient, dann weigere ich mich nicht zu sterben. Bin ich
aber unschuldig, hast weder du noch irgendjemand sonst
das Recht, mich diesen Männern auszuliefern. Ich berufe
mich auf den Kaiser!«

12Festus hielt Rücksprache mit seinen Beratern und erwider-
te dann: »Also gut! Du hast dich auf den Kaiser berufen, dann
sollst du auch zum Kaiser gehen!«

13Einige Tage später traf König Agrippa mit seiner Schwes-

ter Berenike zu einem Antrittsbesuch bei Festus ein. 14Wäh-
rend ihres mehrtägigen Aufenthalts erörterte Festus die An-
gelegenheit mit dem König. »Es gibt hier einen Gefangenen«,
erklärte er, »dessen Fall Felix mir hinterlassen hat. 15Als ich in
Jerusalem war, brachten die obersten Priester und andere ein-
flussreiche Juden schwere Beschuldigungen gegen ihn vor
und verlangten von mir, ihn zu verurteilen. 16Ich habe ihnen
erklärt, dass nach römischem Gesetz niemand ohne Prozess
verurteilt wird. Jeder erhält die Gelegenheit, sich in Gegen-
wart seiner Ankläger zu verteidigen.

17Als sie zum Prozess erschienen, hielt ich gleich am nächs-
ten Tag Gericht und ließ Paulus vorführen. 18Doch die Ankla-
gen, die gegen ihn erhoben wurden, waren völlig anders, als
ich erwartet hatte. 19Es hatte mit ihrer Religion zu tun und mit
einem gewissen Jesus, der gestorben ist, von dem Paulus aber
behauptet, dass er lebt. 20Das brachte mich in Verlegenheit,
wie in einem solchen Fall zu verfahren ist, und ich fragte ihn,
ob er bereit wäre, sich wegen dieser Anklagen in Jerusalem
vor Gericht stellen zu lassen. 21Aber Paulus berief sich auf
den Kaiser. Deshalb befahl ich, ihn wieder ins Gefängnis zu
stecken, bis ich die nötigen Vorbereitungen getroffen hätte,
ihn zum Kaiser zu schicken.«

22»Ich würde mir diesen Mann gern selbst einmal anhören«,
meinte Agrippa.

Und Festus erwiderte: »Das sollst du – gleich morgen!«

Paulus spricht vor Agrippa

23So erschienen Agrippa und Berenike am nächsten Tag mit
großem Prunk in Begleitung der hohen Offiziere und der ein-
flussreichsten Männer der Stadt im Auditorium. Festus be-
fahl, Paulus vorzuführen. 24Dann erklärte er: »König Agrippa
und alle Anwesenden, dies ist der Mann, dessen Tod sowohl
die Juden hier am Ort als auch die Juden in Jerusalem fordern.
25Meiner Meinung nach hat er jedoch nichts getan, was die
Todesstrafe verdient hätte. Er hat sich auf den Kaiser berufen,
und ich habe beschlossen, ihn dorthin zu schicken. 26Doch
was soll ich dem Kaiser schreiben? Denn es liegt keine wirk-

liche Klage gegen ihn vor. Deshalb lasse ich ihn euch allen, und besonders dir, König Agrippa, vorführen, damit ich nach unserer gemeinsamen Befragung irgendetwas schreiben
kann. 27Denn es erscheint mir unsinnig, einen Gefangenen zum Kaiser zu schicken, ohne genau zu erklären, welche Anklage gegen ihn vorliegt!«

26 1Da sagte Agrippa zu Paulus: »Du kannst nun zu deiner Verteidigung sprechen.«
Paulus hob die Hand und begann seine Verteidigung: 2»Ich schätze mich glücklich, König Agrippa, dass ich gerade dir meine Verteidigung gegen all diese Anschuldigungen durch die führenden Männer des jüdischen Volkes vortragen kann,
3denn ich weiß, dass du dich mit jüdischen Bräuchen und Streitfragen sehr gut auskennst. Nun sei so freundlich, mich geduldig anzuhören!
4Wie die führenden Männer des jüdischen Volkes sehr wohl wissen, wurde ich von frühester Kindheit an bei meinem eigenen Volk und in Jerusalem nach jüdischer Tradition
erzogen. 5Wenn sie es vielleicht auch nicht zugeben, so wissen sie doch genau, dass ich ein Mitglied der Pharisäer war,
der strengsten Gruppierung unserer Religion. 6Nun stehe ich
vor Gericht, weil ich die Erfüllung der Verheißung erwarte,
die Gott unseren Vorfahren gegeben hat. 7Die zwölf Stämme
Israels beten wegen dieser Verheißung Tag und Nacht zu Gott; sie haben dieselbe Hoffnung wie ich. Trotzdem behaupten sie, König, es sei falsch von mir, diese Hoffnung zu
hegen! 8Warum sollte es denn irgendjemand von euch für unglaubwürdig halten, dass Gott die Toten auferwecken kann?
9Früher glaubte ich, alles, was in meinen Kräften steht, tun zu müssen, um den Anhängern des Jesus von Nazareth Ein-
halt zu gebieten. 10Von den Anführern des jüdischen Volkes dazu bevollmächtigt, ließ ich viele Gläubige in Jerusalem verhaften. Wenn sie zum Tode verurteilt wurden, stimmte ich
ebenso gegen sie. 11Oft ließ ich sie in den Synagogen auspeitschen, weil ich sie dazu bringen wollte, Christus zu verflu-

chen. Ich bekämpfte sie mit solcher Erbitterung, dass ich sie
sogar bis in weit entfernte Städte im Ausland verfolgte.
12 Aus diesem Grund reiste ich eines Tages mit der Ermächti-
gung und im Auftrag der obersten Priester nach Damaskus.
13 Etwa gegen Mittag, o König, fiel aus dem Himmel ein Licht,
strahlender als die Sonne, auf mich und meine Begleiter. 14 Wir
stürzten alle zu Boden, und ich hörte, wie eine Stimme auf
Hebräisch zu mir sagte: ›Saul, Saul, warum verfolgst du
mich? Es ist schwer für dich, gegen meinen Willen anzukämp-
fen.‹
15 ›Wer bist du, Herr?‹, fragte ich.
Und der Herr antwortete: ›Ich bin Jesus, den du verfolgst.
16 Steh jetzt auf! Denn ich bin dir erschienen, um dich zu mei-
nem Diener und Zeugen zu machen. Du sollst der Welt von
dieser Erfahrung und von anderen Ereignissen erzählen, bei
denen ich dir erscheinen werde. 17 Und ich werde dich sowohl
vor deinem eigenen Volk als auch vor den anderen Völkern
beschützen, zu denen ich dich senden werde. 18 Ihnen sollen
die Augen geöffnet werden, damit sie sich vom Dunkel zum
Licht und aus der Macht des Satans zu Gott bekehren. Dann
werden sie Vergebung für ihre Sünden und einen Platz im
Volk Gottes empfangen, alle, die durch den Glauben an mich
ausgesondert sind.‹
19 Deshalb, König Agrippa, habe ich dieser Vision aus dem
Himmel gehorcht. 20 Ich habe zuerst den Juden in Damaskus,
dann denen in Jerusalem und in ganz Judäa sowie auch den
Nichtjuden gepredigt, dass sie sich von ihren Sünden abwen-
den und zu Gott bekehren müssen. Durch ihre guten Werke
sollen sie beweisen, dass sie ihr Leben geändert haben. 21 Weil
ich das gepredigt habe, verhafteten mich einige Juden im
Tempel und versuchten, mich umzubringen. 22 Doch Gott be-
schützte mich, sodass ich heute noch lebe, um allen, vom
Kleinsten bis zum Größten, diese Tatsachen zu berichten. Ich
lehre nur das, was schon die Propheten und Mose voraus-
gesagt haben – 23 nämlich dass der Christus leiden und als
Erster von den Toten auferstehen würde, als Licht für die Ju-
den wie für die Nichtjuden.«

24Plötzlich rief Festus: »Paulus, du bist verrückt. Das viele
Studieren hat dir wohl den Verstand geraubt!«
25Doch Paulus erwiderte: »Ich bin nicht verrückt, ehrwür-
digster Festus. Was ich sage, ist wahr und meine Worte sind
vernünftig. 26König Agrippa weiß darüber Bescheid. Ich spre-
che ganz offen, denn ich bin sicher, dass diese Ereignisse ihm
alle wohl bekannt sind; schließlich haben sie sich nicht im Ver-
borgenen ereignet! 27König Agrippa, glaubst du den Prophe-
ten? Ich weiß, dass du es tust.«
28Agrippa unterbrach ihn: »Meinst du wirklich, du kannst
so leicht einen Christen aus mir machen?«
29Paulus entgegnete: »Ob leicht oder nicht, jedenfalls bete
ich zu Gott, dass sowohl du als auch jeder Einzelne der Zuhö-
rer hier so werde wie ich – nur ohne diese Ketten.«
30Da standen der König, der Statthalter, Berenike und alle
anderen auf und gingen. 31Als sie miteinander über die Ange-
legenheit sprachen, waren sie sich einig: »Dieser Mann hat
nichts getan, was eine Todes- oder Gefängnisstrafe verdient
hätte.« 32Und Agrippa sagte zu Festus: »Er könnte eigentlich
freigelassen werden, wenn er sich nicht auf den Kaiser beru-
fen hätte!«

Paulus segelt nach Rom

27 1Als die Zeit gekommen war, nach Italien zu segeln,
wurden Paulus und mehrere andere Gefangene einem
Offizier mit Namen Julius, einem Würdenträger der kaiserli-
chen Garde, übergeben. 2Aristarch, ein Mazedonier aus Thes-
salonich, begleitete uns ebenfalls. Wir segelten mit einem
Schiff, das aus dem Hafen von Adramyttion stammte und
unterwegs mehrere Häfen an der Küste der Provinz Asien
anlaufen sollte.
3Als wir am nächsten Tag in Sidon anlegten, gestattete Julius
Paulus freundlicherweise, an Land zu gehen und Freunde zu
besuchen, damit sie ihn mit dem Nötigen versorgen konnten.
4Nachdem wir von dort wieder in See gestochen waren, hat-
ten wir durch starke Gegenwinde Schwierigkeiten, den Kurs
zu halten; deshalb segelten wir nördlich von Zypern zwi-

schen der Insel und dem Festland hindurch. 5Wir fuhren die
Küste der Landschaften Zilizien und Pamphylien entlang und
legten in Myra in der Provinz Lyzien an. 6Dort fand der Offi-
zier ein ägyptisches Schiff aus Alexandrien, das nach Italien
unterwegs war, und brachte uns an Bord.

7Mehrere Tage lang kamen wir wegen der rauen See kaum
voran, und nach großen Schwierigkeiten gelangten wir end-
lich in die Nähe von Knidos. Doch der Wind stand uns ent-
gegen; deshalb segelten wir zur Südseite Kretas, vorbei am
Kap von Salmone. 8Mit großer Mühe kämpften wir uns an
der Küste entlang und erreichten schließlich einen Ort na-
mens Kaloi Limenes in der Nähe der Stadt Lasäa. 9Mittlerwei-
le hatten wir viel Zeit verloren. Das Wetter wurde allmählich
zu gefährlich für längere Seereisen, da es schon spät im Herbst
war, und Paulus sprach mit den Seeleuten darüber.

10»Männer, wir werden in Schwierigkeiten geraten, wenn
wir jetzt aufbrechen. Uns drohen nicht nur Schiffbruch und
Verlust der Fracht, sondern auch Gefahr für Leib und Leben.«

11Doch der Offizier, der für die Gefangenen verantwortlich
war, hörte mehr auf den Steuermann und den Schiffseigner
als auf Paulus. 12Und da der Hafen an einer ungeschützten
Stelle lag – ein wenig geeigneter Ort, um dort zu überwin-
tern – wollte die Mehrheit der Besatzung weiter an der Küste
Kretas entlang nach Phönix segeln und den Winter dort ver-
bringen. Phönix war ein guter Hafen, der sich nur nach Süd-
west und Nordwest öffnete.

Der Sturm

13Als sich dann ein leichter Südwind erhob, dachten die See-
leute, sie könnten es schaffen. Also lichteten sie den Anker
und segelten in Küstennähe weiter, an Kreta entlang. 14Doch
plötzlich schlug das Wetter um, und ein Wind mit der Kraft
eines Wirbelsturms (den man »Nordost« nennt) kam auf.
15Als es ihnen nicht gelang, das Schiff in den Wind zu drehen,
gaben sie auf und ließen es treiben.

16Wir segelten südlich an einer kleinen Insel mit Namen
Kauda vorbei, wo wir mit großer Mühe das Rettungsboot an

Bord zogen, das wir im Schlepptau mitführten. [17]Dann spann-
ten wir Seile um den Schiffsrumpf, um ihn zu sichern. Die
Seeleute hatten Angst, zu den Sandbänken der Syrte vor der
afrikanischen Küste getrieben zu werden; deshalb warfen sie
den Anker aus und ließen sich vor dem Wind hertreiben.

[18]Am nächsten Tag, als stürmische Winde dem Schiff weiter
zu schaffen machten, fing die Besatzung in ihrer Not an,
Fracht über Bord zu werfen. [19]Am folgenden Tag entledigten
sie sich sogar der Schiffsausrüstung. [20]Der schreckliche Sturm
tobte tagelang, ohne nachzulassen, und verdunkelte Sonne
und Sterne, bis schließlich alle Hoffnungen auf Rettung ver-
flogen waren.

[21]Schon lange hatte niemand mehr etwas gegessen. Da rief
Paulus die Besatzung zusammen und sagte: »Männer, ihr hät-
tet von Anfang an auf mich hören sollen. Hättet ihr Kreta
nicht verlassen, dann wäre euch dieser Schaden und dieser
Verlust erspart geblieben. [22]Aber lasst den Mut nicht sinken.
Keiner von euch wird sein Leben verlieren, obwohl unser
Schiff untergehen wird. [23]Letzte Nacht stand ein Engel des
Gottes, dem ich gehöre und dem ich diene, neben mir [24]und
sagte: ›Hab keine Angst, Paulus, denn du wirst auf jeden Fall
vor dem Kaiser vor Gericht stehen! Und Gott in seiner Güte
hat jedem sicheres Geleit zugesagt, der mit dir segelt.‹ [25]Seid
mutig! Denn ich glaube Gott und vertraue darauf, dass es ge-
nauso kommen wird, wie er es mir gesagt hat. [26]Aber wir
werden vor einer Insel Schiffbruch erleiden.«

Der Schiffbruch

[27]Als wir in der vierzehnten Nacht dieses Sturms gegen Mit-
ternacht in die Adria getrieben wurden, merkten die Seeleute,
dass Land in der Nähe war. [28]Sie warfen das Lot und stellten
fest, dass das Wasser nur siebenunddreißig Meter tief war.
Etwas weiter warfen sie das Lot noch einmal und maßen
kaum achtundzwanzig Meter. [29]Und da sie fürchteten, dass
wir auf die Felsbänke vor der Küste auflaufen könnten, war-
fen sie deshalb am Heck vier Anker aus und hofften auf das
Tageslicht. [30]Dann versuchten die Seeleute, das Schiff zu ver-

lassen, indem sie das Rettungsboot hinabließen, aber so taten,
als wollten sie vom Bug aus Anker werfen. [31]Doch Paulus
sagte zum Offizier und den Soldaten: »Wenn die Seeleute
nicht an Bord bleiben, könnt ihr nicht gerettet werden.« [32]Da
kappten die Soldaten die Seile und ließen das Boot ins Meer
fallen.

[33]Als der Morgen dämmerte, bat Paulus alle, etwas zu essen.
»Seit zwei Wochen habt ihr keine Nahrung angerührt«, sagte
er. [34]»Esst etwas, denn es hilft euch zu überleben. Keinem von
euch wird ein Haar gekrümmt werden.« [35]Dann nahm er et-
was Brot, dankte Gott vor ihnen allen, brach ein Stück ab und
aß es. [36]Da fassten sie neuen Mut und begannen zu essen, [37]al-
le zweihundertsechsundsiebzig Leute, die wir an Bord waren.
[38]Nachdem sie gegessen hatten, erleichterten die Seeleute das
Schiff, indem sie die Getreidefracht über Bord warfen.

[39]Als der Morgen angebrochen war, erkannten sie die Küs-
tenlinie nicht, aber sie bemerkten eine Bucht mit einem Strand
und überlegten, ob sie wohl zwischen die Felsen gelangen
und das Schiff sicher zum Strand treiben lassen konnten. [40]Al-
so kappten sie die Anker und ließen sie im Meer. Dann tauch-
ten sie die Ruder ins Wasser, hissten das Vordersegel und
steuerten auf die Küste zu. [41]Doch das Schiff lief auf eine
Sandbank auf. Der Bug saß fest, während das Heck durch
die starken Wellen hin und her gerissen wurde, sodass das
Schiff auseinanderzubrechen drohte.

[42]Die Soldaten wollten die Gefangenen töten, um zu verhin-
dern, dass sie ans Ufer schwammen und flohen. [43]Aber der
Hauptmann wollte Paulus verschonen und hinderte sie da-
ran, diesen Plan in die Tat umzusetzen. Dann ließ er alle, die
schwimmen konnten, zuerst über Bord springen und sich an
Land in Sicherheit bringen, [44]während er die anderen auffor-
derte, sich an den Planken und Bruchstücken des Schiffes fest-
zuhalten. So wurden alle gerettet und gelangten sicher ans
Ufer.

Paulus auf der Insel Malta

28 1Sobald wir sicher an Land waren, erfuhren wir, dass
wir uns auf der Insel Malta befanden. 2Die Inselbewoh-
ner begegneten uns sehr freundlich. Da es kalt und regnerisch
war, zündeten sie an der Küste ein Feuer an, um uns zu be-
grüßen und damit wir uns aufwärmen konnten.
3Als Paulus gerade einen Arm voll Reisig, das er gesammelt
hatte, ins Feuer legte, biss sich eine Schlange, aufgescheucht
durch die Hitze, in seiner Hand fest. 4Die Inselbewohner sa-
hen die Schlange an seiner Hand hängen und sagten sich:
»Der ist bestimmt ein Mörder! Wenn er auch dem Meer ent-
kommen ist, so lässt die Rachegöttin ihn doch nicht am Le-
ben.« 5Doch Paulus schüttelte die Schlange ins Feuer, und es
geschah ihm nichts. 6Die Leute erwarteten, dass sein Körper
jeden Augenblick anschwellen oder er plötzlich tot umfallen
würde. Doch als sie längere Zeit gewartet hatten und sahen,
dass ihm nichts geschah, änderten sie ihre Meinung und
dachten, dass er wohl ein Gott sein müsse.
7In der Nähe der Küste, an der wir gestrandet waren, befand
sich ein Anwesen, das Publius gehörte, dem angesehensten
Mann der Insel. Er hieß uns herzlich willkommen und ver-
sorgte uns drei Tage lang. 8Da erkrankte der Vater des Publius
auf einmal an Fieber und Ruhr. Paulus ging zu ihm hinein,
und als er für ihn betete und ihm die Hände auflegte, wurde
er gesund. 9Daraufhin kamen alle anderen Kranken der Insel
herbei und wurden ebenfalls geheilt. 10Da überhäuften sie uns
mit Ehrengeschenken, und als es Zeit war, weiterzusegeln,
versorgten die Einwohner uns mit allem, was wir auf der Rei-
se vielleicht brauchen würden.

Paulus erreicht Rom

11Drei Monate waren seit dem Schiffbruch vergangen, bis wir
auf einem anderen Schiff, das auf der Insel überwintert hatte,
Segel setzten. Es war ein alexandrinisches Schiff mit den Zwil-
lingsgöttern als Galionsfigur. 12Unser erster Zwischenhalt
war Syrakus, wo wir drei Tage blieben. 13Von dort segelten
wir hinüber nach Rhegion. Einen Tag später erhob sich ein

Südwind; deshalb segelten wir die Küste hinauf nach Puteoli.
14Dort trafen wir einige Gläubige, die uns einluden, sieben Tage bei ihnen zu bleiben. Und so kamen wir nach Rom.

15Die Gläubigen in Rom hatten schon gehört, dass wir angekommen waren, und kamen uns beim Forum an der Appischen Straße entgegen. Andere schlossen sich uns bei den Drei Tavernen an. Als Paulus sie sah, dankte er Gott und gewann wieder Zuversicht.

16In Rom eingetroffen, wurde Paulus eine eigene private Unterkunft erlaubt, allerdings bewacht von einem Soldaten.

Paulus predigt in Rom unter Bewachung

17Drei Tage nach seiner Ankunft rief Paulus die örtlichen Leiter der jüdischen Gemeinden zusammen und sagte zu ihnen: »Brüder, ich wurde in Jerusalem verhaftet und der römischen Regierung überstellt, obwohl ich unser Volk nicht beleidigt und auch nicht gegen die Bräuche unserer Vorfahren versto-
ßen habe. 18Die Römer haben mich verhört und wollten mich freilassen, denn sie fanden keinen Grund für ein Todesurteil.
19Als die jüdischen Leiter gegen diese Entscheidung protestierten, hielt ich es für nötig, mich auf den Kaiser zu berufen. Ich beabsichtigte dabei jedoch nicht, irgendwelche Anklagen
gegen mein eigenes Volk vorzubringen. 20Heute habe ich euch hierher gebeten, damit ich euch das erzählen kann. Ich bin mit dieser Kette gefesselt, weil ich an das glaube, worauf ganz Israel hofft.«

21Sie erwiderten: »Uns ist nichts Nachteiliges über dich zu Ohren gekommen. Wir haben auch keine Briefe aus Judäa oder Berichte von Reisenden mit negativen Äußerungen
über dich unter denen, die hier eingetroffen sind. 22Aber wir möchten gerne hören, was du glaubst, denn das Einzige, was wir über die Anhänger dieser neuen Glaubenslehre wissen, ist, dass ihnen überall widersprochen wird.«

23Daraufhin vereinbarten sie eine Zusammenkunft. An dem betreffenden Tag kamen sehr viele Menschen zu Paulus. Er erzählte ihnen vom Reich Gottes und zeigte ihnen anhand der Schriften – der fünf Bücher Moses und der prophetischen

Bücher –, wer Jesus war. Am Morgen fing er an und redete
und erklärte bis zum Abend. 24Manche der Zuhörer ließen
sich durch die gesagten Worte überzeugen und glaubten, an-
dere nicht. 25Doch nachdem sie lange diskutiert hatten und
nicht eins wurden darüber, brachen sie auf. Paulus gab ihnen
noch folgenden Satz auf den Weg mit: »Der Heilige Geist hat-
te recht, als er durch den Propheten Jesaja zu unseren Vorfah-
ren sagte:
26›Geht und sagt meinem Volk:
Ihr werdet meine Worte hören, sie aber nicht verstehen; ihr
werdet sehen, was ich tue, aber die Bedeutung nicht erken-
nen. 27Denn die Herzen dieser Menschen sind verhärtet. Ihre
Ohren können nicht hören, und sie haben ihre Augen ge-
schlossen. Ihre Augen sehen nicht, ihre Ohren hören nicht
und ihr Herz versteht nicht, und sie kehren nicht zu mir um,
damit ich sie heil mache.‹
28Deshalb möchte ich euch wissen lassen, dass die Erlösung
durch Gott auch den Nichtjuden offen steht, und sie werden
sie annehmen.«
30In den beiden folgenden Jahren wohnte Paulus in einer
eigenen Wohnung. Er hieß jeden willkommen, der ihn be-
suchte, 31verkündete in aller Offenheit das Reich Gottes und
predigte von Jesus Christus, dem Herrn. Und niemand ver-
suchte, ihn daran zu hindern.

Der Brief an die Römer

Grüße von Paulus

1 [1]Dieser Brief stammt von Paulus, einem Diener von Jesus
Christus. Ich wurde von Gott zum Apostel berufen und
beauftragt, seine gute Botschaft zu verkünden, [2]die er schon
vor langer Zeit durch seine Propheten in den heiligen Schrif-
ten angekündigt hat. [3]Es ist die Botschaft von Jesus, seinem
Sohn. Er ist als Mensch geboren worden und gehört der Her-
kunft nach in das Geschlecht Davids. [4]Jesus Christus, unser
Herr, wurde als Sohn Gottes bestätigt, indem Gott ihn mit gro-
ßer Macht durch den Heiligen Geist von den Toten auferweck-
te. [5]Durch Christus hat Gott uns das Vorrecht und das Amt
gegeben, in seinem Namen den Völkern auf der ganzen Welt
weiterzusagen, was Gott für sie getan hat, damit sie an ihn
glauben und ihm gehorchen und so sein Name geehrt wird.
[6]Auch ihr, liebe Freunde in Rom, gehört zu denen, die von
Jesus Christus berufen worden sind. [7]Gott liebt euch und hat
euch dazu berufen, zu ihm zu gehören.
Euch allen wünsche ich Gnade und Friede von Gott, unse-
rem Vater, und von Jesus Christus, unserem Herrn!

Gottes gute Botschaft

[8]Als Erstes danke ich Gott durch Jesus Christus für euch alle,
denn die Nachricht von eurem Glauben verbreitet sich in der
ganzen Welt. [9]Gott weiß, dass ich unablässig für euch bete.
Ihm diene ich von ganzem Herzen, indem ich die gute Bot-
schaft von seinem Sohn weitersage.
[10]Um eines bitte ich im Gebet immer wieder: um die Gele-
genheit, euch endlich besuchen zu können, wenn es Gottes
Wille ist. [11]Denn ich sehne mich danach, euch zu besuchen
und den Segen des Heiligen Geistes mit euch zu teilen, um
euch in eurem Glauben zu stärken. [12]Ich möchte euch ermuti-
gen, aber auch selbst durch euren Glauben ermutigt werden.
Auf diese Weise werden wir uns gegenseitig im Glauben stär-
ken.

13Ihr sollt wissen, liebe Freunde, dass ich schon oft vorhatte,
euch zu besuchen, aber bis jetzt immer daran gehindert wur-
de. Ich möchte erleben, dass meine Arbeit wie bei den ande-
ren Völkern auch bei euch Früchte trägt. 14Denn ich fühle
mich sowohl den Menschen in unserer Kultur wie auch denen
anderer Völker, Gebildeten wie Ungebildeten, verpflichtet.
15Deshalb wünsche ich mir, auch zu euch nach Rom zu kom-
men, um euch Gottes gute Botschaft zu verkünden.

16Denn ich schäme mich nicht für die gute Botschaft von
Christus. Diese Botschaft ist die Kraft Gottes, die jeden rettet,
der glaubt – die Juden zuerst, aber auch alle anderen Men-
schen. 17Sie zeigt uns, wie Gott uns in seinen Augen gerecht
spricht. Dies geschieht einzig und allein durch Glauben. Denn
es heißt schon in der Schrift: »Durch den Glauben hat ein Ge-
rechter Leben.«

Gottes Zorn über die Sünde

18Doch vom Himmel her wird Gottes Zorn sichtbar über alle
Gottlosigkeit und Ungerechtigkeit der Menschen, die die
Wahrheit ablehnen. 19Dabei wissen sie von Gott; Gott selbst
hat ihnen diese Erkenntnis gegeben. 20Seit Erschaffung der
Welt haben die Menschen die Erde und den Himmel und alles
gesehen, was Gott erschaffen hat, und können daran ihn, den
unsichtbaren Gott, in seiner ewigen Macht und seinem gött-
lichen Wesen klar erkennen. Deshalb haben sie keine Ent-
schuldigung dafür, von Gott nichts gewusst zu haben.

21Obwohl sie von Gott wussten, wollten sie ihn nicht als Gott
verehren oder ihm danken. Stattdessen fingen sie an, sich un-
sinnige Vorstellungen von Gott zu machen, und ihr Verstand
verfinsterte sich und wurde verwirrt. 22Sie behaupteten, wei-
se zu sein, und wurden dabei zu Narren. 23Statt den herr-
lichen, ewigen Gott anzubeten, beteten sie Götzenbilder an,
die vergängliche Menschen darstellten, oder Vögel, Tiere
und Schlangen.

24Deshalb hat Gott sie ihren schamlosen Begierden und un-
reinen Leidenschaften überlassen, sodass sie untereinander
ihre eigenen Körper schändeten. 25Sie tauschten die Wahrheit

Gottes, die sie kannten, gegen die Lüge ein und verehrten das
von Gott Geschaffene statt den Schöpfer selbst, dem Ehre ge-
bührt in alle Ewigkeit. Amen.
[26]Deshalb überließ Gott sie ihren schändlichen Leidenschaf-
ten. Die Frauen wandten sich vom natürlichen Geschlechts-
verkehr ab und suchten die sexuelle Beziehung zueinander.
[27]Und auch die Männer hatten keine sexuellen Beziehungen
mehr zu Frauen, wie es der natürlichen Ordnung entspricht.
Stattdessen entbrannte in ihnen die sexuelle Lust zueinander.
Männer trieben Schändliches mit anderen Männern und erlit-
ten an sich selbst die Strafe, die sie verdienten.
[28]Da sie sich weigerten, Gott anzuerkennen, überließ er sie
ihren verwerflichen Gedanken, sodass sie tun, was sie nie tun
sollten. [29]Ihr Leben ist voller Unrecht, Schlechtigkeit, Habgier,
Bosheit, Neid, Mord, Streit, Betrug und Hinterlist. Sie reden
hinter dem Rücken über andere [30]und verleumden ihre Mit-
menschen; sie hassen Gott und sind unverschämt, stolz und
großspurig. Sie sind voller Ideen, wenn es darum geht, Böses
zu tun, und ihren Eltern sind sie ungehorsam. [31]Sie sind un-
einsichtig, halten ihre Versprechen nicht und sind lieblos und
unbarmherzig. [32]Sie wissen genau, dass Menschen, die sich so
verhalten, nach dem Gesetz Gottes den Tod verdient haben,
aber sie lassen sich nicht davon abbringen und freuen sich
sogar noch darüber, wenn andere genauso handeln wie sie.

Gottes Gericht über die Sünde

2 [1]Aber du bist ja genauso wie sie und hast dafür keine Ent-
schuldigung! Wenn du sagst, dass sie bestraft werden sol-
len, dann verurteilst du dich damit selbst, weil du genau das-
selbe tust, wenn du über sie richtest. [2]Und wir wissen, dass
Gott jeden, der so handelt, gerecht richten wird. [3]Meinst du,
Gott wird andere richten und verurteilen, wenn sie so han-
deln, und dich, wenn du dasselbe tust, ungestraft lassen? [4]Ist
es dir gleichgültig, wie freundlich, geduldig und nachsichtig
Gott mit dir ist? Siehst du nicht, wie Gottes Freundlichkeit
dich zur Umkehr bewegen will?
[5]Aber nein, du trägst selbst dazu bei, dass Gottes Zorn im-

mer größer wird, weil du dich hartnäckig weigerst, auf dei-
nem falschen Weg umzukehren. Denn am Tag des Gerichts
wird Gott, der gerechte Richter über die ganze Welt, 6alle
Menschen nach ihrem Tun richten. 7Er wird denen das ewige
Leben schenken, die beharrlich das tun, was gut ist, und sich
nach der Herrlichkeit, Ehre und Unvergänglichkeit sehnen,
die Gott gibt. 8Diejenigen aber, die nur für sich selbst gelebt
haben, die nicht der Wahrheit, sondern der Ungerechtigkeit
gehorchten, wird Gottes ganzer Zorn treffen. 9Not und Angst
wird über alle hereinbrechen, die nicht aufhören zu sündi-
gen – über die Juden zuerst genauso wie über alle anderen
Menschen. 10Denen aber, die Gutes tun, wird Gott Herrlich-
keit, Ehre und Frieden schenken – den Juden zuerst, aber auch
allen anderen Menschen. 11Denn Gott bevorzugt niemanden.
12Wenn die, die das geschriebene Gesetz Gottes nicht kann-
ten, sündigen, wird Gott sie dennoch richten. Und wenn die,
die das Gesetz kennen, sündigen, wird Gott sie nach dem Ge-
setz verurteilen. 13Es reicht also nicht aus, das Gesetz nur zu
kennen, um vor Gott anerkannt zu sein. Sondern nur wer so
handelt, wie es das Gesetz verlangt, wird in Gottes Augen für
gerecht erklärt. 14Wenn sogar Menschen, die Gottes geschrie-
benes Gesetz nicht haben, unbewusst so handeln, wie es das
Gesetz vorschreibt, so beweist das, dass sie in ihren Herzen
Recht von Unrecht unterscheiden können. 15Durch ihr Verhal-
ten zeigen sie, dass Gottes Gesetz in ihr Herz geschrieben ist,
denn ihr eigenes Gewissen und ihre Gedanken klagen sie ent-
weder an oder bestätigen, dass sie das Richtige tun. 16Und
dies alles wird sichtbar an dem Tag, an dem Gott durch Jesus
Christus alles richten wird, auch das, was bei den Menschen
verborgen ist. Das ist meine Botschaft, die mir Gott gegeben
hat.

Die Juden und das Gesetz

17Wenn du ein Jude bist, verlässt du dich auf das Gesetz und
bist stolz auf deine besondere Beziehung zu Gott. 18Du kennst
seinen Willen; du kannst Recht von Unrecht unterscheiden,
weil du in seinem Gesetz unterrichtet worden bist. 19Du bist

überzeugt, ein Führer der Blinden zu sein und ein Licht für die
Menschen, die ohne Gott in der Finsternis leben. [20]Du meinst,
du könntest die Unwissenden unterweisen und Kindern die
Wege Gottes lehren. Denn du hast ja das Gesetz Gottes, das
die Erkenntnis und Wahrheit verkörpert.

[21]Nun, wenn du andere belehrst, warum dann nicht auch
dich selbst? Anderen predigst du, sie dürften nicht stehlen;
aber du stiehlst selbst? [22]Anderen sagst du, sie dürften nicht
Ehebruch begehen; aber selbst tust du es? Du verurteilst den
Götzendienst, raubst aber die Tempel aus? [23]Du bist stolz da-
rauf, das Gesetz zu kennen, aber du machst Gott Schande,
indem du dich nicht daran hältst. [24]Das steht schon in der
Schrift: »Euretwegen verspottet die Welt den Namen Gottes.«

[25]Der jüdische Brauch der Beschneidung nützt nur dann et-
was, wenn du Gottes Gesetz gehorchst. Doch wenn du das
nicht tust, bist du genauso wie jeder Unbeschnittene. [26]Wenn
aber ein Unbeschnittener nach dem Gesetz Gottes lebt, gilt er
dann nicht vor Gott als Teil seines Volkes? [27]Ja, Unbeschnitte-
ne, die aber das Gesetz Gottes erfüllen, werden sogar Richter
über euch Juden sein, die ihr beschnitten seid und das Gesetz
Gottes kennt, es aber nicht befolgt.

[28]Denn nicht der ist ein wahrer Jude, der von jüdischen El-
tern geboren oder nach jüdischem Brauch beschnitten wurde.
[29]Nein, ein wahrer Jude ist der, dessen Herz vor Gott gerecht
ist. Und die wahre Beschneidung ist keine äußere Handlung,
sondern eine Veränderung des Herzens durch den Geist Got-
tes und geschieht nicht durch Einhaltung jedes einzelnen
Buchstabens des Gesetzes. Wer diese Veränderung erfahren
hat, bekommt die Anerkennung Gottes und nicht die der
Menschen.

Gott bleibt treu

3 [1]Welchen Vorteil hat es dann eigentlich, Jude zu sein? Und
was für einen Nutzen hat überhaupt noch die jüdische
Beschneidung? [2]Nun, Jude zu sein hat viele Vorteile, vor al-
lem aber den, dass den Juden die Worte Gottes anvertraut
wurden.

3Aber was ist damit, dass einige von ihnen untreu waren?
Meint ihr, nur weil sie die Treue gebrochen haben, würde das
die Treue Gottes aufheben? 4Natürlich nicht! Es ist vielmehr
so: Gott ist wahrhaftig und jeder Mensch ist ein Lügner! So
steht es schon in der Schrift: »Du wirst gerecht dastehen mit
dem, was du sagst, und du wirst siegen, wenn man dich vor
Gericht bringt.«

5Was ist aber, wenn unsere Ungerechtigkeit Gottes Gerech-
tigkeit erst groß herausstellt? Ist Gott dann nicht ungerecht,
wenn er zornig wird und uns straft? – Ich rede aus rein
menschlicher Sicht. – 6Natürlich nicht! Wenn Gott nicht ge-
recht wäre, wie könnte er dann das Recht haben, die ganze
Welt zu richten? 7Aber wie kann Gott mich richten und als
Sünder verurteilen, wenn meine Lüge seine Wahrheit umso
heller leuchten lässt und der Ruhm Gottes noch größer wird?
8Wer solchen Gedanken nachhängt, könnte genauso gut sa-
gen: »Je mehr wir sündigen, desto besser!« Wer so redet,
wird zu Recht verurteilt; und doch verleumden uns manche,
indem sie behaupten, dass wir dies lehren würden!

Alle Menschen sind Sünder

9Also, haben wir Juden denn nun den anderen Menschen ge-
genüber einen Vorteil? Nein, überhaupt keinen. Wir haben ja
bereits gezeigt, dass alle Menschen – ob sie Juden sind oder
nicht – unter der Herrschaft der Sünde stehen. 10In der Schrift
heißt es:

»Keiner ist gerecht – nicht ein Einziger. 11Keiner ist klug;
keiner fragt nach Gott. 12Alle haben sich von Gott abgewandt;
alle sind für Gott unbrauchbar geworden. Keiner tut Gutes,
auch nicht ein Einziger.«

13»Ihre Rede ist faul wie der Gestank aus einem offenen
Grab. Sie ist durch und durch verlogen.«

»Ihr Reden ist tödlich wie Otterngift.«

14»Ihr Mund ist voller Flüche und bitterer Worte.«

15»Sie sind schnell bereit, einen Mord zu begehen. 16Wohin
sie auch gehen, folgen ihnen Verwüstung und Elend. 17Den
Weg des Friedens kennen sie nicht.«

18»Sie haben keine Ehrfurcht vor Gott.«
19Wir wissen, dass das, was im Gesetz steht, für die gilt, de-
nen es gegeben wurde. Deshalb können sich die Menschen
nicht mehr herausreden, und die ganze Welt ist dem Gericht
Gottes unterstellt. 20Denn niemand wird in Gottes Augen ge-
recht gesprochen, indem er versucht, das Gesetz zu halten. Im
Gegenteil, je besser wir Gottes Gesetz kennen, desto deutli-
cher erkennen wir, dass wir schuldig sind.

Christus nahm unsere Strafe auf sich

21Doch nun hat Gott uns unabhängig vom Gesetz einen ande-
ren Weg gezeigt, wie wir in seinen Augen gerecht werden
können – einen Weg in Übereinstimmung mit dem Gesetz
und den Propheten. 22Wir werden von Gott gerecht gespro-
chen, indem wir an Jesus Christus glauben. Dadurch können
alle ohne Unterschied gerettet werden.
23Denn alle Menschen haben gesündigt und das Leben in
der Herrlichkeit Gottes verloren. 24Doch Gott erklärt uns aus
Gnade für gerecht. Es ist sein Geschenk an uns durch Jesus
Christus, der uns von unserer Schuld befreit hat. 25Denn Gott
sandte Jesus, damit er die Strafe für unsere Sünden auf sich
nimmt und unsere Schuld gesühnt wird. Wir sind gerecht vor
Gott, wenn wir glauben, dass Jesus sein Blut für uns vergos-
sen und sein Leben für uns geopfert hat. Gott bewies seine
Gerechtigkeit, als er die Menschen nicht bestrafte, 26die in frü-
heren Zeiten gesündigt haben. Er handelte so, weil er Geduld
mit ihnen hatte. Und er ist auch jetzt, in dieser Zeit, vollkom-
men gerecht, indem er die für gerecht erklärt, die an Jesus
glauben.
27Können wir nun stolz darauf sein, dass wir irgendetwas
dazu getan haben, von Gott angenommen zu werden? Nein,
denn das geschah nicht aufgrund unserer guten Taten, son-
dern allein aufgrund unseres Glaubens. 28Wir werden durch
den Glauben vor Gott gerechtfertigt und nicht durch das Be-
folgen des Gesetzes.
29Oder ist Gott nur der Gott der Juden? Ist er nicht auch der
Gott aller Menschen? Natürlich ist er das. 30Es gibt nur einen

Gott. Und es gibt nur einen Weg, von ihm angenommen zu
werden. Nur aufgrund des Glaubens spricht er die Menschen
vor sich selbst gerecht, ob sie nun Juden sind oder nicht.
31Wenn wir nun aber den Glauben so betonen, heben wir da-
mit das Gesetz auf? Natürlich nicht! Sondern durch den Glau-
ben bestätigen wir das Gesetz.

Der Glaube Abrahams

4 1Abraham war seiner Herkunft nach der Stammvater un-
seres jüdischen Volkes. Durch was wurde er nun gerettet?
2Nahm Gott ihn etwa aufgrund seiner guten Taten an? Wäre
es so, dann hätte er Grund, stolz zu sein. Doch aus der Sicht
Gottes hatte Abraham dazu keinen Anlass. 3Denn was steht in
der Schrift? »Abraham glaubte Gott; und Gott erklärte ihn
wegen seines Glaubens für gerecht.«

4Wenn Menschen arbeiten, erhalten sie ihren Lohn nicht als
Geschenk. Ein Arbeiter hat sich verdient, was er bekommt.
5Gerecht gesprochen aber wird ein Mensch aufgrund seines
Glaubens, nicht aufgrund seiner Taten.

6Das meinte auch David, als er die Freude eines Menschen
beschrieb, der unverdient gerecht gesprochen wird:

7»Glücklich ist der, dessen Ungehorsam vergeben und des-
sen Schuld zugedeckt ist. 8Glücklich ist der, dem der Herr die
Sünden nicht mehr anrechnet.«

9Ist nun dieses Glück nur für die Juden da oder auch für alle
anderen? Wir haben gesagt, dass Abraham aufgrund seines
Glaubens von Gott für gerecht erklärt wurde. 10Doch auf wel-
che Weise hat ihm sein Glaube geholfen? Wurde er erst ge-
recht gesprochen, nachdem er beschnitten worden war, oder
schon vor seiner Beschneidung? Die Antwort lautet: Gott hat
ihn angenommen, ehe er beschnitten wurde!

11Die Beschneidung war ein Zeichen dafür, dass Abraham
glaubte und Gott ihn angenommen und gerecht gesprochen
hatte, als er noch unbeschnitten war. Damit ist Abraham der
geistliche Vater all derer, die glauben, aber nicht beschnitten
worden sind. Sie werden von Gott wegen ihres Glaubens ge-
recht gesprochen. 12Und er ist auch der geistliche Vater all

derer, die beschnitten worden sind und denselben Glauben
haben, wie ihn Abraham schon vor seiner Beschneidung hat-
te.

13Denn Gottes Zusage, Abraham und seinen Nachkommen
die ganze Erde zu geben, beruhte nicht auf dem Gehorsam
gegenüber dem Gesetz, sondern darauf, dass Abraham durch
den Glauben vor Gott gerecht wurde. 14Wer behauptet, diese
Zusage Gottes gelte nur denen, die das Gesetz befolgen, der
erklärt den Glauben für nutzlos, und die Zusage verliert ihre
Gültigkeit. 15Denn die Übertretung des Gesetzes bewirkt Got-
tes Zorn; wo es aber kein Gesetz gibt, gibt es auch keine Über-
tretung.

16Deshalb ist der Glaube entscheidend, damit die Zusage
Gottes ein Geschenk aus Gnade bleibt. Sie gilt allen: denen,
die nach dem Gesetz leben und denen, die durch den Glauben
leben, wie Abraham es tat. Denn er ist der Vater aller, die
glauben. 17So heißt es in der Schrift: »Ich habe dich zum Vater
vieler Völker gemacht.« Dies geschah, weil Abraham an den
Gott glaubte, der die Toten zum Leben erweckt und ins Da-
sein ruft, was vorher nicht war.

18Als Gott Abraham versprach, dass er zum Vater vieler Völ-
ker werden würde, glaubte Abraham ihm und hielt an der
Hoffnung fest, obwohl es hoffnungslos schien. Gott hatte
ihm versprochen: »Deine Nachkommen werden so zahlreich
sein wie die Sterne.« 19Doch Abrahams Glaube blieb uner-
schüttert, obwohl er wusste, dass er mit fast hundert Jahren
viel zu alt war, um noch Vater zu werden, und seine Frau Sara
keine Kinder mehr bekommen konnte.

20Abraham zweifelte nicht und vertraute auf die Zusage
Gottes. Ja, sein Glaube wuchs sogar noch, und damit ehrte er
Gott. 21Er war vollkommen überzeugt davon, dass Gott das,
was er versprochen hat, auch tun kann. 22Und wegen dieses
Glaubens erklärte Gott ihn für gerecht.

23Doch diese wunderbare Zusage – dass Gott ihn für gerecht
erklärte – galt nicht nur für Abraham. 24Sie wurde auch für
uns in der Schrift festgehalten, denn Gott wird auch uns für
gerecht erklären, wenn wir an ihn glauben, der Jesus, unseren

Herrn, von den Toten auferweckt hat. [25]Wegen unserer Sün-
den musste Jesus sterben, und er wurde auferweckt, um uns
vor Gott gerecht zu sprechen.

Der Glaube bewirkt Freude

5 [1]Da wir nun durch den Glauben von Gott für gerecht er-
klärt worden sind, haben wir Frieden mit Gott durch das,
was Jesus, unser Herr, für uns tat. [2]Christus hat uns durch den
Glauben ein Leben aus Gottes Gnade geschenkt, in der wir
uns befinden, und wir sehen voller Freude der Herrlichkeit
Gottes entgegen.

[3]Wir freuen uns auch dann, wenn uns Sorgen und Probleme
bedrängen, denn wir wissen, dass wir dadurch lernen, gedul-
dig zu werden. [4]Geduld aber macht uns innerlich stark, und
das wiederum macht uns zuversichtlich in der Hoffnung auf
die Erlösung. [5]Und in dieser Hoffnung werden wir nicht ent-
täuscht werden. Denn wir wissen, wie sehr Gott uns liebt,
weil er uns den Heiligen Geist geschenkt hat, der unsere Her-
zen mit seiner Liebe erfüllt.

[6]Christus kam ja zu einer Zeit, als wir der Sünde noch hilflos
ausgeliefert waren, und er starb für uns, die wir ohne Gott
lebten. [7]Selbst für einen guten Menschen würde kaum jemand
sterben – am ehesten noch für einen herausragenden Men-
schen. [8]Gott dagegen beweist uns seine große Liebe dadurch,
dass er Christus sandte, damit dieser für uns sterben sollte, als
wir noch Sünder waren. [9]Und da wir durch das Blut von
Christus in Gottes Augen gerecht gesprochen worden sind,
ist sicher, dass Christus uns vor dem Gericht Gottes bewahren
wird. [10]Wir sind ja durch den Tod seines Sohnes mit Gott ver-
söhnt worden, als wir noch seine Feinde waren. Dann werden
wir erst recht jetzt, wo wir seine Freunde geworden sind,
durch das Leben von Christus gerettet werden. [11]So freuen
wir uns nun darüber, dass wir wieder eine Beziehung zu
Gott haben – weil Jesus Christus, unser Herr, uns mit Gott
versöhnt hat.

Der Gegensatz zwischen Adam und Christus
[12]Die Sünde kam durch einen einzigen Menschen in die Welt –
Adam. Als Folge davon kam der Tod, und der Tod ergriff alle,
weil alle sündigten. [13]Ja, die Menschen sündigten schon, be-
vor ihnen das Gesetz gegeben wurde. Aber solange es kein
Gesetz gibt, wird dies nicht als Schuld angerechnet. [14]Und
doch herrschte der Tod über alle Menschen von Adam bis
Mose – auch wenn sie kein ausdrückliches Verbot Gottes
missachteten, wie Adam es tat, der auf Christus hinweist,
der noch kommen sollte! [15]Und was für ein Unterschied zwi-
schen der Sünde und Gottes überwältigendem Geschenk der
Vergebung. Denn wenn der eine Mensch, Adam, durch seine
Sünde vielen den Tod brachte, um wie viel größer ist dann das
Geschenk Gottes, seine Vergebung, das der andere Mensch,
Jesus Christus, so vielen brachte. [16]Und dieses Geschenk Got-
tes hat völlig andere Folgen als die Sünde jenes einen: Denn
während die Sünde des einen zur tödlichen Verdammnis
führte, werden viele trotz ihrer Sünden von Gott unverdient
gerecht gesprochen. [17]Durch die Sünde des einen Menschen
gerieten wir unter die Herrschaft des Todes, doch durch den
anderen Menschen, Jesus Christus, werden alle, die Gottes
Gnade und das Geschenk der Gerechtigkeit annehmen, über
Sünde und Tod siegen und leben!

[18]Ja, die Sünde Adams brachte Verdammnis über alle Men-
schen, aber die Tat von Christus, sein erlösendes Handeln,
macht alle Menschen in Gottes Augen gerecht und schenkt
ihnen Leben. [19]Weil ein Mensch Gott ungehorsam war, wur-
den viele Menschen zu Sündern. Doch weil ein anderer
Mensch Gott gehorchte, werden viele Menschen in Gottes Au-
gen gerechtfertigt.

[20]Das Gesetz aber wurde gegeben, damit alle Menschen er-
kennen konnten, wie sündig sie waren. Doch als das Ausmaß
der Sünde unter den Menschen immer größer wurde, ist Got-
tes wunderbare Gnade noch grenzenloser geworden. [21]So wie
die Sünde also über alle Menschen herrschte und ihnen den
Tod brachte, so herrscht jetzt Gottes wunderbare Gnade.
Durch sie werden wir vor Gott gerecht gesprochen und ge-

winnen durch Jesus Christus, unseren Herrn, das ewige Le-
ben.

Die Macht der Sünde ist gebrochen

6 1Heißt das, dass wir weiter sündigen sollen, damit Gott
Gelegenheit hat, uns noch mehr Gnade zu schenken? 2Na-
türlich nicht! Wenn wir für die Sünde tot sind, wie können wir
da weiter in ihr leben? 3Oder wisst ihr nicht, dass wir mit Jesus
Christus gestorben sind, als wir auf seinen Namen getauft
wurden? 4Denn durch die Taufe sind wir mit Christus gestor-
ben und begraben. Und genauso wie Christus durch die herr-
liche Macht des Vaters von den Toten auferstanden ist, so kön-
nen auch wir jetzt ein neues Leben führen.

5Da wir in seinem Tod mit ihm verbunden sind, werden wir
auch in der Auferstehung mit ihm verbunden sein. 6Unser
früheres Leben wurde mit Christus gekreuzigt, damit die
Sünde in unserem Leben ihre Macht verliert. Nun sind wir
keine Sklaven der Sünde mehr. 7Denn als wir mit Christus
starben, wurden wir von der Macht der Sünde befreit. 8Und
weil wir mit Christus gestorben sind, vertrauen wir darauf,
dass wir auch mit ihm leben werden. 9Wir wissen, dass Chris-
tus von den Toten auferstand und nie wieder sterben wird.
Der Tod hat keine Macht mehr über ihn. 10Er starb ein für alle
Mal, um die Sünde zu besiegen, und nun lebt er für Gott.
11Deshalb haltet daran fest: Ihr seid für die Sünde tot und
lebt nun durch Christus Jesus für Gott!

12Lasst nicht die Sünde euer Leben beherrschen; gebt ihrem
Drängen nicht nach. 13Lasst keinen Teil eures Körpers zu ei-
nem Werkzeug für das Böse werden, um mit ihm zu sündi-
gen. Stellt euch stattdessen ganz Gott zur Verfügung, denn es
ist euch ein neues Leben geschenkt worden. Euer Körper soll
ein Werkzeug zur Ehre Gottes sein, sodass ihr tut, was gerecht
ist! 14Die Sünde hat die Macht über euch verloren, denn ihr
steht nicht mehr unter dem Gesetz, sondern seid durch Gottes
Gnade frei geworden.

Freiheit, um Gott zu gehorchen

15Bedeutet das, dass wir weiter sündigen dürfen, weil Gottes
Gnade uns vom Gesetz befreit hat? Natürlich nicht! 16Erkennt
ihr denn nicht, dass ihr immer der Sklave dessen seid, dem ihr
gehorcht? Ihr könnt die Sünde wählen, die in den Tod führt,
oder ihr könnt Gott gehorchen und seine Anerkennung be-
kommen. 17Gott sei Dank! Denn früher wart ihr Sklaven der
Sünde, doch nun habt ihr euch von ganzem Herzen der neuen
Lehre unterstellt, der ihr anvertraut wurdet. 18Jetzt seid ihr
frei von der Sünde und dient stattdessen der Gerechtigkeit.

19Ich benutze diesen Vergleich mit den Sklaven, weil er leicht
zu verstehen ist. Früher habt ihr als Sklaven der Unreinheit
und Gesetzlosigkeit gedient; jetzt sollt ihr euch dafür ent-
scheiden, für die Gerechtigkeit zu leben, damit ihr heilig wer-
det.

20Damals wart ihr Sklaven der Sünde und kanntet keine Ge-
rechtigkeit. 21Und was waren die Folgen? Nichts Gutes, denn
heute schämt ihr euch für das, was ihr früher getan habt – es
führte zum Tod. 22Doch nun seid ihr aus der Macht der Sünde
befreit und seid Diener Gottes geworden. Jetzt tut ihr das, was
zu eurer Heiligung führt und euch das ewige Leben bringt.
23Denn der Lohn der Sünde ist der Tod; das unverdiente Ge-
schenk Gottes dagegen ist das ewige Leben durch Christus
Jesus, unseren Herrn.

Nicht länger an das Gesetz gebunden

7 1Liebe Freunde, die ihr mit dem Gesetz vertraut seid:
Wisst ihr nicht, dass das Gesetz für einen Menschen nur
gilt, solange er lebt? 2Lasst es mich an einem Beispiel deutlich
machen: Wenn eine Frau heiratet, ist sie durch das Gesetz an
ihren Mann gebunden, solange er lebt. Wenn er aber stirbt,
haben die Ehegesetze keine Gültigkeit mehr für sie. 3Hätte
sie einen anderen Mann gehabt, während ihr Ehemann noch
lebte, hätte sie Ehebruch begangen. Aber wenn ihr Ehemann
stirbt, ist sie von diesem Gesetz frei und begeht keinen Ehe-
bruch, wenn sie wieder heiratet.

4Genauso, liebe Freunde, hat auch das Gesetz keine Macht
mehr über euch, denn von dieser Macht seid ihr befreit wor-
den, als ihr mit Christus am Kreuz gestorben seid. Jetzt gehört
ihr dem, der von den Toten auferstand, und könnt gute Frucht
bringen, das heißt gute Taten für Gott. 5Als wir von unserer
menschlichen Natur beherrscht wurden, waren wir den sün-
digen Leidenschaften in uns ausgeliefert, ja, das Gesetz ent-
fachte diese Leidenschaften sogar, die zur Sünde und damit
zum Tod führten. 6Doch jetzt sind wir vom Gesetz befreit,
denn wir sind mit Christus gestorben und der Macht des Ge-
setzes nicht länger unterstellt. Deshalb können wir Gott von
nun an in einer neuen Weise dienen – nicht wie früher durch
Einhaltung jedes einzelnen Buchstabens des Gesetzes, son-
dern durch den Heiligen Geist.

Das Gesetz Gottes offenbart unsere Sünde

7Will ich damit etwa behaupten, dass Gottes Gesetz Sünde ist?
Natürlich nicht! Das Gesetz an sich ist nicht sündig; aber
durch das Gesetz erkannte ich erst meine Sünde. Ich hätte
nicht gewusst, dass es falsch ist zu begehren, wenn das Gesetz
mir nicht gesagt hätte: »Du sollst nicht begehren.« 8Doch die
Sünde benutzte das Gebot und weckte in mir viele schlechte
Leidenschaften! Gäbe es kein Gesetz, dann hätte die Sünde
keine Macht.

9Früher lebte ich ohne das Gesetz. Doch mit dem Gebot kam
auch die Sünde in mein Leben 10und verurteilte zum Tod. So
brachte mir das Gebot, das mir eigentlich den Weg zum Leben
zeigen sollte, stattdessen den Tod. 11Denn die Sünde benutzte
das Gebot, um mich zu täuschen und zu töten. 12Das Gesetz
selbst aber ist heilig, und das Gebot ist heilig, gerecht und gut.

13Aber wie kann das sein? Brachte etwa das Gesetz, das doch
gut ist, mir den Tod? Natürlich nicht! Sondern die Sünde be-
nutzte das Gute, um mir den Tod zu bringen. Daran erkennen
wir, wie schrecklich die Sünde ist: Sie benutzt das Gebot Got-
tes für ihre eigenen bösen Absichten.

Der Kampf gegen die Sünde

14Das Gesetz ist also gut, weil es vom Geist Gottes kommt. Ich
aber bin als Mensch wie in die Sklaverei verkauft und werde
von der Sünde beherrscht. 15Ich begreife mich selbst nicht,
denn ich möchte von ganzem Herzen tun, was gut ist, und
tue es doch nicht. Stattdessen tue ich das, was ich eigentlich
hasse. 16Ich weiß, dass mein Handeln falsch ist, und gebe da-
mit zu, dass das Gesetz gut ist. 17Aber ich kann mir selbst
nicht helfen, weil die Sünde in mir mich zum Bösen verleitet.

18Ich weiß, dass ich durch und durch verdorben bin, soweit
es meine menschliche Natur betrifft. Denn immer wieder neh-
me ich mir das Gute vor, aber es gelingt mir nicht, es zu ver-
wirklichen. 19Wenn ich Gutes tun will, tue ich es nicht. Und
wenn ich versuche, das Böse zu vermeiden, tue ich es doch.
20Aber wenn ich tue, was ich nicht will, dann tue nicht ich es,
sondern die Sünde in mir.

21Es ist anscheinend wie ein inneres Gesetz in meinem Le-
ben, dass ich, wenn ich das Gute will, unweigerlich das Böse
tue. 22Ich liebe Gottes Gesetz von ganzem Herzen. 23Doch in
mir wirkt ein anderes Gesetz, das gegen meine Vernunft
kämpft. Dieses Gesetz gewinnt die Oberhand und macht
mich zum Sklaven der Sünde, die immer noch in mir ist.
24Was bin ich doch für ein elender Mensch! Wer wird mich
von diesem Leben befreien, das von der Sünde beherrscht
wird? 25Gott sei Dank: Jesus Christus, unser Herr!

Fest steht: Meiner Vernunft nach möchte ich dem Gesetz
Gottes gehorchen, aber meiner menschlichen Natur nach bin
ich ein Sklave der Sünde.

Ein Leben durch Gottes Geist

8 1Also gibt es jetzt für die, die zu Christus Jesus gehören,
keine Verurteilung mehr. 2Denn die Macht des Geistes,
der Leben gibt, hat dich durch Christus Jesus von der Macht
der Sünde befreit, die zum Tod führt. 3Das Gesetz konnte uns
nicht retten, weil unsere menschliche Natur ihm widerstand.
Deshalb sandte Gott seinen Sohn zu uns. Er kam in mensch-
licher Gestalt wie wir, aber ohne Sünde. Gott zerstörte die

Herrschaft der Sünde über uns, indem er seinen Sohn stellver-
tretend für unsere Schuld verurteilte. 4Das tat er, damit die
gerechten Forderungen des Gesetzes durch uns erfüllt wür-
den und wir uns nicht länger von unserer menschlichen Na-
tur, sondern vom Geist Gottes leiten lassen.

5Wer von seiner menschlichen Natur beherrscht wird, ist
von ihren selbstsüchtigen Wünschen bestimmt, doch wer
vom Heiligen Geist geleitet wird, richtet sich nach dem, was
der Geist will. 6Wenn du dich von deiner menschlichen Natur
bestimmen lässt, führt das zum Tod. Doch wenn der Heilige
Geist dich bestimmt, bedeutet das Leben und Frieden. 7Denn
die menschliche Natur steht Gott grundsätzlich feindlich ge-
genüber. Sie hat sich nicht dem Gesetz Gottes unterstellt und
wird es auch nicht können. 8Deshalb können Menschen, die
noch von ihrer menschlichen Natur beherrscht werden, Gott
niemals gefallen.

9Ihr aber werdet nicht mehr von eurer sündigen Natur, son-
dern vom Geist Gottes beherrscht, wenn Gottes Geist in euch
lebt. Wer aber den Geist von Christus nicht hat, der gehört
nicht zu Christus. 10Da Christus in euch lebt, wird zwar euer
Körper aufgrund der Sünde sterben, aber durch den Geist
empfangt ihr Leben, weil ihr von Gott gerecht gesprochen
wurdet. 11Der Geist Gottes, der Jesus von den Toten auf-
erweckt hat, lebt in euch. Und so wie er Christus von den
Toten auferweckte, wird er auch euren sterblichen Körper
durch denselben Geist lebendig machen, der in euch lebt.

12Liebe Brüder, ihr seid also nicht mehr dazu gezwungen,
euch von den Wünschen eurer menschlichen Natur beherr-
schen zu lassen. 13Denn wenn ihr euch weiter von ihr bestim-
men lasst, werdet ihr sterben. Wenn ihr euch aber durch die
Kraft des Heiligen Geistes von eurem alten Wesen und den
bösen Taten abwendet, werdet ihr leben. 14Denn alle, die
vom Geist Gottes bestimmt werden, sind Kinder Gottes.

15Deshalb verhaltet euch nicht wie ängstliche Sklaven. Wir
sind doch Kinder Gottes geworden und dürfen ihn »Abba,
Vater« rufen. 16Denn der Geist Gottes selbst bestätigt uns tief
im Herzen, dass wir Gottes Kinder sind. 17Und als seine Kin-

der sind wir auch Miterben an seinem Reichtum – denn alles,
was Gott seinem Sohn Christus gibt, gehört auch uns. Doch
wenn wir an seiner Herrlichkeit teilhaben wollen, müssen wir
auch seine Leiden mit ihm teilen.

Die zukünftige Herrlichkeit

[18]Ich bin aber davon überzeugt, dass unsere jetzigen Leiden
bedeutungslos sind im Vergleich zu der Herrlichkeit, die er
uns später schenken wird. [19]Denn die ganze Schöpfung war-
tet sehnsüchtig auf jenen Tag, an dem Gott offenbar machen
wird, wer wirklich zu seinen Kindern gehört. [20]Alles auf Er-
den wurde der Vergänglichkeit unterworfen. Dies geschah
gegen ihren Willen durch den, der sie unterworfen hat. Aber
die ganze Schöpfung hofft auf den Tag, [21]an dem sie von Tod
und Vergänglichkeit befreit wird zur herrlichen Freiheit der
Kinder Gottes. [22]Denn wir wissen, dass die ganze Schöpfung
bis zu diesem Augenblick mit uns seufzt, wie unter den
Schmerzen einer Geburt. [23]Und selbst wir, obwohl wir im
Heiligen Geist einen Vorgeschmack der kommenden Herr-
lichkeit erhalten haben, seufzen und erwarten sehnsüchtig
den Tag, an dem Gott uns in unsere vollen Rechte als seine
Kinder einsetzen und uns den neuen Körper geben wird, den
er uns versprochen hat. [24]Nachdem wir nun gerettet sind, hof-
fen und warten wir darauf. Denn wenn man etwas schon
sieht, muss man nicht mehr darauf hoffen. Und was ist die
Hoffnung auf etwas, das man schon sieht? [25]Aber wenn wir
auf etwas hoffen, das wir noch nicht sehen, müssen wir mit
Geduld und Zuversicht darauf warten.

[26]Der Heilige Geist hilft uns in unserer Schwäche. Denn wir
wissen ja nicht einmal, worum oder wie wir beten sollen.
Doch der Heilige Geist betet für uns mit einem Seufzen, das
sich nicht in Worte fassen lässt. [27]Und der Vater, der alle Her-
zen kennt, weiß, was der Geist sagt, denn der Geist bittet für
die, die zu Gott gehören, wie es dem Willen Gottes entspricht.
[28]Und wir wissen, dass für die, die Gott lieben und nach sei-
nem Willen zu ihm gehören, alles zum Guten zusammen-
wirkt. [29]Denn Gott hat sie schon vor Beginn der Zeit aus-

erwählt und hat sie vorbestimmt, seinem Sohn gleich zu wer-
den, damit sein Sohn der Erstgeborene unter vielen Geschwis-
tern werde. 30Und da er sie erwählt hat, hat er sie auch beru-
fen, zu ihm zu kommen. Er hat sie gerecht gesprochen und hat
ihnen Anteil an seiner Herrlichkeit gegeben.

Nichts kann uns von Gottes Liebe trennen

31Was kann man dazu noch sagen? Wenn Gott für uns ist, wer
kann da noch gegen uns sein? 32Gott hat nicht einmal seinen
eigenen Sohn verschont, sondern hat ihn für uns alle gegeben.
Und wenn Gott uns Christus gab, wird er uns mit ihm dann
nicht auch alles andere schenken?

33Wer wagt es, gegen die Anklage zu erheben, die von Gott
auserwählt wurden? Gott selbst ist ja der, der sie gerecht
spricht. 34Wer sollte uns verurteilen? Christus Jesus selbst ist
ja für uns gestorben. Mehr noch, er ist der Auferstandene. Er
sitzt auf dem Ehrenplatz zur rechten Seite Gottes und tritt für
uns ein.

35Kann uns noch irgendetwas von der Liebe trennen, die
Christus zu uns hat? Wenn wir vielleicht in Not oder Angst
geraten, verfolgt werden, hungern, frieren, in Gefahr sind
oder sogar vom Tod bedroht werden? 36Schon in der Schrift
heißt es: »Weil wir an dir festhalten, werden wir jeden Tag
getötet, wir werden geschlachtet wie Schafe.« 37Aber trotz all
dem tragen wir einen überwältigenden Sieg davon durch
Christus, der uns geliebt hat.

38Ich bin überzeugt: Nichts kann uns von seiner Liebe tren-
nen. Weder Tod noch Leben, weder Engel noch Mächte, we-
der unsere Ängste in der Gegenwart noch unsere Sorgen um
die Zukunft, ja nicht einmal die Mächte der Hölle können uns
von der Liebe Gottes trennen. 39Und wären wir hoch über
dem Himmel oder befänden uns in den tiefsten Tiefen des
Ozeans, nichts und niemand in der ganzen Schöpfung kann
uns von der Liebe Gottes trennen, die in Christus Jesus, unse-
rem Herrn, erschienen ist.

Die besondere Erwählung Israels durch Gott

9 1Was ich nun sage, sage ich in der Gegenwart von Chris-
tus. Es ist die Wahrheit – ich lüge nicht – und der Heilige
Geist bestätigt es mir durch mein Gewissen: 2Mein Herz ist
erfüllt von tiefem Schmerz und großer Trauer 3um mein Volk,
meine jüdischen Schwestern und Brüder. Ich wäre sogar be-
reit, für immer verflucht zu sein und von Christus getrennt,
wenn ich sie dadurch retten könnte. 4Sie sind das Volk Israel,
das Gott als seine besonderen Kinder erwählt hat. Ihnen hat
Gott seine Herrlichkeit offenbart. Mit ihnen hat er Bündnisse
geschlossen, und ihnen hat er sein Gesetz gegeben. Sie erhiel-
ten das Vorrecht, ihn anzubeten, und sie empfingen seine Zu-
sagen. 5Ihre Vorfahren waren die Stammväter, und auch
Christus selbst stammt seiner menschlichen Herkunft nach
aus dem jüdischen Volk. Er ist Gott, der über alles regiert, ihn
loben wir in alle Ewigkeit! Amen.

6Es ist nun nicht so, dass das Versprechen, das Gott den Ju-
den gegeben hat, nicht mehr gilt. Aber nicht jeder, der in eine
jüdische Familie hineingeboren wird, ist wirklich ein Jude.
7Nicht alle Nachkommen Abrahams sind deshalb schon seine
wahren Kinder. Denn in der Schrift heißt es: »Nur die Nach-
kommen Isaaks sollen als deine Nachkommen bezeichnet
werden.« 8Das bedeutet, dass die leiblichen Nachkommen
Abrahams nicht zugleich Kinder Gottes sind. Sondern als
wahre Kinder Abrahams gelten nur die, die nach der Zusage
Gottes von ihm abstammen. 9Denn Gott hatte Abraham ver-
sprochen: »Nächstes Jahr um diese Zeit werde ich zurückkeh-
ren. Dann wird Sara einen Sohn haben.«

10Und so war es nicht nur bei Sara, sondern auch bei Rebek-
ka, die von unserem Stammvater Isaak mit Zwillingen
schwanger wurde. 11Doch schon vor der Geburt, noch bevor
die Kinder irgendetwas Gutes oder Böses getan hatten, sprach
Gott zu Rebekka. Dies geschah nach dem feststehenden Wil-
len Gottes und seiner freien Wahl, 12die nicht abhängt von
Taten, sondern allein von seiner Entscheidung. So sprach er
zu Rebekka: »Der Ältere wird dem Jüngeren dienen.« 13In

der Schrift heißt es: »Jakob habe ich geliebt, aber Esau habe ich
gehasst.«
[14]Was sollen wir dazu sagen? War Gott ungerecht? Natür-
lich nicht! [15]Denn Gott sagte zu Mose: »Ich schenke meine
Gnade und mein Erbarmen, wem ich will.«
[16]Gottes Zusagen erhalten wir also nicht, indem wir sie uns
wünschen oder uns darum bemühen, sondern Gott erbarmt
sich über den, den er erwählt.
[17]Denn in der Schrift heißt es, dass Gott zu Pharao sagte:
»Ich habe dich berufen, um an dir meine Macht zu zeigen
und meinen Namen auf der ganzen Erde bekannt zu ma-
chen.« [18]Ihr seht also, dass Gott sich über den erbarmt, über
den er will, und dass er das Herz eines anderen verschließt,
sodass er nicht auf ihn hört.
[19]Nun wendet jemand vielleicht ein: »Warum wirft Gott den
Menschen dann noch vor, dass sie nicht auf ihn hören? Kann
sich denn jemand seinem Willen widersetzen?«
[20]Was denkst du, wer du bist? Du bist doch nur ein Mensch
und willst dich mit Gott streiten? Sagt das Geschaffene etwa
zu seinem Schöpfer: »Warum hast du mich so gemacht?«
[21]Wenn ein Töpfer Gefäße aus Ton formt, hat er da nicht das
Recht, aus demselben Klumpen Ton ein Gefäß für besondere
Anlässe und ein anderes für den gewöhnlichen Gebrauch her-
zustellen? [22]Wenn Gott seinen Zorn zeigen und seine Macht
ausüben will, kann er viel Geduld mit den Gefäßen seines
Zorns haben, die zum Verderben bestimmt sind, [23]und da-
durch den Reichtum seiner Herrlichkeit denen erweisen, die
er als Gefäße seines Erbarmens dafür vorbereitet hat. [24]Das
gilt auch für uns, die er aus dem jüdischen Volk und aus den
anderen Völkern erwählt hat. [25]Was nun die anderen Völker
betrifft, so sagt Gott in den prophetischen Worten Hoseas:
»Die nicht mein Volk waren, will ich jetzt mein Volk nennen.
Und ich will lieben, die ich zuvor nicht geliebt habe.«
[26]Und weiter steht bei Hosea:
»Früher wurde ihnen gesagt: ›Ihr seid nicht mein Volk. Doch
jetzt sollen sie Kinder des lebendigen Gottes genannt wer-
den.‹«

27Und über Israel rief der Prophet Jesaja aus:
»Auch wenn das Volk Israel so zahlreich wäre wie der Sand
am Meer, wird doch nur eine kleine Zahl gerettet werden.
28Denn der Herr wird sein Wort auf der Erde wahr machen,
und er wird es schnell und endgültig tun.«
29Und an anderer Stelle sagte Jesaja:
»Hätte der allmächtige Herr nicht einige von uns verschont,
wären wir so vollständig ausgelöscht worden wie Sodom und
Gomorra.«

Israels Unglaube

30Was sollen wir nun dazu sagen? Nur dies: Die Menschen aus
den anderen Völkern sind durch den Glauben von Gott ge-
recht gesprochen worden, obwohl sie die Gerechtigkeit, die
vor Gott gilt, nicht gesucht haben. 31Die Juden aber, die durch
das Halten des Gesetzes vor Gott gerecht werden wollten, ha-
ben dieses Ziel nicht erreicht. 32Warum nicht? Weil sie ver-
suchten, durch ihre eigenen guten Taten vor Gott gerecht zu
werden und dadurch das Gesetz zu erfüllen, statt auf den
Glauben zu vertrauen. So stolperten sie über den »Stein des
Anstoßes«, 33wie es schon in der Schrift steht:
»Ich lege in Jerusalem einen Stein, über den die Menschen
stolpern werden, und einen Felsen, an dem viele zu Fall kom-
men werden. Doch wer an ihn glaubt, wird nicht umkom-
men.«

10 1Liebe Freunde, ich sehne mich von Herzen danach
und bete zu Gott, dass das jüdische Volk gerettet wird.
2Ich kann bezeugen, mit welcher Hingabe sie Gott dienen,
aber es fehlt ihnen die richtige Erkenntnis. 3Denn sie haben
nicht erkannt, auf welche Weise Gott die Menschen gerecht
erklärt. Stattdessen gehen sie ihren eigenen Weg, indem sie
versuchen das Gesetz zu halten, um dadurch die Anerken-
nung Gottes zu gewinnen. Damit lehnen sie den Weg Gottes
ab. 4Denn mit Christus ist die Absicht des Gesetzes vollkom-
men erfüllt. Wer an ihn glaubt, wird vor Gott gerecht gespro-
chen.

Die Erlösung steht für alle bereit

5Denn Mose schrieb, dass man alle Gebote des Gesetzes er-
füllen muss, um durch das Gesetz vor Gott gerecht zu wer-
den. 6Wer aber durch den Glauben vor Gott bestehen will,
dem sollt ihr sagen: »Du musst nicht in den Himmel hinauf-
steigen« – um Christus zu finden und ihn herabzuholen.
7Und: »Du musst nicht in die Tiefe hinabsteigen« – um
Christus wieder von den Toten heraufzuholen. 8Denn in der
Schrift heißt es: »Die Botschaft ist dir ganz nahe; sie ist auf
deinen Lippen und in deinem Herzen.« Es ist die Botschaft
von der Erlösung durch den Glauben an Christus, die wir
verkünden.

9Wenn du mit deinem Mund bekennst, dass Jesus der Herr
ist, und wenn du in deinem Herzen glaubst, dass Gott ihn von
den Toten auferweckt hat, wirst du gerettet werden. 10Denn
durch den Glauben in deinem Herzen wirst du vor Gott ge-
recht, und durch das Bekenntnis deines Mundes wirst du ge-
rettet. 11So heißt es in der Schrift: »Wer an ihn glaubt, wird
nicht umkommen.« 12Das gilt ohne Unterschied für Juden
wie für alle anderen Menschen. Alle haben denselben Herrn,
der seine Reichtümer großzügig allen schenkt, die ihn darum
bitten. 13Denn »jeder, der den Namen des Herrn anruft, wird
gerettet werden«.

14Doch wie können sie ihn anrufen, wenn sie nicht an ihn
glauben? Und wie können sie an ihn glauben, wenn sie nie
von ihm gehört haben? Und wie können sie von ihm hören,
wenn niemand ihnen die Botschaft verkündet? 15Und wie soll
jemand hingehen und ihnen die Botschaft Gottes sagen, wenn
er nicht dazu beauftragt wurde? Das ist gemeint, wenn es in
der Schrift heißt: »Wie wunderbar ist es, die Boten kommen
zu hören, die gute Nachrichten bringen!«

16Doch nicht jeder nimmt die gute Botschaft an, wie auch der
Prophet Jesaja sagte: »Herr, wer hat unserer Predigt ge-
glaubt?« 17Und doch kommt der Glaube durch das Hören die-
ser Botschaft, die Botschaft aber kommt von Christus.

18Aber was ist nun mit den Juden? Haben sie die Botschaft
wirklich gehört? Ja, das haben sie:

»Die Botschaft breitete sich aus über die ganze Erde und ihre
Worte über die ganze Welt.«
[19]Aber hat das Volk Israel sie auch wirklich verstanden? Ja,
das haben sie, denn schon bei Mose steht geschrieben:
»Ich will euch eifersüchtig machen auf ein Volk, das nicht
mein Volk ist. Ich will euch zornig machen auf ein Volk, das
nichts von mir weiß.«
[20]Und Jesaja wagte zu sagen:
»Ich habe mich von Menschen finden lassen, die nicht nach
mir suchten. Ich habe mich denen zu erkennen gegeben, die
nicht nach mir fragten.«
[21]Über Israel aber sprach Gott:
»Den ganzen Tag stand ich mit offenen Armen vor einem
Volk, das mir nicht gehorcht und sich mir widersetzt.«

Gottes Gnade für Israel

11 [1]Ich frage nun: Hat Gott sein Volk, die Juden, etwa ver-
stoßen? Natürlich nicht! Vergesst nicht, dass ich selbst
ein Jude bin, ein Nachkomme Abrahams vom Stamm Benja-
min.
[2]Nein, Gott hat sein Volk nicht verstoßen, das er von Anfang
an erwählt hat. Erinnert ihr euch, was die Schrift über Elia
sagt? Dieser beklagte sich bei Gott über das Volk Israel und
sagte: [3]»Herr, sie haben deine Propheten getötet und deine
Altäre niedergerissen. Ich allein bin übrig geblieben, und
nun versuchen sie, auch mich umzubringen.«
[4]Und was antwortete Gott? Er sprach: »Du bist nicht allein
übrig geblieben, sondern ich habe noch siebentausend andere
übrig gelassen, die nicht vor Baal niedergekniet sind!«
[5]So ist es auch noch heute, denn einige von ihnen, die Gott
aus Gnade dazu erwählt hat, werden gerettet. [6]Wenn der
Grund dafür aber die Gnade Gottes war, dann geschah es
nicht aufgrund guter Taten, denn sonst wäre die Gnade Got-
tes nicht mehr das, was sie ist: ein freies, unverdientes Ge-
schenk.
[7]Was bedeutet das nun? Die Juden haben die Anerkennung
Gottes, um die sie sich so bemühen, nicht erlangt. Gelungen

ist es nur denen, die von Gott erwählt wurden. Doch die Her-
zen der Übrigen sind Gott gegenüber hart geworden. 8In der
Schrift heißt es:

»Gott hat sie in einen tiefen Schlaf versetzt. Bis auf den heu-
tigen Tag hält er ihre Augen verschlossen, sodass sie nicht
sehen können, und ihre Ohren verstopft, sodass sie nicht hö-
ren können.«

9Davon sprach auch David, als er sagte:

»Ihr reich gedeckter Tisch soll ihnen zur Falle werden und
wie eine Schlinge, die sich schließt. Er soll sie zu Fall bringen
und Anlass zur Vergeltung sein. 10Ihre Augen sollen sich ver-
finstern, sodass sie nichts mehr sehen, und ihr Rücken soll
sich unter ihrer Last mehr und mehr beugen.«

11Sind sie so tief gefallen, dass sie hoffnungslos verloren
sind? Nein, auf keinen Fall! Sondern ihr Ungehorsam führte
dazu, dass auch die anderen Völker gerettet werden, um da-
mit zugleich auch die Eifersucht der Juden zu wecken. 12Wenn
nun die anderen Völker so reich beschenkt wurden, weil die
Juden Gottes Angebot der Erlösung ablehnten, wie viel grö-
ßeren Segen wird es dann für die Welt bedeuten, wenn die
Juden es schließlich annehmen!

13Ich sage das alles zu euch, die ihr keine Juden seid, denn
Gott hat mich zu eurem Apostel berufen. Und ich hebe es so
stark hervor, 14um dadurch die Eifersucht der Juden zu we-
cken und auf diese Weise einige von ihnen zu retten. 15Denn
wenn sie Gottes Gabe verwarfen und das zum Angebot der
Versöhnung für die übrige Welt führte, wie herrlich wird es
dann erst sein, wenn sie Gottes Gabe annehmen! Dann wer-
den Menschen, die tot waren, wieder lebendig! 16Wenn der
erste Teil des Teiges, den man opfert, heilig ist, dann ist es
auch der ganze Teig. Und wenn die Wurzel des Ölbaums hei-
lig ist, dann werden es auch die Zweige sein.

17Doch einige dieser Zweige – damit sind die Juden ge-
meint – wurden herausgebrochen, und du, der Zweig eines
wilden Ölbaums, wurdest eingepfropft. Nun erhältst du
ebenfalls Kraft aus der Wurzel des Ölbaums und nährst dich
von seinem Saft. 18Doch sei nicht stolz darauf, dass du anstelle

der herausgebrochenen Zweige eingepfropft wurdest! Ver-
giss nicht, dass du nur ein Zweig bist und nicht die Wurzel,
denn nicht du trägst die Wurzel, sondern die Wurzel trägt
dich.
19 Vielleicht wendet ihr jetzt ein: »Diese Zweige wurden doch
herausgebrochen, um Platz für mich zu schaffen.« 20 »Richtig.
Aber denk daran, dass diese Zweige – die Juden – heraus-
gebrochen wurden, weil sie Gott nicht glaubten, und du an
ihrer Stelle eingepfropft bist, weil du glaubst. Sei also nicht
stolz, sondern fürchte dich davor, dass es dir ebenso ergehen
könnte!« 21 Denn wenn Gott die ursprünglichen Zweige nicht
verschonte, wird er auch euch nicht verschonen.
22 Erkenne doch, wie Gott zugleich gütig und streng ist. Mit
Strenge begegnet er den Ungehorsamen, während er dir seine
Güte erweist, wenn du weiterhin auf diese Güte vertraust.
Andernfalls wirst auch du abgehauen werden. 23 Und sobald
die Juden sich von ihrem Unglauben abwenden, wird Gott sie
wieder in den Baum einpfropfen. Er hat die Macht dazu.
24 Wenn Gott bereit war, dich, der du ursprünglich Zweig
eines wilden Ölbaums warst, seinem guten Baum einzupfrop-
fen – was gegen die Natur wäre –, wie viel lieber wird er die
Juden wieder in den Baum einpfropfen, zu dem sie eigentlich
gehören.

Gottes Gnade steht allen Menschen offen

25 Ihr sollt dieses Geheimnis verstehen, liebe Freunde, damit
ihr euch nichts auf eure Klugheit einbildet. Das Herz mancher
Juden ist verschlossen, doch das wird nur so lange anhalten,
bis die von Gott bestimmte Anzahl von Menschen aus den
anderen Völkern zu Christus gefunden hat. 26 Dann wird
ganz Israel gerettet werden, wie es schon bei den Propheten
geschrieben steht:
»Ein Retter wird aus Jerusalem kommen, und er wird Israel
von aller Gottlosigkeit befreien. 27 Dann werde ich einen Bund
mit ihnen schließen, wenn ich ihre Sünden wegnehmen wer-
de.«
28 Viele Juden sind jetzt zwar Feinde der guten Botschaft,

doch das geschah für euch. Aber aufgrund der Zusagen an
Abraham, Isaak und Jakob sind sie nach wie vor Gottes er-
wähltes Volk. [29]Denn die Gaben, die Gott gibt und die Beru-
fung, die er ausspricht, bereut er nicht und sie gelten für im-
mer. [30]Früher habt ihr Gott nicht gehorcht, doch wegen des
Ungehorsams der Juden war Gott stattdessen euch jetzt gnä-
dig. [31]So sind es jetzt die Juden, die Gott ungehorsam sind,
weil er euch gegenüber gnädig ist. Aber eines Tages werden
auch sie an Gottes Gnade teilhaben. [32]Denn Gott hat alle Men-
schen ihrem eigenen Ungehorsam ausgeliefert, um allen seine
Gnade zu schenken.

[33]Wie wunderbar ist doch Gott!
Wie unermesslich sind seine Reichtümer,
wie tief seine Weisheit und seine Erkenntnis!
Unmöglich ist es uns, seine Entscheidungen und Wege zu begreifen!
[34]Denn wer kann wissen, was der Herr denkt?
Wer kann sein Ratgeber sein?
[35]Und wer hat Gott jemals so viel gegeben,
dass Gott ihm etwas zurückerstatten müsste?
[36]Denn alles kommt von ihm; alles besteht durch seine Macht und ist zu seiner Herrlichkeit bestimmt.
Ihm gehört die Ehre in Ewigkeit! Amen.

Ein lebendiges Opfer für Gott

12 [1]Weil Gott so barmherzig ist, fordere ich euch nun auf,
liebe Brüder, euch mit eurem ganzen Leben für Gott
einzusetzen. Es soll ein lebendiges und heiliges Opfer sein –
ein Opfer, an dem Gott Freude hat. Das ist ein Gottesdienst,
wie er sein soll. [2]Deshalb orientiert euch nicht am Verhalten
und an den Gewohnheiten dieser Welt, sondern lasst euch
von Gott durch Veränderung eurer Denkweise in neue Menschen verwandeln. Dann werdet ihr wissen, was Gott von
euch will: Es ist das, was gut ist und ihn freut und seinem
Willen vollkommen entspricht.

[3]Im Auftrag Gottes warne ich jeden von euch: Seid ehrlich in
eurem Urteil über euch selbst und messt euch daran, wie viel

Glauben Gott euch geschenkt hat. [4]So wie euer Körper viele
Teile und jeder Körperteil seine besondere Funktion hat, [5]so
verhält es sich auch mit dem Leib von Christus. Wir sind alle
Teile seines einen Leibes, und jeder von uns hat eine andere
Aufgabe zu erfüllen. Und da wir alle in Christus ein Leib sind,
gehören wir zueinander, und jeder Einzelne ist auf alle ande-
ren angewiesen.

[6]Gott ist gnädig und hat uns unterschiedliche Gaben ge-
schenkt. Hat Gott dir zum Beispiel die Gabe der Prophetie
gegeben, dann wende sie an, wenn du überzeugt bist, dass
Gott durch dich redet. [7]Besteht deine Begabung darin, ande-
ren zu dienen, dann diene ihnen gut. Bist du zum Lehren be-
rufen, dann sei ein guter Lehrer. [8]Wenn du die Gabe hast, an-
dere zu ermutigen, dann mach es auch! Wer Geld hat, soll es
aus freien Stücken und ehrlich mit anderen teilen. Hat Gott dir
die Fähigkeit verliehen, andere zu leiten, dann nimm diese
Verantwortung ernst. Und wenn du die Begabung hast, dich
um andere, die es nötig haben, zu kümmern, sollst du es mit
fröhlichem Herzen tun.

[9]Täuscht nicht nur vor, andere zu lieben, sondern liebt sie
wirklich. Hasst alles Böse und stellt euch auf die Seite des
Guten. [10]Liebt einander mit aufrichtiger Zuneigung und habt
Freude daran, euch gegenseitig Achtung zu erweisen. [11]Wer-
det nicht nachlässig. Das Feuer des Geistes erfasse euch. Setzt
euch für den Herrn ein.

[12]Freut euch in der Hoffnung, haltet durch in schweren Zei-
ten, bleibt beständig im Gebet. [13]Wenn andere Gläubige in
Not geraten, steht ihnen zur Seite und helft ihnen. Seid gast-
freundlich und öffnet für Gäste euer Haus.

[14]Wenn ihr verfolgt werdet, weil ihr zu Christus gehört,
dann verflucht eure Verfolger nicht, sondern erbittet den Se-
gen Gottes für sie. [15]Sind andere Menschen glücklich, dann
freut euch mit ihnen. Sind sie traurig, dann begleitet sie in
ihrem Kummer. [16]Lebt in Frieden miteinander. Versucht
nicht, euch wichtig zu machen, sondern wendet euch denen
zu, die weniger angesehen sind. Und bildet euch nicht ein,
alles zu wissen!

[17]Vergeltet anderen Menschen nicht Böses mit Bösem, son-
dern bemüht euch allen gegenüber um das Gute. [18]Tragt eu-
ren Teil dazu bei, mit anderen in Frieden zu leben, so weit es
möglich ist!

[19]Liebe Freunde, rächt euch niemals selbst, sondern über-
lasst die Rache dem Zorn Gottes. Denn es steht geschrieben:
»Ich allein will Rache nehmen; ich will das Unrecht vergel-
ten«, spricht der Herr.

[20]Handelt stattdessen so, wie es in der Schrift heißt:
»Wenn dein Feind hungrig ist, gib ihm zu essen. Wenn er
durstig ist, gib ihm zu trinken, und er wird beschämt darüber
sein, was er dir angetan hat.«

[21]Lass dich nicht vom Bösen überwinden, sondern überwin-
de das Böse durch das Gute!

Achtung vor staatlicher Autorität

13 [1]Gehorche der Regierung, unter der du lebst, denn sie
ist von Gott eingesetzt. Alle Regierungen haben ihre
Vollmacht von Gott. [2]Wer sich also den Gesetzen des Lan-
des widersetzt, der verweigert Gott selbst den Gehorsam
und wird bestraft werden. [3]Wer vorbildlich und gut handelt,
braucht sich vor den Regierenden nicht zu fürchten, denn nur
die müssen sich fürchten, die unrecht tun. Deshalb tu, was
richtig ist, und du wirst sogar noch dafür gelobt werden.
[4]Die Regierung ist von Gott dazu eingesetzt, dich zu unter-
stützen. Wenn du jedoch unrecht tust, ist deine Angst begrün-
det, denn du wirst bestraft werden. Sie ist von Gott dazu ein-
gesetzt, diejenigen in seinem Auftrag zu bestrafen, die
unrecht tun. [5]Du sollst der Regierung also aus zwei Gründen
gehorchen: damit du nicht bestraft wirst und damit du ein
reines Gewissen behältst.

[6]Aus diesen Gründen bezahlt ihr ja auch eure Steuern. Denn
die Beamten der Regierung müssen bezahlt werden, damit sie
die Aufgabe erfüllen können, die Gott ihnen anvertraut hat.
[7]Gebt jedem, was ihr ihm schuldig seid: Bezahlt eure Steuern
genauso wie den Zoll und erweist allen Achtung und Ehre,
denen dies zusteht.

Die Liebe ist die Erfüllung des Gesetzes

8Bleibt niemandem etwas schuldig, abgesehen von der Liebe,
die ihr einander immer schuldig seid. Denn wer den anderen
liebt, hat damit das Gesetz Gottes erfüllt. 9Die Gebote gegen
Ehebruch, Mord, Diebstahl und Begehren sind – wie auch alle
anderen Gebote – in diesem einen Gebot zusammengefasst:
»Liebe deinen Nächsten wie dich selbst.« 10Die Liebe fügt nie-
mandem Schaden zu; deshalb ist die Liebe die Erfüllung von
Gottes Gesetz.

11Führt euer Leben auf diese Weise, weil ihr wisst, dass die
Zeit begrenzt ist. Wacht auf, denn wir sind unserer Rettung
jetzt näher als zu Beginn unseres Glaubens. 12Die Nacht ist
fast vorüber; der Tag der Erlösung kommt bald. Deshalb lebt
nicht in der Finsternis mit ihren bösen Taten, sondern greift zu
den Waffen des Lichts! 13Unser Leben soll vorbildlich und ehr-
lich sein, damit es vor den Augen anderer Anerkennung fin-
det. Wir wollen nicht an ausschweifenden Festen und Trink-
gelagen teilnehmen, keinen Ehebruch begehen, nicht in sexu-
eller Zügellosigkeit leben und uns auch nicht auf Streit und
Eifersucht einlassen. 14Haltet euch an Jesus Christus, den
Herrn, und lasst euer Leben von ihm bestimmen. Gebt euren
Wünschen nicht so weit nach, dass ihr von euren Leidenschaf-
ten beherrscht werdet.

Urteilt nicht übereinander

14 1Nehmt den an, der im Glauben schwach ist, und
streitet nicht mit ihm über unterschiedliche Meinun-
gen. 2Während der eine zum Beispiel glaubt, man dürfe alles
essen, verzichtet ein anderer auf Fleisch, weil sein Gewissen
es ihm verbietet. 3Wer meint, er dürfe alles essen, soll nicht
auf den herabsehen, der nicht alles isst. Und wer bestimmte
Speisen meidet, soll den nicht verurteilen, der alles isst, denn
Gott hat ihn angenommen. 4Wer bist du, dass du einen
Diener Gottes verurteilst? Er ist dem Herrn verantwortlich,
deshalb überlasst es Gott, sein Verhalten zu beurteilen. Der
Herr hat die Kraft ihm zu helfen, sodass er das Richtige tun
wird.

5Genauso ist es bei dem, der bestimmte Tage für heiliger er-
achtet als andere, während für einen anderen dagegen alle
Tage gleich zählen. Entscheidend ist aber, dass jeder von
dem überzeugt ist, was er denkt! 6Wer einen besonderen Tag
auswählt, um den Herrn anzubeten, will ihn damit ehren.
Und wer ohne Ausnahme alles isst, tut das zur Ehre des
Herrn, denn er dankt Gott für das Essen. Und der, der nicht
alles isst, will ebenfalls dem Herrn damit Freude machen und
ihm danken. 7Denn wir gehören nicht uns selbst, ganz gleich,
ob wir leben oder sterben. 8Wenn wir leben, leben wir, um
dem Herrn Freude zu machen, und wenn wir sterben, sterben
wir, um beim Herrn zu sein. Ob wir nun leben oder sterben:
Wir gehören dem Herrn. 9Denn Christus ist ja gestorben und
wieder lebendig geworden, um Herr über alle Menschen zu
sein: über die Toten und über die Lebenden.

10Warum verurteilst du einen anderen? Warum siehst du auf
einen anderen Bruder herab? Wir alle werden einmal vor dem
Richterstuhl Gottes stehen. 11Denn in der Schrift heißt es:

»›So wahr ich lebe‹, sagt der Herr, ›jedes Knie wird sich vor
mir beugen und jeder Mund wird mich bekennen.‹«

12Ja, jeder von uns wird sich persönlich vor Gott verantwor-
ten müssen. 13Deshalb urteilt nicht mehr übereinander, son-
dern lebt so, dass ihr niemanden behindert und keinen vom
Weg Gottes abbringt.

14Ich weiß und bin durch Jesus, den Herrn, davon über-
zeugt, dass nichts, was Gott geschaffen hat, unrein ist. Nur
wenn es jemand dafür hält, ist es unrein. 15Und wenn durch
das, was du isst, das Gewissen eines anderen belastet wird, so
handelst du nicht aus Liebe, wenn du es trotzdem tust. Lass es
nicht so weit kommen, dass ein anderer, für den Christus ge-
storben ist, durch dein Verhalten zu Fall kommt. 16Was euch
von Gott gegeben wurde, ist gut und soll nicht schlecht ge-
macht werden. 17Denn im Reich Gottes ist nicht entscheidend,
was man isst oder trinkt, sondern dass man ein Leben führt in
Gerechtigkeit und Frieden und in der Freude im Heiligen
Geist. 18Wenn du Christus so dienst, wirst du Gott Freude
machen und die Anerkennung der Menschen gewinnen. 19Be-

mühen wir uns also um Frieden miteinander und versuchen
wir, einander im Glauben zu stärken!
[20]Zerstöre Gottes Werk nicht wegen dem, was du isst. Es
stimmt zwar nach wie vor, dass es nichts Unreines gibt. Aber
für den, der damit gegen sein Gewissen handelt, ist es falsch,
alles zu essen. [21]Es ist deshalb gut, wenn du kein Fleisch isst
und keinen Wein trinkst und alles meidest, was einen anderen
in Gewissenskonflikte bringen könnte. [22]Du selbst handle so,
dass du es allein vor Gott verantworten kannst, und übertrage
deine Ansichten nicht auf andere Menschen. Glücklich ist der,
der sich nicht selbst für etwas verurteilen muss, das er für sich
gutheißt. [23]Aber wenn jemand unsicher ist, ob er etwas essen
darf, und es trotzdem tut, der ist damit verurteilt. Es geschieht
nicht im Glauben an Gott und was nicht im Glauben ge-
schieht, ist Sünde.

Leben mit Rücksicht auf andere

15 [1]Selbst wenn wir einen starken Glauben haben, dürfen
wir uns nicht nach uns selbst richten, sondern müssen
die Zweifel und Ängste Schwächerer ernst nehmen. [2]Wir sol-
len uns so verhalten, dass es dem andern hilft und er dadurch
im Glauben ermutigt wird. [3]Denn auch Christus lebte nicht
nur für sich selbst. In der Schrift heißt es: »Die Menschen, die
dich beleidigen, beleidigen auch mich.« [4]Dies wurde vor lan-
ger Zeit aufgeschrieben, damit wir daraus lernen. Es soll uns
Hoffnung geben und ermutigen, sodass wir geduldig auf das
warten, was Gott in der Schrift versprochen hat.
[5]Gott, der diese Geduld und Ermutigung schenkt, soll euch
helfen, eins zu sein und in Frieden miteinander zu leben. Geht
miteinander so um, wie es Christus vorgelebt hat. [6]Dann
könnt ihr gemeinsam mit einer Stimme Gott, den Vater unse-
res Herrn Jesus Christus, loben und ehren.
[7]Nehmt einander an, wie Christus euch angenommen hat,
denn dadurch wird Gott geehrt. [8]Denkt daran, dass Christus
als ein Diener zu den Juden kam, um damit die Zusagen Got-
tes wahr zu machen. Das beweist, dass Gott treu zu den Ver-
sprechen steht, die er ihren Vorfahren gegeben hat. [9]Und er

kam, damit auch die anderen Völker Gott für die Barmherzig-
keit ehren, die er ihnen erwiesen hat. Das meinte auch der
Psalmist, als er schrieb:
»Ich will dich preisen unter den Völkern; ich will deinem
Namen Loblieder singen.«
10 Und an anderer Stelle steht:
»Freut euch, ihr Völker, gemeinsam mit seinem Volk.«
11 Und es heißt:
»Lobt den Herrn, all ihr Völker; lobt ihn, alle Menschen auf
Erden.«
12 Und der Prophet Jesaja sagte:
»Der Erbe aus der Wurzel Isais wird kommen, und er wird
über die Völker herrschen. Sie werden all ihre Hoffnung auf
ihn setzen.«
13 Deshalb bete ich, dass Gott, der euch Hoffnung gibt, euch
in eurem Glauben mit Freude und Frieden erfüllt, sodass eure
Hoffnung immer größer wird durch die Kraft des Heiligen
Geistes.

Der Grund für den Brief

14 Ich bin davon überzeugt, liebe Freunde, dass ihr genügend
Güte und Erkenntnis habt, um euch gegenseitig helfen und
ermutigen zu können. 15 Dennoch habe ich mir die Freiheit
genommen, einiges hervorzuheben, um euch noch einmal be-
sonders daran zu erinnern. Denn durch die Gnade Gottes bin
ich 16 ein Bote von Jesus Christus für die Völker. Ich verkünde
euch die gute Botschaft und – wie ein Priester – bringe ich
euch Gott als angenehmes Opfer dar, das Gott gefallen kann,
weil ihr durch den Heiligen Geist rein seid. 17 So habe ich
Grund, mich über alles zu freuen, was Christus Jesus durch
mich in meinem Dienst für Gott getan hat. 18 Ich würde es
nicht wagen, auf etwas anderes stolz zu sein als auf Christus,
der die anderen Völker durch mein Reden und Tun zu Gott
geführt hat. 19 Ich habe sie gewonnen durch die Wunder, die
als Zeichen Gottes durch mich geschahen und durch die Kraft
des Heiligen Geistes. Auf diese Weise habe ich die Botschaft

von Christus überall verbreitet, von Jerusalem bis in das Ge-
biet von Illyrien.
20Mein Bestreben war immer, die Botschaft da zu verkün-
den, wo der Name von Jesus Christus noch nicht bekannt
war, und nicht auf dem Fundament aufzubauen, das schon
ein anderer gelegt hat. 21Ich habe mich an das gehalten, was
in der Schrift steht:
»Die Menschen, denen er noch nie verkündet wurde, sollen
es sehen, und die, die noch nie von ihm gehört haben, sollen es
verstehen.«
22Das ist auch der Grund, warum mein Besuch bei euch sich
schon so lange verzögert hat.

Die Reisepläne des Paulus

23Doch inzwischen habe ich meine Aufgabe in diesen Gebie-
ten erfüllt und hoffe, nach all diesen Jahren, in denen ich mich
nach euch gesehnt habe, endlich zu euch zu kommen. 24Ich
habe vor, nach Spanien zu reisen und auf dem Weg dorthin
in Rom Halt zu machen. Und wenn ich die Gemeinschaft mit
euch eine Weile genossen habe, könnt ihr mich wieder auf die
Reise schicken.
25Vorher gehe ich allerdings noch nach Jerusalem, um den
Gläubigen dort zu helfen. 26Denn die Gläubigen in Griechen-
land haben beschlossen, mit einer Geldsammlung die Armen
in der Gemeinde in Jerusalem zu unterstützen. 27Sie haben
dies sehr gern getan, weil sie ihnen etwas schuldig sind. Die
anderen Völker haben ja den geistlichen Segen der Botschaft
von Jesus durch jene empfangen, und so ist es nur angemes-
sen, wenn sie jetzt der Gemeinde in Jerusalem finanziell hel-
fen. 28Sobald ich dies ausgeführt und ihnen das Geld über-
reicht habe, werde ich euch auf meinem Weg nach Spanien
besuchen kommen. 29Und ich bin sicher, dass ich mit dem
ganzen Reichtum des Segens von Christus zu euch kommen
werde. 30Liebe Brüder, im Namen von Jesus Christus, unse-
rem Herrn, fordere ich euch auf, mich in meinem Kampf zu
unterstützen, indem ihr für mich zu Gott betet. Ja, betet für

mich aufgrund der Liebe zu mir, die der Heilige Geist euch
schenkt. [31]Und betet dafür, dass ich vor denjenigen in Judäa
bewahrt werde, die sich weigern, Gott zu gehorchen. Betet
auch, dass die Gläubigen in Jerusalem das Geschenk, das ich
ihnen überbringe, annehmen. [32]Dann werde ich, wenn es Got-
tes Wille ist, voller Freude zu euch kommen können, und wir
werden uns gegenseitig ermutigen.
[33]Ich wünsche euch, dass der Gott des Friedens mit euch
allen ist! Amen.

Grüße des Paulus

16 [1]Ich empfehle euch unsere Schwester Phöbe, eine Dia-
konin der Gemeinde von Kenchreä. [2]Nehmt sie im Na-
men des Herrn auf wie es jemand, der zu Christus gehört,
verdient. Unterstützt sie in allem, denn auch sie ist vielen
eine Hilfe gewesen, mich eingeschlossen.
[3]Grüßt Priska und Aquila, die meine Mitarbeiter im Dienst
für Christus Jesus gewesen sind. [4]Sie haben sogar ihr Leben
für mich aufs Spiel gesetzt. Und nicht nur ich bin ihnen dank-
bar, sondern auch alle Gemeinden. [5]Bitte grüßt auch die Ge-
meinde, die sich in ihrem Haus trifft.
Grüßt meinen lieben Freund Epänetus. Er war der Erste in
der Provinz Asien, der zum Glauben an Christus kam. [6]Grüßt
Maria, die sich so für euch eingesetzt hat. [7]Dann sind da noch
Andronikus und Junia, meine Verwandten, die mit mir im
Gefängnis waren. Die beiden genießen hohes Ansehen unter
den Aposteln und haben schon vor mir an Christus geglaubt.
Bitte richtet ihnen ebenso meine Grüße aus, [8]wie Ampliatus,
mit dem ich in der Liebe Gottes verbunden bin, [9]Urbanus,
unserem Mitarbeiter im Dienst für Christus, und dem gelieb-
ten Stachys.
[10]Grüßt auch Apelles, der sich im Glauben an Christus be-
währt hat, und alle aus dem Haus von Aristobul. [11]Grüßt mei-
nen Verwandten Herodion und die Gläubigen im Haus von
Narzissus. [12]Grüßt Tryphäna und Tryphosa, die im Dienst für
den Herrn mitarbeiten, und die geliebte Persis, die sich sehr
für den Herrn eingesetzt hat. [13]Grüßt Rufus, den der Herr sich

erwählt hat, sowie seine Mutter, die auch mir eine Mutter ge-
wesen ist.
[14]Bitte grüßt auch Asynkritus, Phlegon, Hermes, Patrobas,
Hermas und die anderen Brüder, die bei ihnen sind. [15]Gebt
meine Grüße weiter an Philologus, Julia, Nereus und seine
Schwester sowie an Olympas und alle anderen Gläubigen,
die bei ihnen sind. [16]Grüßt einander in Liebe. Alle Gemein-
den, die zu Christus gehören, senden euch ihre Grüße.

Abschließende Anweisungen

[17]Und nun möchte ich euch, liebe Brüder, noch einmal vor
solchen Leuten warnen, die die Gemeinde spalten und den
Glauben anderer erschüttern. Denn sie lehren euch etwas an-
deres als das, was ihr gelernt habt. Haltet euch von ihnen fern!
[18]Solche Leute dienen nicht Christus, unserem Herrn, sondern
verfolgen nur ihre persönlichen Interessen. Mit beeindru-
ckenden Reden und mitreißenden Worten betrügen sie ah-
nungslose Menschen. [19]Doch wie jeder weiß, gehorcht ihr
dem Herrn, und das macht mich sehr glücklich. Ich möchte,
dass ihr das Gute klar erkennt und euch von allem Bösen fern-
haltet. [20]Der Gott des Friedens wird den Satan bald unter eure
Füße zwingen und zertreten. Ich wünsche euch, dass die Gna-
de unseres Herrn Jesus Christus euch begleitet!
[21]Mein Mitarbeiter Timotheus sowie meine Verwandten Lu-
zius, Jason und Sosipater senden euch ihre Grüße.
[22]Auch ich, Tertius, der ich diesen Brief für Paulus geschrie-
ben habe, grüße euch in der Verbundenheit im Herrn.
[23]Gajus lässt euch grüßen, bei dem ich zu Gast bin und in
dessen Haus sich die Gemeinde versammelt. Erastus, der
Schatzmeister der Stadt, sendet euch seine Grüße, ebenso
wie Quartus, ein Bruder im Glauben.
[25]Gott hat die Macht, euch zu stärken, wie es die gute Bot-
schaft von Jesus Christus will, die ich verkünde. Das zeigt sich
auch, wenn das Geheimnis enthüllt wird, das seit ewigen Zei-
ten verborgen war. [26]Nun wird dieses Geheimnis, wie es die
Schriften der Propheten voraussagten und wie der ewige Gott
es befohlen hat, allen Menschen auf der ganzen Welt verkün-

det, damit sie Gott glauben und ihm gehorchen. 27Gott, der allein weise ist, gehört für immer die Ehre durch Jesus Christus! Amen.

Der erste Brief an die Korinther

Grüße von Paulus

1 1Dieser Brief ist von Paulus, der durch den Willen Gottes
zum Apostel von Christus Jesus berufen wurde, und von
unserem Bruder Sosthenes.
2Wir schreiben an die Gemeinde Gottes in Korinth, an euch,
die Gott berufen hat. In Christus Jesus hat er euch geheiligt, so
wie er die Gläubigen auf der ganzen Welt geheiligt hat – alle,
die den Namen von Jesus Christus, unserem Herrn, anrufen.
3Wir wünschen euch Gnade und Friede von Gott, unserem
Vater, und Jesus Christus, dem Herrn.

Paulus dankt Gott

4Ich kann gar nicht aufhören, Gott für die Gnade zu danken,
die euch durch Jesus Christus gegeben ist. 5Durch ihn seid ihr
in allem reich beschenkt – in aller Lehre und in aller Erkennt-
nis. 6Die Botschaft von Christus ist zur Kraft in eurem Leben
geworden, 7sodass ihr mit allen geistlichen Gaben gesegnet
seid, während ihr sehnsüchtig auf die Rückkehr von Jesus
Christus, unserem Herrn, wartet. 8Er wird euch Kraft geben
bis zum Ende. So werdet ihr an dem Tag, an dem Jesus Chris-
tus wiederkommt, ohne Schuld sein. 9Gott ist treu. Er hat euch
berufen zur Gemeinschaft mit seinem Sohn Jesus Christus,
unserem Herrn.

Spaltungen in der Gemeinde

10Liebe Brüder, ich bitte euch im Namen von Jesus Christus,
dem Herrn, dass ihr darauf achtet, untereinander einig zu
sein, und aufhört, miteinander zu streiten, damit es nicht zu
Spaltungen in der Gemeinde kommt. Ich bitte euch: Steht fest
zueinander, sodass ihr einig seid in dem, was ihr denkt und
wollt. 11Angehörige des Hauses von Chloë haben mir von
Streitigkeiten unter euch erzählt, liebe Freunde. 12So sagen ei-
nige von euch: »Ich bin ein Anhänger von Paulus.« Andere
bekennen sich zu Apollos oder Petrus, und manche sagen:

»Ich folge nur Christus.« [13]Kann man Christus etwa auf diese
Weise aufteilen?
Wurde ich, Paulus, für euch gekreuzigt? Wurde irgendeiner
von euch auf den Namen von Paulus getauft? [14]Ich danke
Gott, dass ich – abgesehen von Krispus und Gajus – keinen
von euch getauft habe, [15]denn so kann jetzt keiner behaupten,
er wäre auf meinen Namen getauft worden. [16]Auch die Ange-
hörigen des Hauses von Stephanas habe ich noch getauft, aber
sonst erinnere ich mich an niemanden, den ich getauft habe.
[17]Denn Christus sandte mich nicht, um zu taufen, sondern um
Gottes Botschaft zu verkünden. Und dies nicht mit geschliffe-
nen Reden, welche die Zuhörer beeindrucken, damit das, was
am Kreuz durch Christus geschah, nichts von seiner Kraft ein-
büßt.

Die Weisheit Gottes

[18]Ich weiß, wie unsinnig die Botschaft vom Kreuz in den Oh-
ren derer klingt, die verloren gehen. Wir aber, die wir gerettet
sind, erkennen in dieser Botschaft die Kraft Gottes. [19]In der
Schrift heißt es:
»Ich will die Weisheit der Weisen vernichten und die Klug-
heit der Klugen verwerfen.«
[20]Wo bleiben da die Weisen, die Schriftgelehrten, die glän-
zenden Redner? Gott hat sie zu Narren gemacht und ihre
Weisheit als nutzlosen Unsinn entlarvt. [21]Obwohl die Welt
von der Weisheit Gottes durchdrungen ist, konnte sie ihn
durch ihre Weisheit nicht finden. Gott hat eine Botschaft, die
unsinnig erscheint, dazu benutzt, alle zu retten, die daran
glauben. [22]So fordern die Juden Zeichen, und die Griechen
suchen nach Weisheit. [23]Wenn wir also Christus als den Ge-
kreuzigten verkünden, sind die Juden entrüstet und die Grie-
chen erklären es für Unsinn. [24]Für die aber, die von Gott zur
Erlösung berufen sind – Juden wie Nichtjuden –, ist Chris-
tus Gottes Kraft und Gottes Weisheit. [25]Der scheinbar absurde
Plan Gottes ist immer noch viel weiser als der weiseste Plan
der Menschen, und die Schwäche Gottes ist weitaus stärker
als die Menschen sind.

[26]Erinnert euch, liebe Brüder, dass nur wenige von euch in
den Augen der Welt weise oder mächtig oder angesehen wa-
ren, als Gott euch berief. [27]Gott hat das auserwählt, was in den
Augen der Welt gering ist, um so diejenigen zu beschämen,
die sich selbst für weise halten. Er hat das Schwache erwählt,
um das Starke zu erniedrigen. [28]Er hat das erwählt, was von
der Welt verachtet und gering geschätzt wird, und es einge-
setzt, um das zunichtezumachen, was in der Welt wichtig ist,
[29]damit kein Mensch sich je vor Gott rühmen kann.

[30]Gott allein hat es ermöglicht, dass ihr in Christus Jesus sein
dürft. Den hat er zu unserer Weisheit gemacht. Durch ihn sind
wir vor Gott gerecht gesprochen und unser Leben wird durch
ihn geheiligt. Durch ihn sind wir erlöst. [31]In der Schrift heißt
es:

»Wer stolz sein will, soll auf das stolz sein, was der Herr getan hat.«

Paulus predigt Weisheit

2 [1]Liebe Brüder, als ich das erste Mal zu euch kam, habe ich
euch die Botschaft Gottes nicht mit hochtrabenden Wor-
ten und großartigen Gedanken verkündet, [2]sondern ich hatte
mir vorgenommen, mich allein auf Jesus Christus und seinen
Tod am Kreuz zu konzentrieren. [3]Ich kam als schwacher
Mensch zu euch, war zurückhaltend und ängstlich. [4]Meine
Botschaft und meine Predigt waren schlicht, ich gebrauchte
keine klugen Worte und versuchte auch nicht, euch zu über-
reden, sondern die Kraft des Heiligen Geistes hat unter euch
gewirkt. [5]So verhielt ich mich, damit ihr auf die Kraft Gottes
vertraut und nicht auf menschliche Weisheit.

[6]Wenn ich es jedoch mit Menschen, die im Glauben gewach-
sen sind, zu tun habe, verwende ich Worte der Weisheit. Doch
ich meine nicht jene Weisheit, die in der Welt oder bei den
Mächtigen dieser Welt etwas gilt, welche ohnehin untergehen
werden. [7]Nein, die Weisheit, von der wir sprechen, ist die
Weisheit Gottes. Sie war in früheren Zeiten verborgen, ob-
wohl Gott sie schon vor der Erschaffung der Welt zu unserem
Segen bestimmt hat. [8]Doch die Mächtigen dieser Welt haben

sie nicht verstanden, denn hätten sie das getan, dann hätten
sie den Herrn der Herrlichkeit niemals gekreuzigt. 9Aber es ist
passiert, wie es in der Schrift heißt:

»Kein Auge hat je gesehen, kein Ohr je gehört und kein Verstand je erdacht, was Gott für diejenigen bereithält, die ihn lieben.«

10Wir dagegen wissen darum, weil Gott es uns durch seinen
Geist offenbart hat. Sein Geist weiß alles und schenkt uns ei-
nen Blick selbst in die tiefsten Geheimnisse Gottes. 11Niemand
weiß, was ein Mensch wirklich denkt, außer der Geist des
Menschen selbst, der in ihm ist; und niemand kann Gottes
Gedanken erkennen, außer der Geist Gottes. 12Und Gott hat
uns nicht den Geist dieser Welt gegeben, sondern seinen
Geist, damit wir das begreifen können, was Gott uns ge-
schenkt hat. 13Um euch dies zu sagen, verkünden wir nicht
Worte menschlicher Weisheit, sondern Worte, die der Geist
uns gibt, und wir deuten geistliche Dinge für Menschen, die
sich vom Geist leiten lassen. 14Menschen, die Gott nicht ken-
nen, können den Geist Gottes jedoch nicht verstehen. In ihren
Ohren klingt alles unsinnig, denn nur die, die der Geist leitet,
verstehen, was der Geist meint. 15Vom Geist geleitet, beurtei-
len wir alles, unterstehen aber nicht dem Urteil anderer.
16Denn es heißt:

»Wer kann wissen, was der Herr denkt? Wer kann sein Ratgeber sein?«

Wir aber denken im Sinne von Christus.

Paulus und Apollos sind Diener von Christus

3 1Liebe Brüder, als ich bei euch war, konnte ich nicht so mit
euch reden, wie ich es mit Menschen, die im Glauben ge-
wachsen sind, getan hätte. Ich musste mit euch reden, als
würdet ihr noch zu dieser Welt gehören oder als wärt ihr klei-
ne Kinder im Glauben. 2Ich musste euch mit Milch ernähren
statt mit fester Nahrung, die ihr noch nicht vertragen hättet.
Und ihr könnt sie wohl auch jetzt noch nicht zu euch nehmen,
3denn ihr lasst euch noch von eurem alten Ich beherrschen. Ihr

seid eifersüchtig und streitet miteinander. Beweist das nicht,
dass ihr noch von euren eigensüchtigen Wünschen beherrscht
werdet? Ihr benehmt euch wie Menschen, die nicht dem
Herrn angehören. 4Wenn einer von euch erklärt: »Ich bin ein
Anhänger von Paulus«, während der andere sagt: »Ich gehöre
zu Apollos«, handelt ihr da nicht wie Menschen, die Christus
gar nicht kennen?

5Wer ist denn Apollos und wer ist Paulus, dass ihr euch un-
seretwegen streitet? Wir sind doch nur Diener. Durch uns hat
Gott euch zum Glauben geführt; jeder von uns tat die Arbeit,
die der Herr ihm auftrug. 6Meine Aufgabe bestand darin, den
Samen in eure Herzen zu pflanzen, und Apollos hat ihn be-
wässert; aber es war Gott – nicht wir –, der ihn wachsen ließ.
7Wichtig ist nicht der, der pflanzt oder bewässert, wichtig ist
Gott, denn er lässt den Samen wachsen. 8Derjenige, der
pflanzt, und derjenige, der bewässert: Beide arbeiten zusam-
men auf dasselbe Ziel hin. Belohnt aber wird jeder für sich,
entsprechend seiner Arbeit. 9Wir arbeiten Hand in Hand an
derselben Sache als Menschen, die zu Gott gehören. Ihr seid
Gottes Acker, sein Bauwerk – nicht unseres.

10Aufgrund der besonderen Gnade, die Gott mir schenkte,
habe ich als weiser Bauherr das Fundament gelegt. Nun bau-
en andere darauf auf. Doch wer auf diesem Fundament auf-
baut, muss sorgsam vorgehen. 11Denn niemand kann ein
anderes Fundament legen als das, das schon gelegt ist – Jesus
Christus. 12Wer nun auf dieses Fundament aufbaut, kann
dazu Gold, Silber, Edelsteine, Holz, Heu oder Stroh verwen-
den. 13Am Tag des Gerichts wird sich die Arbeit jedes Einzel-
nen im Feuer bewähren müssen. Das Feuer wird zeigen, von
welcher Qualität das Bauwerk ist. 14Wenn es dem Feuer
standhält, wird der, der es gebaut hat, Lohn empfangen.
15Doch wenn sein Werk verbrennt, wird er einen schmerzli-
chen Verlust erleiden. Er selbst wird zwar gerettet werden,
aber nur wie einer, der mit Mühe und Not einem Feuer ent-
kommt.

16Erkennt ihr denn nicht, dass ihr der Tempel Gottes seid

und dass der Geist Gottes in euch wohnt? 17Gott wird jeden
ins Verderben stürzen, der diesen Tempel verdirbt. Denn Got-
tes Tempel ist heilig, und ihr seid dieser Tempel.
18Hört auf, euch selbst zu betrügen. Wer von euch sich in
dieser Welt für weise hält, der muss erst töricht werden, damit
er nach Gottes Maßstäben weise werden kann. 19Denn die
Weisheit dieser Welt ist in Gottes Augen Torheit. In der Schrift
heißt es:
»Gott fängt diejenigen, die sich für weise halten, mit ihrer
eigenen Klugheit.«
20Und an anderer Stelle heißt es: »Der Herr kennt die Gedan-
ken der Weisen, er weiß, dass sie nichts wert sind.«
21Deshalb bildet euch auf einen anderen Menschen nichts
ein. Denn alles gehört euch: 22Paulus und Apollos und Petrus;
die ganze Welt und Leben und Tod; die Gegenwart wie die
Zukunft. Alles gehört euch, 23und ihr gehört Christus, und
Christus gehört Gott.

Paulus und die Korinther

4 1Ihr sollt in uns Diener von Christus sehen, denen die Auf-
gabe anvertraut wurde, Gottes Geheimnisse zu erklären.
2Nun erwartet man von einem Menschen, dem ein Amt an-
vertraut wurde, dass er treu ist. 3Wie ist das nun bei mir? Bin
ich treu gewesen? In dieser Frage spielt es kaum eine Rolle,
was ihr oder sonst irgendjemand denkt, ja ich vertraue in die-
sem Punkt nicht einmal meinem eigenen Urteil. 4Mein Gewis-
sen ist zwar rein, doch das ist nicht entscheidend. Es ist der
Herr selbst, der mich prüft und darüber zu entscheiden hat.
5Deshalb hütet euch, voreilige Urteile über den Glauben an-
derer zu fällen, bevor der Herr wiederkommt. Wenn der Herr
kommt, wird er unsere tiefsten Geheimnisse ans Licht bringen
und unsere verborgensten Beweggründe offenbar machen.
Und dann wird Gott jeden so loben, wie es ihm zusteht.
6Liebe Freunde, ich wollte euch an Apollos und mir deutlich
machen, worum es mir geht. Wenn ihr euch an das haltet, was
in der Schrift steht, werdet ihr keinen auf Kosten eines ande-
ren herausstellen. 7Was hast du denn irgendeinem anderen

voraus? Was hast du vorzuweisen, das du nicht von Gott bekommen hast? Und wenn alles von Gott kommt, was du vorzuweisen hast, warum gibst du dann damit an, so, als ob es kein Geschenk wäre?

8Ihr meint, ihr hättet schon alles, was ihr braucht! Ihr seid
schon reich! Ihr seid Könige geworden, und zwar ohne uns!
Ich wünschte, ihr säßet tatsächlich schon auf eurem Thron,
denn dann würden wir mit euch herrschen! 9Aber manchmal
habe ich den Eindruck, dass Gott uns Apostel als die Geringsten erscheinen lässt, wie zum Tode Verurteilte. Wir sind ein
Schauspiel geworden für die ganze Welt – für Menschen wie
für Engel.

10Wegen unserer Hingabe an Christus hält man uns für Narren – ihr aber seid klug in Christus. Wir sind schwach – ihr
aber seid stark. Ihr seid angesehen – wir werden ausgelacht.
11Bis zu dieser Stunde leiden wir Hunger und Durst und sind
unbekleidet. Wir werden geschlagen und haben kein eigenes
Dach über dem Kopf. 12Wir haben uns mühsam mit unseren
eigenen Händen unseren Lebensunterhalt verdient. Wir segnen die, die uns beschimpfen. Wir haben Geduld mit denen,
die uns verfolgen. 13Wir sind freundlich zu denen, die Böses
über uns sagen. Und doch werden wir behandelt, als wären
wir die Sündenböcke der Welt, von allen der Abschaum – und
das bis zu diesem Augenblick.

14Ich schreibe das nicht, um euch zu beschämen, sondern
um euch als meine geliebten Kinder zu warnen. 15Selbst
wenn ihr zehntausend Erzieher hättet, die euch Christus
nahe bringen, so habt ihr doch nicht viele Väter. Denn ich
wurde euer Vater in Christus Jesus, als ich euch als Erster die
Botschaft Gottes verkündete. 16Deshalb bitte ich euch jetzt,
meinem Beispiel zu folgen und es mir gleichzutun.

17Und deshalb schicke ich euch auch Timotheus – damit er
euch dabei hilft. Denn er ist mein geliebter und zuverlässiger
Sohn im Herrn. Er wird euch an das erinnern, was ich in den
Gemeinden über Christus Jesus lehre.

18Ich weiß, dass manche von euch große Reden führen und
glauben, dass ich euch nicht wieder besuchen komme 19Aber

ich werde kommen – und zwar schon bald –, wenn der Herr es
mir erlaubt, und dann werde ich erfahren, ob diese Leute nur
Schwätzer sind oder ob sie wirklich die Kraft Gottes haben.
20Denn das Reich Gottes besteht nicht durch die Worte, mit
denen man davon erzählt, es lebt durch die Kraft Gottes.
21Was ist euch lieber? Soll ich mit Tadel und Strafe kommen
oder in Liebe und Freundlichkeit?

Paulus verurteilt geistlichen Stolz

5 1Ich kann kaum glauben, was mir über die Unzucht unter
euch berichtet wird; so schlimme Dinge, dass nicht einmal
die Menschen, die Gott nicht kennen, so etwas tun. Ich habe
gehört, dass ihr einen Mann in eurer Gemeinde habt, der mit
der Frau seines Vaters zusammenlebt. 2Und ihr seid stolz auf
euch! Warum tragt ihr nicht Trauer vor Kummer und Scham?
Und warum habt ihr den Mann, der so lebt, nicht aus eurer
Gemeinschaft ausgeschlossen?

3Auch wenn ich nicht persönlich anwesend bin, so bin ich
doch im Geist bei euch und habe das Urteil über den Mann,
der das getan hat, bereits gefällt. 4Wenn ihr euch im Namen
von Jesus, dem Herrn, versammelt, so werde ich im Geist an-
wesend sein, und die Kraft des Herrn ist mitten unter euch.
5Dann sollt ihr den Mann aus der Gemeinde ausschließen und
dem Satan übergeben, damit seine sündige Natur vernichtet
und er selbst gerettet werden kann, wenn der Herr wieder-
kommt.

6Es ist schlimm, dass ihr auf eure geistliche Reife stolz seid
und gleichzeitig so etwas zulasst. Erkennt ihr denn nicht, dass
nach kurzer Zeit alle in Mitleidenschaft gezogen werden,
wenn ihr auch nur einen von euch ungehindert sündigen
lasst? 7Entfernt diesen Mann aus eurer Mitte, damit ihr rein
bleibt. Denn Christus, unser Passahlamm, ist für uns geopfert
worden. 8Lasst uns das Fest feiern, aber nicht, indem wir das
alte Brot des Bösen und Schlechten essen, sondern das neue
Brot der Reinheit und Wahrheit.

9In einem früheren Brief schrieb ich euch, ihr solltet nichts
mit Menschen zu schaffen haben, die sich auf Unzucht einlas-

sen. 10Doch damit meinte ich nicht Ungläubige, die Unzucht
treiben, habgierig sind und stehlen oder Götzen anbeten.
Wenn ihr solche Leute meiden wolltet, müsstet ihr ja die Welt
verlassen. 11Was ich meinte, war, dass ihr keinen Kontakt zu
jemandem haben sollt, der sich als gläubig bezeichnet und
doch Unzucht treibt, habgierig ist, Götzen anbetet, flucht,
sich betrinkt oder andere beraubt. Mit solchen Leuten sollt
ihr auch nicht zusammen essen.

12Es steht uns nicht zu, Außenstehende zu richten, aber es
liegt ganz gewiss in eurer Verantwortung, diejenigen Ge-
meindemitglieder unter euch zu richten, die derartige Sünden
begehen. 13Die Außenstehenden wird Gott richten, doch in
der Schrift heißt es: »Ihr sollt das Böse aus eurer Mitte entfer-
nen.«

Rechtsstreit unter Christen

6 1Wenn ihr etwas gegen einen anderen Gläubigen vor-
zubringen habt, warum erhebt ihr dann Anklage gegen
ihn und bringt die Sache vor ein weltliches Gericht, statt euch
an andere Gläubige zu wenden, damit sie entscheiden kön-
nen, wer recht hat? 2Wisst ihr denn nicht, dass wir eines Tages
die Welt richten werden? Und wenn ihr die Welt richten wer-
det, meint ihr da nicht, solche Kleinigkeiten unter euch klären
zu können? 3Ist euch nicht bewusst, dass wir Engel richten
werden? Da solltet ihr doch in der Lage sein, gewöhnliche
Streitigkeiten hier auf der Erde beizulegen. 4Warum wendet
ihr euch also in solchen Fällen an Richter, die in der Gemeinde
nichts gelten? 5Ich sage das, damit ihr euch schämt. Gibt es
denn in eurer ganzen Gemeinde niemanden, der weise genug
wäre, dass er zwischen euch entscheiden könnte? 6Stattdes-
sen verklagt einer den anderen – und das vor den Ohren der
Ungläubigen!

7Schon dass ihr überhaupt solche Prozesse untereinander
führt, ist schlimm genug. Warum ertragt ihr das Unrecht nicht
einfach und belasst es dabei? Warum lasst ihr euch nicht lieber
übervorteilen? 8Stattdessen tut ihr selbst unrecht und betrügt
eure eigenen Brüder.

Unzucht in der Gemeinde vermeiden
9 Wisst ihr nicht, dass Menschen, die unrecht tun, keinen An-
teil am Reich Gottes erhalten werden? Täuscht euch nicht.
Menschen, die sich auf Unzucht einlassen, Götzendiener, Ehe-
brecher, Prostituierte, Männer, die mit Männern ins Bett ge-
hen, 10 Diebe, Habgierige, Trinker, Lästerer, Räuber – keiner
von ihnen wird am Reich Gottes teilhaben. 11 Früher traf dies
auf einige von euch zu, doch jetzt sind eure Sünden abge-
waschen und ihr seid für Gott ausgesondert worden. Ihr wur-
det vor Gott gerecht gesprochen durch den Namen von Jesus
Christus, dem Herrn, und durch den Geist Gottes.
12 Mir ist alles erlaubt. Aber nicht alles ist gut. Es ist mir zwar
alles erlaubt, doch ich will mich von nichts beherrschen las-
sen. 13 Ihr sagt: »Das Essen ist für den Bauch da und der Bauch
für das Essen.« Richtig. Doch vor Gott ist beides vergänglich.
Unser Körper wurde aber nicht zur Unzucht geschaffen. Er ist
für den Herrn bestimmt, und der Herr sorgt für ihn. 14 Durch
seine göttliche Kraft wird Gott uns von den Toten auferwe-
cken, so wie er den Herrn von den Toten auferweckt hat.
15 Wisst ihr denn nicht, dass eure Körper zum Leib von Chris-
tus gehören? Darf da ein Mann seinen Körper, der doch Chris-
tus gehört, mit dem einer Prostituierten vereinigen? Niemals!
16 Oder wisst ihr nicht, dass ein Mann, der mit einer Prostitu-
ierten verkehrt, mit ihr eins wird? Denn in der Schrift heißt es:
»Die beiden werden zu einer Einheit.« 17 Wer aber dem Herrn
gehört, ist ein Geist mit ihm.
18 Deshalb haltet euch fern von aller Unzucht! Keine andere
Sünde hat so große Auswirkungen auf den Körper wie diese,
denn Unzucht ist eine Sünde gegen den eigenen Körper.
19 Oder wisst ihr nicht, dass euer Leib ein Tempel des Heiligen
Geistes in euch ist, der in euch lebt und euch von Gott ge-
schenkt wurde? Ihr gehört nicht euch selbst, 20 denn Gott hat
einen hohen Preis für euch bezahlt. Deshalb ehrt Gott mit eu-
rem Leib!

Über die Ehe

7 1Nun zu den Fragen, die ihr in eurem Brief stellt. Ja, es ist
gut für einen Menschen, sexuell enthaltsam zu leben.
2Doch weil es so viel Unzucht gibt, sollte jeder Mann seine
Frau haben und jede Frau ihren Mann.
3Der Ehemann soll sich seiner Frau nicht entziehen; dasselbe
gilt für die Ehefrau ihrem Mann gegenüber. 4Die Ehefrau gibt
ihrem Mann das Recht über ihren Körper, und ebenso gibt der
Ehemann seiner Frau das Recht über seinen Körper. 5Keiner
soll sich dem anderen verweigern, es sei denn, beide Ehepart-
ner beschließen übereinstimmend, sich für eine begrenzte Zeit
sexuell zu enthalten, um sich noch intensiver dem Gebet wid-
men zu können. Danach kommt wieder zusammen, damit
euch der Satan nicht in Versuchung führt, weil ihr euch nicht
beherrschen könnt. 6Das ist aber nur eine Empfehlung von
mir, kein Gebot. 7Ich wünschte, jeder könnte unverheiratet
leben, wie ich es tue. Aber wir sind nicht alle gleich. Gott
schenkt manchen die Gabe der Ehe und anderen die Gabe,
unverheiratet zu leben.
8Den Unverheirateten und Verwitweten sage ich aber, dass
es besser ist, so wie ich unverheiratet zu bleiben. 9Doch wenn
sie sich nicht enthalten können, sollen sie heiraten. Es ist bes-
ser zu heiraten, als von unerfülltem Verlangen beherrscht zu
werden.
10Für die Verheirateten habe ich ein Gebot, das nicht von mir
kommt, sondern vom Herrn. Eine Frau soll sich nicht von ih-
rem Ehemann scheiden lassen. 11Wenn sie sich aber doch von
ihm trennt, soll sie allein bleiben oder zu ihm zurückkehren.
Und ebenso soll ein Mann seine Frau nicht wegschicken.
12Nun spreche ich zu den Übrigen unter euch, obwohl ich in
dieser Sache kein Gebot vom Herrn habe. Wenn ein gläubiger
Mann eine ungläubige Ehefrau hat und sie bereit ist, weiter
mit ihm zu leben, darf er sie nicht wegschicken. 13Und wenn
eine gläubige Frau einen ungläubigen Ehemann hat und er
bereit ist, weiter mit ihr zu leben, darf sie ihn nicht wegschi-
cken. 14Denn der ungläubige Mann ist durch die Frau gehei-
ligt, und die ungläubige Frau ist geheiligt durch den Mann.

Sonst stünden eure Kinder nicht unter Gottes Segen; doch so
gehören sie ihm. 15Wenn aber der Ehepartner, der nicht an
Christus glaubt, auf einer Trennung besteht, dann lasst ihn
gehen. In diesem Fall ist der gläubige Partner nicht zum Zu-
sammenbleiben verpflichtet, denn Gott will, dass seine Kin-
der in Frieden leben. 16Ihr Ehefrauen könnt nicht wissen, ob
eure Ehemänner vielleicht durch euch zum Glauben finden.
Und ihr Ehemänner wisst nicht, ob durch euch eure Ehefrau-
en vielleicht zum Glauben kommen.

17Nehmt das Leben an, in das der Herr euch gestellt hat, und
lebt so weiter, wie es war, als Gott euch berufen hat. So lauten
meine Anweisungen für alle Gemeinden. 18Wurde ein Mann
zum Beispiel beschnitten, bevor er gläubig wurde, soll er nicht
versuchen, diesen Schritt rückgängig zu machen. Und wenn
ein Mann unbeschnitten war, als er zu Christus fand, soll er
sich jetzt nicht beschneiden lassen. 19Denn es spielt keine Rol-
le, ob ein Mann beschnitten ist oder nicht. Entscheidend ist es,
Gottes Gebote zu halten.

20Jeder bleibe in dem, was er war, als Gott ihn berief. 21Warst
du ein Sklave? Dann mache dir deswegen keine Sorgen. Wenn
du allerdings die Gelegenheit hast, freizukommen, dann nut-
ze sie. 22Und denke daran: Wenn du ein Sklave warst, als der
Herr dich berief, dann bist du jetzt ein Freigelassener vor Gott.
Und wenn du frei warst, als der Herr dich berief, dann bist du
jetzt ein Sklave von Christus. 23Gott hat einen hohen Preis für
euch bezahlt, deshalb werdet nicht Sklaven von Menschen.
24Und so sage ich euch, liebe Brüder: Bleibt so vor Gott, wie
ihr wart, als er euch berief. 25Nun zu den jungen Frauen, die
noch nicht verheiratet sind. Für sie habe ich kein Gebot des
Herrn. Aber ich gebe euch einen Rat als jemand, dem Gott
Einsichten geschenkt hat, denen ihr vertrauen könnt. 26We-
gen der schweren Zeiten, die uns bevorstehen, halte ich es
für das Beste, wenn ein Mensch unverheiratet bleibt. 27Wenn
du eine Frau hast, dann löse die Ehe nicht auf. Wenn du keine
Frau hast, dann heirate nicht. 28Solltest du aber doch heiraten,
so ist das keine Sünde. Und auch wenn eine junge Frau hei-
ratet, ist das keine Sünde. Allerdings würde ich euch gern die

zusätzlichen Belastungen ersparen, die mit einer Ehe verbunden sind.

29Eines ist sicher, liebe Brüder: Die Zeit, die noch bleibt, ist
kurz; deshalb sollen die Männer ihre Ehe nicht zu ihrem wich-
tigsten Lebensinhalt machen. 30Weder Traurigkeit noch Freu-
de oder Wohlstand sollen jemanden davon abhalten, Gott mit
allen Kräften zu dienen. 31Wer häufig mit den Angelegenhei-
ten dieser Welt in Berührung kommt, sollte sie nutzen, ohne
sich an sie zu binden, denn die Welt und alles, was zu ihr
gehört, wird vergehen. 32Ich möchte, dass ihr in allem, was
ihr tut, von den Sorgen dieses Lebens frei seid. Ein unverhei-
rateter Mann kann seine Zeit ganz für die Sache des Herrn
einsetzen und darüber nachdenken, wie er ihm Freude ma-
chen kann. 33Für einen verheirateten Mann ist das sehr viel
schwerer. Er muss seine irdischen Verpflichtungen erfüllen
und sich überlegen, wie er seiner Frau gefallen kann. 34Seine
Aufmerksamkeit ist geteilt. Genauso kann eine Frau, die nicht
mehr verheiratet ist oder nie verheiratet war, sich körperlich
und geistig sehr viel stärker für den Herrn einsetzen als eine
verheiratete Frau, die sich um ihre irdischen Verpflichtungen
kümmern und darüber nachdenken muss, wie sie ihrem
Mann gefallen kann.

35Ich sage das, um euch zu helfen, und nicht, um euch zu
bedrängen. Ich möchte, dass ihr anständig lebt und zuverläs-
sig dem Herrn dient, ohne euch ablenken zu lassen. 36Wenn
ein Mann nun der Meinung ist, er sollte seine Verlobte besser
heiraten, weil es ihm sonst schwer fällt, seine Leidenschaft zu
kontrollieren, und es kann nicht anders sein, so ist das gut und
keine Sünde. Sie sollen heiraten. 37Wenn er jedoch innerlich
fest entschlossen ist, nicht zu heiraten, und es besteht keine
Notwendigkeit und er beherrscht sein eigenes Verlangen,
dann ist es besser, nicht zu heiraten. 38Wer also heiratet, han-
delt gut, und wer nicht heiratet, handelt besser.

39Eine Frau ist mit ihrem Mann verheiratet, solange er lebt.
Wenn ihr Mann stirbt, ist sie frei zu heiraten, wen sie will, aber
es muss eine Ehe sein, die dem Herrn gefällt. 40Meiner Mei-
nung nach wird sie aber glücklicher sein, wenn sie nicht mehr

heiratet, und ich denke, dass ich euch diesen Rat aus Gottes Geist heraus gebe.

Aufeinander Rücksicht nehmen

8 [1]Nun zu der Frage, ob wir Fleisch essen, das den Götzen geopfert wurde. Ihr meint, alle müssten sich eurer Erkenntnis anpassen. Wissen kann uns ein Gefühl von Wichtigkeit verleihen, doch nur die Liebe baut die Gemeinde wirklich
auf. [2]Wer behauptet, alle Antworten zu kennen, hat in Wirklichkeit kaum begriffen, auf welche Erkenntnis es ankommt.
[3]Doch wer Gott liebt, der ist von Gott erkannt.
[4]Wie verhält es sich nun? Sollen wir Fleisch essen, das den Götzen geopfert wurde? Wir wissen alle, dass ein Götze gar kein Gott ist und dass es nur einen einzigen, wahren Gott gibt.
[5]Denn es gibt viele sogenannte Götter, sowohl im Himmel als auch auf der Erde – wie es ja viele Mächte und viele Herren gibt.
[6]Wir aber wissen, dass es nur einen Gott gibt, den Vater,
der alles erschaffen hat
und für den wir leben.
Und es gibt nur einen Herrn, Jesus Christus,
durch den Gott alles erschaffen hat
und durch den wir leben.
[7]Das ist allerdings nicht allen in der Gemeinde klar. Manche haben sich daran gewöhnt, Götzen für etwas Wirkliches zu halten. Wenn sie dann von dem geopferten Fleisch essen,
wird ihr schwaches Gewissen beunruhigt. [8]Es stimmt, dass wir Gottes Anerkennung nicht durch das gewinnen können, was wir essen. Wir versäumen nichts, wenn wir etwas Bestimmtes nicht essen, und wir gewinnen nichts, wenn wir
es tun. [9]Doch ihr müsst mit dieser Freiheit, die ihr habt, behutsam umgehen, damit ihr nicht einem Bruder oder einer Schwester mit einem ängstlicheren Gewissen schadet.
[10]Leicht kann dann Folgendes geschehen: Schwächere Menschen, die es für falsch halten, solche Speisen zu essen, werden dich in einem Götzentempel essen sehen. Du selbst weißt, dass daran nichts Unrechtes ist, sie aber werden verleitet, ge-

gen ihr Gewissen Fleisch zu essen, das einem Götzen geopfert
wurde. 11Auf diese Weise schadet deine Erkenntnis einem
schwachen Bruder, für den Christus doch ebenfalls gestorben
ist. 12Wenn ihr gegen eure Brüder sündigt und ihr schwaches
Gewissen verletzt, sündigt ihr damit gegen Christus. 13Lieber
will ich mein Leben lang kein Fleisch mehr essen, als dass ich
durch mein Tun einen anderen zur Sünde veranlasse – denn
ich möchte meinem Bruder nicht schaden.

Paulus verzichtet auf seine Rechte

9 1Habe ich nicht soviel Freiheit wie jeder andere auch? Bin
ich nicht ein Apostel? Habe ich nicht Jesus, unseren Herrn,
mit eigenen Augen gesehen? Ist es nicht das Ergebnis meiner
Bemühungen, dass ihr jetzt zu Jesus gehört? 2Auch wenn an-
dere mich nicht für einen Apostel halten, so bin ich es doch
ganz gewiss für euch, denn ihr seid der lebendige Beweis,
dass ich ein Apostel des Herrn bin.

3Das ist meine Antwort an die, die meine Vollmacht als
Apostel infrage stellen: 4Haben wir nicht das Recht, in euren
Häusern zu wohnen und mit euch zu essen? 5Haben wir nicht
das Recht, eine Ehefrau bei uns zu haben, wie die anderen
Jünger und die Brüder des Herrn und Petrus es tun? 6Oder
sind Barnabas und ich die Einzigen, die arbeiten müssen, um
ihren Lebensunterhalt zu verdienen? 7Welcher Soldat müsste
im Krieg seine Auslagen von seinem eigenen Geld bestreiten?
Oder habt ihr je von einem Bauern gehört, der seinen Wein-
berg bepflanzt und nicht davon isst? Welcher Hirte weidet
eine Herde Schafe und darf nicht von der Milch trinken?
8Und dabei vertrete ich nicht nur menschliche Ansichten.
Sagt Gottes Gesetz nicht das Gleiche? 9Denn im Gesetz Moses
steht: »Hindert einen Ochsen nicht am Fressen, während er
Korn drischt.« Meint ihr, Gott hätte bei diesen Worten nur an
den Ochsen gedacht? 10Sprach er da nicht auch zu uns? Na-
türlich tat er das. Denn wer pflügt und das Getreide drischt,
darf seinen Anteil an der Ernte erwarten.

11Wir haben unter euch eine gute geistliche Saat gesät. Wäre
es da zu viel verlangt, wenn ich euch um Nahrung und Klei-

dung bitte? [12]Wenn ihr andere unterstützt, die bei euch predi-
gen, dürften wir da nicht erst recht Anspruch darauf erheben,
unterstützt zu werden? Doch wir haben nie von diesem Recht
Gebrauch gemacht. Wir ertragen lieber alle Schwierigkeiten,
damit der Botschaft von Christus kein Hindernis in den Weg
gelegt wird.

[13]Wisst ihr denn nicht, dass diejenigen, die im Tempel die-
nen, sich von den Speisen ernähren, die als Opfergaben zum
Tempel gebracht werden? Und auch die, die am Altar
Dienst tun, erhalten Anteil an den Opfern. [14]Ebenso hat der
Herr angeordnet, dass diejenigen, die die gute Botschaft ver-
künden, von denen unterstützt werden sollen, die davon
Nutzen haben. [15]Ich habe jedoch nie von irgendeiner dieser
Möglichkeiten Gebrauch gemacht. Und ich schreibe euch
das alles auch nicht, um anzudeuten, dass ich es von nun
an tun werde. Lieber würde ich sterben, als den Ruhm ein-
zubüßen, dass ich ohne jede Gegenleistung predige. [16]Denn
wenn ich die gute Botschaft Gottes verkünde, ist das für
mich kein Grund, stolz darauf zu sein. Ich muss es einfach
tun, und es würde mir schlecht ergehen, wenn ich es unter-
ließe!

[17]Wenn ich es aus freiem Entschluss täte, hätte ich eine Be-
zahlung verdient. Doch ich wurde von Gott erwählt. Er hat
mir diese Aufgabe anvertraut, sodass ich keine andere Wahl
habe. [18]Worin besteht nun mein Lohn? Darin, dass ich die Bot-
schaft verkünde, ohne jemandem Kosten zu verursachen, und
dass ich von meinen Rechten als Verkünder keinen Gebrauch
mache.

[19]Das bedeutet, dass ich an niemanden gebunden bin. Den-
noch habe ich mich zum Diener aller gemacht, um möglichst
viele für Christus zu gewinnen. [20]Den Juden bin ich einer von
ihnen geworden, um sie für Christus zu gewinnen. Bei denen,
die sich an das Gesetz halten, verhalte ich mich ebenso – ob-
wohl ich nicht unter dem Gesetz stehe –, damit ich sie für
Christus gewinne. [21]Wenn ich bei Nichtjuden bin, die das jü-
dische Gesetz nicht haben, passe ich mich ihnen so weit wie
möglich an, um sie für Christus zu gewinnen. Allerdings lasse

ich Gottes Gesetz dabei nicht außer Acht, sondern befolge das
Gesetz, das ich von Christus habe.
22Wenn ich bei den Schwachen bin, werde ich bei ihnen wie
ein Schwacher, um sie für Christus zu gewinnen. Ja, ich ver-
suche bei allen Menschen eine gemeinsame Grundlage zu fin-
den, um wenigstens einige von ihnen für Christus zu gewin-
nen. 23All das tue ich, um Gottes gute Botschaft zu verbreiten,
damit auch ich Anteil an ihrem Segen erhalte.
24Denkt daran, dass alle wie in einem Wettrennen laufen,
aber nur einer den Siegespreis bekommt. Lauft so, dass ihr
ihn gewinnt! 25Jeder Athlet übt strenge Selbstdisziplin. Er tut
das allerdings, um einen Preis zu erringen, dessen Wert ver-
blassen wird – wir aber tun es für einen ewigen Preis. 26So
halte ich mir stets das Ziel vor Augen und laufe mit jedem
Schritt darauf zu. Ich kämpfe wie ein Boxer, aber nicht wie
einer, der ins Leere schlägt. 27Mit der eisernen Disziplin eines
Athleten bezwinge ich meinen Körper, damit er mir gehorcht.
Sonst müsste ich befürchten, dass ich zwar anderen gepredigt
habe, mich danach aber womöglich selbst disqualifiziere.

Warnungen vor jeder Art von Götzendienst

10 1Liebe Brüder, vergesst nicht, was vor langer Zeit un-
sere Vorfahren in der Wüste erlebt haben. Gott ging
ihnen in einer Wolke voran und führte sie sicher durchs Meer.
2Alle wurden in der Wolke und im Meer auf Mose getauft, als
sie ihm folgten. 3Sie aßen alle die gleiche Nahrung, die Gott
ihnen durch ein Wunder schenkte, 4und tranken aus dem ih-
nen von Gott geschenkten Felsen, der sie begleitete, und die-
ser Fels war Christus. 5Und doch fand Gott nach all diesen
Wundern an den meisten von ihnen kein Gefallen, sodass sie
in der Wüste umkamen.
6Diese Ereignisse sind für uns ein warnendes Beispiel, damit
wir nicht wie sie nach unrechten Dingen streben 7oder Götzen
anbeten, wie einige von ihnen es taten. In der Schrift heißt es
dazu: »Sie setzten sich, um zu essen und zu trinken und feier-
ten ein rauschendes Fest.« 8Auch auf Unzucht dürfen wir uns
nicht einlassen, wie einige von ihnen es taten und dadurch an

einem einzigen Tag den Tod von dreiundzwanzigtausend
Menschen verursachten. 9Auch dürfen wir Christus nicht he-
rausfordern, wie manche von ihnen es taten und dann an
Schlangenbissen starben. 10Und murrt nicht wie einige von
ihnen, denn daraufhin schickte Gott seinen Engel des Todes,
um sie zu vernichten. 11All diese Ereignisse, die ihnen wider-
fuhren, dienen uns als Beispiel. Sie wurden für uns, die wir
am Ende der Zeiten leben, als Warnung aufgeschrieben.

12Wer sich für standhaft hält, soll aufpassen, dass er nicht auf
die gleiche Weise sündige. 13Vergesst nicht, dass die Prüfun-
gen, die ihr erlebt, die gleichen sind, vor denen alle Menschen
stehen. Doch Gott ist treu. Er wird die Prüfung nicht so stark
werden lassen, dass ihr nicht mehr widerstehen könnt. Wenn
ihr auf die Probe gestellt werdet, wird er sogleich für einen
Ausweg sorgen, sodass ihr standhalten könnt.

14Deshalb, liebe Freunde, meidet den Götzendienst. 15Ihr
seid doch verständige Menschen. Entscheidet selbst, ob ich
die Wahrheit sage. 16Wenn wir am Tisch des Herrn den Kelch
segnen, haben wir dann nicht gemeinsam Anteil am Segen
des Blutes von Christus? Und wenn wir das Brot brechen, ha-
ben wir dann nicht gemeinsam Anteil am Segen des Leibes
von Christus? 17Wir alle essen von einem Laib Brot und zeigen
damit, dass wir alle zusammen ein Leib sind. 18Denkt doch an
das Volk Israel: Alle, die vom Opfer essen, haben dadurch
Gemeinschaft mit Gott.

19Was will ich damit sagen? Behaupte ich nun etwa doch,
dass die Götzen, denen die Völker Opfer darbringen, wirk-
liche Götter sind und dass diese Opfer etwas zu sagen hätten?
20Nein, ganz und gar nicht. Ich sage vielmehr, dass diese Op-
fer den Dämonen und nicht Gott dargebracht werden. Und
ich möchte nicht, dass ihr in irgendeiner Weise Gemeinschaft
mit Dämonen habt. 21Ihr könnt nicht aus dem Kelch des Herrn
und zugleich aus dem Kelch der Dämonen trinken. Ihr könnt
nicht am Tisch des Herrn und zugleich am Tisch der Dämo-
nen essen. 22Oder wollen wir den Herrn etwa zur Eifersucht
reizen wie einst Israel? Meinen wir etwa, wir seien stärker als
er?

23Es ist alles erlaubt, aber nicht alles ist hilfreich. Es ist alles
erlaubt, aber nicht alles ist gut. 24Denkt nicht an euren eigenen
Vorteil, sondern an die anderen und an das, was für sie am
besten ist.

25Haltet euch an Folgendes: Ihr dürft alles Fleisch essen, das
auf dem Markt verkauft wird. Fragt nicht, ob es Götzen dar-
gebracht wurde oder nicht; dann wird euer Gewissen gar
nicht erst belastet. 26Denn »die Erde und alles, was darauf ist,
gehört dem Herrn«.

27Wenn jemand, der nicht an Christus glaubt, euch zum Es-
sen einlädt, dann nehmt die Einladung an, wenn ihr wollt.
Esst, was immer euch angeboten wird, und stellt keine Fra-
gen. Euer Gewissen braucht darüber nicht beunruhigt zu sein.
28Doch wenn euch jemand warnt, dass dieses Fleisch den Göt-
zen dargebracht wurde, dann esst es nicht, und zwar aus
Rücksicht auf denjenigen, der euch davor gewarnt hat. 29Für
euch wäre es vielleicht keine Sache des Gewissens, für ihn
aber schon.

Doch warum sollte ich meine Freiheit einem anderen zuliebe
beschneiden lassen? 30Wenn ich Gott für das Essen danken
und es genießen kann, warum sollte ich dann dafür verurteilt
werden, dass ich es esse? 31Was immer ihr esst oder trinkt oder
tut, das tut zur Ehre Gottes! 32Gebt den Juden oder den Nicht-
juden oder der Gemeinde Gottes keinen Anlass, sich über
euch zu ärgern. 33Ich selbst halte es auch so. Ich versuche, in
allem, was ich tue, allen zu gefallen. Ich tue nicht einfach, was
mir gefällt oder was für mich am besten ist, sondern ich tue,
was für sie am besten ist, damit sie gerettet werden.

11 1Und ihr solltet meinem Beispiel folgen, so wie ich
Christus folge.

Anweisungen für öffentliche Gottesdienste

2Ich bin so froh, dass ihr stets an mich denkt und an der Lehre
festhaltet, die ich euch weitergegeben habe. 3Doch es gibt
noch eines, das ihr wissen sollt: Ein Mann ist Christus verant-
wortlich, eine Frau ist ihrem Ehemann verantwortlich und
Christus Gott. 4Ein Mann entehrt Christus, wenn er beim Be-

ten oder Weissagen seinen Kopf bedeckt. 5Eine Frau entehrt
ihren Ehemann, wenn sie ohne Kopfbedeckung betet oder
weissagt, denn das wäre dasselbe, als würde sie sich den
Kopf kahl scheren. 6Wenn sie sich weigert, eine Kopfbede-
ckung zu tragen, könnte sie gleich ihr Haar abschneiden. Da
es für eine Frau aber eine Schande ist, ihr Haar abzuschneiden
oder sich den Kopf kahl zu scheren, soll sie eine Kopfbede-
ckung tragen. 7Ein Mann dagegen sollte nichts auf dem Kopf
tragen, wenn er betet, denn der Mann ist zu Gottes Ehre ge-
schaffen und sein Abbild, die Frau aber ist zur Ehre des Man-
nes geschaffen. 8Denn der erste Mann kam nicht von einer
Frau, sondern die Frau vom Mann. 9Der Mann wurde nicht
für die Frau erschaffen, sondern die Frau für den Mann.
10Deshalb soll die Frau eine Kopfbedeckung tragen, auch we-
gen der Engel.

11Nach dem Willen Gottes ist die Frau nicht unabhängig
vom Mann und der Mann nicht unabhängig von der Frau.
12Denn obwohl die erste Frau vom Mann kam, wurden seit-
dem alle Männer von Frauen geboren, und alle kommen von
Gott.

13Wie denkt ihr selbst darüber? Glaubt ihr, dass es sich ge-
hört, dass eine Frau in der Öffentlichkeit zu Gott betet, ohne
ihren Kopf zu bedecken? 14Ist es nicht offensichtlich, dass es
für einen Mann eine Schande ist, langes Haar zu tragen, 15für
eine Frau ist es dagegen eine Ehre. Denn das lange Haar wur-
de ihr als eine Art Schleier gegeben. 16Wenn allerdings je-
mand in diesem Punkt unbedingt recht haben will, so kann
ich nur sagen, dass wir keinen anderen Brauch haben als die-
sen und die anderen Gemeinden Gottes dieselbe Ansicht ver-
treten.

Die Ordnung beim Abendmahl

17Ich komme nun zu eurer nächsten Frage, und darin kann ich
euch nicht loben. Denn es scheint, als würde mehr Schaden
angerichtet als Gutes bewirkt, wenn ihr zusammenkommt.
18Erstens höre ich, dass es bei euren Gemeindeversammlun-
gen zu Spaltungen kommt, und zum Teil glaube ich das sogar.

19Denn es muss natürlich Spaltungen unter euch geben, damit
deutlich wird, wer von euch sich bewährt.

20Doch euch geht es offenbar gar nicht um das Abendmahl,
wenn ihr zusammenkommt. 21Denn mir wurde berichtet,
dass einige von euch, kaum seid ihr beisammen, sofort anfan-
gen, ihr selbst mitgebrachtes Essen zu verzehren. Sie teilen es
nicht mit den anderen, sodass manche hungrig bleiben; wie-
der andere betrinken sich. 22Ist das wirklich wahr? Könnt ihr
denn nicht zu Hause essen und trinken? Oder wollt ihr der
Gemeinde Gottes Schande machen und die Armen beschä-
men? Was soll ich dazu sagen? Soll ich euch dafür loben?
Nein, dafür lobe ich euch nicht.

23Das Folgende hat der Herr selbst gesagt, und ich gebe es
euch so weiter, wie ich es empfangen habe: In der Nacht, als er
verraten wurde, nahm Jesus, der Herr, einen Laib Brot, 24und
nachdem er Dank gesagt hatte, brach er ihn und sprach: »Das
ist mein Leib; euch ist er zugedacht. Tut das zur Erinnerung
an mich.« 25Ebenso nahm er nach dem Abendmahl den Wein-
kelch und sprach: »Dieser Kelch ist der neue Bund zwischen
Gott und euch, besiegelt durch mein Blut. Wann immer ihr
daraus trinkt, tut es zur Erinnerung an mich.« 26Denn jedes
Mal, wenn ihr dieses Brot esst und aus diesem Kelch trinkt,
verkündet ihr den Tod des Herrn, bis er wiederkommt.

27Wer also unwürdig dieses Brot isst oder aus diesem Kelch
des Herrn trinkt, der macht sich am Leib und am Blut des
Herrn schuldig. 28Deshalb solltet ihr euch prüfen, bevor ihr
das Brot esst und aus dem Kelch trinkt. 29Denn jeder bringt
beim Essen und Trinken ein Gerichtsurteil über sich, wenn er
den Leib des Herrn nicht als etwas Besonderes achtet. 30Aus
diesem Grund sind viele von euch schwach und krank, und
einige sind sogar gestorben.

31Würden wir uns jedoch selbst prüfen, dann würden wir
nicht gerichtet werden. 32Wenn wir aber vom Herrn geprüft
und gerichtet werden, werden wir bestraft – und das ge-
schieht, damit wir nicht zusammen mit der Welt verurteilt
werden. 33Deshalb wartet aufeinander, liebe Brüder, wenn
ihr zum Abendmahl zusammenkommt. 34Wenn ihr wirklich

hungrig seid, dann esst vorher zu Hause, damit ihr nicht zum Gericht zusammenkommt, wenn ihr euch versammelt.

In den anderen Angelegenheiten werde ich euch nach meiner Ankunft entsprechende Anweisungen geben.

Geistliche Gaben

12 [1]Und nun, liebe Freunde, komme ich auf die besonde-
ren Fähigkeiten zu sprechen, die der Geist jedem von
uns schenkt, denn offenbar ist es in dieser Sache zu Missver-
ständnissen unter euch gekommen. [2]Ihr wisst ja, ihr habt euch
früher, als ihr noch nicht zu Christus gehörtet, dazu verleiten
und mitreißen lassen, stumme Götzen anzubeten. [3]Deshalb
möchte ich euch dabei helfen zu unterscheiden, was wirklich
von Gott kommt: Niemand, der den Geist Gottes hat, kann
Jesus verfluchen, und niemand kann sagen: »Jesus ist der
Herr«, wenn es ihm nicht der Heilige Geist eingibt.

[4]Nun gibt es verschiedene geistliche Gaben, aber es ist ein
und derselbe Heilige Geist, der sie zuteilt. [5]In der Gemeinde
gibt es verschiedene Aufgaben, aber es ist ein und derselbe
Herr, dem wir dienen. [6]Gott wirkt auf verschiedene Weise in
unserem Leben, aber es ist immer derselbe Gott, der in uns
allen wirkt. [7]Jedem von uns wird eine geistliche Gabe zum
Nutzen der ganzen Gemeinde gegeben.

[8]Dem einen gibt der Geist also die Fähigkeit, guten Rat zu
erteilen, einem anderen verleiht er die Gabe besonderer Er-
kenntnis. [9]Dem einen schenkt er einen besonders großen
Glauben, dem anderen die Gabe, Kranke zu heilen – das alles
bewirkt der eine Geist. [10]Dem einen Menschen verleiht er
Kräfte, dass er Wunder tun kann, einem anderen die Fähigkeit
zur Prophetie. Wieder ein anderer wird durch den Geist befä-
higt zu unterscheiden, ob wirklich der Geist Gottes oder aber
ein anderer Geist spricht. Und dem einen gibt der Geist die
Gabe, in anderen Sprachen zu sprechen, während er einen
anderen befähigt, das Gesagte auszulegen. [11]Dies alles be-
wirkt aber ein und derselbe Heilige Geist, indem er diese Ga-
ben zuteilt und allein entscheidet, welche Gabe jeder Einzelne
erhält.

Ein Körper mit vielen Gliedern und Organen

[12]Der menschliche Körper hat viele Glieder und Organe, doch
nur gemeinsam machen die vielen Teile den einen Körper aus.
So ist es auch bei Christus und seinem Leib. [13]Einige von uns
sind Juden, andere Nichtjuden; einige sind Sklaven, andere
frei. Aber wir haben alle denselben Geist empfangen und ge-
hören durch die Taufe zu einem einzigen Leib. [14]Auch der
Körper besteht aus vielen verschiedenen Teilen, nicht nur aus
einem. [15]Wenn der Fuß sagen würde: »Ich bin kein Teil des
Körpers, weil ich keine Hand bin«, sollte er deshalb nicht
zum Körper gehören? [16]Und wenn das Ohr erklären würde:
»Ich bin kein Teil des Körpers, weil ich nur ein Ohr und kein
Auge bin«, sollte es deswegen etwa nicht mehr zum Körper
gehören? [17]Stellt euch vor, euer ganzer Körper wäre nur
Auge – wie könntet ihr da hören? Oder wenn euer ganzer
Körper nur Ohr wäre, wie könntet ihr da etwas riechen?

[18]Gott hat unseren Körper mit vielen Gliedern und Organen
geschaffen und jedem Körperteil seinen Platz gegeben, wie er
es wollte. [19]Was wäre das für ein seltsamer Körper, wenn er
nur aus einem einzigen Körperteil bestehen würde! [20]Ja, es
sind viele Teile, aber nur ein Körper. [21]Das Auge kann nicht
zur Hand sagen: »Ich brauche dich nicht.« Und der Kopf kann
nicht zum Fuß sagen: »Ich brauche dich nicht.«

[22]In Wirklichkeit sind oft gerade die scheinbar schwächeren
oder unwichtigeren Körperteile besonders notwendig. [23]Und
die Körperteile, die wir verstecken möchten, kleiden wir mit
umso größerer Sorgfalt. So verbergen wir manche Körperteile
besonders sorgfältig vor den Blicken anderer, [24]während an-
dere Körperteile dies nicht nötig haben. Gott hat den Körper
so gefügt, dass den benachteiligten Gliedern besondere Ehre
zukommt. [25]Auf diese Weise kommt keine Spaltung im Leib
zustande, sondern alle Glieder sorgen in gleicher Weise für-
einander. [26]Wenn eines leidet, leiden alle anderen mit, und
wenn eines geehrt wird, freuen sich alle anderen mit.

[27]So bildet ihr gemeinsam den Leib von Christus, und jeder
Einzelne gehört als ein Teil dazu. [28]Gott hat bestimmte Men-
schen in der Gemeinde eingesetzt: erstens als Apostel, zwei-

tens welche als Propheten, drittens als Lehrer, dann solche,
die Wunder vollbringen, solche mit der Gabe der Heilung,
solche, die anderen helfen, solche, die besondere Leitungs-
fähigkeiten haben und andere zur Zusammenarbeit bewegen,
und solche, die in anderen Sprachen sprechen können.
29Ist jeder ein Apostel? Natürlich nicht! Ist jeder ein Prophet?
Nein. Sind alle Lehrer? Hat jeder die Kraft, Wunder zu tun?
30Haben alle die Gabe der Heilung? Natürlich nicht. Gibt Gott
uns allen die Gabe, in anderen Sprachen zu sprechen? Können
alle andere Sprachen deuten? Nein! 31Strebt aber nach den
größeren Gaben! Ich will euch etwas zeigen, das alle diese
Gaben übertrifft!

Das Größte ist die Liebe

13 1Wenn ich in den Sprachen der Welt oder mit Engels-
zungen reden könnte, aber keine Liebe hätte, wäre
mein Reden nur sinnloser Lärm wie ein dröhnender Gong
oder eine klingende Schelle. 2Wenn ich die Gabe der Prophetie
hätte und wüsste alle Geheimnisse und hätte jede Erkenntnis
und wenn ich einen Glauben hätte, der Berge versetzen könn-
te, aber keine Liebe hätte, so wäre ich nichts. 3Wenn ich alles,
was ich besitze, den Armen geben und sogar meinen Körper
opfern würde, damit ich geehrt würde, aber keine Liebe hätte,
wäre alles wertlos.
4Die Liebe ist geduldig und freundlich. Sie ist nicht neidisch
oder überheblich, stolz 5oder anstößig. Die Liebe ist nicht
selbstsüchtig. Sie lässt sich nicht reizen, und wenn man ihr
Böses tut, trägt sie es nicht nach. 6Sie freut sich niemals über
Ungerechtigkeit, sondern sie freut sich immer an der Wahr-
heit. 7Die Liebe erträgt alles, verliert nie den Glauben, bewahrt
stets die Hoffnung und bleibt bestehen, was auch geschieht.
8Die Liebe wird niemals aufhören, selbst wenn Prophetie,
das Reden in unbekannten Sprachen und die Erkenntnis ver-
gehen werden. 9Jetzt erkennen wir nur wenig, und auch unser
prophetisches Reden offenbart nur wenig! 10Doch wenn am
Ende das Vollkommene erscheint, wird das wenige aufhören.
11Als ich ein Kind war, redete und dachte und urteilte ich

wie ein Kind. Doch als ich erwachsen wurde, legte ich das
Kindliche ab. 12Jetzt sehen wir die Dinge noch unvollkom-
men, wie in einem trüben Spiegel, dann aber werden wir alles
in völliger Klarheit erkennen. Alles, was ich jetzt weiß, ist un-
vollständig; dann aber werde ich alles erkennen, so wie Gott
mich jetzt schon kennt.
13Glaube, Hoffnung und Liebe, diese drei bleiben. Aber am
größten ist die Liebe.

Die verschiedenen Gaben

14 1Die Liebe soll euer höchstes Ziel sein. Aber bemüht
euch auch um die besonderen Gaben, die der Geist zu-
teilt, vor allem um die Gabe der Prophetie. 2Denn wem die
Gabe geschenkt wird, in anderen Sprachen zu reden, der
spricht zu Gott, aber nicht zu Menschen, weil ihn niemand
versteht. Er redet durch die Kraft des Geistes, aber es sind
Geheimnisse, die er ausspricht. 3Wer dagegen prophetisch re-
det, der hilft anderen, im Glauben an den Herrn zu wachsen,
und er ermutigt und tröstet sie. 4Wenn jemand in anderen
Sprachen redet, wird er selbst dadurch im Glauben gestärkt;
doch wer prophetisch redet, der stärkt die ganze Gemeinde.
5Ich wünschte, ihr alle hättet die Gabe, in Sprachen zu reden,
aber noch mehr wünschte ich, ihr könntet alle prophetisch
reden. Denn die Gabe der Prophetie ist wichtiger und nützli-
cher als das Reden in Sprachen, es sei denn, jemand erklärt
den anderen, was es bedeutet, damit die ganze Gemeinde da-
durch ermutigt wird.
6Liebe Brüder, wenn ich käme und in einer anderen Sprache
zu euch redete, was würde euch das nützen? Wenn ich für
euch jedoch eine Offenbarung oder eine besondere Erkennt-
nis oder eine Prophetie oder eine Lehre hätte, dann würde
euch das helfen. 7Selbst leblose Dinge wie eine Flöte oder
eine Harfe sind ein Beispiel dafür, wie wichtig es ist, eine ver-
ständliche Sprache zu sprechen. Denn wenn die Töne nicht
klar gespielt werden, erkennt niemand die Melodie. 8Wenn
der Trompeter kein klares Signal bläst, woher sollen die Sol-
daten dann wissen, dass sie sich auf die Schlacht vorbereiten

sollen? 9Das gilt auch für euch. Wenn ihr in einer Sprache zu
Menschen redet, die sie nicht verstehen, woher sollen sie dann
wissen, was ihr meint? Ihr könntet genauso gut in den Wind
reden.

10Es gibt so viele verschiedene Sprachen auf der Welt, und
sie alle dienen denen, die sie verstehen, zur Verständigung.
11Mir aber sagen sie nichts. Somit verstehe ich die Menschen,
die diese Sprachen sprechen, nicht, und sie verstehen mich
nicht. 12Da ihr so sehr auf geistliche Gaben bedacht seid, bittet
Gott um solche Gaben, die der ganzen Gemeinde von Nutzen
sind.

13Deshalb sollten alle, die die Gabe haben, in anderen Spra-
chen zu reden, auch um die Gabe der Auslegung beten, damit
sie den Leuten erklären können, was gesagt wurde. 14Denn
wenn ich in Sprachen bete, betet mein Geist, aber ich verstehe
nicht, was ich rede.

15Was soll ich also tun? Ich werde beides tun. Ich werde im
Geist beten, und ich werde in Worten beten, die ich verstehe.
Ich werde im Geist singen, und ich werde in Worten singen,
die ich verstehe. 16Denn wenn du Gott nur im Geist lobst, wie
sollen da die anderen, die dich nicht verstehen, Gott mit dir
zusammen loben? Wie können sie gemeinsam mit dir danken,
wenn sie deine Worte nicht verstehen? 17Du dankst zwar mit
schönen Worten, aber der andere wird dadurch nicht ge-
stärkt.

18Ich danke Gott, dass ich mehr in Sprachen rede als ihr alle.
19Aber in einer Gemeindeversammlung spreche ich lieber
fünf verständliche Worte, die anderen helfen, als zehntausend
Worte in einer anderen Sprache.

20Liebe Brüder, seid nicht wie Kinder, wenn es darum geht,
diese Dinge zu verstehen. Seid unschuldig wie kleine Kinder,
wenn es um das Böse geht; aber im Verstehen dieser Dinge
sollt ihr reif und erwachsen sein. 21In der Schrift heißt es:

»Ich werde durch andere Sprachen und durch die Lippen
Fremder zu meinem Volk sprechen.

Doch selbst dann werden sie nicht auf mich hören«, spricht
der Herr.

22Ihr seht also, dass das Reden in anderen Sprachen ein Zei-
chen nicht für Gläubige, sondern für Ungläubige ist; die Pro-
phetie dagegen dient den Gläubigen und nicht den Ungläu-
bigen. 23Wenn nun Ungläubige oder Menschen, die nichts
davon verstehen, in eure Versammlungen kommen, und alle
reden in einer anderen Sprache, werden sie euch nicht für ver-
rückt halten? 24Wenn ihr jedoch alle prophetisch redet und
irgendein Ungläubiger oder Fremder kommt herein, dann
wird er von seiner Schuld überzeugt und durch das, was ihr
sagt, überführt. 25Während er zuhört, werden seine geheimen
Gedanken offenbar, und er wird auf seine Knie fallen und
Gott anbeten und sagen: »Gott ist wirklich hier unter euch.«

Von der Ordnung im Gottesdienst

26Was folgt daraus, liebe Brüder? Wenn ihr euch versammelt,
wird der eine singen, der andere lehren, wieder ein anderer
wird eine besondere Offenbarung Gottes weitergeben. Einer
wird in einer anderen Sprache reden, während ein anderer
erklärt, was gesagt wurde. Doch alles, was geschieht, soll für
alle hilfreich sein und sie im Herrn aufbauen. 27Nicht mehr als
zwei oder drei sollen in einer anderen Sprache reden. Sie sol-
len das nacheinander tun, und einer muss bereit sein auszu-
legen, was sie sagen. 28Wenn niemand anwesend ist, der die
anderen Sprachen auslegen kann, sollen sie in der Versamm-
lung der Gemeinde schweigen und in Sprachen zu Gott spre-
chen, wenn sie allein sind.

29Lasst zwei oder drei prophetisch reden und die anderen
beurteilen, was gesagt wurde. 30Wenn jedoch jemand prophe-
tisch redet und ein anderer eine Offenbarung vom Herrn
empfängt, soll der, der gerade spricht, schweigen. 31Auf diese
Weise können alle prophetisch reden, doch einer nach dem
anderen, damit alle lernen und ermutigt werden. 32Wer pro-
phetisch redet, hat Kontrolle über sich selbst und kann war-
ten, bis er an der Reihe ist. 33Denn Gott ist nicht ein Gott der
Unordnung, sondern ein Gott des Friedens, wie auch in allen
anderen Gemeinden.

34Die Frauen sollen in den Gemeindeversammlungen

schweigen. Es gehört sich nicht, dass sie sprechen. Sie sollen
sich unterordnen, wie es im Gesetz steht. 35Wenn sie Fragen
haben, sollen sie zu Hause ihre Ehemänner fragen, denn es
steht ihnen nicht zu, in der Gemeindeversammlung zu spre-
chen.

36Meint ihr etwa, das Wissen um Gottes Wort beginnt und
endet bei euch Korinthern? Da irrt ihr euch! 37Wer behauptet,
ein Prophet zu sein, oder meint, vom Geist begabt zu sein, der
sollte erkennen, dass das, was ich euch schreibe, ein Gebot des
Herrn ist. 38Wer das nicht anerkennt, der wird seinerseits auch
nicht anerkannt.

39Deshalb, liebe Brüder, bemüht euch um die Gabe der Pro-
phetie und verbietet das Reden in anderen Sprachen nicht.
40Doch achtet darauf, dass alles angemessen und geordnet ge-
schieht.

Die Auferstehung von Christus

15 1Nun will ich euch noch einmal an die gute Botschaft
erinnern, liebe Brüder, die ich euch verkündet habe. Ihr
habt sie damals angenommen, und sie ist auch heute das Fun-
dament eures Glaubens. 2Durch sie werdet ihr gerettet, wenn
ihr daran festhaltet genau so, wie ich sie euch verkündet
habe – es sei denn, ihr seid vergeblich zum Glauben gekom-
men.

3Ich habe euch das weitergegeben, was am wichtigsten ist
und was auch mir selbst überliefert wurde – dass Christus
für unsere Sünden starb, genau wie es in der Schrift steht. 4Er
wurde begraben und ist am dritten Tag von den Toten auf-
erstanden, wie es in der Schrift steht. 5Er wurde von Petrus
gesehen und dann von den zwölf Aposteln. 6Danach sahen
ihn mehr als fünfhundert seiner Anhänger auf einmal, von
denen die meisten noch leben; nur einige sind inzwischen ge-
storben. 7Dann wurde er von Jakobus gesehen und später von
allen Aposteln. 8Als Letzter von allen habe auch ich ihn gese-
hen, so als wäre ich zur falschen Zeit geboren worden. 9Denn
ich bin der geringste der Apostel und eigentlich nicht wert,

Apostel genannt zu werden, weil ich die Gemeinde Gottes verfolgt habe.

10Doch was immer ich jetzt bin, das bin ich durch die Gnade
Gottes – und seine Gnade blieb in mir nicht ohne Wirkung.
Denn ich habe härter gearbeitet als alle anderen Apostel,
doch nicht ich habe gearbeitet, sondern Gott, der durch seine
Gnade durch mich wirkte. 11Deshalb kommt es nicht darauf
an, ob ich predige oder sie. Entscheidend ist, dass ihr glaubt,
was wir euch verkünden.

Die Auferstehung der Toten

12Aber nun frage ich euch: Wenn wir predigen, dass Christus
von den Toten auferstanden ist, wie können einige von euch
da behaupten, es gäbe keine Auferstehung der Toten? 13Wenn
es nämlich keine Auferstehung der Toten gibt, dann ist auch
Christus nicht auferstanden. 14Und wenn Christus nicht auf-
erstanden ist, dann war unser Predigen wertlos, und auch
euer Vertrauen auf Gott ist vergeblich. 15Ja, in diesem Fall hät-
ten wir Apostel sogar Lügen über Gott verbreitet, denn wir
haben ja versichert, dass Gott Christus auferweckt hat, und
das kann nicht wahr sein, wenn es keine Auferstehung von
den Toten gibt. 16Denn wenn es keine Auferstehung der Toten
gibt, dann ist auch Christus nicht auferstanden. 17Wenn aber
Christus nicht auferstanden ist, dann ist euer Glaube nutzlos,
und ihr seid nach wie vor in euren Sünden gefangen. 18In die-
sem Fall wären alle Menschen, die im Glauben an Christus
gestorben sind, verloren! 19Wenn der Glaube an Christus nur
für dieses Leben Hoffnung gibt, sind wir die elendesten Men-
schen auf der Welt.

20Nun ist aber Christus als Erster von den Toten auferstan-
den. 21So wie der Tod durch einen Menschen – Adam – in die
Welt kam, hat nun durch einen anderen Menschen – Chris-
tus – die Auferstehung von den Toten begonnen. 22Die Men-
schen sterben, weil alle mit Adam verwandt sind. Ebenso
werden durch Christus alle lebendig gemacht und neues Le-
ben empfangen. 23Es gibt aber eine Reihenfolge: Christus zu-

erst, und wenn er wiederkommt, dann die, die zu ihm gehö-
ren.
[24]Danach wird das Ende kommen, wenn er Gott, seinem Va-
ter, das Reich übergeben wird, nachdem er alle seine Feinde
vernichtet hat. [25]Denn Christus muss herrschen, bis er alle sei-
ne Feinde unter seine Füße erniedrigt hat. [26]Als letzter Feind
wird der Tod vernichtet werden. [27]Denn in der Schrift heißt es:
»Gott hat ihm Vollmacht über alles gegeben.« Wenn es heißt:
»Christus hat Vollmacht über alles«, so ist Gott natürlich da-
von ausgenommen, der ihm diese Vollmacht gab. [28]Und
wenn er Herr über alles ist, wird der Sohn sich selbst Gott
unterstellen. Und Gott, der seinem Sohn alles unterworfen
hat, wird über alles und in allem der Höchste sein.
[29]Wenn die Toten nicht auferstehen werden, weshalb lassen
manche Leute sich dann für andere taufen, die gestorben
sind? Warum sollten sie das tun?
[30]Und warum setzen wir uns dann ständig der Gefahr aus?
[31]Ich versichere euch, liebe Freunde, dass ich täglich dem Tod
ins Auge sehe. Das ist so gewiss wie mein Stolz auf das, was
der Herr Jesus Christus in euch getan hat. [32]Und was für einen
Sinn hätte es, in Ephesus gegen wilde Tiere zu kämpfen, wenn
es keine Auferstehung von den Toten gäbe? Wenn es keine
Auferstehung gibt, dann »lasst uns Feste feiern und uns be-
trinken, denn morgen sterben wir!«.
[33]Lasst euch von Leuten, die so etwas sagen, nicht verführen,
denn schlechter Umgang verdirbt gute Sitten. [34]Kommt zur
Vernunft und hört auf zu sündigen. Denn zu eurer Schande
muss ich sagen, dass einige von euch Gott überhaupt nicht
kennen.

Der neue Körper bei der Auferstehung

[35]Vielleicht fragt jetzt einer: »Wie werden die Toten denn auf-
erstehen? Was für einen Körper werden sie haben?« [36]Welch
eine unsinnige Frage! Wenn ihr ein Samenkorn in die Erde legt,
wächst es nicht zu einer Pflanze heran, bevor es nicht gestor-
ben ist. [37]Was ihr in die Erde legt, ist nicht die Pflanze, die
wachsen wird, sondern ein bloßes Weizenkorn oder was ihr

sonst pflanzen wollt. [38]Dann gibt Gott ihm einen neuen Leib,
wie es ihm gefällt. Aus jedem Samen wächst eine andere Pflan-
ze. [39]Und so, wie es verschiedene Samen und Pflanzen gibt, so
gibt es auch Unterschiede zwischen den Körpern von Men-
schen, Tieren, Vögeln oder Fischen. [40]Es gibt himmlische Kör-
per und irdische. Aber die Herrlichkeit der himmlischen ist
eine andere als die der irdischen. [41]Die Sonne hat einen ande-
ren Glanz als der Mond und die Sterne, denn jeder Stern unter-
scheidet sich in Schönheit und Helligkeit von den anderen.

[42]Genauso verhält es sich mit der Auferstehung der Toten.
Unsere irdischen Körper sterben und verwesen, doch bei der
Auferstehung werden sie unvergänglich sein und nicht mehr
sterben. [43]Jetzt sind unsere Körper nicht perfekt, aber wenn
sie auferstehen werden, werden sie voller Herrlichkeit sein.
Jetzt sind sie schwach, dann aber voller Kraft. [44]Jetzt sind es
natürliche menschliche Körper, aber wenn sie auferstehen,
werden es geistliche Körper sein. Denn so wie es irdische Kör-
per gibt, so gibt es auch geistliche.

[45]In den Schriften steht auch: »Der erste Mensch – Adam –
wurde lebendig.« Der letzte Adam aber – also Christus – ist
ein Geist, der lebendig macht. [46]Zuerst kam der irdische Kör-
per; dann der geistliche. [47]Der erste Mensch, Adam, wurde
aus dem Staub der Erde geschaffen, der zweite Mensch,
Christus, ist vom Himmel. [48]Jeder Mensch hat einen irdischen
Körper wie Adam; unser himmlischer Körper aber wird sein
wie der Körper von Christus. [49]So wie wir jetzt dem irdischen
Menschen, Adam, gleichen, so entsprechen wir eines Tages
dem himmlischen Menschen, Christus.

[50]Was ich damit sagen will, liebe Brüder, ist, dass Fleisch und
Blut das Reich Gottes nicht erben können. Der vergängliche
Körper, den wir jetzt haben, kann nicht ewig leben.

[51]Aber lasst mich euch ein wunderbares Geheimnis sagen,
das Gott uns offenbart hat. Nicht jeder von uns wird sterben,
aber wir werden alle verwandelt werden. [52]Das wird in einem
kurzen Moment geschehen, in einem einzigen Augenblick,
wenn die letzte Posaune ertönt. Beim Klang der Posaune wer-
den die Toten mit einem unvergänglichen Körper auferste-

hen, und wir Lebenden werden verwandelt werden, sodass
wir nie mehr sterben. [53]Denn unser vergänglicher irdischer
Körper muss in einen himmlischen Körper verwandelt wer-
den, der nicht mehr sterben wird.
[54]Wenn dies geschieht – wenn unsere vergänglichen, irdi-
schen Körper in unvergängliche, himmlische Körper verwan-
delt sind – dann wird sich das Schriftwort erfüllen:
»Der Tod wurde verschlungen vom Sieg. [55]Tod, wo ist dein
Sieg? Tod, wo ist dein Stachel?«
[56]Denn die Sünde ist der Stachel, der zum Tod führt, und das
Gesetz verleiht der Sünde ihre Kraft. [57]Wir danken Gott, der
uns durch Jesus Christus, unseren Herrn, den Sieg über die
Sünde und den Tod gibt!
[58]Deshalb bleibt fest und unerschütterlich im Glauben, liebe
Freunde, und setzt euch mit aller Kraft für das Werk des
Herrn ein, denn ihr wisst ja, dass nichts, was ihr für den Herrn
tut, vergeblich ist.

Die Sammlung für Jerusalem

16 [1]Nun zu dem Geld, das ihr für die Gemeinde in Jerusa-
lem sammelt: Haltet euch dabei an die Anweisungen,
die ich auch den Gemeinden in Galatien erteilt habe. [2]An je-
dem Tag des Herrn soll jeder von euch so viel Geld beiseitele-
gen, wie es ihm möglich ist, und für diese Sammlung auf-
bewahren. Wartet nicht bis zu meiner Ankunft, um dann
alles auf einmal einzusammeln. [3]Wenn ich komme, werde
ich Abgesandte, die ihr selbst auswählt, mit Empfehlungs-
briefen ausstatten, und sie werden eure Gabe nach Jerusalem
bringen. [4]Wenn es aber nötig ist, dass auch ich hinreise, kön-
nen wir den Weg miteinander machen.

Letzte Anweisungen

[5]Ich werde euch besuchen, wenn ich in Mazedonien gewesen
bin, denn ich habe vor, durch Mazedonien zu reisen. [6]Eine
Weile werde ich bei euch bleiben, vielleicht sogar den ganzen
Winter über. Danach könnt ihr mich dann zu meinem nächs-
ten Ziel begleiten. [7]Diesmal will ich nicht nur einen kurzen

Abstecher zu euch machen und dann gleich weiterziehen.
Ich möchte kommen und eine Zeit lang bleiben, wenn der
Herr es mir erlaubt. 8Vorerst bleibe ich allerdings bis zum
Pfingstfest in Ephesus, 9denn hier bieten sich mir große Mög-
lichkeiten für die Arbeit, und viele Menschen fühlen sich
von der Botschaft angesprochen. Es gibt allerdings auch viel
Widerstand.

10Wenn Timotheus kommt, seht zu, dass er ohne Angst bei
euch sein kann, denn er arbeitet wie ich für den Herrn. 11Nie-
mand soll ihn gering schätzen. Und lasst ihn in Frieden zu mir
zurückkommen. Ich freue mich schon, ihn bald wieder zu se-
hen, zusammen mit den anderen Gläubigen.

12Nun zu unserem Bruder Apollos: Ich habe ihn mehrmals
gebeten, euch mit den anderen Gläubigen zu besuchen, aber
er wollte jetzt nicht kommen. Er wird euch später besuchen,
wenn der Zeitpunkt günstiger ist.

13Seid wachsam. Haltet treu an dem fest, was ihr glaubt. Seid
mutig und stark. 14Alles, was ihr tut, soll in Liebe geschehen.

15Ihr wisst, dass Stephanas und alle in seinem Haus die Ers-
ten waren, die in Griechenland gläubig wurden. Sie widmen
ihr ganzes Leben dem Dienst für die anderen Gläubigen. Ich
bitte euch inständig, liebe Brüder, 16ihnen und auch anderen
Mitarbeitern, die sich mit solcher Hingabe einsetzen, mit gro-
ßer Achtung zu begegnen. 17Ich bin froh, dass Stephanas, For-
tunatus und Achaikus gekommen sind. Sie haben euch er-
setzt, da ihr mich hier nicht unterstützen könnt. 18Sie sind
eine große Ermutigung für mich, wie sie es auch für euch wa-
ren. Deshalb gebührt ihnen eure Wertschätzung.

Abschließende Grüße

19Die Gemeinden hier aus der Provinz Asien lassen euch von
Herzen im Herrn grüßen, wie auch Aquila und Priska und
alle anderen, die sich als Gemeinde in ihrem Haus versam-
meln. 20Die anderen Gläubigen hier haben mich gebeten,
euch von ihnen zu grüßen. Grüßt einander in Liebe.

21Hier ist mein Gruß, den ich, Paulus, eigenhändig geschrie-
ben habe.

22Wer den Herrn nicht liebt, der sei verflucht. Unser Herr
komme bald!
23Die Gnade von Jesus, dem Herrn, soll mit euch sein!
24Euch allen gehört meine Liebe in Christus Jesus.

Der zweite Brief an die Korinther

Grüße von Paulus

1 1Dieser Brief ist von Paulus, der durch Gott zum Apostel
für Christus Jesus berufen wurde, und von seinem Mit-
arbeiter Timotheus.
Wir wenden uns an die Gemeinde Gottes in Korinth und an
alle Gläubigen in Griechenland.
2Wir wünschen euch Gnade und Friede von Gott, unserem
Vater, und Jesus Christus, dem Herrn.

Gott hält wahren Trost für alle Menschen bereit

3Gepriesen sei Gott, der Vater von Jesus Christus, unserem
Herrn. Er ist der Ursprung aller Barmherzigkeit und der Gott,
der uns tröstet. 4In allen Schwierigkeiten tröstet er uns, damit
wir andere trösten können. Wenn andere Menschen in
Schwierigkeiten geraten, können wir ihnen den gleichen Trost
spenden, wie Gott ihn uns geschenkt hat. 5Ihr dürft darauf
vertrauen: Je mehr wir für Christus leiden, desto mehr lässt
uns Gott durch Christus Trost zuteilwerden. 6Wenn wir also
von Kummer und Sorgen niedergedrückt sind, so ist es zu
eurem Besten und zu eurer Rettung! Denn Gott spricht uns
Mut zu, damit wir euch ermutigen können. Dann könnt ihr
geduldig das Gleiche ertragen, das auch wir durchmachen.
7Denn wir sind sicher, dass ihr zwar leiden müsst, aber auch
von Gott getröstet werdet.
8Liebe Freunde, ihr sollt wissen, welche Schwierigkeiten wir
in der Provinz Asien aushalten mussten. Wir haben wirklich
Vernichtendes erlebt, sodass wir schon glaubten, nicht mit
dem Leben davonzukommen. 9Wir haben dem Tod ins Ge-
sicht gesehen. Doch auf diese Weise haben wir gelernt, nicht
auf uns selbst zu vertrauen, sondern auf Gott, der die Toten
auferweckt. 10Und tatsächlich hat er uns aus der Todesgefahr
befreit. Nun sind wir sicher, dass er es wieder tun wird,
11denn ihr betet ja für uns. Und viele Menschen werden Gott
dafür danken, dass er ihre Gebete für uns erhört hat.

Pläne des Apostels

12Mit gutem Gewissen können wir sagen, dass wir in allem,
was wir taten, stets offen und ehrlich waren. Wir haben uns
auf Gottes Gnade verlassen und nicht auf unsere eigene Weis-
heit. So verhielten wir uns bei allen Menschen und ganz be-
sonders euch gegenüber. 13Meine Briefe waren immer direkt
und aufrichtig; sie enthielten keine Andeutungen zwischen
den Zeilen und nichts, was ihr nicht hättet verstehen können.
Eines Tages werdet ihr uns hoffentlich ganz verstehen, 14wie
es ja schon zum Teil der Fall ist. Dann werdet ihr an dem Tag,
an dem Jesus, unser Herr, wiederkommt, genauso stolz auf
uns sein wie wir jetzt auf euch.

15Da ich um euer Verständnis und Vertrauen wusste, wollte
ich euch doppelt erfreuen. 16So wollte ich auf dem Weg nach
Mazedonien und dann noch einmal auf dem Rückweg bei
euch Halt machen und euch besuchen. Danach hättet ihr
mich auf den Weg nach Judäa bringen können.

17Nun werdet ihr fragen, warum ich meine Pläne geändert
habe. Stand mein Entschluss vielleicht noch nicht fest? Oder
gehöre ich zu den Menschen, die Ja sagen, wenn sie in Wirk-
lichkeit Nein meinen? 18So sicher, wie Gott treu ist, gehöre ich
nicht zu dieser Sorte Menschen. Mein Ja bedeutet Ja, 19weil
Jesus Christus, der Sohn Gottes, nicht zwischen Ja und Nein
schwankt. Ihn haben Timotheus, Silas und ich euch verkün-
det, und er ist das göttliche Ja – die feste Zusage Gottes.
20Denn in ihm erfüllen sich alle göttlichen Zusagen. Deshalb
sagen wir »Amen«, wenn wir Gott durch Christus ehren.
21Gott allein befähigt uns und euch, fest für Christus einzuste-
hen. Er hat uns einen Auftrag erteilt 22und bestätigt, dass wir
zu ihm gehören, indem er uns den Heiligen Geist ins Herz
gab. Dieser ist eine Sicherheit für alles, was er uns noch schen-
ken wird.

23Nun berufe ich mich auf Gott als Zeugen, dass ich die
Wahrheit sage. Ich bin allein deshalb nicht nach Korinth zu-
rückgekehrt, weil ich euch eine ernste Zurechtweisung erspa-
ren wollte. 24Damit meine ich nicht, dass wir euch bis ins
Kleinste vorschreiben möchten, wie ihr euren Glauben leben

sollt. Wir wollen vielmehr mit euch gemeinsam darauf hin-
arbeiten, dass ihr voll Freude an eurem Glauben festhaltet.

2 1Aus diesem Grund habe ich mir gesagt: »Nein, das werde
ich nicht tun. Ich werde sie nicht durch einen weiteren
schmerzlichen Besuch bedrücken.« 2Denn wenn ich euch
traurig mache, wer wird mich dann froh machen? 3Deshalb
habe ich mich brieflich an euch gewandt, wie schon mit mei-
nem ersten Brief, damit ich bei meinem Kommen nicht gerade
traurig über die werde, die mir eigentlich die größte Freude
machen müssten. Sicher wisst ihr, dass meine Freude von eu-
rer Freude abhängig ist. 4Es ist mir unendlich schwer gefallen,
jenen Brief zu schreiben! Ja, es tat mir im Herzen weh, so sehr,
dass ich weinen musste. Ich wollte euch nicht verletzen; ihr
solltet vielmehr wissen, wie sehr ich euch liebe.

Vergebung für den Sünder

5Ich übertreibe nicht, wenn ich sage, dass einer, der ein Pro-
blem verursacht, eurer Gemeinde mehr Schmerz zufügt als
mir. 6Er war genug gestraft, als die meisten von euch sich ge-
gen ihn aussprachen. 7Nun ist es an der Zeit, ihm zu vergeben
und ihn zu trösten. Er könnte sonst so entmutigt werden, dass
er sich nicht mehr davon erholt. 8Zeigt ihm jetzt, dass ihr ihn
immer noch liebt.

9Durch meinen Brief wollte ich herausfinden, ob ihr wirklich
in allem gehorsam seid. 10Wenn ihr diesem Mann vergebt,
vergebe ich ihm auch. Denn wenn ich etwas vergeben habe –
was immer es auch war –, tat ich es in der Vollmacht von
Christus zu eurem Besten, 11damit der Satan uns nicht über-
listet. Schließlich kennen wir seine Fallen und Tricks nur zu
gut.

Diener des neuen Bundes

12Als ich nach Troas kam, um die Botschaft von Christus zu
verkünden, schenkte der Herr mir ein reiches Arbeitsfeld mit
vielen Möglichkeiten. 13Doch ich fand keine Ruhe, weil mein
lieber Bruder Titus noch nicht mit einem Bericht von euch

eingetroffen war. Deshalb verabschiedete ich mich und reiste
weiter nach Mazedonien, um ihn dort zu treffen.
14Doch ich danke Gott, der uns, die wir zu Christus gehören,
immer in seinem Triumphzug mitführt. Wo immer wir jetzt
auch hinkommen, setzt er uns ein, um anderen vom Herrn
zu erzählen und die gute Botschaft zu verbreiten wie einen
wohlriechenden Duft. 15Unserem ganzen Leben haftet der
Wohlgeruch von Christus an; und damit loben wir Gott.
Aber dieser Geruch wird von denen, die gerettet werden, an-
ders wahrgenommen als von denen, die verloren gehen. 16Für
die Menschen, die verloren gehen, sind wir der schreckliche
Gestank von Tod und Verdammnis. Doch für die Menschen,
die gerettet werden, sind wir ein Leben spendender Duft. Wer
kann einer solchen Aufgabe gerecht werden? 17Ihr seht, dass
wir nicht zu den Menschen gehören, die nur predigen, um
Geld zu verdienen – und davon gibt es viele. Wir predigen
Gottes Wort aufrichtig und mit der Vollmacht von Christus
und sind uns bewusst, dass Gott, der uns gesandt hat, uns
dabei zusieht.

3 1Fangen wir jetzt wieder an, mit unserer Arbeit anzuge-
ben? Manche Leute müssen Empfehlungsschreiben mit-
bringen oder euch bitten, ihnen Empfehlungsbriefe zu schrei-
ben. 2Der einzige Empfehlungsbrief, den wir brauchen, seid
ihr selbst! Euer Leben ist wie ein Brief, der in unsere Herzen
geschrieben wurde. Jeder kann ihn lesen und erkennen, was
wir unter euch getan haben. 3Ihr seid ganz offenkundig ein
Brief von Christus, durch uns ausgefertigt, aber nicht mit Tin-
te, sondern mit dem Geist des lebendigen Gottes: nicht auf
Steintafeln, sondern in die Herzen der Menschen.
4Wir sind uns darin so sicher, weil wir durch Christus großes
Vertrauen zu Gott haben. 5Wir halten uns selbst nicht dazu
fähig, irgendetwas zu bewirken, was bleibenden Wert hätte.
Unsere Kraft dazu kommt von Gott. 6Er hat uns befähigt, Die-
ner seines neuen Bundes zu sein, eines Bundes, der nicht auf
schriftlichen Gesetzen beruht, sondern auf dem Geist Gottes.

Der alte Weg führt in den Tod, aber auf dem neuen Weg
schenkt der Heilige Geist Leben.

Die Herrlichkeit des neuen Bundes

[7]Der Dienst für die in Stein gehauenen Gesetze führte zum
Tod, obwohl er mit einer solchen Herrlichkeit begann, dass
das Volk Israel nicht einmal den Anblick von Moses Gesicht
ertragen konnte. Denn sein Gesicht strahlte die Herrlichkeit
Gottes aus, auch wenn dieser Glanz bald wieder verging.
[8]Können wir da nicht für den Dienst des Geistes noch weit
größere Herrlichkeit erwarten? [9]Wenn schon der Dienst, der
zur Verdammnis führt, so herrlich ist, wie viel herrlicher muss
dann erst derjenige Dienst sein, der uns vor Gott gerecht
macht! [10]Ja, die erste Herrlichkeit ist überhaupt nicht herrlich
im Vergleich zu der überwältigenden Herrlichkeit des neuen
Bundes. [11]Wenn also schon das, was vergeht, voller Herrlich-
keit ist, dann besitzt das, was bleibt, unermesslich viel größere
Herrlichkeit.

[12]Da dieser neue Bund uns diese Hoffnung gibt, können wir
alles wagen. [13]Wir sind nicht wie Mose, der sein Gesicht ver-
hüllte, damit das Volk Israel nicht sah, wie der Glanz der
Herrlichkeit Gottes darauf verging. [14]Doch die Gedanken der
Menschen wurden verfinstert, und bis auf den heutigen Tag
liegt ein Schleier über ihrem Denken. Wenn das Gesetz des
alten Bundes vorgelesen wird, erkennen sie die Wahrheit
nicht. Dieser Schleier kann nur durch den Glauben an Chris-
tus aufgehoben werden. [15]Ja, noch heute sind ihre Herzen,
wenn sie die Schriften Moses lesen, durch diesen Schleier ver-
hüllt, sodass sie sie nicht verstehen.

[16]Doch wenn sich jemand dem Herrn zuwendet, wird der
Schleier weggenommen. [17]Der Herr aber ist der Geist, und
wo immer der Geist des Herrn ist, ist Freiheit. [18]Von uns allen
wurde der Schleier weggenommen, sodass wir die Herrlich-
keit des Herrn wie in einem Spiegel sehen können. Und der
Geist des Herrn wirkt in uns, sodass wir ihm immer ähnlicher
werden und immer stärker seine Herrlichkeit widerspiegeln.

Ein Schatz in vergänglichen Hüllen

4 1Da Gott uns in seiner Gnade diese Aufgabe anvertraut
hat, verlieren wir nicht den Mut. 2Wir lehnen alle skrupel-
losen Methoden der Verkündigung ab. Wir versuchen nicht,
jemanden zu überlisten, und wir verfälschen Gottes Wort
nicht, sondern wir sprechen die Wahrheit vor Gott. Das wis-
sen alle, die aufrichtige Herzen haben.
3Wenn die gute Botschaft, die wir verkünden, für jemanden
wie hinter einem Schleier erscheint, zeigt das nur, dass er ver-
loren ist. 4Der Satan, der Gott dieser Welt, hat die Gedanken
der Ungläubigen so verblendet, dass sie das herrliche Licht
der Botschaft nicht wahrnehmen können. Damit bleibt ihnen
unsere Botschaft über die Herrlichkeit von Christus, der das
Ebenbild Gottes ist, unverständlich.
5Wir ziehen nicht umher und verkünden uns selbst; wir ver-
künden Christus Jesus, den Herrn. Wenn wir etwas über uns
selbst sagen, dann allenfalls, dass wir durch das, was Christus
für uns getan hat, zu euren Dienern wurden. 6Denn Gott, der
sprach: »Es werde Licht in der Finsternis«, hat uns in unseren
Herzen erkennen lassen, dass dieses Licht der Glanz der Herr-
lichkeit Gottes ist, die uns im Angesicht von Jesus Christus
sichtbar wird. 7Doch diesen kostbaren Schatz tragen wir in
zerbrechlichen Gefäßen, nämlich in unseren schwachen Kör-
pern. So kann jeder sehen, dass unsere Kraft ganz von Gott
kommt und nicht unsere eigene ist.
8Von allen Seiten werden wir von Schwierigkeiten bedrängt,
aber nicht erdrückt. Wir sind ratlos, aber wir verzweifeln
nicht. 9Wir werden verfolgt, aber Gott lässt uns nie im Stich.
Wir werden zu Boden geworfen, aber wir stehen wieder auf
und machen weiter. 10Durch das Leiden erfahren wir am eige-
nen Leib ständig den Tod von Christus, damit auch sein Leben
an unserem Körper sichtbar wird.
11Es ist wahr: Weil wir Jesus dienen, leben wir in ständiger
Todesgefahr, damit sein Leben an unserem sterblichen Körper
sichtbar wird. 12So leben wir im Angesicht des Todes, und das
hat euch das Leben gebracht.
13Dennoch hören wir nicht auf zu predigen, weil wir densel-

ben Glauben haben wie der Psalmist, der sagte: »Ich glaube an
Gott, deshalb rede ich.« 14Wir wissen, dass derselbe Gott, der
Jesus, unseren Herrn, auferweckt hat, auch uns mit Jesus auf-
erwecken wird und uns zusammen mit euch vor sich hintre-
ten lassen wird. 15Das alles ist zu eurem Besten. Und wenn
Gottes Gnade immer mehr Menschen zu Christus führt, wird
auch der Chor derer, die ihm danken, immer lauter, und Gott
wird immer mehr Ehre erwiesen.

16Deshalb geben wir nie auf. Unser Körper mag sterben,
doch unser Geist wird jeden Tag erneuert. 17Denn unsere jet-
zigen Sorgen und Schwierigkeiten sind nur gering und von
kurzer Dauer, doch sie bewirken in uns eine unermesslich
große Herrlichkeit, die ewig andauern wird! 18So sind wir
nicht auf das Schwere fixiert, das wir jetzt sehen, sondern bli-
cken nach vorn auf das, was wir noch nicht gesehen haben.
Denn die Sorgen, die wir jetzt vor uns sehen, werden bald
vorüber sein, aber die Freude, die wir noch nicht gesehen ha-
ben, wird ewig dauern.

Neue Körper

5 1Denn wir wissen: Wenn dieses irdische Zelt, in dem wir
leben, einmal abgerissen wird – wenn wir sterben und
diesen Körper verlassen –, werden wir ein ewiges Haus im
Himmel haben, einen neuen Körper, der von Gott kommt
und nicht von Menschen. 2Deshalb sehnen wir uns danach,
diesen vergänglichen Körper zu verlassen, und freuen uns
auf den Tag, an dem wir unseren himmlischen Körper anzie-
hen dürfen wie ein neues Gewand. 3Denn wir werden nicht
nackt sein, sondern einen neuen himmlischen Körper erhal-
ten. 4In unserem sterblichen Körper seufzen wir, denn wir
möchten lieber gleich unseren neuen Körper anlegen und
vom vergänglichen in das ewige Leben überwechseln. 5Gott
selbst hat uns darauf vorbereitet und uns als Sicherheit seinen
Heiligen Geist gegeben.

6Deshalb bleiben wir zuversichtlich, obwohl wir wissen,
dass wir nicht daheim beim Herrn sind, solange wir noch in
diesem Körper leben. 7Denn wir leben im Glauben und nicht

im Schauen. 8Ja, wir sind voll Zuversicht und würden unseren
jetzigen Körper gern verlassen, weil wir dann daheim beim
Herrn wären. 9Unser Ziel ist es deshalb, immer zu tun, was
ihm gefällt, ob wir nun in diesem Körper leben oder ihn ver-
lassen. 10Denn wir alle müssen einmal vor Christus und sei-
nem Richterstuhl erscheinen, wo alles ans Licht kommen
wird. Dann wird jeder von uns das bekommen, was er für
das Gute oder das Schlechte, das er in seinem Leben getan
hat, verdient.

Wir sind Gottes Botschafter

11Weil wir wissen, dass der Herr zu fürchten ist, arbeiten wir
hart, um andere zu gewinnen. Gott weiß, dass wir aufrichtig
sind, und ich hoffe, ihr wisst es auch. 12Versuchen wir jetzt
schon wieder, uns selbst zu loben? Nein, sondern wir geben
euch einen Grund, stolz auf uns zu sein, damit ihr denen et-
was entgegensetzen könnt, die sich mehr um Äußerlichkeiten
bemühen als um ein ehrliches Herz vor Gott.

13Wenn es scheint, als wären wir außer uns, so ist das zur
Ehre Gottes. Und wenn wir besonnen sind, geschieht es zu
eurem Besten. 14Was immer wir tun, tun wir, weil die Liebe
von Christus uns bewegt. Weil wir glauben, dass Christus für
alle gestorben ist, glauben wir auch, dass unser altes Leben
vorüber ist, das wir früher führten. 15Er starb für alle, damit
diejenigen, die sein neues Leben erhalten, nicht länger für sich
selbst leben. Sie sollen vielmehr für Christus leben, der für sie
starb und auferstanden ist.

16Deshalb haben wir aufgehört, andere nach dem zu beur-
teilen, was die Welt von ihnen hält. Früher habe ich irrtümlich
auch Christus so beurteilt – als sei er nur ein Mensch gewesen.
Wie anders sehe ich ihn jetzt! 17Das bedeutet aber, wer mit
Christus lebt, wird ein neuer Mensch. Er ist nicht mehr dersel-
be, denn sein altes Leben ist vorbei. Ein neues Leben hat be-
gonnen!

18Dieses neue Leben kommt allein von Gott, der uns durch
das, was Christus getan hat, mit sich versöhnt hat. Und er hat
uns in den Dienst dieser Versöhnung gestellt. 19Denn Gott war

in Christus und versöhnte so die Welt mit sich selbst und rech-
nete den Menschen ihre Sünden nicht mehr an. Das ist die
herrliche Botschaft der Versöhnung, die er uns anvertraut
hat, damit wir sie anderen verkünden. 20So sind wir Botschaf-
ter von Christus, und Gott gebraucht uns, um durch uns zu
sprechen. Wir bitten inständig, so, als würde Christus es per-
sönlich tun: »Lasst euch mit Gott versöhnen!« 21Denn Gott
machte Christus, der nie gesündigt hat, zum Opfer für unsere
Sünden, damit wir durch ihn vor Gott gerechtfertigt werden
können.

6 1Als Gottes Mitarbeiter bitten wir euch mit allem Nach-
druck, euch dieser wunderbaren Botschaft von Gottes
großer Gnade nicht zu verweigern. 2Denn Gott spricht:
»Gerade zur richtigen Zeit habe ich dich erhört. Am Tag der
Erlösung habe ich dir geholfen.«
Gott ist bereit, euch gerade jetzt zu helfen. Heute ist der Tag
der Erlösung.

Die Sorgen und Entbehrungen des Apostels

3Wir versuchen, uns so zu verhalten, dass die Arbeit für Gott
nicht in Verruf gerät. 4In allem, was wir tun, sind wir Diener
Gottes. Geduldig ertragen wir alle möglichen Schwierigkei-
ten, Entbehrungen und Sorgen. 5Wir wurden geschlagen und
ins Gefängnis geworfen. Mehr als einmal standen wir schutz-
los einer aufgebrachten Menschenmenge gegenüber. Wir ha-
ben gearbeitet bis zur Erschöpfung, schlaflose Nächte ertra-
gen und gefastet. 6Wir haben uns bewiesen durch unseren
guten Lebenswandel, unsere Einsicht, unsere Geduld, unsere
Freundlichkeit, unsere aufrichtige Liebe und durch die Kraft
des Heiligen Geistes. 7Zuverlässig haben wir die Wahrheit ge-
predigt, und Gottes Kraft wirkte in uns. Unsere einzige Waffe,
zum Angriff wie zur Verteidigung, ist Gerechtigkeit. 8Wir die-
nen Gott, ob die Menschen uns nun ehren oder verachten, ob
sie uns verleumden oder loben. Wir meinen es ehrlich, doch
sie schimpfen uns Verführer. 9Gott kennt uns, doch für sie
sind wir Namenlose. Wir sind dem Tod nahe, doch wie ihr

seht, leben wir noch. Wir wurden misshandelt, aber wir sind
nicht gestorben. 10Unser Herz ist voll Leid, und doch erleben
wir ständig neue Freude. Wir sind arm, aber wir machen an-
dere reich. Wir besitzen nichts und haben doch alles.
11Ach, ihr lieben Freunde in Korinth! Wir haben aufrichtig
mit euch geredet. Unsere Herzen stehen euch völlig offen.
12Wenn irgendetwas zwischen uns steht, so liegt es nicht da-
ran, dass wir es an Liebe zu euch hätten fehlen lassen, sondern
daran, dass ihr uns eure Liebe vorenthalten habt. 13Ich spre-
che jetzt so, wie ich es mit Kindern tun würde. Öffnet uns
doch eure Herzen!

Der Tempel des lebendigen Gottes

14Macht nicht gemeinsame Sache mit Ungläubigen. Wie kann
die Gerechtigkeit sich mit der Gesetzlosigkeit zusammentun?
Wie kann das Licht mit der Finsternis zusammenleben?
15Welche Übereinstimmung kann es zwischen Christus und
dem Teufel geben? Welche Gemeinsamkeiten hat ein Gläubi-
ger mit einem Ungläubigen? 16Und welche Gemeinschaft
kann zwischen dem Tempel Gottes und Götzenbildern beste-
hen? Denn wir sind der Tempel des lebendigen Gottes, wie
Gott gesagt hat:
»Ich will mitten unter ihnen sein und mitten unter ihnen
leben. Ich will ihr Gott sein, und sie sollen mein Volk sein.
17Deshalb verlasst sie und trennt euch von ihnen, spricht der
Herr. Rührt ihre unreinen Dinge nicht an, und ich werde euch
mit offenen Armen aufnehmen. 18Ich werde euer Vater sein
und ihr werdet meine Söhne und Töchter sein, spricht der
Herr, der Allmächtige.«

7 1Weil wir diese Zusagen haben, liebe Freunde, wollen wir
uns von allem reinigen, was unserem Körper oder unse-
rem Geist schaden könnte. Denn wir fürchten Gott; deshalb
streben wir nach einem geheiligten Leben.

Freude über die Umkehr der Gemeinde

2Bitte öffnet uns doch euer Herz. Wir haben niemandem un-
recht getan, niemanden in die Irre geführt und niemanden

übervorteilt. 3Ich sage das nicht, um euch zu verurteilen, denn ich sagte ja bereits, dass ihr für immer in unseren Herzen seid. Mit euch leben oder sterben wir. 4Ich habe großes Vertrauen zu euch und rede über euch viel Gutes. Ihr habt mich ermutigt und mich trotz all unserer Schwierigkeiten getröstet.

5Seit unserer Ankunft in Mazedonien kamen wir nicht mehr zur Ruhe. Von allen Seiten wurden wir bedrängt: Äußerlich gab es Streitereien, und innerlich plagten uns Ängste. 6Doch Gott, der die Entmutigten aufrichtet, hat uns durch die Ankunft von Titus getröstet. 7Schon seine Anwesenheit war eine Freude, noch mehr aber sein Bericht über die Ermutigung, die er durch euch erfahren hat. Als er mir erzählte, wie sehr ihr euch auf meinen Besuch freut, wie leid euch alles tut, was geschehen ist, und mit welcher Treue ihr mich liebt, habe ich mich noch mehr gefreut!

8Jetzt bedaure ich nicht mehr, dass ich euch den Brief geschickt habe, obwohl ich es zunächst bereut hatte, weil ich wusste, wie ihr im ersten Moment darunter leiden würdet. 9Nun bin ich froh, dass ich ihn geschickt habe, nicht weil er euch verletzt hat, sondern weil der Schmerz euch veranlasst hat, euer Verhalten zu bereuen und euch zu ändern. Dieser Schmerz entspricht Gottes Willen; wir haben euch also in keiner Weise geschadet. 10Denn Gott kann die Traurigkeit in unserem Leben benutzen, um uns zur Umkehr von der Sünde und zur Suche nach der Erlösung zu bewegen. Diese Traurigkeit werden wir nie bereuen. Eine Traurigkeit ohne solche Umkehr dagegen führt zum Tod.

11Seht doch selbst, was diese Traurigkeit von Gott in euch bewirkt hat! Welcher Ernst, welches Bemühen, euer Verhalten zu erklären, welche Empörung, welche Besorgnis, welche Sehnsucht, mich zu sehen, welche Begeisterung und welche Entschlossenheit, den Übeltäter zu bestrafen! Ihr habt gezeigt, dass ihr zu allem bereit wart, um die Sache in Ordnung zu bringen. 12Ich hatte nicht die Absicht, darüber zu schreiben, wer das Unrecht begangen hat oder wem es zugefügt wurde. Ich schrieb euch, damit ihr vor Gott zeigen könnt, wie viel

euch wirklich an uns liegt. [13]Wir sind dadurch sehr ermutigt
worden.
Und nicht nur das! Wir haben uns besonders gefreut zu se-
hen, wie froh Titus war, weil ihr ihn herzlich empfangen und
ihm seine Befangenheit genommen habt. [14]Ich hatte ihm ge-
sagt, wie stolz ich auf euch bin, und ihr habt mich nicht ent-
täuscht. Ich habe euch immer die Wahrheit gesagt, und nun
hat sich auch mein Lob Titus gegenüber als begründet erwie-
sen! [15]Seine Zuneigung zu euch ist umso größer, wenn er an
euren Gehorsam denkt und mit welcher Furcht und Achtung
ihr ihm begegnet seid. [16]Ich freue mich, dass ich mich in allem
auf euch verlassen kann.

Eine Aufforderung zur Großzügigkeit

8 [1]Und nun, liebe Freunde, möchte ich euch berichten, was
Gottes Gnade in den Gemeinden Mazedoniens bewirkt
hat. [2]Obwohl sie schwere Zeiten durchgemacht haben, sind
sie voll Freude und haben trotz ihrer Armut viel gegeben.
[3]Denn ich kann bezeugen, dass sie nicht nur gegeben haben,
was sie ohne Not entbehren konnten, sondern weit darüber
hinaus, und dies aus freien Stücken. [4]Immer wieder baten sie
inständig um das große Vorrecht, sich an der Sammlung für
die Gemeinde in Jerusalem beteiligen zu dürfen. [5]Ja, sie über-
trafen unsere Hoffnungen sogar noch, denn ihre erste Reakti-
on bestand darin, sich dem Herrn und uns vorbehaltlos zur
Verfügung zu stellen, um Gottes Willen zu tun, ganz gleich,
was von ihnen verlangt wurde.
[6]Deshalb baten wir Titus, der ja die Sammlung unter euch
angeregt hatte, zu euch zurückzukehren und sie zu einem gu-
ten Abschluss zu bringen. [7]Da ihr so reich beschenkt seid – ihr
habt so viel Glauben, in eurer Gemeinde gibt es so viele her-
vorragende Redner, so viel Erkenntnis, so viel Begeisterung
und eine so große Treue uns gegenüber –, möchte ich, dass
ihr euch nun auch bei dieser Sammlung durch Großzügigkeit
auszeichnet. [8]Ich sage nicht, dass ihr es tun müsst, auch wenn
die anderen Gemeinden große Begeisterung zeigen. Es ist
aber eine Möglichkeit, eure Liebe unter Beweis zu stellen.

9Ihr kennt ja die große Liebe und Gnade von Jesus Christus,
unserem Herrn. Obwohl er reich war, wurde er um euretwil-
len arm, um euch durch seine Armut reich zu machen.
10Ich schlage vor, dass ihr jetzt beendet, was ihr vor einem
Jahr begonnen habt, denn ihr wart die Ersten, die diesen Plan
vorgeschlagen haben, und ihr habt auch die ersten entspre-
chenden Schritte unternommen. 11Bringt die Sache nun mit
derselben Begeisterung zum Abschluss, mit der ihr sie in An-
griff genommen habt. Gebt so viel, wie ihr entbehren könnt.
12Wenn ihr wirklich dazu bereit seid, kommt es nicht darauf
an, wie viel ihr erübrigen könnt. Gott möchte, dass ihr gebt,
was ihr habt, und nicht, was ihr nicht habt. 13Denn ihr sollt
natürlich nicht so viel geben, dass ihr nachher selbst nicht
mehr genug habt. Es geht mir nur um einen Ausgleich. 14Im
Augenblick habt ihr viel und könnt ihnen helfen. Ein ander-
mal können sie dann mit euch teilen, wenn ihr es nötig habt.
Auf diese Weise hat jeder, was er braucht. 15Erinnert ihr euch,
was die Schrift darüber sagt? »Diejenigen, die viel sammelten,
behielten nichts übrig, und diejenigen, die nur wenig sammel-
ten, hatten genug.«

Titus und seine Begleiter

16Ich bin Gott dankbar, dass er Titus dieselbe Begeisterung für
euch gegeben hat, wie auch ich sie empfinde. 17Er ging mit
Freude auf unsere Bitte ein, euch erneut zu besuchen; eigent-
lich hatte er selbst den Wunsch, zu euch zu kommen und euch
wiederzusehen. 18Wir schicken noch einen anderen Bruder
mit Titus. Er wird in allen Gemeinden als Prediger von Gottes
Botschaft sehr gelobt. 19Die Gemeinden haben ihn beauftragt,
uns zu begleiten, wenn wir das gesammelte Geld nach Jerusa-
lem bringen – eine Aufgabe, die Gott ehrt und unsere Hilfs-
bereitschaft erkennen lässt. 20Indem wir zusammen reisen,
schützen wir uns gleichzeitig vor jedem Verdacht, denn wir
wollen auf keinen Fall, dass irgendjemand etwas daran aus-
zusetzen hat, wie wir dieses großzügige Geschenk überbrin-
gen. 21Wir achten darauf, dass alles in der rechten Weise ge-

schieht, und zwar sowohl vor dem Herrn als auch in den Augen der anderen.

[22]Mit ihnen schicken wir noch einen weiteren Bruder, der gründlich geprüft wurde und sich in vielen Situationen ausgezeichnet hat. Seine Begeisterung für diesen Auftrag ist jetzt noch größer, weil er großes Vertrauen zu euch hat. [23]Wenn jemand Fragen über Titus stellt, dann sagt, dass er mein Mitarbeiter ist und mit mir zusammenarbeitet, um euch zu helfen. Die genannten Brüder sind Gesandte der Gemeinden und ehren Christus mit ihrem Leben. [24]Begegnet ihm liebevoll und beweist allen Gemeinden, dass wir euch zu Recht so gelobt haben.

Die Sammlung für die Gemeinde in Jerusalem

9 [1]Eigentlich brauche ich euch gar nichts über die Sammlung für die Gemeinde in Jerusalem zu schreiben. [2]Ich weiß ja, wie gern ihr helfen wollt, und habe vor unseren Freunden in Mazedonien damit angegeben, dass ihr in Griechenland schon vor einem Jahr bereit wart, eine Gabe zu schicken. Eure Begeisterung war sogar für viele dort ein Ansporn. [3]Ich schicke diese Brüder nur, um sicherzugehen, dass ihr wirklich so vorbereitet seid, wie ich es von euch behauptet habe, und das Geld vollständig eingesammelt habt. Sonst sagt am Ende noch jemand, ich hätte zu Unrecht mit euch angegeben. [4]Es wäre beschämend für mich – und für euch –, wenn die mazedonischen Brüder mich begleiteten, nur um festzustellen, dass ihr nach allem, was ich ihnen erzählt habe, immer noch nicht fertig seid! [5]Deshalb hielt ich es für besser, die Brüder vorauszuschicken, damit die angekündigte Sammlung auch wirklich bereitliegt. Ich möchte jedoch, dass es ein freiwilliges Geschenk ist und keines, das unter äußerem Druck gegeben wird.

[6]Denkt daran: Ein Bauer, der nur wenig Samen aussät, wird auch nur eine kleine Ernte einbringen. Wer aber viel sät, wird auch viel ernten. [7]Jeder von euch muss selbst entscheiden, wie viel er geben möchte. Gebt jedoch nicht widerwillig oder unter Zwang, denn Gott liebt den Menschen, der gerne gibt. [8]Er

wird euch großzügig mit allem versorgen, was ihr braucht.
Ihr werdet haben, was ihr braucht, und ihr werdet sogar
noch etwas übrig behalten, das ihr mit anderen teilen könnt.
9In der Schrift heißt es: »Er hat ausgestreut und den Armen
gegeben – seine Gerechtigkeit bleibt in Ewigkeit.«
10Denn es ist Gott, der dem Bauern Saatgut und Brot zu es-
sen gibt. Genauso wird er auch euch viele Gelegenheiten ge-
ben, Gutes zu tun, und eure Großzügigkeit wird viele Früchte
tragen.
11Ihr werdet empfangen, damit ihr umso großzügiger geben
könnt. Und wenn wir eure Gabe denen bringen, die sie nötig
haben, werden sie Gott von Herzen danken. 12Auf diese Weise
geschehen gleich zwei gute Dinge: Die Not der Gemeinde in
Jerusalem wird gelindert, und sie werden Gott voller Freude
danken. 13Durch euer großzügiges Geschenk werdet ihr also
zur Verherrlichung Gottes beitragen. Denn eure Großzügig-
keit ihnen gegenüber beweist, dass ihr der Botschaft von
Christus gehorcht. 14Sie beten für euch und möchten euch
wiedersehen, weil sich Gottes reiche Gnade an euch zeigt.
15Wir danken Gott für seinen Sohn – ein Geschenk, das so
wunderbar ist, dass es sich nicht in Worte fassen lässt!

Paulus verteidigt seine Vollmacht

10 1Nun habe ich, Paulus, noch eine Bitte an euch, und ich
bitte euch genauso sanft und freundlich, wie Christus
selbst es tun würde. Einige von euch behaupten, ich sei nur in
meinen Briefen mutig, bei euch aber schüchtern und ängst-
lich. 2Ich hoffe zwar, es wird nicht nötig sein, doch wenn
ich komme, muss ich möglicherweise denen entschlossen
entgegentreten, die uns unterstellen, wir handelten aus rein
menschlichen Beweggründen. 3Wir sind zwar Menschen,
doch wir kämpfen nicht mit menschlichen Mitteln. 4Wir set-
zen die mächtigen Waffen Gottes und keine weltlichen Waf-
fen ein, um menschliche Gedankengebäude zu zerstören.
5Mit diesen Waffen zerschlagen wir all die hochtrabenden Ar-
gumente, die die Menschen davon abhalten, Gott zu erken-
nen. Mit diesen Waffen bezwingen wir ihre widerstrebenden

Gedanken und lehren sie, Christus zu gehorchen. 6Und wir
werden diejenigen bestrafen, die ungehorsam sind, sobald
ihr übrigen zum Gehorsam bereit seid.

7Seht doch auf das, was offensichtlich ist! Ihr müsst zugeben,
dass wir ebenso zu Christus gehören wie all diejenigen, die
das so stolz von sich behaupten. 8Vielleicht habt ihr den Ein-
druck, dass ich zu sehr mit der Vollmacht angebe, die der Herr
uns verliehen hat. Aber eben diese Vollmacht dient dazu,
euch voranzubringen, nicht zu schaden. Und ich werde nicht
zulassen, dass meine Arbeit unter euch zunichtegemacht
wird.

9Doch ich will euch mit meinem Brief keine Angst machen.
10Denn manche sagen: »Die Briefe von Paulus mögen zwar
energisch und fordernd klingen, doch sein persönliches Auf-
treten ist wenig eindrucksvoll, und seine Reden sind gera-
dezu jämmerlich!« 11Die Leute, die so etwas sagen, sollen wis-
sen, dass wir, wenn wir bei euch sind, genauso energisch und
fordernd auftreten werden wie in unseren Briefen.

12Ich würde niemals wagen zu behaupten, dass ich so be-
deutend bin wie die Leute, die fortwährend ihre Wichtigkeit
betonen! Sie vergleichen sich nur untereinander und messen
sich nur aneinander. Welche Dummheit!

13Wir werden nicht mit einer Vollmacht angeben, die wir gar
nicht besitzen. Wir wollen vielmehr innerhalb der Grenzen
bleiben, die uns Gott gesteckt hat, und dazu gehört auch un-
ser Auftrag bei euch. 14Wir maßen uns aber nicht zu viel an,
denn wir waren die Ersten, die mit der Botschaft von Christus
zu euch kamen. 15Genauso wenig beanspruchen wir Aner-
kennung für ein Werk, das andere geleistet haben. Wir hoffen
nur, dass euer Glaube wachsen und unser Wirken unter euch
immer weitere Kreise ziehen wird. 16Dann werden wir wei-
terziehen und die Botschaft an anderen Orten verkünden,
die weit weg von euch sind und wo bisher noch niemand
wirkt. Dort kann niemand behaupten, wir würden uns auf
das Gebiet eines anderen begeben. 17In der Schrift steht:

»Wer sich rühmen will, rühme sich nur dessen, was der Herr
getan hat.«

18Wenn ein Mensch sich selbst lobt, hat das nicht viel zu be-
deuten. Doch wenn der Herr jemanden empfiehlt, ist es etwas
anderes!

Paulus und die falschen Apostel

11 1Ich hoffe, ihr habt Geduld mit mir, wenn ich noch ein
wenig Unsinn rede. Seht es mir nach. 2Ich werbe so
eifersüchtig wie Gott um euch. Denn als unberührte Braut
habe ich euch dem einen Bräutigam, Christus, versprochen.
3Doch ich habe Angst, es könnte euch etwas von eurer reinen
und schlichten Hingabe an Christus abbringen, so wie Eva
von der Schlange getäuscht wurde. 4Ihr scheint ohne Beden-
ken alles zu glauben, was die Leute euch erzählen, selbst
wenn sie einen anderen Jesus verkünden als den, den wir ver-
künden, oder einen anderen Geist als den, den ihr empfangen
habt, oder eine andere Botschaft als die, die ihr geglaubt habt.
5Ich fühle mich diesen »Überaposteln« jedoch nicht im Ge-
ringsten unterlegen. 6Ich bin vielleicht kein begnadeter Red-
ner, aber ich weiß, wovon ich spreche. Ich denke, das habt ihr
inzwischen gemerkt, denn wir haben es immer wieder unter
Beweis gestellt.

7Habe ich womöglich falsch gehandelt, als ich mich beschei-
den zeigte und euch eine Sonderstellung einräumte, indem
ich euch Gottes Botschaft verkündete, ohne etwas dafür zu
verlangen? 8Andere Gemeinden habe ich beinahe beraubt
und mich von ihnen bezahlen lassen, um euch umsonst die-
nen zu können. 9Und als ich bei euch war und nicht genug
hatte, um meinen Lebensunterhalt zu bestreiten, bat ich nicht
euch um Hilfe. Denn die Brüder, die aus Mazedonien kamen,
brachten mir eine weitere Zuwendung. Nie habe ich euch um
die geringste Unterstützung gebeten und werde das auch nie
tun. 10So sicher die Wahrheit, die ich von Christus habe, in mir
lebt, werde ich nie aufhören, mich in ganz Griechenland die-
ser Tatsache zu rühmen. 11Warum? Etwa weil ich euch nicht
liebe? Gott weiß, dass ich das tue.

12Doch ich werde auch in Zukunft so verfahren und so die
Behauptungen all derer entkräften, die damit angeben, sie sei-

en wie wir. 13Diese Leute sind falsche Apostel. Sie haben euch
getäuscht, indem sie sich für Apostel von Christus ausgaben.
14Doch das überrascht mich nicht! Selbst der Satan gibt sich
als Engel des Lichts aus. 15Und so ist es nicht erstaunlich,
wenn seine Diener es ihm nachmachen und sich als Diener
Gottes tarnen. Am Ende werden sie für alle ihre bösen Taten
die verdiente Strafe erhalten.

Paulus ist mit Leiden vertraut

16Um es noch einmal zu wiederholen: Glaubt nicht, ich hätte
den Verstand verloren, wenn ich so mit euch spreche. Und
falls ihr es doch tut, hört mir trotzdem zu, wie ihr jemandem
zuhören würdet, der Unsinn redet, während ich nun ein we-
nig angebe. 17Gott will solche Angeberei nicht, aber ich ver-
halte mich ja jetzt wie einer, der Unsinn redet. 18Und da ande-
re mit ihren Leistungen protzen, will ich das jetzt auch tun.
19Schließlich hört ihr, die ihr euch für so weise haltet, offenbar
gern Leuten zu, die Unsinn reden! 20Ihr nehmt es hin, wenn sie
euch zu ihren Sklaven machen, euch alles wegnehmen, was
ihr besitzt, und euch übervorteilen, wenn sie vornehm tun
und euch ins Gesicht schlagen. 21Zu meiner Schande muss
ich bekennen, dass wir dazu nicht mutig genug waren!

Doch womit sie auch immer angeben – ich rede jetzt wieder
Unsinn –, das kann auch ich vorweisen. 22Sie geben sich doch
für Hebräer aus? Das bin ich auch. Sie sagen, dass sie Isra-
eliten sind? Ich ebenfalls. Sie sind Nachkommen Abrahams?
Ich bin es auch. 23Sie sagen, sie dienen Christus? Ich weiß,
dass ich wie ein Verrückter klinge, aber ich habe ihm weit
mehr gedient! Ich habe härter gearbeitet, wurde öfter ins Ge-
fängnis geworfen, mehr geschlagen und war immer wieder in
Lebensgefahr. 24Fünfmal haben die Juden mir neununddrei-
ßig Hiebe verabreicht. 25Dreimal wurde ich ausgepeitscht.
Einmal wurde ich gesteinigt. Ich habe drei Schiffbrüche über-
lebt. Einmal verbrachte ich eine ganze Nacht und einen Tag
auf dem Meer treibend. 26Ich habe viele beschwerliche Reisen
unternommen und war unzählige Male in großer Gefahr: ob
durch Flüsse oder durch Räuber, ob durch mein eigenes jüdi-

sches Volk oder durch Nichtjuden, ob in Städten, in der Einöde oder auf stürmischer See oder durch Leute, die sich als Anhänger von Christus ausgaben, es aber nicht waren.
27Ich habe Erschöpfung und Schmerzen und schlaflose Nächte kennengelernt. Oft litt ich Hunger und Durst und habe gefastet. Oft habe ich vor Kälte gezittert und hatte nichts, um mich warm zu halten.

28Und als wäre das alles noch nicht genug, lebe ich dazu noch täglich in Sorge um das Wohlergehen der Gemeinden.
29Wer ist schwach, dass ich seine Schwäche nicht tief mitempfinde? Wer wird zum Bösen verführt, ohne dass ich in Zorn gerate?

30Wenn ich mich schon selbst loben soll, dann will ich mich
meiner Schwäche rühmen. 31Gott weiß, dass ich nicht lüge.
Ihm, dem Vater von Jesus, unserem Herrn, gebührt Lob in
Ewigkeit. 32Als ich in Damaskus war, hatte der Statthalter des Königs Aretas Wachen an den Stadttoren aufgestellt, um
mich verhaften zu lassen. 33Doch ich wurde in einem Korb durch ein Fenster in der Stadtmauer hinuntergelassen und konnte auf diese Weise fliehen!

Die Vision des Paulus und sein Dorn im Fleisch

12 1Diese Angeberei ist dumm, aber lasst mich fortfahren. Lasst mich euch von den Visionen und Offenbarungen
erzählen, die ich vom Herrn empfangen habe. 2Ich wurde vor
vierzehn Jahren in den dritten Himmel hinaufgehoben, doch ob mein Körper dort war oder nur mein Geist, weiß ich nicht; das weiß nur Gott. 3Und ich weiß nicht, wie ich dorthin ge-
langte – das weiß nur Gott. 4Aber ich weiß, dass ich ins Para-
dies versetzt wurde und erstaunliche Dinge hörte, die sich
nicht in Worte fassen lassen. 5Das ist eine Erfahrung, mit der
man zu Recht angeben könnte, doch ich werde es nicht tun.
Ich bin nur stolz auf meine Schwäche. 6Ich hätte viele Gründe,
stolz zu sein, und es wäre absolut kein Unsinn, sondern die reine Wahrheit. Doch das tue ich nicht. Ich will, dass niemand besser von mir denkt, als es meinem Leben und meiner Verkündigung entspricht,
7obwohl ich wunderbare Offenbarun-

gen von Gott empfangen habe. Doch damit ich nicht überheb-
lich werde, wurde mir ein Dorn ins Fleisch gegeben, ein Bote
des Satans, der mich quält und mich daran hindert, überheb-
lich zu werden.
8Dreimal habe ich zum Herrn gebetet, dass er mich davon
befreie. 9Jedes Mal sagte er: »Meine Gnade ist alles, was du
brauchst. Meine Kraft zeigt sich in deiner Schwäche.« Und
nun bin ich zufrieden mit meiner Schwäche, damit die Kraft
von Christus durch mich wirken kann. 10Da ich weiß, dass es
für Christus geschieht, bin ich mit meinen Schwächen, Ent-
behrungen, Schwierigkeiten, Verfolgungen und Beschimp-
fungen versöhnt. Denn wenn ich schwach bin, bin ich stark.

Sorge um die Korinther

11Ihr habt mich dazu gebracht, wie ein Dummkopf mich selbst
zu loben. Dabei hättet ihr mir eigentlich Empfehlungsbriefe
mitgeben sollen, denn ich bin diesen »Überaposteln« in keiner
Weise unterlegen, obwohl ich gar nichts bin. 12Als ich bei euch
war, habe ich doch sicherlich bewiesen, dass ich ein wahrer
Apostel bin, der von Gott selbst zu euch gesandt wurde.
Denn ich habe in Geduld viele Zeichen und Wunder und Ta-
ten unter euch bewirkt. 13Das Einzige, was ich bei euch im
Gegensatz zu anderen Gemeinden nicht getan habe, ist, euch
zur Last zu fallen. Bitte vergebt mir dieses Unrecht!
14Jetzt komme ich zum dritten Mal zu euch, und ich werde
euch wieder nicht zur Last fallen. Ich möchte nicht das, was
ihr besitzt; ich will euch selbst. Abgesehen davon bezahlen
Kinder ihren Eltern keinen Unterhalt. Es ist vielmehr umge-
kehrt: Eltern ernähren ihre Kinder. 15Ich bin gern bereit, mich
selbst und alles, was ich habe, für euch zu opfern. Kann es
sein, dass je mehr ich euch liebe, desto weniger liebt ihr mich?
16Wie auch immer! Ich bin euch also nicht zur Last gefallen.
Doch habe ich euch mit List und Tücke eingefangen? 17Wie
denn? Hat irgendeiner der Männer, die ich zu euch schickte,
euch betrogen? 18Als ich Titus drängte, euch zu besuchen, und
unseren anderen Bruder mit ihm schickte, hat Titus euch da
betrogen? Nein, natürlich nicht! Haben wir beide nicht den-

selben Geist geschenkt bekommen? Treten wir nicht immer
einer in die Fußstapfen des anderen und tun alles auf die glei-
che Weise?
19Vielleicht denkt ihr, wir sagen das alles nur, um uns zu
rechtfertigen. Darum geht es überhaupt nicht. Wir sagen
euch das alles als Diener von Christus und wissen, dass
Gott uns hört. Alles, was wir tun und sagen, liebe Freunde,
soll euch Mut machen. 20Denn ich befürchte, dass mir ganz
und gar nicht gefallen wird, was ich beim nächsten Besuch
vorfinden werde, und dann wird euch nicht gefallen, was ich
daraufhin tue. Ich befürchte, ich werde Streit, Eifersucht, Un-
beherrschtheit, Selbstsucht, Verleumdung, Tratsch, Überheb-
lichkeit und Unordnung vorfinden. 21Ja, ich habe das ungute
Gefühl, dass Gott mich euretwegen erneut beschämen wird,
wenn ich komme. Und es wird mich traurig machen, dass
viele von euch, die gesündigt haben, nicht von ihrer Unrein-
heit, ihrer Unzucht und ihren Begierden abgelassen haben.

Abschließender Rat

13 1Dies ist nun das dritte Mal, dass ich euch besuchen
komme. In der Schrift heißt es: »Auf die Aussage von
zwei oder drei Zeugen hin soll jede Sache entschieden wer-
den.« 2Ich habe diejenigen, die gesündigt haben, schon bei
meinem zweiten Besuch gewarnt. Hiermit warne ich sie und
alle anderen noch einmal, wie ich es damals schon tat; beim
nächsten Mal werde ich sie nicht schonen.
3Ich werde euch beweisen, dass Christus durch mich redet.
Christus ist euch gegenüber nicht schwach, sondern handelt
mächtig in eurer Gemeinde. 4Obwohl er schwach am Kreuz
starb, lebt er jetzt durch die Macht Gottes. Auch wir sind
schwach in ihm, aber wir leben mit ihm und haben Gottes
Kraft, die sich euch gegenüber zeigt.
5Prüft euch, ob euer Glaube echt ist. Prüft euch selbst. Wenn
ihr nicht sagen könnt, dass Jesus Christus unter euch ist, habt
ihr die Prüfung nicht bestanden. 6Ich hoffe, ihr erkennt, dass
wir die Prüfung bestanden haben.
7Wir beten zu Gott, dass ihr nichts Falsches tut. Doch wir

beten nicht, weil wir zeigen möchten, dass unser Wirken unter euch erfolgreich war, sondern weil wir möchten, dass ihr auch dann das Richtige tut, wenn es so scheint, als ob wir
versagt hätten. 8Unsere Verantwortung ist es, nicht gegen die Wahrheit zu handeln, sondern jederzeit für die Wahrheit ein-
zustehen. 9Wir sind gern schwach, wenn ihr stark seid. Wir beten darum, dass ihr im Glauben erneuert und reif werdet.

10Ich schreibe euch dies, bevor ich komme, weil ich hoffe, dass ich dann bei meiner Ankunft nicht mehr hart mit euch ins Gericht gehen muss. Denn ich möchte die Vollmacht, die der Herr mir gegeben hat, gebrauchen, um euch zu ermutigen, und nicht, um euch zu schaden.

Abschließende Grüße

11Liebe Freunde, ich schließe meinen Brief mit diesen letzten Worten: Freut euch. Ändert euer Verhalten. Ermutigt einander. Haltet fest zusammen und habt Frieden untereinander. Dann wird der Gott der Liebe und des Friedens mit euch sein.

12Grüßt einander in Liebe. Alle Gläubigen hier senden euch ihre Grüße.

13Wir wünschen euch die Gnade von Jesus Christus, unserem Herrn, die Liebe Gottes und die Gemeinschaft des Heiligen Geistes.

Der Brief an die Galater

Grüße von Paulus

1 1Dieser Brief ist von Paulus, einem der Apostel. Ich wurde
nicht durch Menschen zum Apostel berufen, sondern von
Jesus Christus selbst und von Gott, dem Vater, der Jesus von
den Toten auferweckt hat.
2Wir – ich und alle Gläubigen hier bei mir – grüßen die Ge-
meinden in Galatien.
3Wir wünschen euch Gnade und Friede von Gott, unserem
Vater, und von Jesus Christus, dem Herrn. 4Er hat sich selbst
für uns geopfert und ist nach dem Willen Gottes, unseres Va-
ters, für unsere Sünden gestorben, um uns aus dieser bösen
Welt, in der wir leben, zu retten. 5Dafür loben und ehren wir
ihn in alle Ewigkeit. Amen.

Es gibt nur eine gute Botschaft

6Ich kann es nicht fassen, dass ihr euch so schnell von Gott
abwendet, der euch in seiner Gnade zum ewigen Leben be-
rufen hat, das er den Menschen durch Christus schenkt.
Schon folgt ihr einer anderen, fremden Lehre, 7die als gute
Botschaft daherkommt und es doch nicht ist. Ihr lasst euch
von Leuten täuschen, die die Botschaft von Christus verfäl-
schen.
8Verflucht sei jeder Mensch – und das gilt auch für mich –,
der eine andere Botschaft verkündet als die, die wir euch ge-
predigt haben. Und käme ein Engel vom Himmel und ver-
kündete euch eine andere Botschaft: Er soll in Ewigkeit ver-
flucht sein. 9Ich sage es noch einmal: Wenn irgendjemand eine
andere Botschaft weitersagt als die, die ihr angenommen
habt, dann soll Gottes Fluch ihn treffen.
10Wie ihr seht, geht es mir nicht darum, Menschen zu gefal-
len! Nein, ich versuche, Gott zu gefallen. Wollte ich noch Men-
schen gefallen, wäre ich kein Diener von Christus.

Die Botschaft kommt von Christus

11 Liebe Freunde, ich versichere euch, dass die Botschaft von
der Erlösung, die ich verkünde, nicht auf menschlicher Ver-
nunft oder Logik beruht. 12 Ich habe sie auch nicht von einem
Menschen empfangen, sondern Jesus Christus selbst hat sie
mir offenbart.
13 Ihr wisst sicher noch, wie ich als strenggläubiger Jude
war – wie fanatisch ich die Gemeinde Gottes verfolgt habe.
Ich tat alles, um sie zu vernichten. 14 In meinem Volk war ich
einer der Allerfrömmsten und bemühte mich nach Kräften,
die überlieferten Satzungen meiner Väter zu befolgen.
15 Doch Gott hat mich in seiner Gnade schon vor meiner Ge-
burt auserwählt und berufen. 16 Er offenbarte mir seinen Sohn,
damit ich den anderen Völkern die Botschaft von Jesus ver-
künde. Nach diesem Ereignis fragte ich zunächst niemanden
um Rat 17 und zog auch nicht hinauf nach Jerusalem, um mich
mit denen zu besprechen, die schon vor mir Apostel waren.
Stattdessen ging ich nach Arabien und kehrte später nach Da-
maskus zurück. 18 Erst nach drei Jahren machte ich mich
schließlich nach Jerusalem auf, um Petrus aufzusuchen, und
blieb fünfzehn Tage bei ihm. 19 Von den anderen Aposteln traf
ich keinen außer Jakobus, den Bruder unseres Herrn. 20 Was
ich euch schreibe, ist die Wahrheit – das erkläre ich hiermit
vor Gott, dass ich nicht lüge. 21 Nach diesem Besuch reiste ich
nach Norden in die Provinzen Syrien und Zilizien. 22 Doch die
christlichen Gemeinden in Judäa kannten mich immer noch
nicht persönlich. 23 Sie wussten nur, dass die Leute sagten:
»Der, der uns früher verfolgt hat, verkündet jetzt den Glau-
ben, den er immer vernichten wollte!« 24 Und sie lobten Gott
für das, was er mit mir getan hat.

Die Apostel erkennen Paulus an

2 1 Vierzehn Jahre später kehrte ich wieder nach Jerusalem
zurück, diesmal zusammen mit Barnabas; Titus begleitete
uns. 2 Ich ging hin, weil Gott es mir in einer Offenbarung be-
fohlen hatte. Ich erzählte ihnen, was ich den anderen Völkern
verkündet hatte. Insbesondere wandte ich mich an die Ange-

sehenen in der Gemeinde, um ihr Einverständnis zu gewin-
nen, damit meine Arbeit nicht vergeblich war oder gewesen
wäre. 3Sie waren mit meinem Vorgehen einverstanden und
verlangten nicht einmal, dass mein Begleiter Titus sich be-
schneiden lassen müsse, obwohl er ein Grieche war.

4Ja, die Frage der Beschneidung wäre gar nicht erst auf-
geworfen worden, hätten sich nicht einige Leute, die sich als
Brüder ausgaben, in die Gemeinde eingeschlichen, um uns
und unsere Freiheit in Christus Jesus auszuspionieren. Sie
wollten uns zwingen, ihre jüdischen Vorschriften sklavisch
zu befolgen. 5Doch wir weigerten uns, ihnen auch nur einen
Augenblick nachzugeben, denn wir wollten, dass die Wahr-
heit der Botschaft bei euch bleibt.

6Die Angesehenen in der Gemeinde – was auch immer sie
früher gewesen sind, ist für mich unwichtig, denn das hat
vor Gott keine Bedeutung – hatten der Botschaft, die ich ver-
künde, nichts hinzuzufügen. 7Im Gegenteil: Sie sahen, dass
Gott mir die Aufgabe übertragen hatte, den anderen Völkern
die Botschaft von Jesus zu verkünden, so wie es die Aufgabe
von Petrus ist, sie den Juden zu sagen. 8Denn derselbe Gott,
der durch Petrus unter den Juden wirkte, wirkte auch durch
mich unter den anderen Völkern. 9So kam es, dass Jakobus,
Petrus und Johannes, die als Säulen der Gemeinde gelten, die
Gabe, die Gott mir verliehen hatte, anerkannten und Barna-
bas und mich in ihren Kreis aufnahmen. Wir einigten uns,
dass wir weiterhin den Nichtjuden die Botschaft verkünden
sollten, während sie ihre Arbeit unter den Juden fortsetzen.
10Nur eines haben sie uns nahe gelegt: Wir sollten nicht ver-
gessen, die Bedürftigen zu unterstützen, und darum habe ich
mich nach Kräften bemüht.

Paulus stellt Petrus zur Rede

11Doch als Petrus nach Antiochia kam, musste ich ihm offen
entgegentreten und ihn ernsthaft zur Rede stellen, denn was
er tat, war falsch. 12Nach seiner Ankunft hatte er zunächst
noch mit den Gläubigen, die unbeschnitten waren, zusam-
men gegessen. Als jedoch einige jüdische Freunde von Jako-

bus eintrafen, hatte er nicht mehr den Mut dazu, weil er die Missbilligung der jüdischen Gläubigen scheute. [13]Daraufhin verhielten sich die anderen Juden genauso heuchlerisch, und sogar Barnabas ließ sich von ihnen beeinflussen.

[14]Als ich sah, dass sie sich nicht an die Wahrheit der Botschaft Gottes hielten, sagte ich vor allen anderen zu Petrus: »Wenn du als gebürtiger Jude die jüdischen Gesetze hinter dir gelassen hast und wie ein Nichtjude lebst, warum verlangst du dann von diesen Nichtjuden, die jüdischen Gesetze zu befolgen, die du aufgegeben hast? [15]Du und ich, wir sind Juden durch Geburt, keine gottlosen Menschen wie die aus den anderen Völkern. [16]Und doch wissen wir, dass der Mensch vor Gott nicht durch das Halten des Gesetzes gerecht gesprochen wird, sondern durch den Glauben an Jesus Christus. Wir sind zum Glauben an ihn gekommen, damit wir durch diesen Glauben von Gott angenommen werden, und nicht etwa, weil wir dem Gesetz gehorcht haben. Denn durch das Befolgen des Gesetzes wird niemand vor Gott gerecht.«

[17]Aber was ist, wenn wir durch den Glauben an Christus vor Gott gerecht werden wollen und dann feststellen, dass wir immer noch Sünder sind? Hat Christus uns etwa in die Sünde geführt? Natürlich nicht! [18]Ich mache mich vielmehr selbst schuldig, wenn ich das alte System wieder aufzurichten versuche, das ich schon abgerissen hatte. [19]Durch das Gesetz werde ich verurteilt, weil ich es nicht erfüllen kann. Ich aber bin mit Christus gekreuzigt, sodass ich jetzt nicht mehr unter dem Gesetz stehe, sondern für Gott lebe. [20]Ich lebe, aber nicht mehr ich selbst, sondern Christus lebt in mir. Ich lebe also mein Leben in diesem irdischen Körper im Glauben an den Sohn Gottes, der mich geliebt und sich selbst für mich geopfert hat. [21]Ich gehöre nicht zu denen, die die Gnade Gottes gering achten. Denn wenn wir durch das Gesetz gerettet werden könnten, hätte Christus nicht sterben müssen.

Das Gesetz und der Glaube an Christus

3 [1]O ihr unverständigen Galater! Wer hat euch so durcheinandergebracht? Ihr habt doch so klar erkannt, was der

Tod von Christus für uns bedeutet, als ich euch Jesus Christus,
den Gekreuzigten, vor Augen malte! 2Sagt mir: Habt ihr den
Heiligen Geist etwa durch das Befolgen des Gesetzes empfan-
gen? Natürlich nicht. Der Heilige Geist kam auf euch herab,
nachdem ihr die Botschaft von Christus gehört und ihr ge-
glaubt habt. 3Versteht ihr das denn wirklich nicht? Ihr habt
begonnen, ein Leben mit dem Heiligen Geist zu führen. Wa-
rum wollt ihr jetzt auf einmal versuchen, es aus eigener Kraft
zu vollenden? 4Ihr habt so viel durch die gute Botschaft erfah-
ren. Sollte das etwa vergeblich gewesen sein? Wollt ihr das
alles jetzt wegwerfen?

5Ich frage euch noch einmal: Schenkt Gott euch den Heiligen
Geist und wirkt Wunder unter euch, weil ihr das Gesetz Mo-
ses befolgt? Oder tut er es, weil ihr die Botschaft glaubt, die ihr
über Christus gehört habt? 6Denn so war es auch bei Abra-
ham: »Abraham glaubte Gott, und Gott erklärte ihn wegen
seines Glaubens für gerecht.« 7Die wahren Kinder Abrahams
sind also die, die an Gott glauben.

8Doch nicht nur das: Die Schrift wies bereits auf die Zeit
voraus, in der Gott auch die Völker wegen ihres Glaubens
annehmen würde. Gott hat Abraham diese gute Botschaft
schon vor langer Zeit verheißen, als er sagte: »Alle Völker
werden durch dich gesegnet werden.« 9Deshalb werden alle,
die aus dem Glauben an Christus leben, an demselben Segen
Anteil erhalten, den Abraham durch seinen Glauben empfan-
gen hat.

10Wer dagegen auf das Gesetz vertraut, um vor Gott gerecht
zu werden, steht unter einem Fluch. In der Schrift heißt es:
»Verflucht ist jeder, der nicht alle Gebote beachtet und befolgt,
die im Buch des Gesetzes geschrieben stehen.« 11Deshalb ist
klar, dass niemand je durch das Gesetz vor Gott gerecht ge-
sprochen wird. Denn die Schrift sagt: »Durch den Glauben
hat ein Gerechter Leben.« 12Dagegen sagt die Schrift über
den Weg des Gesetzes: »Wenn du durch das Gesetz Leben
finden willst, musst du alle Gebote des Gesetzes erfüllen.«
13Doch Christus hat uns vom Fluch des Gesetzes gerettet; am
Kreuz nahm er den Fluch auf sich. Denn in der Schrift heißt es:

»Verflucht ist jeder, der an einem Holz hängt.« 14Durch die Tat
von Jesus Christus hat Gott allen Völkern den Segen ge-
schenkt, den er Abraham zugesagt hatte. So empfangen wir
den Heiligen Geist durch den Glauben, wie Gott es verspro-
chen hat.

Das Gesetz und die Zusagen Gottes

15Liebe Freunde, ich will euch ein Beispiel aus dem Alltag ge-
ben: Es verhält sich hier wie bei einem rechtskräftig geworde-
nen Testament, das niemand aufheben oder ändern kann.
16Nun hat Gott sein Versprechen Abraham und seinem Nach-
kommen gegeben. Beachtet, dass hier nicht steht, dass die Zu-
sage seinen Kindern galt, als wären viele Nachkommen damit
gemeint. Sie galt dem einen Nachkommen – und dieser ist
Christus. 17Und genau darum geht es mir: Der Bund, den
Gott mit Abraham schloss, konnte nicht vierhundertdreißig
Jahre später aufgehoben werden, als Gott Mose das Gesetz
gab. Sonst hätte Gott ja sein Versprechen gebrochen. 18Denn
wenn das Erbe nur durch das Halten des Gesetzes empfangen
werden könnte, dann würde es uns nicht mehr durch das Ver-
sprechen geschenkt. Doch Gott hat es Abraham ohne jede Be-
dingung zugesagt.

19Aber warum wurde das Gesetz dann überhaupt gegeben?
Es wurde gegeben, um den Menschen zu zeigen, dass sie
schuldig sind. Doch es sollte nur bis zum Kommen des Chris-
tus bestehen bleiben, an den Gott sein Versprechen gebunden
hatte. Gott gab seine Gesetze Engeln, und diese gaben sie Mo-
se, dem Mittler zwischen Gott und dem Volk. 20Aber als Gott
Abraham seine Verheißung gab, ging das Handeln allein von
seiner Seite aus und er brauchte keinen Mittler.

21Besteht deshalb ein Widerspruch zwischen Gottes Gesetz
und Gottes Verheißung? Absolut nicht! Wenn das Gesetz uns
neues Leben hätte geben können, dann wären wir vor Gott
gerecht geworden, indem wir es befolgt hätten. 22Aber in der
Schrift heißt es, dass wir alle Gefangene der Sünde sind, so-
dass wir Gottes Verheißung nur empfangen können, indem
wir an Jesus Christus glauben.

23Bevor uns der Glaube an Christus als Weg gezeigt wurde,
wie wir vor Gott gerecht werden können, wurden wir vom
Gesetz bewacht und beschützt, bis Gott den Weg des Glau-
bens offenbarte.

Gottes Kinder durch Glauben

24Lasst es mich noch auf eine andere Weise ausdrücken: Das
Gesetz war unser Vormund und Lehrer, bis Christus kam.
Aufgrund des Glaubens an ihn werden wir vor Gott gerecht
gesprochen. 25Und da Christus nun gekommen ist und mit
ihm der Weg des Glaubens, brauchen wir das Gesetz als Vor-
mund nicht mehr. 26Und so seid ihr alle Kinder Gottes durch
den Glauben an Jesus Christus. 27Denn ihr alle, die ihr auf
Christus getauft worden seid, gehört nun zu Christus. 28Nun
gibt es nicht mehr Juden oder Nichtjuden, Sklaven oder Freie,
Männer oder Frauen. Denn ihr seid alle gleich – ihr seid eins in
Jesus Christus. 29Und weil ihr nun zu Christus gehört, seid ihr
Nachkommen Abrahams. Ihr seid seine Erben, wie Gott es
versprochen hat.

4 1Stellt euch vor, ein Vater stirbt und hinterlässt seinem un-
mündigen Kind großen Reichtum. Doch dieser Erbe ist,
bis er erwachsen ist, nicht besser dran als ein Knecht, auch
wenn er in Wirklichkeit alles besitzt, was seinem Vater gehör-
te. 2Er muss seinen Vormündern gehorchen, bis er das Alter
erreicht hat, das sein Vater festgesetzt hat.

3So war es auch bei uns, bevor Christus kam. Wir waren
Diener dieser Welt. 4Doch als der festgesetzte Zeitpunkt da
war, sandte Gott seinen Sohn, geboren von einer Frau und
dem Gesetz unterstellt. 5Gott sandte ihn, um uns aus der Ge-
fangenschaft des Gesetzes freizukaufen und als seine Kinder
anzunehmen. 6Und weil ihr seine Kinder geworden seid, hat
Gott euch den Geist seines Sohnes ins Herz gegeben, sodass
ihr zu Gott nun »lieber Vater« sagen könnt. 7Jetzt seid ihr kei-
ne Diener mehr, sondern Kinder Gottes. Und als seinen Kin-
dern gehört euch alles, was ihm gehört. Gott hat es so be-
stimmt.

Sorge um die Galater

8Bevor ihr Gott kanntet, habt ihr sogenannten Göttern gedient, die in Wirklichkeit überhaupt nicht existieren. 9Jetzt habt ihr Gott gefunden – vielleicht sollte ich eher sagen: jetzt hat Gott euch gefunden. Wieso nur wollt ihr nun wieder ohnmächtigen und armseligen Elementen dieser Welt dienen?
10Ihr versucht, Gott zu gefallen, indem ihr an bestimmten Tagen, Monaten, Jahreszeiten oder Festen gewisse Dinge tut oder unterlasst. 11Ich mache mir Sorgen um euch. Ich befürchte, dass all meine harte Arbeit für euch umsonst war. 12Liebe Freunde, ich bitte euch inständig, meinem Beispiel zu folgen und euch davon frei zu machen, denn als ich bei euch war, bin ich so geworden, wie ihr es einst wart – frei vom Gesetz.

Ihr habt mir in keiner Weise unrecht getan. 13Bestimmt erinnert ihr euch noch, dass ich krank war, als ich euch zum ersten Mal die frohe Botschaft von Christus brachte. 14Doch obwohl meine Krankheit anstößig für euch war, habt ihr mich nicht abgelehnt und nicht abgewiesen. Nein, ihr habt mich aufgenommen und für mich gesorgt, als wäre ich ein Engel Gottes oder sogar Christus Jesus selbst. 15Wo ist nur eure Freude von damals geblieben? Ich weiß, dass ihr bereit gewesen wärt, euch die Augen auszureißen und sie mir zu geben, wenn es möglich gewesen wäre. 16Bin ich denn jetzt auf einmal euer Feind, weil ich euch die Wahrheit sage?

17Diese falschen Lehrer, die sich so um euch bemühen, handeln nicht zu eurem Besten. Sie versuchen, euch mir zu entfremden, um auf diese Weise leichter eure Aufmerksamkeit auf sich zu ziehen. 18Es ist zwar sehr lobenswert, dass ihr mit solchem Eifer Gutes tun wollt, besonders, wenn ich nicht bei euch bin. 19Aber, meine geliebten Kinder, mir ist, als müsste ich noch einmal Geburtswehen für euch durchmachen, und sie werden nicht aufhören, bis Christus euer Leben prägt.
20Wie wünschte ich, ich könnte jetzt bei euch sein und weniger streng mit euch reden. Doch aus der Entfernung weiß ich mir keinen anderen Rat.

Die zwei Kinder Abrahams

21Hört mir zu, ihr, die ihr unter dem Gesetz leben wollt. Wisst
ihr eigentlich, was das Gesetz sagt? 22In der Schrift heißt es,
dass Abraham zwei Söhne hatte, einen von seiner Sklavin und
einen von seiner frei geborenen Frau. 23Der Sohn der Sklavin
wurde geboren, weil Abraham versuchte, die Erfüllung der
Verheißung Gottes mit menschlichen Mitteln zu erzwingen.
Der Sohn der freien Frau aber wurde geboren, weil Gott selbst
sein Versprechen erfüllte.

24Diese beiden Frauen dienen uns als Sinnbild für die zwei
Bündnisse Gottes. Die Sklavin Hagar ist ein Sinnbild für den
Berg Sinai, an dem die Menschen erstmals Sklaven des Gesetzes wurden.
25Und heute entspricht auch Jerusalem dem Berg
Sinai in Arabien, weil es mit seinen Kindern in der Sklaverei
lebt. 26Sara aber, die Freie, ist ein Symbol für das himmlische
Jerusalem. Das ist unsere Mutter. 27Bei dem Propheten Jesaja
steht geschrieben: »Freue dich, du Unfruchtbare! Juble und
freue dich, auch wenn du nie ein Kind geboren hast, juble
und freue dich, auch wenn du nie die Schmerzen der Geburt
erlebst. Denn die einsame Frau, die keine Kinder bekommen
konnte, hat jetzt mehr Kinder als die, die den Mann hatte!«

28Auch ihr, liebe Brüder, seid Kinder der Verheißung, genau
wie Isaak. 29Einst wurde Isaak, der Sohn der Verheißung, von
Ismael, dem Sohn der Sklavin, verfolgt. So ist es auch noch
heute.

30Doch was sagt die Schrift darüber? »Jag die Sklavin und
ihren Sohn fort, denn der Sohn der Sklavin soll nicht mit dem
Sohn der Freien Anteil am Erbe erhalten.« 31Liebe Freunde,
wir sind keine Kinder der Sklavin und stehen nicht unter
dem Gesetz. Wir sind Kinder der Freien, und Gott nimmt
uns wegen unseres Glaubens an.

Freiheit in Christus

5 1So hat uns Christus also wirklich befreit. Sorgt nun dafür,
dass ihr frei bleibt, und lasst euch nicht wieder unter das
Gesetz versklaven.

2Hört zu! Ich, Paulus, sage euch: Wenn ihr auf die Beschnei-
dung vertraut, um vor Gott gerecht zu werden, dann kann
Christus euch nicht helfen. 3Ich wiederhole es: Wer sich be-
schneiden lässt, der muss sämtliche Vorschriften des Gesetzes
erfüllen. 4Denn wenn ihr durch das Gesetz vor Gott bestehen
wollt, seid ihr von Christus getrennt und aus Gottes Gnade
gefallen.

5Wir dagegen glauben und erwarten durch den Geist, dass
sich die Hoffnung erfüllt, die Gott uns verheißen hat. 6Denn
wenn wir unser Vertrauen auf Christus Jesus setzen, fragt
Gott nicht danach, ob wir beschnitten oder unbeschnitten
sind. Entscheidend ist der Glaube, der sich in der Liebe zeigt.

7Ihr habt doch so gute Fortschritte gemacht! Wer hat euch
denn abgehalten, weiter der Wahrheit zu folgen? 8Gott ganz
bestimmt nicht, denn er ist es ja, der euch zur Freiheit berufen
hat. 9Aber wenn auch nur einer unter euch falsche Wege geht,
genügt das, um euch alle anzustecken – ein wenig Sauerteig
durchsäuert den ganzen Teig! 10Doch ich vertraue auf den
Herrn und glaube, dass ihr euch in diesen Dingen wieder
zum rechten Glauben zurückführen lassen werdet. Wer im-
mer dieser Mensch auch sein mag, der euch aufgestört und
verwirrt hat: Gott wird ihn richten.

11Liebe Freunde, würde ich noch predigen, dass ihr euch
beschneiden lassen müsst – wie es einige von mir behaup-
ten –, warum sollten die Juden mich dann noch verfolgen?
Dann wäre ja alles Anstößige, das in der Botschaft vom Kreuz
liegt, beseitigt. 12Von mir aus können diese Unruhestifter, die
euch durch die Beschneidung verstümmeln wollen, sich
selbst verstümmeln.

13Ihr seid berufen, liebe Freunde, in Freiheit zu leben – nicht
in der Freiheit, euren sündigen Neigungen nachzugeben, son-
dern in der Freiheit, einander in Liebe zu dienen. 14Denn das
ganze Gesetz lässt sich in dem einen Wort zusammenfassen:
»Liebe deinen Nächsten wie dich selbst.« 15Doch wenn ihr
euch ständig zankt und übervorteilt, statt einander mit Liebe
zu begegnen, dann passt auf, denn sonst vernichtet ihr euch
noch gegenseitig.

In der Kraft des Geistes leben

16Deshalb: Lebt so, wie es eurem neuen Leben im Heiligen
Geist entspricht. Dann werdet ihr auch nicht tun, wozu
eure sündigen Neigungen euch drängen. 17Die alte, sündige
Natur liebt es, Böses zu tun – genau das Gegenteil von dem,
was der Heilige Geist will. Der Geist weckt in uns Wünsche,
die den Neigungen unserer sündigen Natur widersprechen.
Diese beiden Kräfte liegen in ständigem Streit miteinander,
sodass ihr nicht das tun könnt, was ihr wollt. 18Doch wenn
ihr vom Heiligen Geist geleitet werdet, seid ihr nicht dem Ge-
setz unterworfen.

19Wenn ihr den Neigungen eurer sündigen Natur folgt, wird
euer Leben die entsprechenden Folgen zeigen: Unzucht, un-
reine Gedanken, Vergnügungssucht, 20Götzendienst, Zaube-
rei, Feindschaften, Streit, Eifersucht, Zorn, selbstsüchtigen
Ehrgeiz, Spaltungen, selbstgerechte Abgrenzung gegen ande-
re Gruppen, 21Neid, Trunkenheit, ausschweifenden Lebens-
wandel und dergleichen mehr. Ich wiederhole, was ich bereits
gesagt habe, dass niemand, der ein solches Leben führt, das
Reich Gottes erben wird.

22Wenn dagegen der Heilige Geist unser Leben beherrscht,
wird er ganz andere Frucht in uns wachsen lassen: Lie-
be, Freude, Frieden, Geduld, Freundlichkeit, Güte, Treue,
23Sanftmut und Selbstbeherrschung. Nichts davon steht im
Widerspruch zum Gesetz.

24Diejenigen, die zu Christus Jesus gehören, haben die Lei-
denschaften und Begierden ihrer sündigen Natur an sein
Kreuz geschlagen. 25Wenn wir jetzt durch den Heiligen Geist
leben, dann sollten wir auch alle Bereiche unseres Lebens von
ihm bestimmen lassen. 26Lasst uns darauf achten, dass wir
nicht stolz werden und uns gegenseitig verärgern oder benei-
den.

Wir ernten, was wir säen

6 1Liebe Freunde, wenn ein Mensch einer Sünde erlegen ist,
dann solltet ihr, deren Leben vom Geist Gottes bestimmt
ist, diesem Menschen liebevoll und in aller Demut helfen, wie-

der auf den rechten Weg zurückzufinden. Und pass auf, dass
du nicht in dieselbe Gefahr gerätst. 2Helft euch gegenseitig bei
euren Schwierigkeiten und Problemen, so erfüllt ihr das Ge-
setz, das wir von Christus haben. 3Wer sich für wichtiger hält
als die anderen, betrügt sich selbst. 4Jeder achte genau auf sein
eigenes Leben und Handeln, ohne sich mit anderen zu ver-
gleichen. 5Schließlich ist jeder für sein eigenes Verhalten ver-
antwortlich.

6Wenn ihr Lehrer habt, die euch das Wort Gottes lehren,
dann solltet ihr sie darin unterstützen, indem ihr sie bezahlt.

7Täuscht euch nicht! Macht euch klar, dass ihr Gott nicht
einfach missachten könnt, ohne die Folgen zu tragen. Denn
was ein Mensch sät, wird er auch ernten. 8Wer nur nach seinen
sündigen Neigungen lebt, wird sich damit selbst zugrunde
richten und schließlich den Tod ernten. Aber wer lebt, um
dem Geist zu gefallen, wird vom Geist das ewige Leben erhal-
ten. 9Deshalb werdet nicht müde, zu tun, was gut ist. Lasst
euch nicht entmutigen und gebt nie auf, denn zur gegebenen
Zeit werden wir auch den entsprechenden Segen ernten.
10Lasst uns jede Gelegenheit nutzen, allen Menschen Gutes
zu tun, besonders aber unseren Brüdern und Schwestern im
Glauben.

Abschließender Rat

11Seht, mit welch großen Buchstaben ich euch diese abschlie-
ßenden Worte in eigener Handschrift schreibe. 12Die Leute,
die euch zur Beschneidung zwingen wollen, tun das nur aus
einem einzigen Grund: Sie wollen sich nicht mit der Lehre,
dass nur der Tod von Jesus Christus am Kreuz uns retten
kann, der Verfolgung aussetzen. 13Dabei halten nicht einmal
sie als Verfechter der Beschneidung das ganze Gesetz. In
Wirklichkeit wollen sie euch nur deshalb zur Beschneidung
überreden, um damit anzugeben.

14Was mich betrifft, so bewahre Gott mich davor, mit irgend-
etwas anzugeben. Rühmen will ich mich nur einer Sache: des
Kreuzes von Jesus Christus, unserem Herrn, durch das mein
Interesse an dieser Welt gestorben ist, wie auch das Interesse

der Welt an mir. 15Es spielt keine Rolle mehr, ob wir beschnit-
ten wurden oder nicht. Es zählt nur, ob wir wirklich zu neuen,
veränderten Menschen geworden sind. 16Und allen, die nach
diesem Maßstab leben, schenke Gott Barmherzigkeit und
Frieden – ihnen und dem auserwählten Volk Gottes. 17Von
jetzt an soll mich damit niemand mehr belästigen. Denn ich
trage an meinem Körper die Wunden, die zeigen, dass ich
Jesus gehöre.

18Die Gnade unseres Herrn Jesus Christus sei mit euch allen,
meine Lieben. Amen.

Der Brief an die Epheser

Grüße von Paulus

1 [1]Diesen Brief schreibt Paulus, ein von Gott berufener
Apostel von Christus Jesus, an alle in Ephesus, die an
Christus Jesus glauben und zu Gott gehören. [2]Ich wünsche
euch Gnade und Frieden von Gott, unserem Vater, und von
Jesus Christus, unserem Herrn.

Geistlicher Segen

[3]Wir loben Gott, den Vater von Jesus Christus, unserem
Herrn, der uns durch Christus mit dem geistlichen Segen in
der himmlischen Welt reich beschenkt hat. [4]Aus Liebe hat
Gott uns schon vor Erschaffung der Welt in Christus dazu
bestimmt, vor ihm heilig zu sein und befreit von Schuld.
[5]Von Anfang an war es sein unveränderlicher Plan, uns durch
Jesus Christus als seine Kinder aufzunehmen, und an diesem
Beschluss hatte er viel Freude.

[6]Deshalb loben wir Gott für die herrliche Gnade, mit der er
uns durch den geliebten Sohn so reich beschenkt hat. [7]Seine
Gnade ist so groß, dass er unsere Freiheit mit dem Blut seines
Sohnes erkauft hat, sodass uns unsere Sünden vergeben sind.
[8]Er hat uns mit Gnade überhäuft und uns Weisheit und Er-
kenntnis gegeben.

[9]So hat Gott uns nun seinen Willen erkennen lassen, der lan-
ge verborgen war, und uns seinen Plan mit Christus offenbart.
[10]Gott beschloss, wenn die Zeit dafür gekommen ist, alles im
Himmel und auf der Erde der Vollmacht von Christus zu un-
terstellen. [11]Darüber hinaus haben wir durch Christus ein
göttliches Erbe empfangen, denn Gott hat uns von Anfang
an erwählt, wie er es mit seinem Willen beschlossen hatte.
[12]Wir, die wir als Erste auf Christus gehofft haben, sollen mit
unserem Leben Gottes Herrlichkeit loben. [13]Durch Christus
habt auch ihr nun die Wahrheit gehört, die gute Botschaft,
dass Gott euch rettet. Ihr habt an Christus geglaubt, und er

hat euch mit dem Siegel seines Heiligen Geistes, den er vor
langer Zeit zugesagt hat, als sein Eigentum bestätigt. 14Der
Heilige Geist ist die Garantie dafür, dass er uns alles geben
wird, was er uns versprochen hat, und dass wir sein Eigentum
sind – zum Lob seiner Herrlichkeit.

Paulus betet um geistliche Weisheit
15Seit ich das erste Mal von eurem festen Glauben an Jesus,
den Herrn, und von eurer Liebe zu allen Gläubigen hörte,
16habe ich nicht aufgehört, Gott für euch zu danken. Ich bete
ständig für euch 17und bitte den Gott unseres Herrn Jesus
Christus, den Vater der Herrlichkeit, euch den Geist der Weis-
heit und Einsicht zu schenken, damit eure Erkenntnis von
Gott immer größer wird. 18Ich bete, dass eure Herzen hell er-
leuchtet werden, damit ihr die wunderbare Zukunft, zu der er
euch berufen hat, begreift und erkennt, welch reiches und
herrliches Erbe er den Gläubigen geschenkt hat.
19Ich bete, dass ihr erkennen könnt, wie übermächtig groß
seine Kraft ist, mit der er in uns, die wir an ihn glauben, wirkt.
Es ist dieselbe gewaltige Kraft, 20die auch Christus von den
Toten auferweckt und ihm den Ehrenplatz an Gottes rechter
Seite im Himmel gegeben hat. 21Jetzt ist er als Herrscher einge-
setzt über jede weltliche Regierung, Gewalt, Macht und jede
Herrschaft und über alles andere, in dieser wie in der zukünf-
tigen Welt. 22Gott hat alles der Herrschaft von Christus unter-
stellt und hat Christus als Herrn über die Gemeinde einge-
setzt. 23Die Gemeinde aber ist sein Leib, und sie ist erfüllt von
Christus, der alles ganz mit seiner Gegenwart erfüllt.

Mit Christus lebendig gemacht
2 1Auch ihr wart früher tot aufgrund eurer Sünden. 2Ihr
habt genauso in der Sünde gelebt wie der Rest der Welt,
beherrscht vom Satan, der im Machtbereich der Luft regiert.
Er ist der Geist, der in den Herzen derer wirkt, die Gott nicht
gehorchen wollen. 3Wir alle haben früher so gelebt und uns
von den Leidenschaften und Begierden unserer alten Natur

beherrschen lassen. Wir wurden mit dieser Natur geboren
und waren Gottes Zorn ausgeliefert wie alle anderen Men-
schen auch.
4Doch Gott ist so barmherzig und liebte uns so sehr, 5dass er
uns, die wir durch unsere Sünden tot waren, mit Christus
neues Leben schenkte, als er ihn von den Toten auferweckte.
Nur durch die Gnade Gottes seid ihr gerettet worden! 6Denn
er hat uns zusammen mit Christus von den Toten auferweckt
und wir gehören nun mit Jesus zu seinem himmlischen Reich.
7So wird er für alle Zeiten an uns seine Güte und den Reich-
tum seiner Gnade sichtbar machen, die sich in allem zeigt,
was er durch Christus Jesus für uns getan hat.
8Weil Gott so gnädig ist, hat er euch durch den Glauben ge-
rettet. Und das ist nicht euer eigenes Verdienst; es ist ein Ge-
schenk Gottes. 9Ihr werdet also nicht aufgrund eurer guten
Taten gerettet, damit sich niemand etwas darauf einbilden
kann. 10Denn wir sind Gottes Schöpfung. Er hat uns in Chris-
tus Jesus neu geschaffen, damit wir die guten Taten ausfüh-
ren, die er für unser Leben vorbereitet hat.

Einheit und Frieden in Christus

11Vergesst nicht, dass ihr, die ihr keine Juden seid, aufgrund
eurer Herkunft Außenstehende wart. »Unbeschnittene«
nannten euch die Juden, die das äußere Zeichen der Beschnei-
dung tragen. 12Damals lebtet ihr getrennt von Christus. Ihr
wart vom Volk Gottes, Israel, ausgeschlossen und wusstet
nichts von den Zusagen, die er ihm gegeben hatte. Euer Leben
in dieser Welt war ohne Gott und ohne Hoffnung. 13Aber nun
gehört ihr Christus Jesus. Ihr wart fern von Gott, doch nun
seid ihr ihm nahe durch das Blut seines Sohnes.
14Denn Christus selbst brachte Frieden zwischen den Juden
und den Menschen aus allen anderen Völkern, indem er uns
zu einem einzigen Volk vereinte. Er hat die Mauer der Feind-
schaft, die uns früher trennte, niedergerissen. Durch seinen
Tod 15hat er dem Gesetz mit seinen Geboten und Verordnun-
gen ein Ende bereitet und dadurch Frieden gestiftet, indem er
beide in sich zu einem einzigen neuen Menschen schuf. 16Er

hat sie in einem Leib vereint und durch das Kreuz mit Gott
versöhnt, sodass die Feindschaft ein Ende fand. 17 Er ist ge-
kommen und brachte die Botschaft des Friedens euch, die ihr
fern von ihm wart, und den Juden, die ihm nahe waren.
18 Durch das, was Christus für uns getan hat, können wir jetzt
alle, ob wir Juden sind oder nicht, in einem Geist zum Vater
kommen.

Ein Tempel für den Herrn

19 Deshalb seid ihr nicht länger Fremde und ohne Bürgerrecht,
sondern ihr gehört zu den Gläubigen, zu Gottes Familie. 20 Wir
sind sein Haus, das auf dem Fundament der Apostel und Pro-
pheten erbaut ist mit Christus Jesus selbst als Eckstein. 21 Die-
ser Eckstein fügt den ganzen Bau zu einem heiligen Tempel
für den Herrn zusammen. 22 Durch Christus, den Eckstein,
werdet auch ihr eingefügt und zu einer Wohnung, in der
Gott durch seinen Geist lebt.

Gottes verborgener Heilsplan wurde offenbart

3 1 Ich, Paulus, bin im Gefängnis, ein Gefangener für Jesus
Christus, weil ich euch, die ihr anderen Völkern angehört,
die Botschaft Gottes verkündet habe. 2 Ihr habt ja gehört, dass
Gott mir die besondere Aufgabe anvertraut hat, euch von sei-
ner Gnade zu erzählen. 3 Und wie ich in diesem Brief bereits
erwähnte, hat Gott selbst mir seinen verborgenen Plan offen-
bart. 4 Wenn ihr lest, was ich geschrieben habe, werdet ihr ver-
stehen, was ich über das Geheimnis des Christus weiß. 5 Frü-
heren Generationen hat Gott es nicht offenbart, doch nun hat
er es seinen heiligen Aposteln und Propheten durch seinen
Geist zu erkennen gegeben:

6 Auch die anderen Völker sollen durch Christus das Reich
Gottes erben, zu seiner Gemeinde gehören und die Zusagen
Gottes in Anspruch nehmen, wie es die gute Botschaft sagt.
7 Gott hat mich zum Diener dieser Botschaft gemacht, indem
er mir mit seiner großen Kraft die Gnade dazu geschenkt hat.
8 Obwohl ich der Geringste unter denen bin, die zu Christus
gehören, hat Gott mich ausgesucht, um den anderen Völkern

von dem großen Reichtum zu erzählen, der ihnen in Christus
offen steht. [9]Ich wurde berufen, allen den Willen Gottes zu
erklären, den er, der Schöpfer aller Dinge, von Anfang an ver-
borgen gehalten hatte.

[10]Gottes Absicht war es, dass Mächte und Gewalten im Him-
mel durch seine Gemeinde den Reichtum seiner Weisheit er-
kennen. [11]Das war sein unabänderlicher Plan, und nun wurde
er durch Christus Jesus, unseren Herrn, erfüllt.

[12]Durch Christus und unseren Glauben an ihn können wir
nun ohne Furcht und voller Zuversicht zu Gott kommen.
[13]Deshalb verliert nicht den Mut wegen meiner Gefangen-
schaft. Dass ich euretwegen leide, ist für euch eine Ehre.

Gebet um geistliche Vollmacht

[14]Ich kann nur meine Knie beugen vor Gott, dem Vater, [15]dem
Vater von allem, was im Himmel und auf der Erde ist. [16]Ich
bete, dass er euch aus seinem großen Reichtum die Kraft gibt,
durch seinen Geist innerlich stark zu werden. [17]Und ich bete,
dass Christus durch den Glauben immer mehr in euren Her-
zen wohnt und ihr in der Liebe Gottes fest verwurzelt und
gegründet seid. [18]So könnt ihr mit allen Gläubigen ihr ganzes
Ausmaß erfassen, die Breite, Länge, Höhe und Tiefe. [19]Und
ihr könnt auch die Liebe erkennen, die Christus zu uns hat;
eine Liebe, die größer ist, als ihr je begreifen werdet. Dadurch
wird euch der Reichtum Gottes immer mehr erfüllen. [20]Durch
die mächtige Kraft, die in uns wirkt, kann Gott unendlich viel
mehr tun, als wir je bitten oder auch nur hoffen würden. [21]Ihm
gehört alle Ehre in der Gemeinde und durch Christus Jesus für
alle Zeit und Ewigkeit. Amen.

Einheit in der Gemeinde

4 [1]Als ein Gefangener für den Herrn fordere ich euch des-
halb auf, ein Leben zu führen, das eurer Berufung würdig
ist, denn ihr seid ja von Gott berufen worden. [2]Seid freundlich
und demütig, geduldig im Umgang miteinander. Ertragt ei-
nander voller Liebe. [3]Bemüht euch, im Geist eins zu sein, in-
dem ihr untereinander Frieden haltet.

4Ihr sollt alle gemeinsam ein Leib sein und einen Geist haben, weil ihr alle zu einer Hoffnung berufen seid.
5Es gibt nur einen Herrn, einen Glauben, eine Taufe,
6und es gibt auch nur einen Gott und Vater von allen,
der über allen steht und durch alle lebt und in uns allen ist.

7Doch hat jeder von uns seinen Anteil an der Gnade geschenkt bekommen, so wie Christus sie uns geschenkt hat.
8Deshalb heißt es in der Schrift:

»Er ist in die Höhen hinaufgestiegen und hat Gefangene mit sich geführt und den Menschen Gaben geschenkt.«

9Dass er in die Höhen hinaufstieg, bedeutet aber auch, dass
er vorher herabgekommen war: Er kam als Mensch auf die
Erde. 10Er, der herabkam, ist derselbe, der über alle Himmel
hinaufstieg, damit er Herr über alles ist.

11Er hat die einen als Apostel, die anderen als Propheten,
wieder andere als Prediger und schließlich einige als Hirten
und Lehrer eingesetzt. 12Ihre Aufgabe ist es, die Gläubigen für
ihren Dienst vorzubereiten und die Gemeinde – den Leib von
Christus – zu stärken. 13Auf diese Weise sollen wir alle im
Glauben eins werden und den Sohn Gottes immer besser kennenlernen, sodass unser Glaube zur vollen Reife gelangt und wir ganz von Christus erfüllt sind.

14Dann werden wir nicht länger wie Kinder sein und uns
ständig von jeder fremden Meinung beeinflussen oder verunsichern lassen, nur weil geschickte Betrüger uns eine Lüge
als Wahrheit hinstellen. 15Stattdessen lasst uns in Liebe an der
Wahrheit festhalten und in jeder Hinsicht Christus ähnlicher
werden, der das Haupt seines Leibes – der Gemeinde – ist.
16Durch ihn wird der ganze Leib zu einer Einheit. Und jeder Teil erfüllt seine besondere Aufgabe und trägt zum Wachstum der anderen bei, sodass der ganze Leib gesund ist und wächst und von Liebe erfüllt ist.

Als Kinder des Lichts leben

17Ich will vor Gott bezeugen, dass ihr nicht mehr leben sollt
wie Menschen, die Gott nicht kennen und deren Denken ohne
Sinn und Ziel ist. 18Ihr Verstand ist verfinstert und sie sind von

dem Leben, das Gott für sie hat, weit entfernt, weil sie von ihm
nichts wissen wollen und ihre Herzen hart geworden sind.
19Gleichgültig überlassen sie sich ganz ihren ausschweifen-
den Leidenschaften und suchen gierig nach jeder Art von Ver-
lockung. 20Doch ihr habt das Wesen von Christus anders er-
lernt. 21Ihr habt ihm doch zugehört und kennt die Wahrheit,
die in ihm ist? 22Deshalb sollt ihr euer altes Wesen und eure
frühere Lebensweise ablegen, die durch und durch verdorben
war und euch durch trügerische Leidenschaften zugrunde
richtete. 23Lasst euch stattdessen einen neuen Geist und ein
verändertes Denken geben. 24Als neue Menschen, geschaffen
nach dem Ebenbild Gottes und zur Gerechtigkeit, Heiligkeit
und Wahrheit berufen, sollt ihr auch ein neues Wesen anneh-
men.

25Hört auf zu lügen und »sagt einander die Wahrheit«, weil
wir aufeinander angewiesen sind. 26»Sündigt nicht, wenn ihr
zornig seid«, und lasst die Sonne nicht über eurem Zorn un-
tergehen. 27Gebt dem Teufel keine Möglichkeit, durch den
Zorn Macht über euch zu gewinnen! 28Wer ein Dieb ist, soll
aufhören zu stehlen. Er soll seine Hände zu ehrlicher Arbeit
gebrauchen und dann anderen, die in Not sind, großzügig
geben. 29Verzichtet auf schlechtes Gerede, sondern was ihr
redet, soll für andere gut und aufbauend sein, damit sie im
Glauben ermutigt werden.

30Achtet darauf, den Heiligen Geist nicht durch euer Verhal-
ten zu betrüben. Denkt vielmehr daran, dass ihr sein Siegel
tragt und dadurch die Gewissheit habt, dass der Tag der Er-
lösung kommen wird.

31Befreit euch von Bitterkeit und Wut, von Ärger, harten
Worten und übler Nachrede sowie jeder Art von Bosheit.
32Seid stattdessen freundlich und mitfühlend zueinander
und vergebt euch gegenseitig, wie auch Gott euch durch
Christus vergeben hat.

Im Licht leben

5 1Folgt in allem Gottes Beispiel, denn ihr seid seine gelieb-
ten Kinder. 2Euer Leben soll von Liebe geprägt sein, wie

auch Christus uns geliebt hat, denn er hat sich selbst als Gabe
und Opfer für unsere Sünden gegeben. Und Gott hatte Gefal-
len an diesem Opfer, das wie ein wohlriechender Duft zu ihm
aufstieg.

3 Weil ihr Gott gehört, soll es keine Unzucht, Unreinheit oder
Habgier unter euch geben. 4 Genauso unpassend für euch ist
schmutziges, dummes und anzügliches Gerede; vielmehr
sollt ihr Gott danken. 5 Ihr könnt sicher sein, dass kein unzüch-
tiger, unreiner oder habgieriger Mensch je das Reich, das
Christus und Gott gehört, miterben wird. Denn ein Habgieri-
ger ist nur ein Götzendiener, der weltliche Dinge anbetet.
6 Lasst euch nicht von leeren Worten verführen! Der Zorn Got-
tes wird alle treffen, die ihm ungehorsam sind. 7 Gebt euch
also nicht mit ihnen ab. 8 Auch wenn es früher in euch finster
war, seid ihr jetzt vom Licht des Herrn erfüllt; deshalb lebt
nun auch als Kinder des Lichts! 9 Denn dieses Licht in euch
bringt lauter Güte, Gerechtigkeit und Wahrheit hervor.

10 Findet heraus, was dem Herrn Freude macht. 11 Beteiligt
euch nicht an den nutzlosen Taten der Finsternis, sondern
deckt sie vielmehr auf. 12 Es ist beschämend, auch nur davon
zu reden, was gottlose Menschen im Verborgenen treiben.
13 Doch wenn das Licht darauf fällt, wird alles sichtbar wer-
den. 14 Was aber sichtbar wird, wird nun auch Licht. Deshalb
heißt es:
»Wach auf, du Schläfer,
steh von den Toten auf,
dann wird Christus dir aufleuchten.«

Aus der Kraft des Geistes leben

15 Achtet sorgfältig darauf, wie ihr lebt; handelt nicht unklug,
sondern bemüht euch, weise zu sein. 16 Nutzt jede Gelegen-
heit, in diesen üblen Zeiten Gutes zu tun. 17 Handelt nicht ge-
dankenlos, sondern versucht zu begreifen, was der Herr von
euch will. 18 Betrinkt euch nicht mit Wein; sonst ruiniert ihr
damit euer Leben. Lasst euch stattdessen vom Heiligen Geist
erfüllen. 19 Singt miteinander Psalmen und Lobgesänge und
geistliche Lieder, und in euren Herzen wird Musik sein zum

Lob Gottes. [20]Und dankt Gott, dem Vater, zu jeder Zeit für
alles im Namen unseres Herrn Jesus Christus.

Über die Ehe

[21]Ordnet euch aus Achtung vor Christus bereitwillig einander
unter. [22]Ihr Ehefrauen sollt euch euren Männern unterordnen,
so wie ihr euch dem Herrn unterordnet. [23]Denn der Mann ist
das Haupt seiner Frau, wie Christus das Haupt seines Leibes –
der Gemeinde – ist, für die er sein Leben gab, um sie zu retten.
[24]So wie die Gemeinde sich Christus unterordnet, sollt ihr
Ehefrauen euch auch euren Männern in allem unterordnen.

[25]Und ihr Ehemänner, liebt eure Frauen mit derselben Liebe,
mit der auch Christus die Gemeinde geliebt hat. Er gab sein
Leben für sie, [26]damit sie befreit von Schuld ganz ihm gehört,
rein gewaschen durch die Taufe und Gottes Wort. [27]Er tat dies,
um sie als herrliche Gemeinde vor sich hinzustellen, ohne Fle-
cken und Runzeln oder dergleichen, sondern heilig und ma-
kellos. [28]Genauso müssen auch die Ehemänner ihre Frauen
lieben, wie sie ihren eigenen Körper lieben. Denn ein Mann
liebt auch sich selbst, wenn er seine Frau liebt. [29]Niemand
hasst doch seinen eigenen Körper, sondern sorgt liebevoll für
ihn, wie auch Christus für seinen Leib, also für die Gemeinde,
sorgt. [30]Und wir gehören zu seinem Leib.

[31]In der Schrift heißt es: »Deshalb wird ein Mann Vater und
Mutter verlassen und sich an seine Frau binden und die bei-
den werden zu einer Einheit.« [32]Das ist ein großes Geheimnis,
aber ich deute es als ein Bild für die Einheit von Christus und
der Gemeinde. [33]Deshalb sage ich noch einmal, dass jeder
Ehemann seine Frau so lieben soll, wie er sich selbst liebt,
und dass die Ehefrau ihren Mann achten und respektieren
soll.

Kinder und Eltern

6 [1]Ihr Kinder sollt euren Eltern gehorchen, weil ihr dem
Herrn gehört, denn so handelt ihr richtig. [2]»Ihr sollt Vater
und Mutter ehren.« Das ist das erste der Gebote, an das eine
Zusage Gottes geknüpft ist: [3]Wenn du deinen Vater und deine

Mutter ehrst, »wird es dir gut gehen und du wirst ein langes
Leben haben.«
4Und ihr Väter, seid nicht ungerecht gegen eure Kinder. Er-
zieht sie vielmehr mit Disziplin und zeigt ihnen den richtigen
Weg, so wie es Christus entspricht.

Sklaven und Herren

5Ihr Sklaven sollt euren irdischen Herren gehorchen. Achtet
und ehrt sie und dient ihnen mit aufrichtigem Herzen, wie
ihr Christus dient. 6Arbeitet hart, aber nicht nur, um euren
Herren zu gefallen, wenn sie euch dabei sehen. Versteht euch
vielmehr als Sklaven, die Christus gehören und die von Her-
zen den Willen Gottes erfüllen. 7Arbeitet so bereitwillig, als
würdet ihr Gott dienen und nicht Menschen. 8Denkt daran,
dass der Herr jeden von uns für das Gute belohnen wird, das
wir tun, ob wir nun Sklaven sind oder frei.
9Und genauso sollt auch ihr Herren eure Sklaven behandeln.
Droht ihnen nicht, sondern denkt immer daran, dass ihr beide
denselben Herrn im Himmel habt, der keinen Menschen be-
vorzugt.

Die Waffenrüstung Gottes

10Noch ein Wort zum Schluss: Werdet stark durch den Herrn
und durch die mächtige Kraft seiner Stärke! 11Legt die kom-
plette Waffenrüstung Gottes an, damit ihr allen hinterhältigen
Angriffen des Teufels widerstehen könnt. 12Denn wir kämp-
fen nicht gegen Menschen aus Fleisch und Blut, sondern ge-
gen die bösen Mächte und Gewalten der unsichtbaren Welt,
gegen jene Mächte der Finsternis, die diese Welt beherrschen,
und gegen die bösen Geister in der Himmelswelt.
13Bedient euch der ganzen Waffenrüstung Gottes. Wenn es
dann so weit ist, werdet ihr dem Bösen widerstehen können
und noch aufrecht stehen, wenn ihr den Kampf gewonnen
habt. 14Sorgt dafür, dass ihr fest steht, indem ihr euch mit
dem Gürtel der Wahrheit und dem Panzer der Gerechtigkeit
Gottes umgebt. 15Eure Füße sollen für die gute Botschaft ein-
treten, die den Frieden mit Gott verkündet. 16Setzt den Glau-

ben als einen Schutzschild ein, um die feurigen Pfeile des Sa-
tans abzuwehren. 17Setzt den Helm eurer Rettung auf und
nehmt das Wort Gottes, euer Schwert, das der Geist euch gibt.
18Betet immer und in jeder Situation mit der Kraft des Heili-
gen Geistes. Bleibt wachsam und betet auch beständig für alle,
die zu Christus gehören.

19Betet auch für mich und bittet Gott, mir die richtigen Worte
zu geben, wenn ich mutig das Geheimnis seiner guten Bot-
schaft weitersage. 20Ich bin im Gefängnis, weil ich als Gottes
Bote diese Botschaft verkündet habe. Betet darum, dass ich
weiter so offen und furchtlos rede, wie es mir aufgetragen ist!

Abschließende Grüße

21Tychikus, ein geliebter Bruder und treuer Helfer im Dienst
des Herrn, wird euch alles von mir erzählen, damit ihr wisst,
wie es um mich steht und was ich tue. 22Mit diesem Auftrag
schicke ich ihn zu euch: Er wird euch berichten, wie es uns
geht, und wird euch ermutigen.

23Ich wünsche euch Frieden, liebe Freunde, und Liebe mit
Glauben von Gott, dem Vater, und Jesus Christus, dem Herrn.
24Gottes Gnade wünsche ich allen, die Jesus Christus, unseren
Herrn, für immer lieben!

Der Brief an die Philipper

Grüße von Paulus

1 [1]Diesen Brief schreiben Paulus und Timotheus, Diener
von Christus Jesus. Er richtet sich an alle Gläubigen in
Philippi, an die Ältesten und Diakone.
[2]Wir wünschen euch Gnade und Frieden von Gott, unserem
Vater, und Jesus Christus, dem Herrn.

Dank und Gebet

[3]Jedes Mal, wenn ich an euch denke, danke ich meinem Gott.
[4]Ich bete immer für euch und tue es mit frohem Herzen.
[5]Denn ihr habt euch vom ersten Tag an bis heute gemeinsam
mit mir für die gute Botschaft eingesetzt. [6]Ich bin ganz sicher,
dass Gott, der sein gutes Werk in euch angefangen hat, damit
weitermachen und es vollenden wird bis zu dem Tag, an dem
Christus Jesus wiederkommt.
[7]Es ist nur natürlich, wenn ich so empfinde, denn ihr liegt
mir sehr am Herzen. Gemeinsam empfangen wir die Gnade
Gottes, ob ich nun im Gefängnis bin oder die Botschaft Gottes
verteidige und bekräftige. [8]Gott weiß, wie sehr ich mich mit
der herzlichen Liebe von Christus Jesus nach euch sehne. [9]Ich
bete darum, dass eure Liebe zueinander noch tiefer wird und
dass sie an Erkenntnis und Einsicht zunimmt. [10]Denn ihr sollt
imstande sein zu erkennen, worauf es ankommt, damit ihr
rein und vorbildlich vor Christus steht, wenn er wieder-
kommt, [11]und euer Leben reiche Frucht trägt – ihr seid ja ge-
recht vor Gott. Jesus Christus bewirkt diese Frucht, sodass
Gott es ist, der geehrt und gelobt wird.

Freude darüber, dass Christus gepredigt wird

[12]Liebe Freunde, ihr sollt wissen, dass alles, was hier mit mir
geschehen ist, letztlich zur Verbreitung der Botschaft Gottes
beigetragen hat. [13]Denn hier weiß jeder – und das gilt sogar
für die Soldaten der Palastwache –, dass ich für Christus in
Ketten liege. [14]Doch durch meine Gefangenschaft haben viele

Mut gefasst und sind sehr viel furchtloser darin geworden,
anderen von Christus zu erzählen. [15]Manche tun dies zwar
nur aus Eifersucht und Rivalität, aber andere predigen Chris-
tus auch mit guten Absichten. [16]Sie predigen aus Liebe zu mir,
weil sie wissen, dass der Herr mich hierher gebracht hat, um
für seine gute Botschaft einzustehen. [17]Die anderen aber ver-
künden Christus aus selbstsüchtigen Motiven und nicht aus
ehrlichem Herzen. Sie wollen mir meine Gefangenschaft noch
schmerzhafter machen. [18]Doch ob ihre Beweggründe nun ehr-
lich sind oder nicht: die Botschaft von Christus – auf welche
Weise auch immer – wird verkündet, und darüber freue ich
mich. Und ich werde mich weiter freuen, [19]denn ich weiß,
dass dies alles durch eure Gebete und durch die Hilfe des
Heiligen Geistes zu meiner Befreiung führen wird.

Paulus lebt für Christus

[20]Ich erwarte und hoffe sehr, dass ich nie etwas tun werde,
dessen ich mich schämen müsste, sondern dass ich immer –
wie bisher auch – unerschrocken für Christus eintreten werde
und durch mein Leben Christus in allem geehrt wird, ob ich
nun lebe oder sterbe. [21]Denn Christus ist mein Leben, aber
noch besser wäre es, zu sterben und bei ihm zu sein. [22]Doch
wenn ich lebe, dann trägt meine Arbeit für Christus Früchte.
Deshalb weiß ich wirklich nicht, was ich wählen soll. [23]Ich
fühle mich zwischen zwei Wünschen hin- und hergerissen:
Ich sehne mich danach, zu sterben und bei Christus zu sein,
denn das wäre bei Weitem das Beste. [24]Doch für euch ist es
besser, wenn ich lebe.

[25]Darauf vertraue ich und deshalb werde ich bei euch blei-
ben, damit ihr im Glauben wachst und erlebt, welche Freude
der Glaube bringen kann. [26]Wenn ich dann zu euch zurück-
komme, werdet ihr sogar noch mehr Grund haben, stolz da-
von zu erzählen, was Christus Jesus für mich getan hat.

Leiden für Christus

[27]Ihr sollt so leben, wie es der Botschaft von Christus ent-
spricht. Ob ich komme und euch wieder sehe oder ob ich nur

von euch höre, haltet im Geist fest zusammen und kämpft
gemeinsam für den Glauben an die Botschaft Gottes. [28]Lasst
euch von euren Feinden nicht einschüchtern. Für sie ist das
ein Zeichen, dass sie verloren sind, für euch dagegen ein Zei-
chen, dass ihr gerettet seid, und zwar durch Gott selbst!
[29]Denn ihr habt nicht nur das Vorrecht, an Christus zu glau-
ben, ihr dürft auch für ihn leiden. [30]Diesen Kampf kämpfen
wir gemeinsam. Schon früher habt ihr mich für Christus lei-
den sehen, und jetzt hört ihr davon.

2 [1]Ermutigt ihr euch gegenseitig, Christus nachzufolgen?
Tröstet ihr euch gegenseitig in Liebe? Seid ihr im Heiligen
Geist verbunden? Gibt es unter euch Barmherzigkeit und Mit-
gefühl? [2]Dann macht doch meine Freude vollkommen, indem
ihr in guter Gemeinschaft zusammenarbeitet, einander liebt
und von ganzem Herzen zusammenhaltet. [3]Seid nicht selbst-
süchtig; strebt nicht danach, einen guten Eindruck auf andere
zu machen, sondern seid bescheiden und achtet die anderen
höher als euch selbst. [4]Denkt nicht nur an eure eigenen Ange-
legenheiten, sondern interessiert euch auch für die anderen
und für das, was sie tun.

Die Erniedrigung und Erhöhung von Christus

[5]Geht so miteinander um, wie Christus es euch vorgelebt hat.
[6]Obwohl er Gott war, bestand er nicht auf seinen göttlichen
Rechten. [7]Er verzichtete auf alles; er nahm die niedrige Stel-
lung eines Dieners an und wurde als Mensch geboren und als
solcher erkannt. [8]Er erniedrigte sich selbst und war gehorsam
bis zum Tod, indem er wie ein Verbrecher am Kreuz starb.
[9]Deshalb hat Gott ihn in den Himmel gehoben und ihm einen
Namen gegeben, der höher ist als alle anderen Namen. [10]Vor
diesem Namen sollen sich die Knie aller beugen, die im Him-
mel und auf der Erde und unter der Erde sind. [11]Und zur Ehre
Gottes, des Vaters, werden alle bekennen, dass Jesus Christus
Herr ist.

Seid ein helles Licht in der Welt

12Liebe Freunde, als ich bei euch war, habt ihr meine Anwei-
sungen immer treu befolgt. Jetzt, in meiner Abwesenheit,
müsst ihr noch mehr darauf achten, dass Gottes Liebe in eu-
rem Leben sichtbar wird. Deshalb gehorcht Gott voller Ach-
tung und Ehrfurcht. 13Denn Gott bewirkt in euch den
Wunsch, ihm zu gehorchen, und er gibt euch auch die Kraft,
zu tun, was ihm Freude macht.
14Was ihr auch tut, tut es ohne zu klagen und zu zweifeln,
15damit niemand euch irgendetwas vorwerfen kann. Als Kin-
der Gottes sollt ihr ein reines, vorbildliches Leben führen in
einer dunklen Welt voller verdorbener und verirrter Men-
schen, unter denen euer Leben wie ein helles Licht leuchtet.
16Haltet am Wort des Lebens fest, damit ich mich, wenn Chris-
tus wiederkommt, freuen kann, dass ich das Rennen nicht
verloren habe und meine Arbeit nicht vergeblich war. 17Doch
selbst wenn mein Leben im Einsatz für euren Glauben geop-
fert werden soll, will ich mich freuen und möchte meine Freu-
de mit euch allen teilen. 18Und auch ihr solltet glücklich darü-
ber sein und euch mit mir freuen.

Paulus empfiehlt Timotheus

19Wenn Jesus, der Herr, es will, dann kann ich hoffentlich bald
Timotheus zu euch schicken. Bei seiner Rückkehr kann er
mich dann aufmuntern, indem er mir von euch berichtet.
20Ich kenne keinen, der so aufrichtig wie er um euch besorgt
ist. 21Alle anderen sind nur auf sich selbst bedacht und nicht
auf das, was Jesus Christus wichtig ist. 22Aber ihr wisst ja, wie
Timotheus sich bewährt hat. Wie ein Sohn für seinen Vater
arbeitet, so hat er mit mir zusammen für die Botschaft von
Jesus Christus gearbeitet. 23Ich hoffe, ihn zu euch schicken zu
können, sobald ich genauer weiß, wie es mit mir weitergeht.
24Und ich vertraue im Herrn darauf, dass ich bald selbst zu
euch kommen kann.

Paulus empfiehlt Epaphroditus

25In der Zwischenzeit hielt ich es für richtig, Epaphroditus zu
euch zurückzuschicken. Er ist ein wirklicher Bruder für mich,
ein treuer Mitarbeiter und Mitstreiter. Und er war euer Bote,
um mir in meinen Schwierigkeiten beizustehen. 26Jetzt sende
ich ihn wieder nach Hause, denn er hat Sehnsucht nach euch
und war sehr beunruhigt, weil ihr von seiner Krankheit erfah-
ren hattet. 27Und er war wirklich krank; er wäre sogar fast
gestorben. Aber Gott hatte Erbarmen mit ihm – und mit
mir, um mir einen so unerträglichen Schmerz zu ersparen.

28Deshalb habe ich es umso eiliger, ihn zu euch zurück-
zuschicken, denn ich weiß, wie sehr ihr euch freuen werdet,
ihn wieder zu sehen. Das wird auch meine Traurigkeit min-
dern. 29Nehmt ihn also im Namen des Herrn gerne auf und
erweist ihm die Ehre, die ihm zusteht. 30Denn er hat für Chris-
tus sein Leben aufs Spiel gesetzt und wäre beinahe gestorben,
als er versuchte, für mich zu tun, was ihr in der Ferne nicht für
mich tun konntet.

Christus ist das Zentrum aller Erkenntnis

3 1Was immer auch geschehen wird, liebe Freunde, freut
euch im Herrn. Ich werde nicht müde, euch dies zu schrei-
ben, denn es wird euch nur noch mehr stärken.

2Nehmt euch in Acht vor den Menschen, die sich verhalten
wie bösartige Hunde, wie solche, die andere verstümmeln,
denn sie behaupten, ihr müsstet euch beschneiden lassen,
um gerettet zu werden. 3Denn wir, die wir Gott durch den
Geist anbeten, sind die Einzigen, die wirklich beschnitten
sind. Wir setzen unser Vertrauen nicht auf menschliche An-
strengung, sondern sind stolz auf das, was Christus Jesus für
uns getan hat.

4Dabei könnte ich weit größeres Selbstvertrauen haben als
alle anderen. Wenn andere Grund haben, auf ihre eigenen An-
strengungen zu vertrauen, gilt das für mich erst recht! 5Denn
ich bin das Kind einer rein jüdischen Familie, die zum Stamm
Benjamin gehört, und wurde mit acht Tagen beschnitten.
Wenn es also je einen wahren Juden gab, so bin ich einer!

Und nicht nur das: Ich gehörte zu den Pharisäern, die den
strengsten Gehorsam gegen das jüdische Gesetz fordern.
[6]Die Gemeinde habe ich unerbittlich verfolgt. Und ich habe
das jüdische Gesetz so streng befolgt, dass mir nie jemand
etwas nachsagen konnte.

[7]Früher hielt ich all diese Dinge für außerordentlich wichtig,
aber jetzt betrachte ich sie als wertlos angesichts dessen, was
Christus getan hat. [8]Ja, alles andere erscheint mir wertlos, ver-
glichen mit dem unschätzbaren Gewinn, Jesus Christus, mei-
nen Herrn, zu kennen. Ich habe alles andere verloren und be-
trachte es als Dreck, damit ich Christus habe [9]und mit ihm
eins werde. Ich verlasse mich nicht mehr auf mich selbst oder
auf meine Fähigkeit, Gottes Gesetz zu befolgen, sondern ich
vertraue auf Christus, der mich rettet. Denn nur durch den
Glauben werden wir vor Gott gerecht gesprochen. [10]Mein
Wunsch ist es, Christus zu erkennen und die mächtige Kraft,
die ihn von den Toten auferweckte, am eigenen Leib zu erfah-
ren. Ich möchte lernen, was es heißt, mit ihm zu leiden, indem
ich an seinem Tod teilhabe, [11]damit auch ich eines Tages von
den Toten auferweckt werde!

Dem Ziel nachjagen

[12]Ich will nicht behaupten, ich hätte dies alles schon erreicht
oder wäre schon vollkommen! Aber ich arbeite auf den Tag
hin, an dem ich das alles mein Eigen nenne, weil auch Chris-
tus mich ja schon sein Eigen nennt. [13]Nein, liebe Freunde, ich
bin noch nicht alles, was ich sein sollte, aber ich setze meine
ganze Kraft für dieses Ziel ein. Indem ich die Vergangenheit
vergesse und auf das schaue, was vor mir liegt, [14]versuche ich,
das Rennen bis zum Ende durchzuhalten und den Preis zu
gewinnen, für den Gott uns durch Christus Jesus bestimmt
hat.

[15]Ich hoffe, ihr, die ihr glaubt, stimmt darin mit mir überein.
Wenn ihr in irgendeinem Punkt anderer Meinung seid, so
glaube ich, dass Gott euch Klarheit schenken wird. [16]Wir müs-
sen jedoch darauf achten, dass wir der Wahrheit, die uns ver-
mittelt wurde, auch gehorchen.

17Liebe Brüder, nehmt mich als Vorbild und lernt von denen,
die unserem Beispiel folgen. 18Denn ich habe euch schon oft
gesagt und wiederhole es erneut unter Tränen, dass viele
Menschen durch ihr Verhalten zeigen, dass sie in Wirklichkeit
Feinde des Kreuzes von Christus sind. 19Sie enden im Verder-
ben; ihr Gott ist ihr Bauch; sie sind stolz auf Dinge, für die sie
sich schämen müssten, und denken an nichts anderes als an
das Leben hier auf der Erde. 20Aber unsere Heimat ist der
Himmel, wo Jesus Christus, der Herr, lebt. Und wir warten
sehnsüchtig auf ihn, auf die Rückkehr unseres Erlösers. 21Er
wird unseren schwachen, sterblichen Körper verwandeln, so-
dass er seinem verherrlichten Körper entspricht. Dies wirkt er
durch dieselbe Kraft, mit der er sich überall alles unterwirft.

4 1Liebe Brüder, ich liebe euch und habe Sehnsucht nach
euch, denn ihr seid meine Freude und die Belohnung für
meine Arbeit. Deshalb bleibt dem Herrn treu, liebe Freunde.

Abschließende Gedanken des Apostels

2Und nun habe ich eine herzliche Bitte an Evodia und Syn-
tyche: Beendet doch eure Meinungsverschiedenheiten, denn
ihr gehört beide dem Herrn. 3Und dich, mein treuer Freund,
bitte ich, diesen Frauen zu helfen. Sie haben doch mit großem
Einsatz mit mir gearbeitet, um anderen von der guten Bot-
schaft zu erzählen. Auch mit Klemens und meinen anderen
Mitarbeitern haben sie zusammengearbeitet, deren Namen
im Buch des Lebens geschrieben stehen.

4Freut euch im Herrn. Ich betone es noch einmal: Freut euch!
5Lasst alle sehen, dass ihr herzlich und freundlich seid. Denkt
daran, dass der Herr bald kommt.

6Sorgt euch um nichts, sondern betet um alles. Sagt Gott,
was ihr braucht, und dankt ihm. 7Ihr werdet Gottes Frieden
erfahren, der größer ist, als unser menschlicher Verstand es je
begreifen kann. Sein Friede wird eure Herzen und Gedanken
im Glauben an Jesus Christus bewahren.

8Und nun, liebe Freunde, lasst mich zum Schluss noch etwas
sagen: Konzentriert euch auf das, was wahr und anständig
und gerecht ist. Denkt über das nach, was rein und liebens-

wert und bewunderungswürdig ist, über Dinge, die Aus-
zeichnung und Lob verdienen. 9Hört nicht auf, das zu tun,
was ihr von mir gelernt und gehört habt und was ihr bei mir
gesehen habt; und der Gott des Friedens wird mit euch sein.

Paulus dankt für die Spenden

10Ich freue mich sehr und danke Gott, dass ihr euch wieder
um mich sorgt! Ich weiß, dass ihr immer um mich besorgt
wart, aber eine Zeit lang hattet ihr keine Gelegenheit, mir zu
helfen. 11Nicht, dass ich etwas gebraucht hätte! Ich habe ge-
lernt, mit dem zufrieden zu sein, was ich habe. 12Ob ich nun
wenig oder viel habe, ich habe gelernt, mit jeder Situation fer-
tig zu werden: Ich kann einen vollen oder einen leeren Magen
haben, Überfluss erleben oder Mangel leiden. 13Denn alles ist
mir möglich durch den, der mich mit Kraft erfüllt. 14Aber es
war trotzdem richtig von euch, mir in meiner jetzigen schwie-
rigen Lage zu helfen.

15Wie ihr wisst, wart ihr Philipper die Einzigen, die mich
finanziell unterstützten, als ich euch die Botschaft brachte
und dann von Mazedonien aus weiterreiste. Keine andere Ge-
meinde hat das getan. 16Selbst als ich in Thessalonich war,
habt ihr mir mehrmals Hilfe zukommen lassen. 17Das sage
ich nicht, weil ich etwas von euch haben will. Ich wünsche
mir vielmehr, dass ihr den verdienten Lohn für eure Freund-
lichkeit bekommt.

18Im Augenblick habe ich alles, was ich brauche – ja, sogar
mehr als nötig! Ich bin reichlich versorgt durch die Geschen-
ke, die ihr mir durch Epaphroditus geschickt habt. Sie sind
wie der gute Geruch eines Opfers, das Gott freut. 19Und mein
Gott wird euch aus seinem großen Reichtum, den wir in
Christus Jesus haben, alles geben, was ihr braucht. 20So soll
nun Gott, unser Vater, für immer und ewig geehrt werden.
Amen.

Abschließende Grüße des Apostels

21Ich grüße alle bei euch, die Jesus Christus nachfolgen. Die
Brüder, die hier bei mir sind, lassen euch ebenfalls grüßen.

22Und auch alle anderen Gläubigen hier senden euch Grüße,
besonders die, die im kaiserlichen Palast arbeiten.
23Ich wünsche euch die Gnade von Jesus Christus, unserem
Herrn.

Der Brief an die Kolosser

Grüße von Paulus

1 1Diesen Brief schreiben Paulus, der von Gott zum Apostel
für Christus Jesus berufen wurde, und unser Bruder Ti-
motheus 2an die treuen Brüder in Christus, die in Kolossä le-
ben.
Wir wünschen euch Gnade und Frieden von Gott, unserem
Vater!

Dank und Gebet

3Wenn wir für euch beten, danken wir Gott, dem Vater von
Jesus Christus, unserem Herrn, immer wieder für euch, 4denn
wir haben gehört, dass ihr auf Christus Jesus vertraut und alle
liebt, die zu Gott gehören. 5Denn ihr glaubt an die Hoffnung,
die der Himmel für euch bereithält, wie ihr sie durch das Wort
der Botschaft Gottes gehört habt. 6Diese gute Botschaft, die
euch erreicht hat, verbreitet sich in der ganzen Welt. Überall
verändert sie das Leben der Menschen, so wie sie euer Leben
von dem Augenblick an verändert hat, als ihr die Wahrheit
über die Gnade Gottes gehört und erkannt habt.
7Epaphras, unser lieber Mitarbeiter, hat sie euch gebracht,
der für euch ein treuer Diener von Christus ist. 8Durch ihn
haben wir von der Liebe erfahren, die der Heilige Geist euch
geschenkt hat.
9Deshalb hören wir nicht auf, für euch zu beten, seit wir zu-
erst von euch erfahren haben. Wir bitten Gott, euch Einsicht
für das zu schenken, was er in eurem Leben bewirken will,
und euch mit Weisheit und Erkenntnis zu erfüllen. 10Dann
werdet ihr mit eurem Leben den Herrn ehren und ihn erfreu-
en mit allem, was ihr tut. Auf diese Weise werdet ihr Gott
immer besser kennenlernen.
11Zugleich beten wir darum, dass ihr die herrliche Kraft Got-
tes erfahrt, damit ihr genug Geduld und Ausdauer habt für
die Anforderungen, die an euch gestellt werden. Mit Freude
12sollt ihr ihm danken, weil er euch am Erbe derer beteiligt, die

im Licht leben und zu ihm gehören. [13]Denn er hat uns aus der
Macht der Finsternis gerettet und in das Reich des geliebten
Sohnes versetzt. [14]Gott hat unsere Freiheit mit seinem Blut
teuer erkauft und uns alle unsere Schuld vergeben.

Christus – Vorbild und Versöhner

[15]Christus ist das Bild des unsichtbaren Gottes. Er war bereits
da, noch bevor Gott irgendetwas erschuf, und ist der Erste
aller Schöpfung. [16]Durch ihn hat Gott alles erschaffen, was
im Himmel und auf der Erde ist. Er machte alles, was wir
sehen, und das, was wir nicht sehen können, ob Könige, Rei-
che, Herrscher oder Gewalten. Alles ist durch ihn und für ihn
erschaffen. [17]Er war da, noch bevor alles andere begann, und
er hält die ganze Schöpfung zusammen.

[18]Christus ist das Haupt der Gemeinde, und die Gemeinde
ist sein Leib. Er ist der Anfang und als Erster von den Toten
auferstanden, damit er in allem der Erste ist. [19]Denn Gott
wollte in seiner ganzen Fülle in Christus wohnen. [20]Durch
ihn hat er alles mit sich selbst versöhnt. Durch sein Blut am
Kreuz schloss er Frieden mit allem, was im Himmel und auf
der Erde ist. [21]Darin seid auch ihr eingeschlossen, obwohl ihr
früher so weit von Gott entfernt wart. Ihr wart seine Feinde,
und eure bösen Gedanken und Taten trennten euch von ihm,
[22]doch nun hat er euch wieder zu seinen Freunden gemacht.
Durch seinen Tod am Kreuz in menschlicher Gestalt hat er
euch mit sich versöhnt, um euch wieder in die Gegenwart
Gottes zurückzuholen und euch heilig und makellos vor sich
hinzustellen. [23]Ihr müsst allerdings an dieser Wahrheit fest-
halten und euren Glauben bewahren. Weicht nicht von der
Hoffnung ab, die euch geschenkt wurde, als ihr die Botschaft
von Jesus Christus gehört habt. Diese Botschaft ist in der gan-
zen Welt verbreitet worden, und ich, Paulus, wurde von Gott
berufen, sie zu verkünden.

Arbeit für die Gemeinde

[24]Ich freue mich, wenn ich für euch leiden darf, denn Christus
hat für seinen Leib, die Gemeinde, gelitten. Nun gebe ich mei-

nen Körper für das, was an seinen Leiden noch fehlt. 25Gott
hat mich beauftragt, seiner Gemeinde zu dienen und bei euch
seine Botschaft zu verkünden. 26Diese Botschaft war in der
Vergangenheit über viele Jahrhunderte und viele Generatio-
nen hinweg wie ein Geheimnis verborgen; jetzt aber wurde es
denen enthüllt, die zu ihm gehören. 27Denn Gott wollte ihnen
sagen, dass der Reichtum der Herrlichkeit dieses Geheimnis-
ses auch für die anderen Völker bestimmt ist. Und das ist das
Geheimnis: Christus lebt in euch! Darin liegt eure Hoffnung:
Ihr werdet an seiner Herrlichkeit teilhaben.

28Deshalb erzählen wir überall, wo wir hinkommen, von
Christus. Wir warnen die Menschen und lehren sie mit aller
Weisheit, die Gott uns geschenkt hat, denn wir möchten sie als
Menschen vor Gott hinstellen, die im Glauben an Christus
vollkommen sind. 29Für dieses Ziel setze ich mich mit meiner
ganzen Kraft ein, indem ich mich auf die mächtige Kraft von
Christus verlasse, die in mir wirkt.

2 1Ihr sollt wissen, wie sehr ich um euch und um die Ge-
meinde in Laodizea sowie um viele andere Freunde, die
mich nie persönlich kennengelernt haben, gekämpft habe.
2Denn ich möchte, dass sie ermutigt werden und in Liebe mit-
einander verbunden sind. Ich wünsche mir, dass sie absolutes
Vertrauen haben, weil sie das Geheimnis Gottes – das ist
Christus – in seiner ganzen Größe erkennen und verstehen.
3In ihm liegen alle Schätze der Weisheit und Erkenntnis ver-
borgen.

4Ich sage euch das, damit euch niemand mit falschen Argu-
menten täuschen kann. 5Denn obwohl ich euch fern bin, bin
ich in Gedanken doch bei euch. Und ich freue mich, weil ihr so
ordentlich lebt, und weil ihr so fest an Christus glaubt.

Freiheit von Regeln und neues Leben in Christus

6Wie ihr nun Christus Jesus als euren Herrn angenommen
habt, so lebt auch mit ihm und seid ihm gehorsam. 7Senkt
eure Wurzeln tief in seinen Boden und schöpft aus ihm, dann
werdet ihr im Glauben wachsen und in der Wahrheit, in der

ihr unterwiesen wurdet, standfest werden. Und dann wird
euer Leben überfließen von Dankbarkeit für alles, was er ge-
tan hat.

8Lasst euch nicht durch irgendwelche Gedankengebäude
und hochtrabenden Unsinn verwirren, die nicht von Christus
kommen! Sie beruhen nur auf menschlichem Denken und ent-
springen den bösen Mächten dieser Welt. 9Denn in Christus
ist die ganze Fülle des Göttlichen greifbare Realität geworden
und hat sich mit ihm verbunden, 10und ihr seid durch eure
Einheit mit Christus damit erfüllt. Er ist Herr über alle Herr-
scher und alle Mächte.

11Durch eure Zugehörigkeit zu Christus wurdet ihr be-
schnitten, aber nicht durch einen äußerlichen Eingriff. Eure
Beschneidung kam durch Christus, und damit wurdet ihr
von eurem alten Wesen abgetrennt. 12Denn als ihr getauft
wurdet, wurdet ihr mit Christus begraben. Und ihr wurdet
mit ihm zu neuem Leben auferweckt, weil ihr auf die mächti-
ge Kraft Gottes vertraut habt, der Christus von den Toten auf-
erweckt hat.

13Denn vorher wart ihr tot aufgrund eurer Schuld und weil
euer altes Ich euch bestimmt hat. Doch Gott hat euch mit
Christus lebendig gemacht. Er hat uns alle unsere Schuld ver-
geben. 14Er hat die Liste der Anklagen gegen uns gelöscht; er
hat die Anklageschrift genommen und vernichtet, indem er
sie ans Kreuz genagelt hat. 15Auf diese Weise hat Gott die
Herrscher und Mächte dieser Welt entwaffnet. Er hat sie öf-
fentlich bloßgestellt, indem er durch Christus am Kreuz über
sie triumphiert hat.

16Lasst euch deshalb von niemandem verurteilen, nur weil
ihr bestimmte Dinge esst oder trinkt oder weil ihr bestimmte
Feiertage, religiöse Feste oder Sabbate haltet oder nicht haltet.
17Denn diese sind nur ein Schatten des Zukünftigen. Die
Wirklichkeit aber ist Christus selbst. 18Und wenn jemand zu
euch kommt und Demut predigt oder Verehrung der Engel,
dann lasst euch davon nicht ablenken – auch dann nicht,
wenn er sich dabei auf das beruft, was er gesehen hat. Solche
Menschen sind ohne Grund stolz und aufgeblasen. 19Sie ha-

ben keine Beziehung zu Christus, dem Haupt des Leibes.
Denn der ganze Leib wird von ihm aus durch Gelenke und
Sehnen unterstützt und zusammengehalten und wächst nur,
wenn Gott Wachstum gibt.

20Ihr seid mit Christus gestorben, und er hat euch aus den
Händen der Mächte dieser Welt befreit. Warum folgt ihr dann
noch weltlichen Regeln wie: 21»Damit sollst du nichts zu tun
haben, das sollst du nicht essen, dies nicht anfassen.« 22Solche
Regeln sind nichts als menschliche Vorschriften für Dinge, die
doch nur dazu da sind, von uns benutzt und verbraucht zu
werden. 23Sie mögen weise wirken, weil sie Hingabe, Demut
und strenge körperliche Disziplin verlangen. Aber sie sind
ohne Wert und dienen nur menschlichen Zielen.

Das neue Leben

3 1Da ihr mit Christus zu neuem Leben auferweckt wurdet,
sucht Christus, der zur Rechten Gottes im Himmel sitzt.
2Denkt nicht an weltliche Angelegenheiten, sondern konzen-
triert eure Gedanken auf ihn! 3Denn ihr seid gestorben, als
Christus starb, und euer wahres Leben ist mit Christus in
Gott verborgen. 4Wenn Christus, der euer Leben ist, der gan-
zen Welt bekannt werden wird, dann wird auch sichtbar wer-
den, dass ihr seine Herrlichkeit mit ihm teilt.

5Deshalb sollt ihr die Schwächen der Welt in euch abtö-
ten: Haltet euch fern von Unzucht, Unreinheit, Zügellosig-
keit und falschen Leidenschaften. Seid nicht geldgierig,
denn das ist Götzendienst. 6Wer so lebt, den wird Gottes
schrecklicher Zorn treffen. 7Früher, als euer Leben noch von
dieser Welt geprägt war, habt ihr euch so verhalten. 8Doch
jetzt ist es an der Zeit, Ärger, Zorn, Bosheit, Verleumdung
und schmutzige Reden aufzugeben. 9Belügt einander nicht,
denn ihr habt eure alte, verdorbene Natur mit ihrem bösen
Tun abgelegt 10und habt die neue Natur angenommen. Gott
erneuert sie, sodass man erkennen kann, wie sie dem Bild
ihres Schöpfers gleicht. 11Es kommt in diesem neuen Leben
nicht darauf an, ob ihr Jude oder Grieche, beschnitten oder
unbeschnitten seid, ob euer Volk zivilisiert oder primitiv ist,

ob ihr versklavt oder frei seid, sondern es kommt in allem
nur auf Christus an und darauf, dass er in uns allen lebt!
12Da Gott euch erwählt hat, zu seinen Heiligen und Gelieb-
ten zu gehören, seid voll Mitleid und Erbarmen, Freundlich-
keit, Demut, Sanftheit und Geduld. 13Seid nachsichtig mit
den Fehlern der anderen und vergebt denen, die euch ge-
kränkt haben. Vergesst nicht, dass der Herr euch vergeben
hat und dass ihr deshalb auch anderen vergeben müsst.
14Das Wichtigste aber ist die Liebe. Sie ist das Band, das
uns alle in vollkommener Einheit verbindet. 15Euren Herzen
wünschen wir den Frieden, der von Christus kommt. Denn
als Glieder des einen Leibes seid ihr alle berufen, im Frieden
miteinander zu leben. Und seid immer dankbar! 16Gebt den
Worten von Christus viel Raum in euren Herzen. Gebraucht
seine Worte weise, um einander zu lehren und zu ermahnen.
Singt, von Gnade erfüllt, aus ganzem Herzen Psalmen, Lob-
gesänge und geistliche Lieder für Gott. 17Und alles, was auch
immer ihr tut oder sagt, soll im Namen von Jesus, dem
Herrn, geschehen, durch den ihr Gott, dem Vater, danken
sollt!

Anweisungen für Familien

18Ihr Frauen, ordnet euch euren Männern unter, wie es für
Menschen angemessen ist, die dem Herrn gehören! 19Ihr Män-
ner, liebt eure Frauen und behandelt sie nicht grob!

20Ihr Kinder, gehorcht euren Eltern in allem! Denn das freut
den Herrn. 21Ihr Väter, seid nicht ungerecht gegen eure Kin-
der, sonst verlieren sie den Mut!

22Ihr Sklaven, gehorcht euren weltlichen Herren in allem,
was ihr tut. Verrichtet eure Arbeit immer sorgfältig, nicht nur
dann, wenn sie euch beobachten. Gehorcht ihnen bereitwillig,
weil ihr Furcht vor Gott habt. 23Tut eure Arbeit mit Eifer und
Freude, als würdet ihr Gott dienen und nicht Menschen.
24Vergesst nicht, dass der Herr euch mit dem himmlischen
Erbe belohnen wird. Dient dem Herrn Jesus Christus! 25Wenn
ihr jedoch unrecht tut, werdet ihr auch die Folgen tragen müs-
sen, denn Gott bevorzugt niemanden.

4 [1]Ihr Sklavenbesitzer, behandelt eure Sklaven gerecht und begegnet ihnen auf Augenhöhe. Denkt daran, dass auch ihr einen Herrn im Himmel habt!

Ermutigung zum Gebet

[2]Hört nicht auf zu beten und Gott zu danken. [3]Vergesst nicht,
auch für uns zu beten, dass Gott uns viele Gelegenheiten schenkt, sein Geheimnis weiterzusagen: die Botschaft von Christus. Das ist auch der Grund, warum ich in Ketten liege.
[4]Betet, dass ich diese Botschaft so klar verkünde, wie ich es sollte!
[5]Lebt klug unter den Menschen, die keine Christen sind, und
macht aus jeder Gelegenheit das Beste! [6]Redet freundlich und
klar mit ihnen, damit ihr wisst, wie ihr jedem Einzelnen am besten antworten sollt.

Letzte Anweisungen und Grüße des Apostels

[7]Tychikus, mein viel geliebter Bruder, wird euch alles Weitere von mir erzählen. Er ist ein treuer Helfer, der gemeinsam mit
mir dem Herrn dient. [8]Ich habe ihn auf diese Reise geschickt,
damit er euch von uns berichtet und euch Mut macht. [9]Außerdem schicke ich euch Onesimus, einen treuen und sehr lieben Bruder, der ja einer von euch ist. Er und Tychikus werden euch alle Neuigkeiten von uns berichten.
[10]Aristarch, der mit mir im Gefängnis sitzt, lässt euch grüßen, ebenso Markus, der Vetter von Barnabas. Seinetwegen habt ihr ja bereits Anweisungen erhalten; nehmt ihn also herz-
lich auf, wenn er zu euch kommt! [11]Jesus – der, den wir Justus nennen – sendet euch ebenfalls Grüße. Das sind die einzigen Juden unter meinen Mitarbeitern; sie arbeiten hier mit mir für das Reich Gottes und sind mir ein großer Trost geworden.
[12]Epaphras, der aus eurer Stadt kommt und ein Diener von Christus Jesus ist, lässt euch grüßen. In seinen Gebeten kämpft er ständig für euch, damit ihr stark seid und ganz und gar den Willen Gottes erkennt und auch danach handelt.
[13]Ich kann euch versichern, dass er sich wirklich für euch ein-

gesetzt hat, wie auch für die Gläubigen in Laodizea und Hierapolis.

14Lukas, der geliebte Arzt, sendet seine Grüße; ebenso Demas.
15Bitte grüßt die Brüder in Laodizea von mir, auch Nympha sowie die anderen, die sich in ihrem Haus versammeln.

16Wenn ihr diesen Brief gelesen habt, gebt ihn an die Gemeinde in Laodizea weiter, damit auch sie ihn lesen kann. Lest auch den Brief, den ich an sie geschrieben habe.
17Sagt Archippus: »Bemühe dich, die Aufgabe zu erfüllen, die der Herr dir aufgetragen hat.«

18Hier ist mein Gruß – Paulus – in meiner eigenen Handschrift.

Denkt an meine Fesseln!

Ich wünsche euch die Gnade Gottes!

Der erste Brief an die Thessalonicher

Grüße von Paulus

1 [1]Diesen Brief schreiben Paulus, Silas und Timotheus an
die Gemeinde in Thessalonich – an euch, die ihr Gott,
dem Vater, und Jesus Christus, dem Herrn, gehört.
Wir wünschen euch seine Gnade und seinen Frieden.

Der Glaube der Thessalonicher

[2]Wir danken Gott immer wieder für euch alle und beten stän-
dig für euch. [3]Und wenn wir mit unserem Gott und Vater über
euch sprechen, denken wir an alles, was ihr im Glauben tut,
an die Liebe, die sich in eurem Verhalten zeigt, und an die
Geduld, mit der ihr auf Jesus Christus, unseren Herrn, hofft.
[4]Wir wissen, liebe Brüder, dass Gott euch liebt und dass er
euch erwählt hat. [5]Denn als wir euch die gute Botschaft brach-
ten, geschah das nicht nur mit Worten, sondern auch mit
Kraft, denn der Heilige Geist gab euch die Gewissheit, dass
wir euch die Wahrheit sagten. Und ihr wisst auch noch, dass
wir euch zuliebe so unter euch gelebt haben. [6]Ihr seid unse-
rem Beispiel ebenso gefolgt wie dem des Herrn. So habt ihr
die Botschaft vom Heiligen Geist mit Freude angenommen,
obwohl ihr deswegen viel Schweres erlebt habt. [7]Auf diese
Weise wurdet ihr für alle Christen in Griechenland zum Vor-
bild. [8]Und nun geht das Wort des Herrn von euch aus zu den
Menschen in Griechenland und weit darüber hinaus; denn wo
immer wir auch hinkommen, erzählen uns die Leute von eu-
rem Glauben an Gott. Wir brauchen ihnen gar nichts davon
zu sagen, [9]sie berichten ganz von selbst, wie herzlich ihr uns
aufgenommen habt, wie ihr euch von den Götzen bekehrt
habt, um dem wahren und lebendigen Gott zu dienen, [10]und
wie ihr die Rückkehr seines Sohnes vom Himmel erwartet –
Jesus, den Gott von den Toten auferweckt hat. Er ist es, der
uns vor dem kommenden Gericht rettet.

Paulus erinnert sich an seinen Aufenthalt

2 1Ihr wisst selbst, liebe Freunde, dass unser Aufenthalt bei
euch nicht vergeblich war. 2Euch ist bekannt, wie wir in
Philippi misshandelt wurden, bevor wir zu euch kamen, und
wie sehr wir dort gelitten haben. Doch unser Gott gab uns den
Mut, euch frei und offen seine Botschaft zu verkünden, trotz
all der Gegenwehr, die wir erlebten. 3Daran könnt ihr sehen,
dass unsere Verkündigung keiner Täuschung entspringt und
wir nicht aus schlechten Motiven oder in betrügerischer Absicht predigten.

4Denn wir reden, weil Gott uns ausgewählt und die Verkün-
digung der Botschaft anvertraut hat. Es geht uns nicht darum,
Menschen zu gefallen, sondern Gott, der unsere Herzen prüft.
5Wie ihr wisst, haben wir nicht ein einziges Mal versucht,
euch durch Schmeicheleien zu gewinnen. Und Gott ist unser
Zeuge, dass wir uns nicht als Freunde ausgaben, um Geld von
euch zu bekommen! 6Wir haben weder eure Anerkennung
gesucht noch die anderer Menschen. 7Als Apostel des Chris-
tus hätten wir durchaus das Recht gehabt, etwas von euch zu
verlangen, aber wir waren bei euch so sanft wie eine Mutter,
die ihre Kinder nährt und umsorgt. 8Wir haben euch so sehr
geliebt, dass wir euch nicht nur Gottes gute Botschaft brachten, sondern auch unser eigenes Leben mit euch geteilt haben.

9Ihr erinnert euch doch, liebe Brüder, wie hart wir bei euch
gearbeitet haben. Tag und Nacht mühten wir uns ab, um unseren Lebensunterhalt zu verdienen und niemandem zur Last
zu fallen, während wir bei euch Gottes Wort predigten. 10Ihr
selbst und Gott seid unsere Zeugen, dass wir uns euch allen
gegenüber aufrichtig und anständig und tadellos verhalten
haben. 11Ihr wisst, dass wir zu euch waren wie ein Vater zu
seinen Kindern: 12Wir haben jeden Einzelnen von euch ermu-
tigt und getröstet und euch ermahnt, so zu leben, dass Gott
mit euch zufrieden sein kann. Denn er hat euch in sein Reich
berufen und dazu, seine Herrlichkeit mit ihm zu teilen. 13Wir
werden nie aufhören, Gott dafür zu danken, dass ihr seine
Botschaft, die wir euch brachten, nicht für unsere eigenen
Worte gehalten habt. Ihr habt sie als Gottes Wort aufgenom-

men – was sie ja auch wahrhaftig ist. Und dieses Wort wirkt weiter in euch allen, die ihr glaubt.

14Liebe Freunde, ihr seid von euren eigenen Landsleuten verfolgt worden. So seid ihr den Fußstapfen der Gemeinden Gottes in Judäa gefolgt, die wegen ihres Glaubens an Christus Jesus ebenfalls unter ihrem eigenen Volk, den Juden, zu leiden hatten.

15Denn sie haben Jesus, den Herrn, getötet und auch die Propheten. Jetzt haben sie uns verfolgt und vertrieben. Sie leben nicht, wie Gott es will, und verhalten sich allen Menschen gegenüber feindselig. 16So versuchen sie zu verhindern, dass wir die Botschaft zu den anderen Völkern bringen, aus Angst, dass einige von ihnen gerettet werden. Auf diese Weise wird ihre Schuld immer größer, doch nun hat der Zorn Gottes sie endgültig eingeholt.

Bericht über die Gemeinden

17Liebe Freunde, wir waren für eine Weile von euch getrennt – doch nur räumlich, denn mit dem Herzen waren wir immer bei euch. Aber weil wir uns so danach sehnten, euch wieder zu sehen, bemühten wir uns sehr, zu euch zu kommen. 18Wir wären so gern gekommen, und ich, Paulus, habe es auch immer wieder versucht, aber der Satan hat es nicht zugelassen. 19Denn seid ihr nicht unsere Hoffnung und Freude und unser Stolz, wenn Jesus, unser Herr, wiederkommt und wir vor ihm stehen werden? 20Ja, ihr seid unsere Ehre und Freude.

3 1Als wir es schließlich nicht mehr aushielten, beschlossen wir, dass ich allein in Athen bleiben sollte, 2und schickten Timotheus zu euch. Er ist unser Mitstreiter für Gott und unser Bruder in der Verbreitung der guten Botschaft von Christus. Wir schickten ihn zu euch, um euch zu stärken und im Glauben zu ermutigen 3und euch davor zu bewahren, durch die Schwierigkeiten, die ihr durchmachen musstet, verunsichert zu werden. Aber ihr wusstet natürlich, dass wir vor solche Hindernisse gestellt werden. 4Schon als wir noch bei euch waren, haben wir euch gewarnt, dass bald Schwierigkeiten kommen würden – und so geschah es dann auch, wie ihr ja wisst.

5Deshalb habe ich, als ich es nicht mehr aushielt, Timotheus
zu euch geschickt, um herauszufinden, ob euer Glaube stark
geblieben war oder ob der Versucher euch bezwungen hatte
und unsere Mühe vielleicht vergeblich gewesen war. 6Nun ist
Timotheus gerade mit der erfreulichen Nachricht zurück-
gekehrt, dass euer Glaube und eure Liebe immer noch ge-
nauso stark sind. Er hat erzählt, wie gern ihr an unseren Be-
such zurückdenkt und dass ihr euch genauso nach einem
Wiedersehen sehnt wie wir. 7In unseren Kämpfen und
Schwierigkeiten hat es uns sehr getröstet, liebe Freunde, dass
ihr im Glauben fest geblieben seid. 8Durch euer Festhalten am
Glauben werden wir gestärkt.

9Wie können wir Gott nur für euch danken! Ihr schenkt uns
so viel Grund, voll Freude vor Gott zu kommen. 10Tag und
Nacht beten wir für euch und bitten Gott um ein Wieder-
sehen, damit wir vollenden können, woran es euch im Glau-
ben vielleicht noch fehlt.

11Wir wünschen uns, dass Gott, unser Vater, und Jesus, un-
ser Herr, uns den Weg zu euch ebnen. 12Und wir bitten den
Herrn, dass eure Liebe zueinander und zu allen Menschen
wächst, damit sie so groß wird wie unsere Liebe zu euch.
13Dadurch werdet ihr innerlich stark, vollkommen und heilig
vor Gott stehen, wenn Jesus, unser Herr, mit all denen, die zu
ihm gehören, wiederkommt. Amen.

Leben, wie Gott es will

4 1Zum Schluss, liebe Brüder, bitten wir euch noch einmal
im Namen von Jesus, dem Herrn, so zu leben, wie Gott es
will und wie wir es euch gelehrt haben. Ihr richtet euch jetzt
schon danach aus, und wir ermutigen euch, es immer mehr zu
tun. 2Denn ihr erinnert euch, was wir euch durch Jesus, den
Herrn, gelehrt haben. 3Gott möchte, dass ihr heilig seid; des-
halb sollt ihr nicht unzüchtig leben. 4Dann wird jeder von
euch so leben, dass er Gott Ehre macht – 5nicht in zügelloser
Begierde wie jene Menschen, die Gott nicht kennen.

6Betrügt nie einen anderen Bruder, indem ihr ihn übervor-
teilt, denn der Herr wird jede dieser Sünden vergelten, wie

wir euch bereits gesagt haben. 7Gott hat uns dazu berufen,
heilig zu leben, und nicht, ein unreines Leben zu führen.
8Wer sich weigert, danach zu leben, der missachtet nicht
etwa menschliche Vorschriften, sondern er lehnt Gott damit
ab, der euch seinen Heiligen Geist geschenkt hat.

9Was aber die Liebe unter den Gläubigen betrifft, so brauche
ich euch nichts darüber zu schreiben, denn Gott selbst hat
euch gelehrt, einander zu lieben. 10Schon jetzt ist eure Liebe
zu euren Freunden in ganz Mazedonien groß. Trotzdem bit-
ten wir euch, Brüder, sie noch mehr zu lieben. 11Bemüht euch,
ein ruhiges Leben zu führen, kümmert euch um eure eigenen
Angelegenheiten und – wie schon gesagt – seht zu, dass ihr
euch von der Arbeit eurer eigenen Hände ernähren könnt.
12Dann werden die Menschen um euch herum, die Gott nicht
kennen, eure Lebensweise achten, und ihr seid nicht von an-
deren abhängig.

Die Hoffnung auf die Auferstehung

13Und nun, Brüder, möchte ich, dass ihr wisst, was mit denen
geschieht, die bereits gestorben sind, damit ihr nicht traurig
seid wie jene Menschen, die keine Hoffnung haben. 14Denn
weil wir glauben, dass Jesus starb und wieder auferstanden
ist, glauben wir auch, dass Gott durch Jesus alle verstorbenen
Gläubigen wiederbringen wird, wenn Jesus kommt.

15Ich kann euch dies mit einem Wort des Herrn sagen: Wir,
die noch leben, wenn der Herr wiederkommt, werden nicht
vor den Toten zu ihm kommen. 16Denn der Herr selbst wird
mit einem lauten Befehl, unter dem Ruf des Erzengels und
dem Schall der Posaune Gottes vom Himmel herabkommen.
Dann werden zuerst alle Gläubigen, die schon gestorben sind,
aus ihren Gräbern auferstehen. 17Und mit ihnen zusammen
werden auch wir Übrigen, die noch auf der Erde leben, auf
den Wolken hinaufgehoben werden in die Luft, um dem
Herrn zu begegnen und in Ewigkeit bei ihm zu bleiben.
18Tröstet euch also gegenseitig mit diesen Worten!

5 1Nun brauche ich euch wirklich nicht zu schreiben, wie
und wann das alles geschehen wird, 2denn ihr wisst ja
selbst genau, dass der Tag des Herrn unerwartet kommen
wird wie ein Dieb in der Nacht. 3Wenn die Menschen sagen:
»Überall herrschen Frieden und Sicherheit«, dann wird die
Katastrophe so plötzlich über sie hereinbrechen, wie eine
Frau vor der Geburt ihres Kindes von den Wehen überwältigt
wird. Und dann wird es kein Entkommen geben.

4Aber ihr, liebe Brüder, lebt nicht in der Finsternis und wer-
det nicht überrascht sein, wenn der Tag des Herrn kommt wie
ein Dieb. 5Denn ihr seid alle Kinder des Lichts und des Tages;
wir gehören nicht der Finsternis noch der Nacht. 6Seid also
wachsam und schlaft nicht wie die anderen. Bleibt besonnen
und nüchtern! 7Die Nacht ist die Zeit zum Schlafen, und wer
sich betrinkt, ist nachts betrunken. 8Wir dagegen, die im Licht
leben, wollen einen klaren Kopf behalten. Wir wappnen uns
mit Glauben und Liebe und schützen uns mit der Hoffnung
auf Erlösung. 9Denn Gott wollte uns nicht strafen, sondern
wollte uns retten durch Jesus Christus, unseren Herrn. 10Er
starb für uns, damit wir, ob wir nun wachen oder schlafen,
mit ihm leben. 11Deshalb sollt ihr einander Mut machen und
einer den anderen stärken, wie ihr es auch schon tut.

Ein letzter Rat des Apostels

12Liebe Freunde, wir bitten euch, dass ihr denen Respekt ent-
gegenbringt, die euch vorangehen und leiten. Sie bemühen
sich um euch und warnen euch vor dem, was falsch ist. 13Ihr
sollt ihnen ihre Arbeit mit aufrichtiger Liebe danken. Und hal-
tet Frieden untereinander! 14Brüder, wir fordern euch auf, den
Faulen ins Gewissen zu reden und den Ängstlichen Mut zu
machen. Geht behutsam mit den Schwachen um und habt mit
allen Geduld!

15Seht zu, dass niemand Böses mit Bösem vergilt, sondern
versucht immer, einander und auch allen anderen Gutes zu
tun!

16Seid immer fröhlich. 17Hört nicht auf zu beten. 18Was im-
mer auch geschieht, seid dankbar, denn das ist Gottes Wille
für euch, die ihr Christus Jesus gehört.

19Unterdrückt den Heiligen Geist nicht. 20Verachtet das pro-
phetische Reden nicht, 21sondern prüft alles, was gesagt wird,
und behaltet das Gute. 22Meidet das Böse in jeglicher Form!

Abschließende Grüße des Apostels

23Der Gott des Friedens heilige euch durch und durch. Er
schütze euern Geist, eure Seele und euern Körper, damit sie
unversehrt sind, wenn Jesus Christus, unser Herr, wieder-
kommt. 24Gott, der euch berufen hat, ist treu; er wird halten,
was er versprochen hat.

25Betet auch für uns, liebe Brüder!

26Grüßt einander in Liebe.

27Ich bitte euch inständig im Namen des Herrn, diesen Brief
allen vorzulesen.

28Wir wünschen euch die Gnade von Jesus Christus, unse-
rem Herrn!

Der zweite Brief an die Thessalonicher

Grüße von Paulus

1 1Dieser Brief stammt von Paulus, Silas und Timotheus.
Er ist geschrieben an die Gemeinde in Thessalonich, an
euch, die ihr zu Gott, unserem Vater, und Jesus Christus,
dem Herrn, gehört.
2Wir wünschen euch Gnade und Frieden von Gott, unserem
Vater, und Jesus Christus, dem Herrn!

Ermutigung in Zeiten der Verfolgung

3Liebe Brüder, wir hören nicht auf, Gott für euch zu danken:
Und das ist nur richtig so, denn wir sind unendlich dankbar,
dass euer Glaube immer stärker wird und eure Liebe zuei-
nander wächst. 4Stolz erzählen wir überall in den anderen
Gemeinden Gottes, wie geduldig ihr alle Verfolgungen und
Schwierigkeiten ertragt und dennoch an eurem Glauben fest-
haltet. 5Daran kann alle Welt die Gerechtigkeit Gottes erken-
nen. Denn er wird euch vorbereiten für sein Reich, für das ihr
jetzt leidet, 6und wird, weil er gerecht ist, alle strafen, die euch
jetzt verfolgen. 7Euch, die ihr verfolgt werdet, und auch uns
wird er Frieden schenken, wenn Jesus, der Herr, vom Himmel
her erscheinen wird. Er wird mit seinen mächtigen Engeln
kommen, 8inmitten von Feuerflammen, um das Gericht über
diejenigen zu bringen, die Gott nicht kennen, und über dieje-
nigen, die der Botschaft von Jesus, unserem Herrn, nicht ge-
horchen. 9Sie werden mit ewigem Verderben bestraft werden
und für immer vom Herrn und seiner herrlichen Macht ge-
trennt sein. 10Dies geschieht, wenn er kommen wird, um sich
von denen, die zu ihm gehören, loben und anbeten zu lassen.
Ihr werdet dann unter denen sein, die ihn preisen, denn ihr
habt geglaubt, was wir von ihm weitergesagt haben.
11Wir hören nicht auf, für euch zu beten, dass unser Gott
euch für das Leben bereit macht, zu dem er euch berufen hat.

Und wir beten, dass Gott eure guten Absichten und das, was
ihr aus dem Glauben heraus tut, mit seiner Kraft erfüllt.
12Dann wird durch euch der Name von Jesus, unserem Herrn,
geehrt, und ihr werdet mit ihm geehrt werden. Das alles wird
möglich durch die Gnade unseres Gottes und Herrn Jesus
Christus.

Die Ereignisse vor dem zweiten Kommen von Christus

2 1Und nun, liebe Brüder, zu der Wiederkehr von Jesus
Christus und dazu, wie wir alle versammelt werden, um
ihm entgegenzugehen. Wir bitten euch: 2Lasst euch nicht er-
schüttern und beunruhigen, wenn die Leute sagen, der Tag
des Herrn habe schon begonnen. Selbst wenn sie behaupten,
sie hätten eine Vision, eine Offenbarung oder sogar einen
Brief von uns empfangen, glaubt ihnen nicht. 3Lasst euch
durch ihre Worte auf keinen Fall täuschen!

Denn bevor es so weit ist, wird es zu einem Aufstand gegen
Gott kommen, und der Mensch der Gesetzlosigkeit wird er-
scheinen – der, der Verderben bringt. 4Er wird sich widerset-
zen und sich über alle Götter erheben und jeden Gegenstand
der Verehrung und Anbetung zerstören. Er wird sich in den
Tempel Gottes setzen und behaupten, er selbst sei Gott. 5Erin-
nert ihr euch nicht, dass ich euch das schon gesagt habe, als
ich noch bei euch war? 6Ihr wisst auch, was ihn zurückhält,
denn er kann erst erkannt werden, wenn seine Zeit gekom-
men ist.

7Denn das Geheimnis der Gesetzlosigkeit ist schon wirk-
sam, und es wird verborgen bleiben, bis der, der es jetzt noch
aufhält, weggenommen ist. 8Dann wird der Gesetzlose er-
kennbar werden, und Jesus, der Herr, wird ihn mit dem
Hauch seines Mundes töten und durch sein Erscheinen ver-
nichten, wenn er wiederkommt. 9Der Böse wird kommen, um
mit mächtigen Taten und verlogenen Zeichen und Wundern
das Werk des Satans zu tun. 10Mit üblen Täuschungen wird er
die Menschen verführen, die ihrem Verderben entgegen-
gehen, weil sie nicht an die Wahrheit glauben wollen, die sie
retten könnte. 11Deshalb wird Gott eine große Blindheit über

sie kommen lassen, und sie werden all die Lügen glauben.
12Und damit werden alle gerichtet, die der Wahrheit nicht ge-
glaubt und an ihrer eigenen Ungerechtigkeit Gefallen gefun-
den haben.

Die Gläubigen sollen fest bleiben

13Wir aber hören nicht auf, Gott für euch zu danken, liebe
Freunde, denn ihr seid von Gott geliebt. Wir sind dankbar,
dass er euch erwählt hat und dass ihr zu den Ersten gehören
dürft, die gerettet werden. Eure Rettung kommt durch den
Heiligen Geist, der euch Jesus immer ähnlicher werden lässt,
und euren Glauben an die Wahrheit. 14Er hat euch dazu beru-
fen durch unsere Botschaft von Jesus, damit ihr die Herrlich-
keit von Jesus Christus, unserem Herrn, erlangt.

15Auf diesem Grund steht fest, liebe Brüder, und vergesst
nichts von dem, was wir euch persönlich oder durch Briefe
mitgegeben haben.

16Wir bitten für euch, dass Jesus Christus, unser Herr, und
Gott, unser Vater, der uns geliebt und uns in seiner Gnade
bleibenden Trost und gute Hoffnung geschenkt hat, 17eure
Herzen ermutige und euch stärke in allem, was ihr sagt und
tut!

Paulus nennt ein Gebetsanliegen

3 1Zum Schluss bitte ich euch, liebe Brüder, für uns zu be-
ten. Betet vor allem, dass die Botschaft Gottes sich rasch
ausbreitet und überall, wo sie hinkommt, gut aufgenommen
wird, so wie es bei euch der Fall war. 2Und betet auch, dass
wir vor boshaften und schlechten Menschen geschützt wer-
den, denn nicht alle glauben an den Herrn. 3Aber der Herr ist
treu; er wird euch stärken und euch vor dem Bösen bewahren.
4Und im Glauben an Gott sind wir zuversichtlich, dass ihr
alles, was wir euch ans Herz gelegt haben, schon jetzt in die
Tat umsetzt und das auch immer weiter tun werdet. 5Der Herr
richte eure Herzen auf die Liebe zu Gott aus und auf das ge-
duldige Warten auf Christus!

Eine Ermahnung zur rechten Lebensweise
6Und nun, liebe Freunde, geben wir euch im Namen von Jesus
Christus, unserem Herrn, folgende Anweisung: Haltet euch
von jedem Bruder fern, der untätig ist und nicht so lebt, wie
wir es euch vorgelebt haben. 7Denn ihr wisst, dass ihr unse-
rem Vorbild folgen sollt. Wir waren nicht faul, als wir bei euch
waren. 8Nie haben wir Nahrung angenommen, ohne dafür zu
bezahlen. Wir haben Tag und Nacht schwer gearbeitet, um
euch nicht zur Last zu fallen. 9Dabei war es nicht so, dass wir
nicht das Recht dazu gehabt hätten, aber wir wollten euch ein
Beispiel geben, damit ihr euch danach richtet. 10Denn auch als
wir noch bei euch waren, haben wir euch erklärt: »Wer nicht
arbeitet, soll auch nicht essen.«

11Wir haben nämlich gehört, dass einige von euch ein untä-
tiges Leben führen, nicht arbeiten wollen und ihre Zeit nutz-
los vertun. 12Im Namen von Jesus Christus, dem Herrn, ap-
pellieren wir an diese Leute und ermahnen sie, dass sie
regelmäßig arbeiten und sich ihren eigenen Lebensunterhalt
verdienen sollen. 13Und was euch betrifft, liebe Brüder, so hört
nicht auf damit, Gutes zu tun.

14Achtet darauf, wer unsere Anweisung nicht befolgen will,
und haltet euch von ihm fern, damit er sich schämt. 15Betrach-
tet ihn jedoch nicht als Feind, sondern redet mit ihm wie mit
einem Bruder und ermahnt ihn!

Abschließende Grüße des Apostels
16Der Herr des Friedens selbst gebe euch jeden Tag seinen
Frieden, was immer auch geschieht! Der Herr sei mit euch
allen!

17Hier ist mein Gruß, den ich – Paulus – mit eigener Hand
schreibe. Das tue ich am Ende jedes Briefs, um zu zeigen, dass
er wirklich von mir stammt.

18Ich wünsche euch allen die Gnade von Jesus Christus, un-
serem Herrn!

Der erste Brief an Timotheus

Grüße von Paulus

1 1Dieser Brief stammt von Paulus, einem Apostel von
Christus Jesus. Ich wurde berufen durch den Befehl Got-
tes, der uns gerettet hat, und durch Christus Jesus, auf den wir
hoffen.
2Ich schreibe diesen Brief an Timotheus, der durch den Glau-
ben wie ein eigenes Kind für mich ist.
Gnade, Barmherzigkeit und Frieden wünsche ich dir von
Gott, unserem Vater, und Christus Jesus, unserem Herrn.

Warnungen vor Irrlehren

3Als ich nach Mazedonien aufbrach, bat ich dich, in Ephesus
zu bleiben und zu verhindern, dass dort falsche Lehren ver-
breitet werden. 4Lass nicht zu, dass die Menschen ihre Zeit
mit endlosen Spekulationen über Fabeln und Stammbäume
vergeuden. Denn das führt nur zu Streit und hilft nicht, ein
Leben im Glauben an Gott zu führen. 5Das Ziel meiner Unter-
weisung ist, dass alle Christen von der Liebe erfüllt sind, die
aus einem reinen Herzen kommt, aus einem guten Gewissen
und aufrichtigem Glauben.
6Einige haben dieses Ziel jedoch völlig verfehlt und vertun
ihre Zeit mit leerem Geschwätz. 7Sie möchten gern als Lehrer
des Gesetzes gelten, verstehen aber selbst nicht, wovon sie
reden und was sie so nachdrücklich behaupten. 8Wir wissen,
dass diese Gesetze gut sind, wenn sie so verstanden und ge-
nutzt werden, wie Gott es wollte. 9Sie wurden jedoch nicht für
den gemacht, der das Richtige tut, sondern für Menschen, die
ungehorsam und rebellisch sind, die ohne Gott leben und sich
in Schuld verstricken, denen nichts heilig ist und die alles Hei-
lige entwürdigen, ja die ihren Vater oder ihre Mutter oder an-
dere Menschen töten. 10Diese Gesetze sind für Menschen be-
stimmt, die Unzucht treiben, für Männer, die mit Männern ins
Bett gehen, für Sklavenhändler, für Lügner und Meineidige
und für solche, die auf andere Weise der gesunden Lehre wi-

derstreben. [11]Diese Lehre beruht auf der Botschaft von der
Herrlichkeit Gottes, die unser großartiger Herr mir in seiner
Gnade anvertraut hat.

Dankbarkeit für die Gnade Gottes

[12]Wie dankbar bin ich Christus Jesus, unserem Herrn, der
mich stark gemacht, als vertrauenswürdig erachtet und zu
seinem Dienst berufen hat, [13]obwohl ich ihn früher verachtet
habe! Ich habe die Gläubigen verfolgt und ihnen geschadet,
wo ich nur konnte. Doch Gott hatte Erbarmen mit mir, weil
ich unwissend und im Unglauben handelte. [14]Aber der Herr
war freundlich und gnädig! Er hat mich erfüllt mit Glauben
und mit der Liebe von Christus Jesus.

[15]Was ich sage, ist wahr und glaubwürdig: Christus Jesus
kam in die Welt, um Sünder zu retten – und ich bin der
Schlimmste von allen. [16]Aber Gott hatte Erbarmen mit mir,
damit Jesus Christus mich als leuchtendes Beispiel für seine
unendliche Geduld gebrauchen konnte. So bin ich ein Vorbild
für alle, die an ihn glauben und das ewige Leben erhalten
werden. [17]Ehre und Ruhm gehören Gott allein, dem ewigen
König, dem Unsichtbaren, der nie stirbt und der allein Gott
ist, in alle Ewigkeit. Amen.

Die Verantwortung des Timotheus

[18]Timotheus, mein Sohn, dies ist mein Gebot für dich, wie es
dem entspricht, was die Propheten schon früher über dich
vorausgesagt haben. Ihre Voraussagen sollen dich stärken,
den guten Kampf zu kämpfen. [19]Halte dabei an deinem Glau-
ben an Christus fest und bewahre dir immer ein reines Gewis-
sen. Denn einige haben gegen ihr Gewissen gehandelt und
deshalb in ihrem Glauben Schiffbruch erlitten. [20]Hymenäus
und Alexander sind Beispiele dafür; ich habe sie dem Satan
ausgeliefert, damit sie lernen, nicht länger Gott zu verachten.

Über Fürbitte und Gottesdienst

2 [1]Vor allem anderen fordere ich euch auf, für alle Men-
schen zu beten. Bittet bei Gott für sie und dankt ihm. [2]So

sollt ihr für die Herrschenden und andere Menschen in füh-
render Stellung beten, damit wir in Ruhe und Frieden so leben
können, wie es Gott gefällt und anständig ist. 3Das ist gut und
macht Gott, unserem Erlöser, Freude. 4Er möchte, dass jeder
gerettet wird und die Wahrheit erkennt. 5Denn es gibt nur
einen Gott und nur einen Vermittler zwischen Gott und den
Menschen: Das ist Christus Jesus, der Mensch geworden ist.
6Er gab sein Leben, um alle Menschen freizukaufen. Das ist
die Botschaft, die Gott der Welt gab, als die Zeit dafür gekom-
men war. 7Und ich lüge nicht, sondern sage die Wahrheit: Ich
wurde als Prediger und Apostel erwählt, um die Völker im
Glauben und in der Wahrheit zu unterrichten.

8Überall, wo ihr euch versammelt, möchte ich nun, dass die
Männer, wenn sie beten, ihre Hände rein zu Gott erheben. Sie
sollen nicht von Zorn und Streit beschmutzt sein. 9Und ich
möchte, dass die Frauen in ihrer Erscheinung Zurückhaltung
üben, indem sie sich anständig kleiden und nicht durch ihre
Frisur oder durch Gold, Perlen oder kostbare Kleider die Auf-
merksamkeit auf sich lenken. 10Denn Frauen, die Gott ehren
wollen, sollen dadurch anziehend wirken, dass sie Gutes tun.

11Eine Frau soll in der Stille und in aller Unterordnung ler-
nen. 12Ich erlaube der Frau nicht, zu lehren oder über den
Mann zu herrschen; sie soll sich still zurückhalten. 13Denn
Gott schuf zuerst Adam und dann Eva. 14Und es war die Frau,
nicht Adam, die durch den Satan getäuscht wurde und sich
verführen ließ. 15Doch auch die Frau wird gerettet werden,
wenn sie Kinder zur Welt bringt und vor allem, wenn sie be-
ständig im Glauben und in der Liebe lebt, anständig und ver-
lässlich vor Gott.

Leiterschaft in der Gemeinde

3 1Es stimmt, dass jemand, der ein Ältester sein möchte,
eine sehr ehrenvolle Aufgabe anstrebt. 2Ein Ältester
muss ein Mensch sein, der ein einwandfreies Leben führt. Er
soll seiner Frau treu sein. Er soll Selbstbeherrschung haben,
besonnen leben und einen guten Ruf besitzen. Er soll gast-
freundlich sein und fähig, andere zu lehren. 3Er darf kein Trin-

ker oder gewalttätiger Mensch sein, sondern er soll freundlich
und friedliebend sein und darf nicht am Geld hängen. 4Es ist
nötig, dass er ein guter Familienvorstand ist und dass seine
Kinder ihn achten und ihm gehorchen. 5Denn wenn ein
Mann es nicht versteht, seiner Verantwortung im eigenen
Haus gerecht zu werden, wie soll er dann für Gottes Gemein-
de sorgen?

6Ein Ältester sollte auch nicht erst vor kurzem gläubig ge-
worden sein, damit er nicht stolz wird, schon so früh ein
Amt innezuhaben, und der Teufel seinen Stolz benutzt, um
ihn zu Fall zu bringen. 7Außerdem soll er einen guten Ruf bei
den Menschen außerhalb der Gemeinde haben, damit er nicht
ins Gerede kommt und in die Falle des Teufels tappt.

8Genauso ist es notwendig, dass auch die Diakone geachtete
und glaubwürdige Menschen sind. Sie dürfen keine Trinker
sein und nicht nach maßlosem Gewinn streben. 9Sie sollen mit
gutem Gewissen so leben, wie es der Wahrheit des Glaubens
entspricht. 10Bevor sie zu Diakonen ernannt werden, soll man
ihnen andere Aufgaben in der Gemeinde übertragen, um sie
zu prüfen. Wenn sie sich dabei bewähren, können sie als Dia-
kone arbeiten.

11Auch ihre Frauen sollen geachtet sein und dürfen nicht
abfällig über andere reden. Sie müssen besonnen und treu
sein in allem, was sie tun.

12Ein Diakon soll seiner Frau die Treue halten und seine Kin-
der und sein Haus gut führen. 13Wenn Diakone ihre Aufgabe
gut erfüllen, werden sie geachtet und leben ihren Glauben an
Christus Jesus mit großer Zuversicht.

Die Wahrheit unseres Glaubens

14Ich schreibe dir diese Dinge, obwohl ich hoffe, bald bei dir
zu sein, 15damit du, falls ich noch eine Weile nicht kommen
kann, weißt, wie man sich im Haus Gottes verhalten soll. So
sieht die Gemeinde des lebendigen Gottes aus, die eine Säule
und Stütze der Wahrheit ist. 16Ohne Frage ist das Geheimnis
unseres Glaubens groß:
Er ist als Mensch erschienen

und wurde durch den Geist gerecht gesprochen.
Er wurde von Engeln gesehen
und den Völkern verkündet.
Viele Menschen in der Welt glaubten an ihn,
und er wurde in den Himmel hinaufgenommen.

Warnungen vor Irrlehrern

4 1Nun sagt uns der Heilige Geist ausdrücklich, dass man-
che sich am Ende der Zeit von dem abwenden werden,
was wir glauben; sie werden auf Lügen hören und Lehren
folgen, die von Dämonen stammen. 2Diese Lehrer sind
Heuchler und Lügner, aber ihr Gewissen ist nicht erlöst. 3Sie
werden behaupten, es sei falsch, zu heiraten, und falsch, be-
stimmte Dinge zu essen. Doch Gott hat diese Nahrungsmittel
geschaffen, damit wir sie dankbar essen; denn wir sind Men-
schen, die die Wahrheit kennen und an sie glauben. 4Weil al-
les, was Gott geschaffen hat, gut ist, sollen wir nichts davon
ablehnen. Wir dürfen es dankbar annehmen, 5denn wir wis-
sen, dass es durch das Wort Gottes und durch das Gebet ge-
segnet wird.

Ein guter Diener von Christus Jesus

6Wenn du das den anderen erklärst, tust du damit deine
Pflicht als ein würdiger Diener von Christus Jesus. Du lebst
von der Botschaft des Glaubens und der wahren Lehre, der
du gefolgt bist. 7Vergeude keine Zeit mit Streitereien über
gottlose Ideen und Ammenmärchen, sondern nutze deine
Zeit und Kraft, um im Glauben immer stärker zu werden.
8Körperliches Training hat einen gewissen Wert, aber geist-
liches Training ist noch viel wichtiger, denn es verspricht Ge-
winn in diesem wie auch im zukünftigen Leben. 9Diese Wahr-
heit sollte jeder gelten lassen. 10Wir arbeiten hart und leiden
dabei viel, denn unsere Hoffnung ist der lebendige Gott. Er ist
der Erlöser aller Menschen, insbesondere der Gläubigen.

11Lehre diese Dinge und bestehe darauf, dass jeder sie lernt.
12Niemand soll dich gering schätzen, nur weil du jung bist. Sei
allen Gläubigen ein Vorbild in dem, was du lehrst, wie du

lebst, in der Liebe, im Glauben und in der Reinheit. [13]Und bis ich komme, sollst du dich darauf konzentrieren, der Gemeinde die Schrift vorzulesen und die Gläubigen zu ermutigen und zu lehren!

[14]Vernachlässige die geistliche Gabe nicht, die du durch prophetische Reden empfangen hast, als die Ältesten der Gemeinde dir die Hände auflegten. [15]Richte deine Aufmerksamkeit darauf und widme dich diesen Aufgaben, damit alle sehen können, wie du Fortschritte machst. [16]Achte sorgfältig auf dich selbst und auf die Lehre. Bleib der Wahrheit treu, und Gott wird dich und alle, die dich hören, retten.

5 [1]Sprich nie unhöflich mit einem älteren Mann, sondern ermahne ihn mit allem Respekt, als wäre es dein eigener Vater. Mit den jüngeren Männern sprich, als wären es deine Brüder. [2]Behandle die älteren Frauen wie deine eigene Mutter und die jüngeren Frauen mit Zurückhaltung, als wären sie deine eigenen Schwestern.

Ratschläge in Bezug auf Witwen, Älteste und Sklaven

[3]Kümmere dich um die Witwen, die sonst niemanden haben, der für sie sorgt. [4]Wenn eine Witwe jedoch Kinder oder Enkel hat, haben vor allem diese die Pflicht, nach den Geboten Gottes zu leben und ihren Eltern das Gute, das sie ihnen gegeben haben, zurückzugeben, indem sie für sie sorgen. Das ist etwas, über das sich Gott freut.

[5]Doch eine Frau, die wirklich Witwe ist und ganz allein in dieser Welt steht, setzt ihre Hoffnung ganz auf Gott. Nacht und Tag bittet sie Gott um Hilfe und verbringt viel Zeit im Gebet. [6]Dagegen ist die Witwe, die nur für das Vergnügen lebt, schon tot, obwohl sie noch lebt. [7]Sage dies der Gemeinde weiter, damit sie anständig leben.

[8]Diejenigen jedoch, die nicht für ihre eigenen Verwandten sorgen – besonders wenn sie im selben Haushalt leben –, haben damit verleugnet, was wir glauben. Solche Leute sind schlimmer als Ungläubige.

[9]Eine Witwe soll dann in das Verzeichnis aufgenommen

werden, wenn sie mindestens sechzig Jahre alt ist und ihrem
Mann treu war. [10]Sie muss für das Gute, das sie getan hat, bei
den anderen geachtet sein. Hat sie ihre Kinder gut erzogen?
War sie freundlich zu Fremden? Hat sie anderen Gläubigen
gerne gedient? Hat sie denen geholfen, die in Not geraten wa-
ren? War sie immer bereit, Gutes zu tun?

[11]Die jüngeren Witwen sollen nicht in das Verzeichnis auf-
genommen werden, denn wenn ihr körperliches Verlangen
stärker wird als ihre Hingabe an Christus, werden sie wieder
heiraten wollen. [12]Dann würden sie sich schuldig machen, ihr
früheres Versprechen gebrochen zu haben. [13]Außerdem ge-
wöhnen sie es sich sonst an, faul zu werden und ihre Zeit
damit zu vertrödeln, mit den Nachbarn zu klatschen, sich
neugierig in die Angelegenheiten anderer einzumischen und
Dinge zu sagen, die sie nicht sagen sollten. [14]Deshalb rate ich
diesen jüngeren Witwen, wieder zu heiraten, Kinder zu be-
kommen und sich um ihren eigenen Haushalt zu kümmern.
Dann wird der Feind nichts gegen sie vorbringen können.
[15]Denn ich befürchte, dass einige bereits auf Abwege geraten
sind und jetzt dem Satan folgen.

[16]Wenn eine gläubige Frau Witwen in ihrer Verwandtschaft
hat, muss sie sich um sie kümmern und darf die Verantwor-
tung nicht auf die Gemeinde abschieben. Dann kann die Ge-
meinde diejenigen versorgen, die wirklich allein dastehen.

[17]Älteste, die ihrer Aufgabe voll gerecht werden, verdienen
Anerkennung und Lohn, besonders diejenigen, die sowohl
predigen als auch lehren. [18]Denn die Schrift sagt: »Hindert
einen Ochsen nicht am Fressen, während er das Korn
drischt.« Und an anderer Stelle steht: »Wer arbeitet, hat auch
Lohn verdient!«

[19]Hört nicht auf Beschwerden gegen einen Ältesten, es sei
denn, zwei oder drei Zeugen haben ihm etwas vorzuwerfen.
[20]Wer jedoch sündigt, soll vor der ganzen Gemeinde zurecht-
gewiesen werden, damit die anderen durch dieses Beispiel
Gott fürchten lernen.

[21]Ich gebiete dir ausdrücklich in der Gegenwart von Gott
und Christus Jesus und den heiligen Engeln, diese Anweisun-

gen zu befolgen, ohne Partei zu ergreifen oder jemanden in
irgendeiner Weise zu bevorzugen. 22Lege nicht voreilig je-
mandem die Hände auf. Beteilige dich nicht an den Sünden
anderer. Halte dich selbst frei von Schuld.

23Trinke nicht nur Wasser. Du solltest wegen deines Magens
auch ein wenig Wein trinken, weil du so oft krank bist.

24Denke daran, dass manche Leute ein schlechtes Leben füh-
ren, sodass jeder weiß, dass sie ins Gericht kommen werden.
Aber es gibt andere, deren Schuld erst später sichtbar wird.
25Genauso ist jedem bekannt, wie viel Gutes manche Leute
tun, während es andere gibt, von deren guten Taten man erst
später erfahren wird.

6 1Alle, die Sklaven sind, sollen ihre Herren uneinge-
schränkt ehren, damit der Name Gottes und seine Lehre
nicht entehrt werden. 2Wenn euer Herr gläubig ist, ist das kein
Grund, ihn weniger zu achten, nur weil ihr im Glauben Brü-
der seid. Ja, ihr sollt sogar noch härter arbeiten, weil ihr durch
eure Bemühungen einem anderen Gläubigen helft.

Falsche Lehrer und wahrer Reichtum

Lehre diese Wahrheiten, Timotheus, und ermutige alle, sie zu
befolgen! 3Jeder, der etwas anderes lehrt als die guten Worte
von Jesus Christus, unserem Herrn, und nicht an der Lehre
festhält, auf der unser Leben im Glauben beruht, 4der ist ver-
blendet und unwissend. Ein solcher Mensch hat einen unge-
sunden Hang zu Streitereien und Wortgefechten, die zu Neid,
Auseinandersetzungen, lästerlichen Reden und bösen Ver-
dächtigungen führen 5und in dauerhaftem Streit enden. Sol-
che Menschen haben ein verdorbenes Denken und kennen die
Wahrheit nicht. Für sie ist das Leben mit Gott nur ein Mittel,
sich zu bereichern.

6Wahrer Glaube und die Fähigkeit, mit wenigem zufrieden
zu sein, sind tatsächlich ein großer Reichtum. 7Schließlich ha-
ben wir bei unserer Geburt nichts in die Welt mitgebracht und
wir können auch nichts mitnehmen, wenn wir sterben. 8Des-
halb wollen wir zufrieden sein, solange wir nur genug Nah-

rung und Kleidung haben. 9Menschen, die reich werden wol-
len, geraten nur in Versuchung und verstricken sich in so viele
dumme und schädliche Wünsche, dass sie letztlich ins Ver-
derben und in ihren eigenen Untergang stürzen. 10Denn die
Liebe zum Geld ist die Wurzel aller möglichen Übel; so sind
manche Menschen aus Geldgier vom Glauben abgewichen
und haben sich selbst viele Schmerzen zugefügt.

Letzte Anweisungen des Apostels

11Aber du, Timotheus, gehörst Gott; deshalb sollst du dich
davon fernhalten. Bemühe dich um ein Leben, so wie Gott es
will: geprägt von der Ehrfurcht vor Gott, von Glauben und
Liebe, geführt mit Geduld und Sanftmut! 12Kämpfe den guten
Kampf des Glaubens. Halte an dem ewigen Leben fest, zu
dem Gott dich berufen hat und für das du ein gutes Bekennt-
nis vor vielen Zeugen abgelegt hast! 13Und ich gebiete dir vor
Gott, der allen Leben gibt, und vor Jesus Christus, der ja auch
vor Pontius Pilatus ein gutes Bekenntnis abgelegt hat, 14seinen
Geboten rein und vorbildlich zu folgen. Dann kann niemand
dir etwas vorwerfen, bis Jesus Christus, unser Herr, wieder-
kommt.

15Denn zur richtigen Zeit wird Christus vom Himmel her of-
fenbart werden
durch den gnädigen und allein allmächtigen Gott,
den König der Könige
und Herrn der Herren.
16Nur er allein wird nie sterben,
und er wohnt in einem unzugänglichen Licht.
Kein Mensch hat ihn je gesehen oder kann ihn sehen.
Ihm sei Ehre und Macht in alle Ewigkeit! Amen.

17Sag allen, die in dieser gegenwärtigen Welt reich sind, sie
sollen nicht stolz sein und nicht auf ihr Geld vertrauen, das
bald vergehen wird. Stattdessen sollen sie ihr Vertrauen auf
den lebendigen Gott setzen, der uns alles reichlich gibt, was
wir brauchen, damit wir uns daran freuen und es genießen
können. 18Fordere sie auf, ihr Geld zu nutzen, um Gutes zu
tun. Sie sollen reich an guten Taten sein, die Bedürftigen groß-

zügig unterstützen und immer bereit sein, mit anderen zu tei-
len, was Gott ihnen gegeben hat. 19 Auf diese Weise legen sie
mit ihrem Besitz ein gutes Fundament für die Zukunft, um
das wahre Leben zu ergreifen.

20 Timotheus, bewahre, was Gott dir anvertraut hat. Meide
alle gottlosen, hohlen Streitgespräche mit Menschen, die sich
dir mit ihrer sogenannten Erkenntnis entgegenstellen. 21 Man-
che haben den Glauben verloren, weil sie deren Geschwätz
gefolgt sind!

Wir wünschen euch allen Gottes Gnade!

Der zweite Brief an Timotheus

Grüße von Paulus

1 [1]Dieser Brief stammt von Paulus, der durch den Willen
Gottes zum Apostel von Christus Jesus wurde. Gott hat
mich gesandt, um den Menschen von dem Leben zu erzählen,
das der Glaube an Jesus Christus verspricht.
[2]Der Brief richtet sich an Timotheus, meinen geliebten Sohn.
Ich wünsche dir Gnade, Barmherzigkeit und Frieden von
Gott, unserem Vater, und Jesus Christus, unserem Herrn.

Ermutigung zur Treue

[3]Ich danke Gott, dem ich mit einem reinen Gewissen diene,
wie meine Vorfahren es taten. Nacht und Tag denke ich in
meinen Gebeten an dich. [4]Ich sehne mich danach, dich wieder
zu sehen, denn ich erinnere mich an deine Tränen bei unserem
Abschied. Und ich werde voller Freude sein, wenn wir wieder
zusammen sein werden.
[5]Ich weiß, dass du dem Herrn aufrichtig vertraust, denn du
hast den Glauben deiner Mutter Eunike und deiner Großmut-
ter Lois. [6]Deshalb ermutige ich dich dazu, die geistliche Gabe
wirken zu lassen, die Gott dir schenkte, als ich dir die Hände
auflegte. [7]Denn Gott hat uns nicht einen Geist der Furcht ge-
geben, sondern einen Geist der Kraft, der Liebe und der Be-
sonnenheit. [8]Schäme dich also niemals, vor anderen Men-
schen unseren Herrn zu bezeugen. Und schäme dich auch
nicht für mich, obwohl ich für Christus im Gefängnis bin. Sei
vielmehr durch die Kraft, die Gott dir gibt, bereit, gemeinsam
mit mir für die Verbreitung der guten Botschaft zu leiden.
[9]Gott hat uns erlöst und berufen; nicht aufgrund unserer
Taten, sondern weil er schon lange, bevor es die Welt gab, ent-
schieden hatte, uns durch Christus Jesus seine Gnade zu zei-
gen. [10]Nun ist uns das alles durch das Kommen unseres Ret-
ters Jesus Christus offenbart worden. Er hat die Macht des
Todes gebrochen und mit der guten Botschaft den Weg zum
ewigen Leben ans Licht gebracht. [11]Und Gott hat mich er-

wählt, ein Prediger, Apostel und Lehrer dieser Botschaft zu
sein.
12 Das ist der Grund, warum ich hier im Gefängnis leide!
Aber ich schäme mich deswegen nicht, weil ich ja weiß, auf
wen ich mein Vertrauen gesetzt habe, und weil ich sicher bin,
dass er bis zum Tag seines Kommens bewahren kann, was mir
anvertraut wurde.
13 Halte dich an das Vorbild der gesunden Lehre, die ich dir
weitergegeben habe, und führe dein Leben in dem Glauben
und in der Liebe von Christus Jesus! 14 Bewahre sorgfältig, was
dir anvertraut wurde; der Heilige Geist, der in uns lebt, hilft
dir dabei.
15 Wie du weißt, haben alle, die aus der Provinz Asien mit
mir gekommen waren, mich verlassen; sogar Phygelus und
Hermogenes sind fort. 16 Ich wünsche Onesiphorus und seiner
ganzen Familie Barmherzigkeit von Gott, denn er hat mich oft
besucht und ermutigt. Er hat sich nie für mich geschämt, ob-
wohl ich im Gefängnis war. 17 Als er nach Rom kam, suchte er
überall, bis er mich gefunden hatte. 18 Möge der Herr ihm an
dem Tag, an dem Christus wiederkommt, Barmherzigkeit er-
weisen! Und wie sehr er mir in Ephesus geholfen hat, weißt
du ja selbst am besten.

Ein guter Kämpfer für Christus Jesus

2 1 Timotheus, mein lieber Sohn, werde stark durch die Gna-
de, die Gott dir in Christus Jesus schenkt. 2 Was du von mir
gehört hast, das sollst du auch weitergeben an Menschen, die
vertrauenswürdig und fähig sind, andere zu lehren.
3 Sei bereit, als ein treuer Kämpfer für Christus Jesus zu lei-
den. 4 Und keiner, der in den Krieg zieht, verstrickt sich in die
Angelegenheiten des täglichen Lebens, denn er will ja dem
gefallen, der ihn in seine Armee aufgenommen hat. 5 Auch
wer an einem Wettkampf teilnimmt, kann nur gewinnen,
wenn er sich an die Regeln hält. 6 Bauern, die schwer arbeiten,
erhalten als Erste Anteil an den Früchten ihrer Arbeit. 7 Denke
über meine Worte nach. Der Herr wird dir in all diesen Din-
gen das nötige Verständnis geben.

8Denke an Jesus Christus, der als Mensch aus dem Ge-
schlecht Davids stammte und von den Toten auferstanden
ist. Das ist die Botschaft, die ich predige. 9Und weil ich sie
predige, leide ich und wurde angekettet wie ein Verbrecher.
Aber das Wort Gottes lässt sich nicht in Ketten legen. 10Ich bin
bereit, alles zu ertragen, damit jene, die Gott erwählt hat,
durch Jesus Christus gerettet werden und ewige Herrlichkeit
bekommen.

11Dies ist ein wahres Wort:
Wenn wir mit ihm sterben, werden wir auch mit ihm leben.
12Wenn wir mit ihm leiden, werden wir mit ihm herrschen.
Wenn wir ihn verleugnen, wird auch er uns verleugnen.
13Wenn wir untreu sind, bleibt er treu,
denn er kann sich selbst nicht verleugnen.

Ein bewährter Arbeiter

14Erinnere die Menschen daran und fordere sie im Namen
Gottes auf, sich nicht mehr um Worte zu streiten. Solche Wort-
klaubereien sind nutzlos und schaden nur denen, die ihnen
zuhören. 15Strebe danach, dich vor Gott als guter Arbeiter zu
bewähren, der sich nicht zu schämen braucht und der das
Wort der Wahrheit kompromisslos predigt. 16Meide alles gott-
lose, dumme Geschwätz, das nur zu noch mehr Gottlosigkeit
führt. 17Solches Geschwätz verbreitet sich wie ein Krebs-
geschwür. Ein Beispiel dafür sind Hymenäus und Philetus.
18Sie haben den Weg der Wahrheit verlassen und behaupten,
die Auferstehung von den Toten sei schon geschehen; auf die-
se Weise haben sie den Glauben mancher Menschen zerstört.
19Doch Gottes Wahrheit steht fest wie ein Grundstein mit fol-
gender Inschrift: »Der Herr kennt die Seinen« und »Wer den
Namen des Herrn nennt, halte sich von Ungerechtigkeit
fern«.

20In einem wohlhabenden Haus gibt es Gefäße aus Gold und
Silber und andere aus Holz und Ton. Die teuren Gefäße wer-
den für besondere Anlässe benutzt, die preiswerten dagegen
für das tägliche Leben. 21Wer sich von solchen Menschen fern-
hält, wird wie eins der teuren Gefäße sein: rein, nützlich für

den Hausherrn, geeignet für alles, was gut ist. 22Halte dich
fern von allem, was die jugendlichen Leidenschaften weckt.
Deine Ziele sollen Gerechtigkeit, Glauben und Liebe sein so-
wie Friede mit allen, die mit aufrichtigen Herzen den Herrn
anrufen. 23Beteilige dich nicht an dummen, unreifen Aus-
einandersetzungen, die nur Streit auslösen. 24Ein Diener des
Herrn darf nicht streiten, sondern er muss zu allen freundlich
sein, überzeugend lehren und auch mit schwierigen Men-
schen Geduld haben können. 25Denen, die sich der Wahrheit
widersetzen, soll er freundlich den richtigen Weg zeigen. Viel-
leicht wird ja Gott diese Menschen zur Umkehr bewegen, so-
dass sie die Wahrheit erkennen 26und zur Besinnung kom-
men. Dann werden sie aus der Falle des Teufels entkommen,
der sie in seinem Bann hielt, sodass sie seinen Willen taten.

Die Gefahren der letzten Tage

3 1Außerdem sollst du wissen, Timotheus, dass in den letz-
ten Tagen der Welt schwere Zeiten kommen werden.
2Denn die Menschen werden nur sich selbst und ihr Geld lie-
ben. Sie werden stolz und eingebildet sein, Gott verachten
und ihren Eltern ungehorsam und undankbar begegnen.
Nichts wird ihnen heilig sein. 3Sie werden lieblos sein und
zur Vergebung nicht bereit; sie werden andere verleumden
und keine Selbstbeherrschung kennen; sie werden grausam
sein und vom Guten nichts wissen wollen. 4Sie werden ihre
Freunde verraten, leichtsinnig handeln, sich aufspielen und
ihr Vergnügen mehr lieben als Gott. 5Sie werden so tun, als
seien sie fromm, doch die Kraft Gottes, die sie verändern
könnte, werden sie ablehnen. Von solchen Leuten halte dich
fern!

6Das sind genau die Leute, die sich in Häuser einschleichen
und das Vertrauen von Frauen gewinnen, in deren Leben sich
viel Schuld angesammelt hat und die sich von ihren Leiden-
schaften beherrschen lassen. 7Solche Frauen wenden sich
ständig neuen Lehren zu, ohne dass sie je die Wahrheit ver-
stehen könnten. 8Und so wie Jannes und Jambres sich Mose
entgegengestellt haben, so leben auch diese im Widerspruch

zur Wahrheit. Ihr Geist ist verdorben und ihr Glaube nur ge-
heuchelt. 9Aber sie werden damit nicht weit kommen. Eines
Tages wird für jeden sichtbar werden, was für Narren sie wa-
ren, so wie es auch bei Jannes und Jambres geschah.

Paulus erinnert Timotheus an seine Verantwortung
10Aber du hast dich an das gehalten, was ich gelehrt habe,
Timotheus, und hast dir die Art, wie ich lebe, und meine Ziele
zu Eigen gemacht. An meinem Glauben, meiner Geduld und
meiner Liebe hast du dir ebenso ein Beispiel genommen wie
an meinem Durchhalten im Leiden. 11Du weißt, wie viel Ver-
folgung und Leid ich ertragen habe und wie ich in Antiochia,
Ikonion und Lystra verfolgt wurde – aber der Herr hat mich
aus allem errettet. 12Jeder, der an Christus Jesus glaubt und ein
Leben zur Ehre Gottes führen will, wird Verfolgung erleben.
13Doch schlechte Menschen und Betrüger werden es immer
schlimmer treiben. Sie werden andere in die Irre führen und
dabei selbst in die Irre geführt werden.
14Du aber sollst dich treu an das halten, was ich dich gelehrt
habe und was du gelernt und im Glauben angenommen hast,
denn du weißt, wer dich unterrichtet hat. 15Von Kindheit an
bist du in der heiligen Schrift unterwiesen worden, und sie
kann dich weise machen, die Rettung anzunehmen, die der
Glaube an Christus Jesus schenkt! 16Die ganze Schrift ist von
Gottes Geist eingegeben und kann uns lehren, was wahr ist,
und uns erkennen lassen, wo Schuld in unserem Leben ist. Sie
weist uns zurecht und erzieht uns dazu, Gottes Willen zu tun.
17Durch die Schrift bereitet Gott uns umfassend vor und rüstet
uns aus für alles, was wir nach seinem Willen tun sollen.

4 1Ich bitte dich vor Gott und vor Christus Jesus, der eines
Tages die Lebenden und die Toten richten wird, wenn er
erscheinen wird, um sein Reich aufzurichten: 2Verkünde das
Wort Gottes. Halte durch, ob die Zeit günstig ist oder nicht. In
aller Geduld und mit guter Lehre sollst du die Menschen zu-
rechtweisen, tadeln und ermutigen!
3Denn es kommt eine Zeit, in der die Menschen nicht mehr

auf die gesunde Lehre hören werden. Sie werden sich von
ihren eigenen Wünschen leiten lassen und immer wieder
nach Lehrern Ausschau halten, die ihnen sagen, was sie gern
hören wollen. 4Die Wahrheit werden sie ablehnen und statt-
dessen seltsamen Fabeln folgen.
5Du aber sollst dir in jeder Situation ein nüchternes Urteil
bewahren. Scheue dich nicht, für den Herrn zu leiden. Setze
dir zum Ziel, andere zu Christus zu führen. Erfülle die Auf-
gabe, die Gott dir anvertraut hat!

Abschließende Worte des Apostels

6Was mich betrifft, so wurde mein Leben schon als Opfer für
Gott ausgegossen und der Augenblick meines Todes ist nahe.
7Ich habe den guten Kampf gekämpft, den Lauf vollendet
und bin im Glauben treu geblieben. 8Nun erwartet mich der
Preis – der Siegeskranz der Gerechtigkeit, den der Herr, der
gerechte Richter, mir am großen Tag seiner Wiederkehr ge-
ben wird. Doch diesen Preis gibt er nicht nur mir, sondern
allen, die seine Rückkehr herbeisehnen. 9Bitte komm, so
bald du kannst! 10Demas hat mich verlassen, weil er die Din-
ge dieser Welt liebt, und ist nach Thessalonich gegangen.
Kreszens ist nach Galatien gegangen und Titus nach Dalma-
tien. 11Nur Lukas ist bei mir. Bringe Markus mit, wenn du
kommst, denn er wird mir bei meinem Dienst nützlich sein.
12Ich habe Tychikus nach Ephesus geschickt. 13Und vergiss
nicht, mir den Mantel mitzubringen, den ich in Troas bei Kar-
pus zurückließ. Bring auch meine Bücher mit und vor allem
die Pergamente!
14Alexander, der Schmied, hat mir viel Böses angetan, doch
der Herr wird es ihm nach seinen Taten vergelten. 15Nimm
dich vor ihm in Acht, denn er hat sich gegen alles gestellt,
was wir gesagt haben.
16Als ich das erste Mal dem Richter vorgeführt wurde, war
niemand bei mir. Alle haben mich im Stich gelassen. Ich hoffe,
es wird ihnen nicht angerechnet werden. 17Doch der Herr
stand mir zur Seite und gab mir Kraft, sodass ich die Botschaft
predigen konnte und alle Völker es hörten. Und er rettete

mich vor dem sicheren Tod. 18Der Herr wird mich vor jedem
bösen Angriff retten und mich sicher in sein himmlisches
Reich bringen. Gott gehört in alle Ewigkeit Ehre! Amen.

Abschließende Grüße

19Grüße Priska und Aquila von mir und alle, die im Haus von
Onesiphorus leben! 20Erastus ist in Korinth geblieben, und
Trophimus habe ich krank in Milet zurückgelassen.

21Beeile dich, damit du noch vor dem Winter hier an-
kommst. Eubulus schickt dir Grüße und ebenso Pudens, Li-
nus, Klaudia und alle Gläubigen.

22Der Herr sei bei dir! Ich wünsche euch allen seine Gnade!

Der Brief an Titus

Grüße von Paulus

1 1Dieser Brief stammt von Paulus, einem Diener Gottes. Ich
bin ein Apostel von Jesus Christus, dazu berufen, die von
Gott Auserwählten in ihrem Glauben zu unterstützen und die
Wahrheit zu verbreiten, die zum Glauben führt. 2Grundlage
dafür ist die Hoffnung auf ewiges Leben, das Gott schon vor
dem Anfang der Welt zugesagt hat – und er kann nicht lügen.
3Nun hat er diese Botschaft durch die Verkündigung offen-
bart, denn die Zeit war dafür reif. Mir wurde diese Verkündi-
gung durch einen Auftrag Gottes, unseres Erlösers, anver-
traut.

4Der Brief richtet sich an Titus, der durch den Glauben wie
mein eigenes Kind ist. Ich wünsche dir Gnade und Frieden
von Gott, dem Vater, und Christus Jesus, unserem Erlöser!

Titus auf Kreta

5Ich habe dich auf der Insel Kreta zurückgelassen, damit du
unsere Arbeit dort zu Ende bringst und in den Städten Älteste
ernennst, wie ich dir aufgetragen habe. 6Ein Ältester soll we-
gen seiner vorbildlichen Lebensführung allgemein geschätzt
sein. Er soll seiner Frau treu sein, und seine Kinder sollen
gläubig sein und nicht als wild oder rebellisch gelten. 7Ein
Ältester soll ein tadelloses Leben führen, denn er ist ein Haus-
verwalter Gottes. Er darf nicht überheblich oder jähzornig
sein und weder ein Trinker noch ein gewalttätiger oder geld-
gieriger Mensch. 8Er soll Gastfreundschaft üben und alles
Gute lieben, besonnen und gerecht sein. Sein Leben soll Gott
gefallen und maßvoll sein. 9Er soll an dem Wort der Botschaft
festhalten, das vertrauenswürdig ist. Denn nur dann wird er
auch imstande sein, andere durch die rechte Lehre zu ermuti-
gen und denen, die sich ihr gegenüber ablehnend verhalten,
zu zeigen, dass sie im Unrecht sind.

10Denn es gibt viele, die sich der gesunden Lehre widerset-
zen; sie ergehen sich in sinnlosem Geschwätz und betrügen

die Menschen. Das gilt besonders für die, die jüdischer Ab-
stammung sind. 11Diese Leute müssen zum Schweigen ge-
bracht werden. Durch ihre falsche Lehre haben sie schon gan-
ze Familien von der Wahrheit abgebracht, weil sie nur auf
falschen Gewinn aus sind. 12Einer aus ihren eigenen Reihen,
ein Prophet aus Kreta, hat über sie gesagt: »Die Kreter sind
alle Lügner; sie sind blutgierige Bestien und faule Vielfraße.«
13Das stimmt. Weise sie deshalb streng zurecht, damit sie im
Glauben stark werden. 14Sie müssen aufhören, sich von jüdi-
schen Fabeln und den Anweisungen von Menschen leiten zu
lassen, die sich von der Wahrheit abgewandt haben! 15Für
Menschen, die ein reines Gewissen haben, ist alles rein. Doch
für die Verdorbenen und Ungläubigen ist überhaupt nichts
rein, weil ihr Denken und ihr Gewissen beschmutzt sind.
16Solche Leute behaupten, Gott zu kennen, verleugnen ihn
aber durch die ganze Art, wie sie leben. Sie sind ungehorsam
und widerlich und zu nichts Gutem zu gebrauchen!

Die gesunde Lehre fördern

2 1Was immer du sagst, soll der gesunden Lehre entspre-
chen. 2Lehre die älteren Männer, selbstbeherrscht, vor-
bildlich und besonnen zu leben. Sie sollen einen starken Glau-
ben haben und liebevoll und geduldig sein.

3Genauso sollst du die älteren Frauen lehren, ihr Leben so zu
führen, wie es sich für jemanden gehört, der dem Herrn dient.
Sie sollen nicht herumgehen und tratschen, und sie dürfen
keine Trinkerinnen sein. Stattdessen sollen sie anderen zeigen,
was gut ist. 4Diese älteren Frauen sollen die jüngeren Frauen
anleiten, ihre Ehemänner und auch ihre Kinder zu lieben, 5be-
sonnen und anständig zu leben, ihren Haushalt gut zu versor-
gen, freundlich zu sein und sich ihren Ehemännern unter-
zuordnen. Damit werden sie dem Wort Gottes keine Schande
machen!

6Genauso sollst du die jungen Männer dazu auffordern, in
jeder Hinsicht besonnen zu sein. 7Und du selbst sei ihnen in
allem ein gutes Vorbild und ein Beispiel für die Glaubwürdig-
keit und Würde deiner Lehre. 8Deine Verkündigung soll wahr

und nicht anfechtbar sein, damit die Kritiker der Gegenseite
beschämt werden, weil sie uns nichts Schlechtes nachsagen
können!
9Fordere die Sklaven auf, ihren Herren zu gehorchen und ihr
Bestes zu geben, um es ihnen recht zu machen. Sie sollen sich
nicht widersetzen 10und nicht stehlen, sondern sich in allem
als vertrauenswürdig und gut erweisen, damit sie der Lehre
von Gott, unserem Erlöser, Ehre machen. 11Denn die Gnade
Gottes, die allen Menschen Rettung bringt, ist sichtbar gewor-
den. 12Sie bringt uns dazu, dem Leben ohne Gott und allen
sündigen Leidenschaften den Rücken zu kehren. Jetzt, in die-
ser Welt, sollen wir besonnen, gerecht und voller Hingabe an
Gott leben. 13Denn wir warten auf das wunderbare Ereignis,
wenn die Herrlichkeit des großen Gottes und unseres Erlösers,
Jesus Christus, erscheinen wird. 14Er gab sein Leben, um uns
von aller Schuld zu befreien und zu reinigen und uns zu sei-
nem eigenen Volk zu machen, das bemüht ist, Gutes zu tun.
15Dies alles sollst du lehren. Ermutige die Menschen und wei-
se sie zurecht, wenn es nötig ist! Niemand soll dich oder dein
Wort verachten.

Das Gute tun

3 1Erinnere alle daran, sich der Regierung und ihren Vertre-
tern unterzuordnen. Sie sollen gehorsam und zum Guten
bereit sein, 2über niemanden lästern und jedem Streit aus dem
Weg gehen. Allen Menschen sollen sie mit Freundlichkeit und
Geduld begegnen!
3Auch wir waren früher unwissend und ungehorsam. Wir
ließen uns in die Irre führen und wurden zu Sklaven vieler
Wünsche und Leidenschaften. Unser Leben war voller Bos-
heit und Neid. Wir hassten die anderen, und sie hassten uns.
4Doch dann zeigte Gott, unser Retter, uns seine Freundlich-
keit und Liebe. 5Er rettete uns, nicht wegen unserer guten Ta-
ten, sondern aufgrund seiner Barmherzigkeit. Er wusch unse-
re Schuld ab und schenkte uns durch den Heiligen Geist ein
neues Leben. 6Durch das, was Jesus Christus, unser Retter, für
uns getan hat, schenkte er uns den Heiligen Geist. 7In seiner

großen Güte sprach er uns los von unserer Schuld. Nun wis-
sen wir, dass wir das ewige Leben erben werden. 8Alles, was
ich dir gesagt habe, ist wahr. Ich möchte, dass du es mit Nach-
druck lehrst, damit alle, die auf Gott vertrauen, immer darauf
bedacht sind, Gutes zu tun. Das ist gut und sinnvoll für alle.

Abschließende Bemerkungen und Grüße des Apostels

9Lass dich nicht auf unsinnige Fragen über Stammbäume ein
oder auf Auseinandersetzungen und Streit über das Befolgen
jüdischer Vorschriften! Das ist nutzlos und reine Zeitver-
schwendung. 10Wenn jemand unter euch Spaltungen auslöst,
verwarne ihn ein erstes und dann noch ein zweites Mal. Da-
nach gib dich mit dem Betreffenden nicht mehr ab. 11Denn so
ein Mensch hat sich von der Wahrheit abgewandt. Er sündigt
und verurteilt sich damit selbst!

12Ich habe vor, Artemas oder Tychikus zu dir zu schicken.
Sobald einer der beiden bei dir eintrifft, komm so schnell wie
möglich zu mir nach Nikopolis! Ich habe nämlich beschlos-
sen, den Winter dort zu verbringen. 13Sei dem Gesetzeslehrer
Zenas und Apollos bei ihrer Reise behilflich, so gut du nur
kannst. Achte darauf, dass es ihnen an nichts fehlt. 14Denn
die zu uns gehören, sollen kein nutzloses Leben führen, son-
dern lernen, überall dort Gutes zu tun und zu helfen, wo es
nötig ist.

15Alle, die hier bei mir sind, senden Grüße. Bitte grüße auch
alle Gläubigen, die uns lieben, von mir!

Ich wünsche euch allen die Gnade Gottes!

Der Brief an Philemon

Grüße von Paulus

1Dieser Brief stammt von Paulus, der wegen der Verkündi-
gung der Botschaft von Christus Jesus im Gefängnis ist, und
von unserem Bruder Timotheus.

Er richtet sich an Philemon, unseren geliebten Mitarbeiter,
2sowie an unsere Schwester Aphia und an Archippus, unse-
ren Mitstreiter. Darüber hinaus ist der Brief für die Gemeinde
bestimmt, die sich in deinem Haus versammelt.

3Wir wünschen euch Gnade und Frieden von Gott, unserem
Vater, und Jesus Christus, dem Herrn!

Dank und Gebet des Apostels

4Immer, wenn ich für dich bete, Philemon, danke ich meinem
Gott, 5denn ich höre überall von deinem Vertrauen auf Jesus,
den Herrn, und von deiner Liebe zu allen Gläubigen. 6Und ich
bete nun, dass der Glaube, den wir miteinander teilen, in dir
zunimmt, indem du erkennst, wie viel Gutes wir in Christus
haben. 7Deine Liebe hat mir sehr viel Freude und Trost gege-
ben, mein Bruder, denn du erfreust die Herzen der Gläubigen.

Paulus tritt für Onesimus ein

8In Christus hätte ich die Freiheit dir zu befehlen, was sich
eigentlich von selbst versteht. 9Aber wegen deiner Liebe ziehe
ich es vor, dich darum zu bitten. Nimm diese Bitte von deinem
Freund Paulus an, einem alten Mann, der für Christus Jesus
im Gefängnis sitzt.

10Mein Anliegen betrifft Onesimus, der für mich wie ein ei-
gener Sohn ist, weil er durch meinen Dienst hier im Gefängnis
gläubig wurde. 11Onesimus war dir in der Vergangenheit
nicht von Nutzen, doch jetzt ist er es für uns beide! 12Ich schi-
cke ihn zu dir zurück, und mein Herz begleitet ihn.

13Am liebsten hätte ich ihn bei mir behalten, solange ich we-
gen der Verbreitung von Gottes guter Botschaft im Gefängnis
bin, damit er mir an deiner Stelle beisteht. 14Aber ich wollte

nichts ohne deine Zustimmung tun, denn ich will, dass du mir
freiwillig hilfst und nicht, weil du dich gezwungen fühlst.
15Vielleicht kannst du es so sehen: Onesimus lief für eine ge-
wisse Zeit weg, damit du ihn für immer zurückbekommst.
16Er ist jetzt nicht mehr nur ein Sklave, sondern mehr als das,
ein geliebter Bruder, besonders für mich. Nun wird er dir
noch viel mehr bedeuten, nicht nur als Sklave, sondern auch
als ein Bruder im Herrn.

17Wenn du mich nun als Freund ansiehst, dann nimm ihn
genauso herzlich auf, wie du mich aufnehmen würdest!
18Wenn er dir in irgendeiner Weise Schaden zugefügt hat
oder dir etwas schuldig ist, dann setze es auf meine Rech-
nung. 19Ich, Paulus, schreibe dies mit eigener Hand: Ich werde
es bezahlen. Und ich brauche dich nicht daran zu erinnern,
dass du dich selbst mir schuldest. 20Ja, mein Bruder, ich möch-
te mich an dir freuen. Bereite mir diese Freude in Christus!
21Ich vertraue auf deinen Gehorsam und schreibe diesen Brief
in der Zuversicht, dass du meine Bitte erfüllen und sogar noch
mehr tun wirst!

22Bitte halte ein Gästezimmer für mich bereit, denn ich hoffe,
dass Gott eure Gebete erhören und mich bald zu euch zurück-
kehren lassen wird.

Abschließende Grüße

23Epaphras, mein Mitgefangener in Christus Jesus, schickt dir
seine Grüße, 24ebenso meine Mitarbeiter Markus, Aristarch,
Demas und Lukas.

25Die Gnade von Jesus Christus, dem Herrn, begleite euch!

Der Brief an die Hebräer

Jesus Christus ist Gottes Sohn

1 1Vor langer Zeit hat Gott oft und auf verschiedene Weise
durch die Propheten zu unseren Vorfahren gesprochen,
2doch in diesen letzten Tagen sprach er durch seinen Sohn zu
uns. Durch ihn hat er das ganze Universum und alles, was
darin ist, geschaffen, und er hat ihn zum Erben über alles ein-
gesetzt. 3Der Sohn spiegelt die Herrlichkeit Gottes wider, und
alles an ihm ist ein Ausdruck des Wesens Gottes. Er erhält das
Universum durch die Macht seines Wortes. Nachdem er uns
durch seinen Tod von unseren Sünden gereinigt hat, setzte er
sich auf den Ehrenplatz an der rechten Seite des herrlichen
Gottes im Himmel.

Christus ist höher als die Engel

4Gottes Sohn ist weit mächtiger als die Engel, so wie auch der
Name, den Gott ihm gab, viel erhabener ist als ihre Namen.
5Denn Gott hat zu keinem Engel gesagt, was er zu Jesus sagte:
»Du bist mein Sohn. Heute habe ich dich gezeugt.« Und wei-
ter sagte Gott: »Ich werde sein Vater sein und er wird mein
Sohn sein.«

6Und als Gott der Welt seinen erstgeborenen Sohn zeigte,
sprach er: »Alle Engel Gottes sollen ihn anbeten.«

7Von den Engeln heißt es: »Er macht seine Engel zu Winden
und seine Diener zu Feuerflammen.«

8Aber zu seinem Sohn spricht er: »Dein Thron, o Gott, steht
für immer und ewig. Die Herrschaft deines Reiches ist eine
gerechte Herrschaft. 9Du liebst das Recht und hasst das Un-
recht. Deshalb, o Gott, hat dein Gott dich gesalbt und das Öl
der Freude über dich ausgegossen, reichlicher als über alle
anderen.«

10Und: »Herr, am Anfang hast du das Fundament der Erde
gelegt, der Himmel ist das Werk deiner Hände. 11Sie werden
vergehen, aber du bleibst ewig. Sie werden veralten wie ein
Gewand. 12Du wirst sie wechseln wie ein Kleidungsstück,

und sie werden fort sein. Doch du bleibst für immer und ewig
derselbe; deine Jahre haben kein Ende.«
13Und Gott hat nie zu einem Engel gesagt: »Setze dich auf
den Ehrenplatz zu meiner Rechten, bis ich deine Feinde de-
mütige und sie zum Schemel unter deinen Füßen mache.«
14Denn Engel sind nur Diener. Sie sind Geister, die Gott als
Helfer zu denen sendet, welche die Rettung erben werden.

Nicht von der Wahrheit abweichen

2 1Deshalb müssen wir sorgfältig auf das achten, was wir
gehört haben, damit wir das Ziel nicht verfehlen. 2Das
Wort, das uns Gott durch Engel verkündete, hat sich immer
als wahr erwiesen, und jede Übertretung und jeder Ungehor-
sam wurde bestraft. 3Wie können wir da meinen, wir könnten
davonkommen, wenn wir der Botschaft von unserer Rettung
gegenüber gleichgültig bleiben, die durch Jesus, den Herrn,
selbst verkündet wurde? Sie wurde uns von denen bezeugt,
die seine Worte hörten, 4und Gott selbst bestätigte die Bot-
schaft durch Zeichen und Wunder und viele Beweise seiner
Macht und durch die Gaben des Heiligen Geistes, die er nach
seinem Willen schenkte.

Jesus, der Mensch

5Außerdem sind es nicht die Engel, denen er die zukünftige
Welt, von der wir hier sprechen, unterstellt hat. 6Denn an ei-
ner Stelle in der Schrift heißt es:
»Was ist der Mensch, dass du an ihn denken, und der Sohn
des Menschen, dass du für ihn sorgen solltest? 7Für eine kurze
Zeit hast du ihn geringer als die Engel gemacht und hast ihn
mit Herrlichkeit und Ehre gekrönt. 8Du hast ihm Vollmacht
über alles gegeben.«
Wenn er ihm Macht über alles gegeben hat, dann gibt es
nichts, worüber er nicht herrscht. Aber noch sehen wir das
alles nicht. 9Doch Jesus sehen wir, der für eine kurze Zeit ge-
ringer als die Engel gemacht wurde und nun mit Herrlichkeit
und Ehre gekrönt ist, weil er für uns den Tod auf sich nahm.
Durch die Gnade Gottes hat Jesus für alle Menschen auf der

ganzen Welt den Tod erlitten.
10Denn Gott, für den alles erschaffen wurde und der alles erschuf, will seine Herrlichkeit mit vielen Kindern teilen. Doch damit Jesus ihre Rettung bewirken konnte, musste Gott ihn durch sein Leiden vollkommen machen.

11So haben nun Jesus und alle, die er heiligt, denselben Vater. Deshalb schämt sich Jesus nicht, sie seine Brüder zu nennen.
12Denn er sprach zu Gott: »Ich will meinen Brüdern deinen Namen verkünden. Ich will dich vor der ganzen Gemeinde ehren.«

13Er sagt auch: »Ich will Gott vertrauen.« Und weiter: »Hier bin ich, zusammen mit den Kindern, die Gott mir gegeben hat.«

14Da Gottes Kinder Menschen aus Fleisch und Blut sind, wurde auch Jesus als Mensch geboren. Denn nur so konnte er durch seinen Tod die Macht des Teufels brechen, der Macht über den Tod hatte.
15Nur so konnte er die befreien, die ihr Leben lang Sklaven ihrer Angst vor dem Tod waren.

16Wir wissen ja, dass Jesus kam, um den Nachkommen Abrahams zu helfen, nicht den Engeln.
17Deshalb musste er in allem seinen Brüdern gleich werden, damit er vor Gott unser barmherziger und treuer Hoher Priester werden konnte, um durch sein Opfer die Menschen von ihrer Schuld zu befreien.
18Da er selbst gelitten und Versuchungen erfahren hat, kann er denen helfen, die in Versuchungen geraten.

Jesus ist größer als Mose

3 1Deshalb, liebe Freunde, die ihr Gott gehört und an der himmlischen Berufung teilhabt, denkt über diesen Jesus nach, den wir bekennen als Gesandten und Hohen Priester Gottes.
2Denn er war Gott treu, der ihn gesandt hat, genauso wie Mose ein treuer Diener war für das ganze Haus Gottes, sein Volk.
3Doch Jesus steht weit mehr Ehre zu als Mose, so wie dem Erbauer eines Hauses mehr Ehre zukommt als dem Haus.
4Denn jedes Haus hat einen, der es baut, aber Gott ist der, der alles geschaffen hat.

[5]Mose war ein treuer Diener im Haus Gottes, und sein Bei-
spiel bezeugte alles, was später von Gott offenbart werden
sollte. [6]Christus dagegen, der Sohn, wurde über das ganze
Haus Gottes gesetzt. Gottes Haus sind wir, wenn wir zuver-
sichtlich bleiben und an unserer Hoffnung auf Christus fest-
halten. [7]Deshalb spricht der Heilige Geist:

»Heute sollt ihr auf seine Stimme hören. [8]Verschließt eure
Herzen nicht gegen ihn, wie die Israeliten es taten, als sie sich
auflehnten am Tag der Versuchung in der Wüste. [9]Dort haben
eure Vorfahren meine Geduld auf die Probe gestellt, obwohl
sie vierzig Jahre Zeugen meiner Wunder gewesen waren!
[10]Deshalb war ich zornig auf sie und sagte: ›Ständig kehren
ihre Herzen sich von mir ab. Sie weigern sich zu tun, was ich
ihnen sage.‹ [11]Deshalb schwor ich in meinem Zorn: ›Niemals
werden sie meine Ruhe finden.‹«

[12]Achtet deshalb darauf, liebe Freunde, dass eure Herzen
nicht böse und ungläubig sind und ihr euch damit vom leben-
digen Gott abwendet. [13]Ermutigt einander jeden Tag, solange
es »Heute« heißt, damit keiner von euch von der Sünde über-
listet wird und hart wird gegen Gott! [14]Denn wenn wir bis
zum Ende treu bleiben und Gott genauso fest vertrauen wie
in der ersten Zeit unseres Glaubens, wird Christus uns an al-
lem Anteil geben. [15]Aber vergesst nicht das Wort der Schrift:
»Heute sollt ihr auf seine Stimme hören. Verschließt eure Her-
zen nicht gegen ihn, wie die Israeliten es taten, als sie sich
auflehnten.«

[16]Wer waren diese Menschen, die sich gegen Gott auflehn-
ten, obwohl sie seine Stimme gehört hatten? Waren es nicht
dieselben, die Mose aus Ägypten herausgeführt hatte? [17]Und
wer weckte vierzig Jahre lang immer wieder Gottes Zorn?
Waren es nicht dieselben, die gesündigt hatten, deren Körper
tot in der Wüste lagen? [18]Und zu wem sprach Gott, als er
schwor, dass sie seine Ruhe niemals finden sollten? Er sprach
zu denen, die ihm ungehorsam gewesen waren. [19]Wir sehen
also, dass sie wegen ihres Unglaubens seine Ruhe nicht finden
konnten.

Die verheißene Ruhe für Gottes Volk

4 1Wir sollten vor Furcht zittern bei dem Gedanken, dass
einige von euch dieses Ziel nicht erreichen. Achtet darauf,
dass dies nicht geschieht, solange die Zusage noch immer gilt,
dass wir seine Ruhe finden können. 2Denn diese gute Bot-
schaft wurde uns genauso verkündet wie ihnen. Aber sie
nützte ihnen nichts, weil sie nicht glaubten, was Gott ihnen
sagte. 3Denn nur wir, die wir zum Glauben gefunden haben,
werden zur Ruhe Gottes gelangen. Über diejenigen, die nicht
geglaubt haben, sagte Gott: »Deshalb schwor ich in meinem
Zorn: ›Sie sollen meine Ruhe niemals finden‹«, obwohl diese
Ruhe bestand, seit er die Welt erschaffen hatte. 4Das wissen
wir, weil die Schrift über den siebten Schöpfungstag sagt:
»Am siebten Tag ruhte Gott von seiner Arbeit aus.« 5Doch an
anderer Stelle spricht Gott: »Sie sollen niemals meine Ruhe
finden.« 6Es bleibt also dabei, dass es eine Ruhe gibt, welche
die Menschen finden können. Die aber, die früher diese Bot-
schaft hörten, haben sie nicht gefunden, weil sie Gott nicht
gehorchten. 7Deshalb hat Gott einen neuen Zeitpunkt fest-
gelegt, ein neues »Heute«. Davon hat Gott nach so langer
Zeit durch David gesprochen; es sind die schon bekannten
Worte:

»Heute sollt ihr auf seine Stimme hören. Verschließt eure
Herzen nicht gegen ihn.«

8Mit dieser Ruhe war nicht das Land Kanaan gemeint, in das
Josua das Volk Israel geführt hatte, denn sonst hätte Gott spä-
ter nicht von einem neuen »Heute« gesprochen. 9Es gibt also
noch eine besondere Ruhe für das Volk Gottes, die noch in der
Zukunft liegt. 10Wer in Gottes Ruhe hineingekommen ist,
wird sich von seiner Arbeit ausruhen, so wie auch Gott nach
der Erschaffung der Welt geruht hat. 11Deshalb wollen wir
uns bemühen, in diese Ruhe hineinzukommen, um nicht wie
sie durch den gleichen Ungehorsam vom Weg abzukommen.

12Das Wort Gottes ist lebendig und wirksam. Es ist schärfer
als das schärfste Schwert und durchdringt unsere innersten
Gedanken und Wünsche. Es deckt auf, wer wir wirklich sind,
und macht unser Herz vor Gott offenbar. 13Nichts in der gan-

zen Schöpfung ist vor ihm verborgen. Alles ist nackt und bloß
vor den Augen Gottes, dem wir für alles Rechenschaft able-
gen müssen.

Christus ist unser Hoher Priester

14Da wir nun einen großen Hohen Priester haben, der durch
den Himmel gegangen ist – Jesus, den Sohn Gottes –, wollen
wir an unserem Bekenntnis zu ihm festhalten. 15Dieser Hohe
Priester versteht unsere Schwächen, weil ihm dieselben Ver-
suchungen begegnet sind wie uns, doch er wurde nicht schul-
dig. 16Lasst uns deshalb zuversichtlich vor den Thron unseres
gnädigen Gottes treten. Dort werden wir Barmherzigkeit
empfangen und Gnade finden, die uns helfen wird, wenn
wir sie brauchen.

5 1Die Aufgabe eines Hohen Priesters ist es, andere Men-
schen vor Gott zu vertreten. Er bringt Gott ihre Gaben
und die Opfer für ihre Sünden dar. 2Er ist nachsichtig mit
den Menschen, auch wenn sie unwissend sind und vom rich-
tigen Weg abkommen, denn er ist denselben Schwächen un-
terworfen wie sie. 3Deshalb muss er nicht nur für ihre, son-
dern auch für seine eigenen Sünden Opfer darbringen.
4Niemand kann Hoher Priester werden, indem er für sich
selbst diese Würde in Anspruch nimmt. Er muss wie Aaron
von Gott zu diesem Dienst berufen werden.

5So hat auch Christus sich nicht selbst erhöht, um Hoher
Priester zu werden. Nein, er wurde von Gott erwählt, der zu
ihm sprach: »Du bist mein Sohn. Heute habe ich dich ge-
zeugt.«

6Und an anderer Stelle sprach Gott zu ihm: »Du bist für im-
mer Priester nach der Ordnung Melchisedeks.«

7Solange Jesus hier auf der Erde lebte, hat er mit lautem
Schreien und unter Tränen seine Gebete und Bitten an den
einen gerichtet, der ihn aus dem Tod befreien konnte. Und
weil er große Ehrfurcht hatte vor Gott, wurde er erhört. 8Ob-
wohl Jesus der Sohn Gottes war, lernte er doch durch sein
Leiden, gehorsam zu sein. 9Auf diese Weise machte Gott ihn

vollkommen, und er wurde der Begründer einer ewigen Ret-
tung für alle, die ihm gehorchen. 10Und Gott ernannte ihn
zum Hohen Priester nach der Ordnung Melchisedeks.

Geistliches Wachstum

11Es gibt noch so vieles, das wir darüber gern sagen würden,
aber ihr seid so schlechte Zuhörer geworden, sodass man
euch dies alles nur schwer verständlich machen kann. 12Ihr
seid nun schon so lange Christen und solltet eigentlich andere
lehren. Stattdessen braucht ihr jemanden, der euch noch ein-
mal die Grundlagen von Gottes Wort beibringt. Ihr seid wie
Säuglinge, die nur Milch trinken, aber keine feste Nahrung
essen können. 13Ein Mensch aber, der sich von Milch ernährt,
ist im Leben noch nicht sehr weit fortgeschritten und versteht
nicht viel davon, was es heißt, das Richtige nach Gottes Wort
zu tun. 14Feste Nahrung dagegen ist für die Menschen, die
erwachsen und reif sind, die aufgrund ihrer Erfahrung gelernt
haben, zwischen Gut und Böse zu unterscheiden.

6 1Lasst uns daher aufhören, ständig die Grundaussagen
der Lehre von Christus zu wiederholen. Wir wollen viel-
mehr weitergehen und im Verständnis reifer werden. Wir
müssen doch nicht immer wieder neu erklären, wie wichtig
es ist, dass wir von allen bösen Taten umkehren und an Gott
glauben. 2Ihr braucht keine weitere Unterweisung über die
Taufe, die Handauflegung, die Auferstehung von den Toten
und das ewige Gericht. 3Wenn Gott es so will, schreiten wir
weiter voran. 4Denn es ist unmöglich, Menschen, die einmal
erleuchtet worden sind – Menschen also, welche die guten
Gaben des Himmels zu spüren bekamen, Anteil am Heiligen
Geist erhielten, 5die Güte des Wortes Gottes erfahren und die
Macht der zukünftigen Welt kennengelernt haben – 6und sich
dann doch von Gott abwandten, wieder zur Umkehr zu be-
wegen und ihr Leben dadurch zu erneuern. Denn sie nageln
den Sohn Gottes erneut ans Kreuz und verspotten ihn.

7Wenn die Erde den Regen aufnimmt, der auf sie fällt, und
dem Bauern gute Ernte bringt, so empfängt sie Segen von
Gott. 8Doch wenn ein Feld Disteln und Dornen trägt, ist es

nutzlos. Der Bauer wird dieses Feld verfluchen und es ab-
brennen.
9Liebe Freunde, auch wenn wir so reden, glauben wir doch
nicht, dass das auf euch zutrifft. Wir sind überzeugt, dass ihr
besser dran seid und gerettet werdet. 10Gott ist nicht unge-
recht. Er wird nicht vergessen, wie ihr für ihn gearbeitet und
eure Liebe zu ihm bewiesen habt und weiter beweist durch
eure Fürsorge für andere, die auch zu Gott gehören. 11Wir
wünschen uns deshalb sehr, dass ihr bis zum Ende diesen
Eifer behaltet, damit ihr voller Zuversicht an der Hoffnung
festhalten könnt, die Gott euch gab. 12Dann werdet ihr auch
nicht träge oder gleichgültig werden, sondern dem Beispiel
derer folgen, die aufgrund ihres Glaubens und ihrer Geduld
die Zusagen Gottes empfangen.

Gottes Zusage weckt Hoffnung

13Denkt an Gottes Zusage, die er Abraham gab. Weil Gott bei
keinem Größeren schwören konnte, schwor er bei seinem ei-
genen Namen und sagte: 14»Ich werde dich reich segnen, und
deine Nachkommen sollen zahllos sein.«
15Danach wartete Abraham geduldig und empfing schließ-
lich, was Gott ihm versprochen hatte.
16Wer einen Eid leistet, schwört bei einem Größeren, dass er
diesen Eid halten wird, und ein solcher Eid ist ohne Zweifel
gültig. 17Auch Gott verpflichtete sich mit einem Eid, damit die
Empfänger dieser Zusage vollkommen sicher sein konnten,
dass sie unabänderlich war. 18Gott gab uns also sowohl seine
Zusage als auch seinen Eid, die beide unabänderlich sind,
weil Gott nicht lügt. Das ist für uns, die wir bei ihm Zuflucht
gesucht haben, eine große Ermutigung, denn wir wollen ja
das vor uns liegende Ziel, die Erfüllung der Hoffnung, errei-
chen.
19Diese Zuversicht ist wie ein starker und vertrauenswürdi-
ger Anker für unsere Seele. Sie reicht hinter den Vorhang des
Himmels bis in das Innerste des Heiligtums Gottes. 20Dorthin
ist Jesus uns bereits vorausgegangen. Er ist unser ewiger Ho-
her Priester nach der Ordnung Melchisedeks geworden.

Melchisedek und Abraham

7 1 Dieser Melchisedek war König der Stadt Salem und ein
Priester Gottes, des Höchsten. Als Abraham heimkehrte,
nachdem er in einer großen Schlacht mehrere Könige besiegt
hatte, zog Melchisedek ihm entgegen und segnete ihn. 2 Da
nahm Abraham den zehnten Teil von allem, was er erbeutet
hatte, und gab ihn Melchisedek. Melchisedek bedeutet »Kö-
nig der Gerechtigkeit« und auch »König des Friedens«, denn
Salem bedeutet Frieden. 3 Es gibt keinen Hinweis auf seinen
Vater, seine Mutter oder irgendeinen seiner Vorfahren, weder
auf den Anfang noch das Ende seines Lebens. Er gleicht darin
dem Sohn Gottes und bleibt für immer Priester.

4 Seht doch, wie groß dieser Melchisedek war. Selbst Abra-
ham, der Stammvater Israels, gab ihm den zehnten Teil seiner
Beute. 5 Nun haben die Priester aus der Nachkommenschaft
Levis nach dem Gesetz den Auftrag, vom ganzen Volk den
zehnten Teil zu erheben, obwohl es ihre eigenen Brüder sind
und Nachkommen Abrahams wie sie. 6 Melchisedek aber, der
nicht einmal mit Levi verwandt war, erhielt von Abraham
ebenfalls den zehnten Teil. Und Melchisedek segnete Abra-
ham, einen Mann, der bereits die Zusagen Gottes empfangen
hatte. 7 Dabei ist zweifellos derjenige, der segnet, größer als
derjenige, der gesegnet wird.

8 Im Fall der Leviten sind es sterbliche Menschen, die den
zehnten Teil empfangen. Doch Melchisedek ist größer als sie,
denn es wird uns gesagt, dass er weiterlebt. 9 Man könnte so-
gar sagen, dass Levi selbst – der doch eigentlich den Zehnten
erhebt – durch Abraham den zehnten Teil an Melchisedek ab-
gab. 10 Levi war damals zwar noch nicht geboren, aber Abra-
ham war sein Vater, und so war er bei ihm, als Melchisedek
den zehnten Teil von ihm erhielt.

11 Hätte nun das Priestertum Levis den Plan Gottes erfüllt –
und das Gesetz beruhte ja auf diesem Priestertum –, warum
hätte Gott dann noch einen anderen Priester senden sollen,
der zur Ordnung Melchisedeks gehört und nicht ein Priester
war wie Aaron?

12 Wenn nun aber die priesterliche Ordnung verändert wird,

muss auch das ganze Gesetz entsprechend geändert werden.
[13]Denn der, von dem wir reden, gehört zu einem anderen
Stamm, dessen Angehörige nie am Altar dienten. [14]Unser
Herr kam ja aus dem Stamm Juda, doch Mose hat Juda nie in
Verbindung mit dem Priestertum erwähnt.

Christus ist wie Melchisedek

[15]Die Änderung im Gesetz Gottes wird dadurch noch deutlicher, dass nun ein anderer Priester gekommen ist, der Melchisedek gleicht.
[16]Er wurde nicht Priester, weil er die frühere
Bedingung der Zugehörigkeit zum Stamm Levi erfüllte, sondern durch die Kraft eines unzerstörbaren Lebens.
[17]Genau
das wird auch über Christus in der Schrift bezeugt: »Du bist
für immer Priester nach der Ordnung Melchisedeks.«

[18]Die frühere Bedingung für das Priestertum wurde dadurch aufgehoben, weil sie schwach und nutzlos war.
[19]Denn
das Gesetz machte nichts vollkommen. Nun ist eine bessere
Hoffnung an seine Stelle getreten. Und sie zeigt einen Weg,
auf dem wir zu Gott kommen.

[20]Gott hat Jesus durch einen Eid in seinem Priesteramt bestätigt; bei keinem Priester vor ihm hatte es so einen Eid gegeben.
[21]Nur zu Jesus sprach Gott: »Der Herr hat einen Eid geschworen und wird ihn nicht brechen: ›Du bist für immer
Priester.‹«
[22]So ist Jesus der Garant eines besseren Bundes geworden.

[23]Ein weiterer Unterschied besteht darin, dass es nach der
alten Ordnung viele Priester gab, denn wenn ein Priester
starb, musste ein anderer seinen Platz einnehmen.
[24]Jesus dagegen bleibt für immer Priester; sein Priestertum wird nie enden.
[25]Deshalb kann er auch für immer alle retten, die durch
ihn zu Gott kommen. Er lebt ewig und wird vor Gott für sie
eintreten.

[26]Er ist ein Hoher Priester, wie wir ihn nötig haben, denn er
ist heilig, ohne jede Schuld und unberührt von der Sünde. Er
wurde von den sündigen Menschen getrennt und hat den
höchsten Ehrenplatz im Himmel erhalten.
[27]Er braucht nicht
täglich Opfer zu bringen, wie es die anderen Hohen Priester

zunächst für ihre eigenen Sünden und dann für die Sünden
des Volkes tun mussten, sondern er tat dies ein für alle Mal, als
er sich selbst am Kreuz opferte. 28Diejenigen, die unter dem
Gesetz als Hohe Priester eingesetzt wurden, waren Menschen
mit menschlichen Schwächen. Doch nachdem das Gesetz ge-
geben worden war, setzte Gott mit einem Eid seinen Sohn ein,
und dieser Sohn wurde auf ewig vollkommen.

Christus ist unser Hoher Priester

8 1Das Wichtigste aber ist: Unser Hoher Priester hat sich auf
den höchsten Ehrenplatz im Himmel gesetzt, an Gottes
rechte Seite. 2Dort dient er im Zelt, dem wahren Heiligtum,
das vom Herrn und nicht von Menschen errichtet wurde.

3Und da jeder Hohe Priester dazu eingesetzt ist, Gaben und
Opfer darzubringen, muss auch unser Hoher Priester etwas
haben, das er Gott opfern kann. 4Wäre er hier auf der Erde,
dann wäre er nicht einmal ein Priester, weil es ja schon Pries-
ter gibt, welche die Opfer darbringen, die das Gesetz verlangt.
5Sie dienen in einem Heiligtum, das nur ein Abbild, nur ein
Schatten des wahren Heiligtums im Himmel ist. Denn als
Mose daran ging, das Zelt Gottes zu errichten, warnte Gott
ihn: »Achte darauf, dass du alles ganz genau nach dem Ent-
wurf machst, der dir hier auf dem Berg gezeigt worden ist.«
6Der Hohe Priester, von dem wir sprechen, hat dagegen ein
weit höheres Amt erhalten, weil er der Vermittler eines bes-
seren Bundes mit Gott ist, welcher auf besseren Zusagen be-
ruht.

7Hätte der erste Bund keine Mängel gehabt, wäre es nicht
nötig gewesen, ihn durch einen zweiten zu ersetzen. 8Aber
Gott tadelte sein Volk und sagte: »Es wird ein Tag kommen,
spricht der Herr, an dem ich einen neuen Bund mit dem Volk
Israel und mit dem Volk Juda schließen werde. 9Dieser Bund
wird nicht so sein wie der, den ich mit ihren Vorfahren
schloss, als ich sie an der Hand nahm und aus Ägypten führte.
Sie sind meinem Bund nicht treu geblieben, deshalb habe ich
mich von ihnen abgewandt, spricht der Herr. 10Doch dies ist
der neue Bund, den ich an jenem Tag mit dem Volk Israel

schließen werde, spricht der Herr: Ich werde ihr Denken mit
meinem Gesetz füllen, und ich werde es in ihr Herz schreiben.
Ich werde ihr Gott sein und sie werden mein Volk sein. [11]Und
keiner wird mehr seinen Mitbürger oder Bruder belehren
müssen: ›Du musst den Herrn erkennen.‹ Denn jeder, vom
Kleinen bis zum Großen, wird mich bereits kennen. [12]Und
ich werde ihr Unrecht vergeben und nie wieder an ihre Sün-
den denken.«

[13]Wenn Gott von einem neuen Bund spricht, bedeutet dies,
dass er den ersten für veraltet erklärt. Der alte Bund ist damit
überholt, und sein Ende steht bevor.

Der Gottesdienst des ersten Bundes

9 [1]Nun gab es in diesem ersten Bund zwischen Gott und
Israel Bestimmungen für den Gottesdienst und ein heili-
ges Zelt hier auf der Erde. [2]Dieses Zelt hatte zwei Räume. Im
ersten befanden sich ein Leuchter, ein Tisch und auf dem
Tisch heilige Brote; dieser Raum wurde Heiligtum genannt.
[3]Dann gab es einen Vorhang und hinter dem Vorhang lag der
zweite Raum, der das Allerheiligste genannt wurde. [4]In die-
sem Raum befanden sich ein goldener Räucheraltar und eine
hölzerne Truhe – Bundeslade genannt –, die ringsum vergol-
det war. Die Truhe enthielt ein goldenes Gefäß mit etwas
Manna, den Stab Aarons, der Triebe bekommen hatte, und
die Steintafeln des Bundes mit den Geboten. [5]Herrliche Che-
rubim befanden sich oberhalb der Bundeslade. Ihre Flügel
waren über den Deckel der Bundeslade, den Ort der Versöh-
nung, ausgebreitet. Aber wir können diese Dinge jetzt nicht
alle im Einzelnen erklären.

[6]Als alles an seinem Platz stand, gingen die Priester regel-
mäßig im ersten Raum des Zeltes ein und aus und erfüllten
ihren Dienst. [7]Doch nur der Hohe Priester betrat das Aller-
heiligste, und das auch nur einmal im Jahr und immer mit
Blut von Opfertieren, das er für sich und für die Sünden des
Volkes darbrachte, die es aus Unwissenheit begangen hat.
[8]Durch diese Bestimmungen zeigte der Heilige Geist, dass
dem Volk der Weg zum Allerheiligsten noch nicht offen

stand, solange der erste Raum des Zeltes noch Bestand hat-
te.
[9]Dies ist ein Gleichnis für unsere Gegenwart: Die Gaben und
Opfer der Priester können das Gewissen der Menschen, die
sie darbringen, letztlich nicht von Schuld befreien. [10]Denn die-
se alten Satzungen beziehen sich nur auf Essen und Trinken
und rituelle Waschungen – auf äußere Bestimmungen, die nur
gelten, bis eine neue Ordnung kommt, die besser ist.

Christus ist das vollkommene Opfer

[11]So ist Christus nun der Hohe Priester für all das Gute gewor-
den, das gekommen ist. Er hat das große, vollkommene Hei-
ligtum im Himmel betreten, das nicht von Menschen erbaut
wurde und nicht Teil dieser Schöpfung ist. [12]Ein einziges Mal
brachte er Blut in jenes Allerheiligste, aber nicht das Blut von
Böcken und Kälbern, sondern sein eigenes Blut, durch das er
uns die Rettung brachte, die für alle Zeiten gilt.
[13]Früher konnte die Besprengung mit dem Blut von Böcken
und Stieren oder mit der Asche einer jungen Kuh den Körper
des Menschen von ritueller Unreinheit reinigen. [14]Wie viel
mehr kann dann das Blut des Christus bewirken, denn durch
die Kraft von Gottes ewigem Geist brachte Christus sich selbst
Gott als vollkommenes Opfer für unsere Sünden dar. Er be-
freit unser Gewissen, indem er uns freispricht von unseren
Taten, für die wir den Tod verdienen. Nun können wir dem
lebendigen Gott dienen. [15]Aus diesem Grund ist er der Ver-
mittler eines neuen Bundes zwischen Gott und den Men-
schen, damit alle, die dazu berufen sind, das ewige Erbe emp-
fangen können, das Gott ihnen versprochen hat. Denn Chris-
tus starb, um sie von der Strafe für die Sünden zu befreien, die
sie zur Zeit des ersten Bundes begangen hatten.
[16]Wenn nun jemand stirbt und ein Testament hinterlässt, be-
kommt niemand etwas, bevor nicht bewiesen ist, dass der
Verfasser dieses Testaments wirklich tot ist. [17]Das Testament
tritt erst nach dem Tod dessen in Kraft, der es geschrieben hat.
Solange er noch lebt, kann niemand es für sich in Anspruch
nehmen.

18Deshalb musste der erste Bund mit Blut als Beweis für den
Tod besiegelt werden. 19Denn nachdem Mose dem Volk das
ganze Gesetz Gottes gegeben hatte, nahm er das Blut von Käl-
bern und Böcken zusammen mit Wasser und besprengte das
Buch des Gesetzes Gottes und das ganze Volk mithilfe
von Ysopzweigen und scharlachroter Wolle. 20Dann sagte er:
»Dieses Blut besiegelt den Bund, den Gott mit euch geschlos-
sen hat.« 21Und in derselben Weise besprengte er das heilige
Zelt und alles, was für den Gottesdienst gebraucht wurde.
22Letztlich können wir sagen, dass nach dem Gesetz fast alles
durch Besprengung mit Blut gereinigt wurde. Ohne Blutver-
gießen gibt es keine Vergebung der Sünden.

23Deshalb musste das irdische Zelt und alles, was es ent-
hielt – die Abbilder dessen, was im Himmel ist –, durch das
Blut von Tieren gereinigt werden. Was aber wirklich im Him-
mel ist, muss durch bessere Opfer als das Blut von Tieren ge-
reinigt werden.

24Denn Christus ging in den Himmel selbst, um nun für uns
vor Gott einzutreten. Er betrat nicht das irdische Heiligtum,
denn dies war nur ein Abbild des wahren Tempels im Him-
mel. 25Er ging auch nicht in den Himmel, um sich immer wie-
der selbst zu opfern, wie die irdischen Priester, die Jahr für
Jahr das Heiligtum betreten, um das Blut von Tieren zu op-
fern. 26Wenn das nötig gewesen wäre, hätte er seit Erschaf-
fung der Welt immer wieder sterben müssen. Er kam ein für
alle Mal am Ende der Zeiten, um die Macht der Sünde durch
seinen Opfertod für uns zu brechen.

27Und genauso, wie es bestimmt ist, dass jeder Mensch nur
einmal stirbt, worauf das Gericht folgt, 28genauso starb auch
Christus nur einmal als Opfer, um die Sünden vieler Men-
schen wegzunehmen. Er wird wiederkommen, aber nicht
noch einmal wegen unserer Schuld, sondern er wird all denen
Rettung bringen, die sehnsüchtig auf seine Rückkehr warten.

Das Opfer von Christus

10 1Das Gesetz brachte also nur einen Schatten des Zu-
künftigen und nicht die Wirklichkeit der himmlischen

Güter. Die Opfer wurden Jahr für Jahr wiederholt, doch sie
konnten denen, die zur Anbetung kamen, keine vollkommene
Reinigung schenken. 2Wäre dies der Fall gewesen, dann hätte
es keine Opfer mehr gegeben, denn die Opfernden wären ein
für alle Mal gereinigt gewesen, und sie hätten ein reines Gewissen.

3Doch das Gegenteil geschah. Die jährlichen Opfer erinnerten sie Jahr für Jahr erneut an ihre Sünden. 4Denn das Blut von
Stieren und Böcken kann keine Sünden fortnehmen. 5Deshalb
sprach Christus, als er in die Welt kam: »Du wolltest keine
Opfer und keine Gaben, doch du hast mir einen Leib gegeben.
6Du hattest keine Freude an Brandopfern oder an anderen
Sündopfern. 7Da sprach ich: ›Sieh her, ich bin gekommen,
um deinen Willen zu erfüllen, o Gott – so wie es in deinem
Buch über mich geschrieben steht.‹«

8Christus sagte: »Du wolltest keine Opfer und keine Gaben
und keine Brandopfer und keine anderen Sündopfer, noch
hattest du Freude daran«, obwohl sie nach dem Gesetz gefordert waren. 9Und er fügte hinzu: »Sieh her, ich bin gekommen,
um deinen Willen zu tun.« Er hebt den ersten Bund auf, um
den zweiten einzusetzen. 10Und Gott will, dass wir durch das
Opfer des Leibes von Jesus Christus ein für alle Mal geheiligt
werden.

11Sonst steht der Priester Tag für Tag vor dem Altar und
bringt Opfer dar, die niemals Sünden wegnehmen können.
12Dieser Hohe Priester dagegen brachte sich selbst Gott als
ein Sündopfer dar, das für alle Zeit wirksam ist. Dann setzte
er sich auf den höchsten Ehrenplatz an Gottes rechter Seite.
13Dort wartet er, bis seine Feinde zu einem Schemel unter
seinen Füßen erniedrigt werden. 14Denn durch dieses eine
Opfer hat er alle, die er heiligt, für immer vollkommen gemacht.

15Auch der Heilige Geist versichert uns das. Er sagt: 16»Dies
ist der neue Bund, den ich an jenem Tag mit dem Volk Israel
schließen werde«, spricht der Herr: »Ich werde ihr Denken
mit meinem Gesetz füllen, und ich werde es in ihr Herz schreiben.« 17Und er fügt hinzu: »Und ich werde nie wieder an ihr

Unrecht und ihre Sünden denken.« 18Wenn Sünden vergeben
worden sind, ist es nicht mehr notwendig, Opfer zu bringen.

Eine Aufforderung zur Geduld

19Deshalb, liebe Freunde, können wir jetzt zuversichtlich in
das Allerheiligste des Himmels hineingehen, denn das Blut
von Jesus hat uns den Weg geöffnet. 20Das ist der neue, leben-
dige Weg durch den Vorhang, den Christus durch seinen Tod
für uns eröffnet hat.

21Da wir also einen großen Hohen Priester haben, der über
das Volk Gottes eingesetzt ist, 22wollen wir mit aufrichtigem
Herzen in die Gegenwart Gottes treten und ihm ganz und gar
vertrauen. Denn unsere Herzen wurden mit dem Blut von
Christus besprengt, um unser Gewissen von Schuld zu rei-
nigen, und unsere Körper sind mit reinem Wasser gewaschen!

23Deshalb wollen wir weiter an der Hoffnung festhalten, die
wir bekennen, denn Gott steht treu zu seinen Zusagen.
24Spornt euch gegenseitig zu Liebe und zu guten Taten an.
25Und lasst uns unsere Zusammenkünfte nicht versäumen,
wie einige es tun, sondern ermutigt und ermahnt einander,
besonders jetzt, da der Tag seiner Wiederkehr näher rückt!

26Denn wenn wir bewusst weiter sündigen, nachdem wir
mit Gottes Hilfe die Wahrheit erkannt haben, gibt es kein an-
deres Opfer mehr für diese Sünden. 27Dann bleibt nur noch
das furchtbare Warten auf das göttliche Gericht und das wü-
tende Feuer, das seine Feinde verzehren wird. 28Jeder, der sich
weigerte, das Gesetz des Mose zu befolgen, wurde auf die
Aussage von zwei oder drei Zeugen hin getötet. 29Wie viel
schrecklicher wird die Bestrafung für den ausfallen, der den
Sohn Gottes mit Füßen tritt, das Blut des Bundes verachtet,
durch das er geheiligt wurde, und den Heiligen Geist ver-
höhnt, ohne den er Gottes Gnade nicht erkannt hätte. 30Denn
wir kennen den, der gesagt hat: »Ich will Rache nehmen. Ich
will Vergeltung üben an denen, die es verdienen.« Er sagte
auch: »Der Herr wird sein Volk richten.«

31Es ist schrecklich, in die Hände des lebendigen Gottes zu
fallen.

32Erinnert euch an die Zeit, als ihr die Wahrheit Gottes gera-
de erst erkannt hattet: Damals musstet ihr viel ertragen, aber
ihr habt geduldig durchgehalten. 33Manchmal wurdet ihr in
aller Öffentlichkeit verspottet und misshandelt; manchmal
habt ihr anderen geholfen, denen es so erging. 34Ihr habt mit
denen mitgelitten, die im Gefängnis waren. Als man euch eu-
ren Besitz wegnahm, habt ihr das voller Freude hingenom-
men, denn ihr wusstet ja, dass ihr etwas Besseres besitzt, das
ihr nie verlieren werdet.

35Werft dieses Vertrauen auf den Herrn nicht weg, was im-
mer auch geschieht, sondern denkt an die große Belohnung,
die damit verbunden ist! 36Was ihr jetzt braucht, ist Geduld,
damit ihr weiterhin nach Gottes Willen handelt. Dann werdet
ihr alles empfangen, was er versprochen hat.

37»Nur noch eine kurze Zeit, dann wird der erscheinen, der
kommen soll, und sein Kommen wird sich nicht verzögern.
38Durch den Glauben hat ein Gerechter Leben. Doch wer sich
von mir abwendet, an dem habe ich keine Freude.«

39Aber wir sind nicht wie die Menschen, die sich von Gott
abwenden und so in ihr Verderben rennen. Weil wir an unse-
rem Glauben festhalten, werden wir das Leben bekommen.

Große Vorbilder im Glauben

11 1Was ist nun also der Glaube? Er ist das Vertrauen da-
rauf, dass das, was wir hoffen, sich erfüllen wird, und
die Überzeugung, dass das, was man nicht sieht, existiert.
2Aufgrund dieses Glaubens hat Gott unseren Vorfahren in
der Schrift seine Anerkennung ausgesprochen. 3Durch den
Glauben verstehen wir, dass die Welt auf Gottes Befehl hin
entstand und dass alles, was wir jetzt sehen, aus dem entstan-
den ist, was man nicht sieht.

4Durch den Glauben brachte Abel Gott ein besseres Opfer
dar als Kain. Gott nahm Abels Opfer an, um zu zeigen, dass
er in seinen Augen gerecht gesprochen war. Und obwohl Abel
schon lange tot ist, spricht er so noch immer zu uns.

5Durch den Glauben wurde Henoch in den Himmel auf-
genommen, ohne zu sterben, denn niemand sah ihn mehr,

weil Gott ihn zu sich nahm. Doch bevor er fortgenommen wurde, wurde ihm verkündet, dass Gott Freude an ihm hatte.
6Ihr seht also, dass es unmöglich ist, ohne Glauben Gott zu gefallen. Wer zu ihm kommen möchte, muss glauben, dass Gott existiert und dass er die, die ihn aufrichtig suchen, belohnt.

7Durch den Glauben baute Noah eine Arche, um seine Familie vor der Flut zu retten. Er gehorchte Gott, der ihn vor etwas warnte, das noch nicht zu sehen war. Sein Glaube war das Urteil über den Unglauben der übrigen Welt; er aber wurde Erbe der Gerechtigkeit, die aus dem Glauben kommt.

8Durch den Glauben gehorchte Abraham, als Gott ihn aufforderte, seine Heimat zu verlassen und in ein anderes Land zu ziehen, das Gott ihm als Erbe geben würde. Er ging, ohne
zu wissen, wohin ihn sein Weg führen würde. 9Und selbst als
er das Land erreichte, das Gott ihm versprochen hatte, lebte er dort aus der Kraft des Glaubens – denn er war in dem Land wie ein Fremder, der in einem Zelt wohnte, ebenso wie Isaak und Jakob, denen Gott dieselbe Zusage gegeben hatte.
10Abraham konnte so handeln, weil er auf eine Stadt mit festem Fundament wartete, deren Bauherr und Schöpfer Gott selbst ist.

11Durch den Glauben konnte Sara mit Abraham ein Kind bekommen, obwohl beide zu alt waren und obwohl Sara unfruchtbar war. Denn er glaubte, dass Gott sein Versprechen
halten würde. 12Und so stammt ein ganzes Volk von diesem
einen Mann, Abraham, der schon zu alt war, um noch Kinder zu zeugen. Und dieses Volk ist so groß wie die Zahl der Sterne am Himmel und wie die Sandkörner am Meer, die man unmöglich zählen kann.

13All diese Menschen glaubten bis zu ihrem Tod, ohne erhalten zu haben, was Gott ihnen versprochen hatte. Doch sie sahen das, was ihnen zugesagt war, von Weitem und freuten sich darauf, denn sie hatten erkannt und bezeugt, dass sie
hier auf der Erde nur Gäste und Fremde waren. 14Und sie be-
kannten damit, dass sie auf der Suche waren nach einem
Land, das sie ihre Heimat nennen konnten. 15Hätten sie das

Land gemeint, aus dem sie kamen, dann hätten sie einen Weg
gefunden, dorthin zurückzukehren. 16Aber sie suchten nach
einem besseren Ort, einer Heimat im Himmel. Deshalb schämt Gott sich nicht, ihr Gott genannt zu werden, denn er hat ihnen eine Stadt im Himmel gebaut.

17Durch den Glauben war Abraham bereit, Isaak als Opfer darzubringen, als Gott ihn auf die Probe stellte. Abraham, der Gottes Zusagen empfangen hatte, war bereit, seinen einzigen
Sohn Isaak zu opfern, 18obwohl Gott ihm versprochen hatte:
»Nur die Nachkommen Isaaks sollen als deine Nachkommen
bezeichnet werden.« 19Abraham ging davon aus, dass Gott
Isaak wieder zum Leben erwecken konnte, wenn er gestorben war. Und in gewisser Weise bekam Abraham seinen Sohn tatsächlich von den Toten zurück.

20Durch den Glauben segnete Isaak seine beiden Söhne Jakob und Esau. Er vertraute auf das, was Gott in der Zukunft tun würde.

21Durch den Glauben segnete Jakob, als er alt geworden war und im Sterben lag, die beiden Söhne Josefs und verneigte sich, auf seinen Stab gestützt, anbetend vor Gott.

22Aus Glauben sprach Josef unmittelbar vor seinem Tod davon, dass Gott das Volk Israel aus Ägypten führen würde. Er war sich dessen so sicher, dass er ihnen befahl, bei ihrem Auszug seine Gebeine mitzunehmen!

23Durch den Glauben versteckten die Eltern von Mose ihr Kind nach der Geburt drei Monate lang. Sie sahen, dass Gott ihnen ein schönes Kind geschenkt hatte, und hatten keine Angst vor dem, was der König ihnen antun konnte.

24Durch den Glauben weigerte sich Mose, als er erwachsen war, sich als Sohn der Tochter des Pharaos bezeichnen zu
lassen. 25Er zog es vor, mit dem Volk zu leiden, anstatt sich
dem flüchtigen Vergnügen der Sünde hinzugeben. 26Er hielt
die Leiden, die auch Christus auf sich nahm, für besseren Reichtum als die Schätze Ägyptens, denn er sah der großen
Belohnung entgegen, die Gott ihm geben würde. 27Durch
den Glauben verließ Mose das Land Ägypten. Er hatte keine Angst vor dem König, sondern ging unerschütterlich weiter,

weil er den Blick fest auf den richtete, der unsichtbar ist.
28Durch den Glauben befahl Mose dem Volk Israel, das Pas-
sah zu halten und die Türpfosten mit Blut zu bestreichen,
damit der Engel des Todes ihre erstgeborenen Söhne nicht
tötete.

29Durch den Glauben zog das Volk Israel durch das Rote
Meer, als wäre es trockenes Land. Doch als die Ägypter sie
verfolgten, ertranken sie alle.

30Durch den Glauben marschierte das Volk Israel sieben
Tage lang um Jericho herum, und die Stadtmauern stürzten
ein.

31Durch den Glauben kam die Prostituierte Rahab nicht mit
den anderen Einwohnern der Stadt um, die sich geweigert
hatten, Gott zu gehorchen. Denn sie hatte die Kundschafter
freundlich aufgenommen.

32Wie viel soll ich noch aufzählen? Es würde zu lange dau-
ern, all die Geschichten über den Glauben von Gideon, Barak,
Simson, Jeftah, David, Samuel und allen Propheten zu erzäh-
len. 33Durch den Glauben haben sie Königreiche bezwungen,
mit Gerechtigkeit regiert und bekommen, was Gott ihnen ver-
sprochen hatte. Sie verschlossen Löwen das Maul, 34löschten
Feuerflammen und entkamen der tödlichen Klinge des
Schwertes. Ihre Schwäche wurde in Stärke verwandelt. Sie
wurden stark im Kampf und schlugen ganze Armeen in die
Flucht. 35Frauen erhielten ihre geliebten Angehörigen aus
dem Tod zurück.

Doch andere vertrauten Gott und wurden gefoltert, weil sie
lieber starben, als sich von Gott abzuwenden und freizukom-
men. Sie setzten ihre Hoffnung auf die Auferstehung zu ei-
nem besseren Leben. 36Einige wurden verspottet und aus-
gepeitscht, wieder andere wurden im Gefängnis angekettet.
37Manche starben durch Steinigung, andere wurden zersägt,
wieder andere mit dem Schwert getötet. Einige gingen in
Schaf- oder Ziegenfellen umher, litten Hunger und wurden
unterdrückt oder misshandelt. 38Sie, die zu gut für diese Welt
waren, zogen durch Wüsten und über Gebirge und suchten
Zuflucht in Höhlen und Erdlöchern.

39An all diesen Menschen hatte Gott wegen ihres Glaubens
Freude, doch keiner von ihnen empfing das, was Gott ver-
sprochen hatte. 40Denn Gott hatte weit Besseres für uns vor-
gesehen; deshalb können sie erst mit uns gemeinsam das Ziel
erreichen.

Gottes Zurechtweisung ist ein Zeichen seiner Liebe

12 1Da wir von so vielen Zeugen umgeben sind, die ein
Leben durch den Glauben geführt haben, wollen wir
jede Last ablegen, die uns behindert, besonders die Sünde, in
die wir uns so leicht verstricken. Wir wollen den Wettlauf bis
zum Ende durchhalten, für den wir bestimmt sind. 2Dies tun
wir, indem wir unsere Augen auf Jesus gerichtet halten, von
dem unser Glaube vom Anfang bis zum Ende abhängt. Er war
bereit, den Tod der Schande am Kreuz zu sterben, weil er
wusste, welche Freude ihn danach erwartete. Nun sitzt er an
der rechten Seite von Gottes Thron im Himmel! 3Denkt an
alles, was er durch die Menschen, die ihn anfeindeten, ertra-
gen hat, damit ihr nicht müde werdet und aufgebt. 4Immerhin
habt ihr im Kampf gegen die Sünde noch nicht euer Leben
opfern müssen.

5Und habt ihr die ermutigenden Worte völlig vergessen, die
Gott zu euch sprach?

»Mein Sohn, lehne dich nicht dagegen auf, wenn der Herr
dich zurechtweist und lass dich dadurch nicht entmutigen!
6Denn der Herr weist die zurecht, die er liebt, und er straft
jeden, den er als seinen Sohn annimmt.«

7Wenn ihr Schweres ertragen müsst, dann erkennt darin die
Zurechtweisung Gottes; denkt daran, dass Gott euch als seine
Kinder behandelt. Wer hätte je von einem Sohn gehört, der nie
bestraft wurde? 8Wenn Gott euch nicht zurechtweist, wie er es
doch bei allen Menschen tut, dann heißt das, dass ihr nicht
seine rechtmäßigen Kinder seid. 9Unsere leiblichen Väter er-
zogen uns mit Strafe, und wir hatten trotzdem Achtung vor
ihnen. Sollten wir uns da nicht umso bereitwilliger der Erzie-
hung unseres himmlischen Vaters unterordnen, damit wir le-
ben?

10Denn unsere leiblichen Väter haben uns eine Zeit lang erzogen, so gut sie es konnten. Aber Gottes Erziehung ist immer richtig und gut für uns, weil sie bedeutet, dass wir Anteil an seiner Heiligkeit erhalten. 11Keine Strafe ist angenehm, und während wir sie erleiden, ist sie immer schmerzlich! Doch danach werden diejenigen, die auf diese Weise geformt werden, inneren Frieden und ein Leben in der Gerechtigkeit gewinnen.

12Stärkt also eure müde gewordenen Hände und stellt euch fest auf eure zitternden Knie! 13Schafft gerade Wege für eure Füße. Dann werden alle, auch wenn sie schwach und lahm sind, nicht stolpern und fallen, sondern stark werden.

Eine Aufforderung, auf Gott zu hören

14Versucht, mit allen Menschen in Frieden zu leben, und bemüht euch, ein heiliges Leben nach dem Willen Gottes zu führen, denn wer nicht heilig ist, wird den Herrn nicht sehen.
15Achtet aufeinander, damit niemand die Gnade Gottes versäumt. Seht zu, dass keine bittere Wurzel unter euch Fuß fassen kann, denn sonst wird sie euch zur Last werden und viele durch ihr Gift verderben. 16Sorgt dafür, dass niemand wie Esau ein unzüchtiges oder gottloses Leben führt. Er verkaufte sein Geburtsrecht als Ältester für eine einzige Mahlzeit! 17Und als er dann später den Segen seines Vaters wollte, wurde er abgewiesen. Da war es zu spät zur Umkehr, obwohl er bittere Tränen vergoss.

18Ihr seid nicht zu einem sichtbaren, greifbaren Berg gekommen, zu einem Ort voller Feuerflammen, Finsternis und Sturm wie die Israeliten am Berg Sinai, als Gott ihnen seine Gesetze gab. 19Denn sie hörten den Schall einer Posaune und eine so furchtbare Stimme, dass sie darum baten, sie möge nicht weitersprechen. 20Sie wichen zurück, als sie hörten: »Wenn auch nur ein Tier den Berg berührt, soll es zu Tode gesteinigt werden.« 21Selbst Mose war bei diesem Anblick so erschüttert, dass er sagte: »Ich zittere vor Angst.«

22Nein, ihr seid zum Berg Zion gekommen, zur Stadt des lebendigen Gottes, dem himmlischen Jerusalem, wo Tausen-

de von Engeln sich zu einem Fest versammelt haben. 23Ihr
seid zur Gemeinde der erstgeborenen Kinder Gottes gekom-
men, deren Namen im Himmel aufgeschrieben sind. Ihr seid
zu Gott selbst gekommen, dem Richter aller Menschen. Und
ihr seid zu den Geretteten im Himmel gekommen, die nun im
Geist bei Gott angekommen und vollkommen gemacht sind.
24Ihr seid zu Jesus gekommen, dem Vermittler des neuen Bun-
des zwischen Gott und Menschen, und seid durch sein Blut
von Schuld gereinigt worden. Und sein Blut verkündet etwas
viel Besseres als das Blut Abels.

25Weist Gott nicht zurück, der zu euch redet! Die Israeliten
entkamen der Strafe nicht, als sie sich weigerten, auf Mose zu
hören, der ihnen Gottes Wort weitersagte. Wie viel schlimmer
wird es uns ergehen, wenn wir den ablehnen, der vom Him-
mel zu uns spricht! 26Als Gott vom Berg Sinai sprach, erschüt-
terte seine Stimme die Erde, aber nun hat er uns eine andere
Zusage gegeben: »Noch einmal werde ich nicht nur die Erde,
sondern auch den Himmel erschüttern.« 27Das deutet auf eine
Verwandlung der ganzen Schöpfung, die erschüttert wird,
damit nur das Ewige bleibt.

28Da wir also ein Reich empfangen, das nicht zerstört wer-
den kann, wollen wir dankbar sein und Gott Freude machen,
indem wir ihn in Ehrfurcht vor seiner Heiligkeit anbeten!
29Denn unser Gott ist ein verzehrendes Feuer.

Abschließende Worte

13 1Liebt einander mit aufrichtiger Liebe. 2Vergesst nicht,
Fremden Gastfreundschaft zu erweisen, denn auf die-
se Weise haben einige Engel beherbergt, ohne es zu merken!
3Denkt an diejenigen, die im Gefängnis sind. Fühlt mit ihnen,
als wärt ihr selbst dort. Teilt das Leid derer, die misshandelt
werden, als würdet ihr ihren Schmerz am eigenen Körper
spüren.

4Haltet die Ehe in Ehren und bleibt einander treu! Gott wird
Menschen, die unzüchtig leben und die Ehe brechen, ganz
sicher richten.

5Hängt euer Herz nicht ans Geld und begnügt euch mit dem,

was ihr habt. Denn Gott hat gesagt: »Ich werde dich nie ver-
lassen und dich nicht im Stich lassen.«
6Deshalb können wir zuversichtlich sagen: »Der Herr steht
zu mir, deshalb fürchte ich mich nicht. Was können mir Men-
schen anhaben?«
7Erinnert euch an eure Lehrer, die euch zuerst das Wort Got-
tes verkündeten. Denkt an all das Gute, das aus ihrem Leben
hervorgegangen ist, und vertraut auf den Herrn, wie sie es
taten!
8Jesus Christus ist gestern, heute und in Ewigkeit derselbe.
9Lasst euch daher nicht von seltsamen, neuen Lehren verwir-
ren. Durch die Gnade Gottes werdet ihr innerlich stark und
nicht durch Bestimmungen über Speisen, die keinem helfen,
der sich danach richtet.
10Wir haben einen Altar, von dem die Priester des irdischen
Heiligtums nicht essen dürfen. 11Früher brachte der Hohe
Priester das Blut von Tieren als Opfer für die Sünde in das
Heiligtum, doch die Leiber der geopferten Tiere selbst wur-
den außerhalb des Lagers verbrannt. 12So litt und starb auch
Jesus außerhalb der Stadttore, um sein Volk durch sein ver-
gossenes Blut zu heiligen. 13Lasst uns deshalb zu ihm hinaus-
gehen, vor das Lager, und die Schande tragen, die er auf sich
nahm. 14Denn diese Welt ist nicht unsere Heimat; wir erwar-
ten unsere zukünftige Stadt erst im Himmel.
15Durch Jesus wollen wir Gott zu jeder Zeit danken, indem
wir ihn loben und uns zu seinem Namen bekennen! 16Ver-
gesst nicht, Gutes zu tun und mit den anderen zu teilen,
denn über solche Opfer freut sich Gott.
17Gehorcht den Leitern eurer Gemeinde und tut, was sie sa-
gen. Es ist ihre Aufgabe, über eure Seelen zu wachen, und sie
wissen, dass sie Gott Rechenschaft geben müssen. Achtet da-
rauf, dass sie dies mit Freude und ohne Sorgen tun können,
denn das wäre sonst für euch sicher nicht gut. 18Betet für uns!
Unser Gewissen ist zwar rein, aber wir möchten ein einwand-
freies Leben führen. 19Gerade jetzt brauche ich eure Gebete
besonders, damit ich bald zu euch zurückkehren kann.
20Ich wünsche euch, dass der Gott des Friedens, der unseren

Herrn Jesus, den großen Hirten der Schafe, durch das Blut des
ewigen Bundes von den Toten zurückgebracht hat, 21euch mit
allem versorgt, was ihr braucht, um seinen Willen zu tun. Ich
wünsche mir, dass er durch die Kraft von Jesus Christus all
das in uns wachsen lässt, was ihm Freude macht. Ihm gehört
die Ehre für immer und ewig! Amen. 22Ich bitte euch sehr,
liebe Freunde, genau auf das zu hören, was ich euch in diesem
kurzen Brief mitgeteilt habe.

23Ihr sollt wissen, dass unser Bruder Timotheus aus dem Gefängnis frei ist. Wenn er bald hierher kommt, werde ich ihn mitbringen, wenn ich euch besuche!

24Grüßt alle Leiter eurer Gemeinden von mir und alle anderen, die zu Gott gehören. Die Freunde aus Italien lassen euch grüßen.

25Ich wünsche euch allen Gottes Gnade!

Der Brief von Jakobus

Grüße von Jakobus

1 [1]Dieser Brief ist von Jakobus, einem Diener von Gott und
von Jesus Christus, dem Herrn.
Er ist geschrieben an die Gemeinden, die zerstreut unter den
anderen Völkern leben. Ich grüße euch!

Glaube und Ausdauer

[2]Liebe Brüder, wenn in schwierigen Situationen euer Glaube
geprüft wird, dann freut euch darüber. [3]Denn wenn ihr euch
darin bewährt, wächst eure Geduld. [4]Und durch die Geduld
werdet ihr bis zum Ende durchhalten, denn dann wird euer
Glaube zur vollen Reife gelangen und vollkommen sein und
nichts wird euch fehlen. [5]Wenn jemand unter euch Weisheit
braucht, weil er wissen will, wie er nach Gottes Willen han-
deln soll, dann kann er Gott einfach darum bitten. Und Gott,
der gerne hilft, wird ihm bestimmt antworten, ohne ihm Vor-
würfe zu machen. [6]Aber wer ihn fragt, soll auch wirklich mit
seiner Antwort rechnen! Denn einer, der zweifelt, ist so auf-
gewühlt wie eine Meereswoge, die vom Wind getrieben und
hin- und hergeworfen wird. [7]Ein solcher Mensch darf nicht
erwarten, etwas von Gott zu erhalten, [8]denn er ist unbestän-
dig und schwankt ständig hin und her. [9]Wer wenig hat und
wenig gilt, soll sich freuen, weil er bei Gott viel gilt. [10]Und wer
viel hat und angesehen ist, soll demütig und bescheiden sein,
denn auch er wird vergehen wie eine Blume auf dem Feld.
[11]Die Sonne geht auf und lässt mit ihrer Hitze das Gras ver-
dorren; die Blume verwelkt, und ihre Schönheit schwindet.
Genauso wird der Reiche mit seinem ganzen Besitz vergehen.
[12]Glücklich ist, wer die Prüfungen des Glaubens geduldig
erträgt. Wenn er sich bewährt hat, wird er das ewige Leben
empfangen, das Gott denen versprochen hat, die ihn lieben.
[13]Wer der Versuchung erliegt, sollte niemals sagen: »Diese
Versuchung kommt von Gott.« Gott lässt sich nicht zum Bö-
sen verführen, und er verleitet auch niemanden zur Sünde.

14Jeder Mensch wird durch seine eigenen Begierden verlockt,
geködert und verführt. 15Wer seinen Begierden nachgibt, sün-
digt, und die vollzogene Sünde führt zum Tod. 16Macht euch
also nichts vor, liebe Brüder!

17Alles, was gut und vollkommen ist, wird uns von oben
geschenkt, von Gott, der alle Lichter des Himmels erschuf.
Anders als sie ändert er sich nicht, noch wechselt er zwischen
Licht und Finsternis. 18Durch das Wort der Wahrheit sind wir
zu seinen Kindern geworden, weil er es so wollte. Wir sind die
erste Frucht seiner neuen Schöpfung.

Zuhören und handeln

19Liebe Freunde, seid schnell bereit, zuzuhören, aber lasst
euch Zeit, ehe ihr redet oder zornig werdet. 20Denn mensch-
licher Zorn kann niemals etwas hervorbringen, das in Gottes
Augen gerecht ist.

21Trennt euch deshalb von allem Schlechten und Bösen in
eurem Leben und nehmt die Botschaft Gottes, die er euch ge-
geben hat, demütig an, denn sie hat die Kraft, eure Seelen zu
retten. 22Aber es reicht nicht, nur auf die Botschaft zu hören –
ihr müsst auch danach handeln! Sonst betrügt ihr euch
nur selbst. 23Denn wer ihr nur zuhört und nicht danach han-
delt, ist wie ein Mensch, der sich im Spiegel betrachtet. 24Er
sieht sich, geht weg und vergisst, wie er aussieht. 25Wer aber
ständig auf das vollkommene Gesetz Gottes achtet – das Ge-
setz, das uns frei macht – und befolgt, was es sagt, und nicht
vergisst, was er gehört hat, der ist glücklich dran.

26Wenn ihr behauptet, Gott zu dienen, aber eure Zunge nicht
im Zaum halten könnt, betrügt ihr euch nur selbst, und euer
Dienst für Gott ist wertlos. 27Rein und vorbildlich Gott, unse-
rem Vater, zu dienen bedeutet, dass wir uns um die Sorgen
der Waisen und Witwen kümmern und uns nicht von der
Welt verderben lassen.

Eine Warnung vor Vorurteilen

2 1 Liebe Brüder, wie könnt ihr behaupten, an Jesus Chris-
tus, den Herrn der Herrlichkeit, zu glauben, wenn ihr be-
stimmte Menschen bevorzugt?
2 Nehmen wir zum Beispiel an, in eure Gemeinde kommen
ein teuer gekleideter Mann mit kostbarem Schmuck und ein
armer Mann in schäbiger Kleidung. 3 Und ihr würdet dem Rei-
chen besondere Aufmerksamkeit schenken und ihm einen gu-
ten Platz anbieten, zu dem Armen aber sagen: »Du kannst
stehen bleiben oder dich da drüben auf den Boden setzen.«
4 Zeigt diese unterschiedliche Behandlung nicht, dass ihr
euch von falschen Motiven leiten lasst?
5 Hört mir zu, meine lieben Brüder! Hat Gott nicht besonders
die Armen in dieser Welt dazu erwählt, im Glauben reich zu
sein? Sie werden das Reich Gottes erben, das er denen ver-
sprochen hat, die ihn lieben. 6 Und doch beleidigt ihr den Ar-
men. Dabei sind es die Reichen, die euch unterdrücken und in
Rechtsstreitigkeiten verwickeln. 7 Sind sie es nicht, die Jesus
Christus verspotten, dessen ehrenvollen Namen ihr tragt?
8 Wirklich gut handelt ihr, wenn ihr dem königlichen Gebot
unseres Herrn gehorcht, wie es in der Schrift steht: »Liebe dei-
nen Nächsten wie dich selbst.« 9 Wenn ihr aber einen Men-
schen bevorzugt, werdet ihr schuldig, denn ihr missachtet
dieses Gesetz.
10 Und wer alle Gesetze bis auf ein einziges befolgt, ist ge-
nauso schuldig wie einer, der alle Gesetze Gottes gebrochen
hat. 11 Denn derselbe Gott, der gesagt hat: »Du sollst nicht die
Ehe brechen«, der sagte auch: »Du sollst nicht töten«. Wenn
du also jemanden tötest, aber keinen Ehebruch begehst, hast
du damit dennoch das ganze Gesetz gebrochen.
12 Bedenkt deshalb in allem, was ihr sagt oder tut, dass ihr
nach dem Gesetz Gottes gerichtet werdet, das euch frei macht.
13 Denn es wird keine Barmherzigkeit für den geben, der an-
deren gegenüber nicht barmherzig war. Wer aber barmherzig
war, wird auch vor dem Gericht Gottes bestehen.

Glaube ohne gute Taten ist tot

14Liebe Brüder, was nützt es, wenn jemand von seinem Glau-
ben spricht, aber nicht entsprechend handelt? Ein solcher
Glaube kann niemanden retten. 15Angenommen, jemand
sieht einen Bruder oder eine Schwester um Nahrung oder
Kleidung bitten 16und sagt: »Lass es dir gut gehen, Gott segne
dich, halte dich warm und iss dich satt«, ohne ihnen zu essen
oder etwas anzuziehen zu geben. Was nützt ihnen das? 17Es
reicht nicht, nur Glauben zu haben. Ein Glaube, der nicht zu
guten Taten führt, ist kein Glaube – er ist tot und wertlos.

18Nun könnte jemand sagen: »Manche Menschen haben
Glauben; andere vollbringen gute Taten.« Dem antworte ich:
»Ich kann deinen Glauben nicht sehen, wenn du keine guten
Taten vollbringst; aber ich kann dir durch mein Handeln mei-
nen Glauben zeigen.«

19Du glaubst, dass es nur einen Gott gibt? Da hast du recht!
Das glauben auch die Dämonen, und sie zittern vor Angst!
20Aber trotzdem bist du ein Dummkopf! Wann wirst du ein-
sehen, dass ein Glaube, der nicht zu guten Taten führt, wertlos
ist?

21Weißt du nicht mehr, dass unser Stammvater Abraham vor
Gott gerecht gesprochen wurde, weil er seinen Sohn Isaak auf
den Altar legte? 22Wie du siehst, vertraute er Gott so sehr, dass
er bereit war, alles zu tun, was Gott von ihm verlangte. Sein
Glaube wurde durch sein Handeln vollendet. 23So geschah
genau das, was die Schrift sagt: »Abraham glaubte Gott, und
Gott erklärte ihn für gerecht.« Er wurde sogar »Freund Got-
tes« genannt. 24Ihr seht also, dass ein Mensch nur dann, wenn
er auch handelt, vor Gott gerecht gesprochen wird und nicht
allein aufgrund seines Glaubens.

25Auch die Hure Rahab wurde durch ihr Handeln vor Gott
gerecht gesprochen, als sie die Kundschafter versteckte und
sie auf einem anderen Weg in Sicherheit brachte. 26So wie der
Körper ohne Geist tot ist, so ist auch der Glaube tot ohne gute
Taten.

Die Zunge im Zaum halten

3 1Liebe Brüder, es sollten nicht so viele von euch in der
Gemeinde lehren wollen, denn ihr wisst, dass wir als Leh-
rer von Gott besonders streng beurteilt werden!
2Wir alle machen viele Fehler, aber wer seine Zunge im
Zaum hält, der kann sich auch in anderen Bereichen beherr-
schen. 3Wir können ein großes Pferd lenken, wohin wir wol-
len, wenn wir ihm ein Zaumzeug anlegen. 4Und mit einem
winzigen Ruder lenkt der Steuermann ein großes Schiff selbst
bei heftigem Wind, wohin er will. 5So kann auch die Zunge, so
klein sie auch ist, enormen Schaden anrichten. Ein winziger
Funke steckt einen großen Wald in Brand! 6Die Zunge ist wie
eine Flamme und kann eine Welt voller Ungerechtigkeit sein.
Sie ist der Teil des Körpers, der alles beschmutzen und das
ganze Leben zerstören kann, wenn sie von der Hölle selbst in
Brand gesteckt wird. 7Der Mensch kann die unterschiedlichs-
ten Tiere und Vögel, Reptilien und Fische zähmen, 8aber die
Zunge kann niemand im Zaum halten. Sie ist ein unbe-
herrschbares Übel, voll von tödlichem Gift. 9Mit ihr loben
wir Gott, unseren Herrn und Vater; dann wieder verfluchen
wir mit ihr andere Menschen, die doch als Ebenbilder Gottes
geschaffen sind. 10So kommen Segen und Fluch aus demsel-
ben Mund. Und das, meine Freunde, darf nicht so sein!
11Sprudelt aus einer Quelle etwa frisches und bitteres Wasser
zugleich? 12Pflückt man Oliven von einem Feigenbaum oder
Feigen von einem Weinstock? Nein, und man kann auch kein
frisches Wasser aus einem salzigen See schöpfen.

Wahre Weisheit kommt von Gott

13Wer von euch klug ist und Gottes Wege begreift, soll so le-
ben, dass seine guten Taten sichtbar werden, und dabei
freundlich und weise sein. 14Wenn ihr aber von bitterem
Neid und selbstsüchtigem Ehrgeiz erfüllt seid, dann rühmt
euch nicht damit, weise zu sein. Das wäre eine Lüge! 15Denn
Neid und Selbstsucht haben nichts mit der Weisheit von Gott
zu tun, sondern sie sind irdisch, gottlos und teuflischen Ur-
sprungs. 16Denn wo Eifersucht und selbstsüchtiger Ehrgeiz

herrschen, führt das in die Zerstörung und bewirkt alle möglichen schlechten Taten.
17Aber die Weisheit, die von Gott kommt, ist vor allem rein.
Sie sucht den Frieden, ist freundlich und bereit, nachzugeben.
Sie zeichnet sich durch Barmherzigkeit und gute Taten aus.
Sie ist unparteiisch und immer aufrichtig. 18Und für die, die
Frieden stiften, sät Gott die Frucht, die man dann ernten kann:
Gerechtigkeit.

Die Nähe Gottes suchen

4 1Was verursacht die Kriege und Streitigkeiten unter euch?
Sind es nicht die vielen Begierden, die in euch kämpfen?
2Ihr begehrt und habt nichts; ihr schmiedet Pläne und tötet
und bekommt nichts. Ihr seid neidisch auf das, was andere
haben, und könnt es nicht bekommen; also kämpft und streitet ihr, um es ihnen wegzunehmen. Doch euch fehlt das, was
ihr so gerne wollt, weil ihr Gott nicht darum bittet. 3Und selbst
wenn ihr darum bittet, bekommt ihr es nicht, weil ihr aus falschen Gründen bittet und nur euer Vergnügen sucht.
4Ihr Ehebrecher! Ist euch denn nicht bewusst, dass die
Freundschaft mit dieser Welt euch zu Feinden Gottes macht?
Ich sage es noch einmal: Wer ein Freund der Welt sein will,
wird zum Feind Gottes. 5Meint ihr, die Schrift sage umsonst,
dass der Heilige Geist, den Gott uns gegeben hat, eifersüchtig
auf unsere Treue bedacht ist? 6Weil Gott gnädig ist, gibt er uns
immer mehr Kraft, solchen Begierden zu widerstehen. So
heißt es auch in der Schrift: »Gott stellt sich den Stolzen entgegen, den Demütigen aber schenkt er Gnade.«
7Deshalb ordnet euren Willen Gott unter! Widersteht dem
Teufel, und er wird euch verlassen. 8Kommt zu Gott, und
Gott wird euch entgegenkommen. Wascht euch die Hände,
ihr Sünder; reinigt eure Herzen, ihr Zweifler! 9Erkennt eure
Schuld und weint darüber; klagt und trauert! Seid traurig,
statt zu lachen, und niedergeschlagen, statt euch zu freuen.
10Wenn ihr eure Schuld vor dem Herrn eingesteht, wird er
euch wieder aufrichten.

Eine Warnung, nicht über andere zu richten

11 Redet nicht schlecht übereinander, liebe Freunde! Wer einen
anderen verleumdet und verurteilt, verleumdet und ver-
urteilt das Gesetz Gottes. Aber eure Aufgabe ist es nicht, das
Gesetz zu richten, sondern dem Gesetz zu gehorchen. 12 Nur
Gott, der das Gesetz gegeben hat, kann gerecht richten. Nur er
hat die Macht, zu retten oder zu vernichten. Welches Recht
hast du also, deinen Nächsten zu verurteilen?

Warnung vor übergroßer Selbstsicherheit

13 Passt auf, wenn ihr behauptet: »Heute oder morgen werden
wir in eine bestimmte Stadt gehen und ein Jahr dort bleiben.
Wir werden dort Geschäfte machen und Gewinne erzielen.«
14 Woher wollt ihr wissen, was morgen sein wird? Euer Leben
gleicht doch dem Nebel am Morgen – schon nach kurzer Zeit
ist er wieder verschwunden. 15 Stattdessen solltet ihr sagen:
»Wenn der Herr es will, werden wir leben und dieses oder
jenes tun.« 16 Nun aber seid ihr stolz auf eure eigenen Pläne.
Doch solche Angeberei ist durch und durch schlecht.
17 Denkt daran: Wer das Gute kennt und es nicht tut, der
macht sich schuldig.

Warnung an die Reichen

5 1 Seht euch vor, ihr Reichen: Weint und klagt über das
Schreckliche, das euch bevorsteht! 2 Euer Reichtum zer-
fällt, und eure schönen Kleider werden von Motten zerfressen.
3 Euer Gold und Silber ist wertlos geworden wie verrostetes
Eisen. Und dieser Rost wird als Beweis gegen euch dienen
und euch anklagen am Tag des Gerichtes. Warum habt ihr
euch nur darum gekümmert, Reichtümer zu sammeln in die-
sen Zeiten? 4 Hört doch! Hört das Schreien der Erntearbeiter,
die eure Felder bestellt haben und die ihr um ihren Lohn be-
trogen habt. Gott, der Allmächtige, hat ihr Schreien gehört.
5 Ihr habt eure Jahre auf der Erde im Luxus verbracht und
euch jeden Wunsch erfüllt. Jetzt sind eure Herzen wohl ge-
nährt und fett, bereit für den Schlachttag, den Tag des Ge-

richts. [6]Ihr habt gerechte Menschen, die sich nicht gegen euch
wehren konnten, verurteilt und getötet.

Geduld im Leiden

[7]Liebe Brüder, habt Geduld, während ihr auf die Wiederkehr
des Herrn wartet! Denkt an die Bauern, die im Herbst und im
Frühling eifrig nach Regen Ausschau halten. Geduldig war-
ten sie darauf, dass die Ernte heranreift. [8]Auch ihr müsst ge-
duldig sein. Und seid zuversichtlich, denn das Kommen des
Herrn steht kurz bevor!

[9]Ärgert euch nicht übereinander, liebe Brüder, sonst wird
Gott euch richten. Denn der Richter steht schon vor der Tür!

[10]Nehmt euch die Propheten, die im Namen des Herrn ge-
sprochen haben, als Vorbild für Geduld im Leiden. [11]Denn
wir schätzen jene glücklich, die im Leiden durchgehalten ha-
ben. Ihr kennt die Geduld Hiobs und wisst, wie der Herr alles
zu einem guten Ende führte, denn er ist voll Mitgefühl und
Barmherzigkeit.

[12]Doch vor allem, liebe Brüder, sollt ihr niemals schwören,
weder beim Himmel noch bei der Erde noch sonst irgend-
einen Eid! Sagt einfach klar Ja oder Nein, damit ihr euch nicht
schuldig macht und dafür verurteilt werdet.

Die Macht des Gebets

[13]Leidet jemand von euch? Dann soll er beten. Und wer
Grund zur Dankbarkeit hat, soll dem Herrn Loblieder singen.

[14]Ist einer von euch krank? Dann soll er die Ältesten der Ge-
meinde holen lassen, damit sie für ihn beten und ihn im Na-
men des Herrn mit Öl salben. [15]Ihr Gebet im Glauben an Gott
wird den Kranken aus seiner Not herausholen, und der Herr
wird ihn aufrichten. Und wenn er Sünden begangen hat, wird
Gott ihm vergeben.

[16]Bekennt einander eure Schuld und betet füreinander, da-
mit ihr geheilt werdet. Das Gebet eines gerechten Menschen
hat große Macht und kann viel bewirken. [17]Elia war ein
Mensch wie wir, doch als er darum betete, dass kein Regen
fallen sollte, regnete es dreieinhalb Jahre lang nicht auf der

Erde! [18]Dann betete er um Regen, und es regnete vom Him-
mel. Das Gras wurde grün, und die Erde brachte wieder
Früchte hervor.

Christen, die vom Weg abgekommen sind, zurückholen

[19]Liebe Brüder, wenn einer unter euch den Weg der Wahrheit
verlässt und sich verirrt und ein anderer bringt ihn wieder
zurück, [20]könnt ihr sicher sein: Wer den Sünder von seinem
falschen Weg zur Umkehr bewegt, der rettet ihn vor dem Tod
und setzt viele Sünden außer Kraft.

Der erste Brief von Petrus

Grüße von Petrus

1 1 Dieser Brief ist von Petrus, einem Apostel von Jesus
Christus.
Ich schreibe an die Auserwählten Gottes, die als Fremde in
Pontus, Galatien, Kappadozien, der Provinz Asien und Bithy-
nien leben. 2 Gott, der Vater, hat euch vor langer Zeit erwählt,
und der Geist hat euch geheiligt, sodass ihr nun Jesus Christus
nachfolgt und durch seinen Tod am Kreuz gereinigt seid.
Ich wünsche euch, dass ihr immer mehr von der Gnade und
dem Frieden Gottes erfüllt werdet.

Die Hoffnung des ewigen Lebens

3 Gelobt sei der Gott und Vater unseres Herrn Jesus Christus,
denn er hat uns in seiner großen Barmherzigkeit wiedergebo-
ren. Jetzt haben wir eine lebendige Hoffnung, weil Jesus
Christus von den Toten auferstanden ist. 4 Denn Gott hat für
seine Kinder ein unvergängliches Erbe, das rein und unver-
sehrt im Himmel für euch aufbewahrt wird. 5 Und in seiner
großen Macht wird er euch durch den Glauben beschützen,
bis ihr das ewige Leben empfangt. Es wird am Ende der Zeit
für alle sichtbar offenbart werden. 6 Freut euch deshalb von
Herzen! Vor euch liegt eine große Freude, auch wenn ihr für
eine Weile viel erdulden müsst.
7 Dies dient nur dazu, euren Glauben zu prüfen, damit sich
zeigt, ob er wirklich stark und rein ist. Er wird erprobt, so wie
Gold im Feuer geprüft und geläutert wird – und euer Glaube
ist Gott sehr viel kostbarer als bloßes Gold. Wenn euer Glaube
also stark bleibt, nachdem er durch große Schwierigkeiten ge-
prüft wurde, wird er euch viel Lob und Herrlichkeit und Ehre
einbringen an dem Tag, an dem Jesus Christus der ganzen
Welt offenbart werden wird. 8 Ihn liebt ihr, obwohl ihr ihn nie
gesehen habt. Obwohl ihr ihn nicht seht, glaubt ihr an ihn;
und schon jetzt seid ihr erfüllt von herrlicher, unaussprechli-

cher Freude. 9Ihr erreicht ja das Ziel eures Glaubens, nämlich
die Rettung eurer Seelen.
10Schon die Propheten wollten über diese Rettung mehr wis-
sen und sagten voraus, was Gott euch zugedacht hat. 11Und
der Geist wirkte in ihnen, und sie versuchten zu erkennen, auf
welche Zeit er sie hinwies, als er ihnen die Leiden von Chris-
tus und seine Herrlichkeit bereits damals ankündigte. 12Es
wurde ihnen gesagt, dass sich das nicht zu ihrer Zeit ereignen
würde, sondern viele Jahre später, in eurer Zeit. Und nun
wurde euch diese Botschaft durch diejenigen verkündet, die
in der Kraft des Heiligen Geistes, der vom Himmel gesandt
wurde, zu euch gepredigt haben. Und sogar die Engel sehnen
sich danach, etwas davon zu sehen.

Aufruf zu einem Leben in Heiligkeit

13Bemüht euch daher um ein klares, nüchternes Denken und
um Selbstbeherrschung. Setzt eure ganze Hoffnung auf die
Gnade, die euch bei der Wiederkehr von Jesus Christus erwar-
tet. 14Gehorcht Gott, weil ihr seine Kinder seid. Fallt nicht in
eure alten, schlechten Gewohnheiten zurück. Damals wusstet
ihr es nicht besser. 15Aber jetzt sollt ihr in allem, was ihr tut,
heilig sein, genauso wie Gott, der euch berufen hat, heilig ist.
16Denn er hat selbst gesagt: »Ihr sollt heilig sein, weil ich heilig
bin!«
17Und denkt daran, dass der himmlische Vater, zu dem ihr
betet, niemanden bevorzugt, wenn er richtet. Er wird euch
nach dem beurteilen, was ihr tut. Deshalb sollt ihr während
eurer Zeit als Fremde in dieser Welt in Ehrfurcht vor Gott le-
ben. 18Denn ihr wisst, dass Gott euch nicht mit vergänglichen
Werten wie Silber oder Gold losgekauft hat von eurem frühe-
ren Leben, das ihr so gelebt habt wie schon Generationen vor
euch. 19Er bezahlte für euch mit dem kostbaren Blut von Jesus
Christus, der rein und ohne Sünde zum Opferlamm Gottes
wurde. 20Schon vor Erschaffung der Welt wurde er dazu be-
stimmt, doch erst jetzt, am Ende der Zeiten, ist er für euch
erschienen, sodass alle ihn sehen. 21Durch Christus seid ihr

zum Glauben an Gott gekommen. Und weil Gott ihn von den
Toten auferweckt und ihm große Herrlichkeit gegeben hat,
setzt ihr nun euren Glauben und eure Hoffnung auf Gott!
[22]Jetzt könnt ihr einander aufrichtig lieben, denn ihr wurdet
von eurer Schuld befreit, als ihr die Wahrheit Gottes ange-
nommen habt. Deshalb sollt ihr euch wirklich von Herzen
lieben.

[23]Euer neues Leben hat keinen vergänglichen, sondern ewi-
gen Ursprung, nämlich das lebendige und ewig bestehende
Wort Gottes. [24]Der Prophet hat gesagt: »Menschen sind wie
Gras, das verdorrt; ihre Schönheit verblasst so schnell wie
die Schönheit wilder Blumen. Das Gras verdorrt und die Blu-
men welken. [25]Aber das Wort des Herrn hat ewig Bestand.«
Und dieses Wort ist die Botschaft, die euch verkündet wur-
de.

2 [1]Trennt euch deshalb von aller Bosheit und jeder Form
von Betrug. Entscheidet euch gegen alle Heuchelei und
Eifersucht und üble Nachrede. [2]So wie ein Säugling nach
Milch schreit, sollt ihr nach der reinen Milch – dem Wort Got-
tes – verlangen, die ihr benötigt, um im Glauben zu wachsen
[3]und das Ziel der Erlösung zu erreichen. Denn ihr habt erfah-
ren, wie freundlich der Herr ist.

Lebendige Steine für das Haus Gottes

[4]Kommt zu Christus, dem lebendigen Eckstein im Tempel
Gottes. Er wurde von den Menschen zwar verworfen; doch
in den Augen Gottes, der ihn erwählt hat, ist er kostbar.

[5]Und nun lasst euch von Gott als lebendige Steine in seinen
geistlichen Tempel einbauen. Ihr sollt Gottes heilige Priester
sein und ihm geistliche Opfer bringen, die er durch eure Ge-
meinschaft mit Jesus Christus annimmt! [6]In der Schrift heißt
es:

»Ich lege einen Stein in Jerusalem, einen auserwählten, kost-
baren Eckstein, und wer an ihn glaubt, wird nicht umkom-
men.«

[7]Für euch, die ihr glaubt, ist er kostbar, doch für die, die ihn
ablehnen, gilt:

»Der Stein, den die Bauleute verworfen haben, ist zum Eck-
stein geworden.«
8Und in der Schrift heißt es auch:
»Er ist der Stein, über den Menschen stolpern, der Fels, der
sie zu Fall bringt.«
Sie stolpern, weil sie nicht auf Gottes Wort hören und es
nicht befolgen, und dazu sind sie auch bestimmt. 9Aber
ihr seid anders, denn ihr seid ein auserwähltes Volk. Ihr seid
eine königliche Priesterschaft, Gottes heiliges Volk, sein per-
sönliches Eigentum. So seid ihr ein lebendiges Beispiel für die
Güte Gottes, denn er hat euch aus der Finsternis in sein wun-
derbares Licht gerufen.
10»Früher wart ihr kein Volk; jetzt seid ihr das Volk Gottes.
Früher habt ihr Gottes Barmherzigkeit nicht empfangen; jetzt
aber habt ihr seine Barmherzigkeit empfangen.«
11Liebe Brüder, in dieser Welt seid ihr ohne Bürgerrecht und
Fremde. Deshalb warne ich euch: Lasst euch nicht von den
Versuchungen dieser Welt bestimmen, denn sie schaden eurer
Seele. 12Achtet sorgfältig darauf, wie ihr unter euren ungläu-
bigen Mitmenschen lebt. Selbst wenn sie euch eines Unrechts
anklagen, wird sie euer einwandfreies Verhalten beeindru-
cken, und sie werden an Gott glauben und ihm die Ehre ge-
ben, wenn er kommt, um die Welt zu richten.

Achtung vor den Menschen in verantwortlicher Stellung

13Ordnet euch den staatlichen Gewalten unter, denn das ent-
spricht dem Willen Gottes: sei es dem König als Staatsober-
haupt 14oder den Beamten, die er ernannt hat. Denn der König
hat sie geschickt, um die zu bestrafen, die unrecht tun, und
diejenigen zu ehren, die Gutes tun!
15Gott will, dass ihr durch euer gutes Leben die zum Schwei-
gen bringt, die euch in ihrer Unwissenheit beschuldigen. 16Ihr
seid keine Sklaven, sondern freie Menschen. Doch eure Frei-
heit berechtigt euch nicht dazu, Böses zu tun. Ihr seid frei, um
als Diener Gottes zu leben. 17Achtet alle Menschen. Liebt eure
Geschwister im Glauben. Fürchtet Gott. Erweist dem König
Respekt.

An die Sklaven

18 Ihr, die ihr Sklaven seid, ordnet euch euren Herren unter.
Tut, was sie euch sagen, und zwar nicht nur, wenn sie freund-
lich und vernünftig sind, sondern selbst dann, wenn sie unge-
recht handeln. 19 Denn das ist ein Beispiel für die Gnade Got-
tes, wenn jemand ungerechte Behandlung geduldig erträgt,
weil sein Gewissen Gott verantwortlich ist. 20 Natürlich ver-
dient ihr keine besondere Anerkennung, wenn ihr Schläge
geduldig hinnehmt, die ihr bekommt, weil ihr unrecht getan
habt. Aber wenn ihr für das Gute, das ihr getan habt, leidet
und Schläge geduldig ertragt, ist das ein Zeichen für die Gna-
de Gottes.
21 Dieses Leiden gehört zu dem Leben, zu dem Gott euch
berufen hat. Christus, der für euch litt, ist euer Vorbild, dem
ihr nacheifert. 22 Er hat nie gesündigt und nie jemanden mit
seinen Worten getäuscht. 23 Er hat sich nicht gewehrt, wenn
er beschimpft wurde. Als er litt, drohte er nicht mit Vergel-
tung. Er überließ seine Sache Gott, der gerecht richtet. 24 An
seinem eigenen Körper hat er unsere Sünden an das Kreuz
hinaufgetragen, damit wir für die Sünde tot sind und für die
Gerechtigkeit leben können. Durch seine Wunden seid ihr ge-
heilt worden! 25 Früher seid ihr umhergeirrt wie verlorene
Schafe. Aber nun seid ihr zu eurem Hirten zurückgekehrt,
dem Beschützer eurer Seelen.

An die Ehefrauen

3 1 Ebenso sollt ihr Ehefrauen euch euren Ehemännern un-
terordnen, auch dann, wenn sie nicht an die Botschaft
Gottes glauben. Das Beispiel eures Lebens wird sie mehr
überzeugen als alle Worte. Sie werden für Gott gewonnen
werden, 2 wenn sie sehen, wie ihr vorbildlich und in Ehrfurcht
vor Gott lebt. 3 Macht euch keine Sorgen um äußere Schönheit,
die auf modischen Frisuren, teurem Schmuck oder schönen
Kleidern beruht. 4 Eure Schönheit soll von innen kommen –
das ist die unvergängliche Schönheit eines freundlichen und
stillen Herzens, das Gott so sehr schätzt. 5 Das ist auch die
Schönheit, mit der die heiligen Frauen sich früher schmück-

ten. Sie hofften auf Gott und ordneten sich ihren Ehemännern unter. 6So gehorchte Sara ihrem Mann Abraham und nannte ihn ihren Herrn. Ihr seid ihre Töchter, wenn ihr Gutes tut und vor nichts Angst habt.

An die Ehemänner

7Ebenso gilt für euch Männer: Euer Verhalten gegenüber euren Frauen soll von Achtung geprägt sein. Begegnet ihnen verständnisvoll, denn sie sind die Schwächeren. Und vergesst nicht, dass sie wie ihr das ewige Leben von Gott geschenkt bekommen, damit eure Gebete nicht vergeblich sind.

An alle Gläubigen

8Schließlich sollt ihr alle einig sein, voller Mitgefühl und gegenseitiger Liebe. Seid barmherzig zueinander und demütig. 9Vergeltet Böses nicht mit Bösem. Werdet nicht zornig, wenn die Leute unfreundlich über euch reden, sondern wünscht ihnen Gutes und segnet sie. Denn genau das verlangt Gott von euch, und er wird euch dafür segnen! 10Denn in der Schrift heißt es:

»Wenn du ein glückliches Leben führen und gute Tage erleben willst, dann hüte deine Zunge vor bösen Worten und verbreite keine Lügen. 11Wende dich ab vom Bösen und tue Gutes. Bemüht euch, mit anderen in Frieden zu leben. 12Der Herr beschützt die, die das Rechte tun, und er wird ihre Gebete hören. Der Herr wendet sich gegen die, die Böses tun.«

Für gute Taten leiden

13Wer würde euch schaden wollen, wenn ihr euch bemüht, Gutes zu tun? 14Doch selbst wenn ihr dafür leidet, dass ihr das Richtige tut, seid ihr gut dran. Also habt keine Angst und seid unbesorgt. 15Macht Christus zum Herrn eures Lebens. Und wenn man euch nach eurer Hoffnung fragt, dann seid immer bereit, darüber Auskunft zu geben, 16aber freundlich und mit Achtung für die anderen. Bewahrt euch ein reines Gewissen. Wenn dann jemand etwas Böses über euch sagt, wird er beschämt werden, weil euer vorbildliches Leben mit

Christus ihn Lügen straft. 17Denkt daran, dass es besser ist, für
gute Taten zu leiden, falls Gott es so will, als zu leiden, weil ihr
unrecht getan habt!
18Auch Christus hat gelitten, als er ein für alle Mal für unsere
Sünden starb. Er hat nie gesündigt, aber er starb für die Sün-
der, um uns zu Gott zurückzubringen. Sein Körper starb,
doch er wurde wieder zum Leben erweckt und lebt nun im
Geist.
19Danach ging er und predigte den Geistern im Gefängnis –
20denen, die Gott vor langer Zeit ungehorsam waren, als Gott
geduldig wartete, während Noah sein Schiff baute. Nur acht
Menschen wurden vor dem Ertrinken in jener Flut gerettet.
21Das ist ein Bild für die Taufe, die euch jetzt rettet. Die Taufe
ist keine körperliche Reinigung, sondern die Bitte an Gott um
ein reines Gewissen. Dies ist möglich durch die Kraft der Auf-
erstehung von Jesus Christus. 22Jetzt ist Christus in den Him-
mel aufgestiegen. Er sitzt an Gottes rechter Seite, und alle En-
gel und Gewalten und Mächte beugen sich vor ihm.

Für Gott leben

4 1Da Christus also körperlich gelitten hat, sollt auch ihr
euch diese Haltung zum Vorbild nehmen und ebenfalls
bereit sein zu leiden. Denn wenn ihr bereit seid, für Christus
zu leiden, habt ihr euch gegen die Sünde entschieden. 2Und
den Rest eures Lebens werdet ihr nicht mehr mit euren selbst-
süchtigen Leidenschaften vergeuden, sondern darauf be-
dacht sein, den Willen Gottes zu tun. 3Ihr habt euch in der
Vergangenheit genug an dem beteiligt, woran ungläubige
Menschen ihre Freude haben – an Maßlosigkeit und zügello-
sen Leidenschaften, Trunkenheit, ausschweifenden Festen,
Trinkgelagen und Götzenanbetung.
4Eure früheren Freunde sind natürlich überrascht, dass ihr
nicht mehr an ihren schlimmen Vergnügungen teilnehmt,
und reden jetzt schlecht über euch. 5Aber vergesst nicht, dass
sie sich eines Tages vor Gott verantworten müssen, der alle
Menschen – die Lebenden wie die Toten – richten wird. 6Des-

halb wurde die Botschaft sogar den Verstorbenen gepredigt,
damit sie – obwohl ihr Körper mit dem Tod bestraft wurde –
trotzdem im Geist ewiges Leben haben können.

7Das Ende der Welt kommt bald. Seid deshalb besonnen und
klar in euren Gebeten! 8Das Wichtigste aber ist, dass ihr einan-
der beständig liebt, denn die Liebe deckt viele Sünden zu!
9Teilt euer Zuhause gastfreundlich mit anderen, die Essen
oder einen Platz zum Schlafen brauchen.

10Gott hat jedem von euch Gaben geschenkt, mit denen ihr
einander dienen sollt. Setzt sie gut ein, damit sichtbar wird,
wie vielfältig Gottes Gnade ist. 11Wenn jemand redet, dann
rede er so, als würde Gott selbst durch ihn sprechen. Wenn
sich jemand für andere einsetzt, dann setze er sich mit all der
Kraft und Energie ein, die Gott ihm gibt. Dann wird Gott in
allem durch Jesus Christus verherrlicht werden. Alle Ehre
und Macht gehören für immer und ewig ihm! Amen.

Als Christ leiden

12Meine lieben Freunde, erschreckt nicht über die schmerzhaf-
ten Prüfungen, die ihr jetzt durchmacht, als wären sie etwas
Ungewöhnliches. 13Freut euch darüber, denn dadurch seid ihr
im Leiden mit Christus verbunden, und ihr werdet euch auch
sehr darüber freuen, wenn er in seiner Herrlichkeit erscheint.
14Gut seid ihr dran, wenn ihr beschimpft werdet, weil ihr zu
Christus gehört. Denn daran wird sichtbar, dass der Geist der
Herrlichkeit Gottes bei euch ist. 15Niemand soll leiden wegen
Mord, Diebstahl, Unruhestiftung oder wegen Einmischung in
fremde Angelegenheiten. 16Doch es ist keine Schande, dafür
zu leiden, dass man Christ ist. Ihr sollt Gott in diesem Fall
vielmehr loben. 17Denn die Zeit des Gerichts ist gekommen,
und es muss bei den Kindern Gottes beginnen. Und wenn
selbst wir gerichtet werden müssen, was erwartet dann erst
all diejenigen, die die Botschaft Gottes nicht angenommen ha-
ben? 18Denn »wenn die Gerechten kaum auf Rettung hoffen
dürfen, wo werden sich dann die Gottlosen und Sünder wie-
derfinden«?

19Wenn ihr also leidet, weil Gott es so will, dann hört nicht
auf, Gutes zu tun, und vertraut euch Gott an, der euch ge-
schaffen hat. Er wird treu zu euch stehen!

Ratschläge für die Ältesten der Gemeinde und für die jungen Männer

5 1Die Gemeindeältesten unter euch ermuntere ich – auch
ich bin ja ein Ältester und ein Zeuge der Leiden, die Chris-
tus ertragen hat, und auch ich werde an seiner Herrlichkeit
und Ehre teilhaben, wenn er wiederkommt –: 2Sorgt gut für
die Herde Gottes, die euch anvertraut ist. Hütet sie gern und
nicht widerwillig, sondern wie Gott es will. Kümmert euch
nicht um sie, um euch Vorteile zu verschaffen, sondern weil
ihr Gott gerne dienen wollt. 3Dabei sollt ihr die Menschen, die
eurer Leitung unterstellt sind, nicht bevormunden, sondern
sie durch euer gutes Beispiel leiten. 4Und wenn der oberste
Hirte wiederkommt, werdet ihr mit seiner unbegrenzten
Herrlichkeit belohnt werden.

5Ihr jüngeren Männer, ordnet euch den Ältesten unter! Ihr
alle sollt einander demütig dienen, denn »Gott stellt sich den
Stolzen entgegen, den Demütigen aber schenkt er Gnade«!
6Deshalb beugt euch demütig unter die Hand Gottes, dann
wird er euch ehren, wenn die Zeit dafür gekommen ist.
7Überlasst all eure Sorgen Gott, denn er sorgt sich um alles,
was euch betrifft!

8Seid besonnen und wachsam und jederzeit auf einen An-
griff durch den Teufel, euren Feind, gefasst! Wie ein brüllen-
der Löwe streift er umher und sucht nach einem Opfer, das er
verschlingen kann. 9Ihm sollt ihr durch euren festen Glauben
widerstehen. Macht euch bewusst, dass alle Gläubigen in der
Welt diese Leiden durchmachen.

10Gott hat euch in seiner Gnade durch Christus zu seiner
ewigen Herrlichkeit berufen. Nachdem ihr eine Weile gelitten
habt, wird er euch aufbauen, stärken und kräftigen; und er
wird euch auf festen Grund stellen. 11Ihm gehört alle Macht
für immer und ewig. Amen.

Letzte Grüße des Apostels
12Diesen kurzen Brief an euch habe ich euch mit der Hilfe von
Silas geschrieben, der ein treuer Bruder ist. Er soll euch ermu-
tigen und euch versichern, dass die Gnade Gottes euch beglei-
tet. 13Eure Schwestergemeinde hier in Babylon lässt euch grü-
ßen, ebenso mein Sohn Markus. 14Grüßt einander in Liebe.

Friede sei mit allen, die zu Christus gehören!

Der zweite Brief von Petrus

Grüße von Petrus

1 1 Dieser Brief ist von Simon Petrus, einem Diener und
Apostel von Jesus Christus.
Ich schreibe an euch alle, die ihr denselben kostbaren Glau-
ben habt wie wir – einen Glauben, der uns durch Jesus Chris-
tus geschenkt wurde. Er ist unser Gott und Retter und macht
uns vor Gott gerecht.
2 Mein Wunsch für euch ist, dass Gott euch immer mehr mit
seiner Gnade und seinem Frieden beschenkt, sodass ihr Jesus,
unseren Gott und Herrn, immer besser kennenlernt.

In der Erkenntnis Gottes wachsen

3 Denn dessen göttliche Kraft hat uns ja alles gegeben, was wir
brauchen, um ein Leben zu führen, das Gott gefällt. Das kam
dadurch, dass wir den erkannt haben, der uns durch seine
Herrlichkeit und Güte berufen hat. 4 Und durch dieselbe
mächtige Kraft hat er uns seine kostbaren und größten Zusa-
gen geschenkt. Er hat versprochen, dass ihr Anteil an seiner
göttlichen Natur bekommt, denn ihr seid dem Verderben die-
ser verführerischen Welt entflohen.
5 Strengt euch deshalb an, diese Zusagen Gottes in eurem
Glauben zu leben. Dann zeigt sich euer Glaube durch ein vor-
bildliches Leben. Ein vorbildliches Leben aber führt zur tiefe-
ren Erkenntnis Gottes. 6 Aus der Erkenntnis Gottes folgt
Selbstbeherrschung. Aus der Selbstbeherrschung wächst Ge-
duld und aus der Geduld ein Leben im Glauben zur Ehre
Gottes. 7 Aus der Ehrfurcht vor Gott entspringt die Liebe zu
den Gläubigen, und aus dieser schließlich die Liebe zu allen
Menschen. 8 Je mehr ihr in dieser Hinsicht vorankommt, desto
mehr werdet ihr mithilfe der Erkenntnis von Jesus Christus,
unserem Herrn, ein sinnvolles, auf andere ausstrahlendes Le-
ben führen. 9 Wer so nicht handelt, der ist blind oder zumin-
dest sehr kurzsichtig. Solche Leute haben schon vergessen,

dass Gott sie von ihrem früheren Leben, das voll Schuld war,
rein gewaschen hat.
10Deshalb, liebe Freunde, bemüht euch zu zeigen, dass Gott
euch berufen und erwählt hat! Wenn ihr das tut, werdet ihr
niemals stolpern oder von Gott abfallen. 11Und Gott wird die
Tore des Himmels weit öffnen und euch in das ewige Reich
von Jesus Christus, unserem Herrn und Retter, eintreten las-
sen.

Auf Gottes Wort achten

12Ich will euch immer wieder daran erinnern – auch wenn ihr
die Wahrheit schon kennt und fest in ihr verwurzelt seid. 13Ja,
ich glaube, dass es meine Pflicht ist, euch daran zu erinnern,
solange ich lebe. 14Doch Jesus Christus, der Herr, hat mir ge-
zeigt, dass meine Tage hier auf Erden gezählt sind und dass
ich bald sterben werde. 15Deshalb bemühe ich mich, euch dies
alles noch einmal klar vor Augen zu führen, damit ihr euch
noch daran erinnert, wenn ich schon längst nicht mehr bei
euch bin.
16Denn wir haben uns nicht etwa irgendwelche klugen Ge-
schichten ausgedacht, als wir euch von der Macht unseres
Herrn Jesus Christus und von seiner Wiederkehr erzählten.
Nein, wir haben seine Majestät mit eigenen Augen gesehen.
17Er empfing von Gott, dem Vater, Ehre und Herrlichkeit, als
Gottes herrliche, hoheitsvolle Stimme rief: »Dies ist mein ge-
liebter Sohn, an dem ich meine Freude habe.« 18Wir haben die
Stimme selbst vom Himmel herab gehört, als wir mit ihm auf
dem heiligen Berg waren.
19Aus diesem Grund setzen wir noch größeres Vertrauen in
die Botschaft der Propheten. Achtet auf das, was sie geschrie-
ben haben, denn ihre Worte sind wie ein Licht, das an einem
dunklen Ort leuchtet – bis zu dem Tag, an dem Christus er-
scheint und sein helles Licht in unseren Herzen aufgeht. 20Vor
allem aber sollt ihr begreifen, dass kein prophetisches Wort
der Schrift eine Sache eigener Deutung ist. 21Niemals nämlich
ging eine prophetische Botschaft aus menschlichem Willen

hervor, sondern die Propheten redeten als Menschen, aber von Gott her und vom Heiligen Geist getrieben.

Die Bedrohung durch Irrlehrer

2 [1]Doch es gab in Israel auch falsche Propheten, genauso
wie es falsche Lehrer unter euch geben wird. Geschickt werden sie euch ihre Irrlehren über Gott vortragen, die ins Unheil führen. Damit wenden sie sich gegen ihren eigenen Herrn, der sie doch freigekauft hat. Ihr Ende wird nicht lange
auf sich warten lassen, und es wird furchtbar sein. [2]Viele Men-
schen werden jedoch ihren zügellosen Lebensstil nicht aufgeben, und ihretwegen wird der Weg der Wahrheit in Verruf
geraten. [3]In ihrer Habgier werden sie geschickte Lügen erfin-
den, um an euer Geld zu kommen. Aber Gott hat sie längst verurteilt, und ihr Untergang ist besiegelt.

[4]Denn Gott hat nicht einmal die Engel verschont, als sie sün-
digten, sondern sie bis zum Tag des Gerichts in die Hölle geworfen, in düstere Höhlen und in völlige Finsternis. [5]Auch die
frühere Welt hat er nicht verschont – mit Ausnahme von Noah und den sieben Mitgliedern seiner Familie. Noah hatte die Welt vor dem gerechten Gericht Gottes gewarnt. Dann vernichtete Gott die Welt durch eine gewaltige Flut und alle gott-
losen Menschen kamen darin um. [6]Später legte er die Städte
Sodom und Gomorra in Schutt und Asche und vertilgte sie vom Erdboden. Damit gab er ein Beispiel, wie es Menschen
ergehen wird, die künftig gottlos leben. [7]Doch gleichzeitig
rettete Gott Lot aus Sodom, weil Lot ein gerechter Mann war, der unter dem ausschweifenden Leben der gesetzlosen Men-
schen um ihn herum leiden musste. [8]Ja, Lot war ein gerechter
Mann, den all das Schlechte, das er Tag für Tag zu hören und zu sehen bekam, quälte.

[9]Ihr seht also, dass der Herr weiß, wie er die gottesfürchti-
gen Menschen aus der Versuchung rettet, während er die Ungerechten bis zum Tag des Gerichts festhält, um sie zu be-
strafen. [10]Vor allem aber werden die bestraft, die ihren
selbstsüchtigen Leidenschaften nachgeben und jegliche Herrschaft verachten. Solche Menschen sind überheblich und ein-

gebildet, ja sie schrecken nicht davor zurück, himmlische
Mächte zu verspotten. 11Die Engel dagegen – obwohl sie den
falschen Lehrern an Macht und Stärke doch weit überlegen
sind – geben beim Herrn nie ein abwertendes Urteil über diese
Mächte ab.

12Diese Lehrer sind wie unvernünftige Tiere, Geschöpfe, die
nur geboren werden, um gefangen und getötet zu werden. Sie
machen sich über die Mächte lustig, von denen sie so wenig
wissen, und sie werden mit ihnen zusammen umkommen.
13Das ist die verdiente Strafe für all die Ungerechtigkeit, die
sie angerichtet haben. Sie lieben es, sich am helllichten Tag
gottlosen Vergnügungen hinzugeben. Sie sind ein Schand-
und Schmutzfleck unter euch. Sie genießen es, euch zu betrü-
gen, während sie mit euch feiern. 14Sie begehen Ehebruch mit
den Augen, und nie wird ihre Lust gestillt. Es macht ihnen
Freude, unsichere Menschen zu ködern. Habgier ist ihre zwei-
te Natur; sie sind verloren und verflucht. 15Da sie vom rechten
Weg abwichen, sind sie in die Irre gegangen und dem Weg
Bileams, des Sohnes von Beor, gefolgt, der bereit war, durch
unrechtes Handeln Geld zu verdienen. 16Doch Bileam wurde
auf seinem falschen Weg aufgehalten, als sein Esel ihn mit der
Stimme eines Menschen ansprach und zurechtwies.

17Solche Menschen sind so nutzlos wie Brunnen ohne Was-
ser oder wie Wolken, die vom Wind getrieben werden. Sie
werden in der dunkelsten Finsternis enden. 18Mit leeren Wor-
ten schwingen sie große Reden, und durch ihr ausschwei-
fendes Leben ködern sie die Menschen, die denen tatsächlich
entkommen waren, die im Irrtum leben. 19Sie versprechen
Freiheit, sind aber selbst Sklaven der Sünde. Denn wovon
man sich beherrschen lässt, dessen Sklave ist man. 20Viele
sind durch Jesus Christus, den Herrn und Retter, dem Verder-
ben der Welt entkommen. Doch wenn sie von den Verlockun-
gen dieser Welt wieder angezogen und überwältigt werden,
sind sie schlimmer dran als zuvor. 21Es wäre besser, sie hätten
den richtigen Weg nie kennengelernt, als ihn zu erkennen und
sich dann wieder von dem heiligen Gebot, das ihnen gegeben
wurde, abzuwenden. 22An ihnen erfüllt sich die Wahrheit der

Sprichwörter: »Ein Hund kehrt zu dem wieder zurück, was er
erbrochen hat«, und: »Ein gewaschenes Schwein wälzt sich
wieder im Schlamm.«

Der Tag des Herrn steht bevor

3 1 Dies ist mein zweiter Brief an euch, liebe Freunde, und
ich habe in beiden versucht, eure Erinnerung aufzufri-
schen und euch damit zu einer gesunden Einstellung zu ver-
helfen. 2 Ich möchte, dass ihr euch daran erinnert und versteht,
was die heiligen Propheten vor langer Zeit sagten und was
unser Herr und Retter euch durch eure Apostel verkündet
hat.
3 Vor allem denkt daran, dass in den letzten Tagen Spötter
auftreten werden, die sich über die Wahrheit lustig machen
und nur ihren eigenen Begierden folgen. 4 Sie werden sagen:
»Jesus hat doch versprochen wiederzukommen? Wo bleibt er
denn? So weit ein Mensch nur zurückdenken kann, ist doch
alles genauso geblieben, wie es immer schon war, seit die Welt
erschaffen wurde.«
5 Wenn sie dies behaupten, sehen sie nicht, dass Gott durch
sein Wort den Himmel erschuf und die Erde aus dem Wasser
hervortreten ließ und sie mit Wasser umgab. 6 Durch sein Wort
hat Gott die damalige Welt mit Wasser überflutet und ver-
nichtet. 7 Und Gott hat durch dasselbe Wort befohlen, dass
dieser Himmel und diese Erde Bestand haben werden bis
zum Tag des Gerichts. Dann werden sie vom Feuer verzehrt
werden und die gottlosen Menschen werden zugrunde ge-
hen.
8 Und ihr sollt wissen, liebe Freunde, dass ein Tag für den
Herrn wie tausend Jahre ist und tausend Jahre wie ein Tag.
9 Es ist aber nicht so, dass der Herr seine versprochene Wieder-
kehr hinauszögert, wie manche meinen. Nein, er wartet, weil
er Geduld mit uns hat. Denn er möchte nicht, dass auch nur
ein Mensch verloren geht, sondern dass alle Buße tun und zu
ihm umkehren. 10 Doch der Tag des Herrn wird so unerwartet
kommen wie ein Dieb. Dann wird der Himmel unter schreck-
lichem Lärm vergehen, und alles wird sich in Flammen auf-

lösen; und die Erde wird mit allem, was auf ihr ist, ver-
schwunden sein.

11Wenn aber alles um uns her sich auf diese Weise auflösen
wird, wie viel mehr solltet ihr dann ein Leben führen, das
heilig ist und Gott ehrt! 12Ihr solltet diesen Tag erwarten und
ihn herbeisehnen – den Tag, an dem Gott den Himmel in
Brand setzt und die Elemente in den Flammen zerschmelzen.
13Wir aber erwarten den neuen Himmel und die neue Erde,
die er versprochen hat. Dort wird Gottes Gerechtigkeit herr-
schen.

14Bemüht euch deshalb darum, liebe Freunde, ein reines und
tadelloses Leben im Frieden mit Gott zu führen, während ihr
auf dies alles wartet.

15Und denkt daran: Gott wartet, damit die Menschen geret-
tet werden. Das hat euch ja auch unser lieber Bruder Paulus
mit der Weisheit geschrieben, die Gott ihm gab – 16und dies in
all den Briefen, in denen er sich dazu äußert. Manche seiner
Aussagen sind schwer zu verstehen, und unwissende, unsi-
chere Menschen werden ihren Sinn verdrehen und entstellen.
So werden sie es auch mit den anderen Schriften machen. Die
Folge wird ihr eigenes Verderben sein.

Abschließende Worte des Apostels

17Ich warne euch rechtzeitig, liebe Freunde, damit ihr wach-
sam seid und nicht von den Irrtümern dieser Menschen mit-
gerissen werdet, die ohne Gesetz leben. Ich möchte nicht, dass
ihr euren sicheren Halt verliert. 18Wachst aber in der Gnade
und Erkenntnis unseres Herrn und Retters Jesus Christus!

Ihm gehört alle Herrlichkeit und Ehre, jetzt und in Ewigkeit!

Der erste Brief von Johannes

Einleitung

1 [1]Es war von Anfang an, wir haben es gehört und mit un-
seren eigenen Augen gesehen, wir haben es betrachtet
und mit unseren Händen betastet: das Wort des Lebens. [2]Das
Leben wurde uns offenbart, und wir haben es gesehen. Und
jetzt bezeugen und verkünden wir euch das ewige Leben. Es
war beim Vater, und dann wurde es uns offenbart. [3]Wir sagen
euch, was wir selbst gesehen und gehört haben, damit ihr Ge-
meinschaft mit uns habt. Und zusammen sind wir verbunden
mit dem Vater und mit Jesus Christus, seinem Sohn.
[4]Wir schreiben euch das, damit unsere Freude immer größer
wird.

Im Licht leben

[5]Das ist die Botschaft, die er uns gegeben hat, damit wir sie
euch weitersagen: Gott ist Licht; in ihm ist keine Finsternis.
[6]Deshalb lügen wir, wenn wir sagen, dass wir mit Gott Ge-
meinschaft haben, aber weiter in der Finsternis leben. Wenn
wir das tun, leben wir nicht in der Wahrheit. [7]Wenn wir wie
Christus im Licht Gottes leben, dann haben wir Gemeinschaft
miteinander, und das Blut von Jesus, seinem Sohn, reinigt uns
von jeder Schuld.
[8]Wenn wir sagen, wir seien ohne Schuld, betrügen wir uns
selbst und die Wahrheit ist nicht in uns. [9]Doch wenn wir ihm
unsere Sünden bekennen, ist er treu und gerecht, dass er uns
vergibt und uns von allem Bösen reinigt. [10]Wenn wir behaup-
ten, wir hätten nicht gesündigt, machen wir Gott damit zum
Lügner und beweisen, dass sein Wort nicht in unserem Her-
zen ist.

2 [1]Meine Kinder, ich schreibe euch das, damit ihr nicht sün-
digt. Aber wenn es doch geschieht, dann gibt es jeman-
den, der vor dem Vater für euch eintritt: Jesus Christus, der
vor Gott in allem gerecht ist. [2]Er ist das Opfer für unsere Sün-

den. Er tilgt nicht nur unsere Schuld, sondern die der ganzen
Welt.
3Aber wie können wir sicher sein, dass wir ihm gehören? –
Wenn wir seine Gebote befolgen. 4Wer sagt: »Ich gehöre Gott«
und befolgt dabei Gottes Gebote nicht, ist ein Lügner und die
Wahrheit ist nicht in ihm. 5Doch wer sein Wort hält, an dem
zeigt sich Gottes Liebe in vollkommener Weise. Daran erken-
nen wir, ob wir in ihm leben. 6Wer behauptet, dass er zu Gott
gehört, soll leben, wie Christus es vorgelebt hat.

Ein neues Gebot

7Liebe Freunde, ich schreibe euch kein neues Gebot, sondern
ein altes, das ihr schon von Anfang an hattet. Dieses Gebot
entspricht dem, was ihr schon früher gehört habt. 8Und doch
ist es zugleich neu. Denn dies Gebot ist in Christus wahr ge-
worden und in euch, weil die Dunkelheit verschwindet und
das wahre Licht bereits scheint.
9Wer von sich sagt, dass er zum Licht gehört, und dabei sei-
nen Bruder hasst, lebt noch in der Finsternis. 10Doch wer sei-
nen Nächsten liebt, lebt im Licht und niemand nimmt Anstoß
an ihm. 11Wer seinen Nächsten hasst, lebt in der Finsternis
und weiß nicht, wohin er geht, denn durch die Finsternis ist
er blind geworden.
12Ich schreibe euch, meine Kinder, weil eure Sünden im Na-
men von Jesus vergeben sind.
13Ich schreibe an euch Väter, weil ihr Christus erkannt habt –
den, der von Anfang an ist.
Ich schreibe an euch junge Männer, weil ihr in eurem Kampf
mit dem Satan gesiegt habt.
14Ich habe an euch Kinder geschrieben, weil ihr den Vater
erkannt habt.
Ich habe euch Vätern geschrieben, weil ihr Christus erkannt
habt – den, der von Anfang an ist.
Ich habe euch jungen Männern geschrieben, weil ihr stark
seid und Gottes Wort im Herzen tragt und weil ihr in eurem
Kampf mit dem Satan gesiegt habt.
15Hört auf, diese Welt und das, was sie euch anbietet, zu

lieben! Denn wer die Welt liebt, zeigt, dass die Liebe des Va-
ters nicht in ihm ist. [16]Denn die Welt kennt nur das Verlangen
nach körperlicher Befriedigung, die Gier nach allem, was un-
sere Augen sehen, und den Stolz auf unseren Besitz. Dies alles
ist nicht vom Vater, sondern kommt von der Welt. [17]Doch die-
se Welt vergeht mit all ihren Verlockungen. Aber wer den
Willen Gottes tut, wird in Ewigkeit leben.

[18]Liebe Kinder, die letzte Stunde ist angebrochen. Ihr habt
gehört, dass der Antichrist kommt, und es sind schon viele
solche Antichristen aufgetreten. Daher wissen wir, dass das
Ende der Welt gekommen ist. [19]Diese Leute haben unsere Ge-
meinden verlassen, weil sie nie wirklich zu uns gehörten;
sonst wären sie bei uns geblieben. Als sie uns verließen, wur-
de deutlich, dass sie nicht zu uns gehören. [20]Aber für euch gilt
das nicht, denn der Heilige Geist ist auf euch herabgekom-
men, und ihr kennt alle die Wahrheit. [21]Ich schreibe euch also
nicht, weil ihr nichts von der Wahrheit wisst, sondern weil ihr
sie kennt! Euch ist klar, dass keine Lüge aus der Wahrheit
kommt. [22]Und ist nicht der ein Lügner, der behauptet, Jesus
sei nicht der Christus? Wer das behauptet, ist der Antichrist,
denn er verleugnet den Vater und den Sohn. [23]Wer den Sohn
verleugnet, gehört auch nicht zum Vater. Doch wer den Sohn
bekennt, der gehört auch zum Vater.

[24]Doch haltet an dem fest, was ihr von Anfang an gehört
habt! Wenn ihr das tut, werdet ihr mit dem Sohn und mit
dem Vater verbunden bleiben. [25]Und durch diese Gemein-
schaft bekommen wir das ewige Leben, das er uns verspro-
chen hat.

[26]Ich habe euch dies geschrieben, weil ihr euch vor denen
schützen müsst, die euch in die Irre führen wollen. [27]Aber ihr
habt den Heiligen Geist von Gott empfangen, und er lebt in
euch, deshalb braucht ihr niemanden, der euch lehrt. Denn
der Geist lehrt euch alles, und was er lehrt, ist wahr – es ist
keine Lüge. Bleibt also bei dem, was er euch gelehrt hat, und
lebt weiter mit Christus!

[28]Und nun, liebe Kinder, bleibt mit Christus verbunden, da-
mit ihr voller Zuversicht seid, wenn er wiederkommt, und

euch nicht vor ihm schämen müsst! [29]Da ihr wisst, dass Gott
gerecht ist, erkennt ihr auch, dass alle, die sich nach dem Wil-
len Gottes richten, seine Kinder sind.

Als Kinder Gottes leben

3 [1]Seht, was für eine Liebe unser himmlischer Vater uns ge-
schenkt hat, nämlich, dass wir seine Kinder genannt wer-
den – und das sind wir auch! Doch die Menschen, die zu die-
ser Welt gehören, kennen Gott nicht; deshalb verstehen sie
auch nicht, dass wir seine Kinder sind. [2]Meine lieben Freunde,
wir sind schon jetzt die Kinder Gottes, und wie wir sein wer-
den, wenn Christus wiederkommt, das können wir uns nicht
einmal vorstellen. Aber wir wissen, dass wir bei seiner Wie-
derkehr sein werden wie er, denn wir werden ihn sehen, wie
er wirklich ist. [3]Und jeder, der diese Hoffnung hat, achtet da-
rauf, dass er rein bleibt, so wie Christus rein ist.

[4]Wer sündigt, missachtet das Gesetz Gottes, denn Sünde be-
deutet immer Auflehnung gegen Gottes Gesetz. [5]Und ihr
wisst, dass Jesus kam, um die Sünden der Menschen weg-
zunehmen, denn er ist ohne Sünde. [6]Wer also mit ihm lebt,
sündigt nicht. Wer aber weiter sündigt, hat ihn nicht erkannt
oder nicht begriffen, wer er ist.

[7]Liebe Kinder, lasst euch von niemandem verführen! Wer
handelt, wie es dem Willen Gottes entspricht, ist gerecht, wie
Christus gerecht ist. [8]Aber wenn Menschen sündigen, zeigt
das, dass sie zum Machtbereich des Teufels gehören, der von
Anfang an gesündigt hat. Doch der Sohn Gottes kam, um die
Taten des Teufels zu vernichten. [9]Wer zu Gott gehört, sündigt
nicht, weil Gottes Leben in ihm ist. Deshalb kann er nicht
mehr sündigen, denn er ist von Gott geboren. [10]Daran ist er-
kennbar, wer ein Kind Gottes und wer ein Kind des Teufels ist.
Wer nicht nach Gottes Willen handelt und seinen Nächsten
nicht liebt, der gehört nicht zu Gott.

Liebt einander

[11]Das ist die Botschaft, die ihr von Anfang an gehört habt: Wir
sollen einander lieben. [12]Wir sollen nicht wie Kain sein, der

dem Bösen angehörte und seinen Bruder tötete. Und warum
tötete er ihn? Weil die Taten Kains böse waren, die seines Bru-
ders aber gerecht. 13Wundert euch nicht, Brüder, wenn die
Welt euch hasst!

14Wenn wir die anderen Gläubigen lieben, beweist dies, dass
wir vom Tod zum ewigen Leben durchgebrochen sind. Wer
aber die Brüder nicht liebt, der ist immer noch tot. 15Wer sei-
nen Bruder hasst, ist ein Mörder. Und ihr wisst, dass kein
Mörder das ewige Leben in sich trägt. 16Wir haben die wahre
Liebe daran erkannt, dass Christus sein Leben für uns gege-
ben hat. Deshalb sollen auch wir unser Leben für unsere Brü-
der einsetzen. 17Doch wenn einer genügend Geld hat, um gut
zu leben, und einen anderen in Not sieht und sich weigert zu
helfen – wie soll die Liebe Gottes da in ihm bleiben?

18Liebe Kinder, wir wollen nicht nur davon reden, dass wir
einander lieben; unser Tun soll ein glaubwürdiger Beweis un-
serer Liebe sein. 19Hieran erkennen wir, dass wir in der Wahr-
heit leben und Gott voller Zuversicht begegnen können,
20selbst wenn unser Herz uns verurteilt. Denn Gott ist größer
als unser Herz, und er weiß alles.

21Liebe Freunde, wenn unser Gewissen rein ist, können wir
mit Zuversicht und mutig vor Gott treten. 22Und wir werden
von ihm bekommen, was immer wir erbitten, weil wir ihm
gehorchen und tun, was ihm Freude macht. 23Und so lautet
sein Gebot: Wir sollen an den Namen seines Sohnes, Jesus
Christus, glauben und einander lieben, wie er es uns aufgetra-
gen hat. 24Wer die Gebote Gottes befolgt, der lebt in Gemein-
schaft mit ihm, und Gott ist in ihm. Und wir wissen, dass er in
uns bleibt durch den Heiligen Geist.

Falsche Propheten erkennen

4 1Liebe Freunde, glaubt nicht jedem, der behauptet, was er
sagt, käme vom Heiligen Geist. Ihr müsst die Menschen
prüfen, um festzustellen, ob der Geist, durch den sie reden,
wirklich der Geist Gottes ist. Denn es gibt zahllose falsche
Propheten in der Welt! 2Und so erkennt ihr den Geist Gottes:
Jeder, der bekennt, dass Jesus Christus wirklich als Mensch

auf die Erde gekommen ist, hat den Geist Gottes. [3]Wer Jesus
so nicht bekennt, gehört nicht zu Gott. In einem solchen Men-
schen ist der Geist des Antichristen. Ihr habt ja gehört, dass
dieser Geist in die Welt kommen wird, und er ist tatsächlich
schon da.

[4]Ihr aber gehört zu Gott, meine Kinder. Ihr habt euren
Kampf gegen diese falschen Propheten bereits gewonnen,
weil der Geist, der in euch lebt, größer ist als der Geist, der
die Welt regiert. [5]Solche Menschen gehören zu dieser Welt;
deshalb reden sie vom Standpunkt der Welt aus, und die
Welt hört auf sie. [6]Wir dagegen gehören zu Gott. Wer Gott
kennt, hört auf uns, und wer nicht zu Gott gehört, der hört
nicht auf uns. Daran erkennen wir, ob jemand den Geist der
Wahrheit oder den Geist des Irrtums hat.

Einander lieben

[7]Liebe Freunde, lasst uns einander lieben, denn die Liebe
kommt von Gott. Wer liebt, ist von Gott geboren und kennt
Gott. [8]Wer aber nicht liebt, kennt Gott nicht – denn Gott ist
Liebe.

[9]Gottes Liebe zu uns zeigt sich darin, dass er seinen einzigen
Sohn in die Welt sandte, damit wir durch ihn das ewige Leben
haben. [10]Und das ist die wahre Liebe: Nicht wir haben Gott
geliebt, sondern er hat uns zuerst geliebt und hat seinen Sohn
gesandt, damit er uns von unserer Schuld befreit. [11]Liebe
Freunde, weil Gott uns so sehr geliebt hat, sollen wir auch
einander lieben. [12]Niemand hat Gott je gesehen. Aber wenn
wir einander lieben, dann bleibt Gott in uns, und seine Liebe
kommt in uns zur Vollendung.

[13]Wir erkennen, dass wir in ihm leben und er in uns, weil er
uns seinen Geist gegeben hat. [14]Außerdem haben wir mit ei-
genen Augen gesehen und können bezeugen, dass der Vater
seinen Sohn als Retter der Welt gesandt hat. [15]Wer bekennt,
dass Jesus der Sohn Gottes ist, in dem bleibt Gott und er bleibt
in Gott. [16]Wir haben erkannt, wie sehr Gott uns liebt, und wir
glauben an seine Liebe. Gott ist Liebe, und wer in der Liebe
lebt, der lebt in Gott und Gott lebt in ihm. [17]Und wenn wir in

Gott leben, dann kommt seine Liebe in uns zum Ziel. Und wir
können dem Tag des Gerichts mit Zuversicht entgegensehen,
denn wir leben in dieser Welt in derselben Gemeinschaft mit
Gott wie Christus. Und unsere Liebe kennt keine Angst, 18weil
die vollkommene Liebe alle Angst vertreibt. Wer noch Angst
hat, rechnet mit Strafe, und das zeigt, dass seine Liebe in uns
noch nicht vollkommen ist. 19Wir wollen lieben, weil er uns
zuerst geliebt hat.

20Wenn jemand sagt: »Ich liebe Gott«, aber seinen Bruder
hasst, dann ist er ein Lügner; denn wer die Menschen nicht
liebt, die er doch sieht, wie kann er da Gott lieben, den er nie
gesehen hat? 21Gott selbst hat uns geboten, nicht nur ihn, son-
dern auch unseren Nächsten zu lieben.

Glaube an den Sohn Gottes

5 1Wer glaubt, dass Jesus der Christus ist, der ist ein Kind
Gottes. Und wer den Vater liebt, der liebt auch seine Kin-
der. 2Wir wissen, dass wir die Kinder Gottes lieben, wenn wir
Gott lieben und seine Gebote halten. 3Gott zu lieben heißt,
seine Gebote zu befolgen, und das ist nicht schwer. 4Denn die
Kinder Gottes besiegen diese Welt; sie siegen durch den Glau-
ben an Christus. 5Und wer würde den Kampf gegen die Welt
gewinnen, wenn nicht der, der glaubt, dass Jesus der Sohn
Gottes ist?

6Jesus Christus wurde durch die Taufe im Wasser und durch
sein Blut am Kreuz als Sohn Gottes offenbart – nicht nur
durch Wasser, sondern durch Wasser und Blut. Und auch
der Geist bestätigt uns das, denn der Geist Gottes ist die
Wahrheit. 7Wir haben also diese drei Zeugen – 8den Geist,
das Wasser und das Blut –, und alle drei sagen dasselbe.
9Wenn wir schon menschlichen Zeugen glauben, dann dürfen
wir ganz bestimmt dem glauben, was Gott sagt. Und Gott hat
Jesus Christus als seinen Sohn bezeugt. 10Wer an den Sohn
Gottes glaubt, hat die Zeugenaussage in ihm, in Gott. Wer
Gott nicht glaubt, der macht ihn zum Lügner, weil er nicht
glaubt, was Gott über seinen Sohn ausgesagt hat.

11Und dies hat Gott versichert: Er hat uns das ewige Leben

geschenkt, und dieses Leben ist in seinem Sohn. 12Wer an den
Sohn Gottes glaubt, hat das Leben; wer aber an den Sohn Gottes nicht glaubt, hat auch das Leben nicht.

Abschließende Bemerkungen

13Das schreibe ich euch, damit ihr wisst, dass ihr das ewige Leben habt, weil ihr an den Namen des Sohnes Gottes glaubt.
14Und wir dürfen zuversichtlich sein, dass er uns erhört, wenn
wir ihn um etwas bitten, das seinem Willen entspricht. 15Und
wenn wir wissen, dass er unsere Bitten hört, dann können wir auch sicher sein, dass er uns gibt, worum wir ihn bitten.

16Wenn jemand sieht, dass sein Bruder in einer Weise sündigt, die nicht zum Tod führt, soll er beten, und Gott wird ihm das Leben schenken. Doch es gibt eine Sünde, die zum Tod führt, und ich sage nicht, dass ihr für die beten sollt, die eine
solche Sünde begehen. 17Jedes Unrecht ist Sünde, aber nicht jede Sünde führt zum Tod.

18Wir wissen, dass jeder, der ein Kind Gottes geworden ist, nicht sündigt, sondern jedes Kind Gottes achtet auf sich, und
der Böse kann ihm nichts anhaben. 19Wir wissen, dass wir Kinder Gottes sind und dass die Welt um uns herum vom
Bösen beherrscht wird. 20Und wir wissen, dass der Sohn Gottes gekommen ist und uns den einzig wahren Gott erkennen lässt. Und nun haben wir Gemeinschaft mit dem wahren Gott durch seinen Sohn Jesus Christus. Er ist der wahre Gott und das ewige Leben.

21Liebe Kinder, hütet euch vor den Götzen!

Der zweite Brief von Johannes

Grüße

1Diesen Brief schreibt der Älteste.
Er richtet sich an die auserwählte Herrin und ihre Kinder,
die ich aufrichtig liebe, wie es alle tun, die Gottes Wahrheit
kennen – 2die Wahrheit, die in uns lebt und für immer in un-
seren Herzen sein wird.
3Gnade, Barmherzigkeit und Frieden von Gott, unserem Va-
ter, und von Jesus Christus, seinem Sohn, sollen mit uns sein,
damit wir in der Wahrheit und in der Liebe leben.

In der Wahrheit leben

4Ich war so glücklich, als ich einigen deiner Kinder begegnete
und sah, dass sie in der Wahrheit leben, so wie der Vater es
uns geboten hat.
5Und nun ist meine Bitte an dich, liebe Herrin, dass wir ei-
nander lieben. Das ist kein neues Gebot, sondern eines, das
wir von Anfang an hatten. 6Und Liebe heißt, sich nach den
Geboten Gottes zu richten. Um dieses eine Gebot geht es;
nach ihm sollt ihr euch richten, so wie ihr es von Anfang an
gehört habt.
7Viele Betrüger sind in die Welt gekommen. Sie glauben
nicht, dass Jesus Christus wirklich in menschlicher Gestalt
auf die Erde kam. Wer so denkt, ist ein Betrüger und Anti-
christ. 8Achtet darauf, dass ihr nicht verliert, wofür wir so
hart gearbeitet haben. Strengt euch an, damit ihr den vollen
Lohn bekommt. 9Denn wer über die Lehre von Christus hi-
nausgeht, wird keine Gemeinschaft mit Gott haben. Aber
wer der Lehre von Christus treu bleibt, wird sowohl mit dem
Vater als auch mit dem Sohn verbunden sein.
10Wenn jemand zu euch kommt und nicht die Wahrheit über
Christus lehrt, dann ladet ihn nicht in euer Haus ein und er-
mutigt ihn auch sonst in keiner Weise. 11Wer ihn ermutigt,
macht sich mitschuldig an seinem schlechten Tun.

Abschließende Bemerkungen

12Nun hätte ich euch noch viel mehr zu sagen, doch ich möchte es nicht in einem Brief tun. Ich hoffe nämlich, euch bald besuchen zu können, dann kann ich persönlich mit euch sprechen. Dann wird nichts mehr unsere Freude trüben.

13Die Kinder deiner von Gott auserwählten Schwester lassen dich grüßen.

Der dritte Brief von Johannes

Grüße

1Diesen Brief schreibt der Älteste.
Er richtet sich an meinen lieben Freund Gajus, den ich auf-
richtig liebe.
2Lieber Freund, ich bete, dass es dir in jeder Hinsicht gut
geht, und dass dein Körper so gesund ist, wie ich es von dei-
ner Seele weiß. 3Einige der Brüder kehrten vor kurzem zu-
rück, und ich habe mich sehr gefreut, als sie mir von deiner
Treue erzählten und berichteten, wie du in der Wahrheit lebst.
4Ich kenne keine größere Freude als zu hören, dass meine Kin-
der so leben, wie es Gottes Wahrheit entspricht.

Sorge um die Arbeiter des Herrn

5Lieber Freund, du dienst Gott, wenn du dich um die Brüder
kümmerst, die bei euch Rast machen, auch wenn sie Fremde
für dich sind. 6Sie haben der Gemeinde hier von deiner liebe-
vollen Freundlichkeit berichtet. Es ist gut von dir, wenn du sie
mit allem versorgst, was sie für ihre Reise benötigen, denn ein
solches Handeln gefällt Gott. 7Sie sind für den Herrn unter-
wegs und nehmen nichts von Leuten an, die Gott nicht ken-
nen. 8Deshalb sollten wir sie unbedingt unterstützen, damit
wir Mitarbeiter im Dienst für die Wahrheit werden.
9Ich habe einen entsprechenden Brief an die Gemeinde ge-
schickt, aber Diotrephes, der gern die Gemeinde leiten will,
erkennt uns nicht an. 10Wenn ich komme, werde ich darauf
zu sprechen kommen, was er tut, und auch auf sein schlechtes
Gerede über uns. Nicht nur, dass er sich selbst weigert, die
reisenden Brüder aufzunehmen, er fordert auch die anderen
auf, ihnen nicht beizustehen. Und wenn sie es doch tun,
schließt er sie aus der Gemeinde aus.
11Mein lieber Freund, lass dich von diesem schlechten Bei-
spiel nicht beeinflussen. Halte dich vielmehr an das Gute!
Denke daran, dass diejenigen, die Gutes tun, Gottes Kinder
sind. Diejenigen aber, die Böses tun, kennen Gott nicht.

12Doch von Demetrius spricht jeder voller Hochachtung, sogar der Herr selbst, der die Wahrheit ist. Auch wir können ihm nur ein gutes Zeugnis ausstellen, und du weißt, dass wir die Wahrheit sagen.

Abschließende Bemerkungen

13Ich habe dir so viel zu sagen, aber ich möchte es nicht in einem Brief tun. 14Denn ich hoffe, dass ich dich bald sehen werde, und dann können wir persönlich miteinander reden.

15Ich wünsche dir den Frieden Gottes! Deine Freunde hier lassen dich grüßen. Bitte grüße jeden unserer Freunde persönlich von mir!

Der Brief von Judas

Grüße von Judas

1 Dieser Brief ist von Judas, einem Diener von Jesus Christus
und Bruder von Jakobus.
Ich schreibe an alle, die zum Glauben berufen sind. Sie sind
von Gott, dem Vater, geliebt und von Jesus Christus bewahrt.
2 Es ist mein Wunsch, dass ihr immer mehr mit der Gnade,
dem Frieden und der Liebe Gottes beschenkt werdet!

Die Bedrohung durch falsche Lehrer

3 Meine lieben Freunde, ich hatte euch schon lange über die
Erlösung schreiben wollen, die uns allen gehört. Doch nun
will ich euch über etwas anderes schreiben: Ich muss euch
auffordern, für die Wahrheit der Botschaft zu kämpfen, die
Gott ein für alle Mal denen geschenkt hat, die ihm gehören.
4 Ich sage das, weil einige gottlose Leute sich bei euch einge-
schlichen haben und behaupten, wir könnten die Vergebung
Gottes dazu missbrauchen, ein zügelloses Leben zu führen.
Das Schicksal solcher Menschen ist längst besiegelt, denn sie
haben sich gegen unseren einzigen Herrn und Herrscher, Je-
sus Christus, gewandt.
5 Und obwohl ihr alles ein für allemal wisst, muss ich euch
daran erinnern, dass Jesus zwar das Volk Israel aus Ägypten
rettete, doch beim nächsten Mal dann alle tötete, die nicht
mehr an ihn glaubten. 6 Und ich erinnere euch an die Engel,
die die Grenzen ihrer von Gott verliehenen Vollmacht nicht
anerkannten, sondern den Platz verließen, an den sie gehör-
ten. Gott hält sie im Gefängnis der Finsternis gefesselt und
verwahrt sie dort bis zum Tag des Gerichts. 7 Vergesst auch
nicht die Städte Sodom und Gomorra und ihre Nachbarorte,
in denen ebenfalls Unzucht und sexuelle Ausschweifung
herrschten. Diese Städte wurden durch das ewige Feuer ver-
nichtet und sind bis heute ein warnendes Beispiel.
8 Auch diese falschen Lehrer, die sich auf ihre Träume beru-
fen, führen ein unzüchtiges Leben, ordnen sich keiner Herr-

schaft unter und verspotten die himmlischen Mächte. [9]Dabei
hat es nicht einmal Michael, einer der mächtigsten Engel, ge-
wagt, den Satan im Streit um den Körper von Mose zu ver-
spotten. Er sagte nur: »Der Herr bestrafe dich.« [10]Doch diese
Leute spotten und fluchen über die Dinge, die sie nicht ver-
stehen. Wie unvernünftige Tiere folgen sie ihrem inneren
Trieb und laufen so in ihr eigenes Verderben. [11]Es wird ihnen
schrecklich ergehen! Denn sie folgen dem Weg Kains, der sei-
nen Bruder ermordete. Wie Bileam sind sie bereit, für Geld
alles zu tun. Und wie Korach werden sie wegen ihrer Aufleh-
nung untergehen!

[12]Wenn solche Leute sich euch anschließen, während ihr
beim gemeinsamen Mahl die Liebe des Herrn feiert, sind sie
ein Schandfleck für euch, denn schamlos sind sie nur auf ihr
eigenes Wohl bedacht. Sie sind wie Wolken, die über dürres
Land ziehen, ohne Regen zu spenden. Sie sind wie Bäume, die
zur Erntezeit keine Früchte tragen; sie sind nicht nur tot, son-
dern in doppelter Hinsicht tot, denn sie wurden mitsamt ih-
ren Wurzeln ausgerissen. [13]Wie stürmische Wellen des Mee-
res wühlen sie den Schmutz ihrer schlechten Taten auf. Sie
sind umherirrende Sterne, die im ewigen Dunkel der Finster-
nis verloren gehen. [14]Über diese Leute hat auch Henoch pro-
phezeit, der sieben Generationen nach Adam lebte. Er sagte:

»Siehe, der Herr ist gekommen mit Tausenden seiner Heili-
gen. [15]Er wird über die Menschen der Welt Gericht halten. Er
wird die gottlosen Menschen, die sich gegen ihn aufgelehnt
haben, für ihr Handeln bestrafen und sie für alle Beleidigun-
gen gegen ihn verurteilen.«

[16]Das sind Leute, die ständig nörgeln und sich beschweren
und sich von ihren Begierden beherrschen lassen. Es sind
großspurige Angeber, und sie schmeicheln anderen, um sich
Vorteile zu verschaffen.

Eine Ermahnung, treu zu bleiben

[17]Ihr aber, meine lieben Freunde, sollt an das denken, was die
Apostel von unserem Herrn Jesus Christus euch vorausgesagt
haben: [18]Sie sagten euch, dass es zur letzten Zeit Spötter geben

wird, die mit ihrem Leben nichts Besseres anzufangen wissen,
als ihren eigenen gottlosen Leidenschaften nachzugehen.
19Jetzt sind sie da und stiften Unfrieden unter euch. Sie haben
Gottes Geist nicht in sich und lassen sich nur von ihrem Den-
ken leiten, das von der Welt geprägt ist. 20Ihr dagegen, liebe
Freunde, sollt euer Leben auf dem Fundament eures heiligen
Glaubens aufbauen. Bleibt im Gebet und lasst euch darin vom
Heiligen Geist leiten. 21Bleibt in der Liebe Gottes, während ihr
darauf wartet, dass Jesus Christus, unser Herr, euch in seiner
Barmherzigkeit das ewige Leben bringen wird. 22Seid barm-
herzig zu denen, deren Glauben ins Wanken geraten ist.
23Rettet sie, indem ihr sie den Flammen des Gerichts entreißt.
Den anderen gegenüber zeigt Barmherzigkeit, aber seht euch
dabei vor, dass ihr euch nicht von ihren Sünden anstecken
lasst!

Ein Lob Gottes

24Dem, der euch bewahren kann, damit ihr nicht fallt, und der
euch makellos und voller Freude in seine herrliche Gegenwart
stellen kann, 25gehört alle Ehre. Er allein ist Gott, unser Retter
durch Jesus Christus, unseren Herrn. Ihm gehören Ehre, Ma-
jestät, Macht und Gewalt; schon vor aller Zeit, jetzt und in
Ewigkeit! Amen.

Die Offenbarung

Zu diesem Buch

1 1 Dies ist eine Offenbarung von Jesus Christus, die ihm
Gott gegeben hat, um seinen Dienern die Ereignisse, die
in Kürze eintreten, bekannt zu machen. Ein Engel wurde ge-
sandt, der sie Johannes, dem Diener Gottes, verkündete. 2 Jo-
hannes hat das Wort Gottes und das Zeugnis von Jesus Chris-
tus – und alles, was er sah – bezeugt.
3 Glücklich ist, wer diese prophetische Rede an die Gemein-
de liest, und auch alle, die sie hören und befolgen. Denn die
Zeit, in der diese Dinge geschehen werden, steht kurz bevor.

Johannes grüßt die sieben Gemeinden

4 Dieser Brief stammt von Johannes und richtet sich an die sie-
ben Gemeinden in der Provinz Asien. Ich wünsche euch Gna-
de und Frieden von dem, der ist, der immer war und der noch
kommen wird; von den sieben Geistern vor seinem Thron;
5 und von Jesus Christus, dem treuen Zeugen dieser Dinge,
der als Erster von den Toten auferstand und Herr über alle
Herrscher der Erde ist!
Lob sei ihm, der uns liebt und uns von unseren Sünden be-
freit hat, indem er sein Blut für uns vergoss. 6 Er hat uns zu
seinem Reich und zu seinen Priestern gemacht, um Gott, sei-
nem Vater, zu dienen. Gebt ihm Ehre bis in alle Ewigkeit! Er
herrscht für immer und ewig! Amen.
7 Siehe! Er kommt mit den Wolken des Himmels. Und alle
werden ihn sehen – sogar die, die ihn durchbohrt haben.
Und alle Völker der Erde werden um ihn trauern. Ja! Amen!
8 »Ich bin das Alpha und das Omega – der Anfang und das
Ende«, spricht der Herr und Gott, der ist, der immer war und
der noch kommen wird, der Allmächtige.

Vision des Menschensohnes

9 Ich bin Johannes, euer Bruder. Wir sind in Jesus verbunden:
Durch ihn leiden wir gemeinsam, hoffen auf das Reich Gottes

und warten geduldig und standhaft darauf. Man hat mich auf
die Insel Patmos verbannt, weil ich das Wort Gottes verkün-
det und von Jesus erzählt habe. 10Es war der Tag des Herrn,
und ich betete im Geist. Plötzlich hörte ich hinter mir eine
laute Stimme wie von einer Posaune. 11Sie sprach: »Schreibe,
was du siehst, in ein Buch und schicke es an die sieben Ge-
meinden: Ephesus, Smyrna, Pergamon, Thyatira, Sardes, Phi-
ladelphia und Laodizea!«

12Als ich mich umdrehte, um zu sehen, wer zu mir sprach,
sah ich sieben goldene Leuchter. 13Und mitten unter den
Leuchtern stand der Menschensohn. Er trug ein langes Ge-
wand mit einem goldenen Gürtel über der Brust. 14Sein Kopf
und sein Haar waren weiß wie Wolle, so weiß wie Schnee.
Und seine Augen leuchteten wie Feuerflammen. 15Seine
Füße glänzten wie im Feuer gereinigtes Erz, und seine Stimme
war wie das Tosen mächtiger Meereswellen. 16Er hielt sieben
Sterne in seiner rechten Hand, und aus seinem Mund kam ein
scharfes zweischneidiges Schwert. Und sein Gesicht strahlte
wie die Sonne in ihrer ganzen Pracht.

17Als ich ihn sah, fiel ich wie tot vor seine Füße. Aber er legte
seine rechte Hand auf mich und sagte: »Fürchte dich nicht! Ich
bin der Erste und der Letzte 18und der Lebendige. Ich war tot
und bin lebendig für immer und ewig! Ich habe die Schlüssel
des Todes und des Totenreiches. 19Schreibe auf, was du gese-
hen hast – das, was jetzt geschieht, und das, was später ge-
schehen wird. 20Das ist die Bedeutung der sieben Sterne, die
du in meiner rechten Hand gesehen hast, und der sieben gol-
denen Leuchter: Die sieben Sterne sind die Engel der sieben
Gemeinden, und die sieben Leuchter sind die sieben Gemein-
den selbst.

Die Botschaft an die Gemeinde in Ephesus

2 1Schreibe diesen Brief dem Engel der Gemeinde in Ephe-
sus. Das ist die Botschaft dessen, der die sieben Sterne in
seiner rechten Hand hält und der unter den sieben goldenen
Leuchtern umhergeht:

2Ich weiß alles, was du tust. Ich habe dein Bemühen und
dein geduldiges Warten gesehen. Ich weiß, dass du böse Men-
schen nicht ertragen kannst. Du hast jene geprüft, die sich als
Apostel ausgeben, es aber nicht sind, und sie als Lügner ent-
larvt. 3Du hast geduldig für mich gelitten, ohne aufzugeben.
4Aber ich habe gegen dich einzuwenden, dass ihr nicht mehr
wie am Anfang in der Liebe lebt. 5Erkenne doch, wie weit du
dich von deiner ersten Liebe entfernt hast! Kehre wieder zu
mir zurück und bemühe dich so, wie du es am Anfang getan
hast. Wenn du dich nicht änderst, werde ich kommen und
deinen Leuchter von seinem Platz unter den Gemeinden weg-
nehmen. 6Aber ich will auch etwas an dir loben: Du hasst die
Taten der Nikolaïten genauso, wie ich es tue.
7Wer bereit ist zu hören, der höre auf das, was der Geist den
Gemeinden sagt! Wer siegreich ist, dem werde ich in Gottes
Paradies vom Baum des Lebens zu essen geben.

Die Botschaft an die Gemeinde in Smyrna
8Schreibe diesen Brief dem Engel der Gemeinde in Smyrna.
Das ist die Botschaft des Ersten und des Letzten, der tot war
und wieder lebendig geworden ist:
9Ich weiß von deinen Leiden und von deiner Armut – aber
du bist reich! Ich kenne den Spott derer, die gegen dich arbei-
ten, die sich als Juden ausgeben, es aber nicht sind, weil ihre
Synagoge eine Synagoge des Satans ist. 10Fürchte dich nicht
vor den Leiden, die dir bevorstehen! Der Teufel wird einige
von euch ins Gefängnis werfen und euch versuchen. Ihr wer-
det zehn Tage lang verfolgt werden. Bleibe treu bis zum Tod,
dann will ich dir den Siegeskranz des ewigen Lebens geben.
11Wer bereit ist zu hören, der höre auf das, was der Geist den
Gemeinden sagt! Wer siegreich ist, dem wird der zweite Tod
nichts anhaben können.

Die Botschaft an die Gemeinde in Pergamon
12Schreibe diesen Brief dem Engel der Gemeinde in Per-
gamon. Das ist die Botschaft dessen, der ein zweischneidiges,
scharfes Schwert führt:

[13]Ich weiß, dass du in der Stadt lebst, in der sich der große
Thron des Satans befindet; und doch bist du meinem Namen
treu geblieben. Du hast dich geweigert, den Glauben an mich
zu verleugnen – auch, als mein treuer Zeuge Antipas vor dei-
nen Augen ermordet wurde. [14]Und doch habe ich eines gegen
dich. Du duldest Menschen in deiner Mitte, die wie Bileam
sind, der Balak zeigte, wie er dem Volk Israel eine Falle stellen
konnte. Er verführte die Israeliten dazu, Fleisch zu essen, das
Götzen geopfert worden war, und Unzucht zu treiben. [15]So
duldest du in deiner Mitte solche, die den Lehren der Nikolaï-
ten folgen. [16]Kehre um, sonst komme ich bald und kämpfe mit
dem Schwert meines Mundes gegen sie.
[17]Wer bereit ist zu hören, der höre auf das, was der Geist den
Gemeinden sagt! Wer siegreich ist, wird von dem Manna es-
sen, das im Himmel verborgen ist. Und ich werde ihm einen
weißen Stein geben; und auf dem Stein wird ein neuer Name
geschrieben sein, den niemand kennt außer dem, der ihn er-
hält.

Die Botschaft an die Gemeinde in Thyatira

[18]Schreibe diesen Brief dem Engel der Gemeinde in Thyatira.
Das ist die Botschaft von dem Sohn Gottes, dessen Augen wie
Feuerflammen sind und dessen Füße glänzen wie im Feuer
gereinigtes Erz:
[19]Ich weiß alles, was du tust – ich kenne deine Liebe, deinen
Glauben, deinen Dienst und deine Geduld. Und ich sehe, dass
du darin ständig Fortschritte machst. [20]Aber ich habe eines
gegen dich einzuwenden: Du lässt zu, dass diese Frau – Isebel,
die sich eine Prophetin nennt – meine Diener vom richtigen
Weg abbringt. Sie verführt sie dazu, Götzen anzubeten, von
dem Fleisch der Götzenopfer zu essen und Unzucht zu trei-
ben. [21]Ich habe ihr Zeit zur Buße gegeben, aber sie will ihr
unzüchtiges Verhalten nicht aufgeben. [22]Deshalb werde ich
sie aufs Krankenbett werfen, und alle, die mit ihr Unzucht
getrieben haben, werden leiden, wenn sie sich nicht von den
bösen Taten dieser Frau abwenden. [23]Ich werde ihre Kinder
töten. Und alle Gemeinden werden wissen, dass ich der bin,

der die Gedanken und Absichten eines jeden Menschen
kennt. Und ich werde jedem von euch geben, was er verdient.
24Aber ich habe auch eine Botschaft an die Übrigen in Thyati-
ra, die dieser Irrlehre nicht gefolgt sind, die die Tiefen des
Satans, wie sie es nennen, nicht erkannt haben. Ich werde
nichts weiter von euch verlangen, 25ihr sollt nur festhalten,
was ihr habt, bis ich komme!

26Wer siegreich und bis zum Ende mir gehorsam ist, dem
werde ich Macht über alle Völker geben. 27Er wird mit eiser-
nem Stab über die Völker herrschen und sie wie Tontöpfe zer-
schlagen. 28Und er wird Macht haben, wie auch ich von mei-
nem Vater Macht empfangen habe, und ich werde ihm den
Morgenstern geben! 29Wer bereit ist zu hören, der höre auf
das, was der Geist den Gemeinden sagt!

Die Botschaft an die Gemeinde in Sardes

3 1Schreibe diesen Brief dem Engel der Gemeinde in Sardes.
Das ist die Botschaft dessen, der die sieben Geister Gottes
und die sieben Sterne hat:

Ich weiß alles, was du tust und dass du den Ruf hast, leben-
dig zu sein – aber du bist tot. 2Wach auf! Stärke das weni-
ge, das noch übrig ist und kurz davor steht zu sterben. Deine
Taten können in meines Gottes Augen nicht bestehen. 3Denke
daran zurück, wie du die Botschaft empfangen und gehört
hast; halte daran fest und wende dich wieder zu mir! Wenn
du nicht aufwachst, werde ich so unerwartet und plötzlich
wie ein Dieb über dich kommen.

4Doch selbst in Sardes gibt es noch einige, die ihre Kleider
nicht beschmutzt haben. Weiß gekleidet werden sie mit mir
gehen, denn sie sind es wert. 5Wer siegreich ist, wird in weiße
Kleider gekleidet werden. Und ich werde seinen Namen nicht
aus dem Buch des Lebens löschen, sondern vor meinem Vater
und seinen Engeln bekennen, dass er zu mir gehört. 6Wer be-
reit ist zu hören, der höre auf das, was der Geist den Gemein-
den sagt!

Die Botschaft an die Gemeinde in Philadelphia

7Schreibe diesen Brief dem Engel der Gemeinde in Philadel-
phia. Das ist die Botschaft dessen, der heilig und wahrhaftig
ist und der den Schlüssel Davids hat. Was er öffnet, kann nie-
mand schließen, und was er schließt, kann niemand öffnen.

8Ich weiß alles, was du tust, und ich habe eine Tür für dich
geöffnet, die niemand schließen kann; denn du bist nicht
stark, aber hast an meinem Wort festgehalten und meinen Na-
men nicht verleugnet. 9Ich werde einige von denen, die zum
Satan gehören – sie lügen, denn sie geben sich als Juden aus,
sind es aber nicht –, dazu bringen, zu kommen und sich vor
deinen Füßen niederzuwerfen. Sie werden erkennen, dass ich
dich geliebt habe.

10Weil du meinen Befehl befolgt hast, geduldig zu warten,
werde ich dich vor der schweren Zeit der Prüfung beschüt-
zen, die über die ganze Welt kommen wird, um alle zu prüfen,
die auf dieser Erde leben. 11Ja, ich komme bald! Halte an dem
fest, was du hast, damit dir niemand deinen Siegeskranz
nimmt! 12Wer siegreich ist, den werde ich zu einer Säule im
Tempel meines Gottes machen, und er wird ihn nie verlassen
müssen. Ich werde ihn mit dem Namen meines Gottes kenn-
zeichnen, und er wird Bürger in der Stadt meines Gottes sein –
in dem neuen Jerusalem, das von meinem Gott aus dem Him-
mel herabkommt. Und mein neuer Name wird auf ihm ge-
schrieben stehen. 13Wer bereit ist zu hören, der höre auf das,
was der Geist den Gemeinden sagt!

Die Botschaft an die Gemeinde in Laodizea

14Schreibe diesen Brief dem Engel der Gemeinde in Laodizea.
Das ist die Botschaft dessen, der das Amen ist – der treue und
wahrhaftige Zeuge, der Anfang der Schöpfung Gottes:

15Ich weiß alles, was du tust und dass du weder heiß noch
kalt bist. Ich wünschte, du wärest entweder das eine oder das
andere! 16Aber da du wie lauwarmes Wasser bist, werde ich
dich aus meinem Mund ausspucken! 17Du sagst: »Ich bin
reich. Ich habe alles, was ich will. Ich brauche nichts!« Und
du merkst nicht, dass du erbärmlich und bemitleidenswert

und arm und blind und nackt bist. 18Ich rate dir, von mir Gold
zu kaufen, das im Feuer gereinigt wurde. Dann wirst du reich
sein. Und kaufe auch weiße Kleider, damit du dich bekleiden
kannst und dich wegen deiner Nacktheit nicht schämen
musst. Und kaufe Salbe für deine Augen, damit du sehen
kannst. 19Wen ich liebe, den weise ich zurecht und erziehe
ihn streng. Bleibe nicht gleichgültig, sondern kehre um!
20Siehe, ich stehe vor der Tür und klopfe an. Wenn jemand
mich rufen hört und die Tür öffnet, werde ich eintreten, und
wir werden miteinander essen. 21Ich werde jeden, der sieg-
reich ist, einladen, mit mir auf meinem Thron zu sitzen, so
wie ich siegreich war und mich mit meinem Vater auf seinen
Thron gesetzt habe. 22Wer bereit ist zu hören, der höre auf das,
was der Geist den Gemeinden sagt!«

Anbetung im Himmel

4 1Als ich dann aufschaute, sah ich im Himmel eine Tür of-
fen stehen, und dieselbe Stimme, die sich zuvor wie eine
Posaune angehört hatte, sprach zu mir: »Komm hier herauf,
und ich werde dir zeigen, was nach diesen Dingen noch ge-
schehen muss.« 2Und im selben Augenblick sah ich im Geist
einen Thron im Himmel, auf dem jemand saß. 3Und der auf
dem Thron saß, war so strahlend wie Edelsteine – wie Jaspis
und Karneol. Und ein Glanz wie der eines Smaragds um-
leuchtete seinen Thron wie ein Regenbogen. 4Rings um den
Thron standen vierundzwanzig Throne, auf denen vierund-
zwanzig Älteste saßen. Sie trugen alle weiße Kleider und hat-
ten goldene Kronen auf ihren Köpfen. 5Und von dem Thron
gehen Blitze, Stimmen und Donner aus. Vor dem Thron befin-
den sich sieben Fackeln mit brennenden Flammen. Das sind
die sieben Geister Gottes. 6Vor dem Thron sah ich ein glänzen-
des Meer aus Glas, das wie Kristall funkelte.

In der Mitte und um den Thron stehen vier lebendige Wesen,
voller Augen vorne und hinten. 7Das erste dieser lebendigen
Wesen sieht aus wie ein Löwe, das zweite wie ein junger Stier.
Das dritte lebendige Wesen hat ein Gesicht wie ein Mensch
und das vierte gleicht einem fliegenden Adler. 8Jedes dieser

lebendigen Wesen hat sechs Flügel, die innen und außen voller Augen waren. Tag für Tag und Nacht für Nacht hören sie nicht auf zu rufen:

»Heilig, heilig, heilig ist der Herr, Gott, der Allmächtige, der immer war, der ist und der noch kommen wird.«

9Immer wenn die lebendigen Wesen dem, der auf dem Thron sitzt und in alle Ewigkeit lebt, Herrlichkeit und Ehre und Dank bringen, 10fallen die vierundzwanzig Ältesten nieder vor dem, der auf dem Thron sitzt, und beten den an, der in alle Ewigkeit lebt. Und sie legen ihre Kronen vor den Thron und sagen:

11»Du bist würdig, unser Herr und Gott,
Herrlichkeit und Ehre und Macht entgegenzunehmen.
Denn du hast alle Dinge geschaffen;
weil du es wolltest, sind sie da und wurden sie geschaffen.«

Das Lamm öffnet die Schriftrolle

5 1Und ich sah eine Schriftrolle in der rechten Hand dessen, der auf dem Thron saß. Sie war innen und außen beschrieben und mit sieben Siegeln versiegelt. 2Und ich sah einen starken Engel, der mit lauter Stimme rief: »Wer ist würdig, die Siegel dieser Schriftrolle zu brechen und sie zu öffnen?« 3Aber niemand im Himmel oder auf der Erde oder unter der Erde konnte die Schriftrolle öffnen und lesen.

4Da weinte ich, weil man niemanden finden konnte, der würdig war, die Schriftrolle zu öffnen und sie zu lesen. 5Aber einer der Ältesten sagte zu mir: »Weine nicht! Siehe, der Löwe aus dem Stamm Juda, der Erbe aus der Wurzel Davids, hat gesiegt. Er ist würdig, die Schriftrolle zu öffnen und ihre sieben Siegel zu brechen.«

6Und ich sah ein Lamm, das wie geschlachtet aussah. Es stand zwischen dem Thron und den vier lebendigen Wesen und inmitten der vierundzwanzig Ältesten und hatte sieben Hörner und sieben Augen. Das sind die sieben Geister Gottes, die in alle Teile der Erde ausgesandt worden sind. 7Es trat vor und nahm die Schriftrolle aus der rechten Hand dessen, der auf dem Thron saß. 8Und als es die Schriftrolle nahm, fielen

die vier lebendigen Wesen und die vierundzwanzig Ältesten
vor dem Lamm nieder. Jeder von ihnen hatte eine Harfe, und
sie hielten goldene Schalen in den Händen, die mit Weihrauch
gefüllt waren. Der Weihrauch sind die Gebete derer, die zu
Gott gehören!
9Und sie sangen ein neues Lied mit folgenden Worten:
»Du bist würdig, die Schriftrolle zu nehmen und ihre Siegel
zu öffnen. Denn du wurdest als Opfer geschlachtet, und dein
Blut hat Menschen für Gott freigekauft, Menschen aus jedem
Stamm und jeder Sprache und jedem Volk und jeder Nation.
10Du hast sie für Gott zu einem Königreich und zu seinen
Priestern gemacht. Und sie werden auf der Erde regieren.«
11Dann sah ich wieder Tausende und Abertausende von En-
geln um den Thron und um die lebendigen Wesen und die
Ältesten und hörte ihr Singen. 12Und sie sangen in einem ge-
waltigen Chor:
»Würdig ist das Lamm, das geschlachtet worden ist. Es ist
würdig, Macht und Reichtum entgegenzunehmen und Weis-
heit und Stärke und Ehre und Herrlichkeit und Lob.«
13Und dann hörte ich, wie alle Geschöpfe im Himmel und
auf der Erde und unter der Erde und im Meer sangen:
»Lob und Ehre und Herrlichkeit und Macht stehen dem zu,
der auf dem Thron sitzt, und dem Lamm für immer und
ewig.«
14Und die vier lebendigen Wesen sagten: »Amen!« Und die
vierundzwanzig Ältesten fielen nieder und beteten an.

Das Lamm bricht die ersten sechs Siegel

6 1Da sah ich, wie das Lamm das erste der sieben Siegel der
Schriftrolle öffnete. Dann rief eines der lebendigen Wesen
mit einer Stimme, die wie Donner klang: »Komm!« 2Ich blick-
te auf und sah ein weißes Pferd. Sein Reiter trug einen Bogen
und ihm wurde ein Siegeskranz gegeben. Er ritt triumphie-
rend hinaus, um den Sieg zu erringen.
3Als das Lamm das zweite Siegel öffnete, hörte ich das zwei-
te lebendige Wesen sagen: »Komm!« 4Da erschien ein anderes,
ein feuerrotes Pferd. Seinem Reiter wurde ein mächtiges

Schwert gereicht und die Macht gegeben, den Frieden von der Erde wegzunehmen, damit sich die Menschen gegenseitig vernichteten.

5 Als das Lamm das dritte Siegel öffnete, hörte ich das dritte
lebendige Wesen sagen: »Komm!« Ich blickte auf und sah ein
schwarzes Pferd, dessen Reiter eine Waage in der Hand hielt.
6 Und etwas wie eine Stimme sprach von dort aus der Mitte
der vier lebendigen Wesen: »Ein Kilo Weizen oder drei Kilo
Gerste für einen Tagelohn. Und verschwende das Olivenöl
und den Wein nicht!«

7 Und als das Lamm das vierte Siegel öffnete, hörte ich das
vierte lebendige Wesen sagen: »Komm!« 8 Und ich blickte auf
und sah ein Pferd, dessen Farbe fahl war. Und sein Reiter hieß
»Tod« und das Totenreich folgte ihm. Sie erhielten Macht über
ein Viertel der Erde, um durch Schwert und Hunger, tödliche
Krankheit und wilde Tiere zu töten.

9 Und als das Lamm das fünfte Siegel brach, sah ich unter
dem Altar die Seelen aller, die getötet worden waren, weil sie
am Wort Gottes und an ihrem Bekenntnis zu Christus fest-
gehalten hatten. 10 Mit lauter Stimme riefen sie: »Heiliger und
wahrhaftiger Herr, wie lange wird es noch dauern, bis du die
Menschen, die dieser Welt angehören, für das Unrecht rich-
test, das sie uns zugefügt haben?« 11 Da wurde jedem von ih-
nen ein weißes Gewand gegeben. Und es wurde ihnen gesagt,
sie sollten noch eine kleine Weile Geduld haben, denn auch
unter ihren Brüdern, die wie sie Christus dienten, gibt es
noch einige, die zuvor noch für ihren Glauben sterben müs-
sen.

12 Ich blickte auf, als das Lamm das sechste Siegel brach, und
es gab ein großes Erdbeben. Die Sonne wurde so dunkel wie
ein schwarzes Tuch, und der Mond wurde so rot wie Blut.
13 Dann fielen die Sterne des Himmels auf die Erde, so wie
Feigen durch einen starken Wind vom Baum geschüttelt wer-
den. 14 Und der Himmel verschwand, so wie eine Schriftrolle
zusammengerollt wird, und alle Berge und alle Inseln ver-
schwanden mit ihm. 15 Da versteckten sich die Könige der Er-
de, die Herrscher, die Befehlshaber, die Reichen, die Macht-

haber und auch alle Sklaven und Freien in den Höhlen und
zwischen den Felsen der Berge. 16Und sie riefen den Bergen
und den Felsen zu: »Fallt auf uns und verbergt uns vor dem
Angesicht dessen, der auf dem Thron sitzt, und vor dem Zorn
des Lammes. 17Denn der große Tag ihres Zorns ist gekommen,
und wer wird ihn überleben?«

Gottes Volk wird bewahrt werden

7 1Dann sah ich vier Engel an den vier Enden der Erde ste-
hen. Sie hinderten die vier Winde daran, über die Erde zu
wehen, damit auf der Erde, über dem Meer und in den Bäu-
men kein Wind wehte. 2Und ich sah einen anderen Engel vom
Osten her kommen, der das Siegel des lebendigen Gottes trug.
Und er rief diesen vier Engeln, denen die Macht gegeben wor-
den war, dem Land und dem Meer Schaden zuzufügen, mit
lauter Stimme zu: 3»Wartet! Zerstört nicht das Land oder das
Meer oder die Bäume, bis wir den Dienern Gottes sein Siegel
auf die Stirn gedrückt haben!«

4Und ich erfuhr, wie viele Menschen das Siegel Gottes er-
hielten. Es waren hundertvierundvierzigtausend aus allen
Stämmen Israels, die das Siegel erhielten: 5aus Juda zwölftau-
send, aus Ruben zwölftausend, aus Gad zwölftausend, 6aus
Asser zwölftausend, aus Naftali zwölftausend, aus Manasse
zwölftausend, 7aus Simeon zwölftausend, aus Levi zwölftau-
send, aus Issachar zwölftausend, 8aus Sebulon zwölftausend,
aus Josef zwölftausend, aus Benjamin zwölftausend.

Der Lobpreis der Menge

9Danach sah ich eine riesige Menschenmenge – viel zu groß,
um sie zählen zu können – aus allen Nationen und Stämmen
und Völkern und Sprachen vor dem Thron und vor dem
Lamm stehen. Sie waren mit weißen Gewändern bekleidet
und hielten Palmzweige in ihren Händen. 10Und sie riefen
laut:

»Die Rettung kommt von unserem Gott, der auf dem Thron
sitzt, und von dem Lamm!«

11Und alle Engel standen rings um den Thron und um die

Ältesten und die vier lebendigen Wesen. Und sie fielen vor
dem Thron nieder und beteten Gott an. 12 Sie riefen:
»Amen! Lob und Herrlichkeit und Weisheit und Dank und
Ehre und Macht und Stärke gehören unserem Gott für immer
und ewig. Amen!«
13 Dann fragte mich einer der vierundzwanzig Ältesten:
»Wer sind diese, die in Weiß gekleidet sind? Woher kommen
sie?«
14 Und ich sagte zu ihm: »Mein Herr, du weißt es.«
Da sagte er zu mir: »Das sind diejenigen, die aus der großen
Prüfung kommen. Sie haben ihre Kleider im Blut des Lammes
gewaschen und weiß gemacht. 15 Deshalb stehen sie nun vor
dem Thron Gottes und dienen ihm Tag und Nacht in seinem
Tempel. Und er, der auf dem Thron sitzt, wird über ihnen
wohnen. 16 Sie werden nie wieder hungern oder Durst leiden,
und sie werden vor der brennenden Sonne und jeder Gluthit-
ze geschützt sein. 17 Denn das Lamm, das in der Mitte auf dem
Thron ist, wird ihr Hirte sein und für sie sorgen. Es wird sie zu
den Quellen führen, aus denen das Wasser des Lebens strömt.
Und Gott wird alle ihre Tränen abwischen.«

Das Lamm bricht das siebte Siegel

8 1 Als das Lamm das siebte Siegel öffnete, herrschte etwa
eine halbe Stunde lang Stille im Himmel. 2 Und ich sah
die sieben Engel, die vor Gott stehen, und es wurden ihnen
sieben Posaunen gegeben.
3 Dann kam ein anderer Engel mit einer goldenen Räucher-
pfanne und trat vor den Altar. Ihm wurde viel Räucherwerk
gegeben, damit er es mit den Gebeten derer, die zu Gott ge-
hören, auf dem goldenen Altar vor dem Thron darbringe.
4 Der Rauch des Räucherwerks stieg mit ihren Gebeten von
dem Altar, auf dem der Engel sie ausgegossen hatte, zu Gott
auf. 5 Dann füllte der Engel die Räucherpfanne mit Feuer vom
Altar und warf sie auf die Erde; da donnerte und blitzte es,
und die Erde erbebte.

Die ersten vier Posaunen

6Dann machten sich die sieben Engel bereit, um in ihre Posaunen zu blasen.

7Als der erste Engel in seine Posaune blies, wurden Hagel und Feuer, mit Blut vermischt, auf die Erde geschleudert, und ein Drittel der Erde geriet in Brand. Ein Drittel der Bäume und alles Gras verbrannte.

8Dann blies der zweite Engel in seine Posaune, und etwas wie ein großer Berg aus Feuer wurde ins Meer geworfen. Da
wurde ein Drittel des Meerwassers zu Blut. 9Ein Drittel aller
Lebewesen des Meeres starb, und ein Drittel der Schiffe auf dem Meer wurde zerstört.

10Dann blies der dritte Engel in seine Posaune, und ein großer Stern fiel vom Himmel, der wie eine Fackel brannte und
auf ein Drittel der Flüsse und Wasserquellen stürzte. 11Der
Name des Sterns lautete »Bitterkeit«. Er ließ ein Drittel des Wassers bitter werden, und viele Menschen starben, weil das Wasser bitter geworden war.

12Dann blies der vierte Engel in seine Posaune, und ein Drittel der Sonne, ein Drittel des Mondes und ein Drittel der Sterne wurde ausgelöscht. Und ein Drittel des Tages und auch ein Drittel der Nacht wurden dunkel.

13Dann blickte ich auf und hörte einen Adler, der hoch oben am Himmel flog, laut schreien: »Unheil, Unheil, Unheil über alle, die auf dieser Erde wohnen, durch das, was geschehen wird, wenn die letzten drei Engel ihre Posaunen erklingen lassen!«

Die fünfte Posaune bringt das erste Unheil

9 1Dann blies der fünfte Engel in seine Posaune, und ich sah einen Stern, der vom Himmel auf die Erde gefallen war;
ihm wurde der Schlüssel zum Schacht des Abgrunds gegeben. 2Als er ihn öffnete, stieg Qualm aus dem Schacht wie
aus einem riesigen Ofen, und die Sonne und die Luft wurden von dem Rauch verdunkelt.

3Dann kamen Heuschrecken aus dem Rauch heraus und ließen sich auf der Erde nieder; ihnen wurde Macht gegeben,

wie Skorpione zu stechen. [4]Sie wurden angewiesen, nicht
dem Gras oder den Pflanzen oder den Bäumen Schaden zu-
zufügen, sondern die Menschen anzugreifen, die nicht das
Siegel Gottes an ihrer Stirn trugen. [5]Es wurde ihnen befohlen,
diese Menschen nicht zu töten, sondern sie fünf Monate lang
mit Schmerzen zu quälen, wie sie beim Stich eines Skorpions
auftreten. [6]In diesen Tagen werden die Menschen den Tod
suchen, ihn aber nicht finden. Sie werden sich danach sehnen
zu sterben, aber der Tod wird vor ihnen fliehen!

[7]Die Heuschrecken sahen aus wie zum Kampf gerüstete
Pferde. Sie trugen auf den Köpfen etwas, das wie goldene
Kronen aussah, und hatten menschliche Gesichter. [8]Ihr Haar
war lang wie Frauenhaar, und ihre Zähne glichen den Zähnen
eines Löwen. [9]Sie trugen etwas wie eiserne Rüstungen, und
ihre Flügel lärmten wie ein Heer von Streitwagen, die in den
Krieg rollen. [10]Sie hatten Schwänze und Stacheln wie Skorpio-
ne, und darin die Macht, die Menschen fünf Monate lang zu
quälen. [11]Ihr König ist der Engel aus dem Abgrund; sein
Name lautet auf Hebräisch Abaddon und auf Griechisch
Apollyon – der Zerstörer.

[12]Das erste Verderben ist vorüber, doch es kommen noch
zwei weitere!

Die sechste Posaune bringt das zweite Unheil

[13]Dann blies der sechste Engel in seine Posaune, und ich hörte
eine Stimme aus den vier Hörnern des goldenen Altars, der
vor Gott steht. [14]Die Stimme sprach zu dem sechsten Engel,
der die Posaune hielt: »Lass die vier Engel frei, die am großen
Euphratstrom gefesselt sind!« [15]Und die vier Engel, die für
diese Stunde und diesen Tag und diesen Monat und dieses
Jahr bereitgehalten worden waren, wurden freigelassen, um
ein Drittel aller Menschen auf der Erde zu töten. [16]Sie führten
eine Armee von zweihundert Millionen berittenen Soldaten
an – ich hörte, wie ihre Zahl genannt wurde.

[17]Und in meiner Vision sah ich die Pferde und die Reiter, die
auf ihnen saßen. Die Reiter trugen eine feuerrote und dunkel-
blaue und schwefelgelbe Rüstung. Die Köpfe der Pferde sa-

hen aus wie Löwenköpfe, und aus ihren Mäulern kamen Feu-
er und Rauch und brennender Schwefel. 18Ein Drittel aller
Menschen auf der Erde wurde durch diese drei Plagen getö-
tet – durch das Feuer und den Rauch und den brennenden
Schwefel, die aus den Mäulern der Pferde kamen. 19Ihre
Macht lag in ihren Mäulern, aber auch in ihren Schweifen,
denn ihre Schweife hatten Köpfe wie Schlangen, und mit ih-
nen konnten sie Menschen verletzen.

20Aber die Menschen, die nicht durch diese Plagen starben,
dachten dennoch nicht daran, von ihrem falschen Weg
umzukehren. Sie beteten weiter Dämonen und Götzenbilder
aus Gold, Silber, Bronze, Stein und Holz an – Götzen, die we-
der sehen noch hören noch gehen! 21Und sie kehrten nicht um
und hörten nicht auf, zu morden, Zauberei zu betreiben, sich
der Unzucht hinzugeben oder zu stehlen.

Der Engel und die kleine Schriftrolle

10 1Dann sah ich einen anderen mächtigen Engel vom
Himmel herabkommen. Er war von einer Wolke um-
geben, und ein Regenbogen leuchtete über seinem Kopf. Sein
Gesicht strahlte wie die Sonne, und seine Füße waren wie Feu-
ersäulen. 2In seiner Hand befand sich eine kleine Schriftrolle,
die er aufgerollt hatte. Er stand mit seinem rechten Fuß auf
dem Meer und mit seinem linken Fuß auf festem Boden.
3Und er gab einen lauten Schrei von sich, wie das Brüllen ei-
nes Löwen. Als er geschrien hatte, antworteten die sieben
Donner mit ihrer Stimme.

4Als die sieben Donner geantwortet hatten, wollte ich gera-
de anfangen, es niederzuschreiben. Aber eine Stimme aus
dem Himmel rief mir zu: »Halte geheim, was die sieben Don-
ner gesagt haben. Schreibe es nicht auf!«

5Dann hob der mächtige Engel, der auf dem Meer und dem
Festland stand, seine rechte Hand zum Himmel. 6Und er
schwor einen Eid beim Namen dessen, der in alle Ewigkeit
lebt und der den Himmel mit allem, was darin ist, die Erde
mit allem, was auf ihr ist, und das Meer mit allem, was darin
ist, geschaffen hat. Er sagte: »Gott wird nicht länger warten.

7 Sondern wenn der siebte Engel seine Posaune erklingen lässt,
wird Gottes verborgener Plan erfüllt werden. Es wird genau
so geschehen, wie er es seinen Dienern, den Propheten, ver-
kündet hat.«
8 Dann sprach die Stimme aus dem Himmel wieder mit mir:
»Geh und nimm die geöffnete Schriftrolle von dem Engel ent-
gegen, der auf dem Meer und dem Festland steht!«
9 Da trat ich zu ihm und bat ihn, mir die Schriftrolle zu geben.
Und er sagte zu mir: »Ja, nimm sie und iss sie. Zuerst wird sie
in deinem Mund süß wie Honig schmecken, aber nachdem du
sie heruntergeschluckt hast, wird sie dir bitter im Magen lie-
gen!« 10 Ich nahm die kleine Schriftrolle aus der Hand des En-
gels und aß sie. Und sie schmeckte süß in meinem Mund, aber
in meinem Magen war sie bitter. 11 Dann sagte jemand zu mir:
»Du musst noch weiter prophetisch reden über viele Völker,
Nationen, Sprachen und Könige.«

Die zwei Zeugen

11 1 Dann wurde mir eine Art Messlatte gereicht und je-
mand sagte zu mir: »Geh und miss den Tempel Gottes
und den Altar und zähle die Betenden! 2 Den äußeren Hof
sollst du jedoch nicht messen, denn er wurde den anderen
Völkern überlassen. Und sie werden die heilige Stadt zwei-
undvierzig Monate lang verwüsten. 3 Doch ich werde meinen
beiden Zeugen den Auftrag geben, und sie werden in Säcken
gekleidet sein und eintausendzweihundertundsechzig Tage
lang prophetisch reden.«
4 Diese zwei Propheten sind die zwei Ölbäume und die zwei
Leuchter, die vor dem Herrn der ganzen Erde stehen. 5 Wenn
jemand versucht, ihnen zu schaden, flammt Feuer aus ihrem
Mund und vernichtet ihre Feinde. So wird jeder getötet, der
versucht, ihnen zu schaden. 6 Sie haben die Macht, den Him-
mel zu verschließen, sodass es nicht regnet, solange sie pro-
phetisch reden. Und sie haben Macht, Wasser in Blut zu ver-
wandeln und alle Arten von Plagen über die Erde zu schicken,
so oft sie wollen.
7 Und wenn sie ihren Auftrag erfüllt haben, wird das Tier,

das aus dem Abgrund heraufkommt, ihnen den Krieg erklä-
ren. Es wird sie besiegen und töten. 8Und ihre Leichname
werden in der großen Stadt auf der Straße liegen – in der
Stadt, die »Sodom« und »Ägypten« genannt wird, in der
Stadt, in der ihr Herr gekreuzigt wurde. 9Und dreieinhalb
Tage lang werden Menschen aus allen Völkern und Stäm-
men, Sprachen und Nationen herbeiströmen, um ihre Leich-
name zu sehen. Und es wird niemandem erlaubt werden,
sie zu begraben. 10Alle Menschen, die auf der Erde wohnen,
werden sich freuen und einander Geschenke machen, um
den Tod der zwei Propheten zu feiern, die sie gequält hat-
ten.

11Doch nach dreieinhalb Tagen wird der Geist des Lebens
von Gott in sie kommen, und sie werden sich wieder erheben!
Entsetzen überkommt dann alle, die sie sehen. 12Dann ruft
eine laute Stimme vom Himmel: »Kommt hier herauf!« Und
sie werden vor den Augen ihrer Feinde in einer Wolke zum
Himmel aufsteigen.

13Und in derselben Stunde wird es ein großes Erdbeben ge-
ben, das ein Zehntel der Stadt zerstört. Siebentausend Men-
schen werden bei diesem Erdbeben sterben. Und wer nicht
stirbt, erschrickt voller Angst und ehrt den Gott des Himmels.

14Das zweite Unheil ist vorüber, doch jetzt kommt bald das
dritte.

Die siebte Posaune bringt das dritte Unheil

15Dann blies der siebte Engel in seine Posaune, und laute Stim-
men riefen im Himmel:

»Die ganze Erde ist jetzt zum Reich unseres Herrn und sei-
nes Christus geworden, und er wird in alle Ewigkeit herr-
schen.«

16Und die vierundzwanzig Ältesten, die vor Gott auf ihren
Thronen saßen, fielen vor ihm nieder und beteten Gott an.
17Und sie riefen:

»Wir danken dir, Herr, Gott, Allmächtiger, der ist und der
immer war, denn jetzt hast du von deiner großen Macht Ge-
brauch gemacht und deine Herrschaft angetreten. 18Die Völ-

ker waren zornig auf dich, doch jetzt ist die Zeit deines Zorns
gekommen. Jetzt ist die Zeit, die Toten zu richten und deine
Diener zu belohnen. Du wirst deine Propheten und alle, die
zu dir gehören, belohnen, alle, die deinen Namen fürchten,
vom Geringsten bis zum Größten. Und du wirst alle vernich-
ten, die Vernichtung über die Erde gebracht haben.«
19Dann wurde im Himmel der Tempel Gottes geöffnet, und
die Lade seines Bundes war in seinem Tempel zu sehen. Blitze
zuckten und Donner grollten; es gab einen schrecklichen Ha-
gelsturm, und die Welt wurde von einem Erdbeben erschüt-
tert.

Die Frau und der Drache

12 1Dann erschien ein großes Zeichen am Himmel. Ich sah
eine Frau, die mit der Sonne bekleidet war, den Mond
unter ihren Füßen hatte und eine Krone aus zwölf Sternen auf
ihrem Kopf trug. 2Sie war schwanger und schrie vor Schmer-
zen, denn die Wehen hatten bereits begonnen und die Geburt
ihres Kindes stand kurz bevor.
3Dann erschien noch ein anderes Zeichen am Himmel. Ich
sah einen großen roten Drachen mit sieben Köpfen und zehn
Hörnern, der sieben Kronen auf seinen Köpfen trug. 4Sein
Schwanz fegte ein Drittel der Sterne weg, die er auf die Erde
warf. Er stand vor der Frau, die kurz davor war, ihr Kind zu
gebären, um es gleich nach der Geburt zu verschlingen.
5Sie gebar einen Sohn, der alle Völker mit eisernem Stab re-
gieren sollte. Das Kind wurde zu Gott und seinem Thron hi-
naufgehoben. 6Die Frau floh in die Wüste, wo Gott einen Ort
für sie bereithielt, an dem eintausendzweihundertundsechzig
Tage für sie gesorgt wurde.
7Dann kam es im Himmel zum Krieg. Michael und die Engel
unter seinem Befehl kämpften gegen den Drachen und seine
Engel. 8Der Drache verlor den Kampf und wurde aus dem
Himmel vertrieben. 9Dieser große Drache – die alte Schlange,
die Teufel genannt wird oder der Satan oder der, der die gan-
ze Welt verführt – wurde mit all seinen Engeln auf die Erde
geworfen.

[10]Dann hörte ich eine laute Stimme durch den Himmel ru-
fen:
»Jetzt ist es geschehen: Die Rettung und die Kraft und das
Reich unseres Gottes und die Macht seines Christus sind da!
Denn der Ankläger unserer Brüder, der sie Tag und Nacht vor
unserem Gott verklagte, wurde auf die Erde hinabgeworfen.
[11]Sie haben ihn durch das Blut des Lammes besiegt und da-
durch, dass sie an der Botschaft Gottes festhielten und bereit
waren zu sterben. [12]Freut euch, ihr Himmel! Und ihr, die ihr in
den Himmeln wohnt, jubelt! Doch über die Erde und das
Meer wird Schrecken kommen. Denn der Teufel ist voller
Zorn zu euch hinabgekommen, und er weiß, dass ihm nur
wenig Zeit bleibt!«
[13]Und als der Drache erkannte, dass er auf die Erde hinab-
geworfen worden war, verfolgte er die Frau, die das Kind zur
Welt gebracht hatte. [14]Aber es wurden ihr die beiden Flügel
eines großen Adlers gegeben. So konnte sie an einen Ort flie-
gen, der in der Wüste für sie vorbereitet worden war, wo sie
für dreieinhalb Jahre versorgt wurde und vor dem Drachen
geschützt werden konnte.
[15]Dann versuchte der Drache, die Frau mit einer Flut zu er-
tränken, die er aus seinem Maul herauswarf. [16]Aber die Erde
half der Frau, indem sie ihren Mund öffnete und die Flut aus
dem Maul des Drachen trank. [17]Da wurde der Drache zornig
über die Frau und erklärte ihren übrigen Kindern den Krieg –
allen, die Gottes Gebote halten und bekennen, dass sie zu
Christus gehören.

Das Tier aus dem Meer

[18]Und er stellte sich an das Ufer des Meeres.
13 [1]Und dann sah ich ein Tier aus dem Meer aufsteigen,
das sieben Köpfe und zehn Hörner hatte. Und auf sei-
nen Hörnern hatte es zehn Kronen. Und auf jedem Kopf stand
ein Name, der Gott verspottete. [2]Dieses Tier sah aus wie ein
Panther, aber es hatte Bärentatzen und ein Löwenmaul! Und
der Drache gab ihm seine Kraft und seinen Thron und große
Macht.

[3]Ich sah, dass einer der Köpfe des Tieres offenbar tödlich
verwundet war, aber die tödliche Wunde wurde geheilt. Die
ganze Welt staunte über dieses Wunder und folgte dem Tier.
[4]Sie beteten den Drachen an, weil er dem Tier solche Macht
gegeben hatte, und sie beteten das Tier an. »Wer kann sich mit
dem Tier messen?«, sagten sie. »Wer kann mit ihm kämpfen?«
[5]Dann wurde dem Tier erlaubt, schreckliche Dinge und
schlimme Lästerungen gegen Gott auszusprechen. Und es er-
hielt die Macht, zweiundvierzig Monate lang zu tun, was es
wollte. [6]Da stieß es Lästerungen gegen Gott aus und verhöhn-
te seinen Namen und sein Zelt und alle, die im Himmel woh-
nen. [7]Und es wurde dem Tier erlaubt, Krieg gegen die Heili-
gen Gottes zu führen und sie zu besiegen. Und es erhielt
Macht über alle Stämme und alle Völker und alle Sprachen
und alle Nationen. [8]Alle Menschen, die auf dieser Erde woh-
nen, werden es anbeten; alle, deren Namen nicht seit Erschaf-
fung der Welt im Buch des Lebens aufgeschrieben sind – in
dem Buch des Lammes, das geschlachtet wurde.
[9]Wer bereit ist zu hören, der höre und verstehe! [10]Die Men-
schen, denen das Gefängnis bestimmt ist, werden in Gefan-
genschaft geführt werden. Diejenigen, denen der Tod durch
das Schwert bestimmt ist, werden getötet werden. Dann be-
nötigen jene, die zu Gott gehören, Standhaftigkeit und Glau-
ben.

Das Tier aus der Erde

[11]Dann sah ich ein anderes Tier aus der Erde aufsteigen. Es
hatte zwei Hörner wie ein Lamm und sprach mit der Stimme
eines Drachen. [12]Es hatte alle Macht des ersten Tieres und
brachte alle, die dieser Welt angehören, dazu, das erste Tier
anzubeten, dessen tödliche Wunde geheilt worden war. [13]Es
wirkte erstaunliche Wunder und ließ vor den Augen der Men-
schen Feuer vom Himmel auf die Erde regnen. [14]Und mit den
Wundern, die es mit der Erlaubnis des ersten Tieres tat, ver-
führte es die Menschen, die auf der Erde wohnen. Es forderte
sie auf, ein großes Standbild des ersten Tieres anzufertigen,
das tödlich verwundet worden und wieder ins Leben zurück-

gekehrt war. [15]Es wurde ihm gestattet, dem Standbild des Tie-
res Leben zu verleihen, sodass es sprechen konnte. Da befahl
das Standbild des Tieres, jeden zu töten, der es nicht anbetete.
[16]Und das zweite Tier verlangte, dass jeder – ob groß oder
klein, reich oder arm, Freier oder Sklave – sich ein Zeichen auf
die rechte Hand oder auf die Stirn prägen ließ. [17]Ohne dieses
Zeichen, das entweder der Name des Tieres oder das Zahlen-
symbol seines Namens war, konnte niemand irgendetwas
kaufen oder verkaufen. [18]Man benötigt Weisheit, um das zu
verstehen. Wer Verstand hat, der errechne die Zahl des Tieres!
Denn es ist die Zahl eines Menschen. Sie lautet sechshundert-
sechsundsechzig.

Das Lamm

14 [1]Dann sah ich das Lamm auf dem Berg Zion stehen
und mit ihm hundertvierundvierzigtausend, auf deren
Stirn sein Name und der Name seines Vaters geschrieben
standen. [2]Und ich hörte aus dem Himmel eine Stimme wie
das Tosen eines riesigen Wasserfalls oder das Rollen eines
mächtigen Donners. Es klang so, als würden unendlich viele
Harfenspieler gemeinsam spielen.
[3]Dieser große Chor sang ein neues Lied vor dem Thron Got-
tes und vor den vier lebendigen Wesen und den Ältesten. Und
niemand außer den hundertvierundvierzigtausend, die von
der Erde erlöst worden waren, konnte dieses neue Lied ler-
nen. [4]Denn sie haben sich nicht mit Frauen befleckt, sondern
sie sind rein wie Jungfrauen und folgen dem Lamm, wohin es
geht. Sie wurden als erste Opfergabe für Gott und das Lamm
aus den Menschen ausgewählt. [5]Ihnen kann keine Lüge vor-
geworfen werden; sie sind vorbildlich.

Die drei Engel

[6]Und ich sah einen weiteren Engel durch den Himmel fliegen,
der die ewige Botschaft Gottes trug, um sie den Menschen zu
verkünden, die auf der Erde wohnen – allen Nationen und
Stämmen, allen Sprachen und Völkern. [7]»Habt Achtung vor
Gott und gebt ihm die Ehre!«, rief er, »denn die Stunde ist

gekommen, in der er Gericht halten wird. Betet den an, der
Himmel und Erde, das Meer und alle Wasserquellen gemacht
hat!«
8Dann folgte ihm ein weiterer Engel und rief: »Babylon – die
große Stadt – ist gefallen, weil sie die Völker der Welt verführt
hat, vom Wein ihrer Unzucht zu trinken.«
9Dann folgte ein dritter Engel, der rief mit lauter Stimme:
»Wer das Tier und sein Standbild anbetet und sein Zeichen
auf der Stirn oder der Hand annimmt, 10muss den Wein des
Zornes Gottes trinken, der unverdünnt in den göttlichen
Kelch des Zorns eingeschenkt wird. Und sie werden in der
Gegenwart der heiligen Engel und des Lammes mit Feuer
und Schwefel gequält werden. 11Der Rauch ihrer Qualen
wird für alle Zeit aufsteigen, und sie werden Tag und Nacht
keine Erleichterung finden, weil sie das Tier und seine Sta-
tue angebetet und das Zeichen seines Namens angenom-
men haben. 12Das soll jene, die zu Gott gehören, ermutigen,
alles geduldig zu ertragen und bis zum Ende standhaft zu
bleiben, alle, die Gottes Gebote halten und auf Jesus vertrau-
en.«
13Und ich hörte eine Stimme aus dem Himmel sagen:
»Schreibe auf: Glücklich sind die, die von nun an im Herrn
sterben. Ja, spricht der Geist, sie sollen von all ihren Mühen
ausruhen; denn ihre guten Taten folgen ihnen nach!«

Die Ernte der Erde

14Dann sah ich einen, der wie der Menschensohn aussah, auf
einer weißen Wolke sitzen. Er hatte eine goldene Krone auf
dem Kopf und eine scharfe Sichel in der Hand.
15Ein Engel kam aus dem Tempel und rief dem, der auf der
Wolke saß, mit lauter Stimme zu: »Gebrauche die Sichel, denn
nun ist die Zeit gekommen zu ernten. Die Ernte auf der Erde
ist reif!« 16Da schwang der, der auf der Wolke saß, seine Sichel
über die Erde, und die Erde wurde abgeerntet.
17Danach kam ein anderer Engel aus dem Tempel im Him-
mel, und auch er hatte eine scharfe Sichel. 18Ein weiterer En-
gel, der die Macht über das Feuer hatte, kam aus dem Altar

hervor und rief dem Engel mit der scharfen Sichel zu: »Ge-
brauche jetzt deine Sichel, um die Trauben von dem Wein-
stock der Erde zu ernten, denn seine Beeren sind reif gewor-
den!« 19Da schwang der Engel seine Sichel über die Erde und
erntete den Weinstock der Erde ab und warf die Trauben in
die große Weinpresse des Zornes Gottes. 20Und die Trauben
wurden außerhalb der Stadt in der Weinpresse getreten und
Blut floss aus der Weinpresse in einem Strom, der dreihundert
Kilometer lang war und so hoch, dass er den Pferden bis an
die Zügel reichte.

Das Lied von Mose und dem Lamm

15 1Dann sah ich am Himmel ein anderes Zeichen, das
groß und wunderbar war. Sieben Engel hielten die sie-
ben letzten Plagen, die Gottes Zorn vollendeten. 2Ich sah vor
mir etwas, das wie ein mit Feuer vermischtes Kristallmeer
aussah. An seinem Ufer standen alle Menschen, die über das
Tier und sein Standbild und die Zahl seines Namens gesiegt
hatten. Alle hatten von Gott Harfen bekommen, 3und sie san-
gen das Lied Moses, des Dieners Gottes, und das Lied des
Lammes:
»Groß und wunderbar sind deine Taten,
Herr, Gott, Allmächtiger.
Gerecht und wahrhaftig sind deine Wege,
König der Völker.
4Wer sollte dich nicht fürchten, Herr,
und deinen Namen verherrlichen?
Denn du allein bist heilig.
Alle Völker werden kommen
und vor dir anbeten,
denn deine gerechten Taten sind offenbart worden.«

Die sieben Schalen mit den sieben Plagen

5Dann blickte ich auf und sah, dass der Tempel im Himmel –
das Heiligtum im Zelt Gottes – weit geöffnet wurde! 6Die sie-
ben Engel, welche die Schalen der sieben Plagen trugen, ka-
men aus dem Tempel; sie waren in reines, weißes Leinen ge-

kleidet und hatten goldene Gürtel über der Brust. 7Und eines
der vier lebendigen Wesen reichte jedem der sieben Engel eine
goldene Schale, gefüllt mit dem schrecklichen Zorn Gottes,
der in alle Ewigkeit lebt. 8Der Tempel war vom Rauch der
Herrlichkeit und Macht Gottes erfüllt. Niemand konnte den
Tempel betreten, bis die sieben Engel die sieben Plagen aus-
gegossen hatten.

16 1Dann hörte ich eine laute Stimme aus dem Tempel zu
den sieben Engeln sagen: »Geht jetzt und gießt die sie-
ben Schalen mit dem Zorn Gottes über die Erde aus!«

2Da verließ der erste Engel den Tempel und goss seine Scha-
le über die Erde aus. Ein schlimmes, bösartiges Geschwür
brach an allen Menschen aus, die das Zeichen des Tieres tru-
gen und sein Standbild angebetet hatten.

3Danach goss der zweite Engel seine Schale über dem Meer
aus, und das Wasser im Meer wurde wie das Blut eines Toten.
Und alles, was im Meer lebte, starb.

4Und der dritte Engel goss seine Schale über den Flüssen
und Quellen aus, und sie wurden zu Blut. 5Ich hörte den En-
gel, der Macht über alle Wasser hatte, sagen: »Du bist gerecht,
dieses Gericht zu schicken, du Heiliger, der ist und der immer
war. 6Denn dein heiliges Volk und deine Propheten wurden
ermordet, und ihr Blut strömte auf die Erde. Deshalb hast du
ihren Mördern zu Recht Blut zu trinken gegeben.« 7Und ich
hörte eine Stimme vom Altar sagen: »Ja, Herr, Gott, Allmäch-
tiger, deine Gerichte sind wahr und gerecht.«

8Dann goss der vierte Engel seine Schale über die Sonne aus
und brachte sie dazu, die Menschen mit ihrem Feuer zu ver-
brennen. 9Und die Menschen wurden von großer Hitze ver-
brannt, aber dennoch verhöhnten sie den Namen Gottes, der
Macht über all diese Plagen hatte. Aber sie kehrten nicht um
und gaben ihm nicht die Ehre.

10Dann goss der fünfte Engel seine Schale auf den Thron des
Tieres aus, und sein Reich wurde in Finsternis gestürzt. Und
die Menschen zerbissen sich vor Schmerz ihre Zungen 11und
verfluchten den Gott des Himmels wegen ihrer Schmerzen

und Geschwüre nur noch mehr. Aber sie weigerten sich, von
ihrem falschen Weg umzukehren.
12Dann goss der sechste Engel seine Schale über den großen
Strom Euphrat aus, und er vertrocknete, sodass die Könige
aus dem Osten mit ihren Heeren ungehindert nach Westen
marschieren konnten. 13Und ich sah drei böse Geister, die
wie Frösche aussahen, aus dem Mund des Drachen, des Tieres
und des falschen Propheten springen. 14Weil diese Dämonen
Zeichen und Wunder taten, veranlassten sie alle Herrscher
der Erde, sich an jenem großen Tag Gottes zum Kampf gegen
den Allmächtigen zu sammeln.
15Der Herr spricht: »Siehe, ich komme so unerwartet wie ein
Dieb! Glücklich ist der, der wachsam auf mich wartet und
seine Kleider anbehält, damit er nicht nackt gehen und sich
schämen muss.«
16Und die bösen Geister versammelten alle Herrscher und
ihre Heere an einem Ort, der auf Hebräisch Harmagedon ge-
nannt wird.
17Dann goss der siebte Engel seine Schale in die Luft aus.
Und ein mächtiger Ruf kam vom Thron des Tempels im Him-
mel und sagte: »Es ist geschehen!« 18Dann krachte und grollte
Donner, und Blitze leuchteten. Und es gab ein großes Erdbe-
ben, das so gewaltig war wie kein anderes Erdbeben, seit es
Menschen auf der Erde gibt. 19Die große Stadt Babylon wurde
in drei Teile gespalten, und die Städte der Völker zerfielen zu
Schutt. So erinnerte Gott sich an die Schuld Babylons und ließ
sie den Kelch trinken, der mit dem Wein seines schrecklichen
Zorns gefüllt war. 20Und alle Inseln verschwanden und alle
Berge wurden dem Erdboden gleichgemacht. 21Es gab einen
furchtbaren Hagelsturm, und riesige Hagelkörner fielen vom
Himmel auf die Menschen herab. Und doch verfluchten sie
Gott für den Hagelsturm, der eine außerordentlich schreck-
liche Plage war.

Die große Hure

17 1Einer der sieben Engel, die die sieben Schalen aus-
gegossen hatten, kam zu mir und sprach mich an.

»Komm«, sagte er, »und ich werde dir das Gericht über die
große Hure zeigen, die an vielen Wassern sitzt. [2]Die Herrscher
der Erde haben Unzucht mit ihr getrieben, und die Menschen,
die die Erde bewohnen, haben sich mit dem Wein ihrer Un-
zucht betrunken.«

[3]Da versetzte der Engel mich im Geist in die Wüste. Dort sah
ich eine Frau auf einem scharlachroten Tier sitzen, das sieben
Köpfe und zehn Hörner hatte, die über und über mit Läste-
rungen gegen Gott beschrieben waren. [4]Die Frau trug purpur-
ne und scharlachrote Kleidung und Schmuck aus Gold und
kostbaren Edelsteinen und Perlen. In ihrer Hand hielt sie ei-
nen goldenen Becher, der mit Abscheulichkeiten und dem
Schmutz ihrer Unzucht gefüllt war. [5]Ein geheimnisvoller
Name stand auf ihrer Stirn geschrieben: »Babylon, die Große,
die Mutter aller Huren und aller Abscheulichkeiten auf der
Erde.« [6]Ich konnte sehen, dass die Frau betrunken war vom
Blut derer, die zu Gott gehören und sich zu Jesus bekannt
hatten. Ich starrte sie voller Verwunderung an.

[7]»Warum bist du so erstaunt?«, fragte der Engel. »Ich will
dir das Geheimnis dieser Frau und des Tieres mit den sieben
Köpfen und zehn Hörnern, das sie trägt, enthüllen. [8]Das Tier,
das du gesehen hast, war lebendig, ist es jetzt aber nicht. Aber
bald wird es aus dem Abgrund heraufkommen und in die
ewige Vernichtung gehen. Und die Menschen, die auf der
Erde wohnen, deren Namen aber nicht seit Erschaffung der
Welt im Buch des Lebens geschrieben stehen, werden über
die Rückkehr dieses Tieres staunen, das gestorben war.

[9]Hier ist Weisheit nötig und Verstand: Die sieben Köpfe des
Tieres stehen für die sieben Berge, auf denen die Frau sitzt,
und sie stehen auch für sieben Könige. [10]Fünf Könige sind
bereits gefallen, der sechste herrscht jetzt, und der siebte
wird noch kommen, aber seine Herrschaft wird nur kurz sein.
[11]Das scharlachrote Tier, das lebendig war und dann starb, ist
der achte König. Er ist wie die anderen Könige, und auch er
wird in sein Verderben rennen. [12]Seine zehn Hörner sind zehn
Könige, die noch nicht an die Macht gekommen sind; sie wer-
den für eine Stunde königliche Macht erhalten, um mit dem

Tier zu regieren. [13]Sie werden sich einigen, ihm ihre Macht
und Gewalt abzutreten. [14]Gemeinsam werden sie gegen das
Lamm Krieg führen, aber das Lamm wird sie besiegen, weil es
Herr über alle Herren und König über alle Könige ist; und die,
die zu ihm gehören, werden die Berufenen und die Aus-
erwählten und die Treuen genannt.«

[15]Und der Engel sagte zu mir: »Die Wasser, an denen die
Hure sitzt, sind Scharen von Menschen aus allen Völkern
und Sprachen. [16]Das scharlachrote Tier und seine zehn Hör-
ner – welche für zehn Könige stehen, die mit ihm herrschen
werden – hassen die Hure. Sie werden sie verwüsten, sie ent-
kleiden, ihr Fleisch essen und ihre Reste im Feuer verbrennen.
[17]Denn Gott hat ihnen einen Plan eingegeben, der sie zu Werk-
zeugen seiner Absicht macht. Sie werden vereinbaren, ihre
Vollmacht an das scharlachrote Tier abzutreten, bis sich Got-
tes Worte erfüllt haben. [18]Und die Frau, die du gesehen hast,
steht für die große Stadt, die über die Könige der Erde
herrscht.«

Der Fall Babylons

18 [1]Nach alledem sah ich einen anderen Engel aus dem
Himmel herabkommen, der große Vollmacht hatte,
und die Erde wurde von seiner Herrlichkeit erleuchtet. [2]Er
rief mit lauter Stimme: »Babylon ist gefallen – die große Stadt
ist gefallen! Sie ist zum Schlupfwinkel von Dämonen und un-
reinen Geistern geworden, zum Nest für unreine Vögel und
zur Zuflucht für alle unreinen und verhassten Tiere. [3]Denn
alle Völker haben vom Wein ihres Zorns und ihrer Unzucht
getrunken. Die Herrscher der Welt haben Unzucht mit ihr ge-
trieben, und die Händler der Erde sind durch ihren Wohl-
stand reich geworden.«

[4]Dann hörte ich eine andere Stimme aus dem Himmel rufen:
»Kommt fort von ihr, mein Volk. Beteiligt euch nicht an ihren
Sünden, sonst werdet ihr mit ihr bestraft. [5]Denn ihre Sünden
türmen sich bis zum Himmel, und Gott wird sie bald für ihre
ungerechten Taten bestrafen. [6]Vergeltet ihr, was sie eurem
Volk angetan hat. Straft sie doppelt für ihre bösen Taten!

Schenkt ihr in den Kelch, den sie eingeschenkt hat, das Dop-
pelte ein. 7Gebt ihr in dem Maß Qualen und Leid, wie sie zu-
vor in Wohlstand und Überfluss gelebt hat. Sie prahlt: ›Ich bin
Königin auf meinem Thron. Ich bin keine hilflose Witwe; mir
wird nichts geschehen.‹ 8Deshalb werden die Nöte des Todes
und der Trauer und des Hungers sie an einem einzigen Tag
überfallen. Sie wird vom Feuer verbrannt werden, denn der
Herr, Gott, der sie gerichtet hat, ist mächtig.«

9Und die Herrscher der Welt, die sich mit ihr eingelassen
haben und mit ihr im Überfluss schwelgten, werden um sie
trauern, wenn sie den Rauch sehen, der von ihren brennenden
Trümmern aufsteigt. 10Sie werden aus Furcht vor ihren gro-
ßen Schmerzen in weitem Abstand stehen bleiben und rufen:
»Wie schrecklich, wie schrecklich für Babylon, diese große
und starke Stadt! In einer einzigen Stunde kam das Gericht
über dich.«

11Die Händler der Erde werden um sie weinen und trauern,
weil niemand mehr ihre Waren kauft. 12Sie kaufte große Men-
gen Gold, Silber, Edelsteine, Perlen, feines Leinen, Purpur,
Seide, scharlachroten Stoff, alle Arten von Duftholz, Gegen-
stände aus Elfenbein und Gegenstände aus kostbarem Holz,
Erz, Eisen und Marmor. 13Außerdem kaufte sie Zimt, Balsam,
Räucherwerk, Myrrhe, Weihrauch, Wein, Olivenöl, feines
Mehl, Weizen, Vieh, Schafe, Pferde, Wagen und Sklaven und
handelte sogar mit Menschen. 14»All diese Reichtümer, die du
so liebtest, sind verschwunden«, rufen sie. »Das Kostbare und
der Glanz, der dir so viel bedeutete, ging für immer verloren
und wird niemals wiederkehren.«

15Die Händler, die reich wurden, weil sie ihr all diese Waren
verkauften, werden aus Furcht vor ihren großen Schmerzen
weit entfernt stehen bleiben. Sie werden weinen und rufen:
16»Wie schrecklich, wie schrecklich für diese große Stadt! Sie
war schön wie eine Frau, die in feinstes Leinen aus Purpur
und Scharlach gekleidet und mit Gold und kostbaren Steinen
und Perlen geschmückt ist! 17Und in einer einzigen Stunde ist
der gesamte Reichtum der Stadt verschwunden!«

Und jeder Steuermann und Kapitän der Handelsschiffe und

alle ihre Matrosen blieben weit entfernt stehen. 18Sie weinten,
als sie den Rauch aufsteigen sahen, und sagten: »Welche Stadt
auf der ganzen Welt war so großartig wie diese?« 19Und sie
streuten Staub auf ihre Köpfe, um ihrer Trauer Ausdruck zu
verleihen, und sagten: »Wie schrecklich, wie schrecklich für
diese große Stadt! Durch ihren großen Reichtum hat sie uns
alle, die wir Schiffe auf dem Meer haben, reich gemacht. Und
nun ist alles in einer Stunde verwüstet worden!«

20Aber du, Himmel, freue dich über ihr Schicksal! Und alle,
die ihr zu Gott gehört, und ihr Apostel und ihr Propheten sollt
euch freuen, denn Gott hat sie um euretwillen gerichtet!

21Dann hob ein mächtiger Engel einen Felsbrocken auf, der
so groß war wie ein Mühlstein. Er warf ihn ins Meer und rief:
»Babylon, die große Stadt, wird so gewaltsam wie dieser Fels-
brocken hinabgestürzt werden und für immer verschwinden.
22Nie wieder wird man in dir den Klang von Harfen, Liedern,
Flöten oder Posaunen hören. Es wird kein Handwerk und
keine Kunst mehr geben, und kein Mühlstein wird mehr mah-
len. 23Keine Lampe wird deine finsteren Nächte erhellen, und
die fröhlichen Stimmen von Braut und Bräutigam wird man
nicht mehr vernehmen. Das alles wird geschehen, weil deine
Händler die Großen der Erde waren und weil die Völker
durch deine Zauberei verführt wurden. 24In den Straßen Ba-
bylons wurde das Blut der Propheten vergossen und das Blut
derer, die zu Gott gehören. Sie war es, die überall in der Welt
Gottes Volk umbrachte.

Das Siegeslied im Himmel

19 1Danach hörte ich eine große Menge im Himmel rufen:
»Halleluja! Die Rettung kommt von unserem Gott.
Ihm allein gehören Herrlichkeit und Macht. 2Seine Urteile
sind wahr und gerecht. Er hat die große Hure bestraft, die
die Erde mit ihrer Unzucht verdorben hat, und er hat das
Blut seiner Diener an ihr gerächt.« 3Und wieder erklangen
die Stimmen:

»Halleluja! Der Rauch dieser Stadt steigt in Ewigkeit auf!«

4Da fielen die vierundzwanzig Ältesten und die vier leben-

digen Wesen nieder und beteten Gott an, der auf dem Thron
sitzt. Sie riefen aus:
»Amen. Halleluja!«
5Und vom Thron war eine Stimme zu hören, die sagte:
»Lobt unseren Gott, alle seine Diener, die ihn fürchten, vom
geringsten bis zum größten.«
6Dann hörte ich wieder etwas, das wie das Rufen einer riesi-
gen Menschenmenge oder das Rauschen mächtiger Meeres-
wellen oder das Krachen lauter Donnerschläge klang:
»Halleluja! Denn der Herr, unser Gott, der Allmächtige,
herrscht. 7Lasst uns fröhlich sein und jubeln und ihn ehren.
Denn die Zeit für das Hochzeitsmahl des Lammes ist gekom-
men, und seine Braut hat sich vorbereitet. 8Sie darf sich in
strahlend weißes Leinen kleiden.«
Denn das strahlende Leinen steht für die guten Taten der
Menschen, die zu Gott gehören.
9Und der Engel sagte: »Schreib auf: Glücklich sind diejeni-
gen, die zum Hochzeitsmahl des Lammes eingeladen sind.«
Und er fügte hinzu: »Das sind Gottes Worte, die wahr und
zuverlässig sind.«
10Da fiel ich vor seinen Füßen nieder, um ihn anzubeten,
aber er sagte: »Nein, bete nicht mich an! Denn ich bin ein Die-
ner Gottes, genau wie du und alle anderen, die ihr an der Bot-
schaft von Jesus festhaltet. Bete Gott an! Denn das Wesen der
prophetischen Rede besteht in der Botschaft von Jesus.«

Der Reiter auf dem weißen Pferd

11Dann sah ich den Himmel geöffnet, und es stand dort ein
weißes Pferd. Und der, der auf dem Pferd saß, wird der Treue
und Wahrhaftige genannt, weil er gerecht richtet und Krieg
führt. 12Seine Augen waren wie Feuerflammen, und auf dem
Kopf hatte er viele Kronen. Es stand ein Name auf seiner Stirn
geschrieben, und nur er wusste, was dieser Name bedeutete.
13Er trug ein Gewand, das in Blut getaucht worden war, und
sein Name ist »Das Wort Gottes«. 14Die in weißes, reines
Leinen gekleideten Heerscharen des Himmels folgten ihm
auf weißen Pferden. 15Aus seinem Mund kam ein scharfes

Schwert. Mit ihm wird er die Völker schlagen. Er wird sie mit
eisernem Stab regieren; und er tritt die Weinpresse des
schrecklichen Zorns des allmächtigen Gottes. 16Auf seinem
Gewand und auf seinem Schenkel stand folgender Titel geschrieben: König der Könige und Herr der Herren.

17Dann sah ich einen Engel in der Sonne stehen, der den
Vögeln, die hoch oben am Himmel flogen, zurief: »Kommt!
Sammelt euch zum großen Mahl, das Gott vorbereitet hat.
18Kommt und fresst das Fleisch von Königen, Befehlshabern
und starken Kriegern, von Pferden und ihren Reitern und von
allen Menschen, ob Freie oder Sklaven, kleinen oder großen!«

19Dann sah ich, wie das Tier die Könige der Erde und ihre
Heere versammelte, um gegen den Reiter auf dem Pferd und
sein Heer zu kämpfen. 20Und das Tier wurde gefangen und
mit ihm der falsche Prophet, der in seinem Namen große
Wunder getan und damit alle verführt hatte, die das Zeichen
des Tieres angenommen und sein Standbild angebetet hatten.
Sowohl das Tier als auch der falsche Prophet wurden lebendig in den Feuersee geworfen, der mit Schwefel brennt. 21Die
übrigen wurden durch das Schwert getötet, das aus dem
Mund dessen kam, der auf dem weißen Pferd saß. Und alle
Vögel des Himmels wurden satt von ihrem Fleisch.

Die tausend Jahre

20 1Dann sah ich einen Engel aus dem Himmel herabkommen, der den Schlüssel zum Abgrund und eine
schwere Kette in der Hand hatte. 2Er packte den Drachen –
die alte Schlange, den Teufel, der Satan – und legte ihn für
tausend Jahre in Ketten. 3Der Engel warf ihn in den Abgrund
und verschloss und versiegelte ihn, sodass der Satan die Völker bis zum Ablauf der tausend Jahre nicht mehr verführen
konnte. Danach muss er noch einmal für kurze Zeit losgelassen werden.

4Dann sah ich Throne, auf die sich Menschen setzten, die
Vollmacht erhielten, Gericht zu halten. Und ich sah die Seelen
derer, die getötet worden waren, weil sie Jesus bezeugt und
das Wort Gottes verkündet hatten. Sie hatten das Tier und

sein Standbild nicht angebetet und sein Zeichen nicht auf ih-
rer Stirn und auf ihrer Hand getragen. Sie wurden wieder le-
bendig und herrschten tausend Jahre lang mit Christus. 5Die
übrigen Toten wurden nicht wieder lebendig, bis die tausend
Jahre vorüber waren. Das ist die erste Auferstehung. 6Glück-
lich und heilig sind die, die an der ersten Auferstehung teilha-
ben. Über sie hat der zweite Tod keine Macht, sondern sie
werden Priester von Gott und Christus sein und tausend Jahre
lang mit ihm herrschen.

Die endgültige Vernichtung des Satans

7Wenn die tausend Jahre vorüber sind, wird der Satan aus
seinem Gefängnis freigelassen werden. 8Er wird umherzie-
hen, um die Völker der ganzen Erde, die Gog und Magog
genannt werden, zu verführen. Er wird sie zum Krieg sam-
meln – zu einem mächtigen Heer, so zahllos wie der Sand am
Meer. 9Und ich sah sie, wie sie über die ganze Breite der Erde
heraufzogen und Gottes Volk und die geliebte Stadt umzin-
gelten. Doch vom Himmel fiel Feuer auf sie herab und ver-
nichtete sie.

10Dann wurde der Teufel, der sie betrogen hatte, zu dem Tier
und dem falschen Propheten in den Feuersee geworfen, der
mit Schwefel brennt. Und sie werden in alle Ewigkeit gequält
werden Tag und Nacht.

Das letzte Gericht

11Und ich sah einen großen weißen Thron und den, der darauf
sitzt. Die Erde und der Himmel flohen vor seiner Gegenwart,
aber sie fanden keinen Ort, um sich zu verbergen. 12Ich sah die
Toten, die großen und die kleinen, vor Gottes Thron stehen.
Und es wurden Bücher aufgeschlagen, darunter auch das
Buch des Lebens. Und die Toten wurden nach dem gerichtet,
was in den Büchern über sie geschrieben stand, nach dem,
was sie getan hatten. 13Das Meer gab die Toten her, die darin
waren, und der Tod und das Totenreich gaben die Toten her,
die in ihnen waren. Sie alle wurden nach ihren Taten gerichtet.
14Und der Tod und das Totenreich wurden in den Feuersee

geworfen. Das ist der zweite Tod – der Feuersee. 15Und alle,
deren Namen nicht im Buch des Lebens geschrieben standen,
wurden ebenfalls in den Feuersee geworfen.

Das neue Jerusalem

21 1Dann sah ich einen neuen Himmel und eine neue Er-
de, denn der alte Himmel und die alte Erde waren ver-
schwunden. Und auch das Meer war nicht mehr da. 2Und ich
sah die heilige Stadt, das neue Jerusalem, von Gott aus dem
Himmel herabkommen wie eine schöne Braut, die sich für
ihren Bräutigam geschmückt hat.
3Ich hörte eine laute Stimme vom Thron her rufen: »Siehe,
die Wohnung Gottes ist nun bei den Menschen! Er wird bei
ihnen wohnen und sie werden sein Volk sein und Gott selbst
wird bei ihnen sein. 4Er wird alle ihre Tränen abwischen, und
es wird keinen Tod und keine Trauer und kein Weinen und
keinen Schmerz mehr geben. Denn die erste Welt mit ihrem
ganzen Unheil ist für immer vergangen.«
5Und der, der auf dem Thron saß, sagte: »Ja, ich mache alles
neu!« Und dann sagte er zu mir: »Schreib es auf, denn was ich
dir sage, ist zuverlässig und wahr!« 6Und er sagte auch: »Es ist
vollendet! Ich bin das Alpha und das Omega – der Anfang
und das Ende. Jedem, der durstig ist, werde ich aus der Quel-
le, die das Wasser des Lebens enthält, umsonst zu trinken ge-
ben! 7Wer siegreich ist, wird dies alles empfangen; ich werde
sein Gott sein, und er wird mein Sohn sein. 8Doch die Feigen
und Treulosen und diejenigen, die abscheuliche Taten tun
und die Mörder und Unzüchtigen und die, die Zauberei trei-
ben, die Götzendiener und alle Lügner – sie erwartet der See,
der mit Feuer und Schwefel brennt. Das ist der zweite Tod.«
9Dann kam einer der sieben Engel, welche die sieben Scha-
len mit den sieben Plagen getragen hatten, und sagte zu mir:
»Komm mit mir! Ich will dir die Braut, die Frau des Lammes,
zeigen.«
10Da nahm er mich im Geist auf einen großen, hohen Berg
und zeigte mir die heilige Stadt, Jerusalem, die von Gott aus
dem Himmel herabkam. 11Sie war ganz von der Herrlichkeit

Gottes erfüllt und funkelte wie ein kostbarer Edelstein, kris-
tallklar wie Jaspis. 12Ihre Mauern waren breit und hoch und
hatten zwölf Tore, die von zwölf Engeln bewacht wurden.
Und auf den Toren standen die Namen der zwölf Stämme
Israels geschrieben. 13An jeder Seite – im Osten, Norden, Sü-
den und Westen – befanden sich drei Tore. 14Die Mauer der
Stadt hatte zwölf Grundsteine, auf denen die Namen der
zwölf Apostel des Lammes geschrieben standen.

15Der Engel, der mit mir gesprochen hatte, hielt eine goldene
Messlatte in der Hand, um die Stadt, ihre Tore und ihre Mauer
zu vermessen. 16Als er sie maß, stellte sich heraus, dass sie
viereckig und genauso lang wie breit war. Ihre Länge und
Breite und Höhe betrugen je zweitausendzweihundertzwan-
zig Kilometer. 17Dann maß er die Mauer, die fünfundsechzig
Meter dick war. Dabei benutzte der Engel ein bei Menschen
übliches Maß.

18Die Mauer bestand aus Jaspis, und die Stadt war reines
Gold, so klar wie Glas. 19Die Mauer der Stadt war auf zwölf
Grundsteinen erbaut, die mit zwölf Edelsteinen geschmückt
waren: Der erste war ein Jaspis, der zweite ein Saphir, der
dritte ein Chalzedon, der vierte ein Smaragd, 20der fünfte ein
Sardonyx, der sechste ein Karneol, der siebte ein Chrysolith,
der achte ein Beryll, der neunte ein Topas, der zehnte ein
Chrysopras, der elfte ein Hyazinth, der zwölfte ein Amethyst.
21Die zwölf Tore bestanden aus zwölf Perlen – jedes Tor aus
einer einzigen Perle! Und die Hauptstraße war reines Gold, so
klar wie Glas.

22Kein Tempel war in der Stadt zu sehen, denn der Herr,
Gott, der Allmächtige, und das Lamm sind ihr Tempel. 23Und
die Stadt braucht keine Sonne und keinen Mond, damit es in
ihr hell wird, denn die Herrlichkeit Gottes erleuchtet die
Stadt, und das Lamm ist ihr Licht. 24Die Völker der Erde wer-
den in ihrem Licht leben, und die Könige der Welt werden
kommen und ihre Herrlichkeit in die Stadt bringen. 25Ihre
Tore bleiben geöffnet, denn es gibt dort keine Nacht mehr.
26Und alle Völker werden ihre Herrlichkeit und Ehre in die
Stadt bringen. 27Nichts Unreines wird hinein dürfen, auch

niemand, der Götzendienst treibt und Lügen verbreitet, sondern nur die, deren Namen im Lebensbuch des Lammes geschrieben stehen.

22 1 Und der Engel zeigte mir einen reinen Fluss mit dem
Wasser des Lebens, so klar wie Kristall, der vom Thron
Gottes und des Lammes entspringt 2 und in der Mitte der
Hauptstraße hinabfließt. Auf beiden Seiten des Flusses ist je
ein Baum des Lebens, der zwölf verschiedene Früchte trägt
und jeden Monat eine neue Frucht hervorbringt. Die Blätter
dienen zur Heilung der Völker.
3 Nichts wird je wieder unter einem Fluch stehen. Denn der
Thron Gottes und des Lammes wird dort sein, und seine Die-
ner werden ihn anbeten. 4 Und sie werden sein Gesicht sehen,
und sein Name wird auf ihren Stirnen geschrieben stehen.
5 Und es wird dort keine Nacht mehr geben – man wird weder
Lampen noch das Licht der Sonne brauchen –, weil der Herr,
Gott, über ihnen leuchten wird. Und sie werden für immer
und ewig herrschen.
6 Dann sagte der Engel zu mir: »Diese Worte sind zuverlässig
und wahr: ›Der Herr, Gott, der seinen Propheten mitteilt, was
in der Zukunft liegt, hat seinen Engel geschickt, um seinen
Dienern zu sagen, was bald geschehen muss.‹«

Jesus kommt bald

7 »Ja, ich komme bald! Glücklich ist, wer an der prophetischen
Rede in dieser Schriftrolle festhält.«
8 Ich, Johannes, bin derjenige, der all diese Dinge hörte und
sah. Und als ich dies alles gehört und gesehen hatte, fiel ich
nieder, um den Engel anzubeten, der es mir gezeigt hatte.
9 Aber er sagte: »Nein, bete nicht mich an! Ich bin ein Diener
Gottes, genau wie du und deine Brüder, die Propheten, und
alle, die an dem festhalten, was in dieser Schriftrolle steht.
Bete Gott an!«
10 Dann wies er mich an: »Versiegle die prophetischen Worte
dieses Buches nicht, die du niedergeschrieben hast, denn die
Zeit ist nahe! 11 Wer unrecht tut, soll weiter unrecht tun; wer

unrein ist, soll sich weiter verunreinigen; wer gerecht ist, soll
weiter gerecht handeln; und wer heilig ist, soll weiter heilig
leben.«

12 »Siehe, ich komme bald und mein Lohn mit mir, um allen
zu vergelten, was sie getan haben. 13 Ich bin das Alpha und das
Omega, der Erste und der Letzte, der Anfang und das Ende.

14 Glücklich sind diejenigen, die ihre Kleider waschen, damit
sie durch die Tore der Stadt eintreten und das Recht haben,
vom Baum des Lebens zu essen. 15 Außerhalb der Stadt sind
die Hunde – die Zauberer, die Unzüchtigen, die Mörder, die
Götzendiener und alle, die es lieben, in Lüge zu leben.

16 Ich, Jesus, habe meinen Engel geschickt, um euch diese
Botschaft für die Gemeinden zu bezeugen. Ich bin der Ur-
sprung Davids und zugleich sein Nachkomme. Ich bin der
glänzende Morgenstern.«

17 Der Geist und die Braut sagen: »Komm!« Und wer sie hört,
soll sagen: »Komm!« Wer durstig ist, der komme. Wer will,
soll kommen und umsonst vom Wasser des Lebens trinken!
18 Und ich versichere jedem, der die prophetischen Worte die-
ses Buchs hört: »Wenn jemand dem, was hier geschrieben
steht, irgendetwas hinzufügt, wird Gott ihm die Plagen zufü-
gen, die in diesem Buch beschrieben werden. 19 Und wenn je-
mand irgendetwas von den prophetischen Worten dieses
Buchs wegnimmt, wird Gott ihm seinen Anteil am Baum des
Lebens und an der Heiligen Stadt wegnehmen, die in diesem
Buch beschrieben werden.«

20 Derjenige, der dies alles bezeugt, sagt: »Ja, ich komme
bald!«

Amen! Komm, Herr Jesus!

21 Die Gnade des Herrn Jesus soll euch begleiten!

Ausgewählte Psalmen

Echtes Glück

1 Glücklich ist der Mensch, der nicht auf den Rat der Gottlosen
hört, der sich am Leben der Sünder kein Beispiel nimmt und
sich nicht mit Spöttern abgibt.
2 Voller Freude tut er den Willen des Herrn und denkt über
sein Gesetz Tag und Nacht nach.
3 Er ist wie ein Baum, der am Flussufer wurzelt und Jahr für
Jahr reiche Frucht trägt. Seine Blätter welken nicht, und alles,
was er tut, gelingt ihm.
4 Ganz anders aber ergeht es den gottlosen Menschen! Sie sind
wie Spreu, die der Wind verweht.
5 Vor dem Gericht Gottes bestehen sie nicht und finden keinen
Platz unter den Gottesfürchtigen.
6 Über die Wege der Gottesfürchtigen wacht der Herr, die
Wege der Gottlosen aber führen ins Verderben.

Ein unschuldiges Gebet

17 Ein Gebet Davids. Herr, höre meine Bitte um Gerechtigkeit.
Achte auf meinen Hilfeschrei! Vernimm mein Gebet, denn
es kommt aus aufrichtigem Herzen.
2 Dein Urteil wird mich freisprechen, denn du weißt, dass ich
aufrichtig bin.
3 In der Nacht hast du meine Gedanken geprüft und mein
Herz auf die Probe gestellt. Du hast mich angesehen und nichts
Falsches an mir gefunden, denn ich habe mir vorgenommen, mit
meinen Worten nicht zu sündigen.
4 Ich habe mich an deine Gebote gehalten, und das hat mich
davor bewahrt, auf bösen Wegen zu gehen.
5 Ich habe mich an deinen Weg gehalten und bin nicht davon
abgewichen.

[6]Ich bete zu dir, denn ich weiß, dass du mich erhören wirst. Neige dich zu mir herab und höre mein Gebet.

[7]Zeige mir auf wunderbare Weise deine Gnade. Du rettest mit deiner Kraft die Menschen, die bei dir Schutz vor den Feinden suchen.

[8]Behüte mich wie einen Augapfel und gib mir Zuflucht unter dem Schatten deiner Flügel.

[9]Beschütze mich vor den gottlosen Menschen, die mich vernichten wollen, und vor meinen Feinden, die mir von überall her nachstellen.

[10]Sie kennen kein Erbarmen und reden überheblich.

[11]Sie verfolgen und umzingeln uns und wollen uns zu Boden werfen.

[12]Sie sind wie ein hungriger Löwe, der im Hinterhalt auf Beute lauert, um sie zu zerreißen; wie ein junger Löwe, der im Hinterhalt sitzt.

[13]Erhebe dich, Herr, tritt ihm entgegen und unterwirf ihn! Rette mich mit deinem Schwert vor dem Gottlosen!

[14]Herr, befreie mich mit deiner mächtigen Hand vor denen, die nur auf ihren Vorteil aus sind. Die gerechte Strafe soll sie mitsamt ihren Kindern und ihren Enkeln treffen.

[15]Ich aber habe getan, was recht ist, deshalb werde ich dich sehen. Wenn ich erwache, werde ich ganz zufrieden sein, denn dann werde ich dich von Angesicht zu Angesicht sehen.

Der Herr ist unser Hirte

23 Ein Psalm Davids. Der Herr ist mein Hirte, ich habe alles, was ich brauche.

[2]Er lässt mich in grünen Tälern ausruhen, er führt mich zum frischen Wasser.

[3]Er gibt mir Kraft. Er zeigt mir den richtigen Weg um seines Namens willen.

[4]Auch wenn ich durch das dunkle Tal des Todes gehe, fürchte

ich mich nicht, denn du bist an meiner Seite. Dein Stecken und
Stab schützen und trösten mich.
5Du deckst mir einen Tisch vor den Augen meiner Feinde. Du
nimmst mich als Gast auf und salbst mein Haupt mit Öl. Du
überschüttest mich mit Segen.
6Deine Güte und Gnade begleiten mich alle Tage meines
Lebens, und ich werde für immer im Hause des Herrn wohnen.

Ein Gebet um Wegweisung und Schutz

25 Ein Psalm Davids. Herr, nach dir habe ich Verlangen.
2Ich vertraue auf dich, mein Gott! Lass mich nicht
zugrunde gehen und lass nicht zu, dass meine Feinde sich an
meiner Niederlage freuen.
3Alle, die dir vertrauen, werden nicht untergehen, doch die,
die andere betrügen wollen, werden zu Fall kommen.
4Herr, zeige mir die Wege, die ich gehen soll, und weise mir die
Pfade, denen ich folgen soll.
5Führe mich und lehre mich, nach deiner Wahrheit zu leben,
denn du bist der Gott, der mich rettet. Auf dich hoffe ich zu jeder
Zeit.
6Herr, denke an deine Gnade und an dein Erbarmen, die du
von jeher gezeigt hast.
7Herr, vergib mir die Sünden meiner Jugend und sieh mich
mit gnädigen Augen an, denn du bist gütig.
8Der Herr ist gut und gerecht; darum zeigt er den Sündern den
richtigen Weg.
9Er zeigt den Demütigen, was richtig ist, und lehrt sie seinen
Weg.
10Mit Gnade und Treue leitet der Herr alle, die seinen Bund
halten und seinen Geboten gehorchen.
11Herr, vergib mir meine große Schuld, damit dein Name
geehrt wird.
12Wie steht es mit dem Menschen, der den Herrn ernst nimmt?

Der Herr wird ihm den Weg zeigen, den er gehen soll.
13Es wird ihm gut gehen und seine Kinder werden das ganze Land besitzen.
14Die Freundschaft mit dem Herrn gebührt denen, die ihn ernst nehmen. Er lässt sie wissen, wozu sein Bund mit ihnen da ist.
15Ich richte meine Augen stets auf den Herrn, denn er wird mich aus den Fallen befreien, die meine Feinde mir stellen.
16Wende dich mir zu und hab Erbarmen mit mir, denn ich bin allein und in großer Not.
17Die Angst in meinem Herzen wird immer größer. Errette mich aus meinen Nöten!
18Sieh meinen Schmerz und meinen Kummer. Vergib mir alle meine Sünden!
19Sieh doch, wie viele Feinde ich habe, die mich zu Unrecht hassen!
20Beschütze mich und rette mich vor ihnen! Lass mich nicht zugrunde gehen, denn ich vertraue auf dich.
21Hilf mir, aufrichtig und ehrlich zu leben, weil ich meine Hoffnung auf dich setze.
22O Gott, erlöse Israel aus aller seiner Not!

Ein Lobgesang

27 Ein Psalm Davids. Der Herr ist mein Licht und mein Heil – vor wem sollte ich mich fürchten? Der Herr beschützt mich vor Gefahr – vor wem sollte ich erschrecken?
2Wenn böse Menschen kommen, um mich zu vernichten, wenn meine Feinde und Verfolger mich angreifen, dann werden sie stolpern und stürzen.
3Ein mächtiges Heer umzingelt mich, dennoch fürchte ich mich nicht. Auch wenn sie mich angreifen, bleibe ich voller Zuversicht.
4Eine einzige Bitte habe ich an den Herrn: Ich sehne mich

danach, solange ich lebe, im Haus des Herrn zu sein, um seine Freundlichkeit zu sehen und in seinem Tempel still zu werden.
5Denn er wird mich aufnehmen, wenn schlechte Zeiten kommen, und mir in seinem Heiligtum Schutz geben. Er wird mich auf einen hohen Berg stellen, wo mich niemand erreichen kann.
6Dann werde ich über meine Feinde, die mich umzingeln, triumphieren. Jubelnd will ich ihm Opfer darbringen und den Herrn loben und ihm singen.
7Hör meine Bitten, Herr. Sei barmherzig und erhöre mich!
8Ich erinnere mich, dass du gesagt hast: »Suchet meine Nähe.« Und ich habe geantwortet: »Herr, dich suche ich.«
9Verbirg dich nicht vor mir und verstoße deinen Knecht nicht im Zorn! Du hast mir immer geholfen, darum verlass mich jetzt nicht. Gott, mein Retter, lass mich nicht im Stich!
10Wenn selbst Vater und Mutter mich verlassen, wird doch der Herr mich aufnehmen.
11Herr, zeige mir, wie ich leben soll, und führe mich den Weg, der richtig ist, denn meine Feinde warten nur darauf, dass ich falle.
12Gib mich nicht in ihre Hände, denn sie beschuldigen mich vieler Dinge, die ich nicht getan habe, und werden mir Grausames antun.
13Doch ich vertraue fest darauf, dass ich noch sehen werde, wie gut Gott ist, solange ich lebe.
14Vertraue auf den Herrn! Sei mutig und tapfer und hoffe geduldig auf den Herrn!

Vertrauen in Gott

31 Für den Chorleiter: Ein Psalm Davids.
2Herr, bei dir suche ich Schutz, lass mich nicht zugrunde gehen. Hilf mir durch deine Gerechtigkeit!
3Wende dich zu mir und höre mich. Rette mich schnell! Sei

für mich ein schützender Fels, eine Festung, in der meine Feinde mich nicht erreichen können.

4Du bist mein schützender Fels und meine Festung. Führe und leite mich um der Ehre deines Namens willen.

5Zieh mich aus der Falle heraus, die meine Feinde mir gestellt haben, denn bei dir allein finde ich Schutz.

6Ich lege meinen Geist in deine Hände. Du hast mich gerettet, Herr, du treuer Gott.

7Ich verachte die, die nutzlose Götzen anbeten. Doch ich vertraue auf den Herrn.

8Ich freue mich über deine Gnade, denn du hast mein Elend gesehen, und meine Angst ist dir nicht gleichgültig.

9Du hast mich meinen Feinden nicht ausgeliefert, sondern mich an einen sicheren Ort gebracht.

10Sei mir gnädig, Herr, denn ich bin verzweifelt! Mein Blick ist getrübt vor Tränen. Mein Leib ist kraftlos, meine Seele ist leer.

11Ich sterbe vor Kummer, und Sorge verkürzt mein Leben. Das Elend raubt mir die Kraft und meine Glieder sind wie leblos.

12Meine Feinde verspotten mich, und meine Nachbarn lachen mich aus – selbst meine Freunde meiden mich. Wenn sie mich auf der Straße sehen, gehen sie mir aus dem Weg.

13Vergessen hat man mich, als ob ich bereits tot wäre. Ich komme mir vor wie ein zerbrochenes Gefäß.

14Ich habe viele Gerüchte über mich gehört und bin von allen Seiten bedroht! Meine Feinde verschwören sich gegen mich und wollen mir mein Leben nehmen.

15Doch ich vertraue auf dich, Herr, und sage: »Du bist mein Gott!«

16Meine Zukunft liegt in deinen Händen. Rette mich vor meinen Feinden, die mich verfolgen.

17Sieh deinen Diener liebevoll an und hilf mir durch deine Gnade.

18Herr, lass mich nicht zugrunde gehen, denn ich rufe zu

dir um Hilfe. Die Bösen sollen umkommen, damit sie endlich
begraben werden und schweigen.

19 Die Lügner sollen verstummen, die stolz und verächtlich den
Gottesfürchtigen verklagen.

20 Wie groß ist deine Güte, die du denen bereithältst, die dich
ehren, und vor den Menschen denen zeigst, die dich um Schutz
bitten.

21 Du birgst sie im Schatten deiner Gegenwart, sicher vor
denen, die sich gegen sie verschwören. Du schenkst ihnen
Zuflucht bei dir, vor denen, die sie anklagen.

22 Lobt den Herrn, denn er hat mir seine Gnade bewiesen. Als
meine Stadt angegriffen wurde, hat er mich sicher bewahrt.

23 Von Furcht überwältigt, dachte ich: »Ich bin vom Herrn
verstoßen!« Doch du hast mich gehört, als ich um Hilfe schrie.

24 Liebt den Herrn, die ihr zu ihm gehört! Der Herr beschützt
die, die ihm treu sind, aber die Stolzen bestraft er.

25 Deshalb seid stark und mutig, alle, die ihr eure Hoffnung auf
den Herrn setzt!

Bekenntnis und Vergebung

32 Ein Psalm Davids. Glücklich ist der, dessen Sünde
vergeben ist und dessen Schuld zugedeckt ist.

2 Glücklich ist der, dem der Herr die Sünden nicht anrechnet
und der ein vorbildliches Leben führt!

3 Als ich mich weigerte, meine Schuld zu bekennen, war ich
schwach und elend, dass ich den ganzen Tag nur noch stöhnte
und jammerte.

4 Tag und Nacht bedrückte mich dein Zorn, meine Kraft
vertrocknete wie Wasser in der Sommerhitze. Musik

5 Doch endlich gestand ich dir meine Sünde und gab es auf, sie
zu verbergen. Ich sagte: »Ich will dem Herrn meine Auflehnung
bekennen.« Und du hast mir vergeben und meine Schuld
weggenommen! Musik

[6]Deshalb sollen die, die dich lieben, dir ihre Verfehlungen bekennen, solange noch Zeit ist, damit sie nicht in den Fluten des Gerichts ertrinken.

[7]Denn du bist mein Schutz und bewahrst mich vor Angst und Sorgen. Du lässt mich über meine Rettung jubeln. Musik

[8]»Ich will dir Verständnis geben und den Weg weisen, den du gehen sollst. Ich will dich beraten – mein Auge ruht auf dir.«

[9]Sei nicht wie ein unvernünftiges Pferd oder ein Maultier, das Gebiss und Zaumzeug braucht, damit es folgt.

[10]Die Gottlosen haben viele Sorgen, aber die auf den Herrn vertrauen, sind von Gottes Güte umgeben.

[11]Deshalb freut euch im Herrn und seid froh, die ihr ihm gehorsam seid! Jubelt alle vor Freude, deren Herzen aufrichtig sind!

Vertraue auf den Herrn

37 Ein Psalm Davids. Ärgere dich nicht über die schlechten Menschen. Beneide die nicht, die Unrecht tun.

[2]Denn sie werden wie Gras verdorren und wie Blumen verwelken.

[3]Vertraue auf den Herrn und tue Gutes, dann wirst du im Lande sicher leben, und es wird dir gut gehen.

[4]Freu dich am Herrn, und er wird dir geben, was dein Herz wünscht.

[5]Überlass dem Herrn die Führung deines Lebens und vertraue auf ihn, er wird es richtig machen.

[6]Deine Unschuld wird er sichtbar machen so hell wie das Licht des Tages, und die Rechtmäßigkeit deiner Sache wird leuchten wie die Mittagssonne.

[7]Sei ruhig in der Gegenwart des Herrn und warte, bis er eingreift. Ärgere dich nicht über die Bösen, denen es gut geht, und fürchte dich nicht vor ihren bösen Plänen.

[8]Lass dich nicht zu Zorn und Wut hinreißen! Ärgere dich

nicht, damit du nichts Unrechtes tust!
9Denn die Bösen werden vernichtet werden, aber die
Menschen, die auf den Herrn vertrauen, werden das Land
besitzen.
10Es dauert nicht mehr lange und der Gottlose wird
verschwinden. Du wirst ihn suchen, doch er wird nicht mehr
da sein.
11Den Armen wird dann das Land gehören, und es wird ihnen
gut gehen und sie werden in Frieden leben.
12Der Gottlose plant Böses gegen den, der Gott gehorcht. Er
verspottet und verhöhnt ihn.
13Doch der Herr lacht nur darüber, denn er weiß, dass der Tag
des Gerichtes kommt.
14Die Gottlosen ziehen ihre Schwerter und spannen die
Bögen, um die Armen und Unterdrückten zu töten, um die, die
aufrichtig sind, zu ermorden.
15Doch am Ende wird man ihnen ihre eigenen Schwerter ins
Herz stoßen, und ihre Bogen werden zerbrochen werden.
16Es ist besser, Gott zu lieben und wenig Besitz zu haben, als
Gott zu verachten und viel zu besitzen.
17Denn der Herr zerbricht die Macht der Gottlosen, aber um
die, die ihn lieben, kümmert er sich.
18Der Herr sorgt täglich für die, die recht tun, und was er
ihnen gibt, gehört ihnen für immer.
19Sie werden in schweren Zeiten nicht umkommen und selbst
in Hungersnöten werden sie mehr als genug haben.
20Die Bösen dagegen werden zugrunde gehen. Die Feinde des
Herrn verwelken wie die Blumen auf dem Feld – wie Rauch, der
sich auflöst, vergehen sie.
21Die Bösen borgen und zahlen nicht zurück, aber die auf Gott
vertrauen, geben großzügig.
22Die Menschen, die der Herr segnet, werden das Land
besitzen, aber die Menschen, die er verflucht, werden sterben.

[23]Der Herr freut sich an einem aufrichtigen Menschen und führt ihn sicher.

[24]Auch wenn er stolpert, wird er nicht fallen, denn der Herr hält ihn fest an der Hand.

[25]Ich habe ein langes Leben hinter mir, doch nie habe ich erlebt, dass die, die auf Gott vertrauen, vergessen wurden, oder dass ihre Kinder um Brot betteln mussten.

[26]Vielmehr geben sie großzügig, und ihre Kinder sind für andere ein Segen.

[27]Wende dich vom Bösen ab und tu Gutes, dann wirst du für immer im Lande wohnen.

[28]Denn der Herr liebt Gerechtigkeit und wird die, die ihm treu sind, niemals verlassen. Er wird sie für alle Zeiten bewahren, aber die Kinder der Bösen werden vernichtet.

[29]Die Gottesfürchtigen werden das Land besitzen und für immer darin leben.

[30]Ein Mensch, der zu Gott gehört, redet weise und gerecht.

[31]Das Gesetz seines Gottes trägt er in seinem Herzen, darum weicht er nicht vom richtigen Weg ab.

[32]Die Gottlosen warten auf eine Gelegenheit, die Gottesfürchtigen zu töten.

[33]Doch der Herr wird ihre Pläne durchkreuzen und nicht zulassen, dass die, die auf ihn vertrauen, verurteilt werden, wenn sie vor dem Richter stehen.

[34]Hoffe auf den Herrn und befolge seine Gebote, dann wird er dich ehren und dir das Land schenken und du wirst sehen, wie er seine Feinde vernichtet.

[35]Ich habe einen gottlosen Menschen gesehen, voller Gewalt, der war mächtig wie ein üppiger Baum.

[36]Doch als ich wieder hinsah, war er fort und ich konnte ihn nicht finden!

[37]Schau auf die, die ehrlich und gut sind, denn vor denen, die den Frieden lieben, liegt eine wunderbare Zukunft.

[38]Die Gottlosen aber werden vernichtet werden, sie haben
keine Zukunft.
[39]Der Herr hilft denen, die ihm vertrauen, er ist ihre Zuflucht
in Zeiten der Not.
[40]Der Herr hilft ihnen und rettet sie vor gottlosen Menschen.
Er rettet sie, weil sie bei ihm Schutz suchen.

Gott mit uns

46 Für den Chorleiter: Ein Psalm der Nachkommen Korachs,
nach der Melodie »Jungfrauen« zu singen. Ein Lied.
[2]Gott ist unsre Zuflucht und unsre Stärke, er hat sich als Hilfe
in der Not bewährt.
[3]Deshalb fürchten wir uns nicht, auch wenn die Erde bebt und
die Berge ins Meer stürzen,
[4]wenn die Ozeane wüten und schäumen und durch ihre
Wucht die Berge erzittern! Musik
[5]Ein Fluss erfrischt die Stadt unseres Gottes, die heilige
Wohnung des Höchsten.
[6]Gott selbst wohnt in dieser Stadt, deshalb ist sie uneinnehmbar.
Gott wird sie jeden einzelnen Tag aufs Neue beschützen.
[7]Die Völker sind in Aufruhr und Königreiche fallen, denn
Gott lässt seine Stimme erschallen, und die Erde vergeht!
[8]Der allmächtige Herr ist bei uns; der Gott Israels ist unser
Schutz. Musik
[9]Kommt und seht die mächtigen Taten des Herrn, der
Zerstörung über die Welt bringt
[10]und den Kriegen überall ein Ende setzt. Er zerbricht die
Bögen und spaltet die Speere; er verbrennt die Streitwagen im
Feuer.
[11]»Hört auf und erkennt, dass ich Gott bin! Ich will von allen
Völkern verehrt werden, verehrt werden auf der ganzen Welt!«
[12]Der allmächtige Herr ist bei uns; der Gott Israels ist unser
Schutz.

Es ist Dummheit, sich auf Reichtum zu verlassen

49 Für den Chorleiter: Ein Psalm der Nachkommen Korachs.
2Hört zu, ihr Völker! Horcht auf, ihr Menschen!
3Vornehme oder einfache Menschen, Reiche oder Arme, hört alle zu!
4Denn meine Worte sind weise und meine Gedanken sind verständlich.
5Aufmerksam lausche ich vielen Sprüchen und löse Rätsel bei Harfenklang.
6Warum sollte ich mich fürchten, wenn schlimme Zeiten kommen und Feinde mich umzingeln?
7Sie vertrauen auf ihren großen Besitz und geben mit ihrem Reichtum an.
8Doch vom Tod können sie sich nicht freikaufen, sie können Gott kein Lösegeld zahlen.
9Der Kaufpreis für ein Leben ist zu hoch, niemand kann so viel zahlen,
10um ewig leben zu können.
11Weise Menschen müssen ebenso sterben wie unvernünftige Narren; alle müssen ihren Besitz für andere zurücklassen.
12Das Grab ist ihre ewige Heimat, darin liegen sie für immer, auch wenn auf Erden viel Land nach ihnen benannt wurde.
13Denn der Mensch bleibt trotz seines Reichtums nicht am Leben, sondern muss sterben wie die Tiere.
14Das ist das Schicksal derer, die auf sich selbst vertrauen und sich in ihrem überheblichen Gerede gefallen. Musik
15Wie Schafe werden sie in das Totenreich geführt, wo der Tod sie hüten wird. Aber schon bald werden gottesfürchtige Menschen über sie herrschen, und ihre Körper werden im Grab verwesen, denn dort ist ihre Wohnung.
16Mein Leben aber wird Gott freikaufen. Er wird mich der Macht des Todes entreißen. Musik
17Deshalb fürchte dich nicht, wenn jemand reicher wird und

sein Haus immer prachtvoller.
18 Denn wenn er stirbt, nimmt er nichts davon mit, sein
Reichtum folgt ihm nicht ins Grab.
19 Wenn er sich auch in diesem Leben für glücklich hält und die
Welt ihn bewundert,
20 muss er doch wie alle andern sterben, die das Licht des Tages
nicht mehr sehen.
21 Der Mensch, stolz auf seinen großen Reichtum, erkennt
nicht, dass er sterben muss wie die Tiere.

Sündenbekenntnis und Gebet

51 Für den Chorleiter: Ein Psalm Davids aus der Zeit,
2 als der Prophet Nathan zu ihm kam, nachdem David
mit Batseba Ehebruch begangen hatte.
3 Gott, sei mir gnädig um deiner Gnade willen und vergib mir
meine Sünden nach deiner großen Barmherzigkeit.
4 Wasche mich rein von meiner Schuld und reinige mich von
meiner Sünde.
5 Denn ich bekenne meine Sünde, die mich Tag und Nacht
verfolgt.
6 Gegen dich allein habe ich gesündigt und getan, was in
deinen Augen böse ist. Darum wirst du recht behalten mit dem,
was du sagst, und dein Urteil über mich ist gerecht.
7 Denn ich war ein Sünder von dem Augenblick an, da meine
Mutter mich empfing.
8 Dir gefällt ein Herz, das wahrhaftig ist; und im Verborgenen
lehrst du mich deine Weisheit.
9 Wasche von mir ab meine Sünden, und ich werde ganz rein
werden; wasche mich, und ich werde weißer sein als Schnee.
10 Gib mir meine Freude zurück und lass mich wieder fröhlich
werden, denn du hast mich zerbrochen.
11 Sieh meine Sünde nicht mehr an und vergib mir meine
Schuld.

12 Gott, erschaffe in mir ein reines Herz und gib mir einen
neuen, aufrichtigen Geist.
13 Verstoße mich nicht aus deiner Gegenwart und nimm deinen
Heiligen Geist nicht von mir.
14 Lass mich durch deine Hilfe wieder Freude erfahren und
mach mich bereit, dir zu gehorchen.
15 Dann will ich die Gottlosen deine Wege lehren, damit die
Sünder zu dir zurückkehren.
16 Vergib mir, dass ich Blut vergossen habe, Gott, mein Retter,
dann werde ich singen und jubeln über deine Vergebung.
17 Herr, öffne meine Lippen, damit ich dich lobe.
18 Mit Schlachtopfern bist du nicht zufrieden, sonst hätte ich sie
dir gebracht und auch Brandopfer würdest du nicht annehmen.
19 Das Opfer, das dir gefällt, ist ein zerbrochener Geist. Ein
zerknirschtes, reumütiges Herz wirst du, Gott, nicht ablehnen.
20 Hilf und erbarme dich über Zion, baue die Mauern
Jerusalems wieder auf.
21 Dann wirst du an unseren Opfern wieder Gefallen finden
und mit unseren Brandopfern zufrieden sein. Dann werden wir
wieder Stiere auf deinem Altar opfern.

Gottes Größe

65 Für den Chorleiter: Ein Psalm Davids.
2 Gott, Lob und Preis gebühren dir in Zion und wir
werden halten, was wir dir versprochen haben.
3 Du erhörst unsere Gebete, deshalb kommen die Menschen
zu dir.
4 Unsere Herzen sind voll Sünde, doch du vergibst alle Schuld.
5 Wie werden sich die freuen, die zu dir kommen und in deinen
heiligen Vorhöfen wohnen dürfen! Große Freude erwartet uns in
deinem heiligen Tempel.
6 Gott, unser Retter, du erhörst treu unsere Gebete und
antwortest uns mit wunderbaren Taten. Du bist die Hoffnung

aller Menschen auf Erden und auf den Meeren.
7Du hast die Berge durch deine Macht gebildet und dich mit
großer Kraft umgeben.
8Du hast die Ozeane mit ihren tosenden Wellen besänftigt und
die Völker zum Verstummen gebracht.
9Die am Ende der Erde leben, stehen in Ehrfurcht vor deinen
Wundern. Vom Sonnenaufgang bis zum Sonnenuntergang gibst
du den Menschen Grund zur Freude.
10Du sorgst für die Erde und bewässerst sie, machst sie üppig
und fruchtbar. Gottes Fluss führt Wasser im Überfluss. Du
schenkst ihnen Getreide in Hülle und Fülle, denn so hast du es
angeordnet.
11Du tränkst die Ackerfurchen mit Regen und weichst den
Erdboden auf. Du schenkst der Erde fruchtbringenden Regen
und segnest, was auf ihr wächst.
12Du krönst das Jahr mit reicher Ernte, die steinigen Wege
fließen über vor Fülle.
13Die Wüste wird zur blühenden Wiese, und von den Bergen
hört man Jubel.
14Die Täler sind voller Schafherden, und die Felder sind üppig
mit Korn bedeckt. Deshalb freuen sich alle und singen vor Glück!

Gottes Schutz ist gut

91 Wer im Schutz des Höchsten lebt, der findet Ruhe im
Schatten des Allmächtigen.
2Der spricht zu dem Herrn: Du bist meine Zuflucht und meine
Burg, mein Gott, dem ich vertraue.
3Denn er wird dich vor allen Gefahren bewahren und dich in
Todesnot beschützen.
4Er wird dich mit seinen Flügeln bedecken, und du findest bei
ihm Zuflucht. Seine Treue schützt dich wie ein großer Schild.
5Fürchte dich nicht vor den Angriffen in der Nacht und habe
keine Angst vor den Gefahren des Tages,

6vor der Pest, die im Dunkeln lauert, vor der Seuche, die dich
am hellen Tag trifft.
7Wenn neben dir auch Tausende sterben, wenn um dich
herum Zehntausende fallen, kann dir doch nichts geschehen.
8Du wirst es mit eigenen Augen sehen, du wirst sehen, wie
Gott die Gottlosen bestraft.
9Wenn der Herr deine Zuflucht ist, wenn du beim Höchsten
Schutz suchst,
10dann wird das Böse dir nichts anhaben können, und kein
Unglück wird dein Haus erreichen.
11Denn er befiehlt seinen Engeln, dich zu beschützen, wo
immer du gehst.
12Auf Händen tragen sie dich, damit du deinen Fuß nicht an
einen Stein stößt.
13Löwen und giftige Schlangen wirst du zertreten, wilde Löwen
und Schlangen wirst du mit deinen Füßen niedertreten!
14Der Herr spricht: »Ich will den erretten, der mich liebt. Ich
will den beschützen, der auf meinen Namen vertraut.
15Wenn er zu mir ruft, will ich antworten. Ich will ihm in der
Not beistehen und ihn retten und zu Ehren bringen.
16Ich will ihm ein langes Leben schenken und ihn meine Hilfe
erfahren lassen.«

Gottes Liebe

103 Ein Psalm Davids. Lobe den Herrn, meine Seele, und
alles, was mich ausmacht, seinen heiligen Namen.
2Lobe den Herrn, meine Seele, und vergiss all das Gute nicht,
das er für dich tut.
3Er vergibt dir alle deine Sünden und heilt alle deine
Krankheiten.
4Er kauft dich vom Tode frei und umgibt dich mit Liebe und
Güte.
5Er macht dein Leben reich und erneuert täglich deine Kraft,

dass du wieder jung wie ein Adler wirst.
6Der Herr schafft Gerechtigkeit und Recht allen, die Unrecht
erfahren.
7Er hat Mose seine Wege wissen lassen und Israel seine Taten
gezeigt.
8Barmherzig und gnädig ist der Herr, geduldig und voll großer
Gnade.
9Er wird uns nicht für immer Vorwürfe machen und nicht
ewig zornig sein.
10Er bestraft uns nicht für unsere Sünden und behandelt uns
nicht, wie wir es verdienen.
11Denn so hoch der Himmel über der Erde ist, so groß ist seine
Gnade gegenüber denen, die ihn fürchten.
12So fern der Osten vom Westen ist, hat er unsere Verfehlungen
von uns entfernt.
13Wie sich ein Vater über seine Kinder zärtlich erbarmt, so
erbarmt sich der Herr über alle, die ihn fürchten.
14Denn er weiß, dass wir vergänglich sind, er denkt daran, dass
wir nur Staub sind.
15Die Tage des Menschen sind wie Gras, wie eine Blume auf
dem Feld, so blüht der Mensch.
16Wenn der Wind weht, ist sie spurlos verschwunden, als sei
sie niemals da gewesen.
17Die Gnade des Herrn aber gilt bis in alle Ewigkeit allen,
die ihm gehorsam sind. Seine Gerechtigkeit reicht bis zu den
Kindern seiner Kinder,
18die seinem Bund treu sind und seinen Geboten gehorchen!
19Der Herr hat den Himmel zu seinem Thron gemacht, von
dort herrscht er über alles.
20Lobt den Herrn, ihr seine Engel, ihr mächtigen Wesen, die
ihr seine Befehle ausführt und auf seine Worte hört.
21Lobt den Herrn, ihr Engelscharen, die ihr ihm dient und
seinen Willen tut!

22 Lobt den Herrn, ihr Geschöpfe, an jedem Ort seines Reichs.
Lobe den Herrn, meine Seele!

Freude eines gerechten Menschen

112 Halleluja! Glücklich ist der Mensch, der Ehrfurcht hat
vor dem Herrn. Ja, glücklich ist, der sich über seine
Gebote freut.
2 Seine Nachkommen werden zu Macht und Ansehen gelangen,
die Kinder der Gottesfürchtigen werden gesegnet werden.
3 Sie werden reich werden, und ihre gerechten Taten werden
unvergessen bleiben.
4 Selbst in der Finsternis wird es für den Gottesfürchtigen hell.
Er ist gnädig, barmherzig und gerecht.
5 Gut hat es, wer großzügig ist und gerne leiht und in allen
seinen Geschäften ehrlich ist.
6 Auf ewig wird er niemals taumeln, an einen so gerechten
Menschen wird man sich immer erinnern.
7 Er fürchtet sich nicht vor schlechter Nachricht, sondern
vertraut fest darauf, dass der Herr für ihn sorgt.
8 Zuversichtlich ist er und furchtlos, denn er wird über seine
Gegner triumphieren.
9 Großzügig gibt er dem, der in Not ist. Seine gerechten Taten
bleiben unvergessen. Er wird zu großem Ansehen kommen.
10 Der Gottlose wird es sehen und sich ärgern, knirschen wird
er mit seinen Zähnen vor Zorn. Denn was die Gottlosen hoffen,
das vergeht.

Der Herr ist mein Schutz

121 Ein Lied für die Pilgerfahrt nach Jerusalem. Ich schaue
hinauf zu den Bergen – woher wird meine Hilfe
kommen?
2 Meine Hilfe kommt vom Herrn, der Himmel und Erde
gemacht hat.

3 Er wird nicht zulassen, dass du stolperst und fällst; der dich
behütet, schläft nicht.
4 Siehe, der Israel behütet, wird nicht müde und schläft nicht.
5 Der Herr selbst behütet dich! Der Herr ist dein schützender
Schatten über deiner rechten Hand.
6 Die Sonne wird dir am Tag nichts anhaben noch der Mond
bei Nacht.
7 Der Herr behütet dich vor allem Unheil und bewahrt dein
Leben.
8 Der Herr behütet dich, wenn du kommst und wenn du wieder
gehst, von nun an bis in Ewigkeit.

Gottes Herrlichkeit

145 Ein Loblied Davids. Ich will dich loben, mein Gott
und König, und deinen Namen preisen für immer und
ewig.
2 Ich will dir täglich aufs Neue danken, will dich loben zu aller
Zeit.
3 Groß ist der Herr und sehr zu loben! Seine Größe ist
unerforschlich!
4 Jede Generation soll ihren Kindern von deinen Werken
erzählen,
5 von den mächtigen Taten werden sie verkünden und von den
wunderbaren Zeichen, die du vollbracht hast.
6 Deine gewaltigen Taten werden in aller Munde sein, und ich
will deine Größe verkünden.
7 Alle werden die Nachricht von deiner wunderbaren Güte
hören und werden jubeln vor Freude über deine Gerechtigkeit.
8 Der Herr ist gnädig und barmherzig, geduldig und voller
Gnade.
9 Der Herr ist gut zu allen Menschen und barmherzig zu seiner
ganzen Schöpfung.
10 Alle deine Geschöpfe werden dir danken, Herr, und alle, die

dir treu sind, werden dich loben.
[11]Sie werden von der Herrlichkeit deines Königreiches sprechen, sie werden von deiner Macht erzählen.
[12]Sie werden deine mächtigen Taten und die Größe und Herrlichkeit deines Reiches verkünden.
[13]Denn dein Reich bleibt ewig und deine Herrschaft besteht von Generation zu Generation. Der Herr ist treu in allem, was er sagt, er ist gnädig in allem, was er tut.
[14]Der Herr hält die fest, die hinfallen, und hilft denen auf, die zusammengebrochen sind.
[15]Aller Augen sehen auf dich und warten auf Hilfe; du gibst ihnen Nahrung, wenn es nötig ist.
[16]Wenn du deine Hand öffnest, stillst du den Hunger und Durst aller Geschöpfe.
[17]Der Herr ist gerecht in allem, was er tut, ein Gott, auf den man sich verlassen kann.
[18]Der Herr ist allen nahe, die ihn anrufen, allen, die ihn aufrichtig anrufen.
[19]Er erfüllt die Wünsche derer, die ihn achten, er hört ihre Hilfeschreie und rettet sie.
[20]Der Herr beschützt alle, die ihn lieben, die Gottlosen aber vernichtet er.
[21]Ich will den Herrn loben, und alle Menschen werden seinen heiligen Namen preisen, jetzt und für alle Zeit.